Key to ma

- Tableau d'as
- Kaartindeling

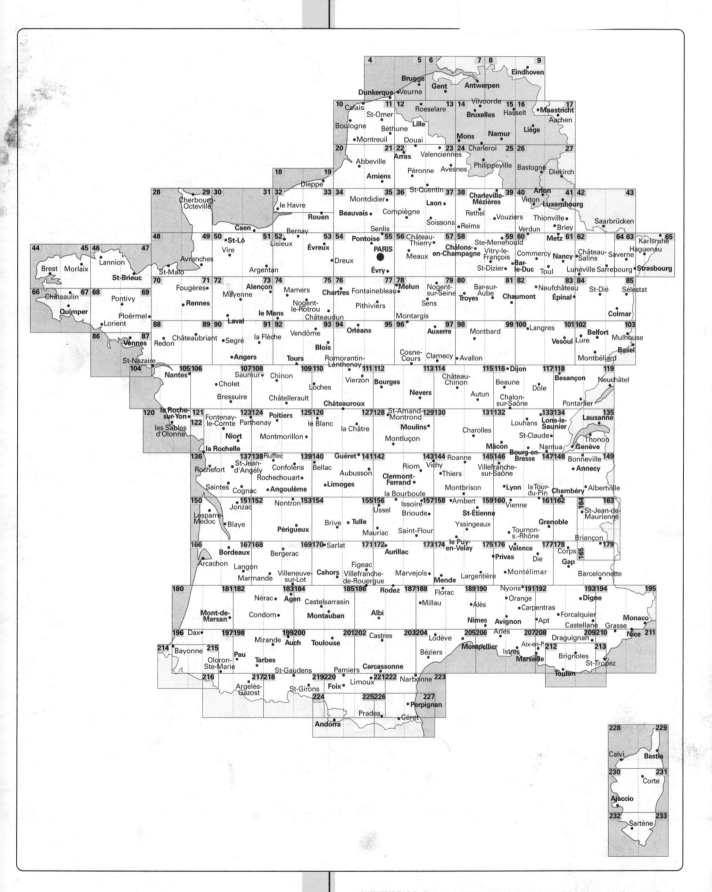

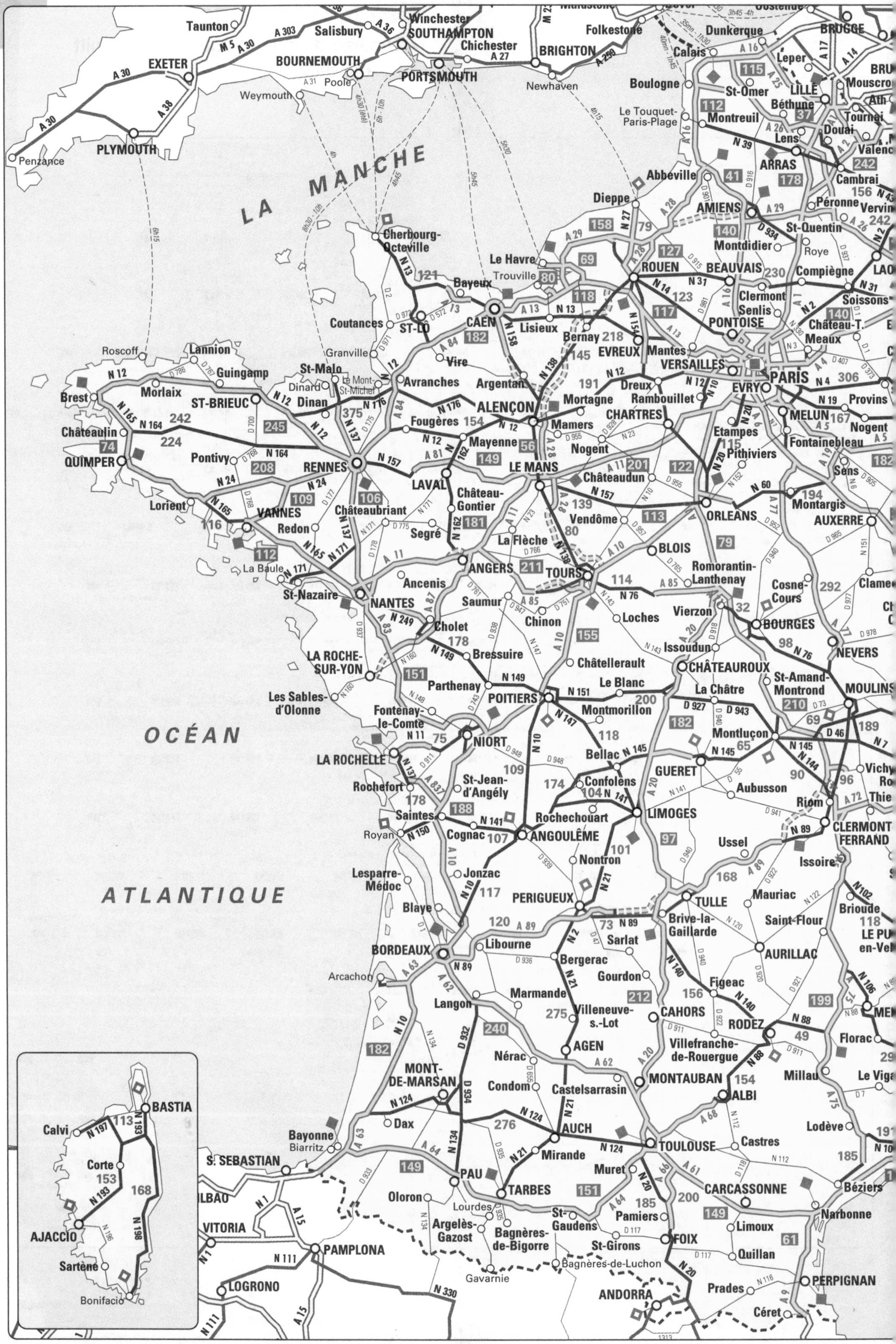
LA MANCHE
OCÉAN
ATLANTIQUE
Taunton
EXETER
Salisbury
Winchester
SOUTHAMPTON
Chichester
BRIGHTON
Folkestone
Dunkerque
BRUGGE
BOURNEMOUTH
Poole
PORTSMOUTH
Newhaven
Calais
Weymouth
PLYMOUTH
Penzance
Boulogne
Le Touquet-Paris-Plage
St-Omer
LILLE
Béthune
Montreuil
Lens
Douai
Tournai
ARRAS
Cambrai
Abbeville
Dieppe
AMIENS
Péronne
St-Quentin
Montdidier
Roye
Cherbourg-Octeville
Le Havre
Trouville
ROUEN
BEAUVAIS
Compiègne
Soissons
Bayeux
CAEN
Lisieux
Bernay
Clermont
Senlis
PONTOISE
Château-T.
Meaux
Coutances
ST-LÔ
Granville
Vire
EVREUX
Mantes
VERSAILLES
PARIS
Roscoff
Lannion
Guingamp
St-Malo
Dinard
Le Mont-St-Michel
Avranches
Argentan
Dreux
EVRY
Provins
Brest
Morlaix
ST-BRIEUC
Dinan
ALENÇON
Mortagne
Rambouillet
MELUN
Châteaulin
Fougères
Mamers
CHARTRES
Etampes
Nogent
QUIMPER
Pontivy
RENNES
Mayenne
LE MANS
Pithiviers
Fontainebleau
Sens
LAVAL
Château-Gontier
Châteaudun
Montargis
Lorient
VANNES
Redon
Châteaubriant
Segré
Vendôme
ORLEANS
AUXERRE
La Flèche
BLOIS
La Baule
St-Nazaire
ANGERS
TOURS
Romorantin-Lanthenay
Ancenis
NANTES
Saumur
Chinon
Loches
Vierzon
Cosne-Cours
BOURGES
Cholet
Issoudun
NEVERS
LA ROCHE-SUR-YON
Bressuire
Châtellerault
CHÂTEAUROUX
St-Amand-Montrond
MOULINS
Les Sables-d'Olonne
Parthenay
POITIERS
Le Blanc
La Châtre
Fontenay-le-Comte
Montmorillon
NIORT
Montluçon
LA ROCHELLE
Bellac
GUERET
Rochefort
St-Jean-d'Angély
Confolens
Aubusson
Riom
Saintes
Rochechouart
LIMOGES
CLERMONT FERRAND
Royan
Cognac
ANGOULÊME
Ussel
Issoire
Nontron
Lesparre-Médoc
Jonzac
PERIGUEUX
TULLE
Mauriac
Brioude
Blaye
Brive-la-Gaillarde
Saint-Flour
Sarlat
BORDEAUX
Libourne
Bergerac
AURILLAC
Arcachon
Gourdon
Figeac
Marmande
Langon
Villeneuve-s.-Lot
CAHORS
RODEZ
Florac
AGEN
Villefranche-de-Rouergue
Nérac
MONT-DE-MARSAN
Condom
Castelsarrasin
MONTAUBAN
ALBI
Millau
Dax
AUCH
Lodève
Bayonne
Biarritz
Mirande
TOULOUSE
Castres
S. SEBASTIAN
PAU
Muret
Béziers
TARBES
CARCASSONNE
Oloron
Lourdes
St-Gaudens
Pamiers
Narbonne
Argelès-Gazost
Bagnères-de-Bigorre
St-Girons
FOIX
Limoux
VITORIA
PAMPLONA
Quillan
Gavarnie
Bagnères-de-Luchon
LOGRONO
ANDORRA
Prades
PERPIGNAN
Céret
BASTIA
Calvi
Corte
AJACCIO
Sartène
Bonifacio

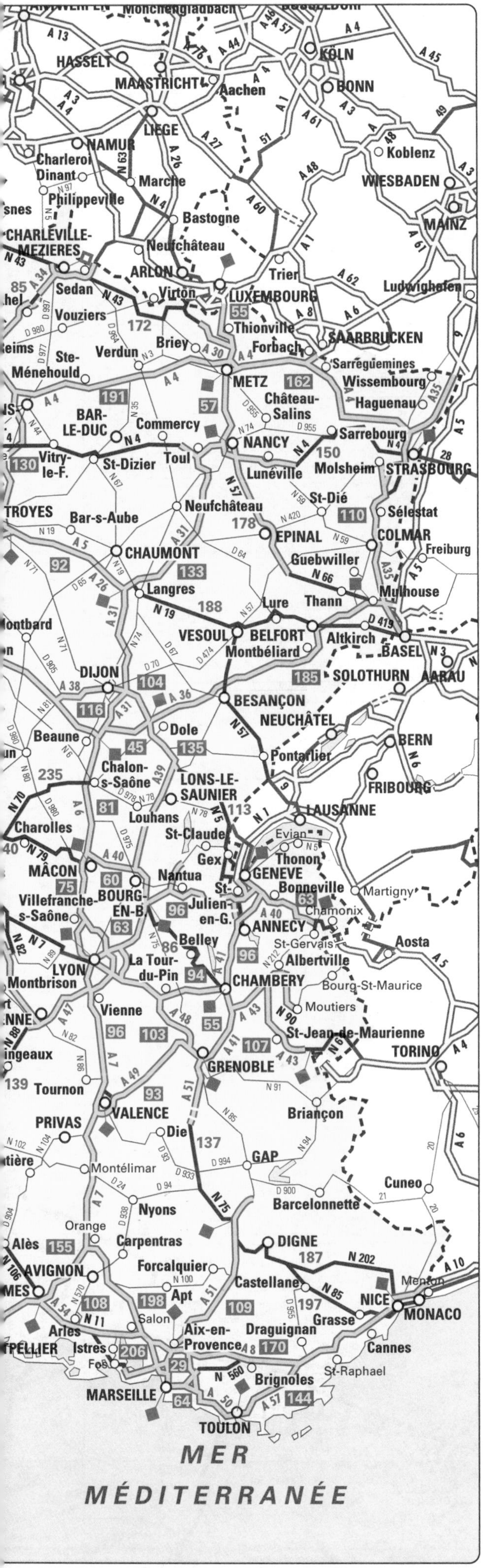

PHILIP'S

France

Belgium Luxembourg

ROAD ATLAS

Legend

1	Key to map pages
2	Route planner
4	Maps at 1:250000
234	Town index
290	Paris – major routes
292	Town plans

292	Aix-en-Provence	303	Lille	314	Perpignan
293	Amiens	304	Limoges	315	Reims
294	Angers	305	Lyon	316	Rennes
295	Avignon	306	Le Mans	317	La Rochelle
296	Bordeaux	307	Marseille	318	Rouen
297	Brest	308	Montpellier	319	Saint-Etienne
326	Bruxelles/Brussel	309	Mulhouse	320	Saint-Nazaire
298	Caen	310	Nancy	321	Strasbourg
299	Dijon	311	Nantes	322	Toulon
300	Dunkerque	325	Nice	323	Toulouse
301	Grenoble	312	Nîmes	324	Tours
302	Le Havre	313	Orléans		

327	Paris suburbs
336	France – Departments – Regions
337	Distances in kilometres

First published 2002
under the title BLAYFOLDEX ATLAS FRANCE BELGIQUE LUXEMBOURG 2002
by Blay Foldex SA

Printed in Italy

Philip's
a division of Octopus Publishing Group Ltd
2–4 Heron Quays
London E14 4JP

Third edition 2004
First impression 2004

www.philips-maps.co.uk

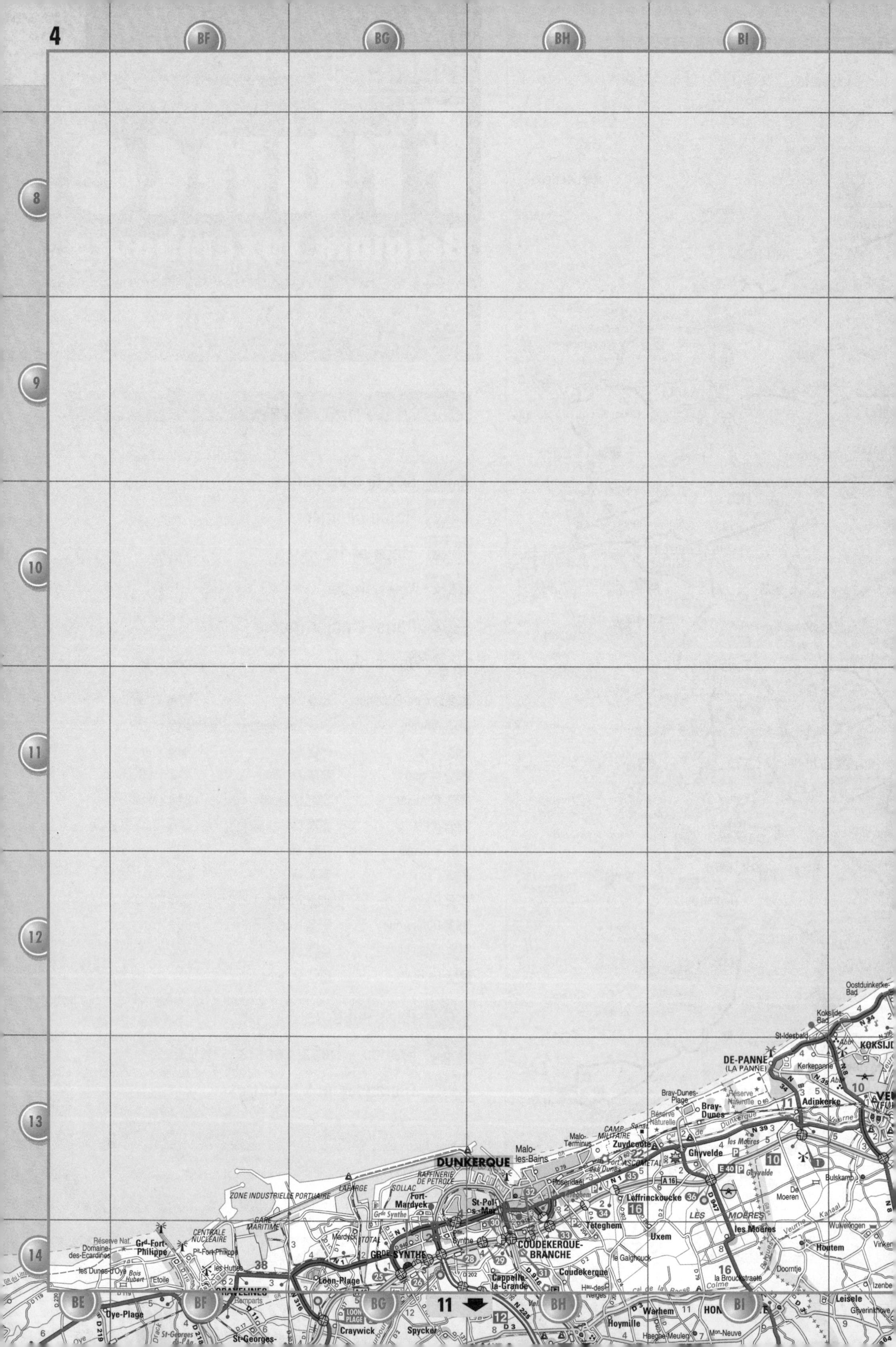
BF
BG
BH
BI
8
9
10
11
12
13
14
BE
DUNKERQUE
Malo-les-Bains
Malo-Terminus
CAMP MILITAIRE
Zuydcoote
Bray-Dunes-Plage
Bray-Dunes
Réserve Naturelle
DE-PANNE
(LA PANNE)
St-Idesbald
Koksijde-Bad
Oostduinkerke-Bad
KOKSIJDE
Kerkepanne
Adinkerke
Ghyvelde
Fort des Dunes
ASCOMETAL
Rosendaël
Leffrinckoucke
Téteghem
Uxem
LES MOËRES
les Moëres
De Moeren
Bulskamp
Wulveringen
Houtem
Doorntje
la Brouckstraete
Izenberge
Leisele
Gijverinkhove
le Galghouck
Coudekerque
COUDEKERQUE-BRANCHE
Cappelle-la-Grande
Hau-des-Neiges
Warhem
Hoymille
Haeghe-Meulen
Mon-Neuve
St-Pol-s.-Mer
Pte-Synthe
RAFFINERIE DE PETROLE
SOLLAC
Fort-Mardyck
Grde Synthe
LAFARGE
ZONE INDUSTRIELLE PORTUAIRE
GARE MARITIME
Mardyck
TOTAL
GRDE-SYNTHE
Loon-Plage
LOON PLAGE
Craywick
Spycker
CENTRALE NUCLÉAIRE
Réserve Nat.
Domaine-des-Ecardines
Grd-Fort-Philippe
Pit-Fort-Philippe
les Huttes
les Dunes-d'Oye
Bois Hubert
l'Etoile
GRAVELINES
Remparts
Oye-Plage
St-Georges-s/-l'Aa
St-Georges-
11

BJ
BK
BL
BM
BN
NOORDZEE
MER DU NORD
Kingston upon Hull 15 h
Dover 3h45-4h
Westk
Cadzand Bad
Cadzand
Retran
Het-Zwin Natuurreservaat
Albert-Strand
Duinbergen
Het-Zoute
KNOKKE-HEIST
De Vrede
Zeebrugge
Heist-aan-Zee
Ramskapelle
BLANKENBERGE
Uitkerke
Zwakkendamme
Westkapelle
St-Anna-ter-Muiden
Sluis
Wenduine
Lissewege
Hoeke
Vierwegen
Ter Doest
Dudzele
Oostkerke
Polder Notre-Dame
Nieuwmunster
ZUIENKERKE
Brugge Kanaal
Leopold
DE HAAN
Platheule
Den Hoorn
N.-D.-des-Dunes
Vlissegem
DAMME
Moerkerke
Bredene-aan-Zee
BREDENE
Klemskerke
Houtave
Koolkerke
Meetkerke
Vijve Kapelle
OOSTENDE
(OSTENDE)
BRUGGE
(BRUGES)
Remparts
St-Kruis
Donk
Stalhille
Oostende Kanaal
Jabbeke
Sint-Andries
Male
Sijsele
Stene
ZANDVOORDE
Zandvoorde
Varsenare
Assebroek
Ten Torre
Middelkerke-Bad
MIDDELKERKE
Noodhoek
OUDENBURG
Ettelgem
Sint-Michiels
Steenbrugge
Vliegendpaard
Wilskerke
Leffinge
Plassendaal Kanaal
JABBEKE
Oedelem
Westende-Bad
Radio
Nieuwpoort
Snaaskerke
Zerkegem
Lekkerhoek
Slijpebrug
GISTEL
Westkerke
Roksem
Snellegem
Zeven Kerken
Moerbrugge
Doorn
Westende
Lombardsijde
Slijpe
Bekegem
Loppem
OOSTKAMP
Zuiddamme
Nieuwpoort-Bad
Sint-Joris
MIDDELKERKE
Heidelberg
Rierlapontheok
ZEDELGEM
Wellingstraat
BEERNEM
Sint-Joris
(NIEUPORT)
NIEUWPOORT
St-Pieters-Kapelle
Zevekote
Moerdijk
BRUGGE
Nachtegaal
Oostduinkerke
Mannekensvere
Eernegem
Zuidwege
Tour
Spermalie
NIEUWPOORT
Moere
Halve Barreel
Aartrijke
VELDEGEM
Waardamme
Het Aanwijs
Schore
Zande
Sijslo
Hertsberge
Blekkervijver
Ramskapelle
Veldegem
Kortekeer
Wulpen
Leke
Gouzenbos
Ruddervoorde
Wildenburg
Schoorbakke
Berg-op-Zoom
Haaselbeekstraat
Groenstraat
Oud-Munke
Peerstalle
Blauwhuis
Parochieveld
Booitshoeke
Stuivekenskerke
Mokker
KOEKELARE
ICHTEGEM
Wijnendale
Oudank
Doomkerke
KOKSIJDE
Keiem
Avekapelle
Pervijze
Vicogne
TORHOUT
Veldhoek
Scheewege
WINGENE
Beer
Hekke
Zandvl
Steenkerke
Boyau de la Mort
Beerst
Bovekerke
Edewalle
Bredenstreger
Riek
Hille
Rateling
RUISELEDE
Zoutenaaie
Eggewaartskapelle
Vladslo
Oostkerke
Kaaskerke
DIKSMUIDE
(DIXMUDE)
LICHTERVELDE
Zwevezele
Hooithoek
Schuiferskapelle
Lampernisse
Mont de l'Yser
Handzame
KORTEMARK
Werken
Sint-Jakobs-Kapelle
Esen
Rijken
Wisthoek
Oeren
Forthem
Haantje
Egem
Zarren
Eille
Heikoe
LICHTERVELDE
Nieuwerkerken
Oudekapelle
ALVERINGEM
Driekapellen
Nieuwkapelle
Woumen
Koolskamp
PITTEM
TIELT
Sint-Rijkers
Geite
Gits
Hurselhoek
Klerken
Kapellehoek
ARDOOIE
LO-RENINGE
Jonkershoven
STADEN
Wijnendale
Beveren
Tasse
Marialoop
DENTER
Ginste
Sleihage
Pollinkhove
10 km
12
6
8
9
10
11
12
13
14

BO
BP
BQ
BR
BS
8
9
10
11
12
13
14
Collijnsplaat
Keeten
Vrouwenpolder
Kamperland
Kats
Domburg
Oostkapelle
Geersdijk
Kortgene
Serooskerke
Veere
Aagtekerke
Gapinge
Oud-Sabbinge
Wolphaartsdijk
Westkapelle
Gripskerke
Kattendijke
St-Laurens
Wemeldinge
Meliskerke
MIDDELBURG
Kleverskerke
GOES
Arnemuiden
'S Heer Hendrikskinderen
Kloetinge
Zoutelande
Briggekerke
Lewedorp
'S Heer Arendskerke
Kapelle
Koudekerke
ARNEMUIDEN
Biezelinge
NIEUWLAND
HEINKENSZAND
Nieuwland
Nieuwdorp
Vliedberg
'S Heer Abtskerke
MIDDELBURG
Heinkenszand
'S GRAVENPOLDER
West-Souburg
Oost-Souburg
RITTHEM
'S Heerenhoek
Nisse
'S Gravenpolder
KAPELLE
Hansweert
Ritthem
Kwadendamme
VLISSINGEN
Ovezande
Hoedekenskerke
Sheerness
CENTRALE NUCLEAIRE
Driewegen
Borssele
Breskens
Oudelande
Baarland
Ossenisse
Ellewoutsdijk
Cadzand Bad
Nummer Een
Groede
Kloosterzande
Nieuwvliet
Hoofdplaat
Cadzand
Het Zwin Natuurreservaat
Het Zoute
Schoondijke
Kuitaart
Retranchement
TERNEUZEN
Hengstdijk
KNOKKE-HEIST
Zuidzande
Biervliet
Ijzendijke
Oostburg
Vogelwaarde
Hoek
Zaamslag
St-Anna-ter-Muiden
Sluis
Waterlandkerkje
Luntershoek
Bakkersdam
Stroopuit
Spui
Veldzicht
Hoeke
Draaibrug
Maagd van Gent
Philippine
Sluiskil
Margaret
Kijkuit
Lapscheure
Waterland Oudeman
Schapenbout
Aardenburg
Sint-Margriete
Watervliet
Axelsche
Axel
Absdale
Sint-Kruis
Hondseinde
Sint-Jan-in-Eremo
Kristoffels Polder
Boekhoute
Driekwart
Sint-Jan
Heille
St-Jans Polder
Doornije
Platheule
Middelburg
Heikant
Den Hoorn
Rijken
Drieschouwen
Bentille
Kerselaar
Klein Gent
Moerker
Eede
Hage Vorst
Zuiddorpe
St-Andries
Scheewege
Leopold
Heine
Westdorpe
Nieuwe Molen
Stroobrug
SINT-LAUREINS
Staak Dijk
Koewacht
Vijve Kapelle
Moerhuizen
Eerstertraat
Wisken
Bassevelde
ASSENEDE
Vake
Celle
Sas Van Gent
Rode Sluis
Donk
Oudenpolder
Heikant
Botterhoek
Eindeken
KAPRIJKE
Riethof
MALDEGEM
Nieuwburg
Triest
STEKENE
Balgerhoeke
ZELZATE
De Kat
Kruisstraat
Sijsele
Vossenhol
Lembeke
Langelede
Overslag
Zwarten Ruiter
Adegem
Vrombautstraat
Oosteeklo
Rijssel
Klein Sinaai
Heulendonk
Meulenhoek
Ertvelde
Ramontshoek
Vliegendpaard
EEKLO
Kleit
Riemé
MOERBEKE
WACHTEBEKE
Oedelem
Onderdijk
Gravenstroom
St-Kruis-Winkel
Veldeken
Hoeksken
Kluizen
Zwaanaarde
Oostveld
Kruitpuit
Eksaarde
Den Hoorn
Kere
WAARSCHOOT
Molenhoek
Terdonk
Zandeken
Moervaart
Zuidlede
Oostwinkel
Arisdonk
Hooiwege
Doornzele
Mendonk
KNESSELARE
Waart-Lieve
Zaffelare
BEERNEM
Ronsele
Eiksken
Sleidinge
Kerselarestraat
Rozenhof
Sint-Joris
Beke
Scheepken
Ursel
Putteveld
Daknam
Langedonk
ZOMERGEM
Kerkbrugge
Meirbeke
Lohoeksken
Berken
Desteldonk
Dorselaar
Nekke
Hoekstraat
Oostmolen
Kruisstraat
Zeveneken
Bredestraat
Hijfte
Het Aanwijs
Aalterbrug
EVERGEM
Keirsmaker
Blekersvijver
Oostakker
Oudenbos
Staakte
LOKEREN
Ro
Waalputte
OOSTAKKER CENTRUM
Aalterbei
LOVENDEGEM
LOCHRISTI
Lede
Ouden Molen
Velde
Belzele
N.D. de Lourdes
Molenhoek
Everslaar
Hillare
Wildenburg
Bellem
Hamme
Vinderhoute
Wondelgem
GENT ZEEHAVEN
Hooghof
Blauwhuis
Parochieveld
AALTER
Merendree
Mariakerke
OOSTAKKER
BEERVELDE
Beervelde
Vogelkang
Veldekens
LOKEREN
Heikant
Hansbeke
Luchteren
GENT (GAND)
DESTELBERGEN
Kalken
Loveld
Landegem
Wilde
St-Amandsberg
Klein Gent
Overmere
Lotenhulle
GENT-DRONGEN
NEVELE
Ter Beken
Drongen
Gentbrugge
Klaverken
Zandvleug
Beer
Donk
Lac Donk
RUISELEDE
Dronge
HEUSDEN
Kalken
Schuiferskapelle
Zuidwijk
Poeke
Poesele
Afsnee
Heusden
BERLARE
Westhoek
Poekebeek
NEVELE
Vosselare
Baarle
SINT-MARTENS-LATEM
Ledeberg
LAARNE
Eesvelde
Uitbergen
WICHELEN
Meigem
Sint-Martens-Leerne
Kanegem
Bachte-Maria-Leerne
Deurle
St-Denijs-Westrem
Zwaanhoek
Hullendries
Ede
Schellebelle
Bachte
Goldonck
Rosdam
Zwijnaarde
MELLE
Overbeke
WETTEREN
Bruinbeek
Micro
TIELT
Aarsele
Vinkt
DE PINTE
Klosse
MERELBEKE
Lindenhoek
Boskant
Heide
Zeveren
Beer
Kwatrecht
Serskamp
DEINZE
Astene
Klapstraat
Gontrode
MERELBEKE
WETTEREN
Massemen
Grammene
Nazareth
Zevergem
Landskouter
Gijzenzele
Westrem
Wanzele
Smetlede
Marialoop
DENTERGEM
Gottem
Machelen
Eke
Landuit
Melsen
Schelderode
Bottelare
Gijzenzele-Dries
Oordegem
Impe
LEDE
Ginste
WESTERSCHELDE
OOSTERSCHELDE

5
13

St Annaland
Nieuw-Vossemeer
Oud-Vossemeer
Scherpenisse
Poortvliet
Tholen
Halsteren
Oud
Oudenbosch
Hoeven
Leur
Etten
ROOSENDAAL
ROOSENDAAL-WEST
Wouw
Rucphen
St-Willebrord
Sprundel
Zegge
Bosschenhoofd
Kruisland
Moerstraten
Heerle
Lepelstraat
Rijsbergen
BERGEN OP ZOOM
Nispen
Wouwse Plantage
ESSEN
Horendonk
Schijf
Klein Zundert
Zundert
Achtmaal
Wernhout
Meer
Yerseke
Kruiningen
Krabbendijke
Rilland
Waarde
Gawege
Bath
Woensdrecht
Hoogerheide
Huijbergen
Kalmthoutse Hoek
Wildert
Nieuwmoer
Braken
Loenhout
Minderhout
Hoogstraten
Ossendrecht
Natuurreservaat
Arboretum
Achterbroek
KALMTHOUT
Kruisstraat
WUUSTWEZEL
Zandvliet
Stadshoek
Putte
Ertbrand
Heide
Klein Gooreind
BRECHT
Overbroek
Sint-Lenaarts
Sternhoven
Berendrecht
STABROEK
Galgestraat
Maria-ter-Heide
Lamswaarde
Graauw
Prosper-Polder
Doel
KAPELLEN
Hoevenen
Hoge-Kaart
St-Mariaburg
BRASSHAAT
Sin-Job-in't-Goor
WESTMALLE
Ter Hole
Nieuw Namen
Kieldrecht
St-Antoniushoek
Lillo
Hulst
Ekeren
S. Gravenwezel
St-Antonius
Clinge
Kronenhoek
Meerdonk
Bloempont
Verrebroek
De Klinge
Kallo
St-Maria
Merksem
SCHOTEN
SCHILDE
Halle
In den Haan
Het-Kalf
De Trompe
ANTWERPEN
(ANVERS)
Deurne
WIJNEGEM
Oelegem
ZANDHOVEN
Massenhoven
ZWIJNDRECHT
Melsele
Zwaenenhoek
Zillebeke
SINT-GILLIS-WAAS
Vrasene
BEVEREN
Borgerhout
WOMMELGEM
Kemzeke
Nieuwkerken Waas
Burcht
Berchem
BORSBEEK
RANST
Viersel
Bouwel
Bosdorp
Sint-Pauwels
Haasdonk
Zwaantjes
Hondnest
Vremde
Broechem
NIJEN
De Kwakkel
Lepelhoek
KRUIBEKE
Hoboken
MORTSEL
Emblem
Puivelde
SINT-NIKLAAS
(St-NICOLAS)
Wilrijk
BOECHOUT
Sinaai
Belsele
Valk
Hogenkameren
Veldstraat
Hoogstraat
HEMIKSEM
Bazel
EDEGEM
HOVE
LIER (LIERRE)
Kessel
Bevel
Gestel
Elversele
Kettermuit
Lauwershoek
Steendorp
Rupelmonde
SCHELLE
Bruinenbaard
AARTSELAAR
KONTICH
LINT
BERLAAR
Itegem
TEMSE
(TAMISE)
Tielrode
NIEL
Bist
Waarloos
Heiken
Ruiter
Hingenen
Wintham
Reet
DUFFEL
Koningshooikt
Hallaa
WAASMUNSTER
Weert
BOOM
Terhagen
Vosberg
Groten Brand
Leemputten
HAMME
BORNEM
Eikevliet
Ruisbroek
RUMST
Walem
SINT-KATELIJNE-WAVER
O.L.V. Waver
Hoek
St-Anna
Durmen
Zogge
Boskant
PUURS
Oppuurs
Klein-Willebroek
Heindonk
Huivelde
Moerzeke
Mariekerke
Liezele
WILLEBROEK
Blaasveld
Heffen
Elzestraat
PUTTE
Beerzel
Grembergen
SINT-AMANDS
Battel
Kruispunt
Vlassenbroek
Smissen
Breendonk
Tisselt
Leest
Peulis
Schriek
DENDERMONDE
(TERMONDE)
Grootzand
Kastel
Lippelo
Malderen
Ramsdonk
KAPELLE-OP-DEN-BOS
MECHELEN
(MALINES)
BONHEIDEN
Grasheyde
Appels
Baasrode
Opdorp
Sint-Jozef
Heike
Hombeek
Muizen
KEERBERGEN
Sint-Gillis-bij-Dendermonde
Mondekenstraat
Mattestraat
Oudegem
Denderbelle
BUGGENHOUT
LONDERZEEL
Steenhuffel
Opstal
Oxdonk
Hofstade
Rijmenam
Hever
TREMELO
LEBBEKE
Schoonaarde
Mespelare
Gijzegem
Wieze
Herdersem
Baardegem
Nijverzeel
OPWIJK
MERCH
Westrode
Nieuwenrode
Rossem
Imde
Het Sas
Laar
ZEMST
Spilt
Weerde
Elewijt
Schiplaken
BOORTMEERBEEK
HAACHT
Werchter
Beigem
Verbrande Brug
Houtem
KAMPENHOUT
Wespelaar
Tildonk
ROTSELAAR
10 km

14

BREDA
TILBURG
Oisterwijk
Moergestel
Goirle
Gilze
Rijsbergen
Chaam
Alphen
Hilvarenbeek
Diessen
Oirschot
Meerle
Meer
Baarle-Nassau
BAARLE-HERTOG
(BAARLE-DUC)
Poppel
Minderhout
HOOGSTATEN
Wortel
Weelde
Hooge Mierde
Vessem
Hoogeloon
Bladel
Hapert
Reusel
Eersel
RAVELS
MERKSPLAS
RIJKEVORSEL
Sint-Lenaarts
TURNHOUT
OUD-TURNHOUT
BEERSE
VOSSELAAR
ARENDONK
Oostmalle
Vlimmeren
ZOERSEL
Wechelderzande
Gierle
RETIE
KASTERLEE
DESSEL
LOMMEL
LILLE
Tielen
Lichtaart
Poederlee
VORSELAAR
Pulle
GROBBENDONK
HERENTALS
MOL
BALEN
GEEL
Bouwel
NIJEN
HERENTHOUT
OLEN
MEERHOUT
LEOPOLDSBURG
(BOURG-LEOPOLD)
Heppen
HECHTEL-EKSEL
Morkhoven
Wiekevorst
HAM
(Kwaadmechelen)
Oostham
Beverlo
BERLAAR
Itegem
HULSHOUT
WESTERLO
HEIST-OP-DEN-BERG
LAAKDAL
(Vorts)
TESSENDERLO
BERINGEN
HEUSDEN-ZOLDER
Zolder
HERSELT
Averbode
Testelt
Zichem
Molenstede
Deurne
Meldert
Schaffen
BEGIJNENDIJK
Baal
Langdorp
AARSCHOT
SCHERPENHEUVEL-ZICHEM
DIEST
LUMMEN
Rillaar
Werchter
Gelrode
Kaggevinne
Webbekom
Linkhout
Schulen
ROTSELAAR
TIELT-WINGE
HERK-DE-STAD
(HERK-LA-VILLE)
HASSELT
St-Pieters-Rode
Houwaart
E 312
E 19
E 34
E 313
E 314
A 58
A 27
A 21
A 13
A 2
N 12
N 14
N 18
N 19
N 71
N 73
Wilhelminakanaal
Albert Kanaal
Kleine Nete
Grote Nete
Demer
EURATOM
Parc Safari
BX
BY
BZ
CA
CB

15

CC
CD
CE
CF
CG
EINDHOVEN
HELMOND
VENRAY
DEURNE
Gemert
Boerdonk
Beek en Donk
Aarle-Rixtel
Lieshout
Son
Nuenen
Stiphout
Mierlo
Geldrop
Bakel
Milheeze
Boekend
Mortel
Rips
Vredepeel
Merselo
St Anna
Ostrum
Oirlo
Castenray
Leunen
Heide
Veulen
Liseelsteyn
Walsberg
Zeilberg
Vlierden
Vreekwijk
Griendtsveen
America
Horst
Hegelsom
Evertssord
Kronenberg
Sevenum
Liessel
Asten
Ommel
Lierop
Someren
Heeze
Helenaveen
Heitrak
Neerkant
Grashoek
Maasbree
Koningslust
Meijel
Beringen
Panningen
Helden
Egschel
Roggelsedijk
Meijelse Dijk
Ospel
Aalst
Waalre
VALKENSWAARD
Leende
Riethoven
Westerhoven
Dommelen
Broekhoven
Heeze
Sterksel
Someren-Eind
Someren-Heide
Maarheeze
Hugten
Soerendonk
Budel
Gastel
Schaft
Trappe
Nederweert
Eind
Laar
Hushoven
Vrakker
Boshoven
WEERT
Moesdijk
Leveroij
Heythuysen
Roggel
Nijken
Heibloem
Kesseleik
Beesel
Neer
Rijkel
Ophoven
Nunhem
Buggenum
Haelen
Baexem
Horn
Grathem
Kelpen
Swartbroek
Ell
Altweerterheide
Dijkerstraat
Tungelroij
Berg
Stramproy
Hei
Hunsel
Heel
Panheel
Beegden
ROERMOND
Swalmen
Melick
Herten
Merum
Linne
Thorn
Wessem
Maasbracht
Ittervoort
Neeritter
Molenbeersel
KINROOI
Kessenich
Geistingen
Stevensweert
Ohé
Laak
Echt
Montfort
Posterholt
Vlodrop
St-Odiliënberg
Achel
HAMONT-ACHEL
Budel-Schoot
Budel-Dorplein
NEERPELT
OVERPELT
St-Huibrechts-Lille
Lozen
Kaulille
Lindel
Herent
Haalen-Hoek
BOCHOLT
Lechten
Reppel
Kleine-Brogel
Grote-Brogel
Gerdingen
BREE
Beek
't Hasselt
Tongerlo
Opitter
Ellikom
Erpekom
Vostaard
Wijshagen
Solt
Eksel
Wijchmaal
PEER
Winner
Linde
Kœstraat
Meeuwen
MEEUWEN-GRUITRODE
Gruitrode
Neerglabbeek
Ophoven
Meerhoven
Heikant
Wurfeld
MAASEIK
Roosteren
Aldeneik
Neeroeteren
Berg
Opoeteren
Heppeneert
Dieteren
Susteren
Echterbosch
Dieragaarde
Waldfeucht
Koningsbosch
Bocket
Sonnis
Bullen
Gestel
Louwel
Helchteren
Laak
OPGLABBEEK
Dorne
DILSEN
Lanklaar
Stokkem
Rotem
Elen
Grevenbicht
Buchten
Born
Obbicht
Nieuwstadt
Havert
Schalbruch
Saeffelen
Breberen
Höngen
Selfkant
Limbricht
Hastenrath
Gangelt
HOUTALEN-HELCHTEREN
Park van Genk
Zwartberg
Zevenhuizen
AS
Niel-Bij-As
Eisden
Koolmijn
Meeswijk
Urmond
Berg
Einighausen
Guttecoven
SITTARD
Jabeek
Schinveld
Bingelrade
Munstergeleen
Lindenheuvel
Stein
Elsloo
Meers
Leut
Vucht
Cités
Mechelse Heide
MAASMECHELEM
Wiemismeer
Berkenen
Balleweier
Termolen
ZONHOVEN
Winterslag
GENK
Waterschei
Oud-Waterschei
GELEEN
Puth
Oirsbeek
Schinnen
Merkelbeek
BRUNSSUM
Kling
Groot-Doenrade
Hillensberg
Slisterseel
Kempense
Herde
Godsheide
Kleine Langerlo
ZUTEN
16
Boorsem
Geulle
Rekem
Hoensbroek
Heerlerheide
Nuth
Spaubeek
10 km
Natuurreservaat
Peelkanaal
Zuid-Willemsvaart
Wilhelminakanaal
Eindhoven Kanaal
Noordervaart
Uitwatering
Dommel
Maas

BA
BB
BC
BD
BE
14
15
16
17
18
19
20
PAS DE CALAIS
CÔTE D'OPALE
Manche
Phare de Walde
CALAIS
Blériot-Plage
Sangatte
Coquelles
Tunnel sous la Manche
Cap Blanc Nez
Escalles
Peuplingues
Fréthun
Nielles-lès-Calais
Coulogne
Marck
Oye-Plage
Les Attaques
Bonningues-lès-Calais
Wissant
Hervelinghen
St-Inglevert
Pihen-lès-Guînes
Hames-Boucres
GUÎNES
Andres
Balinghem
Brêmes
Ardres
Cap Gris-Nez
Framzelle
Audinghen
Tardinghen
Audembert
Leubringhen
Landrethun-le-Nord
Caffiers
Campagne-lès-Guînes
Rodelinghem
Audresselles
Bazinghen
MARQUISE
Leulinghen-Bernes
Fiennes
Ambleteuse
Beuvrequen
Rinxent
Hardinghen
Rety
Hermelinghen
Licques
Wimereux
Wacquinghen
Offrethun
Wierre-Effroy
Alembon
Sanghen
Wimille
Maninghen-Henne
Boursin
Herbinghen
Pernes-lès-Boulogne
le Wast
Colembert
Bainghen
Conteville-lès-Boulogne
Belle-et-Houllefort
Nabringhen
Surques
BOULOGNE-S.-MER
LE PORTEL
OUTREAU
St-Martin-Boulogne
La Capelle-lès-Boulogne
Bellebrune
Alincthun
Longueville
Escœuilles
Baincthun
Henneveux
Bournonville
Brunembert
Echinghen
St-Léonard
Crémarest
Selles
Quesques
Équihen-Plage
St-Étienne-au-Mont
Pont-de-Briques
Isques
Hesdin-l'Abbé
Questrecques
Wirwignes
Menneville
Lottinghen
Condette
Hesdigneul-lès-Boulogne
DESVRES
St-Martin-Choquel
Vieil-Moutier
Bléquin
Carly
Longfossé
Wierre-au-Bois
Courset
Ledinghem
Senlecques
Hardelot-Plage
Neufchâtel-Hardelot
Verlincthun
SAMER
Bécourt
Nesles
Tingry
Doudeauville
Zoteux
Halinghen
Lacres
Bourthes
Dannes
Widehem
Bezinghem
Parenty
Enquin-s.-Baillons
Preures
Ergny
Plage-Ste-Cécile
Hubersent
Wicquinghem
Camiers
Frencq
Cormont
Bernieulles
HUCQUELIERS
Lefaux
Longvilliers
Beussent
Inxent
Bimont
Avesnes
Herly
Maninghem
Maresville
Recques-s.-Course
Clenleu
Quilen
St-Michel-s/s-Bois
le Touquet-Paris-Plage
ÉTAPLES
Tubersent
Bréxent-Enocq
Alette
Montcavrel
Estréelles
Estrée
Humbert
Rimboval
Sempy
Embry
Beutin
Attin
Stella-Plage
La Calotterie
Neuville-s/s-Montreuil
Aix-en-Issart
Boubers-lès-Hesmond
Cucq
St-Josse
La Madelaine-s/s-Montreuil
MONTREUIL
Marant
St-Denœux
Merlimont-Plage
Merlimont
Sorrus
St-Aubin
Airon-Notre-Dame
Campigneulles-les-Petites
Campigneulles-les-Grandes
Beaumerie-St-Martin
Marles-s.-Canche
Marenla
Brimeux
Hesmond
Loison-s.-Créquoise
Offin
Ecuires
Rang-du-Fliers
Airon-St-Vaast
Wailly-Beaucamp
Lespinoy
Beaurainville
Berck-Plage
BERCK
Verton
Boisjean
Maresquel-Ecquemicourt
Contes
Hôpital Maritime
Pointe du Haut Banc
CAMPAGNE-LES-HESDIN
Groffliers
Waben
Lépine
Roussent
Maintenay
Conchil

20

GRAVELINES
Oye-Plage
St-Georges-s.-l'Aa
Craywick
Spycker
Armbouts-Cappel
BERGUES
HONDSCHOOTE
Hoymille
Warhem
Killem
Rexpoede
Leisele
Beveren
Stavele
Westvleteren
St-Folquin
BOURBOURG
Brouckerque
Steene
Bierne
Quaedypre
West-Cappel
Oost-Cappel
Roesbrugge-Haringe
St-Omer-Capelle
Vieille-Eglise
Nouvelle-Eglise
Looberghe
Pitgam
Crochte
Socx
Bissezeele
Wylder
Bambecque
Herzeele
Houtkerque
Proven
Cappelle-Brouck
Ste-Marie-Kerque
St-Pierre-Brouck
Drincham
Eringhem
Esquelbecq
WORMHOUT
Zegerscappel
AUDRUICQ
Merckeghem
Bollezeele
Millam
Ledringhem
Watou
POPERINGE
Ruminghem
Zutkerque
Polincove
Holque
Volckerinckhove
Rubrouck
Arnèke
Zermezeele
Oudezeele
Winnezeele
Recques-s.-Hem
Nordausques
Watten
Wulverdinghe
Broxeele
Lederzeele
Ochtezeele
Hardifort
STEENVOORDE
Zouafques
Tournehem-s.-la-Hem
Bayenghem-lès-Eperlecques
Eperlecques
Houlle
Buysscheure
Noordpeene
CASSEL
Wemaers-Cappel
Zuytpeene
Bavinchove
Oxelaëre
Terdeghem
Godewaersvelde
Nort-Leulinghem
Bonningues-lès-Ardres
Mentque-Nortbécourt
Serques
Moulle
Tilques
St-Momelin
Nieurlet
Clairmarais
Ste-Marie-Cappel
St-Sylvestre-Cappel
Eecke
Caëstre
Moringhem
Salperwick
St-Martin-au-Laërt
Hondeghem
Flêtre
Méteren
ST-OMER
ARQUES
Quercamps
Boisdinghem
Zudausques
Tatinghem
Leulinghem
Bouvelinghem
Quelmes
Longuenesse
Staple
Ebblinghem
Renescure
Wallon-Cappel
HAZEBROUCK
Borre
Pradelles
Strazeele
Merris
Acquin-Westbécourt
Wisques
Blendecques
Campagne-lès-Wardrecques
Lynde
Sercus
LUMBRES
Setques
Esquerdes
Hallines
Wizernes
Wardrecques
Racquinghem
Heuringhem
Blaringhem
Morbecque
Vieux-Berquin
Bayenghem-lès-Seninghem
Elnes
Affringues
Wavrans-s.-l'Aa
Pihem
Quiestède
Ecques
Wittes
Steenbecque
Remilly-Wirquin
Inghem
Roquetoire
Boëseghem
Thiennes
Vaudringhem
Wismes
Ouve-Wirquin
Cléty
Herbelles
Clarques
Rebecques
Haverskerque
MERVILLE
Dohem
Merck-St-Liévin
Avroult
Thérouanne
Mametz
AIRE-S.-LA-LYS
Isbergues
St-Floris
St-Venant
Calonne-s.-la-Lys
Thiembronne
Delettes
Blessy
Wittemesse
Lambres
Guarbecque
St-Martin-d'Hardinghem
FAUQUEMBERGUES
Coyecques
Enguinegatte
Liettres
Quernes
Mazinghem
Robecq
Audincthun
Erny-St-Julien
Enquin-les-Mines
Rombly
Linghem
NORRENT-FONTES
Ham-en-Artois
Busnes
Mont-Bernanchon
Renty
Dennebrœucq
Bomy
Estrée-Blanche
St-Hilaire-Cottes
Bourecq
Rely
LILLERS
Gonnehem
Hinges
Reclinghem
Mencas
Fléchin
Ligny-lès-Aire
Auchy-au-Bois
Lespesses
Ecquedecques
Lières
Verchocq
Vincly
Radinghem
Matringhem
Beaumetz-lès-Aire
Laires
Febvin-Palfart
Westrehem
Ames
Amettes
Chocques
Oblinghem
Vendin-lès-Béthune
Senlis
Hézecques
Fontaine-lès-Hermans
Nédon
Burbure
Allouagne
Annezin
BÉTHUNE
Coupelle-Vieille
Lugy
Nédonchel
Ferfay
Lozinghem
Labeuvrière
Gosnay
Fouquereuil
Fouquières-lès-B.
FRUGES
Lisbourg
Auchy-lès-Pernes
Auchel
Marles-les-Mines
Hesdigneul-lès-Béthune
Vaudricourt
Verquin
Créquy
Coupelle-Neuve
Verchin
Prédefin
Fontaine-lès-Boulans
Fiefs
Floringhem
Cauchy-à-la-Tour
Calonne-Ricouart
Camblain-Châtelain
Drouvin-le-Marais
Ruisseauville
HEUCHIN
Sachin
Pernes
Sains-lès-Pernes
BRUAY-LA-BUISSIÈRE
Houchin
NŒUX-LES-MINES
Avondance
Sains-lès-Fressin
Canlers
Crépy
Equirre
Boyaval
Pressy
Marest
DIVION
Haillicourt
Ruitz
BARLIN
Planques
Tramecourt
Ambricourt
Bergueneuse
Tangry
Ourton
HOUDAIN
Maisnil-lès-Ruitz
Hersin-Coupigny
Fressin
Azincourt
Teneur
Eps
Hestrus
Bours
Beugin
Rebreuve-Ranchicourt
Maisoncelle
Tilly-Capelle
Anvin
Monchy-Cayeux
Valhuon
Diéval
La Comté
Erin
Béalencourt
Blangy-s.-Ternoise
Fleury
Conteville-en-Ternois
Huclier
Olhain
Bajus
Hermin
Gauchin-Légal
Fresnicourt-le-Dolmen
Servins
Wamin
Blingel
Bermicourt
Wavrans-s.-Ternoise
Brias
La Thieuloye
Monchy-Breton
Caucourt
Rollancourt
Humerœuille
Hernicourt
Magnicourt-en-Comté
Frévillers
Estrée-Cauchy
Auchy-lès-Hesdin
Eclimeux
Pierremont
Troisvaux
Ostreville
ST-POL-S.-TERNOISE
Marquay
HESDIN
Beauvois
Ramecourt
Chelers
Bailleul-aux-Cornailles
Mingoval
Villers-Brûlin
Noyelles-lès-Humières
Siracourt
Marconne
4
12
21
10 km

5
22
11
ALVERINGEM
LO-RENINGE
HOUTHULST
STADEN
HOOGLEDE
ARDOOIE
TIELT
ROESELARE
(ROULERS)
MEULEBEKE
INGELMUNSTER
IZEGEM
Rumbeke
Oekene
Kachtem
VLETEREN
(Oostvleteren)
Westvleteren
Stavele
Roesbrugge-Haringe
Reninge
Noordschote
Merkem
LANGEMARK-POELKAPELLE
Poelkapelle
Westrozebeke
Passendale
MOORSLEDE
ZONNEBEKE
Zuidschote
Boezinge
Woesten
Elverdinge
Vlamertinge
IEPER (YPRES)
POPERINGE
Watou
Zillebeke
Dikkebus
Reningelst
Westouter
Geluveld
Zandvoorde
Beselare
Dadizele
LEDEGEM
LENDELEDE
Kuurne
KORTRIJK
(COURTRAI)
Harelbeke
ZWEVEGEM
Heule
Gullegem
Moorsele
Wevelgem
Lauwe
Rekkem
Marke
Bellegem
MENEN
Geluwe
Halluin
Wervik
Houtem
KOMEN
(COMINES)
Comines
MESEN (MESSINES)
Wijtschate
HEUVELLAND
(Kemmel)
Loker
Dranouter
Wulvergem
Boeschepe
Berthen
Méteren
St-Jans-Cappel
BAILLEUL
Nieuwkerke
Warneton
Ploegsteert
Deûlémont
Frelinghien
Bousbecque
Wervicq-Sud
Roncq
Neuville-en-Ferrain
Linselles
MOESKROEN
(MOUSCRON)
Luingne
Dottignies
TOURCOING
Herseaux
ESTAIMPUIS
Evregnies
Quesnoy-s.-Deûle
Bondues
Mouvaux
Wattrelos
ROUBAIX
Croix
Wasquehal
Lannoy
Leers
Néchin
Strazeele
Nieppe
Steenwerck
Le Doulieu
ARMENTIÈRES
Houplines
Verlinghem
Wambrechies
Marcq-en-Barœul
La Madeleine
Lambersart
Pérenchies
Prémesques
Capinghem
Lomme
LILLE
Mons-en-Barœul
VILLENEUVE-D'ASCQ
Hem
Forest-s.-Marque
Sailly-lez-Lannoy
Toufflers
Willems
Tressin
Baisieux
Hertain
Anstaing
Gruson
Chéreng
Camphin-en-Pévèle
Lamain
MERVILLE
Estaires
Sailly-s.-la-Lys
Fleurbaix
Erquinghem-Lys
La Chapelle-d'Armentières
Bois-Grenier
Ennetières-en-Weppes
Radinghem-en-Weppes
Escobecques
Englos
Sequedin
Loos
Haubourdin
Hallennes-lez-H.
Ronchin
Lezennes
Faches-Thumesnil
Lesquin
Sainghin-en-Mélantois
Bouvines
CYSOING
Wannehain
Bourghelles
RUMES
La Gorgue
LAVENTIE
Lestrem
Fromelles
Le Maisnil
Aubers
Beaucamps-Ligny
Erquinghem-le-Sec
Fournes-en-Weppes
Santes
Emmerin
Wattignies
Neuve-Chapelle
Richebourg
Herlies
Illies
Wicres
Wavrin
Sainghin-en-Weppes
Marquillies
Noyelles-lès-Seclin
Hoplin-Ancoisne
Templemars
Vendeville
Fretin
Péronne-en-Mélantois
Louvil
Ennevelin
Bachy
Festubert
Violaines
Salomé
Don
Allennes-les-Marais
Herrin
SECLIN
Gondecourt
Avelin
PONT-À-MARCQ
Templeuve
Cobrieux
Genech
Mouchin
Givenchy-lès-la-Bassée
LA BASSÉE
Hantay
Billy-Berclau
Annœullin
Chemy
Carnin
Phalempin
Attiches
Tourmignies
Cappelle-en-Pévèle
Beuvry
Cuinchy
CAMBRIN
Auchy-les-Mines
Annequin
Haisnes
DOUVRIN
Bauvin
Provin
WINGLES
CARVIN
Camphin-en-Carembault
Libercourt
La Neuville
Mérignies
Wahagnies
Mons-en-Pévèle
Bersée
Auchy-lez-Orchies
ORCHIES
Nomain
Aix
Landas
Verquin
Labourse
Noyelles-lès-Vermelles
Vermelles
Mazingarbe
Hulluch
Benifontaine
Meurchin
Estevelles
Vendin-le-Vieil
Pont-à-Vendin
Annay
Oignies
Thumeries
Moncheaux
Faumont
Coutiches
Beuvry-la-Forêt
Nœux-les-Mines
Sains-en-Gohelle
Bully-les-Mines
Grenay
Loos-en-Gohelle
LENS
HARNES
COURRIÈRES
Ostricourt
LEFOREST
Raimbeaucourt
Flines-lez-Raches
Bouvignies
Aix-Noulette
LIÉVIN
Éleu-dit-Leauwette
Loison-s/s-L.
Noyelles-s/s-L.
Fouquières-lès-L.
Montigny-en-Gohelle
Dourges
Évin-Malmaison
Courcelles-lès-Lens
Roost-Warendin
Raches
Anhiers
MARCHIENNES
Warlaing
Souchez
Angres
AVION
Sallaumines
Billy-Montigny
HÉNIN-BEAUMONT
(Hénin-Liétard)
Noyelles-Godault
Auby
Givenchy-en-Gohelle
Méricourt
ROUVROY
Lauwin-Planque
Flers-en-Escrebieux
Lallaing
Vred
Wandignies-Hamage
Ablain-St-Nazaire
Carency
Acheville
Arleux-en-Gohelle
Fresnoy-en-Gohelle
Esquerchin
DOUAI
Pecquencourt
Montigny-en-Ostrevent
Sin-le-Noble
Fenain
Camblain-l'Abbé
Villers-au-Bois
VIMY
Neuville-St-Vaast

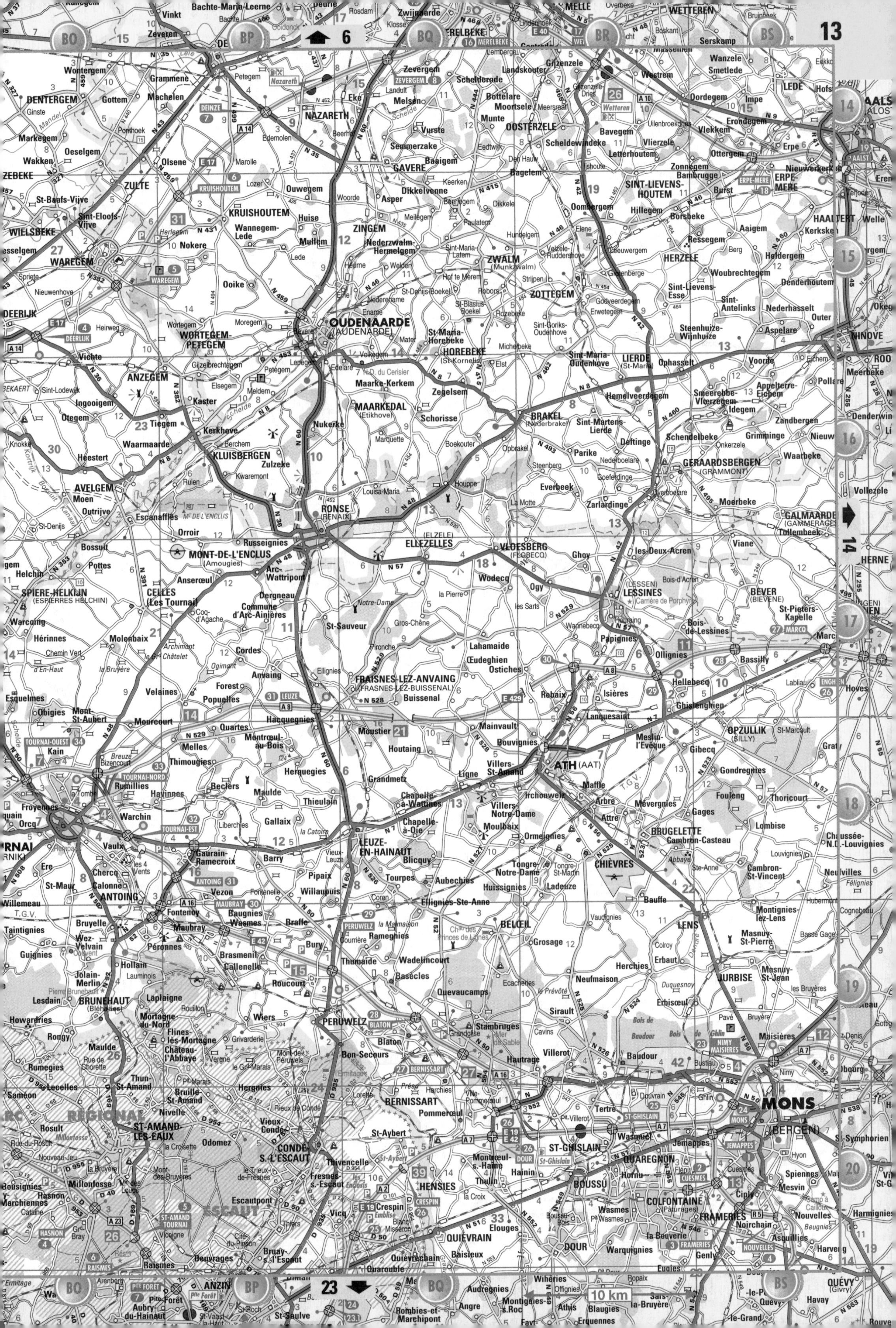

6
23
10 km
BO
BP
BQ
BR
BS
14
15
16
17
18
19
20
Vinkt
Bachte-Maria-Leerne
Zwijnaarde
MELLE
WETTEREN
Zeveren
MERELBEKE
Serskamp
Wontergem
Grammene
Petegem
Nazareth
Zevergem
Scheldercode
Landskouter
Gijzenzele
Westrem
Wanzele
Smetlede
DENTERGEM
Gottem
Machelen
DEINZE
NAZARETH
Eke
Melsen
Bottelare
Moortsele
OOSTERZELE
Wetteren
Oordegem
LEDE
Impe
Markegem
Oeselgem
Wakken
Olsene
Semmerzake
Vurste
Scheldewindeke
Bavegem
Vlierzele
Erondegem
Vlekken
AALST
ZEBEKE
ZULTE
Marolle
GAVERE
Baaigem
Bagelem
Letterhoutem
Ottergem
Zonnegem
Bambrugge
Erpe
ERPE-MERE
St-Baafs-Vijve
KRUISHOUTEM
Ouwegem
Dikkelvenne
Asper
SINT-LIEVENS-HOUTEM
Burst
Nieuwerkerken
Sint-Eloofs-Vijve
WIELSBEKE
Wannegem-Lede
Huise
ZINGEM
Oombergem
Hillegem
Borsbeke
Ressegem
HAALTERT
Welle
Kerksken
Aaigem
WAREGEM
Nokere
Mullem
Nederzwalm-Hermelgem
ZWALM
Herzele
Heldergem
Denderhoutem
Ooike
Sint-Maria-Latem
ZOTTEGEM
Woubrechtegem
Sint-Lievens-Esse
Sint-Antelinks
Nederhasselt
Outer
DEERIJK
OUDENAARDE
(AUDENAARDE)
WORTEGEM-PETEGEM
St-Maria-Horebeke
HOREBEKE
Sint-Maria-Oudenhove
LIERDE
Ophasselt
Steenhuize-Wijnhuize
Aspelare
NINOVE
Vichte
ANZEGEM
Maarke-Kerkem
MAARKEDAL
Zegelsem
Voorde
Appelterre-Eichem
Pollare
Meerbeke
Ingooigem
Otegem
Tiegem
Kaster
Nukerke
Schorisse
BRAKEL
Hemelveerdegem
Smeerebbe-Vloerzegem
Idegem
Denderwindeke
Waarmaarde
Kerkhove
Sint-Martens-Lierde
Deftinge
Schendelbeke
Grimminge
Zandbergen
Heestert
KLUISBERGEN
Zulzeke
Parike
GERAARDSBERGEN
(GRAMMONT)
Waarbeke
AVELGEM
Moen
Outrijve
Houppe
Everbeek
Zarlardinge
Moerbeke
Vollezele
Escanaffles
RONSE
(RENAIX)
GALMAARDEN
(GAMMERAGES)
Tollembeek
Orroir
MONT-DE-L'ENCLUS
Russeignies
ELLEZELLES
VLOESBERG
(FLOBECQ)
Ghoy
les-Deux-Acren
Viane
HERNE
Bossuit
Pottes
Helchin
Arc-Wattripont
Wodecq
Ogy
LESSINES
BEVER
(BIEVENE)
SPIERE-HELKIJN
CELLES
(Les Tournai)
Anseroeul
Dergneau
Commune d'Arc-Ainières
St-Sauveur
Bois-de-Lessines
St-Pieters-Kapelle
Warcoing
Hérinnes
Molenbaix
Cordes
Lahamaide
Oeudeghien
Ostiches
Papignies
Ollignies
Bassilly
Anvaing
Velaines
Forest
Popuelles
FRASNES-LEZ-ANVAING
Buissenal
Rebaix
Isières
Hellebecq
Hoves
Esquelmes
Obigies
Mont-St-Aubert
Mourcourt
Quartes
Hacquegnies
Moustier
Mainvault
Lanquesaint
Ghislenghien
OPZULLIK
(SILLY)
Kain
Melles
Montroeul-au-Bois
Houtaing
Bouvignies
Meslin-l'Evêque
Gibecq
Thimougies
Herquegnies
Grandmetz
Ligne
Villers-St-Amand
ATH (AAT)
Gondregnies
Rumillies
Havinnes
Beclers
Maulde
Maffle
Froyennes
Orcq
Warchin
Gallaix
Thieulain
Chapelle-à-Wattines
Villers-Notre-Dame
Arbre
Mévergnies
Fouleng
Thoricourt
TOURNAI
Vaulx
Gaurain-Ramecroix
Barry
LEUZE-EN-HAINAUT
Chapelle-à-Oie
Moulbaix
Ormeignies
Attre
BRUGELETTE
Cambron-Casteau
Lombise
Chaussée-N.D.-Louvignies
Ere
Chercq
Calonne
ANTOING
Vezon
Pipaix
Willaupuis
Blicquy
Tourpes
Aubechies
Tongre-Notre-Dame
Huissignies
Ladeuze
CHIÈVRES
Cambron-St-Vincent
Neufvilles
St-Maur
Willemeau
Fontenoy
Maubray
Baugnies
Wasmes
Braffe
Ellignies-Ste-Anne
Bauffe
Montignies-lez-Lens
Bruyelle
Taintignies
Wez-Velvain
Péronnes
Brasmenil
Callenelle
Bury
Ramegnies
BELŒIL
Grosage
LENS
Masnuy-St-Pierre
Guignies
Hollain
Thumaide
Wadelincourt
Basècles
Quevaucamps
Herchies
Erbaut
JURBISE
Masnuy-St-Jean
Jolain-Merlin
Lesdain
BRUNEHAUT
Laplaigne
Roucourt
Neufmaison
Sirault
Erbisœul
Howardries
Rongy
Mortagne-du-Nord
Flines-lès-Mortagne
Château-l'Abbaye
Wiers
PERUWELZ
Blaton
Stambruges
Villerot
Baudour
Maisières
Rumegies
Maulde
Bon-Secours
Hautrage
Nimy
Lecelles
Thun-St-Amand
Hergnies
BERNISSART
Harchies
Sameon
Bruille-St-Amand
Nivelle
Pommerœul
Tertre
MONS
(BERGEN)
Rosult
ST-AMAND-LES-EAUX
Odomez
Vieux-Condé
CONDÉ-S.-L'ESCAUT
St-Aybert
ST-GHISLAIN
Wasmuel
Jemappes
St-Symphorien
Millonfosse
Thivencelle
Fresnes-s.-Escaut
HENSIES
Montrœul-s.-Haine
Thulin
Hainin
QUAREGNON
Hornu
Spiennes
Mesvin
Bousignies
Hasnon
Escautpont
Crespin
BOUSSU
COLFONTAINE
FRAMERIES
Ciply
Harmignies
Vicq
Elouges
Wasmes
Noirchain
Asquillies
Nouvelles
Raismes
Beuvrages
Bruay-s.-l'Escaut
Quiévrechain
QUIÉVRAIN
Baisieux
DOUR
Warquignies
la Bouverie
Genly
Harveng
Quarouble
Wihéries
Eugies
ANZIN
Aubry-du-Hainaut
Rombies-et-Marchipont
Audregnies
Angre
Montignies-s.Roc
Athis
Blaugies
Sars-la-Bruyère
QUÉVY
(Givry)
Havay

7
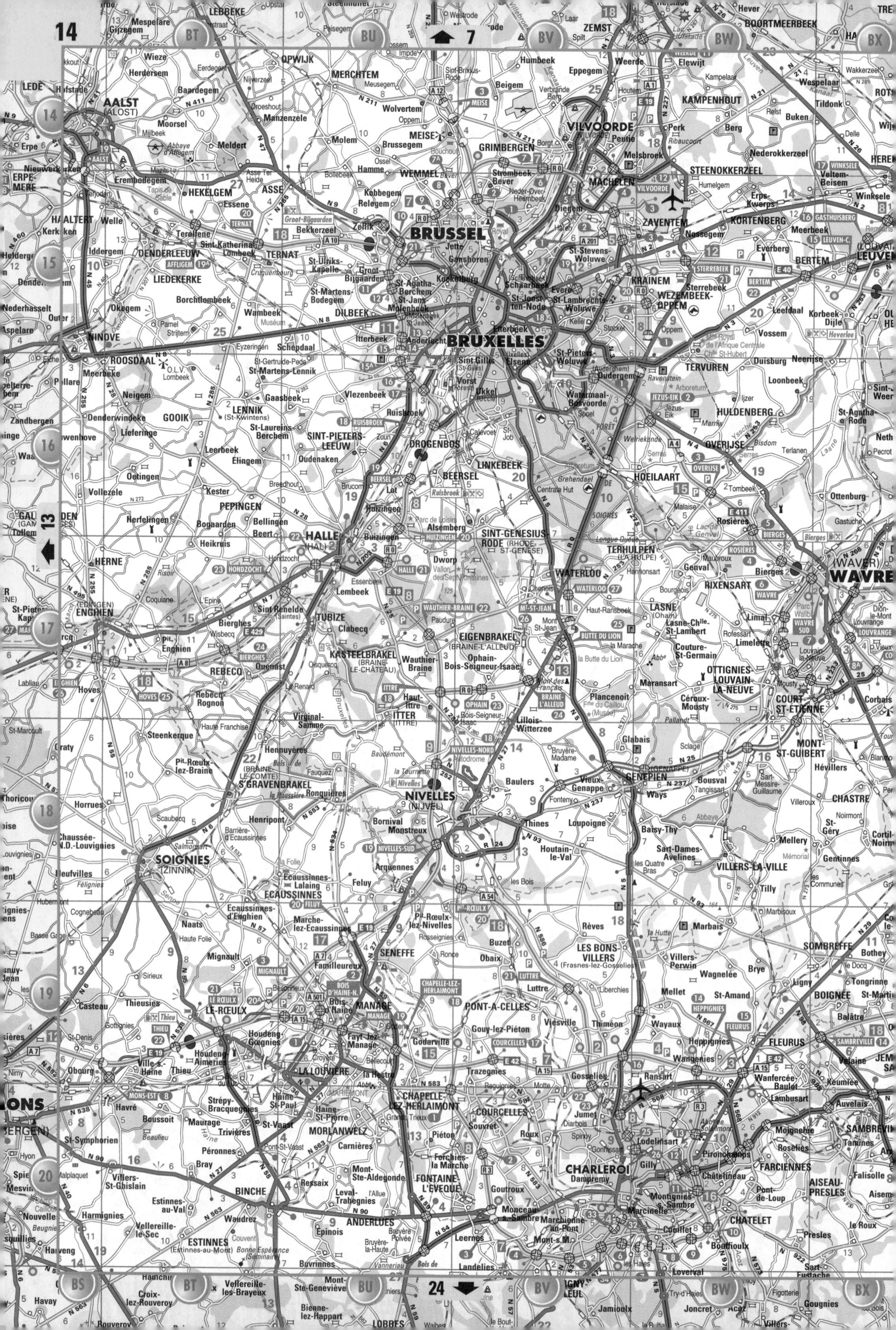
AALST
(ALOST)
OPWIJK
MERCHTEM
MEISE
GRIMBERGEN
VILVOORDE
ZEMST
BOORTMEERBEEK
KAMPENHOUT
STEENOKKERZEEL
MACHELEN
ZAVENTEM
KORTENBERG
BERTEM
LEUVEN
HEKELGEM
ASSE
WEMMEL
BRUSSEL
BRUXELLES
DENDERLEEUW
TERNAT
LIEDEKERKE
DILBEEK
KRAINEM
WEZEMBEEK-OPPEM
TERVUREN
NINOVE
ROOSDAAL
LENNIK
GOOIK
SINT-PIETERS-LEEUW
DROGENBOS
LINKEBEEK
BEERSEL
HOEILAART
OVERIJSE
HULDENBERG
PEPINGEN
HALLE
SINT-GENESIUS-RODE
TERHULPEN
(LA HULPE)
WAVRE
HERNE
WATERLOO
RIXENSART
ENGHIEN
TUBIZE
EIGENBRAKEL
(BRAINE-L'ALLEUD)
LASNE
KASTEELBRAKEL
REBECQ
OTTIGNIES-LOUVAIN-LA-NEUVE
COURT-ST-ETIENNE
ITTER
MONT-ST-GUIBERT
S'GRAVENBRAKEL
NIVELLES
(NIJVEL)
GENEPIEN
CHASTRE
SOIGNIES
(ZINNIK)
VILLERS-LA-VILLE
ECAUSSINNES
SENEFFE
LES BONS-VILLERS
SOMBREFFE
LE-RŒULX
MANAGE
PONT-A-CELLES
FLEURUS
LA LOUVIERE
CHAPELLE-LEZ-HERLAIMONT
COURCELLES
MONS
(BERGEN)
MORLANWELZ
CHARLEROI
FARCIENNES
BINCHE
FONTAINE-L'EVEQUE
AISEAU-PRESLES
CHATELET
ANDERLUES
ESTINNES
(Estinnes-au-Mont)
13
24

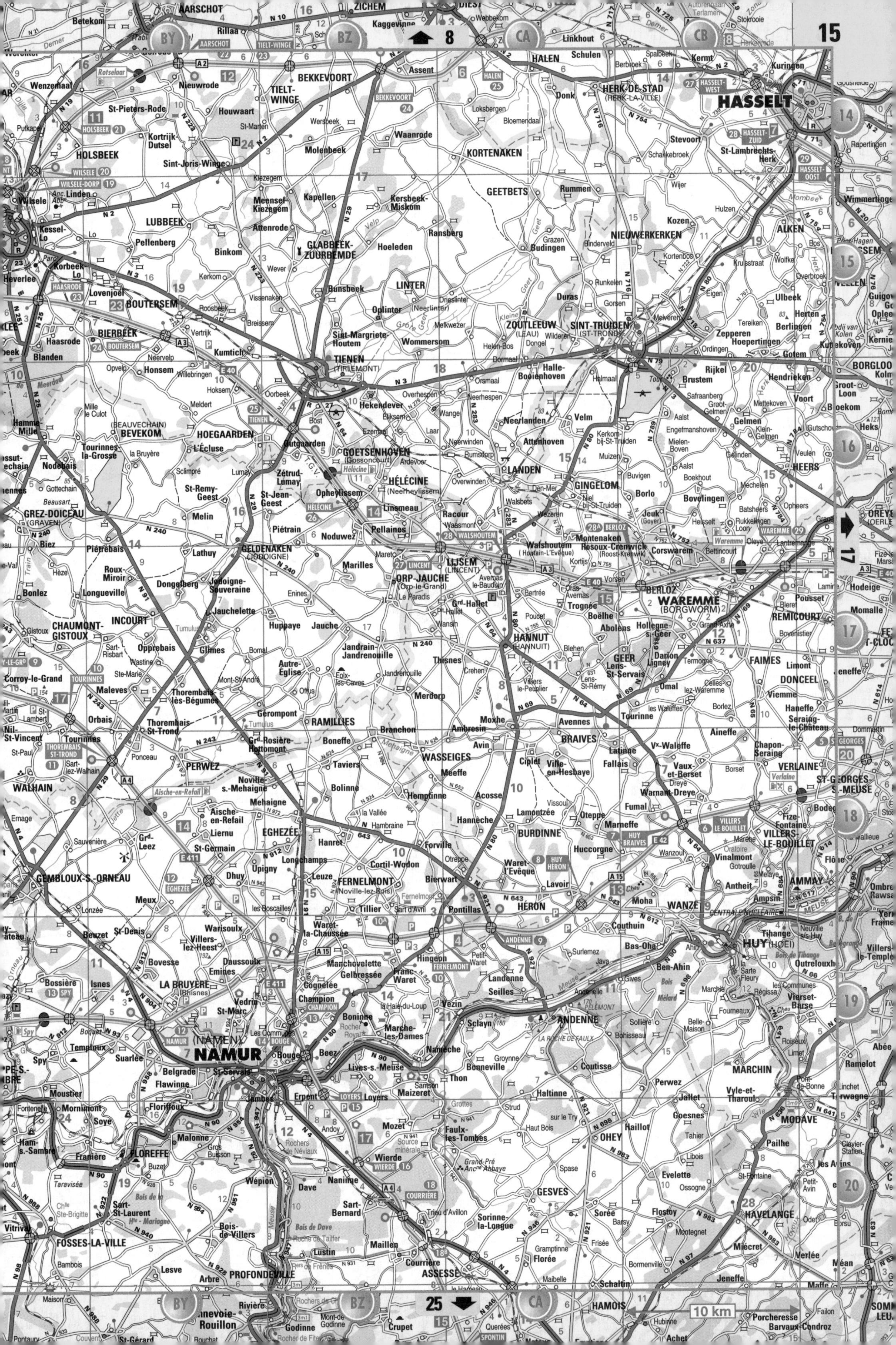
AARSCHOT
ZICHEM
DIEST
Betekom
Rillaa
Kaggevinne
Webbekom
Linkhout
HALEN
Schulen
Kermt
Kuringen
HASSELT
BEKKEVOORT
Assent
Wenzemaal
Nieuwrode
TIELT-WINGE
HERK-DE-STAD
(HERK-LA-VILLE)
Donk
St-Pieters-Rode
Houwaart
Stevoort
St-Lambrechts-Herk
Kortrijk-Dutsel
Waanrode
Molenbeek
KORTENAKEN
HOLSBEEK
Sint-Joris-Winge
Rummen
GEETBETS
Wilsele
Linden
Kapellen
Kersbeek-Miskom
LUBBEEK
Meensel-Kiezegem
Attenrode
Ransberg
Budingen
NIEUWERKERKEN
Kozen
ALKEN
Kessel-Lo
Pellenberg
Binkom
GLABBEEK-ZUURBEMDE
Hoeleden
Heverlee
Korbeek-Lo
Lovenjoel
BOUTERSEM
Bunsbeek
LINTER
Duras
Wimmertingen
Ulbeek
Oplinter
(Neerlinter)
ZOUTLEEUW
(LEAU)
SINT-TRUIDEN
(ST-TROND)
Herten
Berlingen
BIERBEEK
Haasrode
Sint-Margriete-Houtem
Wommersom
Zepperen
Hoepertingen
Kumtich
Gotem
Blanden
TIENEN
(TIRLEMONT)
Halle-Booienhoven
Rijkel
Brustem
BORGLOON
Honsem
Hendrieken
Voort
Bost
Hekendever
Velm
HOEGAARDEN
BEVEKOM
(BEAUVECHAIN)
Neerlanden
Attenhoven
Gelmen
Heks
L'Écluse
Outgaarden
GOETSENHOVEN
(Gossoncourt)
LANDEN
Tourinnes-la-Grosse
Nodebais
HEERS
HÉLÉCINE
(Neerheylissem)
GINGELOM
Zétrud-Lumay
Borlo
St-Remy-Geest
Opheylissem
Bovelingen
St-Jean-Geest
Linsmeau
Racour
GREZ-DOICEAU
(GRAVEN)
Melin
Piétrain
Pellaines
Noduwez
Jeuk
(Goyer)
Walshoutem
(Houtain-l'Évêque)
Montenaken
Rosoux-Crenwick
(Roost-Krenwik)
Corswarem
Pietrebais
Lathuy
GELDENAKEN
(JODOIGNE)
Marilles
ORP-JAUCHE
(Orp-le-Grand)
LIJSEM
(LINCENT)
BERLOZ
WAREMME
(BORGWORM)
Roux-Miroir
Dongelberg
Jodoigne-Souveraine
Avernas-le-Baudouin
Grd-Hallet
Trognée
Bonlez
Longueville
Jauchelette
Boëlhe
Hollogne-s.-Geer
Pousset
Momalle
REMICOURT
CHAUMONT-GISTOUX
INCOURT
Huppaye
Jauche
HANNUT
(HANNUT)
Abolens
Opprebais
Glimes
Jandrain-Jandrenouille
Thisnes
GEER
Lens-St-Servais
Darion
Ligney
FAIMES
Limont
Corroy-le-Grand
Autre-Eglise
Merdorp
DONCEEL
Omal
Malèves
Thorembais-les-Béguines
Viemme
Haneffe
Orbais
Thorembais-St-Trond
Geromponi
RAMILLIES
Moxhe
Avennes
Tourinne
Seraing-le-Château
Nil-St-Vincent
Tourinnes
Grd-Rosière-Hottomont
Branchon
Ambresin
BRAIVES
Boneffe
Avin
Latinne
Vx-Waleffe
Chapon-Seraing
Taviers
WASSEIGES
Ciplet
Fallais
Vaux-et-Borset
VERLAINE
PERWEZ
Meeffe
Ville-en-Hesbaye
WALHAIN
Noville-s.-Mehaigne
Bolinne
Hemptinne
Acosse
Warnant-Dreye
ST-GEORGES-S.-MEUSE
Mehaigne
Fumal
Aische-en-Refail
Hannèche
Lamontzée
Oteppe
Marneffe
Fize-Fontaine
Liernu
EGHEZÉE
Hanret
Forville
BURDINNE
VILLERS-LE-BOUILLET
Grd-Leez
St-Germain
Longchamps
Cortil-Wodon
Huccorgne
Vinalmont
Upigny
Waret-l'Évêque
GEMBLOUX-S.-ORNEAU
Dhuy
Leuze
FERNELMONT
(Noville-les-Bois)
Bierwart
Lavoir
Antheit
AMMAY
Meux
Tillier
Pontillas
HÉRON
Moha
WANZE
Beuzet
St-Denis
Warisoulx
Waret-la-Chaussée
Couthuin
Villers-lez-Heest
Bas-Oha
HUY (HOEI)
Dausoulx
Marchovelette
Hingeon
Petit-Waret
Emines
Gelbressée
Franc-Waret
Landenne
Ben-Ahin
Outrelouxhe
Bossière
Isnes
LA BRUYÈRE
(Rhisnes)
Cognelée
Seilles
Vierset-Barse
Champion
Vezin
Vedrin
St-Marc
Boninne
Marche-les-Dames
Sclayn
ANDENNE
Temploux
Suarlée
NAMUR
(NAMEN)
Beez
Namêche
Bouge
Lives-s.-Meuse
Spy
Belgrade
St-Servais
Bonneville
Coutisse
MARCHIN
Moustier
Flawinne
Erpent
Loyers
Maizeret
Thon
Perwez
Mornimont
Floriffoux
Jambes
Haltinne
Jallet
Vyle-et-Tharoul
Soye
Mozet
Faulx-les-Tombes
OHEY
Haillot
Goesnes
MODAVE
Ham-s.-Sambre
Malonne
FLOREFFE
Franière
Wierde
Pailhe
Wépion
Dave
Naninne
Evelette
Sart-St-Laurent
Sart-Bernard
GESVES
Sorinne-la-Longue
Soree
Flostoy
HAVELANGE
Bois-de-Villers
Vitrival
FOSSES-LA-VILLE
Maillen
Lustin
Florée
Miécret
Verlée
Lesve
Arbre
PROFONDEVILLE
Courrière
ASSESSE
Schaltin
Jeneffe
Maffe
Annevoie-Rouillon
Rivière
Godinne
Crupet
HAMOIS
Porcheresse
Barvaux-Condroz
Achet
BY
BZ
CA
CB
8
25
17
10 km

9

MAASTRICHT
LIÈGE (LUIK)
TONGEREN (TONGRES)
VERVIERS
GENK
MAASMECHELEN
GELEEN
ZUTENDAAL
DIEPENBEEK
BILZEN
LANAKEN
RIEMST
BORGLOON
HOELSELT
KORTESSEM
WELLEN
HERSTAPPE
CRISNÉE
JUPRELLE
AWANS
HERSTAL
VISÉ
DALHEM
BLÉGNY
AUBEL
PLOMBIÈRES
HERVE
FLÉRON
SOUMAGNE
BEYNE-HEUSAY
SERAING
FLÉMALLE
CHAUDFONTAINE
TROOZ
OLNE
DISON
PEPINSTER
THEUX
SPA
JALHAY
BAELEN
LIMBOURG
WELKENRAEDT
THIMISTER-CLERMONT
ESNEUX
SPRIMONT
AYWAILLE
NANDRIN
NEUPRÉ
ANTHISNES
COMBLAIN-AU-PONT
TINLOT
OUFFET
HAMOIR
CLAVIER
FERRIÈRES
STOUMONT
STAVELOT
TROIS-POINTS
DURBUY
MODAVE
AMAY
ENGIS
ST-GEORGES-S.-MEUSE
VERLAINE
DONCEEL
FEXHE-LE-HAUT-CLOCHER
GRÂCE-HOLLOGNE
ANS
VOEREN (FOURON)
BASSENGE (BITSINGEN)
OUPEYE
Margraten
Gulpen
Wittem
Valkenburg
Meerssen
Eijsden
Heer
Gronsveld
Cadier-en-Keer
Ulestraten
Beek
Schinnen
Voerendaal
Simpelveld
Bunde
Itteren
Borgharen
Neerharen
Rekem
Sint-Geertruid
Mheer
Noorbeek
Slenaken
Teuven
Sippenaeken
Remersdaal
Hombourg
Montzen
Henri-Chapelle
Battice
Aywaille
Sougné-Remouchamps
La Gleize
Francorchamps
Malmedy

Übach-Palenberg
Baesweiler
Alsdorf
KERKRADE
Herzogenrath
Würselen
AACHEN (Aix-la-Chapelle)
Vaals
Stolberg
Eschweiler
Langerwehe
DÜREN
Jülich-Koslar
Aldenhoven
Inden
Niederzier
Merzenich
Kerpen
Nörvenich
Kreuzau
Nideggen
Zülpich
Wettweiss
Mechernich
Heimbach
Simmerath
Monschau (Montjoie)
Roetgen
EUPEN
Kettenis
RAEREN
Hauset
Eynatten
Neu-Moresnet
Gemmenich
Walhorn
NORDEIFEL
Schleiden
Gemünd
Hellenthal
Nettersheim
Blankenheim
Schmidtheim
Dahlem
Stadtkyll
Jünkerath
HAUTES-FAGNES EIFEL
Elsenborn
Rocherath
BUTGENBACH
BULLINGEN (BULLANGE)
WAIMES (WEISMES)
MALMÉDY
Robertville
Weywertz
AMEL (AMBLEVE)
Heppenbach
Losheimergraben
Hallschlag
Kerschenbach
Scheid
Ormont
Roth
MILITARISCHES GEBIET
DEUTSCH BELGISCHER
Kall-Stausee
Urftalsperre
Rurtalsperre
Kronenburger See
10 km

27

AR
AS
AT
AU
25
26
27
28
29
30
31
AQ
CÔTE D' ALB
Falaise d'Aval
CENTRALE NUCLÉAIRE
le Tot
D 79
Veulettes-s.-Mer
Conteville
le Bout-Fleury
St-Sylvain
Janville
Ingouville
St-Martin-aux-Buneaux
Malleville-les-Grès
le Val
St-Riquier-ès-Plains
Paluel
les Ptes-Dalles
les Grdes-Dalles
Auberville-la-Manuel
Butot
St-Pierre-en-Port
Vinnemerville
Butot-Vénesville
Vittefleur
Ocqueville
Ecretteville-s.-Mer
Sassetot-le-Mauconduit
Canouville
Crosville
Eletot
Ancretteville-s.-Mer
Criquetot-le-Mauconduit
Clasville
CANY-BARVILLE
Ste-Hélène-Bondeville
Ouainville
N.D. du Salut
Senneville-s.-Fécamp
Anneville
Sasseville
D 925
Angerville-la-Martel
Theuville-aux-Maillots
Bertreville
Barville
FÉCAMP
Colleville
Thérouldeville
Bertheauville
Bosville
Criquebeuf-en-Caux
Grainval
Grainville-la-Teinturière
Yport
Valmont
VALMONT
Gerponville
Colombier
St-Va
Dieppedal
Vaucottes
St-Léonard
Toussaint
OURVILLE-EN-CAUX
Vattetot-s.-Mer
Aiguille de Belval
Bénouville
Froberville
Ganzeville
Contremoulins
Thiergeville
Riville
le Hanouard
Auffay-la-Malet
Falaise d'Amont
Étretat
Tourville-les-Ifs
Beuzeville-la-Guérard
Robert
Aiguille d'Étretat
Falaise d'Aval
les Loges
Epreville
Bec-de-Mortagne
Sorquainville
Oherville
les Ifs
Thiétreville
la Hêtrée
Cleuville
Sommesnil
Cap d'Antifer
la Place
Bordeaux-St-Clair
Gerville
Mentheville
Daubeuf-Serville
Ancourteville-s.-Héricourt
le Presbytère
Maniquerville
Ypreville-Biville
Normanville
Thiouville
St-Riquier
le Tilleul
le Mont-Rôti
Auberville-la-Renault
Annouville-Vilmesnil
Limpiville
St-Michel-en-Caux
Jumel
la Poterie-Cap-d'Antifer
B. des Loges
Fongueusemare
Bréttéville-du-Grand-Caux
Bailleul
Bénarville
Bennetot
Ste-Marguerite-s.-Fauville
Clipponville
Bruneval
Pierrefiques
Beaurepaire
Sausseuzemare-en-Caux
Angerville-Bailleul
Rocquefort
Ste-Marie-au-Bosc
Villainville
Cuverville
Grainville-Ymauville
Tocqueville-les-Murs
Trémauville
Colombier
St-Pierre-Lavis
Port du Havre-Antifer
Ecrainville
GODERVILLE
Environville
Gonneville-la-Mallet
St-Maclou-la-Brière
FAUVILLE-EN-CAUX
YVETOT-OUEST
St-Jouin-Bruneval
CRIQUETOT-L'ESNEVAL
Gonfreville-Caillot
Hattenville
Hautot-le-Vatois
le Ver-à-V
Anglesqueville-l'Esneval
le Canet
Bréauté
Vattetot-s/s-Beaumont
Yébleron
Auzouville-Auberbosc
Bermonville
Vergetot
Bornambusc
Bernières
Ricarville
Ecretteville-lès-Baons
Heuqueville
Turretot
St-Sauveur-d'Emalleville
Manneville-la-Goupil
Mirville
Bolleville
Cléville
St-Martin-du-Bec
Ecuquetot
Rouville
Foucart
Valliquerville
Cauville
Buglise
Mannevillette
Hermeville
Petit-Cap
Virville
Houquetot
Beuzeville-la-Grenier
Nointot
École d'Agric.
Raffetot
Bolleville
Alvimare
Allouville-Bellefosse
N.-D.-du-Bec
Parc-d'Anxtot
Rolleville
Angerville-l'Orcher
Graimbouville
St-Gilles-de-la-Neuville
Lanquetot
Allouville
Ecqueville
le Feugrès
Bois-Himont
St-Barthélemy
Manéglise
Bolbec
St-Aubin-de-Crétot
Octeville-s.-Mer
Fontenay
Epouville
Etainhus
St-Jean-de-la-Neuville
BOLBEC
Beuzevillette
Trouville
Louvetot
St-Gilles-de-Crétot
Sainneville
Gommerville
Gruchet-le-Valasse
Lintot
Grand-Camp
le Bouillon
St-Nicolas-de-la-Haie
Maulévrier-Ste-Gertrude
St-Andrieux
MONTIVILLIERS
ST-ROMAIN-DE-C.
les Trois-Pierres
St-Eustache-la-Forêt
la Trinité-du-Mont
Abbaye du Valasse
Fontaine-la-Mallet
St-Laurent-de-Brévedent
Epretot
ST-ROMAIN-DE-COLBOSC
St-Antoine-la-Forêt
Auberville-la-Campagne
Anquetierville
St-Arnoult
Ste-Gertrude
le G...neau
St-Martin-du-Manoir
Mélamare
le Becquet
Monts de Montgeon
Gournay
la Mre-Blanche
la Remuée
le Paradis
Beaufils
Lillebonne
la Frénaye
Touffreville-la-Câble
Gainneville
St-Aubin-Routot
Cerlangue
St-Jean-de-Folleville
LILLEBONNE
Bléville
Sanvic
Graville
Harfleur
GONFREVILLE-L'ORCHER
Rogerville
Oudalle
Sandouville
St-Vincent-Cramesnil
St-Nicolas-de-la-Taille
Radicatel
Ruines Romaines
N.-D.-de-Gravenchon
Triquerville
Villequier
Caudebec
Ste-Adresse
St-Vigor-d'Ymonville
St-Jean-d'Abbetot
Val des Fontaines
Drumare
Tancarville
Cité de la Pte-Campagne
le Mesnil
Canteple
St-Georges-de-Gravenchon
le Catillon
Vatteville-la-Rue
RAFFINERIE & DE PÉTROLE
la Vallée-d'Oudalle
le Hode
Canal
Réserve Naturelle
Port-Jérôme
RAFFINERIE DE PÉTROLE
COMPLEXE PÉTROCHIMIQUE
Z.I. ROGERVILLE
RENAULT
Z.I. PORTUAIRE
Grd Canal du Havre
Z.I.
Tancarville
le Port
Pont de Tancarville
QUILLEBEUF-S.-SEINE
le Cul-du-Tot
Norville
le Quesnay
St-Maur
LE HAVRE
Baie de Seine
Pont de Normandie
Berville-s.-Mer
Réserve
le Castel
le MARAIS VERNIER
St-Aubin-s.-Quillebeuf
St-Maurice
Petiville
QUILLEBEUF
le Chapitre
le Bout-Deshayes
la Vaquerie
le Bout-d'Aval
HONFLEUR
Grestain
St-Samson
SEINE
N 15
A 29
A 131
D 982
D 940
D 39
D 910
D 149
D 926
D 10
D 17
D 131
D 150
D 31
D 81
D 173

31

32

AV
AW
AX
AY
AZ
le Tréport
Calvaire des Terrasses
Mesnil-Val
Criel-Plage
Criel-s.-Mer
Mesnil-en-Caux
Tocqueville-s.-Eu
Touffreville-s.-Eu
Biville-s.-Mer
Assigny
CENTRALE NUCLÉAIRE
St-Martin-Plage
Penly
Brunville
Canehan
Berneval-s.-Mer
Berneval-le-Gd
St-Martin-en-Campagne
Guilmécourt
Belleville-s.-Mer
Bracquemont
Derchigny
Greny
Auquemesnil
Newhaven
DIEPPE
N.-D. de Bon-Secours
Puys
Neuville-lès-Dieppe
Graincourt
Glicourt
Intraville
Touryille-la-Chapelle
St-Quentin-au-Bosc
Gouchaupré
Phare d'Ailly
Vasterival
Ste-Marguerite-s.-Mer
Pourville-s.-Mer
Varengeville-s.-Mer
Quiberville-Plage
Grèges
Sauchay
Thibermont
Ancourt
Bellengreville
Bailly-en-Rivière
Martin-Eglise
ENVERMEU
Epineville
Quiberville
Longueil
Hautot-s.-Mer
Rouxmesnil-Bouteilles
Arques-la-Bataille
St-Aubin-le-Cauf
VALÉRY-CAUX
Veules-les-Roses
Sotteville-s.-Mer
St-Aubin-s.-Mer
Flainville
Ouville-la-Rivière
OFFRANVILLE
St-Aubin-s.-Scie
Tourville-s.-Arques
St-Nicolas-d'Aliermont
Douvrend
la Chapelle-s.-Dun
St-Denis-d'Aclon
le Bourg-Dun
Ambrumesnil
Colmesnil-Manneville
Martigny
Dampierre-St-Nicolas
St-Jacques-d'Aliermont
N.-D.-d'Aliermont
Manneville-ès-Plains
Blosseville
St-Pierre-le-Vieux
Avremesnil
Gueures
Sauqueville
Aubermesnil-Beaumais
Meulers
la Gaillarde
Luneray
Thil-Manneville
le Bois-Robert
St-Germain-d'Etables
Gueutteville-les-Grès
Angiens
St-Pierre-le-Viger
Gruchet-St-Siméon
Brachy
Auppegard
Manehouville
Anneville-s.-Scie
Freulleville
Ste-Agathe-d'Aliermont
Pleine-Sève
le Mesnil-Durdent
Houdetot
FONTAINE-LE-DUN
Greuville
Hermanville
Crosville-s.-Scie
la Chaussée
Dénestanville
la Chapelle-du-Bourgay
St-Vaast-d'Equiqueville
Ermenouville
Craville-la-Rocquefort
Vénestanville
Lammerville
Bertreville-St-Ouen
Torcy-le-Petit
Croixdalle
Ste-Colombe
Bourville
Autigny
Rainfreville
Omonville
Lintot-les-Bois
LONGUEVILLE-S.-SCIE
Ste-Foy
Torcy-le-Grand
Ricarville-du-Val
Osmoy-St-Valery
Drosay
Brametot
Tocqueville-en-Caux
BACQUEVILLE-EN-CAUX
St-Crespin
les Grandes-Ventes
Héberville
Sassetot-le-Malgardé
Royville
St-Honoré
Muchedent
Anglesqueville-la-Bras-Long
Canville-les-Deux-Eglises
Biville-la-Rivière
Lamberville
Belmesnil
St-Mards
Criquetot-s.-Longueville
Mesnil-Follemprise
Bures-en-Bray
Hautot-l'Auvray
Fultot
Gonzeville
Bretteville-St-Laurent
Gonnetot
Saâne-St-Just
St-Ouen-le-Mauger
Gonneville-s.-Scie
les Cent-Acres
Bénesville
Reuville
St-Laurent-en-Caux
Beauval-en-Caux
le Catelier
Ardouval
Etalleville
Auzouville-s.-Saâne
Lestanville
Fresles
Routes
Prétot-Vicquemare
St-Pierre-Bénouville
Heugleville-s.-Scie
N.-D.-du-Parc
Cropus
Pommeréval
DOUDEVILLE
Boudeville
Eurville
St-Hellier
Harcanville
le Torp-Mesnil
Imbleville
Biville-la-Baignarde
Cressy
Anvéville
Berville
Lindebeuf
Belleville-en-Caux
Auffay
Sévis
BELLENCOMBRE
Ventes-St-Rémy
Amfreville-les-Champs
Val-de-Saâne
Calleville-les-deux-Eglises
St-Denis-s.-Scie
la Crique
Rosay
FORGES-LES-EAUX
Hautot-St-Sulpice
Yvecrique
Ouville-l'Abbaye
Vibeuf
la Fontelaye
St-Vaast-du-Val
Vassonville
Maucomble
Etoutteville
Criquetot-s.-Ouville
Bourdainville
TÔTES
St-Maclou-de-Folleville
St-Victor-l'Abbaye
Montreuil-en-Caux
Grémonville
YERVILLE
Bertrimont
Beaumont-le-Hareng
ST-SAËNS
Veauville-lès-Baons
Ectot-l'Auber
Varneville-Bretteville
Bracquetuit
Bosc-Mesnil
Ectot-lès-Baons
St-Martin-aux-Arbres
Ancrétiéville-St-Victor
Gueutteville
Fresnay-le-Long
Etaimpuis
Grigneuseville
Baons-le-Comte
YVETOT
Auzouville-l'Esneval
Motteville
Hugleville-en-Caux
Saussay
Beautot
St-Ouen-du-Breuil
Bosc-Bérenger
St-Martin-Osmonville
Ste-Marie-des-Champs
Emanville
la Houssaye-Béranger
Cottévrard
Ecalles-Alix
Cideville
Limésy
Butot
Grugny
Frichemesnil
Bosc-le-Hard
Mathonville
St-Clair-s.-les-Monts
Authieux-Ratiéville
Esteville
Critot
Rocquemont
Auzebosc
Croix-Mare
Mont-de-l'If
Mesnil-Panneville
Ste-Austreberthe
le Bocasse
CLÈRES
Claville-Motteville
Yquebeuf
Estouteville-Ecalles
BUCHY
Touffreville-la-Corbeline
la Folletière
Sierville
Freville
Blacqueville
Goupillières
Anceaumeville
Mont-Cauvaire
St-Germain-s/s-Cailly
Cailly
Vieux-Manoir
Carville-la-Folletière
Bouville
PAVILLY
Fresquiennes
la Rue-St-Pierre
Betteville
Villers-Ecalles
Barentin
Montville
Fontaine-le-Bourg
St-Georges-s.-Fontaine
St-André-s.-Cailly
Longuerue
Ste-Croix-s.-Buchy
CAUDEBEC-EN-CAUX
Epinay-s.-Duclair
Eslettes
Bosc-Guérard-St-Adrien
Pierreval
Bierville
St-Wandrille-Rançon
St-Paër
Pissy-Pôville
Malaunay
Quincampoix
St-Germain-des-Essourts
N.-D.-de-Bliquetuit
Ste-Marguerite-s.-Duclair
Roumare
le Houlme
Houppeville
Isneauville
Morgny-la-Pommeraye
Catenay
St-Pierre-de-Varengeville
St-Jean-du-Cardonnay
la Vieux-Rue
Blainville-Crevon
DUCLAIR
Hénouville
N.-D.-DE-BONDEVILLE
Préaux
Servaville-Salmonville
Grainville-s.-Ry
Berville-s.-Seine
Vaupalière
Fontaine-s/s-Préaux
Ry
le Trait
MAROMME
St-Martin-du-Vivier
Déville-lès-Rouen
BOIS-GUILLAUME
Yainville
MONT-ST-AIGNAN
Heurteauville
St-Pierre-de-Boscherville
Canteleu
Bihorel
DARNÉTAL
Bois-l'Evêque
Auzouville-s.-Ry
Bardouville
St-Jacques-
33
20
34
25
26
27
28
29
30
31
10 km

BERCK
10
BA
BB
BC
BD
BE
21
22
23
24
25
26
27
19
34
Groffliers
Waben
Conchil-le-Temple
Fort-Mahon-Plage
Quend-Plage-les-Pins
Colline-Beaumont
Nempont-St-Firmin
Tigny-Noyelle
Nampont
Lépine
Boisjean
Beaucamp
Campagne-lès-Hesdin
Roussent
Maintenay
Buire-le-Sec
Argoules
Douriez
Saulchoy
Dominois
Villers-s.-Authie
Quend
Vercourt
Vron
Regnière-Ecluse
Arry
Rue
St-Quentin-en-Tourmont
Parc Ornithologique du Marquenterre
Baie de la Somme
CÔTE D'OPALE
Bernay-en-Ponthieu
Machy
Forest-Montiers
Vironchaux
Machiel
Ligescourt
Ponches-Estruval
Dompierre-s.-Authie
Regnauville
Crécy-en-Ponthieu
Estrées-lès-Crécy
Fontaine-s.-Maye
Froyelles
Favières
Ponthoile
le Crotoy
Nouvion
Forêt de Crécy
Forest-l'Abbaye
Lamotte-Buleux
St-Valery-s.-Somme
Cayeux-s.-Mer
Noyelles-s.-Mer
Sailly-Flibeaucourt
Hautvillers-Ouville
Agenvillers
Domvast
Canchy
Neuilly-l'Hôpital
Millencourt-en-Ponthieu
St-Riquier
Lanchères
Pendé
Estrébœuf
Boismont
Port-le-Grand
Buigny-St-Maclou
Drucat
Saigneville
Grand-Laviers
Brutelles
Arrest
Mons-Boubert
Cahon
Vaudricourt
St-Blimont
Woignarue
Ault
Nibas
Ochancourt
Quesnoy-le-Montant
Cambron
Abbeville
Vauchelles-les-Quesnoy
Yaucourt-Bussus
Bourseville
Allenay
Tully
Friville-Escarbotin
Franleu
Miannay
Moyenneville
Buigny-l'Abbé
Bellancourt
Mers-les-Bains
le Tréport
Eu
Friaucourt
St-Quentin-la-Motte-Croix-au-Bailly
Béthencourt-s.-Mer
Valines
Acheux-en-Vimeu
Yonval
Épagne-Epagnette
Mareuil-Caubert
Eaucourt-s.-Somme
Francières
Pont-Rémy
Woincourt
Fressenneville
Menesliès
Oust-Marest
Yzengremer
Feuquières-en-Vimeu
Chépy
Béhen
Huchenneville
Dargnies
Bouvaincourt-s.-Bresle
Aigneville
Tours-en-Vimeu
Ercourt
Bray-lès-Mareuil
Erondelle
Liercourt
Cocquerel
Ponts-et-Marais
Etalondes
Embreville
Buigny-lès-Gamaches
Grébault-Mesnil
Bailleul
Fontaine-s.-Somme
Longpré-les-Corps-Saints
St-Pierre-en-Val
Beauchamps
Incheville
Maisnières
Vismes
Huppy
Limeux
Touffreville-s.-Eu
St-Rémy-Boscrocourt
Frettemeule
Martainneville
Doudelainville
Sorel-en-Vimeu
Tilloy-Floriville
St-Maxent
Monchy-s.-Eu
Longroy
Fresnes-Tilloloy
Vaux-Marquenneville
Frucourt
Hallencourt
Bettencourt-Rivière
St-Martin-le-Gaillard
Baromesnil
Gamaches
Citerne
le Mesnil-Réaume
Millebosc
Biencourt
Neuville-au-Bois
Mérélessart
Cuverville-s.-Yères
Bouillancourt-en-Séry
Cerisy-Buleux
Wiry-au-Mont
Sept-Meules
Bazinval
Melleville
Guerville
Monchaux-Soreng
Le Translay
Framicourt
Forceville-en-Vimeu
Allery
Airaines
Villy-s.-Yères
Oisemont
Woirel
Fontaine-le-Sec
Rieux
Rambures
Villeroy
Métigny
Quesnoy-s.-Airaines
Avesnes-en-Val
Bouttencourt
Cannessières
Heucourt-Croquoison
Laleu
Tailly
Blangy-s.-Bresle
Nesle-Normandeuse
Foucaucourt-Hors-Nesle
Nesle-l'Hôpital
Mouflières
Frettecuisse
Vergies
Warlus
Avelesges
Grandcourt
Aumâtre
Epaumesnil
Etréjust
St-Riquier-en-Rivière
Lignières-en-Vimeu
St-Maulvis
Belloy-St-Léonard
Pierrecourt
Bermesnil
Andainville
Fresnoy-Andainville
Avesnes-Chaussoy
Méricourt-en-Vimeu
Les Ifs
Fresnoy-Folny
Dancourt
Senarpont
Fresneville
Aumont
Puisenval
Preuseville
Inval-Boiron
le Mazis
Dromesnil
Camps-en-Amiénois
St-Léger-s.-Bresle
Hodeng-au-Bosc
St-Aubin-Rivière
Arguel
Villers-Campsart
Wanchy-Capval
St-Pierre-des-Jonquières
Fallencourt
Campneuseville
Neuville-Coppegueule
Le Quesne
Liomer
Smermesnil
Villers-s/s-Foucarmont
Foucarmont
Réalcamp
Vieux-Rouen-s.-Bresle
Beaucamps-le-Vieux
Brocourt
Hornoy-le-Bourg
St-Aubin-Montenoy
Londinières
Fréauville
Aubermesnil-aux-Erables
St-Léger-aux-Bois
St-Martin-au-Bosc
St-Germain-s.-Bresle
Lafresguimont-St-Martin
Vraignes-lès-Hornoy
Thieulloy-l'Abbaye
Fricamps
Clais
Callengeville
Rétonval
Richemont
Aubéguimont
Beaucamps-le-Jeune
Lamaronde
Bailleul-Neuville
Baillolet
Fesques
Bettembos
Osmoy-St-Valéry
Ouv. print. 2005
Ouv. printemps 2005
Lucy
Vatierville
Vieilles-Neuves
Gauville
Morvillers
Caulières
Eplessier
Aumale
Ménonval
Bures-en-Bray
Meigneux
Fontaine-sur-Maye
Brailly-Cornehotte
Noyelles-en-Chaussée
Yvrencheux
Gapennes
Oneux
Coulonvillers
Gueschart
Bouffler
Labroye
le Boisle
Raye-s.-Authie
Tortefontaine
Mouriez
Capelle-lès-Hesdin
Gouy-St-André
St-Rémy-au-Bois
Aubin-St-Vaast
Bouin-Plumoison
Contes
Marconne
Marconnelle

11
35
10 km
BF
BG
BH
BI
BJ
HESDIN
LE PARCQ
ST-POL-S.-TERNOISE
AUBIGNY-EN-ARTOIS
ARRAS
AVESNES-LE-COMTE
BEAUMETZ-LÈS-LOGES
AUXI-LE-CHÂTEAU
Frévent
DOULLENS
PAS-EN-ARTOIS
BERNAVILLE
Lucheux
ACHEUX-EN-AMIÉNOIS
DOMART-EN-PONTHIEU
ALBERT
VILLERS-BOCAGE
PICQUIGNY
AMIENS
CORBIE
BRAY-S.-SOMME
BOVES
MOREUIL
Naours
Flixecourt
Ailly-s.-Somme
Saleux
Longueau
Camon
Villers-Bretonneux
Dury
Sains-en-Amiénois
Querrieu
Pont-Noyelles
Hébuterne
Vignacourt
Conteville
Frohen-le-Grd
Candas
Beauval
Talmas
Canaples
Bonneville
Fienvillers
Beauquesne
Raincheval
Puchevillers
Toutencourt
Contay
Warloy-Baillon
Senlis-le-Sec
Méaulte
Morlancourt
Heilly
Daours
Fouilloy
Glisy
Blangy-Tronville
Vecquemont
Lamotte-Brebière
Rivery
Pont-de-Metz
Salouël
Argœuves
Dreuil-lès-Amiens
Saveuse
Clairy-Saulchoix
Pissy
Revelles
Creuse
Bacouel-s.-Selle
Plachy-Buyon
Prouzel
Rumigny
Hébécourt
Cottenchy
Fouencamps
Gentelles
Cachy
Hangard
Démuin
Ignaucourt
Caix
Harbonnières
Marcelcave
Lamotte-Warfusée
Bayonvillers
Cerisy
Morcourt
Chipilly
Sailly-Laurette
Le Hamel
Hamelet
Vaire-s/s-Corbie
Vaux-s.-Somme
Bonnay
Lahoussoye
Fréchencourt
St-Gratien
Allonville
Poulainville
Coisy
Cardonnette
Rainneville
Bertangles
Vaux-en-Amiénois
Montonvillers
Flesselles
Rubempré
Hérissart
Mirvaux
Pierregot
Molliens-au-Bois
Montigny-s.-l'Hallue
Beaucourt-s.-l'Hallue
Bavelincourt
Béhencourt
Franvillers
Ribemont-s.-Ancre
Buire-s.-l'Ancre
Dernancourt
Millencourt
Laviéville
Hénencourt
Baizieux
Bresle
Vadencourt
Varennes
Harponville
Hédauville
Forceville
Léalvillers
Arquèves
Louvencourt
Bertrancourt
Mailly-Maillet
Auchonvillers
Englebelmer
Mesnil-Martinsart
Bouzincourt
Colincamps
Courcelles-au-Bois
Sailly-au-Bois
Bus-lès-Artois
Vauchelles-lès-Authie
Marieux
Authie
Thièvres
Orville
Sarton
Terramesnil
Amplier
Authieule
Halloy
Grenas
Mondicourt
Pommera
Warlincourt-lès-Pas
Gaudiempré
Grincourt-lès-Pas
Hénu
Souastre
Fonquevillers
Gommecourt
Bayencourt
Coigneux
Couin
St-Léger-lès-Authie
Famechon
Humbercamps
Pommier
Bienvillers-au-Bois
Hannescamps
Monchy-au-Bois
Berles-au-Bois
La Cauchie
La Herlière
Bailleulmont
Bailleulval
Basseux
Rivière
Bavincourt
Saulty
Couturelle
Humbercourt
Coullemont
Warluzel
Sus-St-Léger
Sombrin
Barly
Fosseux
Hauteville
Gouy-en-Artois
Monchiet
Simencourt
Wanquetin
Warlus
Lattre-St-Quentin
Gouves
Montenescourt
Noyelle-Vion
Noyelette
Habarcq
Agnez-lès-Duisans
Duisans
Hermaville
Avesnes
Tilloy-lès-Hermaville
Izel-lès-Hameaux
Villers-sir-Simon
Manin
Berles-Monchel
Frévin-Capelle
Capelle-Fermont
Agnières
Savy-Berlette
Villers-Brûlin
Mingoval
Villers-Châtel
Béthonsart
Cambligneul
Camblain-l'Abbé
Estrée-Cauchy
Gauchin-Légal
Fresnicourt-le-Dolmen
Magnicourt-en-Comté
Monchy-Breton
la Thieuloye
Chelers
Bailleul-aux-Cornailles
Tincques
Averdoingt
Penin
Maizières
Ambrines
Givenchy-le-Noble
Lignereuil
Magnicourt-s.-Canche
Sars-le-Bois
Denier
Beaufort-Blavincourt
Liencourt
Grd-Rullecourt
Beaudricourt
Ivergny
le Souich
Brévillers
Bouquemaison
Grouches-Luchuel
Neuvillette
Barly
Occoches
Outrebois
Boisbergues
Hem-Hardinval
Gézaincourt
Longuevillette
Autheux
Remaisnil
Mézerolles
Frohen-le-Pt
Canteleux
Villers-l'Hôpital
Beauvoir-Wavans
Nœux-lès-Auxi
Boffles
Fortel-en-Artois
Bonnières
Bouret-s.-Canche
Rebreuviette
Estrée-Wamin
Rebreuve-s.-Canche
Houvin-Houvigneul
Canettemont
Berlencourt-le-Cauroy
Sibiville
Séricourt
Nuncq-Hautecôte
Moncheaux-lès-Frévent
Monts-en-Ternois
Gouy-en-Ternois
Neuville-au-Cornet
Buneville
Framecourt
Ternas
Maisnil
Ligny-St-Flochel
Foufflin-Ricametz
Herlin-le-Sec
Ramecourt
Roëllecourt
St-Michel-s.-Ternoise
Ostreville
Brias
Marquay
Gauchin-Verloingt
Croix-en-Ternois
Siracourt
Croisette
Herlincourt
Héricourt
Hautecloque
Écoivres
Flers
Ligny-s.-Canche
Boubers-s.-Canche
Conchy-s.-Canche
Monchel-s.-Canche
Vacquerie-le-Boucq
Rougefay
Buire-au-Bois
Blangerval-Blangermont
Fillièvres
Linzeux
Guinecourt
Beauvois
Humières
Willeman
Œuf-en-Ternois
Noyelles-lès-Humières
Neulette
Incourt
Fresnoy
Vieil-Hesdin
Wail
Galametz
Aubrometz
Haravesnes
Vacqueriette-Erquières
le Quesnoy-en-Artois
Fontaine-l'Etalon
Quœux-Haut-Maînil
Caumont
Gennes-Ivergny
Vaulx
le Ponchel
Willencourt
Vitz-s.-Authie
Hiermont
Bernâtre
Maizicourt
Montigny-les-Jongleurs
Agenville
Heuzecourt
St-Acheul
le Meillard
Domléger-Longvillers
Cramont
Prouville
Beaumetz
Domesmont
Gorges
Ribeaucourt
Domqueur
Epécamps
Fransu
Lanches-St-Hilaire
Berneuil
Franqueville
Fieffes-Montrelet
Brucamps
Surcamps
Vauchelles-lès-Domart
St-Léger-lès-Domart
Pernois
Berteaucourt-les-Dames
Halloy-lès-Pernois
Havernas
Wargnies
St-Ouen
Bettencourt-St-Ouen
Ville-le-Marclet
Bourdon
Hangest-s.-Somme
Yzeux
Crouy-St-Pierre
Soues
Belloy-s.-Somme
La Chaussée-Tirancourt
St-Sauveur
Breilly
Cavillon
Fourdrinoy
Oissy
Saisseval
Ferrières
Bovelles
Guignemicourt
Briquemesnil-Floxicourt
Seux
Bougainville
Fluy
Fresnoy-au-Val
Quevauvillers
Courcelles-s/s-Moyencourt
Namps-Maisnil
Taisnil
Fossemanant
Neuville-lès-Lœuilly
Nampty
Vers-s.-Selles
St-Fuscien
Sains-en-Amiénois
Thézy-Glimont
Hailles
Thennes
Berteaucourt-lès-Thennes
Domart-s.-la-Luce
Villers-aux-Érables
Beaucourt-en-Santerre
Aubercourt
Wiencourt-l'Equipée
Guillaucourt
Cayeux-en-Santerre
Warvillers
Framerville-Rainecourt
Méricourt-l'Abbé
Treux
Ville-s.-Ancre
Étinehem
Grattepanche
Guyencourt-s.-Noye
Beaufort-

12
21
36

BJ
BK
BL
BM
BN
Angres
Givenchy-en-Gohelle
Sallaumines
HÉNIN-BEAUMONT
Auby
Roost-Warendin
Raches
Anhiers
Ablain-St-Nazaire
Carency
Villers-au-Bois
Mont-St-Éloi
Neuville-St-Vaast
VIMY
Thélus
Farbus
Acheville
Arleux-en-Gohelle
ROUVROY
Drocourt
Bois-Bernard
Fresnes-en-Gohelle
Izel-lès-Equerchin
Neuvireuil
Willerval
Bailleul-Sir-Berthoult
Oppy
Quiéry-la-Motte
Esquerchin
Cuincy
Escrebieux
DOUAI
Waziers
Sin-le-Noble
Dechy
Lambres-lez-Douai
Courchelettes
Corbehem
Fresnes-lès-Montauban
VITRY-EN-ARTOIS
Brebières
Guesnain
Lewarde
Roucourt
Lallaing
Pecquencourt
Rieulay
Fenain
Montigny-en-Ostrevent
Bruille-lez-Marchiennes
Loffre
Masny
Ecaillon
Somain
Anzin-St-Aubin
Roclincourt
Écurie
Marœuil
Etrun
Avesnes
Agnez-lès-Duisans
Duisans
Gouves
Montenescourt
ARRAS
DAINVILLE
Ste-Catherine
St-Nicolas
St-Laurent-Blangy
Athies
Fampoux
Feuchy
Gavrelle
Rœux
Plouvain
Biache-St-Vaast
Hamblain-les-Prés
Noyelles-s/s-Bellonne
Gouy-s/s-Bellonne
Férin
Gœulzin
Erchin
Cantin
Villers-au-Tertre
Auberchicourt
Aniche
Abscon
Mastaing
Emerchicourt
Monchecourt
Marquette-en-Ostrevant
BOUCHAIN
Warlus
Achicourt
Tilloy-lès-Mofflaines
Monchy-le-Preux
Pelves
Boiry-N.-D.
Sailly-en-Ostrevent
Bellonne
Tortequesne
Estrées
Hamel
Bugnicourt
Brunémont
Fressain
Marcq-en-Ostrevent
Wavrechain-s/s-Faulx
ARLEUX
Aubigny-au-Bac
Féchain
Wasnes-au-Bac
Hordain
Berneville
Agny
Beaurains
Neuville-Vitasse
Guémappe
Wancourt
Héninel
Éterpigny
Rémy
Étaing
Lécluse
Récourt
Écourt-St-Quentin
Palluel
Oisy-le-Verger
Aubencheul-au-Bac
Fressies
Hem-Lenglet
Estrun
BEAUMETZ-LÈS-LOGES
Wailly
Mercatel
St-Martin-s.-Cojeul
Hénin-s.-Cojeul
Chérisy
Vis-en-Artois
Haucourt
Dury
Saudemont
Rumaucourt
Sauchy-Cauchy
Sauchy-Lestrée
Epinoy
Abancourt
Bantigny
Paillencourt
Thun-l'Évêque
Basseux
Rivière
Ficheux
Bailleulval
Blairville
Boisleux-St-Marc
Boiry-Becquerelle
Fontaine-lès-Croisilles
Villers-lès-Cagnicourt
Cagnicourt
Baralle
Buissy
MARQUION
Haynecourt
Cuvillers
Thun-St-Martin
Eswars
Bailleulmont
Berles-au-Bois
Ransart
Hendecourt-lès-Ransart
Boisleux-au-Mont
Boiry-Ste-Rictrude
Boyelles
CROISILLES
Hendecourt-lès-Cagnicourt
Riencourt-lès-Cagnicourt
Sains-lès-Marquion
Sancourt
Tilloy-lez-Cambrai
Blécourt
Ramillies
Naves
Escaudœuvres
Monchy-au-Bois
Adinfer
Boiry-St-Martin
Moyenneville
Hamelincourt
St-Léger
Ecoust-St-Mein
Bullecourt
Quéant
Neuville-St-Rémy
Sailly-lez-Cambrai
Raillencourt-Ste-Olle
Douchy-lès-Ayette
Ayette
Courcelles-le-Comte
Ervillers
Noreuil
Pronville
Inchy-en-Artois
Bourlon
Fontaine-N.-D.
CAMBRAI
Mory
Lagnicourt-Marcel
Mœuvres
Anneux
Proville
Awoingt
Ablainzevelle
Gomiécourt
Béhagnies
Achiet-le-Gd
Vaulx-Vraucourt
Morchies
Boursies
Graincourt-lès-Havrincourt
Cantaing-s.-Escaut
Niergnies
Estourmel
Cattenières
Foncquevillers
Gommecourt
Bucquoy
Sapignies
Favreuil
Beugnâtre
Beugny
Doignies
Flesquières
Noyelles-s.-Escaut
Rumilly-en-Cambrésis
Wambaix
Puisieux
Achiet-le-Pt
Bihucourt
Biefvillers-lès-Bapaume
Avesnes-lès-Bapaume
BAPAUME
Frémicourt
Beaumetz-lès-Cambrai
Lebucquière
Hermies
MARCOING
Masnières
Séranvillers-Forenville
Crèvecœur-s.-l'Escaut
Miraumont
Irles
Grévillers
Warlencourt-Eaucourt
Bancourt
Riencourt-lès-Bapaume
Haplincourt
Vélu
BERTINCOURT
Havrincourt
Ribécourt-la-Tour
Les Rues-des-Vignes
Lesdain
Beaucourt-s.-l'Ancre
Pys
Ligny-Thilloy
Beaulencourt
Villers-au-Flos
Barastre
Bus
Ruyaulcourt
Trescault
Villers-Plouich
Bonavis
Grandcourt
le Sars
St-Pierre-Divion
Courcelette
Thiepval
Gueudecourt
le Transloy
Rocquigny
Ytres
Neuville-Bourjonval
Metz-en-Couture
Gouzeaucourt
Gonnelieu
Banteux
Bantouzelle
Walincourt-Selvigny
Martinpuich
Flers
Lesbœufs
Léchelle
Mesnil-en-Arrouaise
Equancourt
Fins
Villers-Guislain
Honnecourt-s.-Escaut
Malincourt
Aubencheul-aux-Bois
Authuille
Pozières
Ovillers-la-Boisselle
Bazentin
Longueval
Morval
Sailly-Saillisel
Manancourt
Etricourt-Manancourt
Sorel
Heudicourt
Villers-Outréaux
ALBERT
Contalmaison
Guillemont
Ginchy
Rancourt
Nurlu
Epehy
Vendhuile
LE CATELET
Gouy
Beaurevoir
Fricourt
Mametz
Montauban-de-Picardie
COMBLES
Maurepas
Hardecourt-aux-Bois
Moislains
Liéramont
Guyencourt-Saulcourt
Ronssoy
Lempire
Bony
Bécordel-Bécourt
Carnoy
Maricourt
Bouchavesnes-Bergen
Aizecourt-le-Bas
Villers-Faucon
Ste-Émilie
Méaulte
Bronfay
Curlu
Cléry-s.-Somme
Aizecourt-le-Haut
Longavesnes
Templeux-la-Fosse
Allaines
Driencourt
Marquaix
ROISEL
Templeux-le-Guérard
Hargicourt
Villeret
Hesbécourt
Bellicourt
Nauroy
Estrées
Joncourt
Morlancourt
BRAY-S.-SOMME
Suzanne
Hem-Monacu
Feuillères
Frise
Éclusier-Vaux
Mont-St-Quentin
PÉRONNE
Bussu
Tincourt-Boucly
Doingt
Buire-Courcelles
Hamelet
Hervilly
Jeancourt
le Verguier
Magny-la-Fosse
Etinehem
la Neuville-lès-Bray
Cappy
Herbécourt
Biaches
Flaucourt
Dompierre-Becquincourt
Cartigny
Bernes
Bellenglise
Lehaucourt
Chuignes
Méricourt-s.-Somme
Chuignolles
Proyart
Fontaine-lès-Cappy
Fay
Assevillers
Barleux
Mesnil-Bruntel
Hancourt
Bouvincourt-en-Vermandois
Vraignes-en-Vermandois
Vendelles
Pontruet
Pontru
Maissemy
Gricourt
Lesdins
Foucaucourt-en-Santerre
Estrées-Deniécourt
Belloy-en-Santerre
Eterpigny
Estrées-en-Chaussée
Pœuilly
Fresnoy-le-Pt
Omissy
Villers-Carbonnel
Berny-en-Santerre
Fresnes-Mazancourt
Brie
Estrées-Mons
Devise
Tertry
VERMAND
Caulaincourt
Holnon
Fayet
Framerville-Rainecourt
Soyécourt
Herleville
Vauvillers
Vermandovillers
Ablaincourt-Pressoir
Misery
Cizancourt
St-Christ-Briost
Ennemain
Athies
Monchy-Lagache
Trefcon
Attilly
Francilly-Selency
Bayonvillers
Harbonnières
Guillaucourt
Lihons
Marchélepot
Hyencourt-le-Grand
Épénancourt
Licourt
Falvy
Pargny
Quivières
Croix-Moligneaux
Ugny-l'Équipée
Lanchy
Beauvois-en-Vermandois
Vaux-en-Vermandois
Etreillers
Savy
Dallon
Roupy
Gauchy
Grugies
ROSIÈRES-EN-SANTERRE
CHAULNES
Méharicourt
Omiécourt
Pertain
Morchain
Villecourt
Foreste
Germaine
Fluquières
Fontaine-lès-Clercs
Castres
Vrély
Hallu
Puzeaux
Potte
le Quesnel
Warvillers
Chilly
Hattencourt
Fouquescourt
Beaufort
Curchy
Fonches-Fonchette
Mesnil-St-Nicaise
Villers-St-Christophe
Happencourt
Bray-St-Christophe
Seraucourt-le-Gd
Essigny-le-Gd
Urvillers
A 26
A 1
A 2
A 29
E 15
E 17
E 19
E 44
N 17
N 25
N 29
N 30
N 39
N 43
N 44
N 45
N 50
D 939
D 917
D 929
D 937
D 938

13
24
37
Par
10 km
BO
BP
BQ
BR
BS
21
22
23
24
25
26
27
VALENCIENNES
ANZIN
DENAIN
Raismes
Wallers
Hélesmes
Haveluy
Bellaing
Oisy
Hérin
Aubry-du-Hainaut
St-Saulve
Marly
Onnaing
Quarouble
Estreux
Saultain
Curgies
Aulnoy-lez-Valenciennes
Trith-St-Léger
Prouvy
Rouvignies
Wavrechain-s/s-Denain
Haulchin
Douchy-les-Mines
Thiant
Famars
Maing
Artres
Quérénaing
Monchaux-s.-Ecaillon
Noyelles-s.-Selle
Lieu-St-Amand
Haspres
Avesnes-le-Sec
Saulzoir
Villers-en-Cauchies
Montrécourt
Haussy
Avesnes-lès-Aubert
St-Aubert
St-Vaast-en-Cambrésis
St-Python
SOLESMES
St-Hilaire-lez-Cambrai
Boussières-en-Cambrésis
Quiévy
Briastre
Viesly
Bévillers
Beauvois-en-Cambrésis
Béthencourt
Caudry
Fontaine-au-Pire
Beaumont-en-Cambrésis
Inchy
Neuvilly
Montay
LE CATEAU-CAMBRÉSIS
Troisvilles
Bertry
Montigny-en-Cambrésis
Ligny-en-Cambrésis
Caullery
CLARY
Maurois
Honnechy
Reumont
St-Benin
St-Souplet
Busigny
Maretz
Elincourt
Deheries
Serain
Prémont
Becquigny
BOHAIN-EN-VERMANDOIS
Brancourt-le-Grd
Montbrehain
Fresnoy-le-Grd
Ramicourt
Seboncourt
Étaves-et-Bocquiaux
Fontaine-Uterte
Croix-Fonsommes
Fonsommes
Fieulaine
Essigny-le-Petit
Remaucourt
Fontaine-Notre-Dame
Morcourt
Homblières
Marcy
Neuvillette
ST-QUENTIN
Harly
Mesnil-St-Laurent
Neuville-St-Amand
Itancourt
Châtillon-s.-Oise
Mézières
Sissy
RIBEMONT
Regny
Thenelles
Mont-d'Origny
Origny-Ste-Benoite
Pleine-Selve
Villers-le-Sec
Séry-lès-Mézières
Berthenicourt
Urvillers
Montigny-en-Arrouaise
Noyales
Bernot
Hauteville
Macquigny
Proix
GUISE
Aisonville-et-Bernoville
Vadencourt
Grand-Verly
Grougis
Petit-Verly
Tupigny
Lesquielles-St-Germain
Hannapes
Vénérolles
Mennevret
Étreux
WASSIGNY
La Vallée-Mulâtre
Vaux-Andigny
Molain
St-Martin-Rivière
Ribeauville
Rejet-de-Beaulieu
Mazinghien
Catillon-s.-Sambre
Bazuel
Ors
Pommereuil
Oisy
Boué
Fesmy-le-Sart
La Groise
LANDRECIES
Croix-Caluyau
Forest-en-Cambrésis
Bousies
Fontaine-au-Bois
Robersart
Preux-au-Bois
Hecq
Vendegies-au-Bois
Englefontaine
Poix-du-Nord
Salesches
Neuville-en-Avesnois
Beaurain
Romeries
Vertain
Escarmain
St-Martin-s.-Ecaillon
Capelle
Bermerain
Vendegies-s.-Ecaillon
Verchain-Maugré
Sommaing
Ruesnes
LE QUESNOY
Orsinval
Villers-Pol
Sepmeries
Maresches
Préseau
Jenlain
Wargnies-le-Grd
Wargnies-le-Pt
Frasnoy
Potelle
Jolimetz
Beaudignies
Ghissignies
Louvignies-Quesnoy
Raucourt-au-Bois
Locquignol
Villereau
Gommegnies
Preux-au-Sart
Bry
Eth
St-Waast
BAVAY
Bermeries
Amfroipret
Mecquignies
Audignies
Obies
Feignies
La Longueville
MAUBEUGE
HAUTMONT
Neuf-Mesnil
Hargnies
Vieux-Mesnil
Boussières-s.-Sambre
Pont-s.-Sambre
BERLAIMONT
Aulnoye-Aymeries
Sassegnies
Noyelles-s.-Sambre
Leval
Monceau-St-Waast
St-Rémy-Chaussée
Dompierre-s.-Helpe
Taisnières-en-Thiérache
Maroilles
Marbaix
St-Hilaire-s.-Helpe
AVESNES-S.-HELPE
Bachant
Limont-Fontaine
Écuélin
Eclaibes
St-Rémy-du-Nord
Beaufort
Damousies
Wattignies-la-Victoire
Dourlers
St-Aubin
Semousies
Floursies
Bas-Lieu
Flaumont-Waudrechies
Avesnelles
Haut-Lieu
Cartignies
Le Favril
Grd-Fayt
Pt-Fayt
Prisches
Boulogne-s.-Helpe
Etrœungt
Beaurepaire-s.-Sambre
Barzy-en-Thiérache
Bergues-s.-Sambre
Floyon
Larouilles
Fontenelle
Papleux
LE NOUVION-EN-THIÉRACHE
La Flamengrie
LA CAPELLE
Buironfosse
Esquéhéries
La Neuville-lès-Dorengt
Dorengt
Leschelles
Iron
Lavaqueresse
Crupilly
Chigny
Englancourt
Lerzy
Froidestrées
Sommeron
Luzoir
Gergny
Sorbais
Erloy
Marly-Gomont
St-Algis
Autreppes
Étréaupont
Malzy
Villers-lès-Guise
Monceau-s.-Oise
Proisy
Romery
Wiège-Faty
Flavigny-le-Grd-et-Beaurain
Audigny
Colonfay
Le Sourd
La Vallée-au-Blé
Haution
Laigny
Fontaine-lès-Vervins
La Bouteille
VERVINS
Voulpaix
Lemé
Puisieux-et-Clanlieu
Le Hérie-la-Viéville
SAINS-RICHAUMONT
Chevennes
St-Pierre-lès-Franqueville
Franqueville
Rougeries
Marfontaine
Housset
La Neuville-Housset
St-Gobert
Gercy
Gronard
Thenailles
Hary
Landifay-et-Bertaignemont
Monceau-le-Neuf-et-Faucouzy
Sons-et-Ronchères
Voharies
Lugny
Prisces
Rogny
Berlancourt
Thiernu
Landouzy-la-Cour
Braye-en-Thiérache
Nampcelles-la-Cour
Origny-en-Thiérache
QUIÉVRAIN
DOUR
Elouges
Wihéries
Audregnies
Angre
Marchipont
Rombies-et-Marchipont
Sebourg
Angreau
HONNELLES
Onnezies
Montignies-s.Roc
Fayt-le-Franc
Athis
Blaugies
Erquennes
Gussignies
Roisin
La Flamengrie
Bettrechies
Bellignies
Houdain-lez-Bavay
Hon-Hergies
Taisnières-s.-Hon
Eugies
Sars-la-Bruyère
Bougnies
Havay
Blaregnies
Gognies-Chaussée
Aulnois
Bettignies
Elesmes
Assevent
Rousies
Louvroil
Ferrière-la-Grde
FRAMERIES
Genly
FORÊT DE MORMAL
PARC RÉGIONAL
N 2
N 29
N 43
N 49
D 932
D 934
D 946
D 960
D 967

14

BT
BU
BV
BW
Vellereille-le-Sec
Epinois
ANDERLUES
Leernes
Marchienne-au-Pont
Couillet
CHATELET
Presles
le Roux
Haulchin
Fauroeux
Vellereille-les-Brayeux
Mont-Ste-Geneviève
les Bonniers
Fontaine
Landelies
MONTIGNY-LE-TILLEUL
Loverval
Try-d'Haies
Le Chamoy
Figotterie
Eustache
Croix-lez-Rouveroy
Rouveroy
Peissant
Merbes-Ste-Marie
Bienne-lez-Happart
LOBBES
Waibes
Abb. d'Aulne
le Bout-la-Haut
Jamioulx
Joncret
Acoz
Gougnies
Villers-Poterie
Biesme
Sire-ole
Vieux-Reng
Grand Reng
MERBES-LE-CHÂTEAU
Sars-la-Buissière
THUIN
Gozée
Haies
le Bultia
GERPINNES
Hymiée
Fromiée
Bettignies
Bersillies
Mairieux
Elesmes
ERQUELINNES
Labuissière
Biercée
Fontaine-Valmont
Biesme-s/s-Thuin
Pierre de Zeupire
Marbaix-lez-Thuin
Beignée
Nalinnes
Tarcienne
Hanzinne
HAM-S.-HEURE-NALINNES
Hanzinelle
Oret
la Parapette
Boussois
Solre-s.-Sambre
Hantes-Wihéries
Fontaine-Haute
Lyrée
Leers-et-Fosteau
Ragnies
Thuillies
Cour-s.-Heure
Berzée
Gourdinne
Somzée
Thy-le-Baudin
Assevent
Jeumont
Marpent
Rocq
Recquignies
Ostergnies
Montignies-St-Christophe
Donstiennes
Ossogne
Rognée
Thy-le-Château
Pry
Laneffe
Rousies
Colleret
Bersillies-l'Abbaye
Jeumont
Branleux
Thirimont
Strée
Chastres
Fairoul
Fraire
St-Aubin
FLORENNES
Cerfontaine
Ferrière-la-Petite
Quiévelon
les 4 Bras
Cousolre
Aibes
Bousignies-s.-Roc
Reugnies
Leval Chaudeville
Couvent
BEAUMONT
Clermont
Castillon
Mertène
WALCOURT
Fontenelle
Boussu-lez-Walcourt
Silenrieux
Vogenée
Yves-Gomezée
Daussois
Hemptinne
Chaumont
Pont du Prince
Damousies
Obrechies
Bérelles
Leugnies
Barbençon
Erpion
Jamiolle
Jamagne
PHILIPPEVILLE
Vodecée
Beaufort
Choisies
Bois d'Hestrud
Hestrud
Solre-St-Géry
Vergnies
Bois de l'Eau d'Heure
Soumoy
Villers-Deux-Eglises
Wattignies-la-Victoire
Solrinnes
Dimechaux
Eccles
Grandrieu
Renlies
Terneau
Ste-Onuphe
Four à Verre
Lac de Plate-Taille
St-Joseph
Neuville
Samart
Villers-le-Gambon
Merlemont
Dimont
Lez-Fontaine
SOLRE-LE-CHÂTEAU
Beaurieux
SIVRY-RANCE
Sautin
Senzeille
Sautour
Floursies
Mont-Dourlers
Sars-Poteries
Epinoy
Pierres de St-Martin
Fourbechies
FORÊT
Musée du Marbre
CERFONTAINE
Bois de Senzeille
Beugnies
Clairfayts
Crismont
Pierre qui tourne
Rance
FROIDCHAPELLE
le Rond Champ
Roly
Villers-en-Fagne
Ch. N.D. de Lourdes
Croix Pierre Close
Felleries
Château Louvière
Montbliart
Bois de Belvaux
Flaumont-Waudrechies
Moulin à Eau
Musée des Bois Jolis
Sanat
DE RANCE
Ch. St-Antoine
Sémeries
Liessies
Willies
Eppe-Sauvage
Bois de Walestru
Culot du Bois
Fagnolle
Avesnes
Ramousies
la Motte
Lac du Val Joly
Ste-Hiltrude
le Voyaux
Désivier
Moustier-en-Fagne
Lambercies
Ch. N.D. de Bon Secours
Ch. N.D. de la Brouffe
Mariembourg
Dourbes
AVESNOIS
Sains-du-Nord
FORÊT
B. de Salles
Pierlot
Frasnes
Parc de Vision et de Loisirs
Etang de Virelles
VIROINVAL
(Nismes)
Olloy-s.-Viroin
Rue-Nouveau
DE TRÉLON
Wallers-Trélon
Robechies
Bailièvre
Baives
Virelles
Aublain
Boussu-en-Fagne
Grottes de Neptune
Fondry-les-Chiens
Zorées
TRÉLON
Etang du Hayon
Etang de la Folie
Ch. des Monts
l'Arbrisseau
Circuit Auto
Vaulx
Lompret
Dailly
Ch. St-Joseph
Petigny
Ch. Ste-Barbe
FORÊT DE NISMES
Féron
Glageon
Macon
Salles
Villers-la-Tour
CHIMAY
Pesche
COUVIN
Buisson-Barbu
Couplévoie
Ohain
St-Rémy
Menhir
Boutonville
Baileux
Ch. St-Roch
Gonrieux
Presgaux
MOMIGNIES
Monceau-Imbrechies
Forges
Bourlers
Rocquigny
Fourmies
Bois de Couvin
Hayettes
Beauwelz
Seloignes
Eau Noire
Abri d'Hitler
Wignehies
Etang de la Galoperie
Parc-Zoo
Etang des Moines
Pilate
Bout-d'en-Haut
Ch. de la Rouillie
la Saboterie
Bois de Chimay
Brûly-de-Pesche
Les Noires-Terres
Forêt de Fourmies
Anor
Fourmatot
Ch. de Malapaire
Bois de Croy
Forêt du Franc Bois
Clairfontaine
Petit-Bois
Macquenoise
Forge-Philippe
Abbaye N.D. de Scourmont (Trappe)
la Riesse
Brûly
CHAPELLE
Rue de Guise
Mondrepuis
Milourd
Forêt Etang du Pas Bayard d'Hirson
Cendron
Forêt de Signy le Petit
Riezes
la Gruerie
Cul-des-Sarts
Pte-Chapelle
L'Escaillère
Gué-d'Hossus
Sommeron
Etang de Blangy
la Loge-Rosette
la Grande-Chaudière
Regniowez
Taillette
Fortifications
Wimy
Neuve-Maison
HIRSON
St-Michel
Brognon
la Neuville-aux-Joûtes
Etang du Gland
Etang de la Motte
Etang de la Vieille Forge
Bois de Hingues
Cascade de la Songière
le Rouilly
Cascades de Meunier
Cascade Gobron
Cascade de l'Oursé
ROCROI
Vallée de Misère
Luzoir
Ohis
Effry
Chapelle St-Sylvestre
Montorieux
la Clopperie
Watigny
SIGNY-LE-PETIT
Beaulieu
Pont-d'Any
Cascades Galbis
Chêne
Bourg-Fidèle
les Mazures
Origny-en-Thiérache
Buire
Any-Martin-Rieux
Fligny
Eteignières
Mon-Idée
Sources
Sévigny-la-Forêt
le Cheval-Blanc
Barrage de Witaker
Vieille-Forge
Fontaine
la Hérie
Bucilly
Martin-Rieux
Tarzy
Maubert-Fontaine
Bois des Potées
Bois d'Harcy
Réserve des Vieilles-Forges
le Chaudron
Eparcy
Chêne-Bourbon
Bellevue
Martigny
Auge
Neuville-lez-Beaulieu
Auvillers-les-Forges
Tremblois-lès-Rocroi
la Bouteille
Landouzy-la-Cour
Landouzy-la-Ville
Leuze
Anthenv
Foulzy
Etalle
Chilly
Harcy
Rue-Heureuse
Rue-Gr-Jeanne
Fortifications
Fontenelle
Champlin
Girondelle
Rimogne
le Châtelet-s.-Sormonne
la Verte Vallée
la Sablonnière
Besmont
Beaumé
AUBENTON
Bossus-lès-Rumigny
Estrebay
Marby
Laval-Morency
Thenailles
Hurtebise
Hannappes
Logny-lès-Aubenton
Laval-d'Estrebay
Flaignes-Havys
Moulin
Blombay
Lonny
Murtin-et-Bogny
Sormonne
Plomion
Jeantes
Ribeauville
RUMIGNY
Aouste
la Cerleau
Havys
Cernion
l'Echelle
Harcigny
Bancigny
Haye d'Aubenton
Mont-St-Jean
Prez
Puits d'Audry
Rouvroy-s.-Audry
Bolmont
Ham-les-Moines
Brave-en-Thiérache
Coingt
Iviers
Abbaye de Bonnefontaine
Logny-Bogny
Servion
Remilly-les-Pothées
Hardoncelle
la Grève
Hary
Corneaux
Aubigny-les-Pothées
Neufmaison
St-Marcel
Abbaye St Pierre
Nampcelles-la-Cour
Dagny-Lambercy
Dohis
Bay
la Férée
Vaux-Villaine
Lépron-les-Vallées
Giraumont
Clavy-Warby
Bois du Val
les Autels

23

38

FOSSES-LA-VILLE
PROFONDEVILLE
Lustin
Maillen
Crupet
Schaltin
HAMOIS
Miécret
Maffe
Annevoie-Rouillon
Rivière
Godinne
Durnal
Spontin
Natoye
Emptinne
Porcheresse
Barvaux-Condroz
St-Gérard
YVOIR
Achet
Mohiville
Scy
Graux
Denée
ANHÉE
Purnode
Dorinne
Braibant
Sovet
CINEY
Nettinne
Heure
Baillonville
Maredsous
Sosoye
Ermeton-s.-Biert
Château de Montaigle
Lisogne
Thynes
Pessoux
Leignon
Sinsin
Biesmerée
Stave
Sommière
Falaën
Weillen
DINANT
Sorinnes
Foy-N.D.
Achêne
Chapois
Waillet
Corenne
Serville
Gerin
Conneux
Haversin
Hogne
Flavion
Anthée
ONHAYE
Anseremme
Furfooz
Celles
Chevetogne
Serinchamps
Aye
Rosée
Morville
HASTIÈRE
Hastière-par-delà
Waulsort
Falmignoul
Custinne
Buissonville
Humain
Marloie
Lotenne
Omezée
Hermeton-s.-Meuse
Blaimont
Falmagne
Hulsonniaux
HOUYET
Mont-Gauthier
Hargimont
Surice
Romedenne
Soulme
Gochenée
Vodelée
Agimont
Mesnil-St-Blaise
Mesnil-Eglise
Ciergnon
ROCHEFORT
Jemelle
Harsin
On
Heer
Feschaux
Finnevaux
Hour
Wanlin
Villiers-s.-Lesse
Eprave
DOISCHE
Gimnée
Foisches
GIVET
Fromelennes
Baronville
Wiesme
Focant
Lessive
Han-s.-Lesse
Forrière
Masbourg
Vaucelles
Rancennes
Dion
BEAURAING
Martouzin-Neuville
Lavaux-Ste-Anne
Wavreille
Lesterny
Niverlée
Mazée
Hierges
Ham-s.-Meuse
Charnois
Chooz
Winenne
Javingue
Pondrôme
WELLIN
Ave-et-Auffe
Resteigne
Bure
Treignes
Aubrives
Landrichamps
Sevry
Wancennes
Lomprez
Chanly
TELLIN
Vireux-Molhain
Vireux-Wallerand
Felenne
Honnay
Sohier
Halma
Neupont
Vonêche
Froidfontaine
Mirwart
Montigny-s.-Meuse
Fays-Famenne
Vencimont
DAVERDISSE
Smuid
Poix-St-Hubert
Hatrival
Oignies
Fépin
Hargnies
Bourseigne-Neuve
Bourseigne-Vieille
Malvoisin
Haut-Fays
Redu
Transinne
Haybes
FUMAY
Willerzie
Patignies
Sart-Custine
Rienne
GEDINNE
Gembes
Porcheresse
Villance
LIBIN
Maissin
Louette-St-Pierre
Louette-St-Denis
Graide
Anloy
Glaireuse
Houdremont
BIÈVRE
Opont
Naomé
Framont
Ochamps
Anchamps
Laifour
Bellefontaine
Nafraiture
Monceau-en-Ardenne
PALISEUL
Jehonville
MONTHERMÉ
Orchimont
Carlsbourg
Offagne
les Hautes-Rivières
VRESSE-S.-SEMOIS
Oizy
Nollevaux
Deville
Tournavaux
Thilay
Haulmé
Bohan
Vivy
Fays-les-Veneurs
BERTRIX
Sécheval
Bogny-s.-Meuse
Joigny-s.-Meuse
Membre
Alle
Rochehaut
Ucimont
Sensenruth
Bellevaux
Montcornet
Arreux
Gespunsart
Sugny
Poupehan
Noirefontaine
Auby
Houldizy
NOUZONVILLE
Neufmanil
Corbion
BOUILLON
Dohan
Cugnon
Tournes
Aiglemont
la Grandville
HERBEUMONT
Gernelle
Warcq
Issancourt-et-Rumel
St-Menges
Fleigneux
la Chapelle
Prix-lès-Mézières
PARC NATIONAL DE LESSE ET LOMME
15
26
39
10 km
BX
BY
BZ
CA
CB

16
40
25
21
22
23
24
25
26
27
CC
CD
CE
CF
CG
Borlon
Bonsin
Septon
Durbuy
Somme-Leuze
Barvaux
Heyd
Villers-Ste-Gertrude
Grand Bru
St-Antoine
Harre
Trou-de-Bra
Basse-Bodeux
Rochelinval
Lavaux
Logbiermé
Grand-Halleux
Petit-Thier
Vielsalm
Wéris
Mormont
Bra
Manhay Vallée de la Lienne
Vieux-Chavanne
Manhay
Erezée
Grandménil
Lierneux
Noiseux
Grandhan
Bois de Grandhan
Fronville
Baillonville
Heure
Hotton
Camp Militaire
Grottes de Hotton
Hampteau
Amonines
Odeigne
Malempré
Vielsalm Baraque de Fraiture
Baraque de Fraiture
Bihain
Ottré
Provedroux
Salmchâteau
Beffe
Dochamps
Tailles
Gouvy (Bovigny)
Marche-en-Famenne
Marenne
Rendeux
Marcourt
Samrée
Cherain
Montleban
Waha
Hodister
La Roche-en-Ardenne
Halleux
Beausaint
Roy
Bande
Harsin
Hargimont
Humain
Grune
Hives
Wibrin
Nadrin
Mont Houffalize
Houffalize
Limerlé
Nassogne
Ambly
Masbourg
Ortho
Erneuville
Champlon
Tenneville
Bertogne
Mabompré
Mabompré-Houffalize
Tavigny
Hachiville
Noville
Awenne
Mirwart
Lavacherie
Longchamps
Flamierge
Amberloup
Ste-Ode
Tillet
Arville
St-Hubert
Vesqueville
Hatrival
Smuid
Libin
Bastogne (Bastenaken)
Hemroulle-Bastogne
Longvilly
Oberwampach
Wardin
Eschweiler
Moircy
Remagne
Sibret
Villeroux-Bastogne
Bras
Freux
Winseler
Libramont-Chevigny
Recogne
Ochamps
Hompré
Villers-la-Bonne-Eau
Harlange
Mecher
Vaux-s.-Sûre
Nives-Vaux-s.-Sûre
Ste-Marie-Chevigny
Hollange
Tintange
Boulaide
Neunhausen
Longlier Neufchâteau
Libramont Chevigny
Verlaine Neufchâteau
Juseret
Witry
Fauvillers
Arsdorf
Bigonville
Wahl
Grandvoir
Tournay
Neufchâteau
Longlier
Ebly
Martelange
Perlé
Folschette
Hamipré
Orgeo
Grapfontaine
St-Médart
Straimont
Assenois
Léglise
Forêt d'Anlier
Herbeumont
Anlier
Redange
Nothomb
Mellier
Suxy
Attert
Chiny
Forêt de Chiny
Rulles
Habay-la-Neuve
Tontelange
Beckerich

17
41
NATURPARK
DEUTSCH-LUXEMBURGISCHER NATURPARK
OMMER WALD
Ligneuville
Amel (Amblève)
Heppenbach
Hallschlag
Kerschenbach
Stadtkyll
Schülle
Recht
Born
Meyerode
Manderfeld
Roth
Lissendorf
Sankt-Vith (St-Vith)
Schœnberg
Auw b. Prüm
Steffeln
Oberbettingen
Hillesheim
Crombach
Lommersweiler
Mutzenich
Bleialf
Oberlascheid
Buchet
Kleinlangenfeld
Duppach
Gondenbrett
Gondelsheim
Schwirzheim
Gerolstein
Winterscheid
Sellerich
Brandscheid
Prüm
Burg-Reuland
Reuland
Grosslangenfeld
Winterspelt
Habscheid
Watzerath
Fleringen
Büdesheim
Wallersheim
Rommersheim
Giesdorf
Birresborn
Kopp
Beho
Heckbuscheid
Schönecken
Mürlenbach
Grosskampenberg
Masthorn
Pronsfeld
Orlenbach
Wiringen
Dingdorf
Seiwerath
Lützkampen
Leidenborn
Strickscheid
Lünebach
Lierfeld
Heisdorf
Weiswampach
Harspelt
Hersfeld
Sevenig
Euscheid
Eilscheid
Mauel
Merscheid
Dackscheid
Lascheid
Wawern
Neuheilenbach
Densborn
Troisvierges
Roscheid
Eschfeld
Stalbach
Kinzenburg
Kopscheid
Pintesfeld
Lasel
Burbach
Balesfeld
Usch
Zendscheid
Reiff
Alenbach
Lichtenborn
Mandescheid
Waxweiler
Greimelscheid
Nimshuscheid
Neidenbach
Arzfeld
Lauperath
Lambertsberg
Plütscheid
Steinborn
Heinerscheid
Reipeldingen
Daleiden
Dahnen
Irrhausen
Hölzchen
Neurath
Bellscheid
Heilenbach
Seffern
St-Thomas
Seinsfeld
Olmscheid
Kickeshausen
Krautscheid
Ringhuscheid
Scheid
Sefferweich
Malbergweich
Malberg
Kyllburg
Kyllburgweiler
Clervaux
Dasburg
Jucken
Emmelbaum
Heilbach
Uppershausen
Berkoth
Ober-Weiler
Nieder-Weiler
Ehlenz
Etteldorf
Wilsecker
Ammeldingen
Preischeid
Echterhausen
Bickendorf
Orsfeld
Fliessem
Munshausen
Hosingen
Sevenig
Karlshausen
Hütten
Affler
Scheitenkorb
Scheuern
Neuerburg
Fischbach
Altscheid
Weidingen
Hamm
Biersdorf
Wiersdorf
Rittersdorf
Nattenheim
Erdorf
Übereisenbach
Rodershausen
Herbstmühle
Oberraden
Utscheid
Hutterscheid
Feilsdorf
Hermesdorf
Wissmannsdorf
Brecht
Baustert
Bitburg
Metterich
Gemünd
Koxhausen
Muxerath
Berscheid
Nasingen
Wilwerwiltz
Consthum
Waldhof-Falkenstein
Bauler
Geckler
Sinspelt
Nieder-Geckler
Brimingen
Burg
Mülbach
Hisel
Oberweis
Olsdorf
Gondorf
Philippsheim
Geichlingen
Putscheid
Niehl
Bettingen
Birtlingen
Messerich
Röhl
Scharfbillig
Kautenbach
Hoscheid
Lahr
Mettendorf
Hüttingen-bei-Lahr
Ingendorf
Wettlingen
Nieder-Stedem
Ober-Stedem
Esslingen
Sülm
Trimport
Vianden
Roth
Halsdorf
Stockem
Enzen
Dockendorf
Körperich
Kewenig
Nusbaum
Peffingen
Wolsfeld
Idenheim
Bourscheid
Fouhren
Gentingen
Hommerdingen
Kruchten
Schankweiler
Alsdorf
Meckel
Hosten
Ammeldingen
Holsthum
Kaschenbach
Ideshelm
Heiderscheid
Bastendorf
Biesdorf
Prümzurlay
Niederweis
Gilzem
Diekirch
Bettendorf
Reisdorf
Wallendorf
Bollendorf
Ferschweiler
Eisenach
Menningen
Welschbillig
Niederfeulen
Erpeldange
Feulen-Ober
Ettelbruck
Beaufort
Ernzen
Irrel
Minden
Edingen
Godendorf
Olk
Ermsdorf
Echternacherbrück
Ralingen
Newel
Mertzig
Schieren
Grosbous
Berg
Medernach
Berdorf
Echternach
Rosport
Besslich
Vichten
Bissen
Waldbillig
Nommern
Kersch
Aach
Larochette
Consdorf
Wintersdorf
Udelfangen
Trierweiler
Boevange-s.-Attert
Useldange
Heffingen
Bech
Mompach
Metzdorf
Grewenich
Fusenich
Mersch
Fischbach
Mesenich
10 km

Y
Z
AA
AB
AC
28
29
30
31
32
33
34
Braye Bay
Braye
Clonque Bay
St-Anne
Telegraph Bay
ILE DE ALDERNEY
(Royaume Uni)
Cap de la Hague
Goury
St-Germain-des-Vaux
Auderville
Omonville la-Petite
Baie d'Ecalgrain
Jobourg
Nez de Voidries
Nez de Jobourg
Dannery
Herqueville
Anse de Vauville
Guernesey, Sark
Falaises
CENTRALE NUCLEAIRE
Cap de Flamanville
Sémaphore
Flamanville
ILE DE GUERNESEY
(Royaume Uni)
Pembroke Bay
L'Ancresse
Doyle
Clos du Valle
VALE
Bordeaux
Chau du Vale
ST-SAMPSON
Herm
les Marais
Belle Grève Bay
ST-PETER-PORT
Grand Russel
Great Sark
Port du Moulin
la Collinette
ILE DE SARK
Hog's Back
la Coupée
Port Gorey
St-Martin Point
Jerbourg Point
Moulin Huet Bay
PASSAGE
LES ECREHOU
Rocher Noir
la Vieille
Les Burons
Grande Galère
Grande Rousse
Sablonnière
LES DIROUILLES
le Colombier
Maîtresse Ile
Grosnez Point
Plémont Point
Sorel Point
Ronez Point
Portinfer
Grève de Lecq
St-John Bay
Belle Hougue Point
Petit Etacquère
l'Etacq
la Falaise
St-John
Vicard Point
Puits-Léoville
Hautes-Croix
Bouley Bay
Nez du Guet
St-Mary
Trinity
Rozel
St-Ouen
Carrefour-Selous
la Coupe Point
St Ouen Bay
Kempt
St-Peter
la Hague
Becquet
Zoo
St-Martin
Quétivel
St-Lawrence
Augres
St-Catherine's Bay
la Rocco
les Quennevais
Maufant
Five Oaks
ILE DE JERSEY
(Royaume-Uni)
St-Brelade
Beaumont
Millbrook
Tumulus
la Pulente
Gorey
Mont-Orgueil
Corbière Point
St-Aubin
St-Aubin Bay
St-Saviour
Longueville
Corbière
St-Brelade Bay
ST-HÉLIER
Ville es Renauds
Point la Moye
Belcroute Bay
Elisabeth
Grouville
Royal Bay of Grouville
Point la Fret
Noirmont Point
Alderney
le Croc
St-Clement
la Rocque
la Roque Point
St-Clement Bay
Banc Violet
St-Malo
Plateau des Ecréhou

AD
AE
AF
AG
CHERBOURG-OCTEVILLE
EQUEURDREVILLE-HAINNEVILLE
TOURLAVILLE
BEAUMONT-HAGUE
Omonville-la-Rogue
Eculleville
Gréville-Hague
Urville-Nacqueville
Querqueville
Tonneville
Flottemanville-Hague
Vauville
Biville
Acqueville
Vasteville
Sideville
Martinvast
Hardinvast
Tollevast
Virandeville
Teurthéville-Hague
Héauville
Siouville-Hague
Helleville
St-Christophe-du-Foc
Couville
Sotteville
Bricquebosq
Tréauville
Flamanville
Benoîtville
Grosville
LES PIEUX
St-Germain-le-Gaillard
le Rozel
Pierreville
Surtainville
Baubigny
Sénoville
Sortosville-en-Beaumont
les Moitiers-d'Allonne
BARNEVILLE-CARTERET
Portbail
le Vrétot
les Perques
Rauville-la-Bigot
St-Martin-le-Gréard
Brix
Sottevast
St-Joseph
Quettetot
Rocheville
BRICQUEBEC
Négreville
l'Etang-Bertrand
Magneville
Golleville
Colomby
Morville
Lieusaint
VALOGNES
Yvetot-Bocage
Tamerville
Huberville
MONTEBOURG
St-Cyr
Sortosville
Flottemanville
Eroudeville
Écausseville
Hémevez
Urville
Hautteville-Bocage
Orglandes
Biniville
St-Jacques-de-Néhou
Néhou
ST-SAUVEUR-LE-VICOMTE
Rauville-la-Place
Crosville-s.-Douve
Reigneville-Bocage
la Bonneville
Étienville
les Moitiers-en-Bauptois
Picauville
Chef-du-Pont
STE-MÈRE-ÉGLISE
Amfreville
Gourbesville
Fresville
Neuville-au-Plain
Beuzeville-au-Plain
Turqueville
Écoquenéauville
Sébeville
Blosville
Carquebut
Houesville
Liesville-s.-Douve
Beuzeville-la-Bastille
Cretteville
Houtteville
Vindefontaine
Varenguebec
Coigny
Appeville
Baupte
Auvers
CARENTAN
St-Côme-du-Mont
Méautis
Angoville-au-Plain
Vierville
Hiesville
Brucheville
Bréville
St-Hilaire-Petitville
Catz
Ravenoville
Foucarville
Azeville
Joganville
Émondeville
St-Marcouf
St-Floxel
Ozeville
Fontenay-s.-Mer
Quinéville
Vaudreville
Lestre
Aumeville-Lestre
Crasville
Octeville-l'Avenel
St-Martin-d'Audouville
St-Germain-de-Tournebut
Videcosville
Morsalines
Montaigu-la-Brisette
Saussemesnil
QUETTEHOU
Teurthéville-Bocage
St-Vaast-la-Hougue
la Pernelle
le Vicel
Valcanville
Anneville-en-Saire
Réville
Montfarville
Barfleur
Gatteville-le-Phare
Tocqueville
Varouville
Gouberville
Néville-s.-Mer
Réthoville
Cosqueville
Fermanville
Carneville
Maupertus-s.-Mer
ST-PIERRE-ÉGLISE
Théville
Clitourps
Canteloup
Ste-Geneviève
le Vast
Brillevast
Bretteville
Digosville
Gonneville
le Theil
le Mesnil-au-Val
la Glacerie
2e ch. ouv. proch.
PARC RÉGIONAL DES MARAIS DU COTENTIN ET DU BESSIN
LA HAYE-DU-PUITS
Denneville
St-Nicolas-de-Pierrepont
Baudreville
Bolleville
Doville
Neufmesnil
Lithaire
St-Symphorien-le-Valois
Montgardon
St-Rémy-des-Landes
Glatigny
Surville
Bretteville-s.-Ay
Angoville-s.-Ay
Mobecq
Vesly
St-Germain-s.-Ay
LESSAY
Créances
Pirou
Millières
la Feuillie
PÉRIERS
Gorges
Gonfreville
Nay
St-Patrice-de-Claids
Laulne
Sainteny
Raids
Auxais
Tribehou
Marchésieux
St-Sébastien-de-Raids
St-Martin-d'Aubigny
St-Aubin-du-Perron
Remilly-s.-Lozon
le Mesnil-Vigot
Feugères
Lozon
St-Georges-de-Bohon
St-André-de-Bohon
le Plessis-Lastelle
St-Jores
Pretot-Ste-Suzanne
St-Germain-s.-Sèves
ST-SAUVEUR-LENDELIN
Vaudrimesnil
DE LA DÉROUTE
Cap Lévy
Pointe de Barfleur
Pointe de Saire
Ile Pelée
10 km
49
28
30
31
32
33
34

AH
AI
AJ
AK
AL
Phare de Gatteville
Pointe de Barfleur
Gatteville-le-Phare
Barfleur
28
Réville
Pointe de Saire
St-Vaast-la-Hougue
Île de Tatihou
29
Roches St-Floxel
les Gougins
I. du Large
Iles St-Marcouf
I. de Terre
30
Banc du Cardonnet
Ravenoville
Foucarville
Mottet
Mont Leclerc
St-Germain-de-Varreville
St-Martin-de-Varreville
la Madeleine
Audouville-la-Hubert
Mont Américain
Utah Beach
Réserve Naturelle
31
Pouppeville
Bancs du Grand Vey
Banc de la Ravine
Hiesville
Brucheville
la Rue
Géfosse-Fontenay
Pointe du Hoc
St-Pierre-du-Mont
Lefèvre
Pte et Raz de la Percée
Omaha Beach
Grandcamp-Maisy
Englesqueville-la-Percée
Cricqueville-en-Bessin
Vierville-s.-Mer
St-Laurent-s.-Mer
Asnières-en-Bessin
Louvières
Cardonville
la Cambe
Deux-Jumeaux
Formigny
Colleville-s.-Mer
Ste-Honorine-des-Pertes
Port-en-Bessin-Huppain
Russy
Commes
CÔTE DE NACRE
Cap Manvieux
Tracy-s.-Mer
Arromanches-les-Bains
Manvieux
Longues-s.-Mer
COTENTIN
Brévands
Catz
les Veys
Osmanville
St-Germain-du-Pert
Longueville
le Val
Surrain
Etréham
Escures
St-Côme-de-Fresné
32
ISIGNY-S.-MER
Canchy
Écrammeville
Aignerville
Mosles
Maisons
Magny-en-Bessin
RYES
Monfréville
Aménagement accès début 2005
TRÉVIÈRES
Vaux-s.-Aure
St-Pellerin
Colombières
Mandeville-en-Bessin
Tour-en-Bessin
Sully
Vaucelles
BAYEUX
Sommervieu
Villiers-le-Sec
Montmartin-en-Graignes
les Oubeaux
Vouilly
Bricqueville
Castilly
Bernesq
Saonnet
Rubercy
Cussy
St-Vigor-le-Grand
le Manoir
Vienne-en-Bessin
Bazenville
Neuilly-la-Forêt
Lison
la Folie
Blay
Barbeville
St-Martin-des-Entrées
Esquay-s.-Seulles
St-André-de-Bohon
Graignes
Cartigny-l'Epinay
St-Marcouf
St-Martin-de-Blagny
le Breuil-en-Bessin
Crouay
St-Loup-Hors
Vaux-s.-Seulles
Rucqueville
ST-JEAN-DE-DAYE
Airel
Tournières
le Molay-Littry
Ranchy
Subles
Nonant
Martragny
33
le Mesnil-Angot
le Mesnil-Véneron
St-Fromond
Campigny
Agy
Guéron
Monceaux-en-Bessin
Carcagny
Ducy-Ste-Marguerite
le Dézert
Cavigny
Ste-Marguerite-d'Elle
le Tronquay
Noron-la-Poterie
Arganchy
Ellon
Condé-s.-Seulles
le Hommet-d'Arthenay
Moon-s.-Elle
Juaye-Mondaye
Audrieu
les Champs-de-Losque
la Meauffe
ST-CLAIR-S.-L'ELLE
St-Jean-de-Savigny
Cerisy-la-Forêt
Vaubadon
Castillon
Trungy
Chouain
Bucéels
BALLEROY
St-Paul-du-Vernay
Forêt de Cerisy
34
Amigny
Pont-Hébert
Villiers-Fossard
Couvains
Montfiquet
la Bazoque
Lingèvres
TILLY-S.-SEULLES
le Mesnil-Rouxelin
Litteau
Cahagnolles
Longraye
Hottot-les-Bagues
St-Georges-d'Elle
Bérigny
Juvigny-s.-Seulles
ST-LÔ
Montreuil-s.-Lozon
la Chapelle-en-Juger
St-Georges-Montcocq
Cormolain
Foulognes
St-Vaast-s.-Seulles
Vendes
Tessel
50
N 13
E 46
A 13
N 174
D 514

AM
AN
AO
AP
AQ
28
18
29
30
31
32
33
34
51
LE HA
Portsmouth
Rosslare
Cork
Portsmouth
PLATEAU DU CALVADOS
RADE DE CAEN
CÔTE FLEURIE
Cap de la Hève
Ste-Adresse
Sanvic
Ecqueville
Octeville-s.-Mer
St-Andrieux
le Grand-Hameau
Pte de Villerville
Villerville
TROUVILLE-S.-MER
Deauville
les Sablons
Bénerville-s.-Mer
Blonville-s.-Mer
Villers-s.-Mer
Falaise des Vaches Noires
Auberville
Houlgate
CABOURG
Dives-s.-Mer
Merville-Franceville-Plage
Riva-Bella
OUISTREHAM
Hermanville Plage
Lion-sur-Mer
Luc-sur-Mer
Langrune-sur-Mer
St-Aubin-s.-Mer
Bernières-s.-Mer
Courseulles-s.-Mer
Ver-sur-Mer
Graye-s.-Mer
Mont-Fleury
la Rivière
Banville
Crépon
Ste-Croix-s.-Mer
Colombiers-s.-Seulles
Tierceville
CREULLY
Reviers
Bény-s.-Mer
DOUVRES-LA-DÉLIVRANDE
Tailleville
Cresserons
Hermanville-s.-Mer
Plumetot
Colleville-Montgomery
Basly
Anguerny
Fontaine-Henry
Thaon
Colomby-s.-Thaon
Anisy
Mathieu
Villons-les-Buissons
Périers-s.-le-Dan
St-Aubin-d'Arquenay
Biéville-Beuville
Bénouville
Ranville
Sallenelles
Amfreville
Gonneville-en-Auge
Varaville
Bréville
Petiville
Périers-en-Auge
Brucourt
Grangues
Gonneville-s.-Mer
Cricqueville-en-Auge
Angerville
Douville-en-Auge
Heuland
Danestal
Annebault
Bourgeauville
Glanville
Branville
St-Pierre-Azif
St-Vaast-en-Auge
Vauville
Tourgéville
Blonville
Canapville
St-Étienne-la-Thillaye
Cresseveuille
Valsemé
Moutier
Beaufour-Druval
Bonnebosq
Repentigny
Léaupartie
Cambremer
St-Ouen-le-Pin
la Roque-Baignard
Rumesnil
Gerrots
Beuvron-en-Auge
Hotot-en-Auge
Victot-Pontfol
Cléville
St-Ouen-du-Mesnil-Oger
Janville
Émiéville
Cagny
St-Samson
St-Pierre-du-Jonquet
le Ham
Brocottes
TROARN
Bures-s.-Dives
St-Richer
Goustranville
Putot-en-Auge
Clermont-en-Auge
Les Forges
St-Aubin-Lébizay
DOZULÉ
le Calvaire
St-Léger-Dubosq
St-Jouin
Basseneville
Bricqueville
Bavent
Bois de Bavent
Robehomme
Escoville
Touffréville
Sannerville
Démouville
Cuverville
Giberville
Colombelles
Ste-Honorine-la-Chardonnette
Hérouvillette
Blainville-s.-Orne
Biéville-sur-Orne
Epron
Cambes-en-Plaine
HÉROUVILLE-ST-CLAIR
CAEN
Mondeville
St-Germain-la-Blanche-Herbe
St-Contest
Buron
Authie
Mâlon
Rots
Rosel
Cairon
Lasson
les Buissons
Gruchy
la Haute Bonny
Carpiquet
Marcelet
St-Manvieu-Norrey
Cheux
Verson
Louvigny
Fleury-s.-Orne
Eterville
Bretteville-s.-Odon
Tourville-s.-Odon
Fontaine
EVRECY
Putot-en-Bessin
le Mesnil-Patry
Norrey-en-Bessin
Bretteville-l'Orgueilleuse
Secqueville-en-Bessin
Ste-Croix-Grand-Tonne
Cully
Camilly
le Fresne-Camilly
Coulombs
Lantheuil
St-Gabriel-Brécy
Pierrepont
Amblie
Moulineaux
Juno Beach
Sword Beach
Roches de Ver
Roches de Lion
Iles de Bernières
Réserve Naturelle
les Essarts de Langrune
les Bancs de Merville
le Home
Pays d'Auge
10 km

18

LE HAVRE
FÉCAMP
Yport
Étretat
Bénouville
Vattetot-s.-Mer
Froberville
les Loges
Bordeaux-St-Clair
Criquebeuf-en-Caux
St-Léonard
Ganzeville
Colleville
Valmont
Toussaint
Contremoulins
Thiergeville
Riville
Ourville-en-Caux
Tourville-les-Ifs
Epreville
Gerville
Maniquerville
Bec-de-Mortagne
Mentheville
Daubeuf-Serville
Thiétreville
Sorquainville
Cleuville
Sommesnil
Annouville-Vilmesnil
Auberville-la-Renault
Bretteville-du-Grand-Caux
Limpiville
Bénarville
Ypreville-Biville
Normanville
Thiouville
Cliponville
Rocquefort
Fongueusemare
Sausseuzemare-en-Caux
Pierrefiques
Beaurepaire
Le Tilleul
La Poterie-Cap-d'Antifer
Bruneval
Ste-Marie-au-Bosc
Villainville
Gonneville-la-Mallet
St-Jouin-Bruneval
Cuverville
Ecrainville
Goderville
Criquetot-l'Esneval
Anglesqueville-l'Esneval
Heuqueville
Cauville
Grainville-Ymauville
Tocqueville-les-Murs
St-Maclou-la-Brière
Trémauville
Hattenville
Fauville-en-Caux
Gonfreville-Caillot
Vattetot-s/s-Beaumont
Bréauté
Bornambusc
Manneville-la-Goupil
Mirville
Rouville
Bernières
Yébleron
Auzouville-Auberbosc
Ricarville
Cléville
Ecretteville-lès-Baons
Vergetot
Turretot
St-Sauveur-d'Emalleville
St-Martin-du-Bec
Hermeville
N.-D.-du-Bec
Mannevillette
Rolleville
Virville
Houquetot
Beuzeville-la-Grenier
Nointot
Raffetot
Foucart
Alvimare
Angerville-l'Orcher
Manéglise
Graimbouville
St-Gilles-de-la-Neuville
Parc-d'Anxtot
Bolleville
Lanquetot
Octeville-s.-Mer
Fontenay
Epouville
Montivilliers
Sainneville
Etainhus
St-Jean-de-la-Neuville
Bolbec
Beuzevillette
Trouville
Grand-Camp
Lintot
Gruchet-le-Valasse
St-Romain-de-Colbosc
Gommerville
les Trois-Pierres
St-Eustache-la-Forêt
La Trinité-du-Mont
Auberville-la-Campagne
St-Nicolas-de-la-Haie
Fontaine-la-Mallet
St-Laurent-de-Brèvedent
St-Martin-du-Manoir
Epretot
St-Antoine-la-Forêt
Mélamare
Lillebonne
La Frenaye
Touffreville-la-Cable
Gainneville
Harfleur
Gonfreville-l'Orcher
Rogerville
St-Aubin-Routot
Oudalle
Sandouville
La Remuée
La Cerlangue
St-Nicolas-de-la-Taille
St-Jean-de-Folleville
N.-D.-de-Gravenchon
Triquerville
Villequier
Ste-Adresse
Graville
Sanvic
Bléville
St-Vincent-Cramesnil
St-Vigor-d'Ymonville
Tancarville
Quillebeuf-s.-Seine
Norville
St-Maurice-d'Etelan
Petiville
St-Aubin-s.-Quillebeuf
Pont de Normandie
Pont de Tancarville
Honfleur
Berville-s.-Mer
St-Samson-de-la-Roque
Aizier
Vieux-Port
Trouville-la-Haule
Ste-Croix-s.-Aizier
Marais-Vernier
Ste-Opportune-la-Mare
St-Thurien
Tocqueville
Bourneville
Conteville
Foulbec
Fatouville-Grestain
St-Pierre-du-Val
Cricqueboeuf
Villerville
Pennedepie
Equemauville
Gonneville-s.-Honfleur
La Rivière-St-Sauveur
Ablon
Barneville-la-Bertran
Fiquefleur-Equainville
Manneville-la-Raoult
St-Sulpice-de-Grimbouville
Bouquelon
St-Ouen-des-Champs
St-Mards-de-Blacarville
Fourmetot
Etreville
Genneville
Boulleville
St-Maclou
Toutainville
Valletot
Deauville
Touques
Bonneville-s.-Touques
St-Gatien-des-Bois
Fourneville
Le Theil-en-Auge
Beuzeville
Quetteville
St-Germain-Village
Pont-Audemer
Manneville-s.-Risle
Colletot
Eturqueraye
Englesqueville-en-Auge
Tourville-en-Auge
Tourgéville
Canapville
St-Martin-aux-Chartrains
Vieux-Bourg
Surville
St-Benoît-d'Hébertot
St-André-d'Hébertot
Le Torpt
Fort-Moville
Triqueville
Les Préaux
Tourville-s.-Pont-Audemer
Corneville-s.-Risle
Cauverville-en-Roumois
Martainville
La Lande-St-Léger
Vannecrocq
St-Symphorien
Campigny
Condé-s.-Risle
Appeville-Annebault
Montfort-s.-Risle
Coudray-Rabut
Pont-l'Évêque
St-Julien-s.-Calonne
Les Authieux-s.-Calonne
Le Bois-Hellain
Epaignes
Selles
St-Christophe-s.-Condé
St-Martin-St-Firmin
St-Philbert-s.-Risle
Glanville
Beaumont-en-Auge
Reux
Pierrefitte-en-Auge
Manneville-la-Pipard
Le Mesnil-s.-Blangy
Bonneville-la-Louvet
St-Siméon
La Noë-Poulain
La Chapelle-Bayvel
St-Étienne-l'Allier
St-Pierre-des-Ifs
Glos-s.-Risle
Thierville
Drubec
Clarbec
St-Hymer
Blangy-le-Château
Cormeilles
St-Sylvestre-de-Cormeilles
La Poterie-Mathieu
St-Georges-du-Vièvre
St-Grégoire-du-Vièvre
Freneuse-s.-Risle
Valsemé
Le Breuil-en-Auge
Fierville-les-Parcs
Le Brèvedent
St-Pierre-de-Cormeilles
Le Faulq
Morainville-Jouveaux
Lieurey
St-Jean-de-la-Léqueraye
St-Benoît-des-Ombres
Authou
Le Torquesne
Le Pin
St-Philbert-des-Champs
Noards
St-Georges-du-Mesnil
Neuville-s.-Authou
Bonnebosq
Coquainvilliers
Norolles
Fauguernon
Moyaux
Bailleul-la-Vallée
Fresne-Cauverville
Epreville-en-Lieuvin
St-Victor-d'Epine
St-Pierre-de-Salerne
Le Fournet
Formentin
Manerbe
Asnières
Heudreville-en-Lieuvin
Giverville
N.-D.-d'Epine
Morsan
St-Cyr-de-Salerne
Rocques
Le Favril
Bazoques
Fontaine-la-Louvet
Barville
Le Theil-Nolent
Boissy-Lamberville
Hermival-les-Vaux
St-Ouen-le-Pin
PARC RÉGIONAL DES BOUCLES DE LA SEINE NORMANDE
AUTOROUTE DE NORMANDIE
COMPLEXE PÉTROCHIMIQUE
RAFFINERIE DE PÉTROLE
Z.I. ROGERVILLE
Z.I. PORTUAIRE
Réserve Naturelle
Canal de Tancarville
CÔTE DE GRÂCE
Baie de Seine
SEINE

52

19
53
10 km
ROUEN
YVETOT
YERVILLE
DOUDEVILLE
BACQUEVILLE-EN-CAUX
TÔTES
BELLENCOMBRE
FORGES-LES-EAUX
ST-SAËNS
CLÈRES
PAVILLY
Barentin
DUCLAIR
CAUDEBEC-EN-CAUX
MAROMME
N.-D.-DE-BONDEVILLE
MONT-ST-AIGNAN
BOIS-GUILLAUME
DARNÉTAL
LE PT-QUEVILLY
LE GD-QUEVILLY
SOTTEVILLE-LÈS-ROUEN
ST-ÉTIENNE-DU-ROUVRAY
GD-COURONNE
BOOS
FLEURY-S.-ANDELLE
ELBEUF
CAUDEBEC-LÈS-ELBEUF
PONT-DE-L'ARCHE
VAL-DE-REUIL
LOUVIERS
BOURGTHEROULDE-INFREVILLE
AMFREVILLE-LA-CAMPAGNE
Jumièges
Montville
Auffay
Buchy
Isneauville
Canteleu
Oissel
Moulineaux
Pîtres
Poses
Incarville
Harcourt

20
NEUFCHÂTEL-EN-BRAY
AUMALE
FORGES-LES-EAUX
FORMERIE
GRANDVILLIERS
MARSEILLE-EN-BEAUVAISIS
SONGEONS
Gerberoy
GOURNAY-EN-BRAY
ARGUEIL
BUCHY
St-Germer-de-Fly
LE COUDRAY-ST-GERMER
LYONS-LA-FORÊT
FORÊT DE LYONS
ÉTRÉPAGNY
GISORS
CHAUMONT-EN-VEXIN
LES ANDELYS
Écouis
Fleury-la-Forêt
Neuf-Marché
Bézu-la-Forêt
Sérifontaine
Trie-Château
Dangu
Gamaches-en-Vexin
Feuquières
Blargies
Abancourt
Criquiers
Haudricourt
Mesnières-en-Bray
Massy
Sommery
Mauquenchy
La Feuillie
Elbeuf-en-Bray
Ferrières-en-Bray
Hodenc-en-Bray
Lachapelle-aux-Pots
St-Aubin-en-Bray
Villers-St-Barthélemy
Jouy-s/s-Thelle
54

21
55
36
10 km
BEAUVAIS
CLERMONT
MONTDIDIER
BRETEUIL
ST-JUST-EN-CHAUSSÉE
MAIGNELAY-MONTIGNY
CRÈVECŒUR-LE-GRAND
ESTRÉES-ST-DENIS
PONT-STE-MAXENCE
NOGENT-S.-OISE
MONTATAIRE
CREIL
LIANCOURT
CHANTILLY
SENLIS
MOUY
NOAILLES
MÉRU
NEUILLY-EN-THELLE
NIVILLERS
FROISSY
CONTY
AILLY-S.-NOYE
MOREUIL
BEAUVAIS-NORD
BEAUVAIS-CENTRE
BRETEUIL
COMPIÈGNE-N.
COMPIÈGNE-OUEST
PONT-STE-MAXENCE
ERMENONVILLE
SENLIS
PARC RÉGIONAL
OISE - PAYS DE FRANCE
Forêt de Hez
Forêt d'Halatte
Bois de Mont
Bois Saint-Michel
A 16
A 1
N 1
N 31
N 17
N 330
E 46
D 930
D 938
D 916
D 920
D 1001

22

BJ
BK
BL
BM
BN
CHAULNES
Hallu
Chilly
Punchy
Maucourt
Fouquescourt
Hattencourt
Fransart
Rouvroy-en-Santerre
Bouchoir
Parvillers-le-Quesnoy
Damery
Fresnoy-lès-Roye
Crémery
Gruny
Liancourt-Fosse
Herly
Rethonvillers
Marché-Allouarde
Goyencourt
Erches
Andechy
Villers-lès-Roye
Guerbigny
l'Échelle-St-Aurin
St-Mard
ROYE
Carrépuis
Champien
Balâtre
Roiglise
Armancourt
Laucourt
Marquivillers
Grivillers
Dancourt-Popincourt
Tilloloy
Verpillières
Beuvraignes
Crapeaumesnil
Fresnières
Amy
Avricourt
Bus-la-Mésière
Fescamps
Remaugies
Boulogne-la-Grasse
Hainvillers
Conchy-les-Pots
Canny-s.-Matz
Biermont
Orvillers-Sorel
Mortemer
Cuvilly
Roye-s.-Matz
LASSIGNY
Plessis-de-Roye
Dives
Gury
Laberlière
Ricquebourg
la Neuville-s.-Ressons
RESSONS-S.-MATZ
Mareuil-la-Motte
Margny-s.-Matz
Élincourt-Ste-Marguerite
Marqueglise
Vandélicourt
Marest-s.-Matz
Chevincourt
Cambronne-lès-Ribécourt
RIBÉCOURT-DRESLINCOURT
Vignemont
Antheuil-Portes
Mélicocq
Machemont
Villers-s.-Coudun
Braisnes
Monchy-Humières
Giraumont
Longueil-Annel
Thourotte
Montmacq
Gournay-s.-Aronde
Montmartin
Baugy
Coudun
Janville
Bienville
Clairoix
Choisy-au-Bac
Le Plessis-Brion
Lachelle
Remy
Margny-lès-C.
Venette
Moyvillers
COMPIÈGNE
Jonquières
Jaux
Arsy
Canly
le Fayel
le Meux
Armancourt
Longueil-Ste-Marie
Lacroix-St-Ouen
Chevrières
Rivecourt
Houdancourt
Verberie
Saintines
St-Sauveur
Béthisy-St-Pierre
Béthisy-St-Martin
Rhuis
St-Vaast-de-Longmont
Néry
Glaignes
Raray
Rully
Barbery
Montépilloy
Trumilly
Duvy
Séry-Magneval
Rocquemont
CRÉPY-EN-VALOIS
Auger-St-Vincent
Gondreville
Rouville
Ormoy-Villers
Fresnoy-le-Luat
Rosière
Baron
Fontaine-Chaalis
Péroy-les-Gombries
NESLE
Languevoisin-Quiquery
Billancourt
Breuil
Buverchy
Moyencourt
Cressy-Omencourt
Biarre
Solente
Ognolles
Margny-aux-Cerises
Beaulieu-les-Fontaines
Ecuvilly
Catigny
Candor
Lagny
Sermaize
Beaurains-lès-Noyon
Porquéricourt
Cuy
Suzoy
Evricourt
Thiescourt
Cannectancourt
Ville
Chiry-Ourscamp
Passel
Larbroye
Vauchelles
NOYON
Pont-l'Évêque
Sempigny
Pimprez
Bailly
Tracy-le-Val
Tracy-le-Mont
St-Léger-aux-Bois
Carlepont
Caisnes
Varesnes
Pontoise-lès-Noyon
Morlincourt
Salency
Babœuf
Béhéricourt
Grandrû
Genvry
Crisolles
Bussy
Muirancourt
Campagne
Fréniches
Fréty-le-Château
Libermont
Flavy-le-Meldeux
Esmery-Hallon
Ercheu
Grécourt
Hombleux
Matigny
Voyennes
Offoy
Sancourt
Eppeville
HAM
Muille-Villette
Golancourt
Villeselve
le Plessis-Patte-d'Oie
Berlancourt
GUISCARD
Maucourt
Quesmy
Beaugies-s/s-Bois
Béthancourt-en-Vaux
Caillouël-Crépigny
Mondescourt
Appilly
Brétigny
Quierzy
Manicamp
Bourguignon-s/s-Coucy
Cuts
Camelin
Blérancourt
St-Aubin
Nampcel
Audignicourt
Moulin-s/s-Touvent
Autrêches
St-Pierre-lès-Bitry
Bitry
ATTICHY
Berny-Rivière
VIC-S.-AISNE
Couloisy
Trosly-Breuil
Cuise-la-Motte
Croutoy
Jaulzy
Courtieux
Montigny-Lengrain
St-Crépin-aux-Bois
Berneuil-s.-Aisne
Rethondes
Vieux-Moulin
St-Jean-aux-Bois
St-Étienne-Roilaye
Pierrefonds
Chelles
Hautefontaine
Mortefontaine
Retheuil
Taillefontaine
Vivières
Morienval
Gilocourt
Orrouy
Fresnoy-la-Rivière
Feigneux
Russy-Bémont
Vez
Bonneuil-en-Valois
Éméville
Haramont
Largny-s.-Automne
Vaumoise
Vauciennes
Coyolles
VILLERS-COTTERÊTS
Puiseux-en-Retz
Montgobert
Soucy
Cœuvres-et-Valsery
Dommiers
St-Bandry
Laversine
Cutry
Ambleny
Pernant
Fontenoy
Ressons-le-Long
Morsain
Vassens
Vézaponin
Épagny
Nouvron-Vingré
Tartiers
Bieuxy
Chavigny
Cuisy-en-Almont
Osly-Courtil
Pasly
Pommiers
Mercin-et-Vaux
Saconin-et-Breuil
Vauxbuin
Missy-aux-Bois
Ploisy
Chaudun
Vierzy
Longpont
Fleury
Corcy
Dampleux
Faverolles
Ancienville
Oigny-en-Valois
Silly-la-Poterie
Chouy
Noroy-s.-Ourcq
Billy-s.-Ourcq
Louâtre
Villers-Hélon
La Ferté-Milon
Troësnes
Marizy-Ste-Geneviève
Autheuil-en-Valois
Cavergnon
Ivors
Ormoy-le-Davien
Matigny
Douilly
Villers-St-Christophe
Douchy
Aubigny-aux-Kaisnes
Bray-St-Christophe
Happencourt
Tugny-et-Pont
Artemps
Dury
Sommette-Eaucourt
ST-SIMON
Ollezy
Annois
Flavy-le-Martel
Cugny
Beaumont-en-Beine
la Neuville-en-Beine
Ugny-le-Gay
Guivry
Commenchon
Caumont
Neuflieux
Marest-Dampcourt
Abbécourt
Ognes
CHAUNY
Sinceny
Autreville
Pierremande
Bichancourt
Folembray
St-Paul-aux-Bois
Besmé
Champs
Trosly-Loire
Guny
Pont-St-Mard
Selens
Villequier-Aumont
TERGNIER
Viry-Noureuil
Condren
Frières-Faillouël
Jussy
Montescourt-Lizerolles
Clastres
Gibercourt
Remigny
Mennessis
Contescourt
Seraucourt-le-Grd
Essigny-le-Grd
Benay
Fluquières
Germaine
Roupy
Fontaine-lès-Clercs
Dallon
Grugies
Ugny-l'Équipée
Y
Croix-Moligneaux
Pertain
Licourt
Morchain
Potte
Béthencourt-s.-Somme
Mesnil-St-Nicaise
Rouy-le-Grd
Rouy-le-Pt
Curchy
Fonches-Fonchette
Étalon
A1
E15
E19
N 17
N 31
N 32
N 2
N 324
E 46
D 930
D 934
D 938
D 937
FORÊT DE COMPIÈGNE
FORÊT DE LAIGUE

35
56

LAON
SOISSONS
LA FÈRE
MARLE
CRÉCY-S.-SERRE
RIBEMONT
MOY-DE-L'AISNE
SISSONNE
CRAONNE
FISMES
BRAINE
VAILLY-S.-AISNE
ANIZY-LE-CHÂTEAU
COUCY-LE-CHÂTEAU AUFFRIQUE
OULCHY-LE-CHÂTEAU
FÈRE-EN-TARDENOIS
VILLE-EN-TARDENOIS
Liesse-Notre-Dame
Montcornet
St-Gobain
Chambry
Athies-s/s-Laon
Samoussy
Corbeny
Guignicourt
Berry-au-Bac
Pontavert
Jonchery-s.-Vesle
Gueux
Tinqueux
Cormicy
Hermonville
Muizon
Bazoches
Mont-Notre-Dame
Crugny
Arcis-le-Ponsart
Coulonges-Cohan
Villers-Cotterêts
Belleu
Villeneuve-St-Germain
Venizel
Billy-s.-Aisne
Chavignon
Pinon
Vauxaillon
Monampteuil
Chevregny
Cerny-en-Laonnois
Bouconville-Vauclair
Chamouille
Neuville-s.-Ailette
Montaigu
Eppes
Pierrepont
Mâchecourt
Voyenne
Autremencourt
Vesles-et-Caumont
Montigny-le-Franc
Rogny
Lugny
Burelles
Prisces
Gronard
Rougeries
Marfontaine
Housset
Richaumont
Landifay-et-Bertaignemont
Parpeville
Mézières-s.-Oise
Villers-le-Sec
Surfontaine
Renansart
Nouvion-et-Catillon
Nouvion-le-Comte
Mesbrecourt-Richecourt
Assis-s.-Serre
Mortiers
Dercy
Froidmont-Cohartille
Toulis-et-Attencourt
Barenton-s.-Serre
Barenton-Cel
Barenton-Bugny
Verneuil-s.-Serre
Chéry-lès-Pouilly
Pouilly-s.-Serre
Chalandry
Monceau-lès-Leups
Couvron-et-Aumencourt
Versigny
Fressancourt
Andelain
Charmes
Danizy
Rogécourt
Travecy
Anguilcourt-le-Sart
Achery
Mayot
Courbes
Crépy
Brie
Bucy-lès-Cerny
Cerny-lès-Bucy
Molinchart
Cessières
Suzy
Laniscourt
Clacy-et-Thierret
Vivaise
Aulnois-s/s-Laon
Besny-et-Loizy
Festieux
Veslud
Parfondru
Chérêt
Bruyères-et-Montbérault
Vorges
Presles-et-Thierny
Nouvion-le-Vineux
Laval-en-Laonnois
Étouvelles
Chivy-lès-Étouvelles
Royaucourt-et-Chailvet
Bourguignon-s/s-Montbavin
Mons-en-Laonnois
Vaucelles-et-Beffecourt
Montchâlons
Orgeval
Martigny-Courpierre
Bièvres
Arrancy
Aubigny-en-Laonnois
Ployart-et-Vaurseine
Chermizy-Ailles
Ste-Croix
Aizelles
Berrieux
Goudelancourt-lès-Berrieux
St-Thomas
St-Erme-Outre-et-Ramecourt
Mauregny-en-Haye
Courtrizy-et-Fussigny
Coucy-lès-Eppes
Juvincourt-et-Damary
Amifontaine
Prouvais
Condé-s.-Suippe
Variscourt
Aguilcourt
Gernicourt
Bouffignereux
Chaudardes
Cuiry-lès-Chaudardes
Beaurieux
Concevreux
Roucy
Maizy
Muscourt
Meurival
Guyencourt
Ventelay
Bouvancourt
Cauroy-lès-Hermonville
Villers-Franqueux
Pévy
Prouilly
Trigny
Chenay
Merfy
Châlons-s.-Vesle
Vandeuil
Branscourt
Courcelles-Sapicourt
Rosnay
Savigny-s.-Ardres
Treslon
Germigny
Janvry
Vrigny
Ormes
Coulommes-la-Montagne
Méry-Prémecy
Faverolles-et-Coëmy
Serzy-et-Prin
Tramery
Bouleuse
Pargny-lès-Reims
Poilly
Aubilly
Bligny
Sarcy
St-Euphraise-et-Clairizet
Bouilly
Lhéry
Lagery
Brouillet
Romigny
Chambrecy
Chaumuzy
Vézilly
Cierges
Villers-Agron-Aiguizy
Villers-s.-Fère
Nanteuil-Notre-Dame
Armentières-s.-Ourcq
Villeneuve-s.-Fère
Bruyères-s.-Fère
Saponay
Seringes-et-Nesles
Mareuil-en-Dôle
Dravegny
Loupeigne
Bruys
Chéry-Chartreuve
Mont-s.-Courville
Courville
St-Gilles
Mont-St-Martin
Ville-Savoye
Lhuys
Cuiry-Housse
Maast-et-Violaine
Nampteuil-s/s-Muret
Muret-et-Crouttes
Droizy
Launoy
Arcy-Ste-Restitue
Cramaille
Beugneux
Grand-Rozoy
St-Rémy-Blanzy
Hartennes-et-Taux
Buzancy
Chacrise
Ambrief
Septmonts
Noyant-et-Aconin
Rozières-s.-Crise
Acy
Serches
Vasseny
Courcelles-s.-Vesle
Vauxcéré
Paars
Limé
Cerseuil
Lesges
Quincy-s/s-le-Mont
Jouaignes
Tannières
Augy
Ciry-Salsogne
Sermoise
Missy-s.-Aisne
Chivres-Val
Condé-s.-Aisne
Celles-s.-Aisne
Vregny
Bucy-le-Long
Crouy
Clamecy
Braye
Margival
Vuillery
Terny-Sorny
Laffaux
Nanteuil-la-Fosse
Sancy-les-Cheminots
Aizy-Jouy
Ostel
Chavonne
Soupir
Presles-et-Boves
Chassemy
Brenelle
Cys-la-Commune
St-Mard
Viel-Arcy
Pont-Arcy
Bourg-et-Comin
Moussy-Verneuil
Vendresse-Beaulne
Paissy
Oulches-la-Vallée-Foulon
Moulins
Cuissy-et-Gény
Pargnan
Œuilly
Vassogne
Jumigny
Craonnelle
La Ville-aux-Bois-lès-Pontavert
Villers-en-Prayères
Révillon
Glennes
Dhuizel
Longueval-Barbonval
Serval
Merval
Blanzy-lès-Fismes
Vauxtin
Romain
Baslieux-lès-Fismes
Courlandon
Perles
Magneux
Unchair
Breuil
Hourges
Montigny-s.-Vesle
Braye-en-Laonnois
Pancy-Courtecon
Colligis-Crandelain
Trucy
Urcel
Lierval
Filain
Pargny-Filain
Chavignon
Allemant
Neuville-s.-Margival
Leuilly-s/s-Coucy
Juvigny
Leury
Crécy-au-Mont
Jumencourt
Quincy-Basse
Landricourt
Brancourt-en-Laonnois
Merlieux-et-Fouquerolles
Wissignicourt
Bassoles-Aulers
Faucoucourt
Prémontré
Coucy-la-Ville
Verneuil-s/s-Coucy
Fresnes
Septvaux
Barisis
St-Nicolas-aux-Bois
Fourdrain
Bertaucourt-Epourdon
Deuillet
Servais
Brissy-Hamégicourt
Brissay-Choigny
Berthenicourt
Alaincourt
Séry-lès-Mézières
Chevresis-Monceau
La Ferté-Chevresis
Montigny-s.-Crécy
Pargny-les-Bois
Bois-lès-Pargny
Erlon
Marcy-s/s-Marle
Châtillon-lès-Sons
Sons-et-Ronchères
Monceau-le-Neuf-et-Faucouzy
Montigny-s/s-Marle
Berlancourt
Voharies
Thiernu
La Neuville-Housset
Cilly
Bosmont-s.-Serre
Tavaux-et-Pontséricourt
Vigneux-Hocquet
Agnicourt-et-Séchelles
St-Pierremont
La Neuville-Bosmont
Cuirieux
Ebouleau
Clermont-les-Fermes
Goudelancourt-lès-Pierrepont
Grandlup-et-Fay
Missy-lès-Pierrepont
Chivres-en-Laonnois
Bucy-lès-Pierrepont
Ste-Preuve
Lappion
Gizy
Marchais
Monceau-le-Waast
10 km

23
38
57

24

BT
BU
BV
BW
Jeantes
Bancigny
Aouste
Cernion
Havys
Liart
Coingt
Corneaux
St-Clément
Hirson
Nampcelles-la-Cour
Dagny-Lambercy
Brunehamel
Blanchefosse-et-Bay
Petits-Caillaux
Bay
la Férée
Aubigny-les-Pothées
Vaux-Villaine
Neufmaison
Remilly-les-Pothées
St-Marcel
Clavy-Warby
Dohis
les Autels
Lépron-les-Vallées
Morgny-en-Thiérache
Cuiry-lès-Iviers
la Viotte
le Hocquet
Renneval
Archon
Parfondeval
Résigny
le Frêty
Forêt d'Estrémont
Butte de Marlemont
Marlemont
Forêt du Hailly
Neuville-lès-This
Vigneux-Hocquet
Dolignon
Grandrieux
St-Jean-aux-Bois
Maranwez
les Vallées
Warby
Thin-le-Moutier
Forge-Maillard
Ste-Geneviève
Chéry-lès-Rozoy
Mainbresson
Gruyères
Séchelles
Reuil
Vincy-Reuil-et-Magny
Apremont
Raillimont
Rouvroy-s.-Serre
le Suberteaux
la Fosse au Mortier
Frêne
Chaourse
Mainbressy
Liboreçy
Signy-l'Abbaye
Rozoy-s.-Serre
Soize
Montcornet
la Verrerie
Montmeillant
Forêt de Signy
la Fosse-à-l'Eau
Lislet
Vaux-lès-Rubigny
Rocquigny
Rubigny
la Crottière
Dommery
Clermont-les-Fermes
Montloué
Berlise
Sous-les-Faux
la Hardoye
la Romagne
la Besace
Lalobbe
Jandun
Touligny
Barbaise
Wadimont
Chêne
Raillicourt
Noircourt
Fraillicourt
Chaumont-Porcien
la Sauge-aux-Bois
Draize
Launois-s.-Vence
la Ville-aux-Bois-lès-Dizy
Coloru
Renneville
Trappe
le Thuel
Croix de Sénicourt
Givron
Begny
Grandchamp
Viel-St-Remy
Neuvizy
Villers-le-Tourneur
le Radois
Logny-lès-Chaumont
Chlle St-Berthauld
la Neuville-lès-Wasigny
Dizy-le-Gros
Forest
Adon
Halle
Wasigny
Wagnon
Camp militaire
Chlle Ste-Olive
Doumely-Bégny
Harzillemont
Waleppe
Chappes
Mesmont
Margy
Faissault
Hagnicourt
Sévigny-Waleppe
Bray
Seraincourt
Remaucourt
Herbigny
Beaumont-en-Aviotte
Novion-Porcien
Lappion
Hannogne-St-Rémy
Justine-Herbigny
Macheroménil
Puiseux
Wignicourt
le Pas
Hauteville
Provizy
Corny-Machéroménil
les Tuileries
Saulces-Monclin
Vaux-Montreuil
Chesnois-Auboncourt
St-Quentin-le-Petit
Banogne-Recouvrance
Chaudion
Son
Sery
Vauzelles
Auboncourt-Vauzelles
Monclin
la Saintinerie
Nizy-le-Comte
Recouvrance
St-Fergeux
Inaumont
Arnicourt
les Normands
la Selve
Bethancourt
le Petit-Ban
Sorcy-Bauthémont
les Aisements
Ecly
Novy-Chevrières
Faux
Bauthémont
la Rue de l'Allemagne
Château-Porcien
Condé-lès-Herpy
Sorbon
Lucquy
Ecordal
le Thour
Barby
Bertoncourt
Chevrières
Sausseuil
Alland'Huy-et-Sausseuil
Lor
Herpy-l'Arlésienne
Taizy
Rethel
Amagne-Lucquy
Amagne
Frontigny
Villers-devant-le-Thour
St-Germainmont
Nanteuil-s.-Aisne
Resson
Coucy
Doux
Charbogne
la Malmaison
Canal des Ardennes
Magnivillers
le Tremblot
Gomont
Acy-Romance
Sault-lès-Rethel
Pargny
Biermes
Trugny
Fleury
Givry
le Plesnoy
Juzamcourt
Balham
Blanzy-La-Salonnaise
Thugny-Trugny
Ambly-Fleury
Attigny
Sévigny
Aire
Avançon
Mt Blanzy
B. des Ternes
Seuil
Mont-Laurent
Ste-Vaubourg
Prouvais
Asfeld
Faucherelles
la Servelle
Beaumont
Proviseux-et-Plesnoy
Avaux
Vieux-lès-Asfeld
St-Loup-Champagne
Saulces-Champenoises
Perthes
Vaux-Champagne
Evergnicourt
Brienne-s.-Aisne
Tagnon
Ménil-Annelles
Coulommes-et-Marqueny
Guignicourt
Neufchâtel-s.-Aisne
Houdilcourt
Roizy
Annelles
Chardeny
Bergnicourt
le Châtelet-s.-Retourne
Menneville
Poilcourt-Sydney
Sault-St-Rémy
l'Écaille
Neuflize
Pauvres
Quilly
Condé-s.-Suippe
Variscourt
Pignicourt
l'Utilité
St-Rémy-le-Petit
Alincourt
Bignicourt
Aguilcourt
Merlet
Retourne
Juniville
Ville-s.-Retourne
Dricourt
Mazagran
Bertricourt
Auménancourt
St-Étienne-s.-Suippe
Mt Berny
Mont-St-Rémy
Leffincourt
Constantine
Port Givart
Orainville
le Petit Auménancourt
la Gentillerie
Ménil-Lépinois
Boult-s.-Suippe
Bazancourt
Val-des-Bois
Bourgogne
Mt de Warmeriville
Bermericourt
Isles-s.-Suippe
Warmeriville
la Neuville-en-Tourne-à-Fuy
Cauroy
Machault
Loivre
Fresne-lès-Reims
Ragonet
Aussonce
Brimont
Fort
Pomacle
St-Druon
Vaudétrée
Heutrégiville
le Merlan
Bois de Grand Lieu
Hermonville
Courcy
Villers-Franqueux
la Verrerie
Lavannes
Scay
Baimont
Thil
St-Clément-à-Arnes
St-Étienne-à-Arnes
Pouillon
St-Thierry
Witry-lès-Reims
St-Masmes
Bois de Plaisance
Selles
Hauviné
Arnes
Chenay
Reims-la Neuvillette
Caurel
le Martelet
Bétheniville
St-Pierre-à-Arnes
Blanc Mont (USA)
Merfy
Bétheny
Époye
Pontfaverger-Moronvilliers
Bois de Milan
Bois de Bouqueton
Bois de Beine
Milan
le Linguet
Vauroisy
St-Hilaire-le-Petit
Courcelles
St-Brice-Courcelles
Berru
Mt Aigu
Bois Malval
Mt Froid
Sommepy-Tahure
Cernay-lès-Reims
Nogent-l'Abbesse
St-Martin-l'Heureux
Ste-Marie-à-Py
Tinqueux
Reims
Caves
Camp de Tir
Nauroy
Camp de Moronvilliers
Dontrien
Ormes
Vrigny
Coulommes-la-Montagne
Beine-Nauroy
Mt Haut
Mt Téton
St-Souplet-s.-Py
Mt Sepeu
Butte de Souain
2e ch. ouv. proch.
Cormontreuil
Mt Cornillet
Moronvilliers
Vaudesincourt
Mont de la Ferme de Navarin
Bézannes
St-Léonard
Fort de la Pompelle
Jouy-lès-Reims
les Mesneux
Taissy
Sillery
Aubérive
Épine de Védegrange
Champfleury
Trois-Puits
Puisieulx
Prunay
Constantine
Moscou
Chaussée Romaine
l'Espérance
Villers-aux-Nœuds
Montbré
les Marquises
Prosnes
Grand Bois
St-Hilaire-le-Grand
Souain-Perthes-lès-Hurlus
Villers-Allerand
les Puits
Beaumont-s.-Vesle
Mt Depert
les Wacques
Chamery
Mont-Chenot
Rilly-la-Montagne
les Rozais
Ludes
Verzenay
Baconnes
Jonchery-s.-Suippe
Pourcy

37

58

25
59
40
10 km
CHARLEVILLE-MÉZIÈRES
SEDAN
Donchery
Glaire
Balan
Bazeilles
Douzy
Floing
Givonne
Illy
Fleigneux
St-Menges
Vrigne-aux-Bois
Vrigne-Meuse
Villers-Semeuse
Warcq
Prix-lès-Mézières
Lumes
St-Laurent
Ville-s.-Lumes
Issancourt-et-Rumel
Gernelle
la Grandville
Bosseval-et-Briancourt
la Chapelle
Villers-Cernay
Francheval
Pouru-aux-Bois
Pouru-St-Rémy
Escombres-et-le-Chesnois
Messincourt
Sachy
Osnes
Pure
Tremblois-lès-Carignan
Matton-et-Clémency
Mogues
CARIGNAN
Blagny
Linay
Sailly
Euilly-et-Lombut
Tétaigne
Brévilly
Mairy
Amblimont
MOUZON
Vaux-lès-Mouzon
Moulins-St-Hubert
Malandry
la Ferté-s.-Chiers
Villy
Margut
Signy-Montlibert
Olizy-s.-Chiers
Inor
Martincourt-s.-Meuse
Pouilly-s.-Meuse
Létanne
Beaumont-en-Argonne
Autrécourt-St-Lambert
Luzy-St-Martin
Cesse
Laneuville-s.-Meuse
STENAY
Beaufort-en-Argonne
Beauclair
Wiseppe
Mouzay
Halles-s/s-les-Côtes
Saulmory-et-Villefranche
Montigny-devant-Sassey
Sassey-s.-Meuse
Mont-devant-Sassey
Villers-devant-Dun
Doulcon
DUN-S.-MEUSE
Milly-s.-Bradon
Lion-devant-Dun
Cléry-le-Petit
Cléry-le-Grand
Liny-devant-Dun
Vilosnes-Haraumont
Brieulles-s.-Meuse
Dannevoux
Gercourt-et-Drillancourt
Cunel
Aincreville
Bantheville
Romagne-s/s-Montfaucon
Cierges-s/s-Montfaucon
Nantillois
Septsarges
MONTFAUCON-D'ARGONNE
Cuisy
Béthincourt
Malancourt
Avocourt
Esnes-en-Argonne
Montzéville
Chattancourt
Véry
Cheppy
Charpentry
Baulny
Epinonville
Eclisfontaine
VARENNES-EN-ARGONNE
Montblainville
Vauquois
Boureuilles
Neuvilly-en-Argonne
Lachalade
Apremont
Chatel-Chéhéry
Cornay
Fléville
Exermont
Gesnes-en-Argonne
Sommerance
St-Juvin
Champigneulle
Landres-et-St-Georges
Imécourt
Verpel
Bayonville
Buzancy
BUZANCY
Bar-lès-Buzancy
Harricourt
Nouart
Tailly
Fossé
Belval-Bois-des-Dames
Vaux-en-Dieulet
Sommauthe
St-Pierremont
Oches
la Berlière
Les Grdes Armoises
Stonne
Tannay
Sy
Verrières
Brieulles-s.-Bar
Authe
Autruche
Belleville-et-Châtillon-s.-Bar
Germont
Boult-aux-Bois
Briquenay
Thénorgues
Beffu-et-le-Morthomme
GRANDPRÉ
Chevières
Marcq
Senuc
Termes
Grandham
Mouron
Vaux-lès-Mouron
Challerange
Monthois
Brécy-Brières
Olizy-Primat
Savigny-s.-Aisne
Falaise
Longwé
la Croix-aux-Bois
Toges
Quatre-Champs
Ballay
Vandy
Noirval
Terron-s.-Aisne
les Alleux
Voncq
VOUZIERS
Vrizy
Chuffilly-Roche
Semuy
Rilly-s.-Aisne
Neuville-Day
Montgon
LE CHESNE
les Petites Armoises
Sauville
Louvergny
Marquigny
TOURTERON
Lametz
Suzanne
St-Lambert-et-Mont-de-Jeux
Jonval
Chagny
Bouvellemont
Baâlons
OMONT
Vendresse
Chémery-s.-Bar
Chéhéry
Bulson
Maisoncelle-et-Villers
Artaise-le-Vivier
la Neuville-à-Maire
Mont-Dieu
RAUCOURT-ET-FLABA
Yoncq
la Besace
Haraucourt
Angecourt
Villers-devant-Mouzon
Autrecourt-et-Pourron
Remilly-Aillicourt
Thelonne
Noyers-Pont-Maugis
Cheveuges
St-Aignan
Villers-s.-Bar
Wadelincourt
Sapogne-et-Feuchères
Hannogne-St-Martin
Elan
Omicourt
Villers-le-Tilleul
Singly
Poix-Terron
Villers-s.-le-Mont
Yvernaumont
Balaives-et-Butz
Boulzicourt
Étrépigny
FLIZE
Chalandry-Elaire
Nouvion-s.-Meuse
Dom-le-Mesnil
Boutancourt
St-Marceau
la Francheville
Évigny
Mondigny
Champigneul-s.-Vence
St-Pierre-s.-Vence
Sécheult
Ardeuil-et-Montfauxelles
Bouconville
Condé-lès-Autry
Binarville
Servon-Melzicourt
Vienne-le-Château
St-Thomas-en-Argonne
Cernay-en-Dormois
Fontaine-en-Dormois
Rouvroy-Ripont
Gratreuil
Manre
Aure
Marvaux-Vieux
Liry
Massiges
VILLE-S-TOURBE
Virginy
Malmy
Berzieux
Wargemoulin-Hurlus
Dombasle-en-Argonne
Fromeréville-les-Vallons
Sivry-la-Perche

26
60
39
CC
CD
CE
CF
CG
28
29
30
31
32
33
34
FORÊT DE CHINY
Forêt de Neufchâteau
FORÊT DE WOËVRE
FORÊT DOMANIALE DE VERDUN
AARLEN
(ARLON)
FLORENVILLE
CHINY
Ste-Cécile
Fontenoille
Lacuisine
Les Bulles
Izel
Jamoigne
Termes
Rossignol
Tintigny
Rulles
Houdemont
Habay-la-Vieille
Habay-la-Neuve
HABAY
Anlier
Mellier
Suxy
Les Epioux
Thiaumont
Nobressart
ATTERT
Nothomb
Tontelange
Beckerich
Hachy
Heinsch
Stockem
Étalle
Vance
Villers-s.-Semois
St-Vincent
Valansart
Prouvy
Bellefontaine
Ste-Marie
Buzenol
Chantemelle
Toernich
Wolkrange
Autelbas
Hondelange
Sélange
Clémency
Messancy
Habergy
Meix-le-Tige
Châtillon
St-Léger
Willers
Tremblois-lès-Carignan
Mogues
Villers-devant-Orval
Orval
Limes
Lasoye
Gérouville
Meix-devant-Virton
Robelmont
Auflance
Margny
Herbeuval
Sapogne-s.-Marche
Margut
Signy-Montlibert
Breux
Sommethonne
Avioth
Thonne-le-Thil
Villers-la-Loue
Ethe
Virton
Latour
Bleid
Mussy-la-Ville
Musson
Aubange
Athus
Pétange
Halanzy
Mont-St-Martin
Longwy
Herserange
Saulnes
Longlaville
Differdange
St-Mard
Dampicourt
Thonne-la-Long
Thonnelle
Bièvres
Chauvency-St-Hubert
Chauvency-le-Château
Thonne-les-Prés
Verneuil-Petit
Verneuil-Grand
Écouviez
Rouvroy
Harnoncourt
Lamorteau
Ruette
Ville-Houdlémont
Gorcy
Cosnes-et-Romain
St-Pancré
Villers-la-Chèvre
Tellancourt
Lexy
Réhon
Mexy
Hussigny-Godbrange
Montmédy
Villécloye
Velosnes
Torgny
Allondrelle-la-Malmaison
Vigneul-s/s-Montmédy
Bazeilles-s.-Othain
Quincy-Landzécourt
Han-lès-Juvigny
Juvigny-s.-Loison
Iré-le-Sec
Othe
Épiez-s.-Chiers
Flassigny
Charency-Vezin
Villette
Viviers-s.-Chiers
Montigny-s.-Chiers
Fresnois-la-Montagne
Ugny
Cutry
Cons-la-Grandville
Chenières
Haucourt-Moulaine
Villers-la-Montagne
Villers-le-Rond
Colmey
Longuyon
Doncourt-lès-Longuyon
Laix
Morfontaine
Bréhain-la-Ville
Marville
St-Jean-lès-Longuyon
Pt-Failly
Grd-Failly
Remoiville
Louppy-s.-Loison
Jametz
Delut
Rupt-s.-Othain
Arrancy-s.-Crusne
Beuveille
Baslieux
Pierrepont
Ville-au-Montois
Bazailles
Fillières
Errouville
Serrouville
Brandeville
Vittarville
Dombras
St-Laurent-s.-Othain
Sorbey
Han-devant-Pierrepont
Boismont
St-Supplet
Mercy-le-Bas
Joppécourt
Mercy-le-Haut
Malavillers
Rouvrois-s.-Othain
St-Pierrevillers
Bréhéville
Lissey
Merles-s.-Loison
Villers-lès-Mangiennes
Pillon
Duzey
Peuvillers
Mangiennes
Nouillonpont
Xivry-Circourt
Preutin-Higny
Murville
Anderny
Écurey-en-Verdunois
Réville-aux-Bois
Damvillers
Romagne-s/s-les-Côtes
Billy-s/s-Mangiennes
Muzeray
Spincourt
Domprix
Avillers
Mont-Bonvillers
Étraye
Wavrille
Sivry-s.-Meuse
Vaudoncourt
Loison
Landres
Piennes
Mairy-Mainville
Chaumont-devant-Damvillers
Moirey-Flabas-Crépion
Gouraincourt
Domremy-la-Canne
Bouligny
Tucquegnieux
Consenvoye
Ville-devant-Chaumont
Azannes-et-Soumazannes
Senon
Dommary-Baroncourt
Joudreville
Norroy-le-Sec
Mancieulles
Anoux
Affléville
Haumont-près-Samogneux
Brabant-s.-Meuse
Gremilly
Éton
Forges-s.-Meuse
Béthincourt
Regnéville-s.-Meuse
Samogneux
Beaumont-en-Verdunois
Ornes
Maucourt-s.-Orne
Gincrey
Amel-s.-l'Étang
Gondrecourt-Aix
Lubey
Fléville-Lixières
Cumières-Mort-Homme
Champneuville
Louvemont-Côte-du-Poivre
Bezonvaux
Douaumont
Dieppe-s/s-Douaumont
Mogeville
Morgemoulin
Foameix-Ornel
Rouvres-en-Woëvre
Ozerailles
Chattancourt
Vacherauville
Bras-s.-Meuse
Vaux-devant-Damloup
Fromezey
Étain
Lanhères
Mouaville
Abbéville-lès-Conflans
Marre
Charny-s.-Meuse
Fleury-devant-Douaumont
Abaucourt-Hautecourt
Damloup
Warcq
Boinville-en-Woëvre
Béchamps
Thumeréville
Montzéville
Belleville-s.-Meuse
Eix
Hermeville-en-Woëvre
St-Jean-lès-Buzy
Labry
Béthelainville
Thierville-s.-Meuse
Moranville
Grimaucourt-en-Woëvre
Gussainville
Buzy-Darmont
Parfondrupt
Olley
Jeandelize
Boncourt
Conflans-en-Jarnisy
Puxe
Blanzée
Braquis
Moulainville
Fromeréville-les-Vallons
Sivry-la-Perche
Belrupt-en-Verdunois
Watronville
Villers-s/s-Pareid
Hennemont
Brainville
Belleray

LUXEMBOURG
MERSCH
GREVENMACHER
REMICH
CAPELLEN
ESCH-S-ALZETTE
THIONVILLE
CATTENOM
METZERVISSE
HAYANGE
FAMECK
FLORANGE
YUTZ
ROMBAS
BRIEY
HOMÉCOURT
WOIPPY
MAIZIÈRES-LÈS-METZ
VIGY
BOULAY-MOSELLE
SIERCK-LES-BAINS
Mondorf-les-Bains
Saarburg
Schengen
Dudelange
Bettembourg
Hesperange
Villerupt
Audun-le-Tiche
Algrange
Fontoy
Uckange
Amnéville
Moyeuvre-Grande
Marange-Silvange
Rodemack
Hettange-Grande
Kanfen
Ottange
Volmerange-les-Mines
Rumelange
Kayl
Schifflange
Mamer
Strassen
Bertrange
Walferdange
Niederanven
Sandweiler
Contern
Junglinster
Lorentzweiler
Steinsel
Kopstal
Kehlen
Wellen
Nittel
Perl
Apach
Manderen
Kirf
10 km

27
42
61

CM
CN
CO
CP
Konz
Kanzem
Wiltingen
Ayl
Ockfen
Irsch
Saarburg
Serrig
Trassem
Freudenburg
Taben-Rodt
Vierherrenborn
Baldringen
Hentern
Schömerich
Zerf
Greimerath
Mandern
Waldweiler
Gusenburg
Grimburg
Hermeskeil
Osburg
Reinsfeld
Hochwald
NATURPARK
SAAR
HUNSRÜCK
Weiskirchen
Wadern
Losheim
Mettlach
Nonnweiler
Nohfelden
BIRKENFELD
Türkismühle
Meckenbach
Ellweiler
Hoppstädten-
Namborn
Oberthal
Tholey
Marpingen
THELEY
PRIMSTAL
Schmelz
Lebach
Eppelborn
Illingen
Merchweiler
Ottweiler
Schiffweiler
Friedrichsthal
Quierschied
Heusweiler
Riegelsberg
Püttlingen
Völklingen
Schwalbach
SAARLOUIS
Dillingen
Rehlingen
Beckingen
Nalbach
Saarwellingen
MERZIG
Merzig
Wallerfangen
Wadgassen
Überherrn
Bous
Sulzbach
St-Ingbert
SAARBRÜCKEN
STIRING-WENDEL
FORBACH
Petite-Rosselle
Grossrosseln
Creutzwald
BOUZONVILLE
BOULAY-MOSELLE
FREYMING-MERLEBACH
Longeville-lès-St-Avold
St-AVOLD
SARREGUEMINES
Kleinblittersdorf
Güdingen
Mandelbachtal
Blies-Ebersing
Behren-lès-Forbach
Spicheren
Schœneck
Folkling
Cocheren
Théding
Tenteling
Nousseviller-St-Nabor
Rouhling
Grosbliederstroff
Lixing-lès-Rouhling
Hargarten-aux-Mines
Falck
Tromborn
Dalem
Merten
Berviller-en-Moselle
Oberdorff
Villing
Schwerdorff
Flastroff
Filstroff
Zimming
Brouck
Denting
Coume
Guerting
Ham-s/s-Varsberg
Varsberg
Porcelette
Diesen
Carling
L'Hôpital
Boucheporn
Falkenberg
Merten
Neunkirchen-lès-Bouzonville
Alzing
Holling
Valmunster
Téterchen
Vaudreching
Château-Rouge
Gerstling
Heining-lès-Bouzonville
Oberlimberg
Differten
Ludweiler
Emmersweiler
Morsbach
Rosbruck
Etzling
Alsting
Bübingen
Bliesransbach
Heckendalheim
Ommersheim
Ensheim
Eschringen
Fechingen
Brebach
Sankt Arnual
Neunkirchen
Spiesen-Elversberg
St-WENDEL
Freisen
Gimbweiler
Nahe
Pinsweiler
Alsweiler
Winterbach
Bliesen
Hasborn-Dautweiler
Limbach
Gresaubach
Steinbach
Dörsdorf
Nunkirchen
Michelbach
Bettingen
Hüttersdorf
Primsweiler
Düppenweiler
Brotdorf
Bachem
Besseringen
Hilbringen
Büdingen
Fitten
Ballern
Bethingen
Wehingen
Schwemlingen
Orscholz
Keuchingen
Menningen
Harlingen
Bietzen
Mondorf
Silwingen
Saarfels
Fremersdorf
Eimersdorf
Siersburg
Hemmersdorf
Niedaltdorf
Rammelfangen
Ittersdorf
Felsberg
Picard
Bérus
Fürweiler
Gerlfangen
Biringen
Schwalbach
Hülzweiler
Ensdorf
Lisdorf
Derlen
Griesborn
Elm
Sprengen
Kölln
Sellerbach
Etzenhofen
Herchenbach
Walpershofen
Holz
Dilsburg
Hilschbach
Fischbach
Altenwald
Schnappach
Neuweiler
Dudweiler
Herrensohr
Jägersfreude
Scheidt
Rentrisch
Hassel
Oberwürzbach
Rohrbach
Fürstenhausen
Geislautern
Klarenthal
Gersweiler
Burbach
Malstatt
Rockershausen
Luisenthal
Wehrden
Schaffhausen
Hostenbach
Bisten
Friedrichweiler
Velsen
Warndt
Lauterbach
Karlsbrunn
Naßweiler
St-Nikolaus
A 1
A 8
A 62
A 620
A 623
A 320
A 4
E 422
E 29
E 50
E 25
N 33
N 3
N 56
N 61
N 62
D 910
D 918
D 954
D 23
D 25
D 26
268
269
327
406
407
41
420
423
51
Camp Militaire
Goldene Bremm
Saarschleife
SCHAUMBERG
Schwarzwälder Hochwald
Osburger Hochwald
Sch.
2e chaussée ouv. proch.

41

62

Idar-Oberstein
Meisenheim
Lauterecken
Wiesweiler
Rockenhausen
Ruschberg
Baumholder
Rathsweiler
Horschbach
Hinzweiler
Wolfstein
Niederkirchen
Winnweiler
Ulmet
Erdesbach
Elzwlr.
Welchweiler
Oberweiler-im-Tal
Rutsweiler-a.d-Lauter
Mettweiler
Oberalben
Bedesbach
Essweiler
Kreimbach-Kaulbach
Schallodenbach
Schneckenhausen
Freisen
Körborn
Altenglan
Olsbrücken
Kusel
Rammelsbach
Jettenbach
Rothselberg
Frankelbach
Hirschhorn
Mehlbach
Otterberg
Pfeffelbach
Ehweiler
Rutswlr. am-Glan
Bosenbach
Niederstaufenbach
Kollweiler
Föckelberg
Oberstaufenbach
Katzweiler
Otterbach
Sambach
Konken
Erzenhausen
Schwedelbach
Weilerbach
Enkenbach
Langenbach
Selchenbach
Matzenbach
Rehweiler
Glan-Münchwlr.
Mackenbach
Rodenbach
Herschwlr. Pettersheim
Quirnbach-bei-Kusel
Henschtal
Niedermohr
Steinwenden
Ramstein-Miesenbach
KAISERSLAUTERN
Frohnhofen
Krottelbach
Steinbach
Nanzdietschweiler
Hütschenhsn.
Kindsbach
Landstuhl
Altenkirchen
Breitenbach
Dittweiler
Dunzweiler
Ohmbach
Börsborn
Brücken-Pfalz
Gries
NATURPARK
Schönenberg-Kübelberg
Hauptstuhl
Bann
Waldmohr
Bruchmühlbach
Oberarnbach
Mittelbrunn
Queidersbach
Krickenbach
Trippstadt
Bexbach
Langwiede
Gerhardsbrunn
Obernheim
Kirchenarnbach
Linden
Schopp
Lambsborn
Bechhofen
Martinshöhe
Rosenkopf
Knopp-Labach
Hettenhsn.
Horbach
Steinalben
Wiesbach
Saalstadt
Geiselberg
Homburg
Käshofen
Krähenbg
Wallhalben-Oberhausen
Schauerberg
Heltersberg
Klein-Budenbach
Gross-Budenbach
Biedershsn.
Schmitshsn.
Herschberg
Winterbach
Reifenberg
Höheinöd
Waldfischbach Burgalben
Kirkel
Battweiler
Thaleischweiler-Fröschen
Massweiler
Donsieders
Clausen
PFÄLZERWALD
Contwig
Rieschweiler-Mühlbach
Höhfröschen
Rodalben
Zweibrücken
Dellfeld
Petersberg
Münchweiler an der Rodalb
Blieskastel
Höheischweiler
Nünschwlr.
Pirmasens
Ruppertsweiler
Hauenstein
Walshausen
Althornbach
Dietrichingen
Gross-steinhausen
Klein-steinhausen
Bottenbach
Hornbach
Mauschbach
Rolbing
Riedelberg
Lemberg
Dahn
Schweyen
Vinningen
Obersimten
Kröppen
Walschbronn
Loutzviller
Ormersviller
Trulben
Breidenbach
Waldhouse
Schweix
Hilst
Eppenbrunn
Obergailbach
Epping
Volmunster
Bousseviller
Liederschiedt
Erching
Lengelsheim
Fischbach
Bliesbruck
Rimling
Neusseviller-lès-Bitche
Hanviller
Roppeviller
Haspelschiedt
Bettviller
Hottviller
Schorbach
Nothweiler
Bobenthal
10 km

63

ILE D'OUESSANT
Pte de Pern
Nividic
OUESSANT
Lampaul
Frugullou
Niou-Uhella
Creac'h
Penn Arlan
le Stiff
Bac'hoal
I. de Keller
ROCHERS
BAIE DE LAMPAUL
Porz Doun
Feunteun-Velen
Chle N.D. de Bon Voyage
Chle N.D. de Bonne Espérance
PASSAGE DU FROMVEUR
Kéréon
la Jument
I. de Bannec
I. de Balanec
les Trois
Ile-Molène
ILE MOLÈNE
GRAND CHENAL DE L'ABER VRAC'H
Ile Vierge
ROCHES DE PORTSALL
ROCHES D'ARGENTON
Neiz-Vran
St-Egarec
Lanhir
Guissény
le Curnic
Kerbrézan
Lavengat
Chle St-Michel
Trolouc'h
Kelerdut
I. Stagadon
I. Vrac'h
Lilia
Fort Cézon
Dunes de Ste-Marguerite
I. Guénioc
I. Tariec
Poulloc
l'Aber-Vrac'h
Plouguerneau
Brendaouez
St-Frégant
Leuré
I. de Rosservo
I. du Bec
I. Garo
Brouennou
I. Carn
Landéda
Kerouartz
le Grouanec
Kernilis
I. Verte
Porsguen
Tréompan
Trémazan
Pte de Landunvez
Portsall
Kersaint
Kergleuz
Lampaul-Ploudalmézeau
St-Pabu
LANNILIS
Loc Majan
Tréglonou
Tariec
Loc-Brévalaire
Lanarvily
I. d'Yoc'h
le Four
Presqu'île St-Laurent
Argenton
Landunvez
PLOUDALMÉZEAU
Plouguin
Plouvien
St-Jaoua
St-Jean-Balanant
Locmaria
Porspoder
Larret
Plourin
Kervigaen
Coat-Méal
Kervezennoc
Tréouergat
Bourg-Blanc
PLABENNEC
Kerangall
I. de Melon
Melon
Lanildut
Brélès
Kergroadès
Guipronvel
LÉON
Lesquélen
CHENAL DE L'ABER ILDUT
Rocher du Crapaud
Aber Ildut
Porscav
Lanrivoaré
les 3 Curés
Porspaul
Lampaul-Plouarzel
Milizac
Kersaint-Plabennec
I. Ségal
ST-RENAN
Gouesnou
CHENAL DU FOUR
Plouarzel
Guilers
Bohars
Hôpital Tromeur
Penfeld
GUIPAVAS
Trézien
Pte de Corsen
Menhir de Kerloas
Lamber
Chau de Kéroual
Lambézellec
Lavallot
Kerhornou
Ploumoguer
le Relecq-Kerhuon
Kerzévéon
St-Marc
Anse des Blancs Sablons
la Grande Vinotière
Lanfeust
Locmaria-Plouzané
Plouzané
Castel-Nevez
Arsenal
Pte de Kermorvan
Trébabu
Kerambosquer
le Conquet
Pte des Renards
la Trinité
St-Pierre-Quilbignon
Recouvrance
BREST
Océanopolis
le Passage
St-Jean
Pont A Louppe
Porsmilin
le Cosquer
Lochrist
Anse le Trez-Hir de Bertheaume
CENTRE OCÉANOGRAPHIQUE
Ste-Anne-du-Portzic
Kéraliou
CALVAIRE
Kernisi
Plougastel-Daoula
RADE DE BREST
Plougonvelin
Pte de St-Mathieu
St-Mathieu Église
Pte du Diable
Pte de Portzic
Ste-Christine
Pte du Pt Minou
GOULET DE BREST
Pte des Espagnols
Pte du Corbeau
Anse du Caro
Porsguen
le Caro
St-Adrien
St-Guénolé
Pte de Rostiviec
Kerviniou
Roscanvel
Pte de l'Armorique
Kerdéniel
Kéramenez
BAIE DE DAOULAS
I. Ronde
Pte de Kerdéniel
Pte Doubidy
I. Trébéron
BAIE DE ROSCANVEL
I. des Morts
Ile Longue
Rostellec
Quélern
Gde Ile du Bindy
Pte du Grand Gouin
Anse de Camaret
ANSE DU FRET
Pte du Toulinguet
N.D. de Roc'h Amadour
St-Fiacre
le Fret
Lanvéoc
ANSE DE POULMIC
Base Aéronavale
Lomergat
Alignements de Lagatjar
Camaret-s.-Mer
PRESQU'ILE DE CROZON
Pointe de Pen Hir
Réserve Ornithologique
Kerloc'h
les Tas de Pois
Anse de Dinan
Gaoulac'h
CROZON
Maison-Blanche
Chau de Dinan
Morgat
Tréberon
Argol
ANSE DE MORGAT
Lespiguet
Telgruc
les Pierres Noires
CHAUSSÉE DES PIERRES NOIRES
PARC
la Parquette
I. Ledénès de Molène
I. de Trielen
I. de Quéménès
I. de Morgol
Ile de Béniguet
le Faix
les Trois Pierres
Kéréon

66

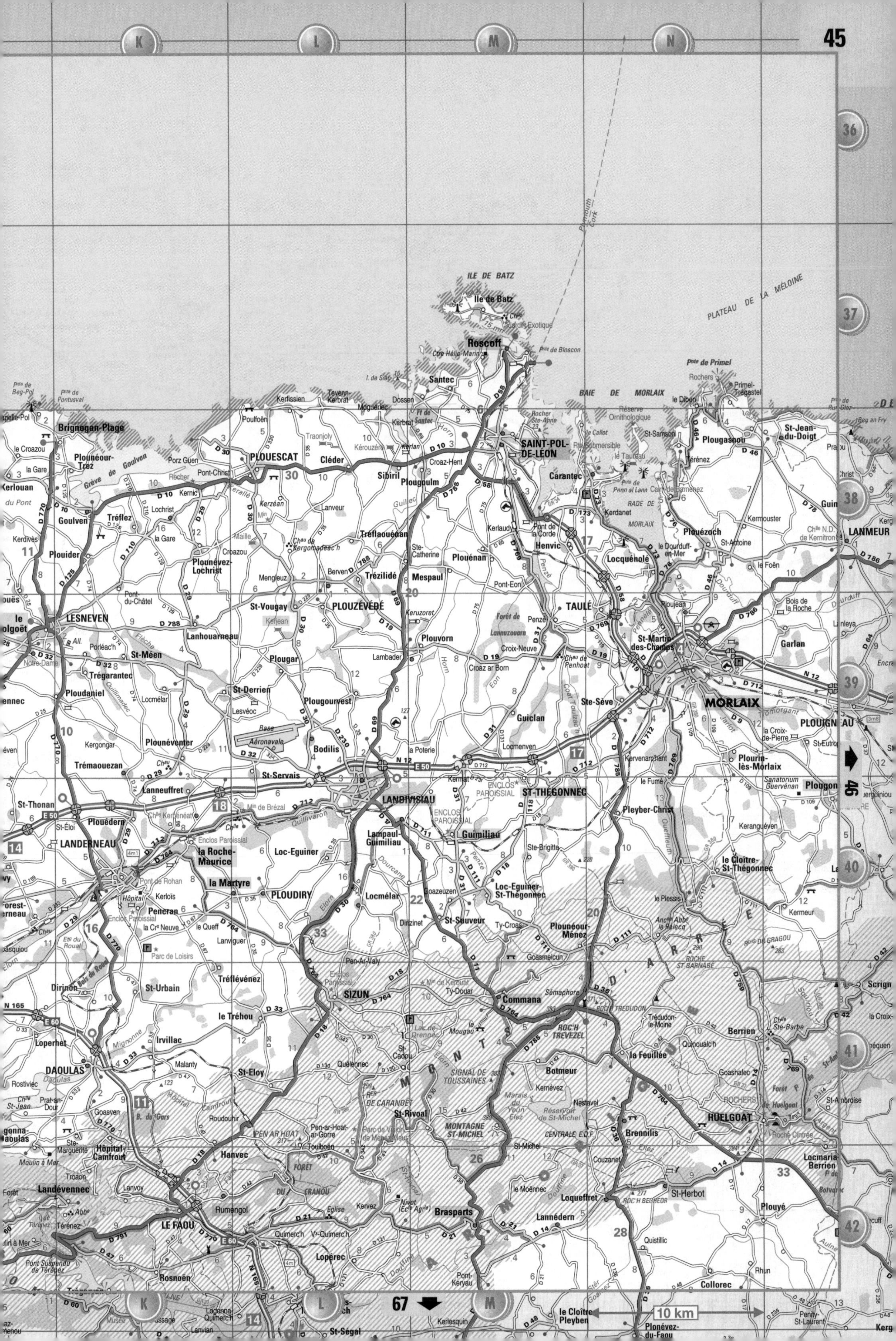
K
L
M
N
36
37
38
39
40
41
42
46
67
10 km
ILE DE BATZ
Ile de Batz
Roscoff
Pte de Bloscon
PLATEAU DE LA MÉLOINE
Plymouth
Cork
Pte de Primel
Primel-Trégastel
BAIE DE MORLAIX
Santec
Brignogan-Plage
PLOUESCAT
Cléder
Sibiril
Plougoulm
SAINT-POL-DE-LÉON
Carantec
Plougasnou
St-Jean-du-Doigt
Plounéour-Trez
Grève de Goulven
Kerlouan
Goulven
Tréflez
Plounévez-Lochrist
Tréflaouénan
Trézilidé
Mespaul
Plouénan
Henvic
Locquénolé
Plouézoch
LANMEUR
Plouider
LESNEVEN
le Folgoët
St-Vougay
PLOUZÉVÉDÉ
TAULÉ
St-Martin-des-Champs
MORLAIX
Garlan
Lanhouarneau
Plouvorn
St-Méen
Trégarantec
Plougar
Ploudaniel
St-Derrien
Plougourvest
Guiclan
Ste-Sève
PLOUIGNEAU
Plounéventer
Bodilis
Plourin-lès-Morlaix
Trémaouezan
St-Servais
LANDIVISIAU
ST-THÉGONNEC
Pleyber-Christ
St-Thonan
Lanneuffret
Plouédern
LANDERNEAU
Lampaul-Guimiliau
Guimiliau
la Roche-Maurice
Loc-Eguiner
la Martyre
PLOUDIRY
Locmélar
Loc-Eguiner-St-Thégonnec
le Cloître-St-Thégonnec
Pencran
St-Sauveur
Plounéour-Ménez
Dirinon
St-Urbain
Tréflévénez
SIZUN
Commana
Scrignac
le Tréhou
Irvillac
Loperhet
DAOULAS
St-Eloy
St-Cadou
Botmeur
la Feuillée
Berrien
St-Rivoal
Brennilis
HUELGOAT
Hanvec
Hôpital-Camfrout
Landévennec
Rumengol
LE FAOU
Brasparts
Loqueffret
Lannédern
St-Herbot
Plouyé
Locmaria-Berrien
Lopérec
Rosnoën
Pont-Keryau
Collorec
le Cloître-Pleyben
Plonévez-du-Faou
St-Ségal
MONTS D'ARRÉE
ROC'H TREVEZEL
SIGNAL DE TOUSSAINES
MONTAGNE ST-MICHEL
Réservoir de St-Michel
FORÊT DU CRANOU
E 50
N 12
N 165
E 60

O
P
Q
R
S
36
37
38
39
40
41
42
45
68
PLATEAU DES TRIAGOZ
Guen Braz
LES SEPT ILES
Ile aux Moines
I. Bono
I. de Malban
Réserve Ornithologique
CÔTE DE GRANIT
Pointe du Château
Ile Grande
Trégastel-Plage
Ploumanac'h
Trégastel
PERROS-GUIREC
Trélévern
Penvénan
Plougrescant
Pleubian
Kerbors
Port-Blanc
Buguélès
Trestel
Trévou-Tréguignec
Louannec
St-Quay-Perros
Pleumeur-Bodou
Trébeurden
Kermaria-Sulard
Camlez
TRÉGUIER
Plouguiel
Tredarzec
Pleumeur-Gautier
LÉZARDRIEUX
Minihy-Tréguier
Pleudaniel
Pouldouran
Coatréven
Trézény
Langoat
LA ROCHE-DERRIEN
Troguéry
Hengoat
Pommerit-Jaudy
Ploëzal
PONTRIEUX
Quemper-Guézennec
Runan
Ploëc-du-Trieux
St-Clet
St-Gilles-les-Bois
Squiffiec
Pommerit-le-Vicomte
LANNION
Ouv. proch.
Pte de Bihit
Pte de Séhar
BAIE DE LANNION
Rospez
Lanmérin
Quemperven
Mantallot
Berhet
Caouënnec-Lanvézéac
Cavan
Prat
Coatascorn
Brélidy
Tonquédec
Ploubezre
Ploulec'h
Locquirec
Trédrez-Locquémeau
St-Michel-en-Grève
St-Jean-du-Doigt
LANMEUR
PLESTIN-LES-GRÈVES
Ploumilliau
Tréduder
Plouzélambre
Lanvellec
PLOUARET
Pluzunet
BÉGARD
Landebaëron
Kermoroc'h
St-Laurent
Trégonneau
Pédernec
Plouisy
Pabu
GUINGAMP
Plouégat-Guérand
Plufur
Trémel
Garlan
Plouégat-Moysan
PLOUIGNEAU
le Ponthou
Plounérin
Le Vieux-Marché
Trégrom
Louargat
Tréglamus
Plounévez-Moëdec
BELLE-ISLE-EN-TERRE
Grâces
Ploumagoar
Plougonven
Botsorhel
Guerlesquin
Plougras
Loguivy-Plougras
Loc-Envel
Gurunhuel
Moustéru
Coadout
Lannéanou
Lohuec
Plougonver
BOURBRIAC
Pont-Melvez
Plésidy
Scrignac
Bolazec
La Chapelle-Neuve
Calanhel
Plourac'h
Bulat-Pestivien
CALLAC
Plusquellec
Maël-Pestivien
Magoar
Kerien
Kerpert
St-Gilles-Pligeaux
Carnoët
St-Servais
Duault
Poullaouen
Peumerit-Quintin
Lanrivain
St-Nicodème
Trémargat
Locarn
Trébrivan
Treffrin
Plounévézel
ST-NICOLAS-DU-PÉLEM
Canihuel
Kergrist-Moëlou
CARHAIX-PLOUGUER
MAËL-CARHAIX
Plounévez-Quintin
Kergloff
Locmaria-Berrien
MENEZ BRÉ
ROCHE DE KIRIOU
Forêt de Beffou
Forêt de Coat an Hay
Forêt de Coat an Noz
Bois d'Avaugour
MT ST MICHEL
E 50
N 12
D 786
D 787
D 767

T
U
V
W
X
36
37
38
39
40
41
42
48
70
69
R O S E
la Horaine
PLAU DES ECHAUDÉS
PLAU DE MEN - MARC'H
Phare du Paon
Ile de Bréhat
Sémaphore
St-Michel
le Bourg
Port-Clos
l'Arcouest
Pointe de l'Arcouest
Loguivy
Ploubazlanec
Porz Even
Kerroc'h
PAIMPOL
Anse de Paimpol
Abbe de Beauport
Mez de Goëlo
Pointe de Bilfot
Pointe de Minard
Port-Lazo
St-Riom
Penvenan
Kerity
Ste-Barbe
Plourivo
Plouézec
Kerfot
le Questel
Bréhec
Lanloup
Yvias
Kermaria
Tumulus
la Trinité
Pléhédel
Lanleff
Port-Moguer
Kermaria
St-Laurent
PLOUHA
Kérégal
Tréveneuc
Tréméven
Lannebert
Pludual
St-Yves
Kertugal
St-Quay-Portrieux
Portrieux
Pointe de St-Quay
Roches de St-Quay
Plateau des Hors
Liscorne
Gommenec'h
LANVOLLON
Pléguien
le Carrefour
Plourhan
Chlle N.D. de l'Espérance
ÉTABLES-S.-MER
Coat-Ar-Oa
Rangaré
Tressignaux
Lantic
Tréguidel
Goudelin
Binic
BAIE DE ST-BRIEUC
Grand Léjon
Rohein
les Comtesses
Cap d'Erquy
Erquy
Tu-es-Roc
la Grd Pourier
Rohinet
Chenal d'Erquy
le Four
le Verdelet
Réserve
Caroual
St-Pabu
Pointe de Pléneuf
le Val-André
Dahouët
St-Mathurin
la Couture
PLÉNEUF-VAL-ANDRÉ
la Guette
le Port-Morvan
la Bouillie
St-Alban
la Ville-Cochard
St-Jacques-le-Majeur
Hénanbihen
la Cotentin
le Poirier
N.D.-de-la-Cour
le Merzer
Bringolo
St-Quay
le Vaudic
la Ville Rouault
la Corderie
St-Jean-Kerdaniel
Trégomeur
Tréméloir
Pordic
Les Rosaires
St-Eloi
Pointe du Roselier
le Roselier
la Ville-Agan
PLÉRIN
St-Laurent
PLOUAGAT
CHÂTELAUDREN
Plélo
St-Mathurin
le Sépulcre
le Légué
Tour
Pointe de Cesson
Cesson
Réserve Naturelle
Lermot
la Granville
Morieux
Planguenoual
Lanrodec
Kerhamon
Trémuson
St-Marc
les Rigaudais
la Croix-des-Maisons
Plouvara
Plerneuf
ST-BRIEUC
Ginglin
St-Ilan
Hillion
les Ponts-Neufs
le Tertre-des-Noës
St-Aaron
Senven
St-Hervé
la Méaugon
la Croix-Fichet
LANGUEUX
les Grèves
Yffiniac
St-René
Coëtmieux
Andel
la Doberie
Bois Meur
Boqueho
PLOUFRAGAN
Trégueux
Crec'h Metern
St-Donan
Cohiniac
le Creac'h
Bois de Plédran
Pommeret
Plaine-Haute
St-Julien
Camp Antique de Péran
Plédran
St-Volon
Camonen
LAMBALLE
la Poterie
Coldegroëg
St-Nicolas
l'Hôpital
Meslin
Maroué
Noyal
le Leslay
le Fœil
la Croix-de-Piruit
la Houssaye
Crézouard
Trégenestre
Mauny
St-Gildas
Crénan
Quessoy
Landéhen
QUINTIN
Meudon
Plestan
le Vieux-Bourg
St-Brandan
Plaintel
St-Guihen
le Colombier
St-Blaise
le Vau-Jaune
Bréhand
St-Bihy
St-Eutrope
Lanvia
St-Carreuc
le Cottier
Carestiemble
Caribet
Hénon
St-Trimoël
la Malhoure
CÎME DE KERCHOUAN
Caradeuc
le Pas
Beau-Soleil
Carbéhaut
le Boissy
le Coudray
Lanfains
Port-Martin
PLŒUC-S.-LIÉ
St-Laurent
MONCONTOUR
Trédaniel
la Touche-Trébry
St-Glen
Penguily
le Lorrain
la Croix
la Harmoye
l'Hermitage-Lorge
le Bodéo
le Bourgneuf
Plémy
Chlle N.D. du Haut
Trébry
Haut-Corlay
Belorient
FORÊT DE LORGE
Martin-des-Prés
Bosméléac
la Porte
N.D.-de-la-Croix
10 km
la Ville-Doualan
le Gouray
E 50
E 401
N 12
D 786
D 700

28

Y
Z
AA
AB
34
35
36
37
38
39
40
St-Malo
Plateau des Minquiers
la Déchirée
les Rondes de l'Ouest
la Houllée
la Meule
Grande Île
ILES C
St-Malo (été)
Guernesey
Sark
Jersey
Portsmouth
D ' É M E R A U D E
Pointe du Grouin
les Tintiaux
Pointe du Meinga
Pointe du Nez
Pointe du Nid
Cap Fréhel
Réserve
Anse des Sévignés
FORT LA LATTE
Erquy
Sables-d'Or-les-Pins
Pléhérel-Plage (Vieux Bourg)
Plévenon
la Motte
Plurien
Fréhel
BAIE DE LA FRÉNAYE
Pte de St-Cast
St-Cast-le-Guildo
la Ville Norme
les Mielles
Pte de la Garde
Pen-Guen
Pte du Chevet
St-Jacut-de-la-Mer
Pléboulle
MATIGNON
St-Germain
Lancieux
Pte du Décollé
Pte de la Garde Guérin
St-Briac-s-Mer
St-Lunaire
I. de Cézembre
les Haies de la Conchée
Réserve
Grand Bé
Petit Bé
Remparts
DINARD
Pte du Moulinet
St-Enogat
Paramé
ST-MALO
St-Servan-s-Mer
Solidor
Pte de la Vicomté
USINE MARÉMOTRICE
la Richardais
le Minihic
St-Ideuc
Rothéneuf
Rochers Sculptés
St-Vincent
St-Coulomb
Fontaine-aux-Pèlerins
la Beuglais
Terrelabouët
CANCALE
Port-Briac
le Verger
St-Jouan
la Guimorais
la Buzardière
St-Méloir-des-Ondes
les Portes-Rouges
le Fougeray
Château-Malo
Quelmer
le Limonay
St-Benoît-des-Ondes
Vildé-la-Marine
la Gouesnière
Bonaban
les Quatre-Croix
la Fresnais
St-Père
St-Guinoux
St-Jouan-des-Guérets
la Passagère
Trégondé
les Gastines
le Minihic-s.-Rance
la Rabloais
St-Suliac
Langrolay-s.-Rance
la Ville-ès-Nonais
CHÂTEAUNEUF-D'ILLE-ET-VILAINE
le Roblin
Lillemer
le Havre
Roz-Landrieux
Plerguer
Pleurtuit
Ouv. Proch.
PLOUBALAY
Ch.au d'Eau
la Ville-aux-Monniers
Beaussais
Trégon
la Mettrie
Plessix-Balisson
la Rochardais
Trémereuc
le Gray
Pleslin-Trigavon
la Rougerais
le Bois de la Motte
Trigavou
Plouër-s.-Rance
Port-St-Jean
Port-St-Hubert
la Ville-Morvues
Mordreuc
le Bouillon
St-Samson-s.-Rance
la Vicomté-s.-Rance
la Couture
St-Laurent
St-Jean
St-Samson
la Bouillie
Hénanbihen
Ruca
la Croix-aux-Merles
N.-D.-du-Guildo
le Guildo
Créhen
St-Pôtan
St-Lormel
le Grand-Chemin
Hénansal
St-Denoual
Quintenic
le Boulay
le Haut-des-Bois
Landébia
Pluduno
PLANCOËT
le Vieux-Bourg
la Janais
Nazareth
St-Aubin
la Doberie
St-Aydes
Plévenl
Bourseul
la Poterie
E 401
N 176
N 137
D 786
D 168
D 266
Kerivichen
Montbran
Tour
Hôpital
Ste-Brigitte
St-Aide

47

70

AC
AD
AE
AF
AG
29
71
50
34
35
36
37
38
39
40
10 km
Roches du Sac de Pirou
Chaussée des Bœufs
BAIE DU MONT SAINT MICHEL
le Mont-St-Michel
ABBAYE
Tombelaine
Bec d'Andaine
Pointe du Roc
Pointe d'Agon
Jersey
Passe Orientale de l'Etat
la Conchée
les Huguenans
CHAMP DE TIR
Route Submersible
COUTANCES
GRANVILLE
AVRANCHES
PONTORSON
DOL-DE-BRETAGNE
VILLEDIEU-LES-POÊLES
GAVRAY
BRÉHAL
SARTILLY
LA HAYE-PESNEL
DUCEY
BRÉCEY
PERCY
MARIGNY
CERISY-LA-SALLE
ST-JAMES
PLEINE-FOUGÈRES
ST-MALO-DE-LA-LANDE
MONTMARTIN-S.-MER
ST-SAUVEUR-LENDELIN
ST-HILAIRE-DU-HARCOUËT
Agon-Coutainville
Coutainville
Gouville-s.-Mer
Blainville-s.-Mer
Anneville-s.-Mer
Geffosses
Montsurvent
Muneville-le-Bingard
Ancteville
Servigny
la Vendelée
Monthuchon
Camprond
Cambernon
Hauteville-la-Guichard
Montcuit
le Mesnilbus
Vaudrimesnil
St-Aubin-du-Perron
St-Michel-de-la-Pierre
Montreuil-s.-Lozon
la Chapelle-en-Juger
le Mesnil-Amey
le Lorey
Cametours
Carantilly
Dangy
Savigny
Courcy
Belval
Nicorps
Ouville
Saussey
Orval
Montchaton
Regnéville-s.-Mer
Hyenville
Contrières
St-Denis-le-Vêtu
Roncey
Montpinchon
Notre-Dame-de-Cenilly
St-Martin-de-Cenilly
Hérenguerville
Hauteville-s.-Mer
Annoville
Lingreville
Quettreville-s.-Sienne
Trelly
Guéhébert
Grimesnil
le Mesnil-Aubert
St-Denis-le-Gast
la Baleine
Hambye
Maupertuis
Villebaudon
le Guislain
la Haye-Bellefond
Muneville-s.-Mer
Bricqueville-s.-Mer
Chanteloup
Cérences
Lengronne
Sourdeval-les-Bois
Montaigu-les-Bois
la Bloutière
le Mesnil-Amand
Ver
Coudeville-s.-Mer
Bréville-s.-Mer
Donville-les-Bains
Longueville
Hudimesnil
le Loreur
la Meurdraquière
le Mesnil-Rogues
le Mesnil-Villeman
le Mesnil-Garnier
Anctoville-s.-Boscq
St-Sauveur-la-Pommeraye
Yquelon
Équilly
Champrepus
Fleury
St-Pair-s.-Mer
St-Planchers
St-Jean-des-Champs
St-Aubin-des-Préaux
Folligny
Hocquigny
Beauchamps
le Tanu
la Lande-d'Airou
Bourguenolles
Rouffigny
la Trinité
Kairon-Plage
Jullouville
St-Pierre-Langers
la Lucerne-d'Outremer
Champcervon
la Mouche
la Rochelle-Normande
les Chambres
Ste-Pience
la Chaise-Baudouin
St-Jean-du-Corail-des-Bois
Carolles
Champeaux
Angey
Montviron
Subligny
Lolif
le Luot
Plomb
Braffais
St-Nicolas-des-Bois
N.-D.-de-Livoye
St-Georges-de-Livoye
St-Jean-le-Thomas
Champcey
Dragey-Ronthon
Bacilly
Marcey-les-Grèves
Chavoy
Tirepied
Vernix
St-Jean-de-la-Haize
Genêts
Vains
Ponts
St-Senier-s/s-Avranches
la Godefroy
St-Brice
la Gohannière
St-Ovin
St-Loup
St-Martin-des-Champs
le Val-St-Père
le Mesnil-Ozenne
Marcilly
St-Quentin-s.-le-Homme
Céaux
Pontaubault
Courtils
Poilley
Juilley
Précey
Servon
Huisnes-s.-Mer
Tanis
Beauvoir
Crollon
Vergoncey
Macey
St-Aubin-de-Terregatte
St-Senier-de-Beuvron
St-Laurent-de-Terregatte
St-Martin-de-Landelles
Montjoie-St-Martin
Hamelin
la Croix-Avranchin
Cherrueix
le Vivier-s.-Mer
Roz-s.-Couesnon
St-Broladre
St-Marcan
St-Georges-de-Gréhaigne
Mont-Dol
Baguer-Pican
Sains
Vessey
Epiniac
la Boussac

30
72
49
ST-LÔ
Agneaux
Hébécrevon
Rampan
St-Georges-Montcocq
la Luzerne
St-André-de-l'Epine
St-Georges-d'Elle
Bérigny
Planquery
Ste-Honorine-de-Ducy
Torteval-Quesnay
Hottot-les-Bagues
Juvigny-s.-Seulles
Foulognes
Cormolain
St-Pierre-de-Semilly
St-Germain-d'Elle
la Barre-de-Semilly
Notre-Dame-d'Elle
Rouxeville
Montrabot
Sallen
St-Germain-d'Ectot
St-Vaast-s.-Seulles
Vendes
Noyers-Bocage
St-Gilles
Canisy
Baudre
St-Jean-des-Baisants
Vidouville
Livry
Anctoville
Villy-Bocage
Tournay-s.-Odon
Gourfaleur
la Mancellière-s.-Vire
Précorbin
Lamberville
Biéville
la Vacquerie
CAUMONT-L'ÉVENTÉ
St-Louet-s.-Seulles
VILLERS-BOCAGE
Parfouru-s.-Odon
Epinay-s.-Odon
Quibou
St-Ebremond-de-Bonfossé
St-Martin-de-Bonfossé
Ste-Suzanne-s.-Vire
Condé-s.-Vire
Sept-Vents
la Lande-s.-Drôme
Amayé-s.-Seulles
Cahagnes
Tracy-Bocage
Dangy
St-Samson-de-Bonfossé
St-Romphaire
le Perron
St-Jean-des-Essartiers
Dampierre
les Loges
Maisoncelles-Pelvey
Longvillers
le Mesnil-au-Grain
le Mesnil-Raoult
St-Amand
TORIGNI-S.-VIRE
Placy-Montaigu
Coulvain
St-Georges-d'Aunay
Bauquay
Soulles
le Mesnil-Herman
le Mesnil-Opac
Troisgots
Brectouville
St-Ouen-des-Besaces
St-Pierre-du-Fresne
AUNAY-S.-ODON
Courvaudon
Moyon
Giéville
Jurques
St-Martin-des-Besaces
Fervaches
Domjean
Guilberville
la Bigne
Bonnemaison
TESSY-S.-VIRE
Chevry
St-Louet-s.-Vire
Beuvrigny
St-Denis-Maisoncelles
Brémoy
Ondefontaine
Roucamps
Villebaudon
Beaucoudray
Fourneaux
la Ferrière-Harang
St-Pierre-Tarentaine
le Mesnil-Auzouf
Bures-les-Monts
Mont-Bertrand
Campeaux
le Tourneur
Montamy
Campandré-Valcongrain
Montabot
Pont-Farcy
Malloué
LE BÉNY-BOCAGE
Danvou-la-Ferrière
le Plessis-Grimoult
Gouvets
PERCY
le Chefresne
Ste-Marie-Outre-l'Eau
Pont-Bellanger
Carville
Montchauvet
St-Jean-le-Blanc
St-Vigor-des-Monts
St-Martin-Don
Ste-Marie-Laumont
Beaulieu
St-Charles-de-Percy
Montchamp
Lassy
Lénault
Périgny
Margueray
Beaumesnil
Campagnolles
Etouvy
le Reculey
le Désert
Estry
St-Vigor-des-Mézerets
la Chapelle-Engerbold
Landelles-et-Coupigny
la Graverie
Presles
le Theil-Bocage
la Rocque
la Colombe
Montbray
Morigny
Sept-Frères
le Mesnil-Benoist
le Mesnil-Robert
Coulonces
Burcy
Pierres
Pontécoulant
le Mesnil-Caussois
Courson
ST-SEVER-CALVADOS
Beslon
VIRE
Chênedollé
St-Germain-du-Crioult
CONDÉ-S.-NOIREAU
Ste-Cécile
St-Aubin-des-Bois
Mesnil-Clinchamps
Vaudry
VASSY
St-Maur-des-Bois
Fontenermont
St-Manvieu-Bocage
Viessoix
Roullours
la Chapelle-Cécelin
Boisyvon
St-Germain-de-Tallevende-la-Lande-Vaumont
Maisoncelles-la-Jourdan
Rully
Bernières-le-Patry
Moncy
St-Pierre-d'Entremont
Montilly-s.-Noireau
le Gast
St-Martin-le-Bouillant
Coulouvray-Boisbenâtre
Champ-du-Boult
St-Quentin-les-Chardonnets
Clairefougère
Cerisy-Belle-Etoile
Caligny
les Loges-s.-Brécey
le Grand Truttemer
Montsecret
Frênes
la Bazoque
St-Laurent-de-Cuves
St-Michel-de-Montjoie
Gathémo
le Petit
le Ménil-Ciboult
la Lande-Patry
ST-POIS
Lingeard
Vengeons
TINCHEBRAY
Landisacq
Perriers-en-Beauficel
Beauficel
Chaulieu
St-Christophe-de-Chaulieu
BRÉCEY
les Cresnays
le Mesnil-Gilbert
Cuves
le Mesnil-Adelée
St-Paul
SOURDEVAL
Brouains
Yvrandes
Chanu
Chérencé-le-Roussel
le Mesnil-Tôve
le Fresne-Poret
St-Jean-des-Bois
St-Cornier-des-Landes
la Chapelle-Biche
Bellefontaine
St-Barthélemy
St-Clément-Rancoudray
la Chapelle-au-Moine
Reffuveille
le Mesnil-Rainfray
JUVIGNY-LE-TERTRE
Ger
Larchamp
la Chapelle-Urée
Chasseguey
la Bazoge
le Neufbourg
MORTAIN
Beauchêne
St-Clair-de-Halouze
le Châtellier
Romagny
Lonlay-l'Abbaye
le Mesnillard
Fontenay
St-Bômer-les-Forges
ISIGNY-LE-BUAT
Chèvreville
Martigny
Parigny
Milly
Bion
St-Jean-du-Corail
la Haute-Chapelle
Virey
Lapenty
BARENTON
St-Georges-de-Rouelley
Rouellé
DOMFRONT
ST-HILAIRE-DU-HARCOUËT
Villechien
N.-D.-du-Touchet
Husson
St-Roch-s.-Egrenne
St-Gilles-des-Marais
St-Martin-de-Landelles
Ste-Marie-du-Bois
St-Mars-d'Egrenne
Perrou
St-Brice
les Loges-Marchis
Moulines
Ferrières
LE TEILLEUL
Torchamp
St-Brice-de-Landelles
Savigny-le-Vieux
FORÊT DE ST-SEVER
Forêt de l'Evêque
Forêt de Mortain
PARC

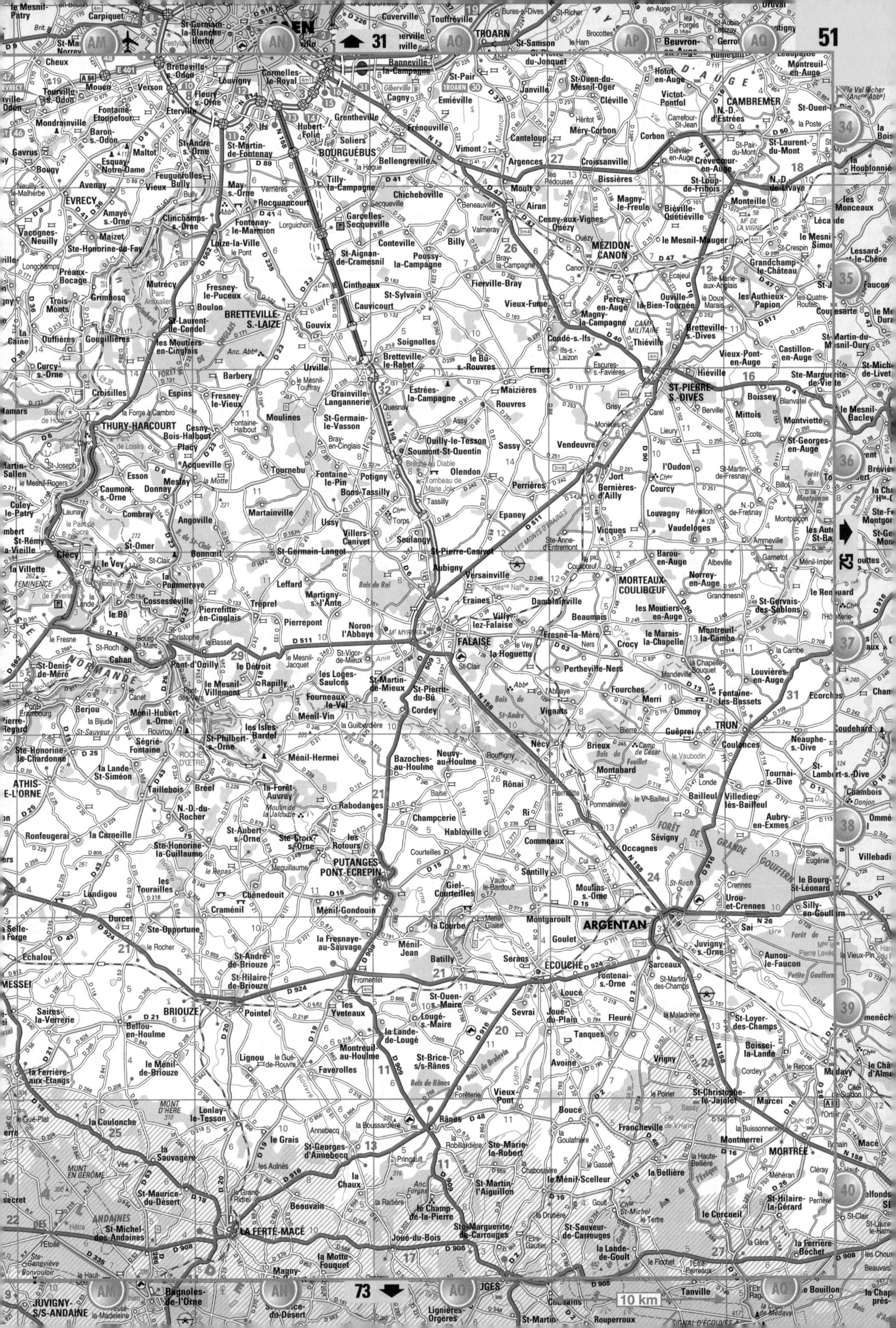
31
73
52
CAEN
TROARN
CAMBREMER
EVRECY
BOURGUÉBUS
MÉZIDON-CANON
BRETTEVILLE-S.-LAIZE
THURY-HARCOURT
ST-PIERRE-S.-DIVES
FALAISE
MORTEAUX-COULIBŒUF
TRUN
PUTANGES-PONT-ECREPIN
ARGENTAN
ÉCOUCHÉ
BRIOUZE
ATHIS-DE-L'ORNE
LA FERTÉ-MACÉ
MORTRÉE
JUVIGNY-S/S-ANDAINE
Bagnoles-de-l'Orne
Clécy
Pont-d'Ouilly
Cormelles-le-Royal
Ifs
Louvigny
Fleury-s.-Orne
St-Martin-de-Fontenay
Argences
Vimont
Moult
Croissanville
Cintheaux
Soignolles
Potigny
Ussy
Villers-Canivet
Aubigny
Versainville
Eraines
Damblainville
Pertheville-Ners
Vendeuvre
Jort
Louvagny
Ommoy
Coulonces
Montabard
Occagnes
Sevigny
Sai
Sarceaux
Fleuré
Vrigny
Marcei
Rânes
Carrouges
Joué-du-Bois
La Motte-Fouquet
Magny-le-Désert
FORÊT DE GRANDE GOUFFERN
FORÊT DE CINGLAIS
NORMANDE
10 km

32

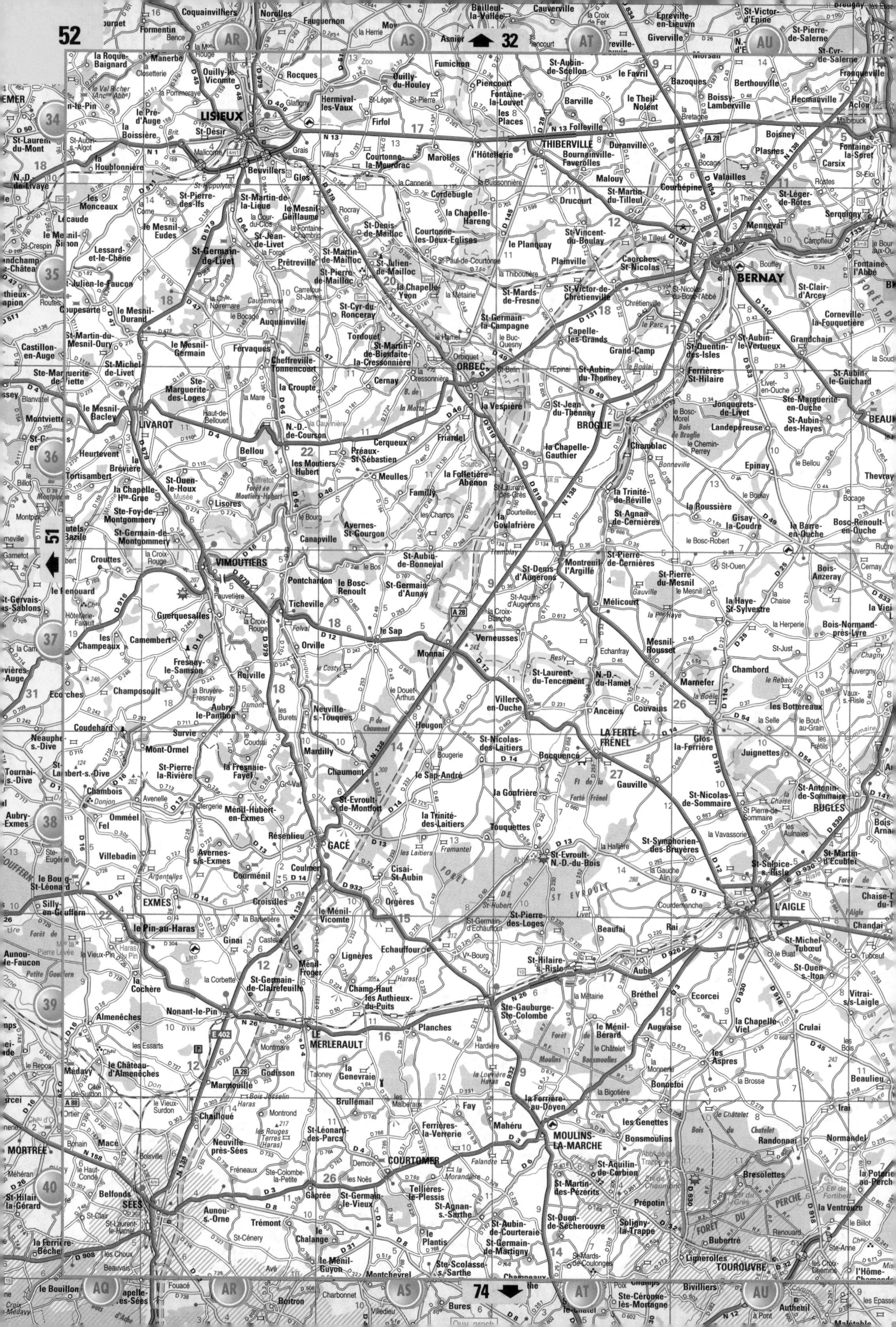
LISIEUX
THIBERVILLE
BERNAY
ORBEC
LIVAROT
BROGLIE
VIMOUTIERS
GACÉ
LA FERTÉ-FRÊNEL
RUGLES
L'AIGLE
EXMES
LE MERLERAULT
MOULINS-LA-MARCHE
COURTOMER
SÉES
MORTRÉE
TOUROUVRE
Fervaques
Camembert
Monnai
Chambois
Nonant-le-Pin
le Pin-au-Haras
St-Evroult-N.-D.-du-Bois
Forêt de St Evroult
Forêt du Perche
AR
AS
AT
AU
AQ
34
35
36
37
38
39
40

51

74

33
75
54
LOUVIERS
LE NEUBOURG
ÉVREUX
CONCHES-EN-OUCHE
BRETEUIL
DAMVILLE
ST-ANDRÉ-DE-L'EURE
PACY-S.-EURE
GAILLON
NONANCOURT
VERNEUIL-S.-AVRE
BREZOLLES
LA FERTÉ-VIDAME
CHÂTEAUNEUF-EN-THYMERAIS
MONTROGER
AMFREVILLE-LA-CAMPAGNE
Harcourt
Beaumontel
St-Sébastien-de-Morsent
Arnières-s.-Iton
Gravigny
Fauville
Normanville
Cailly-s.-Eure
Acquigny
Pinterville
Heudebouville
Ste-Barbe-s.-Gaillon
Autheuil-Authouillet
Chambray
Houlbec-Cocherel
Jouy-s.-Eure
Miserey
Cierrey
le Vieil-Evreux
la Trinité
Guichainville
Garencières
Fresney
Serez
Mousseaux-Neuville
Coudres
Marcilly-la-Campagne
St-Lubin-des-Joncherets
St-Rémy-s.-Avre
Tillières-s.-Avre
Breux-s.-Avre
Acon
Rueil-la-Gadelière
Montigny-s.-Avre
Prudemanche
Laons
Escorpain
Châtaincourt
Crécy-Couvé
Tréon
Saulnières
Maillebois
Senonches
Louvilliers-lès-Perche
la Saucelle
Manceliere
Les Châtelets
Beauche
Boissy-lès-Perche
Armentières-s.-Avre
Chennebrun
Rohaire
Moussonvilliers
Marchainville
les Ressuintes
la Puisaye
la Framboisière
le Mesnil-Thomas
St-Maixme-Hauterive
Jaudrais
Francheville
Cintray
la Guéroulde
Bémécourt
Gouville
Roman
le Roncenay-Authenay
St-Denis-du-Béhélan
Chanteloup
le Sacq
Manthelon
Nogent-le-Sec
Orvaux
Villalet
Sylvains-les-Moulins
Avrilly
Grossœuvre
le Plessis-Grohan
Corneuil
Chavigny-Bailleul
Moisville
Buis-s.-Damville
Grandvilliers
Dame-Marie
l'Hosmes
Piseux
Bourth
Mandres
Gauville
Pullay
les Barils
Courteilles
Bâlines
Revercourt
St-Christophe-s.-Avre
Gournay-le-Guérin
St-Victor-s.-Avre
St-Maurice-lès-Charencey
Conches
Nagel-Séez-Mesnil
Beaubray
Ste-Marguerite-de-l'Autel
Guernanville
les Baux-de-Breteuil
Ajou
la Ferrière-s.-Risle
Champignolles
le Fidelaire
Ste-Marthe
Sébécourt
Louversey
Burey
St-Elier
la Croisille
la Bonneville-s.-Iton
Glisolles
Gaudreville-la-Rivière
Aulnay-s.-Iton
Angerville-la-Campagne
les Baux-Ste-Croix
les Ventes
Claville
Ormes
Portes
Caugé
Parville
Ferrières-Ht-Clocher
Faverolles-la-Campagne
Tilleul-Dame-Agnès
Romilly-la-Puthenaye
Collandres-Quincarnon
Barquet
Emanville
Barc
Grosley-s.-Risle
le Tilleul-Lambert
Graveron-Sémerville
Bacquepuis
Quittebeuf
Tournedos-Bois-Hubert
Sacquenville
Emalleville
St-Germain-des-Angles
le Mesnil-Fuguet
Irreville
Reuilly
St-Vigor
Dardez
Sassey
Huest
Gauciel
Boncourt
Hardencourt-Cocherel
Caillouet-Orgeville
le Plessis-Hébert
le Cormier
Boisset-les-Prévanches
Quessigny
la Forêt-du-Parc
Foucrainville
Jumelles
les Authieux
Mouettes
la Couture-Boussey
Ezy-s.-Eure
Champigny-la-Futelaye
Lignerolles
St-Laurent-des-Bois
Marcilly-s.-Eure
Illiers-l'Évêque
Courdemanche
Louye
Mesnil-s.-l'Estrée
St-Germain-s.-Avre
Vert-en-Drouais
Boissy-en-Drouais
Louvilliers-en-Drouais
Allainville
Vernouillet
Garnay
Garancières-en-Drouais
Aunay-s/s-Crécy
Puiseux
le Boullay-les-deux-Eglises
St-Jean-de-Rebervilliers
St-Sauveur-Marville
Tremblay-les-Villages
Fontaine-les-Ribouts
St-Ange-et-Torçay
Dampierre-s.-Blévy
Cruccey-Villages
Boissy-s.-Damville
Roman
Droisy
Épégard
le Troncq
Hectomare
Cesseville
Quatremare
le Mesnil-Jourdain
Canappeville
Amfreville-s.-Iton
Heudreville-s.-Eure
Hondouville
la Vacherie
Houetteville
Brosville
Tourneville
Feuguerolles
Ecauville
St-Aubin-d'Ecrosville
Villettes
Venon
Ecquetot
Crosville-la-Vieille
Iville
Vitot
Marbeuf
Villez-s.-le-Neubourg
Epreville-près-le-Neubourg
le Tremblay-Omonville
Ecardenville-la-Campagne
Combon
Bray
le Tilleul-Othon
Thibouville
Goupillières
Surtaville
Crasville
Surville
Crestot
la Neuville-du-Bosc
Vironvay
Muids
Venables
Aubevoye
Ailly
St-Julien-de-la-Liègue
Fontaine-Heudebourg
la Croix-St-Leufroy
Ecardenville-s.-Eure
Champenard
St-Aubin-s.-Gaillon
Ste-Colombe-près-Vernon
Rouvray
Vaux-s.-Eure
St-Aquilin-de-Pacy
10 km

34
53
76
VERNON
PACY-S.-EURE
BONNIÈRES S.-SEINE
MAGNY-EN-VEXIN
MANTES-LA-JOLIE
MANTES-LA-VILLE
LIMAY
MEULAN
LES MUREAUX
AUBERGENVILLE
GUERVILLE
ANET
DREUX
HOUDAN
MONTFORT-L'AMAURY
RAMBOUILLET
NOGENT-LE-ROI
MAINTENON
PLAISIR
MAUREPAS
TRAPPES
PARC NATUREL RÉGIONAL DU VEXIN FRANÇAIS
FORÊT DE DREUX
FORÊT DE RAMBOUILLET
HAUTE VALLÉE DE CHEVREUSE

35

PARIS
voir Paris et Banlieue en fin d'Atlas
ST-DENIS
BOBIGNY
NANTERRE
VERSAILLES
CRÉTEIL
ÉVRY
ARGENTEUIL
BOULOGNE-BILLANCOURT
NOGENT-S.-M.
LE RAINCY
SARCELLES
SENLIS
CHANTILLY
PALAISEAU
ANTONY
L'HAY-LES-ROSES
ST-GERMAIN-EN-LAYE
CERGY-PONTOISE
ST-OUEN-L'AUMÔNE
CONFLANS-STE-HONORINE
BEAUMONT-S.-OISE
L'ISLE-ADAM
AUVERS-S.-OISE
VIARMES
LUZARCHES
GOUSSAINVILLE
AÉROPORT ROISSY CH. DE GAULLE
MITRY-MORY
DAMMARTIN-EN-GOËLE
TORCY
BRIE-COMTE-ROBERT
COMBS-LA-VILLE
LIMOURS
LES ULIS
MONTLHÉRY
BRETIGNY-S.-O.
ORLY
MASSY
OISE-PAYS-DE-FRANCE
PARC ASTERIX
10 km

56

77

36
78
55
BJ
BK
BL
BM
BN
MEAUX
COULOMMIERS
LA FERTÉ-S/S-JOUARRE
NANTEUIL-LE-HAUDOUIN
DAMMARTIN-EN-GOËLE
LIZY-S.-OURCQ
CRÉCY-LA-CHAPELLE
TOURNAN-EN-BRIE
ROZAY-EN-BRIE
REBAIS
BETZ
TORCY
MORMANT
BRIE-COMTE-ROBERT
NEUILLY-ST-FRONT
La Ferté-Milon
Ermenonville
Trilport
Jouarre
Villeneuve-le-Comte
Crécy-la-Chapelle
Nanteuil-lès-Meaux
Montry
Esbly
Lagny-s.-M.
Serris
Chessy
Magny-le-Hongre
Bailly-Romainvilliers
Faremoutiers
Pommeuse
Mouroux
Boissy-le-Châtel
Chailly-en-Brie
Saints
Mauperthuis
Beautheil
Amillis
Dagny
Chevru
Touquin
Pézarches
Vaudoy-en-Brie
Pécy
Jouy-le-Châtel
Gastins
Nangis
Quiers
Courpalay
Fontenay-Trésigny
Marles-en-Brie
Presles-en-Brie
Gretz-Armainvilliers
Ozoir-la-Ferrière
Pontcarré
Ferrières-en-Brie
Collégien
Chanteloup-en-Brie
Montévrain
Coupvray
Condé-Ste-Libiaire
Quincy-Voisins
Couilly-Pont-aux-Dames
St-Germain-s.-Morin
Coutevroult
Villiers-s.-Morin
Voulangis
Tigeaux
Guérard
Dammartin-s.-Tigeaux
Mortcerf
Neufmoutiers-en-Brie
Crèvecœur-en-Brie
La Houssaye-en-Brie
Lumigny-Nesles-Ormeaux
Les Chapelles-Bourbon
Favières
Châtres
Liverdy-en-Brie
Ozouer-le-Voulgis
Coubert
Solers
Soignolles-en-Brie
Yèbles
Guignes
Verneuil-l'Étang
Chaumes-en-Brie
Argentières
Courtomer
Bernay-Vilbert
Beauvoir
Aubepierre-Ozouer-le-Repos
Andrezel
Champdeuil
Lissy
Crisenoy
Claye-Souilly
Annet-s.-Marne
Charmentray
Fresnes-s.-Marne
Précy-s.-Marne
Jablines
Lesches
Chalifert
Dampmart
Thorigny-s.-Marne
Carnetin
Vignely
Trilbardou
Villenoy
Mareuil-lès-Meaux
Isles-lès-Villenoy
Boutigny
St-Fiacre
Villemareuil
Vaucourtois
Sancy
Coulommes
Bouleurs
La Haute-Maison
Maisoncelles-en-Brie
Giremoutiers
Aulnoy
St-Germain-s/s-Doue
Doue
Signy-Signets
Sept-Sorts
Sammeron
St-Jean-les-Deux-Jumeaux
Montceaux-lès-Meaux
Fublaines
Changis-s.-Marne
Ussy-s.-Marne
Armentières-en-Brie
Jaignes
Tancrou
Mary-s.-Marne
Isles-les-Meldeuses
Germigny-l'Évêque
Poincy
Varreddes
Congis-s.-Thérouanne
Chambry
Penchard
Crégy-lès-Meaux
Monthyon
Barcy
Iverny
Le Plessis-l'Évêque
Le Plessis-aux-Bois
Villeroy
Chauconin-Neufmontiers
Charny
Messy
Gressy
Compans
Mitry-Mory
Nantouillet
Vinantes
Juilly
Thieux
Montgé-en-Goële
Cuisy
St-Soupplets
Marchémoret
Rouvres
Othis
Longperrier
St-Mard
Villeneuve-s/s-Dammartin
Eve
Lagny-le-Sec
Le Plessis-Belleville
Silly-le-Long
Ognes
St-Pathus
Oissery
Forfry
Gesvres-le-Chapitre
Marcilly
Douy-la-Ramée
Brégy
Puisieux
Le Plessis-Placy
Trocy-en-Multien
Étrépilly
Vincy-Manœuvre
May-en-Multien
Acy-en-Multien
Rouvres-en-Multien
Rosoy-en-Multien
Varinfroy
Crouy-s.-Ourcq
Coulombs-en-Valois
Ocquerre
Cocherel
Dhuisy
Vendrest
Germigny-s/s-Coulombs
Gandelu
Veuilly-la-Poterie
Marigny-en-Orxois
Lucy-le-Bocage
Bussiares
Montreuil-aux-Lions
Bézu-le-Guéry
Ste-Aulde
Nanteuil-s.-Marne
Crouttes-s.-Marne
Luzancy
Méry-s.-Marne
Saâcy-s.-Marne
Citry
Reuil-en-Brie
Bussières
St-Cyr-s.-Morin
St-Ouen-s.-Morin
Orly-s.-Morin
Boitron
La Trétoire
St-Léger
St-Denis-lès-Rebais
Chauffry
St-Siméon
Jouy-s.-Morin
St-Rémy-la-Vanne
Marolles-en-Brie
Choisy-en-Brie
Chartronges
Leudon-en-Brie
Bannost-Villegagnon
Beton-Bazoches
Bezalles
Champcenest
Courchamp
St-Hilliers
Chenoise
St-Just-en-Brie
Mortery
Boursonne
Marolles
Mareuil-s.-Ourcq
Thury-en-Valois
Antilly
Cuvergnon
Bargny
Rouville
Lévignen
Ormoy-Villers
Péroy-les-Gombries
Boissy-Fresnoy
Villers-St-Genest
Montagny-Ste-Félicité
Versigny
Montlognon
Fontaine-Chaalis
Baron
Rosières
Borest
Boullarre
Neufchelles
Étavigny
Bouillancy
Chèvreville
Réez-Fosse-Martin
Troësnes
Marizy-St-Mard
Marizy-Ste-Geneviève
Passy-en-Valois
Macogny
Monnes
Priez
Dammard
Chézy-en-Orxois
St-Gengoulph
Hautevesnes
Brumetz
Montigny-l'Allier
Torcy
Roissy-en-Brie
Pontault
Lésigny
Évry-Grégy-s.-Yerre
Limoges-Fourches
Voisenon
Bombon
Châteaubleau
Vieux-Champagne
Cucharmoy
Ouv. en 2005
LIZY-SUR-OURCQ
NANTEUIL-LES-M.
QUINCY
CRÉCY
MELUN
LOGNES
FERRIÈRES
VAUX-LE-VICOMTE
MEAUX LA FERTÉ-S/S-J.
AUTOROUTE DE L'EST
DISNEYLAND PARIS

37
BO
BP
BQ
BR
BS
Oulchy-la-Ville
Saponay
Seringes-et-Nesles
Villomé
Cohan
Igny
Lagery
Sarcy
Aubilly
Bligny
St-Euphraise-et-Clairizet
TARDENOIS
Brécy
Coincy
Villeneuve-s.-Fère
Nanteuil-Notre-Dame
Armentières-s.-Ourcq
la Croix-s.-Ourcq
Latilly
Rocourt-St-Martin
Grisolles
Bonnesvalyn
Breny
Beuvardes
Forêt de Fère
Epieds
Bézu-St-Germain
Epaux-Bézu
Etrépilly
CHÂTEAU-THIERRY
Brasles
Verdilly
Mont-St-Père
Chartèves
Jaulgonne
Barzy-s.-Marne
Trélou-s.-Marne
le Charmel
Sergy
Villers-s.-Fère
Cierges
Goussancourt
Courmont
Ronchères
Fresnes-en-Tardenois
Champvoisy
Vézilly
Villers-Agron-Aiguizy
Ste-Gemme
Passy-Grigny
Vandières
Verneuil
Vincelles
CHÂTILLON-S.-MARNE
DORMANS
Troissy
Mareuil-le-Port
Œuilly
Romigny
Chambrecy
Chaumuzy
Courmas
Marfaux
Pourcy
Jonquery
Cuchery
Baslieux-s/s-Châtillon
Belval-s/s-Châtillon
Cormoyeux
Romery
Hautvillers
Cumières
Damery
Venteuil
Reuil
Fleury-la-Rivière
Villers-s/s-Châtillon
Nanteuil-la-Forêt
St-Imoges
PARC RÉGIONAL
Dizy
Mardeuil
ÉPERNAY
Vauciennes
Boursault
Leuvrigny
Festigny
Nesle-le-Repons
Courthiézy
Reuilly-Sauvigny
Crézancy
Mézy-Moulins
Fossoy
Blesmes
Chierry
Etampes-s.-Marne
Nesles-la-Montagne
Nogentel
Essômes-s.-Marne
Bonneil
Azy-s.-Marne
Chézy-s.-Marne
Romeny-s.-Marne
Nogent-l'Artaud
la Chapelle-s.-Chézy
Montfaucon
Essises
Viffort
Courboin
Montlevon
St-Eugène
Connigis
Monthurel
Celles-lès-Condé
CONDÉ-EN-BRIE
St-Agnan
la Chapelle-Monthodon
Baulne-en-Brie
le Breuil
Montigny-lès-Condé
Pargny-la-Dhuys
la Ville-s/s-Orbais
Orbais-l'Abbaye
Verdon
Margny
Artonges
Corrobert
Janvilliers
Igny-Comblizy
FORÊT DE VASSY
Mareuil-en-Brie
Suizy-le-Franc
Corribert
MONTMORT-LUCY
le Baizil
St-Martin-d'Ablois
Vinay
Moussy
Pierry
Brugny-Vaudancourt
Monthelon
Mancy
Morangis
Chaltrait
Soulières
Givry-lès-Loisy
Loisy-en-Brie
Etoges
Beaunay
la Caure
la Chapelle-s/s-Orbais
Fromentières
Champaubert
Bannay
Baye
Fèrebrianges
Congy
Vert-Toulon
Coizard-Joches
Courjeonnet
Villevenard
Talus-St-Prix
Oyes
Reuves
Broussy-le-Petit
Broussy-le-Grand
Bannes
Mondement-Montgivroux
Soizy-aux-Bois
Allemant
Broyes
Péas
St-Loup
Linthes
FÈRE-CHAMPENOISE
Linthelles
St-Rémy-s/s-Broyes
Pleurs
Gaye
Chichey
Marigny
Queudes
Connantre
Corroy
Ognes
Angluzelles-et-Courcelles
Thaas
la Chapelle-Lasson
Courcemain
St-Saturnin
Marsangis
Vouarces
Villeneuve-St-Vistre-et-Villevotte
St-Quentin-le-Verger
Fontaine-Denis-Nuisy
la Celle-s/s-Chantemerle
Allemanche-Launay-et-Soyer
ANGLURE
Boulages
Saron-s.-Aube
SÉZANNE
Vindey
Saudoy
Barbonne-Fayel
le Meix-St-Epoing
FORÊT DE LA TRACONNE
la Forestière
Bethon
Chantemerle
Montgenost
Villiers-aux-Corneilles
VILLENAUXE-LA-GR
Nesle-la-Reposte
Bouchy-St-Genest
les Essarts-le-Vicomte
ESTERNAY
Châtillon-s.-Morin
Courgivaux
Escardes
Montceaux-lès-Provins
Sancy-lès-Provins
Cerneux
Augers-en-Brie
les Marêts
Rupéreux
Voulton
VILLIERS-ST-GEORGES
Louan-Villegruis-Fontaine
Beauchery-St-Martin
St-Bon
Réveillon
St-Martin-du-Boschet
St-Mars-Vieux-Maisons
Lescherolles
Neuvy
la Noue
Mœurs-Verdey
les Essarts-lès-Sézanne
Champguyon
Morsains
Tréfols
Joiselle
Villeneuve-la-Lionne
Meilleray
le Vézier
Montolivet
Montenils
Rieux
St-Barthélemy
la Chapelle-Moutils
St-Martin-des-Champs
LA FERTÉ-GAUCHER
Montdauphin
Villeneuve-s.-Bellot
Verdelot
Viels-Maisons
l'Epine-aux-Bois
Marchais-en-Brie
Vendières
la Celle-s/s-Montmirail
Mécringes
MONTMIRAIL
Vauchamps
Boissy-le-Repos
le Thoult-Trosnay
Corfélix
Bergères-s/s-Montmirail
le Gault-Soigny
Charleville
la Villeneuve-lès-Charleville
Lachy
Fontenelle-en-Brie
Rozoy-Bellevalle
10 km
79
58

38

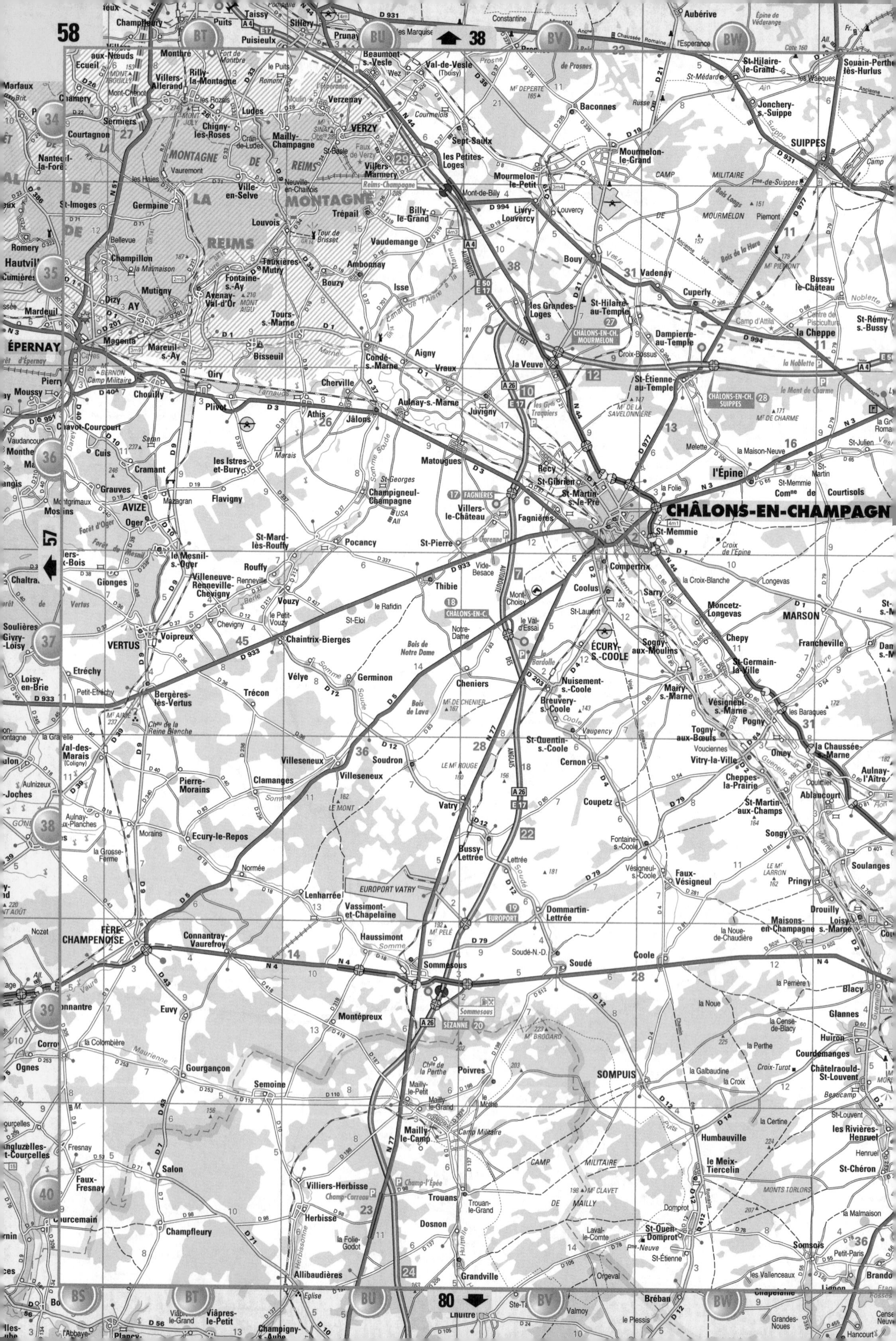
MONTAGNE DE REIMS
ÉPERNAY
AY
Dizy
Magenta
Mareuil-s.-Ay
Bisseuil
Tours-s.-Marne
Bouzy
Ambonnay
Louvois
Trépail
Verzy
Verzenay
Mailly-Champagne
Ludes
Chigny-les-Roses
Rilly-la-Montagne
Villers-Allerand
Sermiers
Courtagnon
Germaine
St-Imoges
Hautvillers
Cumières
Mardeuil
Pierry
Moussy
Chouilly
Plivot
Oiry
Athis
Jâlons
Aulnay-s.-Marne
Condé-s.-Marne
Cherville
Aigny
Vraux
Juvigny
Matougues
Recy
St-Gibrien
St-Martin-s.-le-Pré
Fagnières
CHÂLONS-EN-CHAMPAGNE
St-Memmie
l'Épine
Courtisols
La Veuve
St-Étienne-au-Temple
Dampierre-au-Temple
Cuperly
Vadenay
Bouy
Livry-Louvercy
Mourmelon-le-Petit
Mourmelon-le-Grand
Baconnes
CAMP MILITAIRE DE MOURMELON
SUIPPES
Jonchery-s.-Suippe
St-Hilaire-le-Grand
Souain-Perthes-lès-Hurlus
Bussy-le-Château
La Cheppe
St-Rémy-s.-Bussy
Sept-Saulx
les Petites-Loges
les Grandes-Loges
St-Hilaire-au-Temple
Billy-le-Grand
Vaudemange
Isse
Sillery
Puisieulx
Taissy
Prunay
Beaumont-s.-Vesle
Val-de-Vesle
Cramant
Avize
Oger
Le Mesnil-s.-Oger
Cuis
Grauves
Flavigny
les Istres-et-Bury
Champigneul-Champagne
Villers-le-Château
St-Pierre
Pocancy
St-Mard-lès-Rouffy
Rouffy
Vouzy
Villeneuve-Renneville-Chevigny
Vertus
Voipreux
Chaintrix-Bierges
Thibie
Compertrix
Coolus
Sarry
ÉCURY-S.-COOLE
Sogny-aux-Moulins
Moncetz-Longevas
Chepy
MARSON
Francheville
St-Germain-la-Ville
Vésigneul-s.-Marne
Pogny
Mairy-s.-Marne
Nuisement-s.-Coole
Breuvery-s.-Coole
St-Quentin-s.-Coole
Cernon
Togny-aux-Bœufs
Vitry-la-Ville
Cheppes-la-Prairie
La Chaussée-s.-Marne
St-Martin-aux-Champs
Ablancourt
Songy
Coupetz
Fontaine-s.-Coole
Faux-Vésigneul
Dommartin-Lettrée
Pringy
Soulanges
Drouilly
Loisy-s.-Marne
Maisons-en-Champagne
Coole
Soudé
Sommesous
Vatry
Bussy-Lettrée
Cheniers
Germinon
Vélye
Trécon
Soudron
Villeseneux
Clamanges
Pierre-Morains
Écury-le-Repos
Bergères-lès-Vertus
Etréchy
Loisy-en-Brie
Val-des-Marais
FÈRE-CHAMPENOISE
Connantray-Vaurefroy
Lenharrée
Vassimont-et-Chapelaine
Haussimont
EUROPORT VATRY
Euvy
Montépreux
Gourgançon
Semoine
Salon
Faux-Fresnay
Courcemain
Champfleury
Villiers-Herbisse
Herbisse
Allibaudières
Mailly-le-Camp
Poivres
Trouans
Dosnon
Grandville
SOMPUIS
Humbauville
le Meix-Tiercelin
St-Ouen-Domprot
CAMP MILITAIRE DE MAILLY
Somsois
Blacy
Glannes
Huiron
Courdemanges
Châtelraould-St-Louvent
les Rivières-Henruel
St-Chéron
Vitry-la-Ville
Ognes
Corroy
Fresnay
Bréban
Viâpres-le-Petit
Champigny-s.-Aube

57

80

39

STE-MENEHOULD
CLERMONT-EN-ARGONNE
GIVRY-EN-ARGONNE
REVIGNY-S.-ORNAIN
BAR-LE-DUC
VITRY-LE-FRANÇOIS
ST-DIZIER
ANCERVILLE
HEILTZ-LE-MAURUPT
THIÉBLEMONT-FARÉMONT
ST-RÉMY-EN-BOUZEMONT-ST-GENEST-ET-ISSON
ECLARON-BRAUCOURT-STE-LIVIÈRE
SEUIL-D'ARGONNE
VAUBECOURT
VAVINCOURT
Valmy
Somme-Tourbe
Somme-Bionne
Dommartin-Dampierre
Verrières
Argers
Gizaucourt
Voilemont
La Chapelle-Felcourt
Auve
Passavant-en-Argonne
Beaulieu-en-Argonne
Les Islettes
Futeau
Lachalade
Le Claon
Le Neufour
Florent-en-Argonne
Moiremont
Vienne-la-Ville
Malmy
Virginy
Minaucourt-le-Mesnil-lès-Hurlus
Wargemoulin-Hurlus
Laval-s.-Tourbe
St-Jean-s.-Tourbe
Courtémont
Dommartin-s/s-Hans
Hans
Maffrécourt
Chaudefontaine
Braux-Ste-Cohière
Neuvilly-en-Argonne
Aubréville
Récicourt
Dombasle-en-Argonne
Parois
Rarécourt
Froidos
Lavoye
Autrécourt-s.-Aire
Waly
Brizeaux
Foucaucourt-s.-Thabas
Nubécourt
Evres
Beausite
Pretz-en-Argonne
Sommaisne
Julvécourt
Ippécourt
St-André-en-Barrois
Rembercourt-Sommaisne
Lisle-en-Barrois
Villotte-devant-Louppy
Louppy-le-Château
Les Hauts-de-Chée
Laheycourt
Sommeilles
Noyers-Auzécourt
Nettancourt
Brabant-le-Roi
Laimont
Neuville-s.-Ornain
Chardogne
Behonne
Fains-Véel
Val-d'Ornain
Vassincourt
Mognéville
Couvonges
Andernay
Contrisson
Sermaize-les-Bains
Beurey-s.-Saulx
Robert-Espagne
Combles-en-Barrois
Savonnières-devant-Bar
Longeville-en-Barrois
Trémont-s.-Saulx
Ville-s.-Saulx
Lisle-en-Rigault
Trois-Fontaines-l'Abbaye
Cheminon
Maurupt-le-Montois
Etrepy
Pargny-s.-Saulx
Alliancelles
Remennecourt
Villers-le-Sec
Sogny-en-l'Angle
Bettancourt-la-Longue
Rancourt-s.-Ornain
Vroil
Charmont
Vernancourt
St-Jean-devant-Possesse
Possesse
Bussy-le-Repos
Contault
Moivre
Coupéville
le Fresne
Somme-Yèvre
Noirlieu
Remicourt
St-Mard-s.-le-Mont
le Châtelier
la Neuville-aux-Bois
Epense
Dommartin-Varimont
Herpont
Tilloy-et-Bellay
Somme-Vesle
Poix
la Croix-en-Champagne
Rapsécourt
Elise-Daucourt
Braux-St-Remy
Sivry-Ante
Dampierre-le-Château
le Vieil-Dampierre
Villers-en-Argonne
Châtrices
le Chemin
Eclaires
les Charmontois
Belval-en-Argonne
Vanault-le-Châtel
Vanault-les-Dames
Bassu
Lisse-en-Champagne
Vavray-le-Petit
Vavray-le-Grand
Jussecourt-Minecourt
Heiltz-l'Evêque
Bignicourt-s.-Saulx
Changy
Bassuet
St-Lumier-en-Champagne
St-Quentin-les-Marais
Merlaut
Outrepont
Ponthion
Vitry-en-Perthois
Plichancourt
le Buisson
Brusson
Dompremy
Blesme
St-Lumier-la-Populeuse
Scrupt
Reims-la-Brûlée
Favresse
Haussignémont
Vauclerc
Marolles
Frignicourt
Luxémont-et-Villotte
Ecriennes
Bignicourt-s.-Marne
Norrois
Matignicourt-Goncourt
Heiltz-le-Hutier
St-Vrain
Vouillers
St-Eulien
Villiers-en-Lieu
Perthes
Chancenay
Bettancourt-la-Ferrée
Baudonvilliers
Sommelonne
Haironville
Saudrupt
Brillon-en-Barrois
Montplonne
Bazincourt-s.-Saulx
Rupt-aux-Nonains
Lavincourt
Stainville
Aulnois-en-Perthois
Cousances-les-Forges
Savonnières-en-Perthois
Juvigny-en-Perthois
Chamouilley
Roches-s.-Marne
Eurville-Bienville
Narcy
Humbécourt
Valcourt
Laneuville-au-Pont
Moeslains
Hallignicourt
Ambrières
Landricourt
Sapignicourt
Hauteville
Larzicourt
Ecollemont
Arrigny
Ste-Marie-du-Lac-Nuisement
Isle-s.-Marne
Orconte
Moncetz-l'Abbaye
Cloyes-s.-Marne
Blaise-s/s-Arzillières
Arzillières-Neuville
Giffaumont-Champaubert
Drosnay
Outines
Bayard

81

VERDUN
ST-MIHIEL
COMMERCY
VOID-VACON
VAUCOULEURS
LIGNY-EN-BARROIS
PIERREFITTE-S.-AIRE
VIGNEULLES-LÈS-HATTONCHÂTEL
FRESNES-EN-WOËVRE
SOUILLY
VAVINCOURT
ÉTAIN
PARC RÉGIONAL DE LORRAINE
Belleray
Haudainville
Dugny-s.-Meuse
Sommedieue
Génicourt-s.-Meuse
Troyon
Lacroix-s.-Meuse
Rouvrois-s.-Meuse
Chauvoncourt
Bislée
Han-s.-Meuse
Sampigny
Vadonville
Lérouville
Euville
Sorcy-St-Martin
Pagny-s.-Meuse
Ugny-s.-Meuse
Chalaines
Saulvaux
Nançois-s.-Ornain
Velaines
Tronville-en-Barrois
Naives-Rosières
Nant-le-Grand
Nant-le-Petit
Menaucourt
Naix-aux-Forges
Houdelaincourt
Gondrecourt
Apremont-la-Forêt
Heudicourt-s/s-les-Côtes
Woinville
Montsec
Xivray-et-Marvoisin
Bouconville-s.-Madt
Seicheprey
Flirey
Beaumont
Rambucourt
Ménil-la-Horgne
Boncourt-s.-Meuse
Pont-s.-Meuse
Mécrin
St-Julien-s/s-les-Côtes
Vignot
Geville
Boucq
Trondes
Foug
Lay-St-Rémy
Choloy-Ménillot
Rigny-la-Salle
Rigny-St-Martin
Montigny-lès-Vaucouleurs
Neuville-lès-Vaucouleurs
Burey-en-Vaux
Sepvigny
Taillancourt
Maxey-s.-Vaise
Épiez-s.-Meuse
Badonvilliers
Delouze-Rosières
Baudignécourt
Demange-aux-Eaux
Biencourt-s.-Orge
Ribeaucourt
Morley
Dammarie-s.-Saulx
Ménil-s.-Saulx
Fouchères-aux-Bois
Longeaux
Givrauval
Nantois
St-Amand-s.-Ornain
Tréveray
St-Joire
Mauvages
Sauvoy
Villeroy-s.-Méholle
Broussey-en-Blois
Reffroy
Marson-s.-Barboure
Bovée-s.-Barboure
Méligny-le-Grand
Méligny-le-Petit
Naives-en-Blois
Boviolles
Chanteraine
Nançois-le-Grand
St-Aubin-s.-Aire
Willeroncourt
Erneville-aux-Bois
Chonville-Malaumont
Grimaucourt-près-Sampigny
Ménil-aux-Bois
Courcelles-en-Barrois
Lignières-s.-Aire
Levoncourt
Lavallée
Erize-St-Dizier
Rumont
Erize-la-Brûlée
Villotte-s.-Aire
Belrain
Raival
Ville-devant-Belrain
Nicey-s.-Aire
Rupt-devant-St-Mihiel
Longchamps-s.-Aire
Erize-la-Petite
Chaumont-s.-Aire
Courcelles-s.-Aire
Neuville-en-Verdunois
Courouvre
Thillombois
Lahaymeix
Dompcevrin
Maizey
Bannoncourt
Woimbey
Bouquemont
Tilly-s.-Meuse
Récourt-le-Creux
Rambluzin-et-Benoîte-Vaux
Heippes
Villers-s.-Meuse
Ambly-s.-Meuse
Ranzières
Vaux-lès-Palameix
Dompierre-aux-Bois
Seuzey
Lamorville
Chaillon
Valbois
Buxières-s/s-les-Côtes
Varnéville
Loupmont
Richecourt
Lahayville
St-Baussant
Essey-et-Maizerais
Pannes
Nonsard-Lamarche
Beney-en-Woëvre
Xammes
Dampvitoux
Hagéville
Lachaussée
Woël
Avillers-Ste-Croix
St-Maurice-s/s-les-Côtes
Hattonchâtel
Thillot
Hannonville-s/s-les-Côtes
Herbeuville
Dommartin-la-Montagne
St-Rémy-la-Calonne
Les Éparges
Mouilly
Rupt-en-Woëvre
Dieue-s.-Meuse
Les Monthairons
Ancemont
Senoncourt-les-Maujouy
Lemmes
Landrecourt-Lempire
Nixéville-Blercourt
Sivry-la-Perche
Fromeréville-les-Vallons
Thierville-s.-Meuse
Belrupt-en-Verdunois
Moulainville
Châtillon-s/s-les-Côtes
Watronville
Ronvaux
Haudiomont
Manheulles
Bonzée
Trésauvaux
Combres-s/s-les-Côtes
Saulx-lès-Champlon
St-Hilaire-en-Woëvre
Doncourt-aux-Templiers
Jonville-en-Woëvre
Latour-en-Woëvre
Harville
Pintheville
Maizeray
Riaville
Marchéville-en-Woëvre
Villers-s/s-Pareid
Pareid
Allamont
Moulotte
Labeuville
Hannonville-Suzémont
Sponville
Xonville
Friauville
Brainville
Hennemont
Ville-en-Woëvre
Braquis
Moranville
Herméville-en-Woëvre
Boncourt
Olley
Jeandelize
CONFLANS-JARNISY
St-Jean-lès-Buzy
Eix
Belleville-s.-Meuse

40
59
82

41
83
10 km
METZ
NANCY
PONT-À-MOUSSON
TOUL
NOMENY
DELME
VERNY
PANGE
ARS-S.-MOSELLE
MONTIGNY-LÈS-METZ
DIEULOUARD
POMPEY
MALZÉVILLE
ST-MAX
LAXOU
VILLERS-LÈS-NANCY
VANDŒUVRE-LÈS-NANCY
TOMBLAINE
JARVILLE-LA-MALGRANGE
ST-NICOLAS-DE-PORT
NEUVES-MAISONS
SEICHAMPS
DOMÈVRE-EN-HAYE
THIAUCOURT-REGNIÉVILLE
CHÂTEAU-SALINS
VIC-S.-SEILLE
WOIPPY
Mars-la-Tour
Gravelotte
Gorze
Novéant-s.-Moselle
Pagny-s.-Moselle
Arnaville
Vandières
Cheminot
Louvigny
Solgne
Liocourt
Marbache
Frouard
Champigneulles
Liverdun
Maxéville
Essey-lès-Nancy
Heillecourt
Houdemont
Ludres
Fléville-devant-Nancy
Varangéville
Dombasle-s.-Meurthe
Rosières-aux-Salines
Méréville
Messein
Richardménil
Chaligny
Maron
Metz-Nancy-Lorraine
T.G.V. Est-Européen
Canal de l'Est
Moselle
Meurthe
Seille
CH
CI
CJ
CK
CL
34
35
36
37
38
39
40

42
84
61
ST-AVOLD
SARREGUEMINES
FAULQUEMONT
GROSTENQUIN
ALBESTROFF
SARRALBE
SARRE-UNION
FÉNÉTRANGE
CHÂTEAU-SALINS
DIEUZE
VIC-S.-SEILLE
SARREBOURG
PARC
RÉGIONAL
DE
LORRAINE
ARRACOURT
RÉCHICOURT-LE-CHÂTEAU
LORQUIN
BLÂMONT
CIREY-S.-VEZOUZE
LUNÉVILLE
BADONVILLER
FORÊT DE PARROY
Puttelange-aux-Lacs
Hombourg-Haut
Freyming-Merlebach
Farébersviller
Morhange
Marsal
Moyenvic
Tarquimpol
Mittersheim
Keskastel
Phalsbourg
Bénestroff
Insming
Hellimer
Lixing-lès-St-Avold
Réding
Heming
Xures
Avricourt
Domèvre-s.-Vezouze
Bénaménil
Moncel-lès-Lunéville
Croismare
Marainviller
Thiébauménil
Ogéviller
Manonviller
Hablainville
Montigny
Vexaincourt
Luvigny
Raon-lès-Leau

43
85
64
10 km
VOLMUNSTER
Obergailbach
Erching
Epping
Lengelsheim
Roppeviller
Fischbach
Ludwigswinkel
Schönau
Haspelschiedt
CAMP MILITAIRE DE BITCHE
BITCHE
Schorbach
Hottviller
Bettviller
Wœlfling-lès-Sarreguemines
Gros-Réderching
Petit-Réderching
ROHRBACH-LÈS-BITCHE
Bining
Etting
Siersthal
Lambach
Reyersviller
Enchenberg
Lemberg
Eguelshardt
Sturzelbronn
Obersteinbach
Niedersteinbach
Hirschthal
Wingen
Climbach
Lembach
Dambach
Windstein
Philippsbourg
Baerenthal
Mouterhouse
Gœtzenbruck
St-Louis-lès-Bitche
Montbronn
Meisenthal
Soucht
Schmittviller
Rahling
Butten
Dehlingen
Ratzwiller
Volksberg
NIEDERBRONN-LES-BAINS
Reichshoffen
Frœschwiller
WŒRTH
Langensoultzbach
Gœrsdorf
Oberbronn
Zinswiller
Reipertswiller
Lichtenberg
Wingen-s.-Moder
Rosteig
Frohmuhl
Diemeringen
Lorentzen
Waldhambach
Weislingen
Adamswiller
Tieffenbach
Puberg
Hinsbourg
Zittersheim
Wimmenau
Ingwiller
Offwiller
Rothbach
Gumbrechtshoffen
Gundershoffen
Morsbronn-les-Bains
Forstheim
Durrenbach
Biblisheim
Gunstett
Surbourg
Uttenhoffen
Engwiller
Mietesheim
Mertzwiller
Laubach
Eschbach
Hegeney
Bischholtz
Mulhausen
Schillersdorf
Uhrwiller
Kindwiller
Bitschhoffen
Uberach
Menchhoffen
Zutzendorf
la Walck
Niedermodern
Pfaffenhoffen
Schweighouse-s.-Moder
HAGUENAU
Uhlwiller
Ohlungen
Dauendorf
Morschwiller
Ringeldorf
Schalkendorf
Obermodern-Zutzendorf
Uttwiller
BOUXWILLER
Kirrwiller-Bosselshausen
Buswiller
Grassendorf
Ettendorf
Huttendorf
Ringendorf
Issenhausen
Lixhausen
Minversheim
Wittersheim
Berstheim
Wintershouse
Batzendorf
Hochstett
Niederschaeffolsheim
Kriegsheim
Rottelsheim
BRUMATH
Krautwiller
Bernolsheim
Mommenheim
Wahlenheim
Schwindratzheim
HOCHFELDEN
Wilwisheim
Waltenheim-s.-Zorn
Mutzenhouse
Wingersheim
Hohfrankenheim
Gingsheim
Hohatzenheim
Donnenheim
Bilwisheim
Mittelschaeffolsheim
Mittelhausen
Olwisheim
Eckwersheim
Vendenheim
Berstett
Rumersheim
Truchtersheim
Pfettisheim
Pfulgriesheim
Lampertheim
Reichstett
MUNDOLSHEIM
Souffelweyersheim
Hœnheim
Niederhausbergen
Mittelhausbergen
Oberhausbergen
Dingsheim
Griesheim-s.-Souffel
Stutzheim-Offenheim
Hurtigheim
Ittenheim
Handschuheim
Oberschaeffolsheim
Wolfisheim
Eckbolsheim
Achenheim
Breuschwickersheim
Osthoffen
Ernolsheim-Bruche
Hangenbieten
Lingolsheim
Kolbsheim
Holtzheim
Entzheim
Ostwald
ILLKIRCH-GRAFFENSTADEN
Geispolsheim
Blaesheim
Lipsheim
Eschau
Plobsheim
Hindisheim
Krautergersheim
Nordhouse
STRASBOURG
Duppigheim
Duttlenheim
Altorf
Dachstein
MOLSHEIM
Avolsheim
Wolxheim
Ergersheim
Dahlenheim
Scharrachbergheim-Irmstett
Odratzheim
Kirchheim
Marlenheim
Nordheim
Furdenheim
Fessenheim-le-Bas
Quatzenheim
Wiwersheim
Dossenheim-Kochersberg
Neugartheim-Ittlenheim
Kuttolsheim
Schnersheim
Willgottheim
Rangen
Wintzenheim-Kochersberg
WASSELONNE
Romanswiller
Crastatt
Hohengœft
Zehnacker
Singrist
Jetterswiller
Knœrsheim
Zeinheim
Westhouse-Marmoutier
Landersheim
Saessolsheim
Duntzenheim
Ingenheim
Friedolsheim
Maennolsheim
Altenheim
Littenheim
Lupstein
Wolschheim
Schwenheim
Furchhausen
Otterswiller
SAVERNE
Monswiller
Dettwiller
Steinbourg
Waldolwisheim
Ottersthal
Gottenhouse
Haegen
Thal-Marmoutier
MARMOUTIER
Dimbsthal
Reinhardsmunster
Lochwiller
Kleingœft
Reutenbourg
Salenthal
Allenwiller
Birkenwald
Hengwiller
Cosswiller
Wangen
Westhoffen
Traenheim
Balbronn
Bergbieten
Flexbourg
Dangolsheim
Soultz-les-Bains
Still
Dinsheim
Mutzig
Heiligenberg
Oberhaslach
Niederhaslach
Urmatt
Gresswiller
Dorlisheim
Griesheim-près-Molsheim
Rosenwiller
ROSHEIM
Bischoffsheim
OBERNAI
Lutzelhouse
Muhlbach-s.-Bruche
Mollkirch
Wisches
SCHIRMECK
Barembach
Wangenbourg-Engenthal
Wangenbourg
Dabo
Walscheid
Harreberg
Hommert
Haselbourg
Garrebourg
Hultehouse
Lutzelbourg
Henridorff
Dannelbourg
Hommarting
Arzviller
St-Louis
PHALSBOURG
Mittelbronn
Danne-et-Quatre-Vents
Vilsberg
St-Jean-Saverne
Eckartswiller
Ernolsheim-lès-Saverne
Hattmatt
Printzheim
Gottesheim
Geiswiller
Zœbersdorf
Wickersheim-Wilshausen
Dossenheim-s.-Zinsel
Neuwiller-lès-Saverne
Niedersoultzbach
Obersoultzbach
Weiterswiller
Weinbourg
Sparsbach
Erckartswiller
Petersbach
LA PETITE-PIERRE
Lohr
Schœnbourg
Bust
Eschbourg
Hangviller
Pfalzweyer
Berling
Vescheim
Wintersbourg
Zilling
Hérange
Siewiller
Veckersviller
Schalbach
Metting
Drulingen
Ottwiller
Asswiller
Struth
Durstel
Gungwiller
Rexingen
Waltembourg
Bourscheid
St-Jean-Kourtzerode

43
85
63
CS
CT
CU
CV
CR
34
35
36
37
38
39
40
Lengelsheim
Roppeviller
Haspelschiedt
CAMP MILITAIRE DE BITCHE
Hottviller
Schorbach
BITCHE
Sturzelbronn
Schöntal
Ludwigswinkel
Petersbächel
Schönau
Hirschthal
Niederschlettenbach
Nothweiler
Bobenthal
Bollenborn
Oberotterbach
Schweigen-Rechtenbach
WISSEMBOURG
Wingen
Climbach
Lembach
Obersteinbach
Niedersteinbach
Eguelshardt
Stockbronn
Reyersviller
Siersthal
Lambach
Enchenberg
Lemberg
Glasenberg
Dambach
Neunhoffen
Windstein
Jaegerthal
Langensoultzbach
Philippsbourg
Baerenthal
Mouterhouse
Gœtzenbruck
Meisenthal
Soucht
Lobsann
Lampertsloch
Preuschdorf
Drachenbronn-Birlenbach
Cleebourg
Riedseltz
Ingolsheim
Keffenach
Memmelshoffen
Hunspach
Retschwiller
Schœnenbourg
SOULTZ-S/S-FORETS
Aschbach
NIEDERBRONN-LES-BAINS
Frœschwiller
Dieffenbach-lès-Wœrth
WŒRTH
Merkwiller-Pechelbronn
Kutzenhausen
Oberdorf-Spachbach
Reichshoffen
Oberbronn
Zinswiller
Reipertswiller
Wingen-s.-Moder
Rosteig
Lichtenberg
Wimmenau
Offwiller
Rothbach
Gumbrechtshoffen
Gundershoffen
Forstheim
Morsbronn-les-Bains
Gunstett
Surbourg
Biblisheim
Betschdorf
Hoffen
Rittershoffen
Durrenbach
Hegeney
Walbourg
Laubach
Eschbach
Bischholtz
Mulhausen
Uttenhoffen
Engwiller
Zittersheim
Sparsbach
Ingwiller
Schillersdorf
Uhrwiller
Mietesheim
Kindwiller
Mertzwiller
Bitschhoffen
Uberach
Erckartswiller
Weinbourg
Obersoultzbach
Menchhoffen
Zutzendorf
la Walck
FORÊT DE HAGUENAU
Soufflenheim
Weiterswiller
Niedersoultzbach
Uttwiller
Obermodern-Zutzendorf
Pfaffenhoffen
Niedermodern
Schweighouse-s.-Moder
HAGUENAU
Neuwiller-lès-Saverne
BOUXWILLER
Schalkendorf
Ringeldorf
Dauendorf
Morschwiller
Uhlwiller
Ohlungen
Schirrhoffen
Schirrhein
Kirrwiller-Bosselshausen
Buswiller
Grassendorf
Ettendorf
Wintershouse
Kaltenhouse
Dossenheim-s.-Zinsel
Ringendorf
Issenhausen
Lixhausen
Huttendorf
Berstheim
Batzendorf
Marienthal
Oberhoffen-s.-Moder
Hattmatt
Zœbersdorf
Alteckendorf
Bossendorf
Minversheim
Wittersheim
Niederschaeffolsheim
BISCHWILLER
Gries
Rohrwiller
Ernolsheim-lès-Saverne
Printzheim
Geiswiller
Wickersheim-Wilshausen
Hochstett
Wahlenheim
Kriegsheim
Gottesheim
St-Jean-Saverne
Steinbourg
Scherlenheim
Schwindratzheim
Bernolsheim
Rottelsheim
Weitbruch
Dettwiller
Melsheim
HOCHFELDEN
Mommenheim
Kurtzenhouse
Herrlisheim
Otterstal
Monswiller
Wilwisheim
Waltenheim-s.-Zorn
Krautwiller
BRUMATH
Waldolwisheim
Lupstein
Littenheim
Schaffhouse-s.-Zorn
Mutzenhouse
Wingersheim
Weyersheim
Offendorf
SAVERNE
Ingenheim
Hohfrankenhm
Gingsheim
Hohatzenheim
Donnenheim
Geudertheim
Bietlenheim
Herlisheim
Furchhausen
Altenheim
Otterswiller
Duntzenheim
Bilwisheim
Gottenhouse
Schwenheim
Friedolsheim
Mittelhausen
Mittelschaeffolsheim
Hœrdt
Gambsheim
Thal-Marmoutier
Wolschheim
Saessolsheim
Gougenheim
Olwisheim
Lochwiller
Maennolsheim
Landersheim
Rohr
Kienheim
Eckwersheim
Kilstett
Marmoutier
Westhouse-Marmoutier
Kleingœft
Reutenbourg
Knœrsheim
Durningen
Berstett
la Wantzenau
Zeinheim
Willgottheim
TRUCHTERSHEIM
Vendenheim
Zehnacker
Singrist
Dimbsthal
Jetterswiller
Hohengœft
Crastatt
Rangen
Wintzenheim-Kochersberg
Pfettisheim
Pfulgriesheim
Lampertheim
Reichstett
Heng willer
Birkenwald
Salenthal
Schnersheim
Neugartheim-Ittlenheim
Wiwersheim
MUNDOLSHEIM
Souffelweyersheim
Allenwiller
Romanswiller
WASSELONNE
Kuttolsheim
Dossenheim-Kochersberg
Griesheim-s.-Souffel
Niederhausbergen
Hœnheim
Cosswiller
Nordheim
Marlenheim
Fessenheim-le-Bas
Quatzenheim
Stutzheim-Offenheim
Dingsheim
Mittelhausbergen
BISCHHEIM
SCHILTIGHEIM
Wangen
Furdenheim
Hurtigheim
Oberhausbergen
Ittenheim
STRASBOURG
Kirchheim
Odratzheim
Handschuheim
Oberschaeffolsheim
Westhoffen
Traenheim
Scharrachbergheim-Irmstett
Wolfisheim
Balbronn
Dahlenheim
Osthoffen
Breuschwickersheim
Achenheim
Eckbolsheim
Kehl
Bergbieten
Flexbourg
Dangolsheim
Soultz-les-Bains
Wolxheim
Ergersheim
Ernolsheim-Bruche
Hangenbieten
Lingolsheim
Avolsheim
Dachstein
Kolbsheim
Holtzheim
Willstätt
Oberhaslach
Heiligenberg
Still
Dinsheim
Mutzig
MOLSHEIM
Duppigheim
Entzheim
Ostwald
ILLKIRCH-GRAFFENSTADEN
Niederhaslach
Urmatt
Duttlenheim
Altorf
Lutzelhouse
Gresswiller
Dorlisheim
Muhlbach-s.-Bruche
Mollkirch
Rosenwiller
Griesheim-près-Molsheim
GEISPOLSHEIM
Blaesheim
Eschau
ROSHEIM
Innenheim
Lipsheim
Bischoffsheim
Plobsheim
Altenheim
OBERNAI
Krautergersheim
Neuried
Schutterwald

CW
CX
CY
CZ
DA
34
35
36
37
38
39
40
KARLSRUHE
Durlach
Ettlingen
Pfinztal
Karlsbad
Remchingen
Kämpfelbach
Keltern
Birkenfeld
Neuenbürg
Straubenhardt
Marxzell
Waldbronn
Malsch
Muggensturm
RASTAT
Kuppenheim
Gaggenau
Gernsbach
Loffenau
Bad-Herrenalb
Dobel
Höfen
Wildbad
BADEN-BADEN
Sinzheim
Bühl
Bühlertal
Forbach
Enzklösterle
Simmersfeld
Altensteig
Achern
Sasbach
Kappelrodeck
Ottenhöfen
Oberkirch
Renchen
Appenweier
Oppenau
Baiersbronn
FREUDENSTADT
Seewald
Wörnersberg
Pfalzgrafenweiler
Waldachtal
Dornstetten
Glatten
Dietersweiler
Wittendorf
LAUTERBOURG
SELTZ
Hagenbach
Maximiliansau
Rheinstetten
Durmesheim
Bietigheim
Ötigheim
Iffezheim
Hügelsheim
Lichtenau
Rheinmünster
Kandel-Süd
Wörth-Dorschberg
Wörther Kreuz
Wörth Maximiliansau
Karlsruhe Süd
Karlsr. Mitte
Ettlingen
Karlsbad
Rastatt
Baden-Baden
Bühl
Achern
Appenweier
Lauterbourg
Wintzenbach
Seltz
Beinheim
Haguenau
Hohloh
Hornisgrinde
Mehliskopf
Hoher Ochsenkopf
Badener Höhe
Merkur
Teufelsmühle
Schwarzwald Hochstraße
Bienwald
Rhein
Murg
10 km

44

F
G
H
I
J
43
44
45
46
47
48
49
Pointe de Pen Hir
Réserve Ornithologique
Kerloc'h
Maison-Blanche
D 887
D 791
Gaoulac'h
Ch^au de Dinan
P^te de Dinan
D308
Morgat
Grotte de l'Autel
Tréberon
Tal-Ar-Groas
Argol
ANSE DE MORGAT
Grottes
P^te de Morgat
Lespiguet
Telgruc-s.-Mer
la Palue
St-Hernot
Kerdreux
D 255
Rostégoff
P^te du Bellec
Elleguet
Rostudel
Cap de la Chèvre
R É G I O N A L
BAIE DE DOUARNENEZ
CHAUSSÉE DE SEIN
Tevennec
ILE DE SEIN
Ile-de-Sein
RAZ DE SEIN
la Vieille
Baie des Trépassés
Sémaphore
Pointe du Raz
D 784
Lescoff
P^te du Van
St-They
P^te de Castelmeur
P^te de Brezellec
Kermeur
Kerrogel
Cléden-Cap-Sizun
Goulien
Plogoff
P^te de Feunteunod
Pennéac'h
Primelin
St-Tugen
Esquibien
Ste-Evette
P^te de Lervily
Réserve du Cap Sizun
Quatre-Vents
P^te de Luguénez
P^te de Beuzec
Beuzec-Cap-Sizun
Pors-Péron
P^te du Milier
Lescogan
Coat-Pin
Poullan-s.-Mer
P^te de la Jument
P^te de Leydé
Tréboul
Lesconil
Pouldavid
Ploaré
Ile Tristan
D 7
D 307
D 765
Ch^lle N.D. de Kérinec
Lochrist
Confort
PONT-CROIX
Audierne
Poulgoazec
Confort-Meilars
Mahalon
Pouldergat
Trébeuzec
Ty-Guen
Lambabu
Etg de Poulguidou
Plouhinec
Ty-Pic
la Trinité
Guiler-s.-Goyen
Landudec
PLOGAST ST-GERMA
D 43
D 143
BAIE
Pors-Poulhan
Poul-ar-Marquis
Plozévet
D 2
St-Demet
Lababan
D 40
Pouldreuzic
Penhors
Zoo
Peumerit
D'AUDIERNE
Plovan
Ch^lle de Languidou
Tréogat
Etg de Kergalan
Etg de Trunvel
Plonéour-Lanvern
Tréguennec
Ch^lle St-Vio
St-Jean-Trolimon
D 57
CALVAIRE N.D. DE TRONOËN
Beuzec
P^te de la Torche
Rochers
Musée Préhistorique
Ch^lle de la Madeleine
St-Guénolé
D 785
Pendreff
Plom
D 53
Ch^lle N.D. de la Joie
Phare d'Eckmühl
Penmarch
P^te de Penmarc'h
St-Pierre
Kérity
GUILVINEC
Roches de Penmarc'h
1h30

45
K
L
M
N
O
43
44
45
46
47
48
49
68
10 km
Quimerc'h
Pont-de-Buis-lès-Quimerch
St-Ségal
Trégarvan
Dinéault
CHÂTEAULIN
PLEYBEN
le Cloître-Pleyben
Plonévez-du-Faou
Collorec
Landeleau
Cléden-Poher
Pont-Triffen
St-Hernin
Spézet
CHÂTEAUNEUF-DU-FAOU
Lennon
Lothey
Gouézec
St-Coulitz
Port-Launay
Plomodiern
Ploéven
Cast
Plonévez-Porzay
Locronan
Kerlaz
Quéménéven
Landrévarzec
BRIEC
Edern
St-Thois
Laz
St-Goazec
Roudouallec
Trégourez
Leuhan
Langolen
Coray
Plogonnec
le Juch
Guengat
Gourlizon
Plonéis
QUIMPER
Pluguffan
Ergué-Gabéric
Elliant
Tourch
SCAËR
ROSPORDEN
St-Yvy
St-Evarzec
Plomelin
Gouesnach
Combrit
Clohars-Fouesnant
Pleuven
la Forêt-Fouesnant
FOUESNANT
CONCARNEAU
Bénodet
Ile-Tudy
Loctudy
Plobannalec-Lesconil
Tréméoc
PONT-L'ABBÉ
Melgven
BANNALEC
Trégunc
Nizon
PONT-AVEN
Riec-s.-Belon
Névez
Moëlan-s.-Mer
Clohars-Carnoët
Beg-Meil
ANSE DE BÉNODET
Pte de Trévignon
I. de St-Nicolas
ILES DE GLÉNAN
Centre Nautique de Glénan
Réserve Ornithologique
2e ch. ouv. prochaine

46

CARHAIX-PLOUGUER
Kergloff
Trébrivan
Locarn
Kergonan
MAËL-CARHAIX
le Moustoir
Kerogulou
Quilliou-Guéguen
Kerdouc'h
Kergrist-Moëlou
St-Lubin
Plounévez-Quintin
ST-NICOLAS-DU-PÉLEM
Canihuel
Bothoa
St-Eloi
le Rueilou
Goasnoa
Cléden-Poher
Port-de-Carhaix
Ouv. prochaine
St-Eloy
Lansalaün
Paule
Trébézel
Lanhellen
Ste-Tréphine
St-Igeaux
Plussulien
Trozulon
Sélédin
St-Hernin
Plévin
Glomel
ROSTRENEN
Station Climatologique
Plouguernével
Laniscat
St-Delon
Kermanac'h
Moulin-Neuf
LA MONTAGNE
Motreff
Touldous
Ste-Christine
Caat-Couraval
Botcanou
GOUAREC
Rosquelfen
St-Gelven
Plélauff
ROC DE TOULLAERON
Tréogan
MINEZ DU
St-Michel
Bonen
Rosquerreiec
Moustoir
les Forges des Salles
Kériven
Cudel
B. de Conveau
RER DE LA MADELEINE
St-Hervé
Trégarantec
Trégornan
Mellionnec
Lescouët-Gouarec
Perret
Penhoat
St-Nicolas
la Trinité-Langonnet
Croaz-Loaz
Rest-an-Houannet
le Gouvello
GOURIN
Ninijou
Plouray
Locuon
Ste-Brigitte
QUÉNÉCAN
Silfiac
le Moustoir
Bouthiry
Rosterh
Kerguzul
Kerroc'h
St-Laurent
Boduic
Kerdréan
CLÉGUÉREC
Ste-Julienne
St-Méen
Langonnet
Abbaye de Langonnet
Zoo
Kerpourhant
Toubahado
le Merzer
Langoëlan
le Saint
St-Tugdual
Poulgrellec
Quénépévan
Séglien
Kervréhen
St-Sébastien
Pont Rouge
Ploërdut
Lochrist
GUÉMENÉ-S.-SCORFF
Locmalo
Kerbédic
Malguénac
St-Maudez
Guiscriff
Quatre-Vents
St-Gilles
St-Tugdual
Botquenven
Priziac
le Croisty
Cornhospital
St-Caradec-Trégomel
St-Hervezen
Longueville
Nizio
LE FAOUËT
Leurier-Croajou
Halles
St-Nicolas
la Maison-Blanche
Lignol
Kerlénat
Gueltas
St-Antoine
St-Georges
St-Fiacre
Zinzec
Persquen
St-Yves
Guern
Quelven
Lanvénégen
Kerchopine
Berné
Kernascléden
St-Yves
Pradigo
Lezennet
Meslan
Pontcallec
St-Vincent
St-Clément
St-Fiacre
St-Thurien
Bonijard
Inguiniel
Melrand
Locmaria
Bieuzy
Querrien
St-Armel
Lochrist
Bubry
Ferme Archéologique
St-Gildas
St-Nicolas des-Eaux
Roches du Diable
Locunolé
N.D. des Fleurs
St-Rivalain
Ste-Gertrude
Guilligomarc'h
Mellac
St-Thuriau
le Trévoux
Ty-Bodel
Tréméven
Lande-des-Châtaigners
ARZANO
Pont-Nivino
PLOUAY
Kerdrého
St-Maurice
St-Yves
Locmaria
St-Barthélemy
Ste-Anne
Lanvaudan
Kermoizan
Quistinic
Poul Fétan
St-Adrien
QUIMPERLÉ
St-Étienne
St-Guénaël
Pont-Augan
Baye
Rédené
Calan
la Forest
BAUD
Cléguer
Fontaine-Maria
Penquesten
Lambézégan
Toulfoën
l'Enfer
le Rudet
Trébihan
Kergonan
Locmaria
Lesbin
PONT-SCORFF
St-Nicolas
le Grand-Resto
Moëlan-s.-Mer
Hôpital Charcot
Inzinzac-Lochrist
le Temple
Lochrist
Lanveur
Languidic
Gonnec
Abbaye St-Maurice
Kergomet
Langroix
Clohars-Carnoët
les Cinq-Chemins
Gestel
Caudan
HENNEBONT
St-Jean
Brigneau
Langlazic
Guidel
Quéven
St-Gilles
Miledec
la Trinité
Kervégant
Malachap
Trélecan
Ménéguen
Locoyarne
Brandérion
Guidel-Plages
le Resto
le Pouldu
Kerentrech
LANESTER
Tréauray
Anse du Pouldu
St-Mathieu
Kervado
les Chantiers
Kervignac
Landévant
PLUVIGNER
Kervinio
le Fort-Bloqué
Nostang
Locmaria
St-Efflam
PLOEMEUR
LORIENT
Merlevenez
Locmaria
Legevin
Langonbrac'h
Landaul
Lomiquélic
Base Sous-marine
Kernével
Citadelle
Ste-Hélène
Larmor
le Courégant
Kerroch
Larmor-Plage
PORT-LOUIS
Riantec
Locoal-Mendon
Kerner
la Forest
les Truies
Passe de l'Ouest

67

86

47
87
70
88
10 km
T
U
V
W
X
43
44
45
46
47
48
49
PLŒUC-S.-LIÉ
MONCONTOUR
Trébry
St-Glen
Haut-Corlay
le Bodéo
Plémy
Allineux
St-Martin-des-Prés
Gausson
le Gouray
COLLINÉE
UZEL
PLOUGUENAST
Langast
Plessala
St-Gouéno
St-Jacut-du-Mené
Merléac
St-Hervé
St-Mayeux
le Quillio
Grâce-Uzel
St-Gilles-Vieux-Marché
la Motte
St-Gilles-du-Mené
St-Guen
St-Thélo
Trévé
St-Vran
MÛR-DE-BRETAGNE
St-Caradec
Laurenan
MERDRIGNAC
St-Connec
la Prénessaye
Plémet
LOUDÉAC
Gomené
Hémonstoir
Kergrist
Neulliac
Croixanvec
St-Barnabé
LA CHÈZE
la Ferrière
Coëtlogon
St-Gonnery
Ménéac
St-Gérand
St-Maudan
St-Étienne-du-Gué-de-l'Isle
Gueltas
Plumieux
LA TRINITÉ-PORHOËT
Noyal-Pontivy
ROHAN
PONTIVY
Bréhan
le Cambout
Kerfourn
Mohon
Crédin
St-Thuriau
Guilliers
FORÊT DE LANOUÉE
les Forges
Moustoir-Remungol
St-Malo-des-Trois-Fontaines
Naizin
Pleugriffet
Lanouée
Réguiny
Loyat
Pluméliau
Helléan
Radenac
Lantillac
JOSSELIN
la Croix-Helléan
Remungol
Taupont
Moréac
Buléon
Guégon
PLOËRMEL
Guénin
St-Allouestre
St-Servant
Guillac
LOCMINÉ
Guéhenno
la Chapelle-Neuve
Plumelin
Bignan
Billio
Cruguel
Quily
Moustoir-Ac
Montertelot
Lizio
la Chapelle-Caro
ST-JEAN-BRÉVELAY
Plumelec
St-Abraham
Colpo
Sérent
MALESTROIT
Brandivy
Trédion
St-Marcel
Plaudren
Bohal
GRAND-CHAMP
Locqueltas
St-Guyomard
Plumergat
CAMP DE MEUCON
Monterblanc
ELVEN
Meucon
Molac

48
88
47
69
PLANCOËT
Pluduno
Plessix-Balisson
Pleslin-Trigavou
Languenan
Plouër-s.-Rance
Port-St-Jean
Roz-Landrieux
Miniac-Morvan
Pleudihen-s.-Rance
La Vicomté-s.-Rance
St-Samson-s.-Rance
Trélat
St-Aubin
St-Aydes
St-Symphorien
Plévenon
Pléven
Bourseul
Corseul
Plorec-s.-Arguenon
LA HUNAUDAYE
St-Michel-de-Plélan
Temple de Mars
Quévert
DINAN
Taden
St-Hélen
Tressé
Le Tronchet
St-Rieul
Plédéliac
St-Méloir-des-Bois
St-Maudez
Aucaleuc
Lanvallay
Plestan
Trémaudan
PLÉLAN-LE-PETIT
La Landec
Vildé-Guingalan
Léhon
St-Solen
St-Pierre-de-Plesguen
Lanhélin
Trélivan
St-James
Fautrel
Tramain
JUGON-LES-LACS
Lescouët-Jugon
Trébédan
Bobital
St-Carné
Les Champs-Géraux
Calorguen
Plesder
Meillac
Tournebride
Langouhèdre
Dolo
Languédias
Brusvily
Le Hinglé
Trévron
Evran
Pleugueneuc
Plénée-Jugon
Mégrit
Trédias
Le Creux
St-André-des-Eaux
Trévérien
St-Domineuc
La Chapelle-aux-Filtzméens
Tréfumel
Trémeur
Yvignac-la-Tour
Plumaudan
St-Juvat
Le Quiou
St-Judoce
Vieux-Bourg
Sévignac
St-Maden
Le Fief-aux-Écoliers
St-Thual
Trimer
Québriac
Rouillac
BROONS
Guenroc
Longaulnay
Tinténiac
St-Joseph
Caulnes
Guitté
Plouasne
Bécherel
La Baussaine
St-Brieuc-des-Iffs
Langourla
Cambel
Recouvrance
Couëlan
St-Pern
Cardroc
Les Iffs
Éréac
St-Jouan-de-l'Isle
La Chapelle-Blanche
Médréac
Miniac-s/s-Bécherel
Mérillac
Lanrelas
Plumaugat
Landujan
Irodouër
La Chapelle-Chaussée
St-Gondran
St-Vran
St-Launeuc
Quédillac
St-Régent
Quénéleuc
St-M'Hervon
Langan
Langouet
MERDRIGNAC
Les Treize-Chênes
Trémorel
La Chapelle-du-Lou
Le Lou-du-Lac
ST-MÉEN-LE-GRAND
Le Crouais
MONTAUBAN-DE-BRETAGNE
Romillé
Gévezé
Loscouët-s.-Meu
St-Onen-la-Chapelle
Bédée
Pleumeleuc
Parthenay-de-Bretagne
Boisgervilly
St-Uniac
La Nouaye
Clayes
Illifaut
Gaël
Muel
St-Maugan
MONTFORT-S.-MEU
Breteil
St-Gilles
Iffendic
La Chapelle-Thouarault
L'Hermitage
Bléruais
St-Gonlay
Talensac
Cintré
Le Rheu
St-Brieuc-de-Mauron
St-Léry
MAURON
St-Malon-s.-Mel
Concoret
Monterfil
Le Verger
MORDELLES
Guilliers
St-Péran
Treffendel
Néant-s.-Yvel
Tréhorenteuc
Paimpont
PLÉLAN-LE-GRAND
St-Thurial
Bréal-s/s-Montfort
Chavagne
Maxent
Baulon
Goven
Loyat
St-Laurent
Campénéac
Beignon
Lassy
GUICHEN
PLOËRMEL
Gourhel
St-Malo-de-Beignon
Campel
Bovel
Augan
Loutehel
La Chapelle-Bouëxic
Porcaro
GUER
Ouv. proch.

DOL-DE-BRETAGNE
PONTORSON
PLEINE-FOUGÈRES
ST-JAMES
ANTRAIN
COMBOURG
ST-BRICE-EN-COGLÈS
FOUGÈRES
ST-AUBIN-D'AUBIGNÉ
ST-AUBIN-DU-CORMIER
LIFFRÉ
RENNES
CESSON-SÉVIGNÉ
BETTON
CHÂTEAUBOURG
VITRÉ
CHÂTEAUGIRON
JANZÉ
BRUZ
ARGENTRÉ-DU-PLESSIS
LA GUERCHE-DE-BRETAGNE
RETIERS
49
89
72
10 km

AH
AI
AJ
AK
AL
50
90
71
41
42
43
44
45
46
47
St-Hilaire-du-Harcouët
Villechien
N.-D.-du-Touchet
Husson
Ste-Marie-du-Bois
St-Roch-s.-Egrenne
St-Gilles-des-Marais
St-Mars-d'Egrenne
St-Cyr-du-Bailleul
la Touche
St-Fraimbault
St-Brice
Lucé
la Baroche-s/s-Lucé
Beaulandais
le Plessis
les Loges-Marchis
St-Symphorien-des-Monts
Moulines
Ferrières
LE TEILLEUL
la Ménillère
Parc Animalier
St-Brice-de-Landelles
Savigny-le-Vieux
la Billotière
Buais
Heussé
Nantrail
Etang de la Morette
Mantilly
PASSAIS
Torchamp
la Brosse
Mt MARGANTIN
Avrilly
St-Denis-de-Villenette
Monthault
la Barre
Abbaye
le Vieux-Bourg
la Cherplais
Loussaudière
la Largerie
Troceray
Sept-Forges
LOUVIGNÉ-DU-DÉSERT
Pont-au-Bray
LANDIVY
Fougerolles-du-Plessis
Dompierre
St-Fraimbault
Ceaucé
Lore
Monthorin
Roche-Gaudin
Désertines
la Foucaudière
St-Siméon
Brétignolles-le-Moulin
la Bazouge-du-Désert
le Pont-Dom-Guérin
la Dorée
l'Epinay-le-Comte
St-Aubin-Fosse-Louvain
Vaucé
Souce
Couesmes-Vaucé
la Chenaie
Melleray-la-Vallée
Parigné
Pontmain
Belle-Place
Milvain
St-Mars-s.-la-Futaie
Vieuvy
Lesbois
Bignon
la Croulardière
Landéan
les Renardières
la Divayere
Hercé
le Pas
Cigné
Niort-la-Fontaine
Mont Mégalithique
FORÊT DE FOUGÈRES
St-Ellier-du-Maine
la Tannière
Levaré
GORRON
Champ
le Tertre
le Montaton
le Loroux
St-Berthevin-la-Tannière
Colombiers-du-Plessis
Brecé
les 4 Chemins
Chantrigné
Mont-Romain
Montaudin
AMBRIÈRES-LES-VALLÉES
Montreuil-Poulay
Laignelet
Carelles
St-Avit
l'Ecluse
FOUGÈRES
Larchamp
la Cosnuère
Rigardon
les Rostières
St-Mars-s.-Colmont
la Haie-Traversaine
St-Loup-du-Gast
le Vieux-Gast
St-Georges-de-l'Isle
Beaucé
la Chapelle-Janson
Fleurigné
Gainé
les Heaumes
Montflaux
St-Denis-de-Gastines
Moulin
Oisseau
le Mortier
Châtillon-s.-Colmont
le Grattoir
la Bénardière
Besniers
la Gaude
St-Fraimbault-de-Prières
Allée Couverte
la Pellerine
la Selle-en-Luitré
Mégaudais
ERNÉE
Monhage
St-Georges-Buttavent
Parigné-s.-Braye
Résidence de Bras
Brives
Vautorte
la Coutancière
Hec
MAYENNE
Luitré
Montenay
Polissoir
la Chapelle-au-Grain
l'Angellerie
Aron
Parcé
Dompierre-du-Chemin
St-Pierre-des-Landes
l'Asnerie
FORÊT DE MAYENNE
Fontaine-Daniel
Anc. Abbaye
St-Baudelle
Moulay
la Bazoge-Montpinçon
Belgeard
Rochers du Saut Roland
Place
Contest
Bourg-Nouvel
l'Hôtellerie
Juvigné
Etg Neuf
St-Hilaire-du-Maine
Châtillon-en-Vendelais
la Meule
la Haute-Sicardière
Alexain
Commer
Forêt de Bourgon
CHAILLAND
Princé
la Bigottière
St-Germain-d'Anxure
Montautour
la Croixille
le Feu
St-Germain-le-Guillaume
Montgiroux
Montourtier
la Templerie
la Baconnière
Martigné-s.-Mayenne
St-M'Hervé
Bourgon
l'Hôtellerie
Sacé
Thuré
Andouillé
le Bourgneuf-la-Forêt
Etang de la Chaîne
Montflours
la Bazouge-des-Alleux
St-Ouen-des-Vallons
Châlons-du-Maine
la Ricoullère
Launay-Villiers
la Brécinière
St-Roch
St-Germain-le-Fouilloux
Gesnes
Brée
St-Ouën-des-Toits
B. de Misedon
Olivet
St-Jean-s.-Mayenne
la Chapelle-Anthenaise
MONTSÛR
St-Pierre-la-Cour
Paintourteau
les Chênes-Secs
le Haut-Bourg
Morinière
la Mayenne
Louverné
St-Martin
St-Céneré
Port-Brillet
Anc. Abbaye de Clermont
le Genest-St-Isle
Changé
Laval-Bonchamp
Erbrée
Bréal-s/s-Vitré
Bois des Gravelles
Château de Rocher
la Brûlatte
Grenoux
Pritz
LAVAL
Mondevert
FORÊT DU PERTRE
Etg du Moulin aux Moines
VITRÉ-LAVAL
la Gravelle
la Chapelle-du-Chêne
la Sorinière
ST-BERTHEVIN
Laval-le-Coudray
ARGENTRÉ
Bonchamp-lès-Laval
Loiron
Forêt de Concise
Bois de l'Huisserie
Thévalles
le Géroulet
Louvigné
Soulgé-s.-Ouette
Ruillé-le-Gravelais
St-Pierre-le-Potier
Force
le Pertre
St-Cyr-le-Gravelais
le Carrefour
l'Huisserie
Souvray
St-Georges-le-Fléchard
Brielles
Montjean
la Maison-Neuve
Ahuillé
Montigné-le-Brillant
Trappe du Port du Salut
Parné-s.-Roc
Bazougers
Beaulieu-s.-Oudon
l'Hommeau
Etg de Montjean
Courbeveille
Entrammes
Gennes-s.-Seiche
Etg de la Guéhardière
Nuillé-s.-Vicoin
Arquenay
Cuillé
Gastines
St-Poix
Méral
Astillé
Maisoncelles-du-Maine
St-Denis-du-Maine
la Selle-Guerchaise
Laubrières
COSSÉ-LE-VIVIEN
la Grancière
le Bignon-du-Maine

51
91
74
AM
AN
AO
AP
AQ
LA FERTÉ-MACÉ
St-Michel-des-Andaines
Joué-du-Bois
Ste-Marguerite-de-Carrouges
St-Sauveur-de-Carrouges
JUVIGNY-S/S-ANDAINE
Bagnoles-de-l'Orne
Tessé-Froulay
Haleine
Couterne
Geneslay
Rennes-en-Grenouilles
Magny-le-Désert
St-Patrice-du-Désert
CARROUGES
Lignières-Orgères
Chahains
St-Martin-des-Landes
Rouperroux
Tanville
le Bouillon
St-Didier-s/s-Écouves
Fontenai-les-Louvets
SIGNAL D'ÉCOUVES
FORÊT D'ÉCOUVES
St-Ellier-les-Bois
Longuenoë
Livaie
Antoigny
St-Ouen-le-Brisoult
Méhoudin
La Pallu
Neuilly-le-Vendin
Forêt de Monnaie
Ciral
St-Nicolas-des-Bois
Radon
Thubœuf
St-Julien-du-Terroux
COUPTRAIN
St-Calais-du-Désert
St-Samson
Lalacelle
Gandelain
la Roche-Mabile
Semallé
Madré
St-Aignan-de-Couptrain
PRÉ-EN-PAIL
St-Denis-s.-Sarthon
Pacé
Cuissai
Lonrai
Colombiers
Valframbert
Damigny
ALENÇON
St-Cyr-en-Pail
Ravigny
Chevaigné-du-Maine
Charchigné
Javron-les-Chapelles
Boulay-les-Ifs
Champfrémont
Condé-s.-S.
St-Germain-du-Corbéis
LE HORPS
Villepail
St-Pierre-des-Nids
la Ferrière-Bochard
Mieuxcé
Héloup
ST-PATERNE
Arçonnay
le Ribay
Crennes-s.-Fraubée
St-Céneri-le-Gérei
le Ham
TERRAIN MILITAIRE
Champéon
Gesvres
Moulins-le-Carbonnel
Champfleur
Béthon
VILLAINES-LA-JUHEL
Gesnes-le-Gandelin
Oisseau-le-Petit
Loupfougères
Hardanges
St-Léonard-des-Bois
ALPES MANCELLES
Averton
Sougé-le-Ganelon
la Chapelle-au-Riboul
Assé-le-Boisne
Fyé
Courcité
St-Aubin-du-Désert
St-Paul-le-Gaultier
St-Victeur
Grazay
Champgenéteux
St-Mars-du-Désert
St-Georges-le-Gaultier
St-Ouen-de-Mimbré
St-Thomas-de-Courceriers
FRESNAY-S.-SARTHE
Trans
Douillet
St-Germain-s.-Sarthe
Hambers
BAIS
COEUVRONS
St-Germain-de-Coulamer
St-Aubin-de-Locquenay
Jublains
Mont-St-Jean
Montreuil-le-Chétif
Piacé
Moitron-s.-Sarthe
Juillé
Izé
Vivoin
St-Christophe-du-Jambet
BEAUMONT-S.-SARTHE
St-Pierre-s.-Orthe
St-Martin-de-Connée
Pezé-le-Robert
Evailles
Mézangers
Ste-Gemmes-le-Robert
Vimarcé
le Grez
Ségrie
Vernie
Assé-le-Riboul
St-Georges-s.-Erve
SILLÉ-LE-GUILLAUME
St-Rémy-de-Sillé
le Tronchet
St-Marceau
Neau
EVRON
Assé-le-Bérenger
Rouessé-Vassé
Crissé
Mézières-s/s-Lavardin
Neuvillalais
St-Jean-d'Assé
Voutré
Châtres-la-Forêt
St-Christophe-du-Luat
Rouez
Ste-Sabine-s.-Longève
Ste-Jamme-s.-Sarthe
Parennes
CONLIE
Livet
STE-SUZANNE
Torcé-Viviers-en-Charnie
Tennie
Domfront-en-Champagne
Cures
St-Léger
Neuvillette-en-Charnie
Neuvy-en-Champagne
la Chapelle-St-Fray
SIGNAL DU VIVIERS
Chammes
St-Symphorien
Bernay
Lavardin
Aigné
Beaulieu
Vaiges
Blandouet
Chemiré-en-Charnie
Epineu-le-Chevreuil
Ruillé-en-Champagne
la Quinte
Degré
la Milesse
St-Saturnin
St-Jean-s.-Erve
St-Denis-d'Orques
Amné
St-Pierre-s.-Erve
Chassillé
Longnes
Coulans-s.-Gée
Trange
LE MANS CENTRE
la Chapelle-St-Aubin
Thorigné-en-Charnie
Joué-en-Charnie
Auvers-s/s-Montfaucon
Brains-s.-Gée
Chaufour-Notre-Dame
Fay
Chémeré-le-Roi
Saulges
Bannes
Viré-en-Champagne
LOUÉ
Tassillé
LE MANS SUD ALLONNES
Rouillon
Mareil-en-Champagne
Pruillé-le-Chétif
Cossé-en-Champagne
BRÛLON
St-Christophe-en-Champagne
Avessé
Chevillé
St-Ouen-en-Champagne
Vallon-s.-Gée
Flacé
10 km

ALENÇON
MORTAGNE-AU-PERCHE
MAMERS
BELLÊME
LE MANS
LA FERTÉ-BERNARD
BONNÉTABLE
MAROLLES-LES-BRAULTS
LA FRESNAYE-S-CHÉDOUET
PERVENCHÈRES
LE MÊLE-S-SARTHE
BAZOCHES-S-HOËNE
MONTFORT-LE-GESNOIS
BEAUMONT-S-SARTHE
BALLON
TUFFÉ
VIBRAYE
BOULOIRE
LE THEIL
NOCÉ
ST-PATERNE
Forêt de Perseigne
Forêt de Bellême
Forêt de Réno Valdieu
Forêt de Bonnétable
Forêt de Vibraye
St-Rémy-du-Val
St-Cosme-en-Vairais
Conlie
Savigné-l'Évêque
Sillé-le-Philippe
Yvré-l'Évêque
Champagné
Connerré
Dollon
Thorigné-s-Dué
Sargé-lès-le-Mans
Coulaines
Neuville-s-Sarthe
Rouperroux-le-Coquet
Nogent-le-Bernard
St-Germain-de-la-Coudre
Igé
Courcemont
Beaufay
Torcé-en-Vallée
Ardenay-s-Mérize
Surfonds
Changé

52
73
92

53
93
76
VIDAME
Senonches
Forêt de Senonches
Forêt de Longny
Longny-au-Perche
Châteauneuf-en-Thymerais
La Loupe
Belhomert-Guéhouville
Courville-s.-Eure
Champrond-en-Gâtine
Montlandon
Nogent-le-Rotrou
Thiron-Gardais
Perche
Régional
Illiers-Combray
Brou
Authon-du-Perche
Montmirail
Courtalain
Arrou
Cloyes-s.-le-Loir
Châteaudun
Droué
Mondoubleau
Bonneval
Nogent-s.-Eure
Fontenay-s.-Eure
Mainvilliers
Illiers
Frazé
Dangeau
Yèvres
Marboué
Chapelle-Royale
La Bazoche-Gouet
Condé-s.-Huisne
Margon
Bretoncelles
Vaupillon
Fontaine-Simon
Manou
Ardelles
Digny
Pontgouin
Landelles
Billancelles
Chuisnes
Friaize
Thieulin
St-Denis-des-Puits
Villebon
Magny
Blandainville
Méréglise
Montigny-le-Chartif
Vieuvicq
Mottereau
Bullou
Logron
Saumeray
Alluyes
Dampierre-s/s-Brou
Unverre
Moulhard
Charbonnières
Soizé
St-Ulphace
Melleray
Souday
Choue
Arville
Oigny
Boursay
Langey
Douy
Thiville
Autheuil
Fontaine-Raoul
Romilly-s.-Aigre
Charray
La Ferté-Villeneuil
10 km
N 23
N 10
A 11
E 50
D 955
D 921
D 927
D 928
D 939
D 941

54

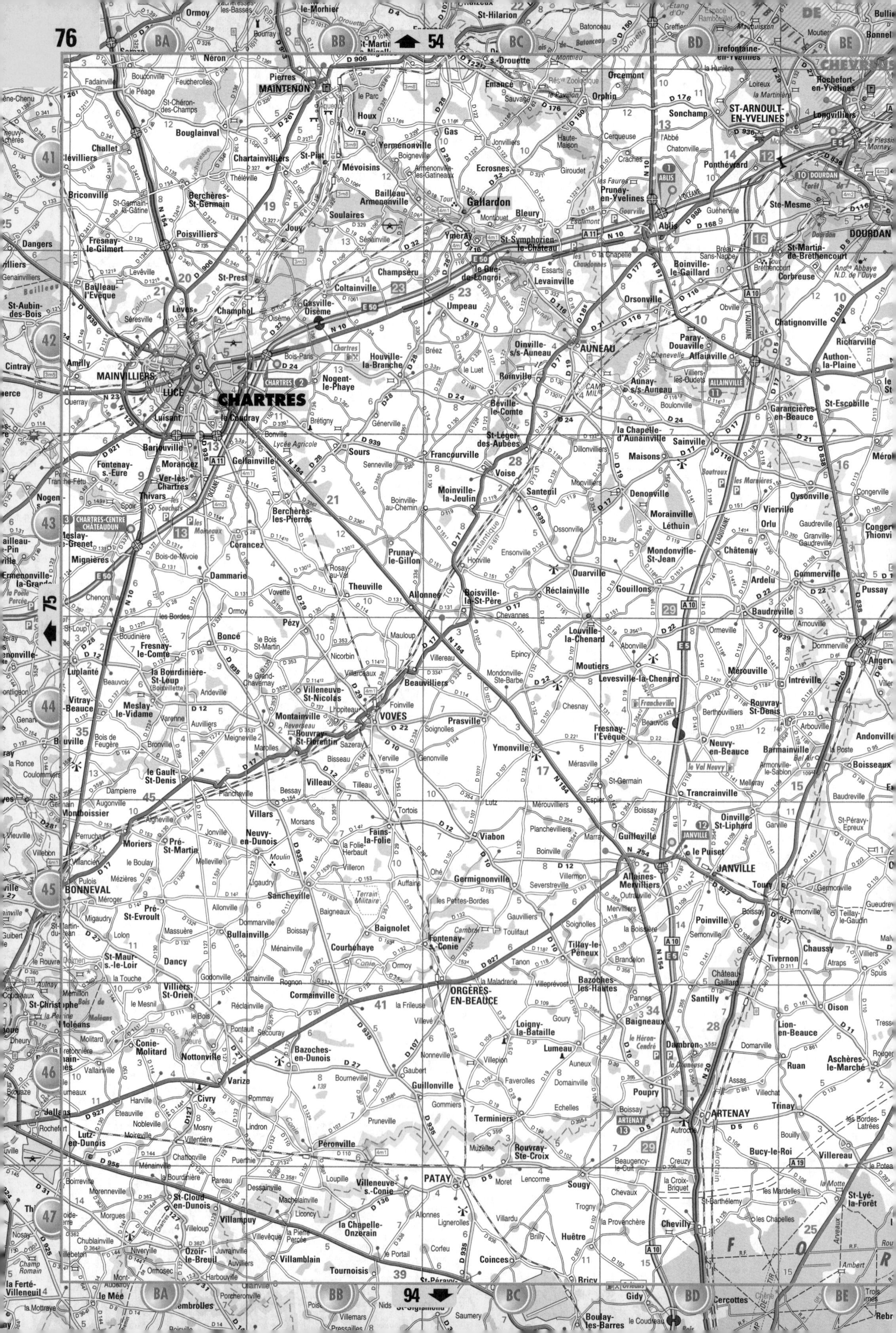
BA
BB
BC
BD
BE
41
42
43
44
45
46
47
MAINTENON
Pierres
Gallardon
Ablis
ST-ARNOULT-EN-YVELINES
Rochefort-en-Yvelines
DOURDAN
Ste-Mesme
St-Martin-de-Bréthencourt
CHARTRES
MAINVILLIERS
LUCÉ
Lèves
Champhol
Jouy
St-Prest
AUNEAU
Aunay-s/s-Auneau
Béville-le-Comte
Boinville-le-Gaillard
Sainville
Garancières-en-Beauce
Bailleau-l'Evêque
Illiers-Combray
Fontenay-s.-Eure
Morancez
Thivars
Meslay-le-Grenet
Mignières
Dammarie
Corancez
Berchères-les-Pierres
Sours
Francourville
Voise
Santeuil
Prunay-le-Gillon
Allonnes
Boisville-la-St-Père
Ouarville
Réclainville
Gouillons
Baudreville
Gommerville
Pussay
Angerville
Méréville
Oysonville
Louville-la-Chenard
Moutiers
Levesville-la-Chenard
Mérouville
Intréville
Beauvilliers
VOVES
Prasville
Ymonville
Fresnay-l'Evêque
Neuvy-en-Beauce
Barmainville
Rouvray-St-Denis
Janville
Le Puiset
Toury
Allaines-Mervilliers
Guilleville
Oinville-St-Liphard
Trancrainville
BONNEVAL
Moriers
Pré-St-Martin
Villars
Neuvy-en-Dunois
Fains-la-Folie
Viabon
Germignonville
Sancheville
Bullainville
Courbehaye
Baignolet
Fontenay-s.-Conie
ORGÈRES-EN-BEAUCE
Tillay-le-Péneux
Bazoches-les-Hautes
Loigny-la-Bataille
Lumeau
Baigneaux
Dambron
Santilly
Poinville
Tivernon
Chaussy
Oison
Lion-en-Beauce
Ruan
Aschères-le-Marché
Trinay
ARTENAY
Poupry
Terminiers
Guillonville
Varize
Civry
Cormainville
Bazoches-en-Dunois
Nottonville
Conie-Molitard
St-Maur-s.-le-Loir
Dancy
Villiers-St-Orien
Lutz-en-Dunois
Péronville
PATAY
Villeneuve-s.-Conie
La Chapelle-Onzerain
Villamblain
Tournoisis
St-Cloud-en-Dunois
Villampuy
Ozoir-le-Breuil
Coinces
Rouvray-Ste-Croix
Sougy
Huêtre
Chevilly
Bucy-le-Roi
Villereau
St-Lyé-la-Forêt
Cercottes
Gidy
Bricy
Boulay-les-Barres
Le Mée
A 10
A 11
N 10
N 154
N 20
E 5
E 50
L'AQUITAINE
L'OCÉANE
Autoroute Atlantique TGV

75

94

55

ARPAJON
BRETIGNY-S-ORGE
MENNECY
SAVIGNY-LE-TEMPLE
LE MÉE-S-SEINE
ST-CHÉRON
ETRECHY
LA FERTÉ-ALAIS
ÉTAMPES
MILLY-LA-FORÊT
PERTHES
Fleury-en-Bière
Barbizon
PARC
RÉGIONAL
DU
GÂTINAIS
FRANÇAIS
MÉRÉVILLE
MALESHERBES
LA CHAPELLE-LA-REINE
Larchant
PUISEAUX
PITHIVIERS
CHÂTEAU-LANDON
NEUVILLE-AUX-BOIS
BEAUNE-LA-ROLANDE
Boissy-la-Rivière
Angerville
Saclas
Monnerville
Pithiviers-le-Vieil
Bazoches-les-Gallerandes
Malesherbes
Boigneville
Buno-Bonnevaux
Dannemois
Courances
Chailly-en-Bière
Achères-la-Forêt
Ury
Arville
Beaumont-du-Gâtinais
Bordeaux-en-Gâtinais
Sceaux-du-Gâtinais
Corbeilles
Juranville
Lorcy
Mézières-en-Gâtinais
Boiscommun
Nibelle
Chambon-la-Forêt
Vrigny
Santeau
Chilleurs-aux-Bois
Loury
Ouv. proch.
Ouv. début 2005
10 km

78

95

56
96
77
MELUN
FONTAINEBLEAU
NEMOURS
PROVINS
NANGIS
MORMANT
Champeaux
Rampillon
LE CHÂTELET-EN-BRIE
DONNEMARIE-DONTILLY
BRAY-S.-SEINE
MONTEREAU-FAULT-YONNE
MORET-S.-LOING
PONT-S.-YONNE
SERGINES
CHÉROY
LORREZ-LE-BOCAGE-PRÉAUX
FERRIÈRES-EN-GÂTINAIS
CHÂTEAU-LANDON
CHALETTE-S.-LOING
MONTARGIS
COURTENAY
Egreville
St-Valérien
Villeneuve-la-Guyard
Chaumont
Villeblevin
Souppes-s.-Loing
Dordives
Nargis
Fontenay-s.-Loing
Corquilleroy
Griselles
Chuelles
AUTOROUTE DU SOLEIL
Ouv. début 2005

57

VILLENAUXE-LA-GRANDE
ANGLURE
NOGENT-S.-SEINE
ROMILLY-S.-SEINE
MÉRY-S.-SEINE
MARCILLY-LE-HAYER
ESTISSAC
AIX-EN-OTHE
VILLENEUVE-L'ARCHEVÊQUE
CERISIERS
VILLENEUVE-S.-YONNE
ERVY-LE-CHÂTEL
JOIGNY
BRIENON-S.-ARMANÇON
ST-FLORENTIN
Montpothier
Léchelle
Chalautre-la-Grande
St-Nicolas-la-Chapelle
Sourdun
le Mériot
Melz-s.-Seine
la Motte-Tilly
Courceroy
Villiers-s.-Seine
Noyen-s.-Seine
Gumery
Fontenay-de-Bossery
Fontaine-Mâcon
Traînel
Bouy-s.-Orvin
Soligny-les-Étangs
Fontaine-Fourches
Perceneige
Trancault
St-Maurice-aux-Riches-Hommes
Bourdenay
Avant-lès-Marcilly
Fay-lès-Marcilly
Rigny-la-Nonneuse
Ferreux-Quincey
St-Aubin
St-Loup-de-Buffigny
la Fosse-Corduan
St-Martin-de-Bossenay
Ossey-les-Trois-Maisons
Orvilliers-St-Julien
Fontaine-les-Grès
Marigny-le-Châtel
St-Flavy
Echemines
Prunay-Belleville
St-Lupien
Villeloup
le Pavillon-Ste-Julie
Faux-Villecerf
Dierrey-St-Pierre
Dierrey-St-Julien
Mesnil-St-Loup
Macey
Fontvannes
Villemaur-s.-Vanne
St-Benoist-s.-Vanne
Paisy-Cosdon
Neuville-s.-Vannes
Bucey-en-Othe
Messon
Chennegy
Vauchassis
Bercenay-en-Othe
Villemoiron-en-Othe
St-Mards-en-Othe
Maraye-en-Othe
Nogent-en-Othe
Eaux-Puiseaux
Vosnon
Villeneuve-au-Chemin
Auxon
Coursan-en-Othe
Montfey
Racines
Courtaoult
Soumaintrain
Lasson
Neuvy-Sautour
Turny
Venizy
Germigny
Champlost
Chailley
Bœurs-en-Othe
Fournaudin
Bérulle
Cérilly
Rigny-le-Ferron
Flacy
Coulours
Vaudeurs
Arces-Dilo
Bellechaume
Mercy
Villechétive
Bussy-en-Othe
Dixmont
les Bordes
Theil-s.-Vanne
Vaumort
Noé
Malay-le-Grand
Malay-le-Petit
Maillot
Villiers-Louis
Pont-s.-Vanne
les Sièges
Vareilles
Chigy
Molinons
Foissy-s.-Vanne
Fontaine-la-Gaillarde
les Clérimois
Saligny
Lailly
Bagneaux
Vulaines
Courgenay
Pouy-s.-Vannes
Planty
Pâlis
Villadin
Thorigny-s.-Oreuse
la Postolle
Voisines
Soucy
Fleurigny
Pailly
Villevallier
Villecien
Armeau
Passy
Véron
Baby
Villuis
Passy-s.-Seine
Hermé
Plessis-Barbuise
Barbuise
la Saulsotte
Villiers-aux-Corneilles
Esclavolles-Lurey
Marcilly-s.-Seine
Conflans-s.-Seine
Saron-s.-Aube
St-Just-Sauvage
Bagneux
Crancey
St-Hilaire-s/s-Romilly
Pars-lès-Romilly
Gélannes
Origny-le-Sec
Maizières-la-Grde-Paroisse
Châtres
Clesles
Mesgrigny
Marnay-s.-Seine
Pont-s.-Seine
Périgny-la-Rose
FORÊT D'OTHE
10 km
E 54
E 511
A 5
N 60
N 19
N 77
VILLENEUVE-L'A. AIX-EN-OTHE 19
20 TROYES-OUEST
BO
BP
BQ
BR
BS
41
42
43
44
45
46
47

80

97

58
79
98
ARCIS-S.-AUBE
MÉRY-S.-SEINE
RAMERUPT
PINEY
BRIENNE-LE-CHÂTEAU
LA CHAPELLE-ST-LUC
TROYES
STE-SAVINE
LUSIGNY-S.-BARSE
VENDEUVRE-S.-BARSE
BOUILLY
BAR-S.-SEINE
CHAOURCE
LES RICEYS
ERVY-LE-CHÂTEL
MUSSY-S.-SEINE
PARC RÉGIONAL DE LA FORÊT D'ORIENT
Lac du Temple
FORÊT DOMANIALE DE RUMILLY
FORÊT DE CUSSANGY
Nogent-s.-Aube
Vendeuvre
Montiéramey
Mesnil-St-Père
Géraudot
St-André-les-Vergers
Rosières-près-Troyes
Bréviandes
St-Julien-les-Villas
Pont-Ste-Marie
St-Parres-aux-Tertres
Creney-près-Troyes
St-Germain
Montgueux
Barberey-St-Sulpice
St-Lyé
Payns
Savières
Villacerf
Mergey
Voué
Charmont-s/s-Barbuise
Dampierre
Chavanges
Dienville
Amance
Magnant
Fralignes
Polisot
Polisy
Courteron
Gyé-s.-Seine
Landreville
Essoyes
Villemorien
Vougrey
Lantages
Praslin
Villiers-s/s-Praslin
Maisons-lès-Chaource
Lagesse
Cussangy
Turgy
Vanlay
Davrey
Avreuil
Chessy-les-Prés
Metz-Robert
Les Loges-Margueron
Maupas
Jeugny
Fays-la-Chapelle
St-Phal
Chamoy
Montigny-les-Monts
Bouilly
Sommeval
Villery
Javernant
Machy
Lirey
Assenay
Isle-Aumont
Clérey
Fresnoy-le-Château
Chappes
Virey-s/s-Bar
Courtenot
Fouchères
Vaudes
St-Thibault
Rumilly-lès-Vaudes
Bourguignons
Merrey-s.-Arce
Celles-s.-Ource
Buxeuil
Neuville-s.-Seine
Balnot-s.-Laignes
Avirey-Lingey
Bagneux-la-Fosse
Plaines-St-Lange
Ville-s.-Arce
Chervey
Bertignolles
Chacenay
Eguilly-s/s-Bois
Buxières-s.-Arce
Thieffrain
Villy-en-Trodes
Chauffour-lès-Bailly
Marolles-lès-Bailly
Briel-s.-Barse
Montreuil-s.-Barse
Courteranges
Ruvigny
Rouilly-St-Loup
Thennelières
Laubressel
Bouranton
Dosches
Mesnil-Sellières
Rouilly-Sacey
Onjon
Luxembourg
Bouy-Luxembourg
Assencières
Luyères
Feuges
Vailly
Montsuzain
Aubeterre
Mesnil-la-Comtesse
Vaupoisson
Ortillon
Chaudrey
Morembert
Coclois
Vinets
Torcy-le-Grand
Torcy-le-Petit
Pouan-les-Vallées
Villette-s.-Aube
Nozay
Premierfait
St-Étienne-s/s-Barbuise
St-Remy-s/s-Barbuise
Droupt-St-Basle
Droupt-Ste-Marie
Les Grandes-Chapelles
Chapelle-Vallon
Rilly-Ste-Syre
Vallant-St-Georges
Chauchigny
St-Mesmin
Fontaine-les-Grès
Mesgrigny
Plancy-l'Abbaye
Charny-le-Bachot
Champigny-s.-Aube
Ormes
Rhèges
Bessy
Viâpres-le-Petit
Lhuître
Isle-Aubigny
Vaucogne
Dommartin-le-Coq
Jasseines
Brillecourt
Aulnay
Braux
Verricourt
Pougy
Molins-s.-Aube
Lesmont
Précy-Notre-Dame
Précy-St-Martin
St-Christophe-Dodinicourt
Rosnay-l'Hôpital
Blaincourt-s.-Aube
Epagne
Mathaux
Radonvilliers
Brévonnes
Unienville
Juvanzé
Magny-Fouchard
Vauchonvilliers
Longpré-le-Sec
Beurey
Champ-s.-Barse
La Villeneuve-au-Chêne
La Loge-aux-Chèvres
Puits-et-Nuisement
Troyes-Sud
Troyes-Est
Troyes-Ouest
Charmont
Bar-sur-Seine
Brienne-le-Ch.

59
99
82
BX
BY
BZ
CA
CB
ECLARON-BRAUCOURT-STE-LIVIÈRE
Ste-Marie-du-Lac-Nuisement
Lac du Der-Chantecoq
Eurville-Bienville
Brauvilliers
Drosnay
Giffaumont-Champaubert
Outines
Allichamps
Louvemont
Arrembécourt
Châtillon-s.-Broué
Bayard-s.-Marne
Fontaines-s.-Marne
CHEVILLON
Troisfontaines-la-Ville
Joncreuil
Bailly-le-Franc
Attancourt
Magneux
Rachecourt-s.-Marne
Droyes
Planrupt
Frampas
WASSY
Sommancourt
Voillecomte
Brousseval
Maizières
Chatonrupt-Sommermont
Curel
Osne-le-Val
Puellemontier
MONTIER-EN-DER
Vallerêt
Autigny-le-Petit
Autigny-le-Grand
Lentilles
Ceffonds
Robert-Magny-Laneuville-à-Remy
Montreuil-s.-Blaise
Domblain
Fays
Thonnance-lès-Joinville
Villeret
Bailly-aux-Forges
Vaux-s.-Blaise
Rachecourt-Suzémont
Guindrecourt-aux-Ormes
Vecqueville
Hampigny
Longeville-s.-la-Laines
Doulevant-le-Petit
Nomécourt
JOINVILLE
Suzannecourt
Vallentigny
Thilleux
Ville-en-Blaisois
Dommartin-le-Franc
Morancourt
Rupt
Louze
Épothémont
Mertrud
Mathons
POISSONS
Sommevoire
Courcelles-s.-Blaise
Fronville
Juzanvigny
La Ville-aux-Bois
Dommartin-le-St-Père
Baudrecourt
Ferrière-et-Lafolie
Charmes-la-Grande
St-Urbain-Maconcourt
Crespy-le-Neuf
DOULEVANT-LE-CHÂTEAU
Brachay
Mussey-s.-Marne
Vaux-s.-St-Urbain
Morvilliers
SOULAINES-DHUYS
Nully-Trémilly
Blumeray
Blécourt
Charmes-en-l'Angle
Flammerécourt
Donjeux
La Chaise
Thil
Arnancourt
Rouvroy-s.-Marne
Gudmont-Villiers
Cirey-s.-Blaise
Leschères-s.-le-Blaiseron
Rouécourt
DOULAINCOURT-SAUCOURT
Fuligny
Ville-s.-Terre
Beurville
Cerisières
Vernonvilliers
Fresnay
Thors
Bouzancourt
Ambonville
Froncles
Eclance
Lévigny
Daillancourt
Trannes
Maisons-lès-Soulaines
Rizaucourt-Buchey
Guindrecourt-s.-Blaise
Mirbel
Bossancourt
Marbéville
La Genevroye
VIGNORY
Vouécourt
Saulcy
Colombé-la-Fosse
Soncourt-s.-Marne
Dolancourt
Arsonval
Montier-en-l'Isle
Engente
Arrentières
Curmont
Ailleville
Colombé-le-Sec
Vraincourt
Jaucourt
Voigny
Lamothe-en-Blaisy
Viéville
Arganҫon
Maison-des-Champs
BAR-S.-AUBE
Rouvres-les-Vignes
Ormoy-lès-Sexfontaines
Oudincourt
Rochefort-s.-la-Côte
Fravaux
Spoy
Proverville
Lignol-le-Château
Colombey-les-Deux-Eglises
Lamancine
Couvignon
Fontaine
Bayel
Lachapelle-en-Blaisy
Sexfontaines
Annéville-la-Prairie
Bologne
Montmartin-le-Haut
Meurville
Baroville
Meures
JUZENNECOURT
Riaucourt
Bergères
CLAIRVAUX
Montheries
Blaisy
Bligny
Urville
Arconville
Gillancourt
Jonchery
Brethenay
Condes
Vitry-le-Croisé
Champignol-lez-Mondeville
Longchamp-s.-Aujon
Rennepont
Euffigneix
Maranville
Vaudrémont
Ville-s/s-la-Ferté
Autreville-s.-la-Renne
Buxières-lès-Villiers
Villiers-le-Sec
Juvancourt
Cirfontaines-en-Azois
Aizanville
Braux-le-Châtel
CHAUMONT
Noë-les-Mallets
BAR-SUR-AUBE
St-Usage
Laferté-s.-Aube
Orges
Bricon
Pont-la-Ville
Fontette
Villars-en-Azois
Silvarouvres
Blessonville
Semoutiers-Montsaon
Verpillières-s.-Ource
Derville
Neuilly-s.-Suize
Cunfin
Dinteville
CHÂTEAUVILLAIN
Richebourg
Lanty-s.-Aube
Grancey-s.-Ource
Autricourt
Gevrolles
Latrecey-Ormoy-s.-Aube
ARC-EN-BARROIS
Bugnières
10 km

60

CC
CD
CE
CF
CG
41
42
43
44
45
46
47
MONTIERS-S.-SAULX
GONDRECOURT-LE-CHÂTEAU
FORÊT DU VAU
Houdelaincourt
Abainville
Bonnet
Saudron
Mandres-en-Barrois
Horville-en-Ornois
Vouthon-Bas
Vouthon-Haut
Badonvilliers-Gérauvilliers
Épiez-s.-Meuse
Maxey-s.-Vaise
Taillancourt
Montbras
Sepvigny
Champougny
Pagny-la-Blanche-Côte
Burey-la-Côte
Goussaincourt
Sauvigny
Brixey-aux-Chanoines
Ruppes
Greux
Domrémy-la-Pucelle
Coussey
Maxey-s.-Meuse
Moncel-s.-Vair
Dainville-Bertheléville
Chassey-Beaupré
Cirfontaines-en-Ornois
Aingoulaincourt
Échenay
Gillaumé
Pancey
Effincourt
Osne-le-Val
Thonnance-lès-Joinville
Montreuil-s.-Thonnance
Suzannecourt
Sailly
Noncourt-s.-le-Rongeant
Poissons
Thonnance-les-Moulins
Germay
Lezéville
Laneuville-aux-Bois
Avranville
Chermisey
Séraumont
Sionne
Midrevaux
Frebécourt
NEUFCHÂTEAU
Rouceux
Rebeuville
Rollainville
Grand
Germisay
Épizon
Annonville
Morionvilliers
Brechainville
Pargny-s/s-Mureau
Mont-lès-Neufchâteau
Chambroncourt
Trampot
Aillianville
Villouxel
Domremy-Landéville
Pautaines-Augeville
Busson
Leurville
Liffol-le-Grand
Fréville
DOULAINCOURT-SAUCOURT
Roches-Bettaincourt
Orquevaux
Lafauche
Liffol-le-Petit
Bazoilles-s.-Meuse
Circourt-s.-Mouzon
Landaville
Certilleux
Reynel
Manois
Humberville
ST-BLIN
Vesaignes-s/s-Lafauche
Prez-s/s-Lafauche
Harréville-les-Chanteurs
Pompierre
Jainvillotte
Lemmecourt
Montot-s.-Rognon
Signéville
Vignes-la-Côte
Semilly
Goncourt
Sartes
Beaufremont
Aulnoy
Rimaucourt
ANDELOT-BLANCHEVILLE
Chalvraines
Sommerécourt
Gendreville
Morville
Chantraines
Écot-la-Combe
Illoud
BOURMONT
Soulaucourt-s.-Mouzon
Médonville
Aingeville
Vaudrecourt
Briaucourt
Cirey-lès-Mareilles
Mareilles
St-Thiébault
Bourg-Ste-Marie
Clinchamp
Ozières
Nijon
Urville
Vrécourt
Brainville-s.-Meuse
Hâcourt
Graffigny-Chemin
Consigny
Bourdons-s.-Rognon
Romain-s.-Meuse
Huilliécourt
Vroncourt-la-Côte
Malaincourt-s.-Meuse
Doncourt-s.-Meuse
Chaumont-la-Ville
Darmannes
Treix
Forcey
Millières
Thol-lès-Millières
Levécourt
Robécourt
Blevaincourt
Champigneulles-en-Bassigny
Esnouveaux
Longchamp
Maisoncelles
Germainvilliers
Rozières-s.-Mouzon
Rocourt
Villotte
Ageville
Audeloncourt
Damblain
Chamarandes-Choignes
Mennouveaux
Cuves
Perrusse
CLEFMONT
Breuvannes-en-Bassigny
Laville-aux-Bois
Biesles
Lanques-s.-Rognon
Buxières-lès-Clefmont
Daillecourt
Bassoncourt
Romain-aux-Bois
Mandres-la-Côte
Ninville
Noyers
Choiseul
Verbiesles
Luzy-s.-Marne
Sarcey
Is-en-Bassigny
Rangecourt
Merrey
Lavilleneuve
Larivière-Arnoncourt
Poulangy
Louvières
NOGENT
VAL-DE-MEUSE
Foulain
Marnay-s.-Marne
Vesaignes-s.-Marne
Thivet
Sarrey
Poinson-lès-Nogent
Parnoy-en-Bassigny
Aigremont
Serqueux
Vitry-lès-Nogent
Chauffourt
Villiers-s.-Suize
Dammartin-s.-Meuse
Le Châtelet-s.-Meuse
BOURBONNE-LES-BAINS
Leffonds
Rolampont
Faverolles
Frécourt
Rançonnières
BOURBONNE LAMARCHE
Montigny-le-Roi
Val de Meuse
BOURBONNE-LES-B.

81

100

61

COLOMBEY-LES-BELLES
VÉZELISE
HAROUÉ
BAYON
GERBÉVILLER
CHARMES
CHÂTEL-S-MOSELLE
MIRECOURT
DOMPAIRE
VITTEL
Contrexéville
BULGNÉVILLE
ÉPINAL
DARNEY
XERTIGNY
MONTHUREUX-S-SAÔNE
BAINS-LES-BAINS
VAUVILLERS
Allain
Thélod
Pulligny
Crévéchamps
Haussonville
Tonnoy
Ferrières
Xeuilley
Pierre
Germiny
Crépey
Ceintrey
Benney
Voinémont
Autrey
Houdelmont
Parey-St-Césaire
Clérey-s.-Brenon
Houdreville
Hammeville
Omelmont
Gerbécourt-et-Haplemont
Lemainville
Selaincourt
Goviller
Vitrey
Dolcourt
Ognéville
Tantonville
Harmonville
Saulxerotte
Favières
Gélaucourt
Vroncourt
Quevilloncourt
Affracourt
Crantenoy
Vaudeville
Vaudigny
Xirocourt
Praye
Chaouilley
Forcelles-St-Gorgon
Battigny
Vandeléville
Gémonville
Fécocourt
Saxon-Sion
Vaudémont
Housséville
St-Firmin
Jevoncourt
Germonville
Bralleville
Gripport
Chamagne
Socourt
Essegney
Langley
Portieux
Vincey
Moriville
Rehaincourt
Pleuvezain
Aouze
Soncourt
Vicherey
Beuvezin
Maconcourt
Aboncourt
Chef-Haut
Blémerey
Boulaincourt
Bouzanville
Frenelle-la-Grande
Ambacourt
Vomécourt-s.-Madon
Pont-s.-Madon
Xaronval
Battexey
Florémont
Savigny
Rugney
Brantigny
Ubexy
Varmonzey
Évaux-et-Ménil
Nomexy
Rainville
Dommartin-s.-Vraine
Repel
St-Prancher
Juvaincourt
Frenelle-la-Petite
Bettoncourt
Gircourt-lès-Viéville
Bouxurulles
Chauffecourt
Mazirot
Rapey
Avillers
Jorxey
Villers
Vroville
Ahéville
Vaubexy
Gugney-aux-Aulx
Madegney
Bettegney-St-Brice
Regney
Frizon
Vaxoncourt
Igney
Zincourt
St-Paul
Biécourt
Morelmaison
Oëlleville
Totainville
Baudricourt
Poussay
Ramecourt
Domvallier
Viocourt
Gironcourt-s.-Vraine
Houécourt
Ménil-en-Xaintois
Dombasle-en-Xaintois
Rouvres-en-Xaintois
Remicourt
Thiraucourt
St-Menge
Offroicourt
Mattaincourt
Hymont
Velotte-et-Tatignécourt
Racécourt
Bazegney
Derbamont
Oncourt
Thaon-les-Vosges
Sandaucourt
Dombrot-s.-Vair
Belmont-s.-Vair
Parey-s/s-Montfort
Domjulien
Viviers-lès-Offroicourt
Estrennes
Bazoilles-et-Ménil
Valleroy-aux-Saules
Maroncourt
Circourt
Bouzemont
Bouxières-aux-Bois
Mazeley
Gigney
Fomerey
St-Remimont
They-s/s-Montfort
Domèvre-s/s-Montfort
Remoncourt
Rozerotte
Madecourt
Hagécourt
Madonne-et-Lamerey
Bocquegney
Domèvre-s.-Avière
Mandres-s.-Vair
Norroy
La Neuveville-s/s-Montfort
Rancourt
Bainville-aux-Saules
Begnécourt
Gelvécourt-et-Adompt
Damas-et-Bettegney
Hennecourt
Darnieulles
Uxegney
Les Forges
Golbey
Haréville
Valleroy-le-Sec
Valfroicourt
Les Ableuvenettes
Ville-s.-Illon
Gorhey
Chaumousey
Sanchey
Chantraine
Frénois
Légéville-et-Bonfays
Dommartin-aux-Bois
Girancourt
Renauvoid
Suriauville
Lignéville
Monthureux-le-Sec
Esley
Pont-lès-Bonfays
Sans-Vallois
Pierrefitte
Harol
Crainvilliers
St-Baslemont
Thuillières
Senonges
Dommartin-lès-Vallois
Les Vallois
Lerrain
Escles
Dombrot-le-Sec
Provenchères-lès-Darney
Dombasle-devant-Darney
Jésonville
Uriménil
Dounoux
Viviers-le-Gras
Martigny-les-Bains
Gignéville
Relanges
Bonvillet
Viménil
Charmois-l'Orgueilleux
Uzemain
Marey
Serocourt
Belmont-lès-Darney
Frain
Belrupt
La Haye
Harsault
Morizécourt
Nonville
Attigny
Grandrupt-de-Bains
Hennezel
La Chapelle-aux-Bois
Serécourt
Bleurville
Tignécourt
Claudon
Gruey-lès-Surance
Les Voivres
Hautmougey
Isches
St-Julien
Fouchécourt
Godoncourt
Ainvelle
Fignévelle
Les Thons
Regnévelle
Martinvelle
Ambiévillers
Pont-du-Bois
Montmotier
Trémonzey
Fontenoy-le-Château
Le Clerjus
Lironcourt
Grignoncourt
Selles
Passavant-la-Rochère
La Basse-Vaivre
Le Magny
Fresnes-s.-Apance
Bousseraucourt
Ameuvelle
Alaincourt
Fontenois
Aillevillers-et-Lyaumont
La Vaivre
Jonvelle
Montcourt
Montdoré
Betoncourt-St-Pancras
Dampvalley
Fleurey-lès-St-Loup
Demangevelle
10 km

101

62
83
102

ÉPINAL
ST-DIÉ-DES-VOSGES
RAMBERVILLERS
BACCARAT
RAON-L'ÉTAPE
SENONES
BADONVILLER
BRUYÈRES
BROUVELIEURES
GÉRARDMER
REMIREMONT
PLOMBIÈRES-LES-BAINS
SAULXURES-S.-MOSELOTTE
CORCIEUX
FRAIZE
XERTIGNY
Moyenmoutier
Etival-Clairefontaine
St-Michel-s.-Meurthe
Ste-Marguerite
Le Tholy
Vagney
Cornimont
Ventron
Wildenstein
Kruth
Oderen
Fellering
Mittlach
Le Valtin
Xonrupt-Longemer
Granges-s.-Vologne
Docelles
Arches
Archettes
Jarménil
Eloyes
Pouxeux
St-Nabord
Raon-aux-Bois
Le Val-d'Ajol
Girmont-Val-d'Ajol
Dommartin-lès-Remiremont
St-Étienne-lès-Remiremont
Rupt-s.-Moselle
Ferdrupt
Montagne
la Rosière
Bellefontaine
Charmois-devant-Bruyères
Deyvillers
Jeuxey
Dogneville
Longchamp
Girecourt-s.-Durbion
Padoux
Dompierre
Bult
Autrey
Nonzeville
Grandvillers
Vervezelle
Laveline-devant-Bruyères
Champ-le-Duc
Fiménil
Lépanges-s.-Vologne
Deycimont
Tendon
Rehaupal
Liézey
Champdray
Arrentès-de-Corcieux
Barbey-Seroux
Gerbépal
Anould
Plainfaing
Ban-s.-Meurthe
St-Léonard
Mandray
Saulcy-s.-Meurthe
Taintrux
Remomeix
Provenchères-s.-Fave
Raves
Coinches
Bertrimoutier
Combrimont
Lusse
Frapelle
Neuvillers-s.-Fave
Denipaire
Hurbache
St-Jean-d'Ormont
Nayemont-les-Fosses
Moussey
le Saulcy
Belval
le Puid
Vieux-Moulin
Ménil-de-Senones
Grandrupt
Châtas
Pierre-Percée
Celles-s.-Plaine
Allarmont
Vexaincourt
Luvigny
Bionville
Angomont
Pexonne
Fenneviller
Neufmaisons
Vacqueville
Merviller
Veney
Bertrichamps
Thiaville-s.-Meurthe
Lachapelle
Deneuvre
Glonville
Azerailles
Flin
Gélacourt
Brouville
Reherrey
Vaxainville
Hablainville
Chenevières
Vathiménil
Moyen
Gerbéviller
Vallois
Magnières
Seranville
Domptail
Fontenoy-la-Joûte
Ménarmont
Bazien
Xaffévillers
Deinvillers
Clézentaine
Doncières
Nossoncourt
Ménil-s.-Belvitte
Ste-Barbe
Roville-aux-Chênes
Anglemont
St-Maurice-s.-Mortagne
Hardancourt
Fauconcourt
Romont
Ortoncourt
St-Genest
Moyemont
Brû
St-Benoît-la-Chipotte
Jeanménil
St-Gorgon
Housseras
la Salle
la Bourgonce
Nompatelize
St-Rémy
Mortagne
les Rouges-Eaux
Vomécourt
Badménil-aux-Bois
Domèvre-s.-Durbion
Bayecourt
Villoncourt
Hadigny-les-Verrières
Dignonville
Vaudéville
Gugnécourt
Viménil
Méménil
Fontenay
Aydoilles
Haillainville
Essey-la-Côte
Giriviller
Mattexey
St-Pierremont
Remenoville
Moriville
Rehaincourt
Hadol
Dounoux
Uriménil
Raon-aux-Bois
Thiéfosse
Le Syndicat
Cleurie
Sapois
Rochesson
Gerbamont
Basse-s.-le-Rupt
la Bresse
Le Hohneck
Vecoux
Dinozé
Golbey
Chavelot
Thaon-les-Vosges

63
103
10 km
SCHIRMECK
OBERNAI
ERSTEIN
BARR
le Hohwald
Andlau
BENFELD
VILLÉ
SÉLESTAT
STE-MARIE-AUX-MINES
RIBEAUVILLÉ
Riquewihr
KAYSERSBERG
MARCKOLSHEIM
COLMAR
WINTZENHEIM
MUNSTER
NEUF-BRISACH
ANDOLSHEIM
ROUFFACH
Equisheim
LAPOUTROIE
Rosheim
Bœrsch
Ottrott
Klingenthal
Ste-Odile
Heiligenstein
Goxwiller
Niedernai
Meistratzheim
Krautergersheim
Hindisheim
Limersheim
Schaeffersheim
Bolsenheim
Uttenheim
Valff
Bourgheim
Gertwiller
Mittelbergheim
Zellwiller
Stotzheim
Westhouse
Osthouse
Matzenheim
Sand
Gerstheim
Obenheim
Daubensand
Boofzheim
Rhinau
Friesenheim
Diebolsheim
Herbsheim
Rossfeld
Witternheim
Kogenheim
Sermersheim
Huttenheim
Kertzfeld
Epfig
Itterswiller
Eichhoffen
Bernardvillé
Reichsfeld
Breitenbach
Albé
Triembach-au-Val
St-Maurice
St-Pierre-Bois
Nothalten
Blienschwiller
Dambach-la-Ville
Dieffenthal
Scherwiller
Châtenois
Kintzheim
Orschwiller
St-Hippolyte
Rodern
Rorschwihr
Bergheim
Guémar
Illhaeusern
Ostheim
Zellenberg
Beblenheim
Mittelwihr
Bennwihr
Houssen
Sigolsheim
Ammerschwihr
Ingersheim
Horbourg-Wihr
Sundhoffen
Appenwihr
Wolfgantzen
Volgelsheim
Vogelgrun
Algolsheim
Obersaasheim
Geiswasser
Heiteren
Nambsheim
Balgau
Fessenheim
Blodelsheim
Hirtzfelden
Roggenhouse
Munchhouse
Rustenhart
Niederentzen
Oberentzen
Biltzheim
Oberhergheim
Niederhergheim
Dessenheim
Logelheim
Ste-Croix-en-Plaine
Hettenschlag
Weckolsheim
Biesheim
Widensolen
Kunheim
Urschenheim
Durrenentzen
Baltzenheim
Artzenheim
Muntzenheim
Fortschwihr
Bischwihr
Wickerschwihr
Holtzwihr
Riedwihr
Jebsheim
Grussenheim
Elsenheim
Ohnenheim
Heidolsheim
Hessenheim
Artolsheim
Boofzheim
Mackenheim
Richtolsheim
Saasenheim
Schœnau
Sundhouse
Wittisheim
Muttersholtz
Ebersheim
Ebersmunster
Baldenheim
Schwobsheim
Bœsenbiesen
Mussig
Herrlisheim-près-Colmar
Hattstatt
Obermorschwihr
Husseren-les-Châteaux
Vœgtlinshoffen
Gueberschwihr
Pfaffenheim
Westhalten
Soultzmatt
Osenbach
Wettolsheim
Walbach
Zimmerbach
Turckheim
Niedermorschwihr
Katzenthal
Labaroche
Orbey
Le Bonhomme
Fréland
Aubure
Thannenkirch
Lièpvre
Rombach-le-Franc
La Vancelle
Neubois
Thanvillé
Fouchy
Urbeis
Lalaye
Bassemberg
Maisonsgoutte
Steige
St-Martin
Ranrupt
Colroy-la-Roche
St-Blaise-la-Roche
Bellefosse
Blancherupt
Belmont
Waldersbach
Fouday
Solbach
Wildersbach
Neuviller-la-Roche
Natzwiller
Rothau
la Broque
Barembach
Russ
Grendelbruch
Wisches
Colroy-la-Grande
Lubine
Lusse
Wisembach
Gunsbach
Hohrod
Soultzeren
Stosswihr
Luttenbach-près-Munster
Breitenbach-Haut-Rhin
Metzeral
Sondernach
Wasserbourg
Soultzbach-les-Bains
Griesbach-au-Val
Eschbach-au-Val
Linthal
Lautenbach
Lautenbachzell
Murbach
Buhl
Bergholtz
Bergholtzzell
Orschwihr
Gundolsheim
Merxheim
Meyenheim
Munwiller
Réguisheim
Ungersheim
Rimbach-près-Guebwiller
Rimbachzell
Wyhl
Weisweil
Sasbach
Endingen
Breisach am Rhein
Ihringen
Vogtsburg
Merdingen
Gottenheim
Hartheim
Bad-Krozingen
Eschbach
Heitersheim
Kappel-Grafenhausen
Rheinhausen
Schwanau
Meissenheim
Europapark

68

ILE DE GROIX
GROIX
Pointe Pen Men
Réserve Naturelle
Port Mélin
Quelhuit
Port-Lay
Port-Tudy
Port-Mélite
Kerrohet
Kerlard
Locqueltas
Locmaria
Plage des Grands Sables
Pointe St-Nicolas
Trou de l'Enfer
Pointe des Chats
Basse des Bretons
Passe de l'Ouest
Passe du Sud
les Truies
Pointe de Gâvres
Gâvres
PORT-LOUIS
Larmor-Plage
Riantec
Kerroch
Lomener
Kerpape
Pointe du Talut
Locmiquélic
Plouhinec
Kerner
Magouëro
Roches de Magouëro
le Magouër
Vieux-Passage
Pont-Lorois
BELZ
St-Cado
Etel
Barre d'Etel
Kerdavid
Nestadio
la Forest
Mendon
Locoal
Lapaul
le Moustoir
Pont-Fol
Kerstran
Ploemel
Locmaria
Erdeven
Kerdonnerch
St-Germain
Kerzerho
Alignements
Kerouriec
Pointe d'Erdeven
Lisveur
Crucuno
I. de Roelan
Rouzès
Ste-Barbe
Plouharnel
le Ménec
Kerlescan
Kermario
Crach
Carnac
Carnac-Plage
St-Colomban
la Trinité-s.-Mer
St-Philibert
Kerbihan
Pointe de Kerbihan
Ile Tiviec
Penthièvre
Fort de Penthièvre
Portivy
Kerhostin
Beg en Aud
Pointe du Percho
St-Pierre-Quiberon
Beg-Rohu
St-Julien
PRESQU'ILE DE QUIBERON
Côte Sauvage
CHAMP DE TIR
Kerniscob
QUIBERON
Port-Haliguen
Beg er Goalennec
Kervozès
Beg er Lan
Port Maria
Pointe du Conguel
BAIE DE QUIBERON
Phare de la Teignouse
Passage de la Teignouse
Chaussée du Béniguet
Ile Glazic
Ile Valuec
Passage du Béniguet
Ile Séniz
I. d'Houat
ILE D'HOUAT
Chaussée de l'Ile aux Chevaux
Plateau des Birvideaux
Bancs de Taillefer
BELLE ILE
Pointe des Poulains
Réserve Naturelle
Pointe du Cardinal
Pointe du Vx Château
Sauzon
Grotte de l'Apothicairerie
Pointe de Taillefer
Sémaphore
Citadelle
LE PALAIS
Pointe de Ramonette
Borthélo
Kerlédan
PORT DONNANT
Grand Phare
AIGUILLES DE PORT COTON
Port Goulphar
Domois
Bangor
Bordardoué
Grand-Village
Pointe du Gros Rocher
Plage des Grands Sables
Samzun
Pointe de Kerdonis
Port An-Dro
Locmaria
Port Maria
Pointe d'Arzic
le Grand-Cosquet
Pointe de Pouldon
Pointe du Skeul
Pointe du Talut
Port Kérel
CÔTE SAUVAGE
O P Q R S
49 50 51 52 53 54 55

69
104
88
10 km
VANNES
Plumergat
Ste-Anne-d'Auray
Pluneret
Plescop
Meucon
Monterblanc
ELVEN
St-Avé
St-Nolff
Larré
Molac
Trédion
Tréffléan
Sulniac
la Vraie-Croix
QUESTEMBERT
Pluherlin
Ploeren
Arradon
Baden
Plougoumelen
Bono
Séné
Theix
Noyalo
la Trinité-Surzur
Lauzach
Berric
Limerzel
Ile d'Arz
Ile-aux-Moines
Larmor-Baden
GOLFE DU MORBIHAN
Arzon
Port-Navalo
Sarzeau
St-Armel
Surzur
Ambon
MUZILLAC
Noyal-Muzillac
le Guerno
Péaule
le Tour-du-Parc
Damgan
Billiers
Arzal
LA ROCHE-BERNARD
St-Gildas-de-Rhuys
Pénestin
Camoël
Assérac
Herbignac
Mesquer
Piriac-s.-Mer
St-Molf
la Turballe
GUERANDE
LE CROISIC
Batz-s.-Mer
LA BAULE-ESCOUBLAC
le Pouliguen
Pornichet
St-André-des-Eaux
St-Lyphard
Hœdic
ILE HŒDIC
Beg Lagad
Ile Dumet
PLATEAU DE ST-JACQUES
PLATEAU DE LA RECHERCHE
RADE DE PENERF
RADE DU CROISIC
LA CÔTE SAUVAGE
CHENAL DU NORD
Phare du Four
la Banche
les Grds Cardinaux

70
69
87
104
105
GUER
Porcaro
Comblessac
MAURE-DE-BRETAGNE
Mernel
les Brulais
Guignen
Lohéac
St-Malo-de-Phily
St-Senoux
Monteneuf
Réminiac
Caro
Monterrein
la Chapelle-Caro
St-Abraham
Missiriac
MALESTROIT
Tréal
Ruffiac
St-Nicolas-du-Tertre
St-Laurent-s.-Oust
Carentoir
Quelneuc
Bruc-s.-Aff
PIPRIAC
Lieuron
St-Séglin
Guipry
Messac
la Chapelle-Gaceline
St-Congard
Pleucadeuc
LA GACILLY
Sixt-s.-Aff
St-Just
St-Martin
Cournon
les Fougerêts
St-Gravé
Glénac
St-Ganton
Langon
Ste-Anne-s.-Vilaine
GRAND-FOUGERAY
ROCHEFORT-EN-TERRE
Peillac
St-Vincent-s.-Oust
Bains-s.-Oust
Renac
Pluherlin
Malansac
St-Jacut-les-Pins
Ste-Marie
la Chapelle-de-Brain
St-Perreux
St-Gorgon
REDON
Masserac
Pierric
Limerzel
Caden
St-Jean-la-Poterie
ALLAIRE
ST-NICOLAS-DE-REDON
Avessac
GUÉMENÉ-PENFAO
Péaule
Béganne
Rieux
Fégréac
Conquereuil
Théhillac
Marzan
Nivillac
Sévérac
St-Dolay
LA ROCHE-BERNARD
Plessé
ST-GILDAS-DES-BOIS
Guenrouet
Férel
Missillac
le Gâvre
HERBIGNAC
la Chapelle-des-Marais
Ste-Reine-de-Bretagne
Drefféac
Ste-Anne-s.-Brivet
Quilly
BLAIN
PONTCHÂTEAU
Crossac
Campbon
Bouvron
Fay-de-Bretagne
St-Lyphard
Besné
St-Joachim
Prinquiau
la Chapelle-Launay
SAVENAY
Malville
St-Malo-de-Guersac
MONTOIR-DE-BRETAGNE
Donges
St-André-des-Eaux
Lavau-s.-Loire
Temple-de-Bretagne
Vigneux-de-Bretagne
FORÊT DE LA ROCHE-BERNARD
FORÊT DU GÂVRE
LA GRANDE BRIÈRE
PORT PÉTROLIER

71
106
AC
AD
AE
AF
AG
RETIERS
LA GUERCHE DE-BRETAGNE
LE SEL-DE-BRETAGNE
BAIN-DE-BRETAGNE
ROUGÉ
CHÂTEAUBRIANT
POUANCÉ
ST-AIGNAN-S.-ROË
Martigné-Ferchaud
ST-JULIEN-DE-VOUVANTES
MOISDON-LA-RIVIÈRE
DERVAL
NOZAY
NORT-S.-ERDRE
LIGNÉ
ANCENIS
ST-MARS-LA-JAILLE
RIAILLÉ
FORÊT DE LA GUERCHE
FORÊT D'ARAIZE
FORÊT DE JUIGNÉ
FORÊT D'ANCENIS
CHAMPTOCEAUX
10 km
90

AH
AI
AJ
AK
AL
72
Nuillé-s.-Vicoin
Arquenay
Méra
Astillé
COSSÉ-LE-VIVIEN
Maisoncelles-du-Maine
Origné
Laubrières
la Grancière
Quelaines-St-Gault
le Bignon-du-Maine
MESLAY-DU-MAINE
Cosmes
Villiers-Charlemagne
la Roë
Ballots
Houssay
St-Charles-la-Forêt
St-Michel-de-la-Roë
la Chapelle Craonnaise
Athée
Denazé
Simplé
St-Sulpice
Ruillé-Froid-Fonds
Livré
Peuton
Loigné-s.-Mayenne
GREZ-EN-BOUÈRE
Marigné Peuton
Longuefuye
Gennes-s.-Glaize
Fromentières
Niafles
CRAON
la Selle-Craonnaise
Laigné
St-Clément
CHÂTEAU-GONTIER
Pommerieux
St-Saturnin-du-Limet
St-Martin-du-Limet
Congrier
Bazouges
Azé
Ampoigné
Bouffay
Bouchamps-lès-Craon
Chérancé
Mée
St-Fort
Châtelain
BIERNÉ
Renazé
la Boissière
Chemazé
Coudray
Argenton-Notre-Dame
St-Michel-de-Feins
St-Quentin-les-Anges
Ménil
la Chapelle-Hullin
St-Laurent-des-Mortiers
Châtelais
Chazé-Henry
Grugé-l'Hôpital
l'Hôtellerie-de-Flée
St-Sauveur-de-Flée
Daon
Bourg-l'Évêque
Bouillé-Ménard
Vergonnes
la Ferrière-de-Flée
Montguillon
Sœurdres
la Jaille-Yvon
Marigné
Contigné
Nyoiseau
Combrée
Noyant-la-Gravoyère
SEGRÉ
St-Martin-du-Bois
Aviré
Louvaines
Chenillé-Changé
Cherré
le Bourg-d'Iré
le Tremblay
la Chapelle-s.-Oudon
Chambellay
Ste-Gemmes-d'Andigné
Andigné
Champteussé-s.-Baconne
Querré
Challain-la-Potherie
Montreuil-s.-Maine
Champigné
Marans
Juvardeil
Chazé-s.-Argos
Gené
LE LION-D'ANGERS
Thorigné-d'Anjou
Sceaux-d'Anjou
Loiré
Écuillé
Cheffes
Vern-d'Anjou
Brain-s.-Longuenée
Grez-Neuvillé
Vritz
Pruillé
Soulaire-et-Bourg
Angrie
CANDÉ
la Membrolle-s.-Longuenée
Feneu
FORÊT DE LONGUENÉE
la Pouëze
Briollay
le Plessis-Macé
la Cornuaille
LE LOUROUX-BÉCONNAIS
St-Clément-de-la-Place
la Meignanne
Cantenay-Epinard
Ecouflant
Montreuil-Juigné
Bécon-les-Granits
St-Sylvain-d'Anjou
Avrillé
ANGERS-EST
St-Lambert-la-Potherie
Maumusson
Belligné
Villemoisan
St-Augustin-des-Bois
Beaucouzé
St-Sigismond
St-Léger-des-Bois
la Rouxière
la Chapelle-St-Sauveur
St-Jean-de-Linières
St-Barthélemy-d'Anjou
ANGERS
Champtocé-s.-Loire
St-Germain-des-Prés
St-Martin-du-Fouilloux
Bouchemaine
Ste-Gemmes-s.-Loire
Ingrandes
ST-GEORGES-S.-LOIRE
PONTS-DE-CÉ
le Fresne-s.-Loire
Montjean-s.-Loire
St-Jean-de-la-Croix
Mûrs-Erigné
VARADES
Montrelais
Savennières
la Possonnière
Denée
Béhuard
le Mesnil-en-Vallée
106
107
89
CHALONNES-S.-LOIRE
LOIRE

73
108
AM
AN
AO
AP
AQ
48
49
50
51
52
53
54
92
10 km
Saulges
Bannes
Thorigné-en-Charnie
Loué
Tassillé
Chémeré-le-Roi
Brûlon
Cossé-en-Champagne
Avessé
Chevillé
St-Ouen-en-Champagne
St-Christophe-en-Champagne
Vallon-s/-Gée
Crannes-en-Champagne
Souligné-Flacé
St-Georges-du-Bois
Allonnes
Épineux-le-Seguin
Préaux
Ballée
Beaumont-Pied-de-Bœuf
Poillé-sur-Vègre
Fontenay-s.-Vègre
Chantenay-Villedieu
St-Pierre-des-Bois
Maigné
Louplande
Étival-lès-le-Mans
Chemiré-le-Gaudin
Voivres-lès-le-Mans
Pirmil
Fercé-s.-Sarthe
Tassé
Auvers-le-Hamon
St-Loup-du-Dorat
Bouessay
Asnières-s.-Vègre
La Suze-sur-Sarthe
Roëzé-s.-Sarthe
Fillé
Arnage
Spay
Guécélard
Juigné-s.-Sarthe
Avoise
Noyen-s.-Sarthe
St-Jean-du-Bois
Solesmes
Parcé-s.-Sarthe
Dureil
Sablé-sur-Sarthe
St-Brice
Souvigné-s.-Sarthe
Vion
Mézeray
Parigné-le-Pôlin
Cérans-Foulletourte
Malicorne-sur-Sarthe
Courtillers
Louailles
Oizé
Yvré-le-Pôlin
St-Denis-d'Anjou
Pincé
Arthezé
Courcelles-la-Forêt
La Fontaine-St-Martin
Précigné
le Bailleul
Bousse
Ligron
Requeil
Morannes
Chemiré-sur-Sarthe
Villaines-s/s-Malicorne
Crosmières
Mansigné
La Chapelle-d'Aligné
St-Jean-de-la-Motte
Notre-Dame-du-Pé
Clermont-Créans
Mareil-s.-Loir
Daumeray
La Flèche
Bazouges-s.-le-Loir
Luché-Pringé
Thorée-les-Pins
Durtal
Cré
Étriché
Huillé
Baracé
Lézigné
Fougeré
Clefs
Le Lude
Savigné-s/s-le-Lude
Tiercé
Montreuil-s.-Loir
La Chapelle-St-Laud
Montigné-lès-Rairies
St-Quentin-lès-Beaurepaire
Chevirè-le-Rouge
Vaulandry
Genneteil
Dissé-s/s-le-Lude
Seiches-sur-le-Loir
Marcé
Beauvau
Montpollin
Chigné
Broc
Soucelles
Corzé
Villevêque
Jarzé
Échemiré
St-Martin-d'Arcé
Pontigné
Chalonnes-s/s-le-Lude
Chaumont-d'Anjou
Baugé
Chavaignes
Dénezé-s/s-le-Lude
Pellouailles-les-Vignes
Lué-en-Baugeois
Sermaise
le Vieil-Baugé
Lasse
Auverse
Noyant
Fontaine-Milon
Sarrigné
Bocé
St-Georges-du-Bois
Cornillé-les-Caves
Bauné
Le Guédeniau
Fontaine-Guérin
Chartrené
Cuon
La Lande-Chasles
Méon
Corné
Mazé
Mouliherne
Breil
Andard
Brain-s.-l'Authion
Beaufort-en-Vallée
Brion
Linières-Bouton
La Pellerine
La Daguenière
La Bohalle
St-Mathurin-s.-Loire
Jumelles
Parçay-les-Pins
St-Sulpice
Blaison-Gohier
St-Rémy-la-Varenne
La Ménitré
Vernantes
St-Saturnin-s.-Loire
St-Philbert-du-Peuple
Vernoil
Courléon
Charcé-St-Ellier-s.-Aubance
Le Thoureil
Coutures
Longué-Jumelles

74
91
108
109 TOURS
AR
AS
AT
AU
AQ
48
49
50
51
52
53
54
ALLONNES
Arnage
Changé
Ruaudin
Parigné-l'Évêque
Surfonds
BOULOIRE
Maisoncelles
Ecorpain
Montaillé
ST-CALAIS
Challes
Volnay
St-Mars-de-Locquenay
Mulsanne
Moncé-en-Belin
St-Gervais-en-Belin
Teloché
Laigné-en-Belin
Brette-les-Pins
St-Mars-d'Outillé
LE GRAND-LUCÉ
Villaines-s/s-Lucé
Montreuil-le-Henri
Tresson
Évaillé
Ste-Osmane
Ste-Cérotte
Cogners
ÉCOMMOY
Marigné-Laillé
Pruillé-l'Éguillé
St-Ouen-en-Belin
St-Biez-en-Belin
Château-l'Hermitage
St-Vincent-du-Lorouër
Courdemanche
St-Pierre-du-Lorouër
St-Georges-de-la-Couée
Vancé
La Chapelle-Huon
Bessé-s.-Braye
La Chapelle-Gaugain
Lavenay
FORÊT DE BERCÉ
Jupilles
Requeil
PONTVALLAIN
MAYET
Beaumont-Pied-de-Bœuf
Thoiré-s.-Dinan
Flée
Chahaignes
Lhomme
Ruillé-s.-Loir
Poncé-s.-le-Loir
Couture-s.-Loir
Sougé
Artins
Mansigné
Sarcé
Verneil-le-Chétif
Lavernat
Luceau
LA CHARTRE-S.-LE-LOIR
Marçon
Tréhet
Villedieu-le-Château
Montrouveau
Coulongé
Aubigné-Racan
CHÂTEAU-DU-LOIR
Montabon
Vouvray-s.-Loir
Beaumont-s.-Dême
Vaas
Nogent-s.-Loir
Dissay-s/s-Courcillon
Villebourg
Épeigné-s.-Dême
Chemillé-s.-Dême
la Chapelle-aux-Choux
la Bruère-s.-Loir
St-Pierre-de-Chevillé
Bueil-en-Touraine
St-Germain-d'Arcé
St-Aubin-le-Dépeint
Chenu
St-Christophe-s.-le-Nais
NEUVY-LE-ROI
Louestault
Marray
Ferrière
Dissé-s/s-le-Lude
St-Paterne-Racan
Broc
Chalonnes-s/s-le-Lude
Villiers-au-Bouin
Brèches
Braye-s.-Maulne
Couesmes
Marcilly-s.-Maulne
CHÂTEAU-LA-VALLIÈRE
NEUILLÉ-PONT-PIERRE
Beaumont-la-Ronce
Nouzilly
St-Laurent-en-Gâtines
NOYANT
Lublé
Meigné-le-Vicomte
St-Laurent-de-Lin
Souvigné
Sonzay
Rouziers-de-Touraine
Semblançay
St-Antoine-du-Rocher
Cerelles
Monnaie
Méon
Breil
Courcelles-de-Touraine
Channay-s.-Lathan
Charentilly
Chanceaux-s.-Choisille
Rillé
Savigné-s.-Lathan
Ambillou
Pernay
Mettray
Notre-Dame-d'Oé
Parçay-Meslay
Parçay-les-Pins
Hommes
St-Roch
La Membrolle-s.-Choisille
Cléré-les-Pins
Rochecorbon
Gizeux
Continvoir
ST-CYR-S.-LOIRE
Fondettes
La Riche
Larçay
N 138
N 157
N 226
D 304
D 766
D 959
A 28
E 502

75
110
10 km
AV
AW
AX
AY
AZ
48
49
50
51
52
53
54
94
CLOYES-S.-LE-LOIR
MONDOUBLEAU
Boursay
Bouffry
la Chapelle-Vicomtesse
Fontaine-Raoul
Villebout
Ruan-s.-Egvonne
Montigny-le-Gannelon
Autheuil
la Ferté-Villeneuil
Romilly-s.-Aigre
Charray
Baillou
Cormenon
St-Marc-du-Cor
Rahay
Chauvigny-du-Perche
Romilly
Beauchêne
le Temple
St-Jean-Froidmentel
Brévainville
Verdes
Ouzouer-le-Doyen
Semerville
Sargé-s.-Braye
la Ville-aux-Clercs
St-Hilaire-la-Gravelle
Moisy
Épuisay
MORÉE
Fréteval
SAVIGNY-S.-BRAYE
Danzé
Busloup
Rahart
Azé
Lignières
Pezou
Vievy-le-Rayé
la Colombe
Lisle
St-Firmin-des-Prés
Beauvilliers
Fortan
Mazangé
Lunay
Renay
la Chapelle-Enchérie
Oucques
St-Ouen
Villiers-s.-Loir
Meslay
Areines
Rocé
Faye
Epiais
Fontaine-les-Coteaux
Naveil
VENDÔME
Coulommiers-la-Tour
Villetrun
Ste-Gemmes
Villeneuve-Frouville
Thoré-la-Rochette
Les Roches-l'Évêque
MONTOIRE-S.-LE-LOIR
St-Rimay
Marcilly-en-Beauce
Houssay
Villerable
Baigneaux
Boisseau
Ste-Anne
SELOMMES
Rhodon
Conan
Maves
Villavard
Villiersfaux
Lavardin
St-Martin-des-Bois
Sasnières
Crucheray
Villeromain
Périgny
Villemardy
Ambloy
Huisseau-en-Beauce
Nourray
Champigny-en-Beauce
St-Arnoult
Prunay-Cassereau
Lancé
ST-AMAND-LONGPRÉ
Tourailles
Villefrancœur
Averdon
Pray
la Chapelle-Vendômoise
St-Gourgon
Villechauve
Monthodon
Authon
Lancôme
Landes-le-Gaulois
Marolles
Villerbon
Gombergean
Villeporcher
St-Bohaire
Neuville-s.-Brenne
Fossé
Menars
St-Cyr-du-Gault
St-Étienne-des-Guérets
Françay
St-Lubin-en-Vergonnois
Villebarou
le Boulay
Saunay
HERBAULT
St-Sulpice
la Chaussée-St-Victor
CHÂTEAU-RENAULT
St-Nicolas-des-Motets
Orchaise
BLOIS
VINEUIL
Molineuf
Santenay
Morand
Chambon-s.-Cisse
St-Gervais-la-Forêt
Villedômer
Dame-Marie-les-Bois
Chailles
Crotelles
Auzouer-en-Touraine
Seillac
Coulanges
Neuillé-le-Lierre
Autrèche
Chouzy-s.-Cisse
Cellettes
Mesland
Onzain
Seur
Chitenay
Montreuil-en-Touraine
Monteaux
Candé-s.-Beuvron
les Montils
Cormeray
Reugny
Veuves
Chaumont-s.-Loire
Monthou-s.-Bièvre
Ouchamps
Cangey
Chançay
St-Ouen-les-Vignes
Limeray
Rilly-s.-Loire
Valaire
Mosnes
Fougères-s.-Bièvre
Pocé-s.-Cisse
Sambin
Feings
Noizay
Nazelles-Négron
Chargé
Vallières-les-Grandes
Vernou-s.-Brenne
Souvigny-de-Touraine
VOUVRAY
AMBOISE
St-Règle
Thenay
Choussy
Sassay
Forêt de Fréteval
Forêt de Vendôme
Forêt de Blois
Forêt de Prunay
Bois de Sudais
N 10
N 157
N 152
D 957
D 924
D 917
D 766
A 10
E 5
E 60

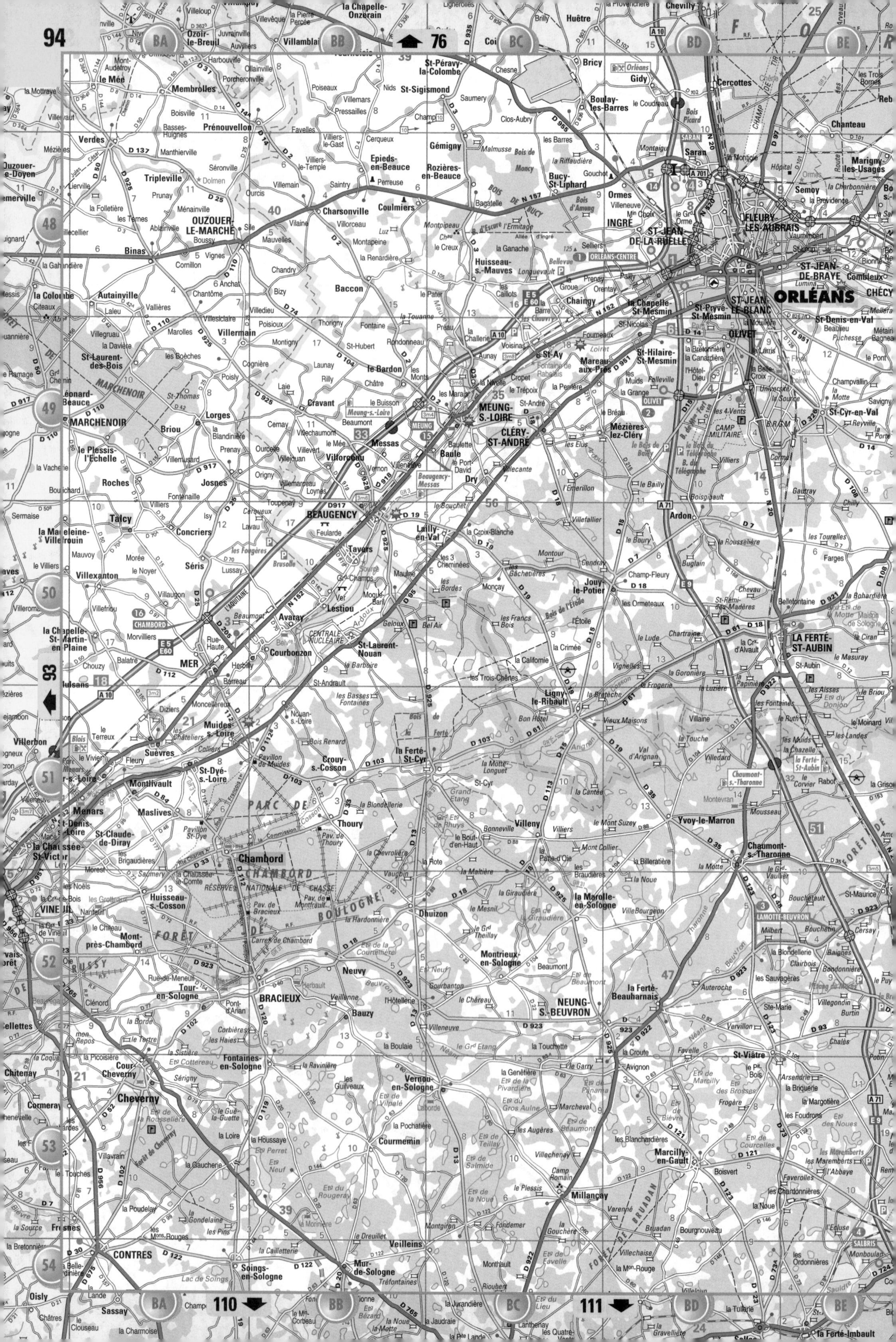
76
110
111
93
BA
BB
BC
BD
BE
48
49
50
51
52
53
54
ORLÉANS
Ozoir-le-Breuil
Villamblain
la Chapelle-Onzerain
Chevilly
Huêtre
Bricy
Gidy
Cercottes
St-Péravy-la-Colombe
St-Sigismond
Boulay-les-Barres
Chanteau
le Mée
Membrolles
Prénouvellon
Verdes
Tripleville
Epieds-en-Beauce
Gémigny
Rozières-en-Beauce
Bucy-St-Liphard
Saran
Marigny-les-Usages
Ouzouer-le-Doyen
Charsonville
Coulmiers
Ormes
Semoy
OUZOUER-LE-MARCHÉ
Binas
INGRÉ
ST-JEAN-DE-LA-RUELLE
FLEURY-LES-AUBRAIS
ST-JEAN-DE-BRAYE
Combleux
CHÉCY
Baccon
Huisseau-s.-Mauves
Chaingy
Autainville
la Colombe
ST-JEAN-LE-BLANC
la Chapelle-St-Mesmin
St-Pryvé-St-Mesmin
St-Denis-en-Val
Villermain
OLIVET
St-Laurent-des-Bois
le Bardon
St-Ay
Mareau-aux-Prés
St-Hilaire-St-Mesmin
MARCHENOIR
Cravant
MEUNG-S.-LOIRE
CLÉRY-ST-ANDRÉ
Mézières-lez-Cléry
St-Cyr-en-Val
Lorges
Briou
le Plessis-l'Echelle
Messas
Villorceau
Baule
Dry
Roches
Josnes
BEAUGENCY
Talcy
Concriers
Tavers
Lailly-en-Val
Ardon
Séris
Villexanton
Jouy-le-Potier
Lestiou
Avaray
LA FERTÉ-ST-AUBIN
MER
Courbouzon
St-Laurent-Nouan
Ligny-le-Ribault
Muides-s.-Loire
Suèvres
Crouy-s.-Cosson
La Ferté-St-Cyr
St-Dyé-s.-Loire
Montlivault
Maslives
Menars
St-Denis-s.-Loire
St-Claude-de-Diray
Thoury
Villeny
Yvoy-le-Marron
Chaumont-s.-Tharonne
Chambord
Huisseau-s.-Cosson
VINEUIL
Dhuizon
La Marolle-en-Sologne
Mont-près-Chambord
Montrieux-en-Sologne
Neuvy
Tour-en-Sologne
BRACIEUX
Bauzy
NEUNG-S.-BEUVRON
La Ferté-Beauharnais
Fontaines-en-Sologne
Cour-Cheverny
Cheverny
Vernou-en-Sologne
St-Viâtre
Courmemin
Marcilly-en-Gault
Millançay
CONTRES
Soings-en-Sologne
Veilleins
Mur-de-Sologne
Sassay
PARC DE CHAMBORD
FORÊT DE BOULOGNE
FORÊT DE MARCHENOIR
CAMP MILITAIRE
CENTRALE NUCLÉAIRE
A 10
A 71
N 20
N 152
N 157
D 917

77

BF
BG
BH
BI
BJ
Loury
Trainou
Vennecy
Ingrannes
Sully-la-Chapelle
Seichebrières
Sury-aux-Bois
Combreux
Nibelle
Montliard
Fréville-du-Gâtinais
Quiers-s.-Bézonde
Nesploy
BELLEGARDE
Ouzouer-s/s-Bellegarde
Villemoutiers
St-Maurice-s.-Fessard
Auvilliers-en-Gâtinais
Presnoy
Chevillon-s.-Huillard
Beauchamps-s.-Huillard
Chailly-en-Gâtinais
Vitry-aux-Loges
Fay-aux-Loges
Donnery
Châtenoy
Coudroy
Noyers
LORRIS
Thimory
Lombreuil
Oussoy-en-Gâtinais
Mardié
St-Denis-de-l'Hôtel
JARGEAU
CHÂTEAUNEUF-S.-LOIRE
St-Martin-d'Abbat
Germigny-des-Prés
St-Aignan-des-Gués
Bouzy-la-Forêt
Vieilles-Maisons-s.-Joudry
La Cour-Marigny
Varennes-Changy
Montereau
Darvoy
Sandillon
Férolles
Ouvrouer-les-Champs
Sigloy
Bray-en-Val
St-Benoît-s.-Loire
Guilly
Les Bordes
Vienne-en-Val
Tigy
Neuvy-en-Sullias
Bonnée
St-Père-s.-Loire
OUZOUER-S.-LOIRE
Dampierre-en-Burly
SULLY-S.-LOIRE
St-Aignan-le-Jaillard
Langesse
Les Choux
Le Moulinet-s.-Solin
Nevoy
Vannes-s.-Cosson
Viglain
Lion-en-Sullias
St-Gondon
GIEN
Poilly-lez-Gien
St-Florent
Villemurlin
Isdes
Sennely
Vouzon
Souvigny-en-Sologne
Cerdon
LAMOTTE-BEUVRON
Chaon
Coullons
Autry-le-Châtel
Brinon-s.-Sauldre
Clémont
ARGENT-S.-SAULDRE
Nouan-le-Fuzelier
Blancafort
Cernoy-en-Berry
Pierrefitte-s.-Sauldre
Barlieu
AUBIGNY-S.-NÈRE
Concressault
Ste-Montaine
Oizon
Souesmes
Ménétréol-s.-Sauldre
Dampierre-en-Crot
VAILLY-S.-SAULDRE
SALBRIS
Ennordres
Villegenon
Presly
10 km
MONTARGIS
NOGENT-S.-V.
GIEN
VARENNES-CHANGY

96

111

112

78

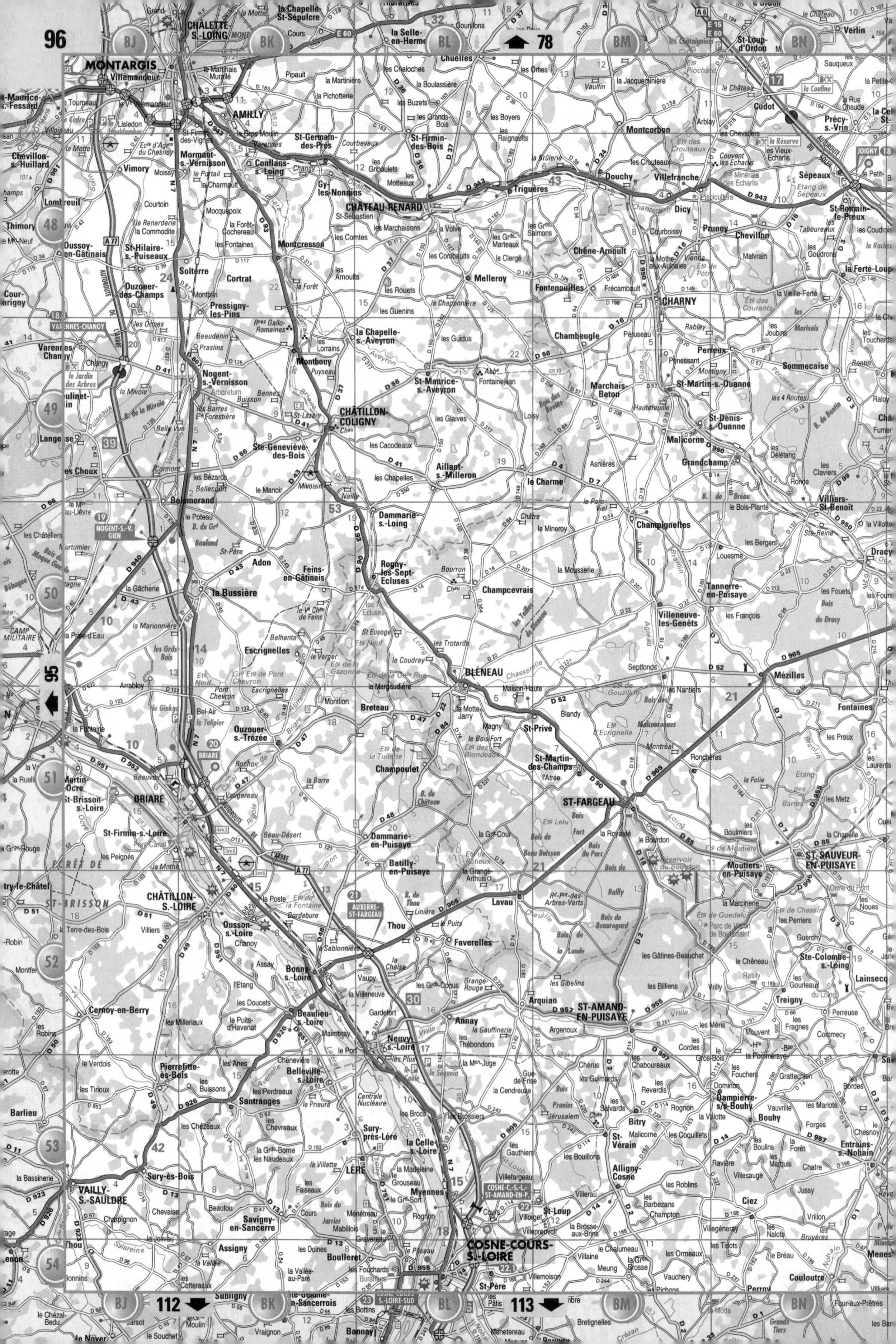
MONTARGIS
Villemandeur
CHÂLETTE-S.-LOING
la Chapelle-St-Sépulcre
la Selle-en-Hermoy
Courtemaux
Chuelles
AMILLY
Pipault
la Martinière
la Pichotterie
les Chaloches
la Boulassière
les Buzets
les Grands-Bois
les Boyers
les Raignaults
les Orties
Vaulfin
la Jacqueminière
Montcorbon
Cudot
Précy-s.-Vrin
Verlin
St-Loup-d'Ordon
Sauqueux
Arblay
les Chevaliers
les Vieux-Echarlis
Couvent les Echarlis
Villefranche
Douchy
Triguères
Sépeaux
St-Romain-le-Preux
JOIGNY
Chevillon-s.-Huillard
Vimory
Lombreuil
Thimory
Mormant-s.-Vernisson
Conflans-s.-Loing
St-Germain-des-Prés
St-Firmin-des-Bois
Gy-les-Nonains
CHÂTEAU-RENARD
St-Sébastien
les Marchaisons
Courtoin
Mocquepoix
la Forêt-Gochereau
la Renarderie
la Commodite
Oussoy-en-Gâtinais
St-Hilaire-s.-Puiseaux
Solterre
Cortrat
Montcresson
Ouzouer-des-Champs
Pressigny-les-Pins
Melleroy
Chêne-Arnoult
Fontenouilles
Frécambault
Dicy
Prunoy
Chevillon
la Ferté-Loupière
CHARNY
Courboissy
les Rouets
les Guenins
la Chaponnière
Varennes-Changy
VARENNES-CHANGY
le Jardin des Arbres
la Chapelle-s.-Aveyron
Montbouy
les Guidus
Chambeugle
Péruseau
Rablay
Perreux
Sommecaise
Nogent-s.-Vernisson
St-Maurice-s.-Aveyron
Fontainejean
Marchais-Beton
St-Martin-s.-Ouanne
St-Denis-s.-Ouanne
Hautefeuille
CHÂTILLON-COLIGNY
Ste-Geneviève-des-Bois
les Cacodeaux
les Glaives
Loisy
Malicorne
Grandchamp
Langesse
les Choux
Aillant-s.-Milleron
le Charme
Asnières
les Chapelles
Boismorand
le Manoir
Nailly
Dammarie-s.-Loing
Villiers-St-Benoît
NOGENT-S.-V. GIEN
Adon
la Bussière
Feins-en-Gâtinais
Rogny-les-Sept-Ecluses
Champcevrais
la Mousserie
Champignelles
Louesme
Tanerre-en-Puisaye
Villeneuve-les-Genêts
Dracy
la Gâcherie
la Marionnière
Escrignelles
les Trotards
BLÉNEAU
Septfonds
Mézilles
Arrabloy
Breteau
Montlion
Maison-Haute
Blandy
les Nantiers
Fontaines
Bel-Air
Ouzouer-s.-Trézée
St-Privé
Champoulet
St-Martin-des-Champs
Montréal
Ronchères
la Folie
BRIARE
Martin-Ocre
St-Brisson-s.-Loire
St-Firmin-s.-Loire
ST-FARGEAU
la Royauté
le Bourdon
Dammarie-en-Puisaye
Batilly-en-Puisaye
Moutiers-en-Puisaye
ST-SAUVEUR-EN-PUISAYE
CHÂTILLON-S.-LOIRE
Ousson-s.-Loire
AUXERRE ST-FARGEAU
Thou
Lavau
Faverelles
la Marcinerie
Guerchy
Ste-Colombe-s.-Loing
Lainsecq
Bonny-s.-Loire
les Gâtines-Beauchet
les Billiens
Treigny
Cernoy-en-Berry
Beaulieu-s.-Loire
Arquian
ST-AMAND-EN-PUISAYE
Annay
Neuvy-s.-Loire
Argenoux
Pierrefitte-ès-Bois
Belleville-s.-Loire
Santranges
Chabouraux
Bitry
Dampierre-s/s-Bouhy
Bouhy
Barlieu
Sury-près-Léré
la Celle-s.-Loire
St-Vérain
Alligny-Cosne
Entrains-s.-Nohain
Sury-ès-Bois
VAILLY-S.-SAULDRE
LÉRÉ
Myennes
COSNE-C.-S.-L. ST-AMAND-EN-P.
St-Loup
Ciez
Savigny-en-Sancerre
Assigny
Boulleret
COSNE-COURS-S.-LOIRE
Couloutre
Menestreau
St-Père
FORÊT DE ST-BRISSON
AUTOROUTE DE L'ARBRE
A 77
N 7
D 943
D 965
D 957
D 955

95

112

113

79
113
114
98
10 km
JOIGNY
BRIENON-S.-ARMANÇON
ST-FLORENTIN
MIGENNES
FLOGNY-LA-CHAPELLE
AILLANT-S.-THOLON
SEIGNELAY
Pontigny
LIGNY-LE-CHÂTEL
TONNERRE
CHABLIS
AUXERRE
TOUCY
COULANGES-LA-VINEUSE
VERMENTON
COURSON-LES-CARRIÈRES
Châtel-Censoir
COULANGES-S.-YONNE
CLAMECY
VÉZELAY
AVALLON
St-Aubin-s.-Yonne
Cézy
Villevallier
Bussy-en-Othe
Laroche-St-Cydroine
Épineau-les-Voves
Charmoy
Cheny
Ormoy
Mont-St-Sulpice
Hauterive
Héry
Vergigny
Germigny
Chéu
Jaulges
Percey
Villiers-Vineux
Carisey
Varennes
Méré
Champvallon
Volgré
Senan
Neuilly
Bassou
Villemer
Chichery
Beaumont
Chemilly-s.-Yonne
Rouvray
Venouse
Guerchy
Branches
Appoigny
Laduz
Fleury-la-Vallée
Poilly-s.-Tholon
Gurgy
Monéteau
Villeneuve-St-Salves
Montigny-la-Resle
Lignorelles
Maligny
Villy
Fontenay-près-Chablis
la Chapelle-Vaupelteigne
Bleigny-le-Carreau
Beine
Chassy
St-Maurice-Thizouaille
St-Maurice-le-Vieil
Charbuy
Perrigny
St-Georges-s.-Baulche
Egleny
Beauvoir
Lindry
Villefargeau
Venoy
Fleys
Chichée
Courgis
Chemilly-sur-Serein
Poilly-sur-Serein
Quenne
Chitry
Augy
St-Bris-le-Vineux
Préhy
St-Cyr-les-Colons
Pourrain
Parly
Chevannes
Vallan
Champs-s.-Yonne
Irancy
Escamps
Diges
Gy-l'Évêque
Jussy
Escolives-Ste-Camille
Vincelottes
Vincelles
Lichères-près-Aigremont
Aigremont
Moulins-s.-Ouanne
Leugny
Coulangeron
Migé
Val-de-Mercy
Cravant
Bazarnes
Accolay
Sacy
Nitry
Ouanne
Merry-Sec
Mouffy
Charentenay
Ste-Pallaye
Prégilbert
Trucy-s.-Yonne
Lucy-sur-Cure
Fontenailles
Molesmes
Taingy
Fontenay-s/s-Fouronnes
Fouronnes
Mailly-le-Château
Mailly-la-Ville
Bessy-sur-Cure
Arcy-sur-Cure
Joux-la-Ville
Précy-le-Sec
St-Moré
Voutenay-sur-Cure
Thury
Sougères-en-Puisaye
Druyes-les-Belles-Fontaines
Festigny
Merry-s.-Yonne
Crain
Andryes
Bois-d'Arcy
Brosses
Sermizelles
Girolles
Lucy-le-Bois
Annay-la-Côte
Montillot
Blannay
Givry
Étais-la-Sauvin
Pousseaux
Surgy
Lucy-s.-Yonne
Lichères-s.-Yonne
Asnières-s/s-Bois
Domecy-sur-le-Vault
Vault-de-Lugny
Pontaubert
Asquins
St-Père
Billy-s.-Oisy
Oisy
Armes
Chevroches
Dornecy
Chamoux
Trucy-l'Orgueilleux
Foissy-lès-Vézelay
Pierre-Perthuis
Menades
Fontenay-près-Vézelay
Domecy-s.-Cure
Breugnon
Corvol-l'Orgueilleux
Rix
Brèves
Villiers-s.-Yonne
la Maison-Dieu
Courcelles
St-Pierre-
Metz-le-Comté
Nuars
Bazoches
Chastellux-s.-Cure
Teigny
Amazy
Cuncy-
St-Germain-des-Bois
Chapelle-St-André
AUXERRE NORD-JOIGNY
AUXERRE-SUD-TONNERRE
TONNERRE VÉZELAY
FORÊT DE FRETOY
CAMP DE JAULGES
CAMP DE VARENNES
FT ST-GERMAIN
AUTOROUTE DU SOLEIL
E 15 E 60
A 6
N 6
N 151
N 77
N 65
D 965
D 944
D 91
D 951
D 950

80
97
114
115
BT
BU
BV
BW
BX
48
49
50
51
52
53
54
Cussangy
Maisons-s-Chaource
Malassisse
Bagneux
St-Roch
Ricey-Bas
LES RICEYS
Ricey-Haut
Plaines-St-Lange
MUSSY-S.-SEINE
Bernon
Vallières
Balnot-la-Grange
Chesley
Villiers-le-Bois
Prusy
Chaserey
Étourvy
Bragelogne-Beauvoir
Beauvoir-s.-Sarce
Vaudron
Ste-Élisabeth
la Roche
Gomméville
Reignière
Forêt des Brosses
Noiron-s.-Seine
Molesme
Bechineul
Vertillum (Ruines Gallo-Romaines)
Villedieu
Vertault
la Fouchère
Panfol
Marolles-s/s-Lignières
Lignières
Coussegrey
Quincerot
Channes
le Grand-Haut-du-Lais
Arthonnay
Trichey
les Vaublins
Tronchoy
Cheney
Mélisey
Thorey
les Scies
Villon
FORÊT DE MAULNES
Maulnes
Rugny
Dannemoine
Molosmes
Épineuil
Vézinnes
Junay
Vézannes
Vaulichères
St-Martin-sur-Armançon
TONNERRE
Baon
Quincy
Commissey
FORÊT DE CRUZY-LE-CHÂTEL
CRUZY-LE-CHÂTEL
Nicey
Channay
Griselles
Marcenay
Larrey
Poinçon-lès-Larrey
Cérilly
CHÂTILLON-S.-SEINE
Tissey
Collan
Serrigny
Tanlay
Pimelles
Paisson
Gland
le Crot-Courcelles
la Vèvre
Martilly
LAIGNES
Bissey-la-Pierre
Argentenay
Lézinnes
Ancy-le-Libre
ANCY-LE-FRANC
Sennevoy-le-Haut
Sennevoy-le-Bas
Gigny
Chaussot
Balot
Ampilly-le-Sec
Fleys
Béru
Viviers
Yrouerre
Vireaux
Pacy-sur-Armançon
Stigny
Comte de Jully
Fontaines-les-Sèches
Nesle-et-Massoult
Poilly-sur-Serein
Sambourg
Fresnes
Argenteuil-sur-Armançon
Chassignelles
Fulvy
Cusy
Cestre
Planay
Coulmier-le-Sec
Ste-Vertu
Môlay
Annay-sur-Serein
Moulins-en-Tonnerrois
Villiers-les-Hauts
Nuits
Ravières
Verdonnet
Savoisy
Puits
Asnières-en-Montagne
Aigremont
Noyers
Censy
Pasilly
Cry
Perrigny-s.-Armançon
Arrans
Étais
Villaines-en-Duesmois
Nitry
Jouancy
Sarry
Étivey
Aisy-sur-Armançon
Rougemont
Buffon
Touillon
Grimault
Châtel-Gérard
Annoux
Massangis
MONTBARD
Marmagne
St-Rémy
Quincerot
Quincy-le-Vicomte
Crépand
Nogent-lès-Montbard
Fain-lès-Montbard
Courcelles-lès-Montbard
Fresnes
Dissangis
L'ISLE-SUR-SEREIN
Coutarnoux
Blacy
Thizy
Talcy
Marmeaux
Santigny
Bierry-les-Belles-Fontaines
Fain-lès-Moutiers
Senailly
Montigny-Montfort
Benoisey
Seigny
Grignon
Bussy-le-Grand
Ste-Colombe
Angely
Vassy
Athie
Moutiers-St-Jean
Viserny
Villaines-les-Prévôtes
Champ-d'Oiseau
Provency
Montréal
Trévilly
Pisy
Corsaint
Jeux-lès-Bard
Genay
Lantilly
VENAREY-LÈS-LAUMES
Alise-Ste-Reine
Sauvigny-le-Bois
Athie
Sceaux
Vignes
Bard-lès-Époisses
Villars-et-Villenotte
Mussy-la-Fosse
Massingy-lès-Semur
Pouillenay
Étaules
AVALLON
GUILLON
Cisery
Toutry
Époisses
Millery
Torcy-et-Pouligny
Menetoy
SEMUR-EN-AUXOIS
Juilly
Souhey
Magny-la-Ville
Savigny-en-Terre-Plaine
Sauvigny-le-Beuréal
Vieux-Château
Forléans
Vic-de-Chassenay
Chassey
Magny
St-André-en-Terre-Plaine
Cussy-les-Forges
Montberthault
Pont-et-Massène
St-Euphrône
Marigny-le-Cahouët
Courcelles-lès-Semur
Ste-Magnance
Courcelles-Frémoy
Thoste
Montigny-St-Barthélemy
Flée
Montigny-s.-Armançon
Villeneuve-s/s-Charigny
Charigny
Arnay-s/s-Vitteaux
Ste-Colombe
Bussières
Sincey-lès-Rouvray
Roilly
Brianny
Braux
Marcilly-et-Dracy
St-Branchér
Beauvilliers
Rouvray
Bierre-lès-Semur
Velogny
St-Germain-des-Champs
St-Andeux
Dompierre-en-Morvan
Aisy-s/s-Thil
PRÉCY-S/S-THIL
Marcigny-s/s-Thil
Clamerey
Chastellux-s.-Cure
St-Léger-Vauban
QUARRÉ-LES-TOMBES
Nan-s/s-Thil
Normier
St-Thibault

81
BY
BZ
CA
CB
Gevrolles
Ormoy-s.-Aube
Riel-les-Eaux
Montigny s.-Aube
Veuxhaulles-s.-Aube
Boudreville
Dancevoir
Coupray
Cour-l'Evêque
Arc-en-Barrois
Bugnières
Marac
Belan-s.-Ource
Thoires
Courban
Bissey-la-Côte
Mosson
Chaumont-le-Bois
Vannaire
Massingy
Brion-s.-Ource
Louesme
Lignerolles
Aubepierre-s.-Aube
Giey-s.-Aujon
Ternat
Ormancey
Montliot-et-Courcelles
Prusly-s.-Ource
Villotte-s.-Ource
Maisey-le-Duc
la Chaume
les Goulles
Rouvres-s.-Aube
St-Loup-s.-Aujon
Vauxbons
Rochetaillée
Voisines
Lucey
Faverolles-lès-Lucey
Gurgy-la-Ville
Gurgy-le-Château
Arbot
Aulnoy-s.-Aube
Bay-s.-Aube
Vitry-en-Montagne
Courcelles-en-Montagne
Vanvey
Villiers-le-Duc
Voulaines-les-Templiers
Leuglay
Buxerolles
Chambain
Germaines
Auberive
Rouelles
Perrogney-les-Fontaines
Buncey
Chamesson
Forêt Domaniale de Châtillon
Recey-s.-Ource
Menesble
Colmier-le-Haut
Colmier-le-Bas
Nod-s.-Seine
Aisey-s.-Seine
St-Germain-le-Rocheux
Rochefort
Essarois
Villars-Santenoge
Chaugey
Bure-les-Templiers
Praslay
Vivey
Aujeurres
Busseaut
Montmoyen
Terrefondrée
Beaulieu
Poinson-lès-Grancey
Poinsenot
Vals-des-Tilles
Mauvilly
Semond
Origny
St-Marc-s.-Seine
Bellenod-s.-Seine
Meulson
St-Broing-les-Moines
Beneuvre
Mouilleron
Vesvres-s/s-Chalancey
Magny-Lambert
Beaunotte
Moitron
Grancey-le-Château-Neuvelle
Aignay-le-Duc
Minot
Bussières
Busserotte-et-Montenaille
Quemigny-s.-Seine
Etalante
Fraignot-et-Vesvrotte
Courlon
Cussey-les-Forges
Vernois-lès-Vesvres
Jours-lès-Baigneux
Duesme
Ampilly-les-Bordes
Chaume-lès-Baigneux
Salives
Avot
Foncegrive
Échalot
Barjon
Marey-s.-Tille
Etormay
Baigneux-lès-Juifs
Orret
le Meix
Avelanges
Selongey
Poiseul-lès-Saulx
la Villeneuve-les-Convers
Poiseul-la-Ville-et-Laperrière
Oigny
Poiseul-la-Grange
Léry
Villey-s.-Tille
Crécey-s.-Tille
Darcey
Corpoyer-la-Chapelle
Billy-lès-Chanceaux
Courtivron
Saulx-le-Duc
Moloy
Tarsul
Dienay
Is-s.-Tille
Frénois
Lamargelle
Frôlois
Chanceaux
Gissey-s/s-Flavigny
Pellerey
Forêt de Is-s.-Tille
Villecomte
Flavigny-s.-Ozerain
Thenissey
St-Germain-Source-Seine
Poncey-s.-l'Ignon
Vernot
Gemeaux
Hauteroche
Blessey
Chaignay
Boux-s/s-Salmaise
Vaux-Saules
Francheville
Saussy
Épagny
Marsannay-le-Bois
Salmaise
Champagny
Curtil-St-Seine
Jailly-les-Moulins
Blligny-le-Sec
St-Seine-l'Abbaye
Savigny-le-Sec
Villeberny
Verrey-s/s-Salmaise
Villotte-St-Seine
St-Martin-du-Mont
Forêt de Val-Suzon
Messigny-et-Vantoux
Villy-en-Auxois
Charencey
Val-Suzon
Étaules
Norges-la-Ville
Clénay
Brognon
Turcey
Bretigny
St-Julien
Massingy-lès-Vitteaux
Chevannay
Champrenault
Darois
Asnières-lès-Dijon
Bellefond
St-Hélier
Trouhaut
Prenois
Hauteville-lès-Dijon
Ahuy
Ruffey-lès-Echirey
Orgeux
Arcelot
115
116
100
10 km
Saffres
Blaisy-Bas
Blaisy-Haut
Pangès
Daix
Fontaine-lès-Dijon
Varois-et-Chaignot

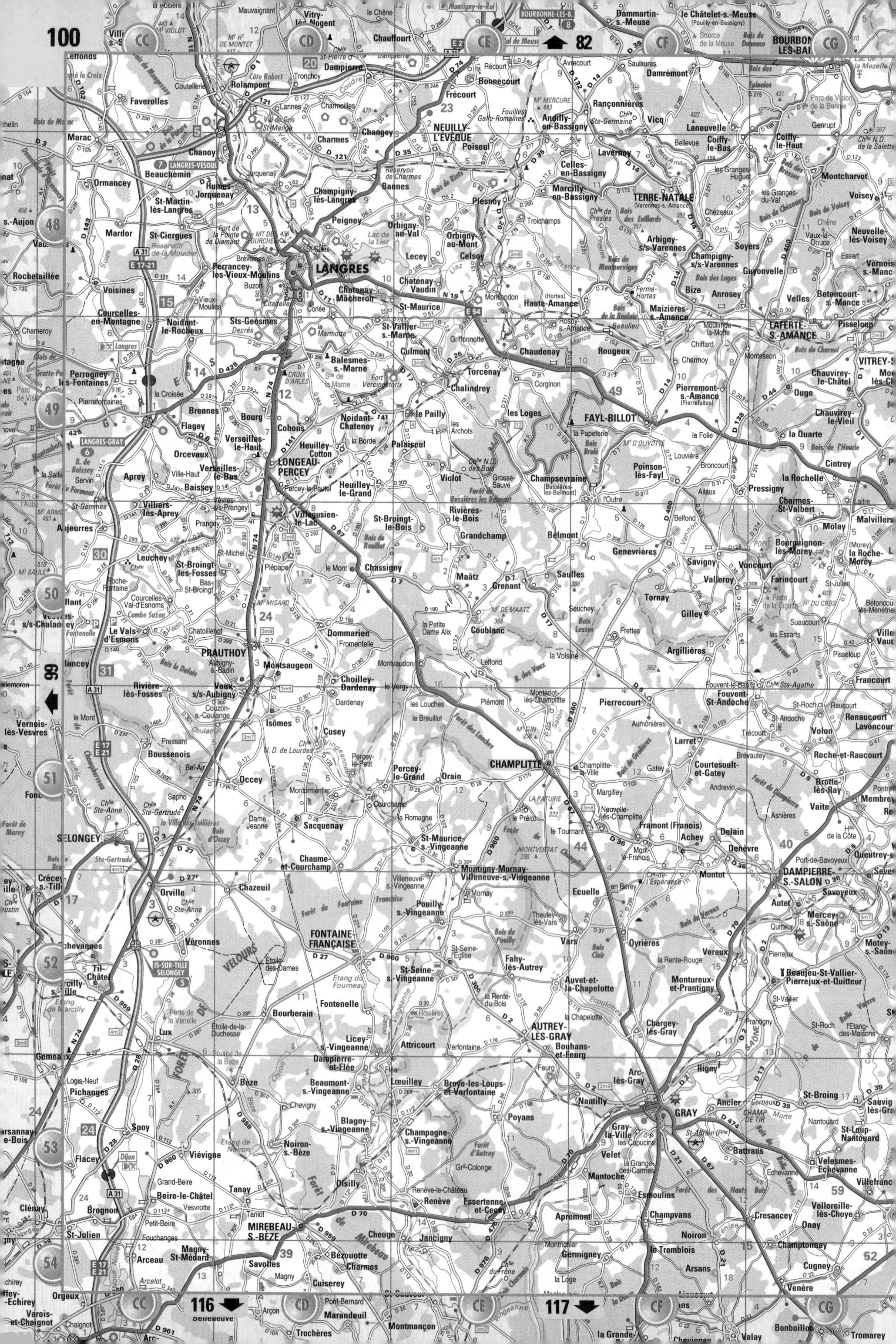
82
BOURBONNE-LES-B.
Dammartin-s.-Meuse
le Châtelet-s.-Meuse
Vitrey-lès-Nogent
Chauffourt
Rolampont
Dampierre
Récourt
Bonnecourt
Frécourt
Damrémont
Rançonnières
Andilly-en-Bassigny
Vicq
Laneuvelle
Coiffy-le-Bas
Coiffy-le-Haut
Faverolles
Marac
Chanoy
Beauchemin
Charmes
Changey
NEUILLY-L'ÉVÊQUE
Poiseul
Celles-en-Bassigny
Lavernoy
Ormancey
Humes-Jorquenay
St-Martin-lès-Langres
Champigny-lès-Langres
Bannes
Plesnoy
Marcilly-en-Bassigny
TERRE-NATALE
Montcharvot
Voisey
Mardor
St-Ciergues
Peigney
Orbigny-au-Val
Orbigny-au-Mont
Celsoy
Arbigny-s/s-Varennes
Champigny-s/s-Varennes
Soyers
Neuvelle-lès-Voisey
Rochetaillée
Perrancey-les-Vieux-Moulins
LANGRES
Lecey
Chatenay-Vaudin
Haute-Amance
Bize
Anrosey
Guyonvelle
Velles
Voisines
Chatenay-Mâcheron
St-Maurice
Maizières-s.-Amance
LAFERTÉ-S.-AMANCE
Pisseloup
Courcelles-en-Montagne
Noidant-le-Rocheux
Sts-Geosmes
St-Vallier-s.-Marne
Culmont
Chaudenay
Rougeux
Perrogney-les-Fontaines
Balesmes-s.-Marne
Torcenay
Chalindrey
Pierremont-s.-Amance
Chauvirey-le-Châtel
Ouge
Brennes
Bourg
Noidant-Chatenoy
le Pailly
les Loges
FAYL-BILLOT
Chauvirey-le-Vieil
Flagey
Verseilles-le-Haut
Cohons
Palaiseul
la Quarte
Orcevaux
Aprey
Baissey
LONGEAU-PERCEY
Heuilley-Cotton
Heuilley-le-Grand
Violot
Champsevraine
Poinson-lès-Fayl
Pressigny
Cintrey
la Rochelle
Charmes-St-Valbert
Villiers-lès-Aprey
Villegusien-le-Lac
St-Broingt-le-Bois
Rivières-le-Bois
Grandchamp
Belmont
Genevrières
Savigny
Voncourt
Bourguignon-lès-Morey
Molay
Malvillers
Leuchey
St-Broingt-les-Fosses
Chassigny
Maâtz
Grenant
Saulles
Tornay
Valleroy
Farincourt
Gilley
Le Vals d'Esmons
Chatoillenot
PRAUTHOY
Dommarien
Coublanc
Argillières
Montsaugeon
Choilley-Dardenay
Rivière-lès-Fosses
Vaux-s/s-Aubigny
Pierrecourt
Fouvent-St-Andoche
Francourt
Isômes
Cusey
Larret
Volon
Renaucourt
Lavoncourt
Boussenois
Percey-le-Grand
Orain
CHAMPLITTE
Courtesoult-et-Gatey
Roche-et-Raucourt
Occey
Brotte-lès-Ray
Vaite
SELONGEY
Sacquenay
St-Maurice-s.-Vingeanne
Framont (Franois)
Achey
Delain
Denèvre
Chaume-et-Courchamp
Montigny-Mornay-Villeneuve-s.-Vingeanne
Montot
DAMPIERRE-S.-SALON
Savoyeux
Orville
Chazeuil
Ecuelle
Pouilly-s.-Vingeanne
Autet
Mercey-s.-Saône
Véronnes
FONTAINE-FRANÇAISE
Vars
Oyrières
Til-Châtel
St-Seine-s.-Vingeanne
Fahy-lès-Autrey
Auvet-et-la-Chapelotte
Vereux
Beaujeu-St-Vallier-Pierrejux-et-Quitteur
Montureux-et-Prantigny
Bourberain
Fontenelle
Lux
AUTREY-LÈS-GRAY
Chargey-lès-Gray
Licey-s.-Vingeanne
Attricourt
Bouhans-et-Feurg
Gemeaux
Dampierre-et-Flée
Arc-lès-Gray
Rigny
Pichanges
Beze
Beaumont-s.-Vingeanne
Lœuilley
Broye-les-Loups-et-Verfontaine
Poyans
Nantilly
GRAY
Ancier
St-Broing
Spoy
Blagny-s.-Vingeanne
Champagne-s.-Vingeanne
Gray-la-Ville
Velet
Battrans
St-Loup-Nantouard
Vievigne
Noiron-s.-Bèze
Mantoche
Velesmes-Echevanne
Flacey
Oisilly
Renève
Essertenne-et-Cecey
Esmoulins
Villefranc
Beire-le-Châtel
Tanay
Apremont
Champvans
Cresancey
Vellorelle-lès-Choye
Onay
Brognon
MIREBEAU-S.-BÈZE
Cheuge
Jancigny
Noiron
St-Julien
Arceau
Magny-St-Médard
Savolles
Bézouotte
Charmes
Germigney
le Tremblois
Arsans
Champtonnay
Cugney
Orgeux
Cuiserey
Venère
116
117
Marandeuil
Montmançon
Trochères
Bonboillon
Tromarey

83
VAUVILLERS
ST-LOUP-S.-SEMOUSE
LUXEUIL-LES-BAINS
ST-SAUVEUR
JUSSEY
AMANCE
COMBEAUFONTAINE
PORT-S.-SAÔNE
SCEY-S.-SAÔNE ET-ST-ALBIN
VESOUL
SAULX
NOROY-LE-BOURG
VILLERSEXEL
FRESNE-ST-MAMÈS
ROUGEMONT
MONTBOZON
RIOZ
GY
BAUME-LES-DAMES
Faverney
Conflans-s.-Lanterne
Châtillon-s.-Saône
Corre
Fougerolles
Port-d'Atelier-Amance
Pusey
Frotey-lès-Vesoul
Navenne
Quincey
Échenoz-la-Méline
Noidans-lès-Vesoul
Vaivre-et-Montoille
Colombier
Villersexel
Marnay
Étuz
Buthiers
Roulans
102
117
118
10 km

84
101
118
119
CM
CN
CO
CP
CL
48
49
50
51
52
53
54
LES-BAINS
Val-d'Ajol
Rupt-s.-Moselle
le Val-d'Ajol
la Montagne
la Rosière
Ferdrupt
le Ménil
Fougerolles
Corravillers
Ramonchamp
LE THILLOT
Fresse-s.-Moselle
Bussang
St-Maurice-s.-Moselle
Urbès
Husseren-Wesserling
Storckensohn
Mollau
Mitzach
Malmerspach
Oderen
Fellering
Kruth
Ranspach
St-Bresson
Amont-et-Effreney
la Longine
Beulotte-St-Laurent
Haut-du-Them-Château-Lambert
Raddon-et-Chapendu
Breuchotte
Amage
Ste-Marie-en-Chanois
FAUCOGNEY-ET-LA-MER
Esmoulières
BALLON D'ALSACE
Rimbach-près-Masevaux
Dolleren
Oberbruck
Sewen
Kirchberg
Wegscheid
Sickert
Niederbruck
MASEVAUX
Froideconche
la Proiselière-et-Langle
la Voivre
Servance
Miellin
Esboz-Brest
ST-SAUVEUR
la Lanterne-et-les-Armonts
la Corbière
Écromagny
Ternuay-Melay-et-St-Hilaire
Belfahy
DES VOSGES
Riervescemont
Lamadeleine-Val-des-Anges
Belmont
Magnivray
Rignovelle
Belonchamp
Plancher-les-Mines
Lepuix
GIROMAGNY
Vescemont
ROUGEMONT-LE-CHÂTEAU
Lantenot
Linexert
MÉLISEY
St-Barthélemy
Fresse
Auxelles-Haut
Auxelles-Bas
Rougegoutte
Grosmagny
Etueffont
Petitmagny
Romagny-s/s-Rougemont
Leval
Petitefontaine
Citers
Quers
Franchevelle
Montessaux
St-Germain
la Neuvelle-lès-Lure
Plancher-Bas
Lachapelle-s/s-Chaux
Chaux
Bourg-s/s-Châtelet
Felon
Malbouhans
Ronchamp
CHAMPAGNEY
Sermamagny
Eloie
St-Germain-le-Châtelet
Angeot
Froideterre
LURE
Magny-Danigon
Errevet
Evette-Salbert
VALDOIE
OFFEMONT
Vétrigne
Roppe
Bethonvilliers
Lagrange
Roye
Clairegoutte
Frahier-et-Chatebier
BELFORT
Denney
Phaffans
FONTAINE
Palante
Andornay
Frédéric-Fontaine
Echavanne
Cravanche
Magny-Vernois
Frotey-lès-Lure
Vouhenans
Lyoffans
Magny-Jobert
Chenebier
Etobon
Châlonvillars
Essert
Pérouse
Chèvremont
Fontenelle
Vy-lès-Lure
Moffans-et-Vacheresse
Belverne
DANJOUTIN
Bessoncourt
Cunelières
le Val-de-Gouhenans
la Vergenne
Lomont
Courmont
Chagey
Mandrevillars
Buc
Bavilliers
Urcerey
Vézelois
Novillard
Arpenans
les Aynans
Faymont
Echenans-s/s-Mt-Vaudois
Argiésans
Botans
Andelnans
Meroux
Autrechêne
Gouhenans
Athesans-Etroitefontaine
Couthenans
Coisevaux
Champey
Luze
Banvillars
Brevilliers
Dorans
Moval
Sevenans
Charmois
Brebotte
Aillevans
Longevelle
Villafans
Mignavillers
HÉRICOURT
Bermont
Trévenans
Bourogne
Recouvrance
St-Sulpice
Senargent-Mignafans
Granges-la-Ville
Granges-le-Bourg
Saulnot
Verlans
Trémoins
CHÂTENOIS-LES-FORGES
Froidefontaine
Crevans-et-la-Chapelle-lès-Granges
le Vernoy
Tavey
Vyans-le-Val
Nommay
Dambenois
Beveuge
St-Ferjeux
Villers-la-Ville
VILLERSEXEL
Vellechevreux-et-Courbenans
Secenans
Chavanne
Villers-s.-Saulnot
Aibre
Laire
Semondans
Raynans
Béthoncourt
Grand-Charmont
Vieux-Charmont
Allenjoie
Brognard
Morvillars
GRANDVILLARS
Villargent
Georfans
Gémonval
Désandans
Echenans
Issans
Méziré
Thiancourt
Marvelise
Arcey
MONTBÉLIARD
SOCHAUX
ETUPES
Fesches-le-Châtel
Dampierre-les-Bois
DELLE
les Magny
Méleçey
Courchaton
St-Julien-lès-Montbéliard
Ste-Marie
Allondans
Ste-Suzanne
Exincourt
Grammont
Dung
Courcelles-lès-M.
Bart
Arbouans
AUDINCOURT
Taillecourt
Fêche-l'Église
Abbenans
Fallon
Onans
Montenois
Présentevillers
Badevel
Lebetain
BEAUCOURT
St-Dizier-l'Évêque
Cubry
Bournois
Accolans
Faimbe
Bretigney
Bavans
Dampierre-s.-le-Doubs
Voujeaucourt
VALENTIGNEY
Dasle
Seloncourt
Montbouton
Geney
Etrappe
Lougres
Beutal
Berche
Etouvans
Vandoncourt
Nans
Uzelle
Longevelle-s.-Doubs
Mandeure
Colombier-Fontaine
Villars-le-Sec
Médière
Mancenans
Croix
HÉRIMONCOURT
Bondeval
Bure
Fontenelle-Montby
la Prétière
St-Maurice-Colombier
Mathay
Abbévillers
Soye
Appenans
L'ISLE-S.-LE-DOUBS
Blussangeaux
Thulay
Roches-lès-Blamont
Meslières
Fahy
Mésandans
Gondenans-Montby
Fontaine-lès-Clerval
Rang
Pompierre-s.-Doubs
Blussans
Villars-s/s-Écot
Écot
Bourguignon
Écurcey
Glay
Viéthorey
Sourans
Goux-lès-Dambelin
Autechaux-Roide
Grandfontaine
Vergranne
Santoche
St-Georges-Armont
Lanthenans
Hyémondans
Dambelin
Blamont
Villars-lès-Blamont
Dannemarie
Rocourt
l'Hôpital-St-Lieffroy
CLERVAL
Anteuil
Rémondans-Vaivre
PONT-DE-ROIDE
Pierrefontaine-lès-Blamont
Damvant
Réclère
Roche-d'Or
Voillans
Hyèvre-Paroisse
Chaux-lès-Clerval
Branne
Neuchâtel-Urtière
Noirefontaine
Villars-s/s-Dampjoux
Montécheroux
Montjoie-le-Château
Vaufrey
Roche-lès-Clerval
Vellerot-lès-Belvoir
Vyt-lès-Belvoir
Solemont
Feule
Chamesol
Hyèvre-Magny
Crosey-le-Grand
Crosey-le-Petit
Valonne
Dampjoux
Liebvillers
Villers-St-Martin
Lomont-s.-Crête
Vernois-lès-Belvoir
Rahon
Orve
Terres-de-Chaux
Bief
Soulce-Cernay
Courtefontaine
Indevillers
ST-HIPPOLYTE
Péseux
Randevillers
Montandon
Guillon-les-Bains
Montivernage
Vellevans
Froidevaux
Valoreille
DU LOMONT
MONTAGNES

85
GUEBWILLER
SOULTZ HT-RHIN
ENSISHEIM
THANN
CERNAY
WITTENHEIM
ILLZACH
MULHOUSE
HABSHEIM
RIXHEIM
OTTMARSHEIM
MÜLLHEIM
Neuenburg
Bad-Bellingen
Kembs
SIERENTZ
DANNEMARIE
ALTKIRCH
HIRSINGUE
HUNINGUE
St-Louis
Weil am-Rhein
BASEL
(BÂLE)
Binningen
Birsfelden
Muttenz
ARLESHEIM
Dornach
FERRETTE
Laufen
PORRENTRUY
DELÉMONT
St-Ursanne
Moutier
119
10 km

87

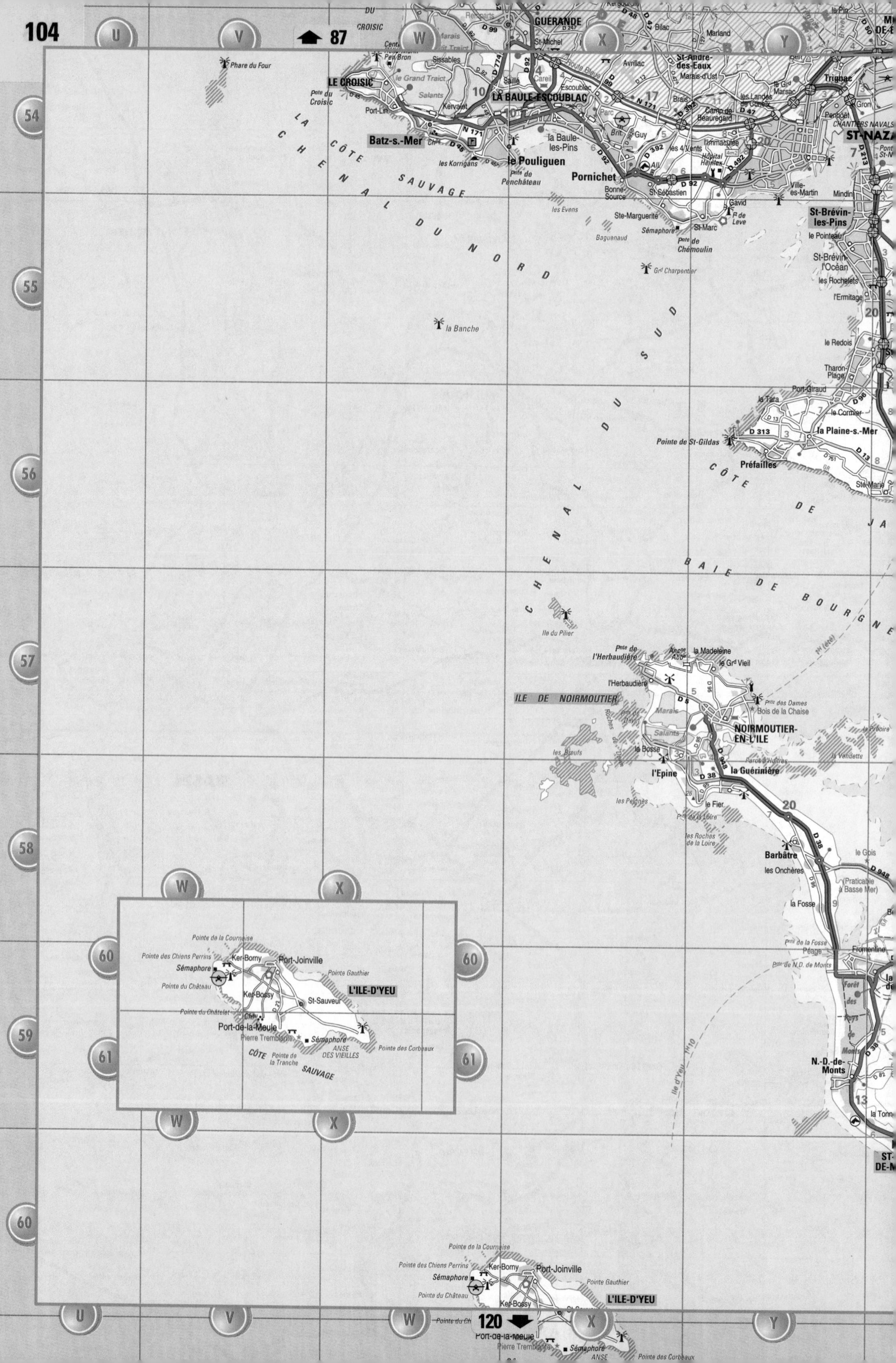
Phare du Four
LE CROISIC
Pointe du Croisic
Port-Lin
Batz-s.-Mer
le Grand Traict
Salants
Sissables
Saillé
Kervalet
GUÉRANDE
St-Michel
LA BAULE-ESCOUBLAC
Escoublac
la Baule-les-Pins
le Pouliguen
Pointe de Penchâteau
les Korrigans
Pornichet
Bonne-Source
St-Sébastien
Ste-Marguerite
Sémaphore
St-Marc
Pointe de Chémoulin
Gavid
Pointe de Leve
Baguenaud
les Evens
Grd Charpentier
Avrillac
St-André-des-Eaux
Marais-d'Ust
Bilac
Marland
Brais
Camp de Beauregard
les Landes de Guérets
Trignac
Pentoët
Gron
CHANTIERS NAVALS
ST-NAZA
l'Immaculée
les 4 Vents
Hôpital Heinlex
Ville-es-Martin
Mindin
St-Brévin-les-Pins
le Pointeau
St-Brévin-l'Océan
les Rochelets
l'Ermitage
le Redois
Tharon-Plage
Port-Giraud
la Tara
le Cormier
la Plaine-s.-Mer
Pointe de St-Gildas
Préfailles
Ste-Marie
LA CÔTE SAUVAGE
CHENAL DU NORD
CHENAL DU SUD
la Banche
CÔTE DE JADE
BAIE DE BOURGNEUF
Ile du Pilier
Pointe de l'Herbaudière
l'Herbaudière
la Madeleine
le Grd Vieil
Pointe des Dames
Bois de la Chaise
ILE DE NOIRMOUTIER
Marais
Salants
NOIRMOUTIER-EN-L'ILE
la Bosse
l'Epine
la Guérinière
les Boeufs
les Pelones
le Fier
Pointe de la Loire
les Roches de la Loire
Barbâtre
les Onchères
la Fosse
le Gois
(Praticable à Basse Mer)
Pointe de la Fosse
Péage
Fromentine
Pointe de N.-D. de Monts
Forêt des Pays de Monts
N.-D.-de-Monts
la Tonn
ST-DE-M
la Prée
la Vendette
Ile d'Yeu
Pointe de la Cournaise
Pointe des Chiens Perrins
Sémaphore
Ker-Borny
Port-Joinville
Pointe Gauthier
Pointe du Château
Ker-Bossy
St-Sauveur
L'ILE-D'YEU
Pointe du Châtelet
Port-de-la-Meule
Pierre Tremblante
Pointe de la Tranche
ANSE DES VIEILLES
Pointe des Corbeaux
CÔTE SAUVAGE

120

88
89
Z
AA
AB
AC
AD
54
55
56
57
58
59
60
106
121
122
10 km
PAIMBŒUF
Corsept
Lavau-s.-Loire
Bouée
Cordemais
le Temple-de-Bretagne
Vigneux-de-Bretagne
Treillières
LA CHAPELLE-S.-ERDRE
ST-ÉTIENNE-DE-MONTLUC
Sautron
ORVAULT
St-Viaud
Frossay
Couëron
ST-HERBLAIN
Indre
ST-PÈRE-EN-RETZ
Vue
LE PELLERIN
St-Jean-de-Boiseau
la Montagne
Bouguenais
REZÉ
Rouans
Cheix-en-Retz
Brains
BOUAYE
Chauve
Port-St-Père
St-Léger-les-Vignes
PORNIC
Chéméré
Arthon-en-Retz
Ste-Pazanne
St-Mars-de-Coutais
St-Aignan-Grandlieu
Pont-St-Martin
les Sorinières
St-Hilaire-de-Chaléons
la Chevrolière
Lac
Réserve Naturelle de Grand-Lieu
la Bernerie-en-Retz
les Moutiers-en-Retz
St-Lumine-de-Coutais
BOURGNEUF-EN-RETZ
St-Cyr-en-Retz
Fresnay-en-Retz
ST-PHILBERT-DE-GRAND-LIEU
Geneston
St-Même-le-Tenu
MACHECOUL
St-Colomban
la Marne
la Limouzinière
St-Philbert-de-Bouaine
Bouin
Paulx
Corcoué-s.-Logne
Bois-de-Céné
BEAUVOIR-S.-MER
St-Étienne-de-Mer-Morte
ROCHESERVIÈRE
Châteauneuf
St-Gervais
la Garnache
Touvois
St-Urbain
Sallertaine
Froidfond
Falleron
LEGÉ
CHALLANS
les Lucs-s.-Boulogne
le Perrier
St-Christophe-du-Ligneron
Grand'Landes
St-Étienne-du-Bois
Beaufou
PALLUAU
Soullans
St-Paul-Mont-Penit
la Chapelle-Palluau
LE POIRÉ-S.-VIE
Commequiers
Apremont
Maché
Notre-Dame-de-Riez
St-Maixent-s.-Vie
Aizenay
le Fenouiller
ST-GILLES-
LOIRE
FORÊT DE PRINCÉ
FORÊT DE MACHECOUL
Forêt de Touvois
Forêt de Grand Landes
MARAIS BRETON
PORT PÉTROLIER
AÉROSPATIALE

AE
AF
89
AG
AH
AI
54
55
56
57
58
59
60
105
121
122
St-Mars-du-Désert
St-Géréon
Anetz
VARADES
Montrelais
Oudon
Drain
Liré
le Marillais
ST-FLORENT-LE-VIEIL
St-Laurent-du-Mottay
CHAMPTOCEAUX
le Cellier
Bouzillé
la Chapelle-St-Florent
CARQUEFOU
la Varenne
Mauves-s.-Loire
la Boissière-s.-Evre
Botz-en-Mauges
Thouaré-s.-Loire
St-Laurent-des-Autels
Barbechat
St-Sauveur-de-Landemont
le Fuilet
la Chapelle-Basse-Mer
St-Rémy-en-Mauges
Chaudron-en-Mauges
Ste-Luce-s.-Loire
NANTES
St-Julien-de-Concelles
Landemont
la Remaudière
St-Christophe-la-Couperie
MONTREVAULT
St-Pierre-Montlimart
la Salle-et-Chapelle-Aubry
LE LOROUX-BOTTEREAU
la Boissière-du-Doré
le Puiset-Doré
BASSE-GOULAINE
St-Sébastien-s.-Loire
le Landreau
la Chaussaire
le Fief-Sauvin
BEAUPRÉAU
Haute-Goulaine
la Regrippière
la Chapelle-du-Genêt
VERTOU
la Chapelle-Heulin
VALLET
Geste
Andrezé
la Haie-Fouassière
le Pallet
Mouzillon
Tillières
Villedieu-la-Blouère
St-Philbert-en-Mauges
St-Fiacre-s.-Maine
Monnières
Château-Thébaud
St-Germain-s.-Moine
la Renaudière
St-Macaire-en-Mauges
Bégrolles-en-Mauges
Maisdon-s.-Sèvre
Gorges
le Bignon
AIGREFEUILLE-S.-MAINE
CLISSON
St-Crespin-s.-Moine
MONTFAUCON
St-André-de-la-Marche
St-Lumine-de-Clisson
St-Hilaire-de-Clisson
Gétigné
Montigné-s.-Moine
Roussay
Montbert
Remouillé
Cugand
la Romagne
la Séguinière
la Bernardière
Boussay
Torfou
St-Christophe-du-Bois
la Planche
la Bruffière
St-Hilaire-de-Loulay
le Longeron
St-Philbert-de-Bouaine
Tiffauges
Treize-Septiers
MONTAIGU
Vieillevigne
la Guyonnière
les Landes-Génusson
St-Aubin-des-Ormeaux
MORTAGNE-S.-SÈVRE
Boufféré
St-Martin-des-Tilleuls
ROCHESERVIÈRE
St-Georges-de-Montaigu
la Boissière-de-Montaigu
la Verrie
St-André-Treize-Voies
la Gaubretière
Mormaison
l'Herbergement
St-Malô-du-Bois
Chambretaud
St-Sulpice-le-Verdon
Chavagnes-en-Paillers
Beaurepaire
Bazoges-en-Paillers
les Brouzils
LES HERBIERS
la Rabatelière
les Lucs-s.-Boulogne
la Copechagnière
ST-FULGENT
Mesnard-la-Barotière
St-Mars-la-Réorthe
St-André-Goule-d'Oie
Chauche
St-Denis-la-Chevasse
Saligny
Vendrennes
St-Paul-en-Pareds
St-Michel-Mont-Mercure
Boulogne
l'Oie
Belleville-s.-Vie
Ste-Florence
Rochetrejoux
le Boupère
la Merlatière
LES ESSARTS
Mouchamps
St-Vincent-Sterlanges
Ouv. proch.
Ouv. print. 2005
FORÊT DU PARC SOUBISE
Forêt de Gralas
Forêt de Leppo
LA COUR NEUVE
MONTAIGU
LES HERBIERS
LES ESSARTS

90
91
AJ
AK
AL
AM
AN
54
55
56
57
58
59
60
108
123
CHALONNES-S.-LOIRE
Savennières
Rochefort-s.-Loire
Brissac-Quincé
Soulaines-s.-Aubance
Ste-Melaine-s.-Aubance
Mozé-s.-Louet
Charcé-St-Ellier-s.-Aubance
Coutures
le Thoureil
St-Georges-des-Sept-Voies
Chemellier
Grézillé
Vauchrétien
FORÊT DE BEAULIEU
Beaulieu-s.-Layon
Chaudefonds-s.-Layon
St-Aubin-de-Luigné
St-Lambert-du-Lattay
Bourgneuf-en-Mauges
St-Laurent-de-la-Plaine
Ste-Christine
la Jumellière
Neuvy-en-Mauges
Rablay-s.-Layon
Faye-d'Anjou
Notre-Dame-d'Allençon
les Alleuds
Saulgé-l'Hôpital
Luigné
Louerre
Noyant-la-Plaine
Ambillou-Château
Louresse-Rochemenier
THOUARCÉ
Chavagnes
le Champ-s.-Layon
Chanzeaux
St-Lézin
Faveraye-Mâchelles
Martigné-Briand
Brigné
CHEMILLÉ
la Chapelle-Rousselin
Valanjou
Aubigné-s.-Layon
Tigné
DOUÉ-LA-FONTAINE
Melay
St-Georges-s.-Layon
Montilliers
la Fosse-de-Tigné
Cernusson
Cossé-d'Anjou
la Salle-de-Vihiers
Tancoigné
Concourson-s.-Layon
St-Georges-des-Gardes
PUY DE LA GARDE
la Tourlandry
VIHIERS
Trémont
les Verchers-s.-Layon
Trémentines
Vezins
Coron
Nueil-s.-Layon
Passavant-s.-Layon
FORÊT DE Abbe BRIGNON
Nuaillé
FORÊT DE NUAILLÉ
Chanteloup-les-Bois
les Cerqueux-s/s-Passavant
St-Paul-du-Bois
Cléré-s.-Layon
CHOLET CENTRE
la Plaine
Toutlemonde
Mazières-en-Mauges
Genneton
Cersay
Argenton-l'Église
Somloire
St-Maurice-la-Fougereuse
Ulcot
Yzernay
Maulévrier
la Tessoualle
Bouillé-St-Paul
les Cerqueux
Etusson
Massais
St-Pierre-des-Echaubrognes
ARGENTON-CHÂTEAU
le Breuil-s/s-Argenton
Ste-Radegonde
Mauzé-Thouarsais
St-Jacques-de-Thouars
Boësse
les Aubiers
Sanzay
la Coudre
Moutiers-s/s-Argenton
Nueil-les-Aubiers
St-Clémentin
la Chapelle-Gaudin
Coulonges-Thouarsais
Treize-Vents
Mallièvre
MAULÉON
Voultegon
St-Aubin-du-Plain
Ste-Gemme
Luché-Thouarsais
ST-VARENT
la Petite-Boissière
St-Amand-s.-Sèvre
Combrand
les Châtelliers-Châteaumur
le Pin
Brétignolles
Geay
Pierrefitte
Glénay
la Pommeraie-s.-Sèvre
Cirière
CERIZAY
BRESSUIRE
la Flocellière
Montravers
Faye-l'Abbesse
Boussais
POUZAUGES
St-Mesmin
Chiché
St-André-s.-Sèvre
Courlay
Maisontiers
la Forêt-s.-Sèvre
la Chapelle-St-Laurent
Amailloux
Montournais
St-Jouin-de-Milly
10 km

91
107
124

AN
AO
AP
AQ
AR
54
55
56
57
58
59
60
LONGUÉ-JUMELLES
Gennes
les Rosiers-s.-Loire
St-Clément-des-Levées
St-Martin-de-la-Place
Chênehutte-Trèves-Cunault
Blou
Neuillé
Vivy
Allonnes
Brain-s.-Allonnes
Vernoil
Courléon
Gizeux
Continvoir
Avrillé-les-Ponceaux
les Essards
La Breille-les-Pins
St-Nicolas-de-Bourgueil
BOURGUEIL
Restigné
Benais
Ingrandes-de-Touraine
St-Patrice
PARC
RÉGIONAL
LOIRE
ANJOU
TOURAINE
SAUMUR
Villebernier
Varennes-s.-Loire
Chouzé-s.-Loire
la Chapelle-s.-Loire
Rigny-Ussé
Huismes
Avoine
Beaumont-en-Véron
Savigny-en-Véron
CHINON
St-Germain-s.-Vienne
Candes-St-Martin
Montsoreau
Fontevraud-l'Abbaye
Turquant
Parnay
Souzay-Champigny
Varrains
Chacé
Distré
Artannes-s.-Thouet
St-Cyr-en-Bourg
Brézé
St-Just-s.-Dive
le Coudray-Macouard
Rou-Marson
Poce
les Ulmes
Meigné
Forges
DOUÉ-LA-FONTAINE
Montfort
Cizay-la-Madeleine
Courchamps
Brossay
Vaudelnay
le Puy-Notre-Dame
MONTREUIL-BELLAY
St-Macaire-du-Bois
Epieds
Saix
Roiffé
Couziers
Cinais
Lerné
Seuilly
Thizay
la Roche-Clermault
Anché
Sazilly
Ligré
Marçay
Beuxes
Vézières
Bournand
Raslay
Morton
Pouançay
Antoigné
Berrie
St-Léger-de-Montbrillais
LES TROIS-MOUTIERS
Assay
Champigny-s.-Veude
Chaveigné
Basses
Sammarcolles
Ceaux-en-Loudun
LOUDUN
Messemé
Pouant
RICHELIEU
Ternay
Curçay-s.-Dive
Glénouze
Ranton
Pas-de-Jeu
St-Laon
Mouterre-Silly
Arçay
Chalais
la Roche-Rigault
Maulay
Nueil-s/s-Faye
Derçé
Angliers
Princay
MONTS-S.-GUESNES
Guesnes
Martaizé
Aulnay
Ouzilly-Vignolles
St-Clair
la Chaussée
MONCONTOUR
St-Jouin-de-Marnes
Marnes
Saires
Orches
Berthegon
Savigny-s/s-Faye
Doussay
Cernay
Verrue
Coussay
St-Jean-de-Sauves
Chouppes
LENCLOÎTRE
MIREBEAU
Mazeuil
la Grimaudière
Assais-les-Jumeaux
AIRVAULT
Availles-Thouarsais
Irais
St-Généroux
THOUARS
St-Jean-de-Thouars
Ste-Verge
Louzy
St-Léger-de-Montbrun
St-Martin-de-Mâcon
Tourtenay
Brion-près-Thouet
St-Cyr-la-Lande
St-Martin-de-Sanzay
Bouillé-Loretz
Argenton-l'Église
Oiron
Taizé
Missé
Luzay
Brie
ST-VARENT
Glénay
Boussais
Tessonnière
Louin
ST-LOUP-LAMAIRÉ
Maisontiers
le Chillou
Craon
Amberre
Varennes
Thurageau
FORÊT DE FONTEVRAUD
CAMP MILITAIRE
Vienne
Thouet
Dive
A 85
E 60
N 147
D 947
D 751
D 749
D 759
D 938
D 960
D 725

92
93
125
110
10 km
AS
AT
AU
AV
AW
54
55
56
57
58
59
60
TOURS
ST-PIERRE-DES-CORPS
LUYNES
St-Genouph
Fondettes
ST-CYR-S.-LOIRE
la Ville-aux-Dames
MONTLOUIS-S.-LOIRE
Lussault-s.-Loire
JOUÉ-LES-TOURS
BALLAN-MIRÉ
ST-AVERTIN
CHAMBRAY-LES-TOURS
Larçay
Véretz
Azay-s.-Cher
St-Martin-le-Beau
Dierre
la Croix-en-Touraine
BLÉRÉ
Athée-s.-Cher
Savonnières
Villandry
Berthenay
Cinq-Mars-la-Pile
Mazières-de-Touraine
St-Étienne-de-Chigny
LANGEAIS
la Chapelle-aux-Naux
Druyé
Vallères
Lignières-de-Touraine
AZAY-LE-RIDEAU
Cheillé
Artannes-s.-Indre
Monts
MONTBAZON
Veigné
Esvres
Cormery
Truyes
Courçay
Cigogné
Sublaines
Pont-de-Ruan
Saché
Sorigny
St-Branchs
Tauxigny
Reignac-s.-Indre
Azay-s.-Indre
Chédigny
Villaines-les-Rochers
Thilouze
Villeperdue
Louans
St-Bauld
Dolus-le-Sec
Chanceaux-près-Loches
LOCHES
Neuil
Avon-les-Roches
Panzoult
Crissay-s.-Manse
St-Épain
Ste-Catherine-de-Fierbois
le Louroux
Manthelan
Crouzilles
Tavant
L'ILE-BOUCHARD
Trogues
Noyant-de-Touraine
STE-MAURE-DE-TOURAINE
Bossée
la Chapelle-Blanche-St-Martin
Vou
Mouzay
Brizay
Theneuil
Parçay-s.-Vienne
Pouzay
Sepmes
Bournan
Varennes
Ciran
Rilly-s.-Vienne
Chezelles
la Tour-St-Gelin
Noyers
Nouâtre
Maillé
Draché
Civray-s.-Esves
LIGUEIL
St-Senoch
Marcilly-s.-Vienne
Verneuil-le-Château
Marcé-s.-Esves
Esves-le-Moutier
Courcoué
Luzé
Ports
la Celle-St-Avant
Cussay
Port-de-Piles
Braslou
Marigny-Marmande
Pussigny
Antogny-le-Tillac
Les Ormes
DESCARTES
Neuilly-le-Brignon
Paulmy
Ferrière-Larçon
Betz-le-Château
Razines
Buxeuil
St-Rémy-s.-Creuse
Abilly
Jaulnay
la Celle-Guenand
Mondion
Vellèches
DANGÉ-ST-ROMAIN
LE GRAND-PRESSIGNY
Leigné-s.-Usseau
Vaux-s.-Vienne
Leugny
le Petit-Pressigny
Charnizay
ST-GERVAIS-LES-TROIS-CLOCHERS
Usseau
Ingrandes
la Guerche
Oyré
Sossais
Antran
Mairé
Barrou
Chaumussay
PREUILLY-S.-CLAISE
St-Genest-d'Ambière
Thuré
Lésigny
Chambon
Boussay
Bossay-s.-Claise
CHÂTELLERAULT
Scorbé-Clairvaux
St-Sauveur
Coussay-les-Bois
la Roche-Posay
Yzeures-s.-Creuse
Senillé
Colombiers
Cenon-s.
Ozilly
FORÊT DE VILLANDRY
FORÊT DE LA GUERCHE
CAMP MILITAIRE
Landes du Ruchard
Ouv. début 2005
Ech. ouv. proch.
Ouv. prochaine
CHÂTELLERAULT-NORD
CHÂTELLERAULT-SUD
STE-MAURE-DE-TOURAINE
VILLANDRY
AZAY-LE-RIDEAU
BALLAN-MIRÉ
A 10
A 85
E 5
E 60
E 604
N 10
N 143
N 76
N 152
D 760
D 725
D 750
D 751
D 910

93

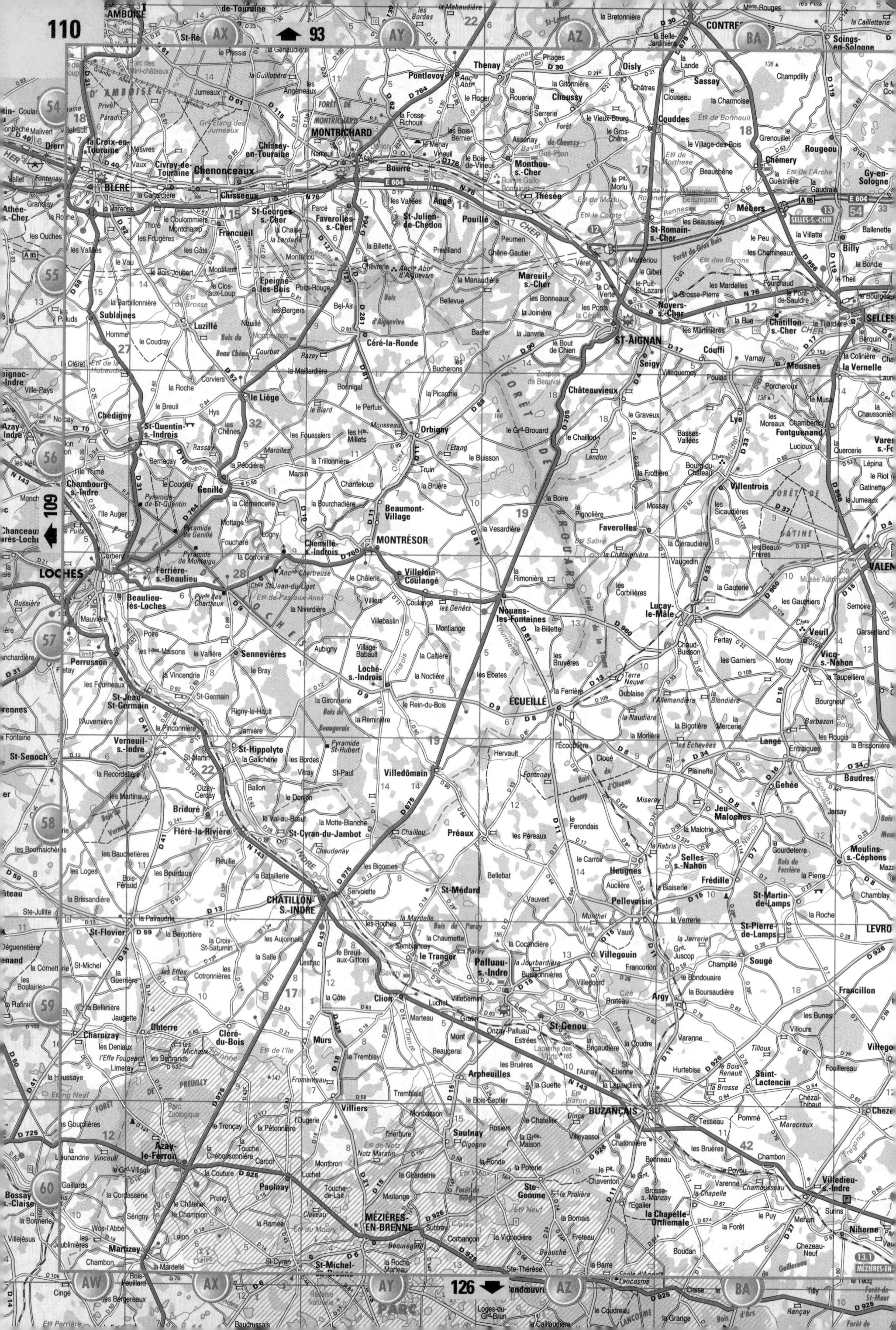
AMBOISE
CONTRES
Soings-en-Sologne
Thenay
Pontlevoy
MONTRICHARD
Oisly
Sassay
Choussy
Couddes
Chémery
Rougeou
Gy-en-Sologne
Chenonceaux
Chisseaux
Bourré
Monthou-s.-Cher
Thésée
BLÉRÉ
La Croix-en-Touraine
Civray-de-Touraine
Chissay-en-Touraine
St-Georges-s.-Cher
Faverolles-s.-Cher
Angé
Pouillé
St-Julien-de-Chédon
Francueil
Mareuil-s.-Cher
St-Romain-s.-Cher
Méhers
Billy
Noyers-s.-Cher
ST-AIGNAN
SELLES-S.-CHER
Châtillon-s.-Cher
Couffi
Meusnes
Seigy
Sublaines
Luzillé
Epeigné-les-Bois
Céré-la-Ronde
Châteauvieux
Chédigny
St-Quentin-s.-Indrois
Le Liège
Orbigny
Lye
Fontguenand
Genillé
Chambourg-s.-Indre
Villentrois
Beaumont-Village
MONTRÉSOR
Chemillé-s.-Indrois
Faverolles
LOCHES
Ferrière-s.-Beaulieu
Beaulieu-lès-Loches
Villeloin-Coulangé
Nouans-les-Fontaines
Luçay-le-Mâle
VALENÇAY
Veuil
Vicq-s.-Nahon
Perrusson
Sennevières
Loché-s.-Indrois
ÉCUEILLÉ
St-Jean-St-Germain
Verneuil-s.-Indre
St-Hippolyte
Villedômain
Langé
Gehée
Baudres
St-Senoch
Bridoré
Fléré-la-Rivière
St-Cyran-du-Jambot
Préaux
Jeu-Maloches
Selles-s.-Nahon
Fredille
Heugnes
Pellevoisin
Moulins-s.-Céphons
St-Martin-de-Lamps
St-Pierre-de-Lamps
CHATILLON-S.-INDRE
St-Médard
St-Flovier
Le Tranger
Palluau-s.-Indre
Villegouin
Sougé
Argy
Francillon
LEVROUX
Clion
St-Genou
Charnizay
Obterre
Cléré-du-Bois
Murs
Arpheuilles
Saint-Lactencin
Villegongis
Villiers
Saulnay
BUZANÇAIS
Azay-le-Ferron
Paulnay
Ste-Gemme
Villedieu-s.-Indre
Bossay-s.-Claise
Martizay
MÉZIÈRES-EN-BRENNE
La Chapelle-Orthemale
Niherne
St-Michel-en-Brenne
Vendœuvres
PARC

109

126

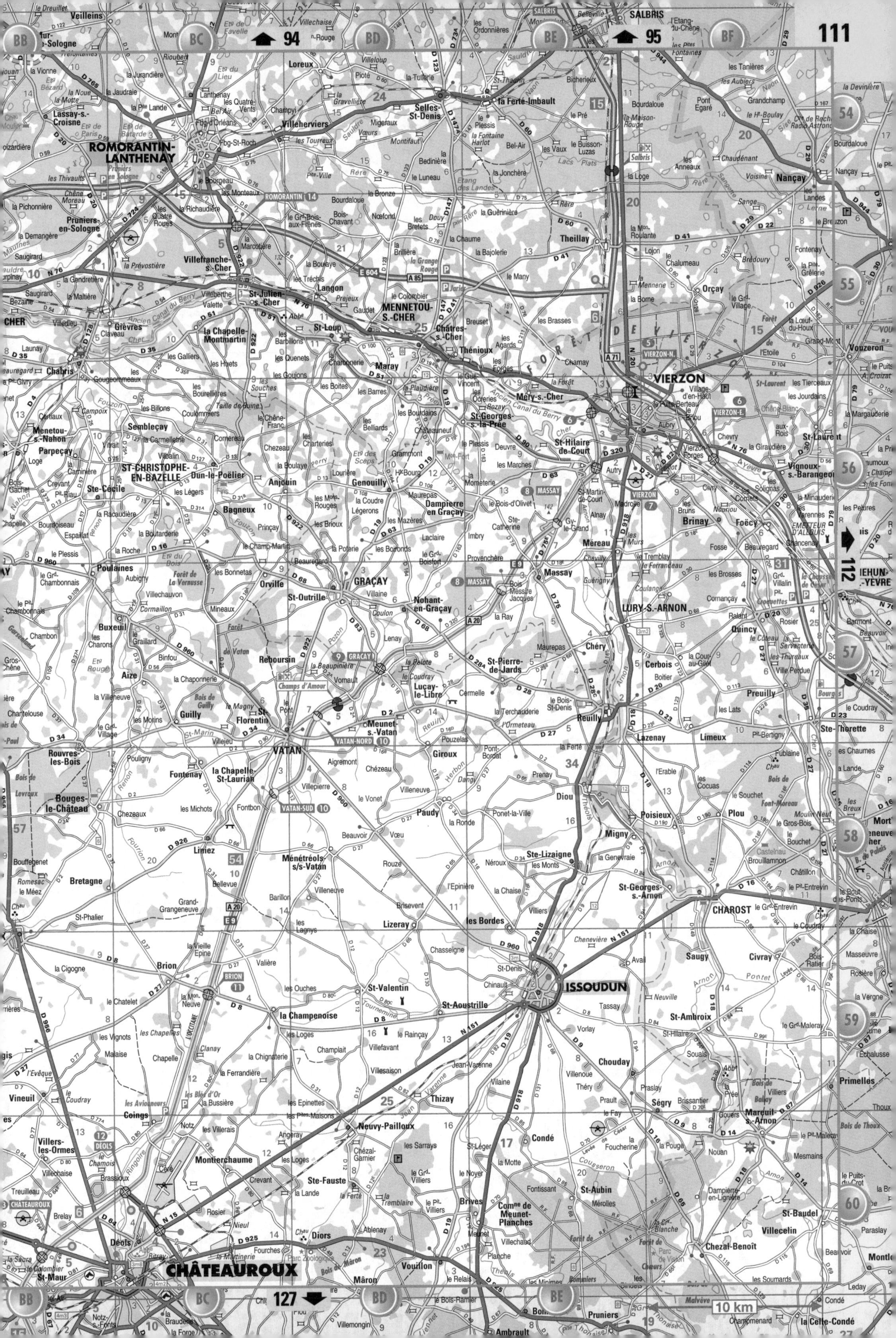

94
95
112
127
BB
BC
BD
BE
BF
54
55
56
57
58
59
60
ROMORANTIN-LANTHENAY
SALBRIS
VIERZON
MENNETOU-S.-CHER
GRAÇAY
VATAN
ISSOUDUN
CHÂTEAUROUX
LURY-S.-ARNON
CHAROST
Selles-St-Denis
la Ferté-Imbault
Villeherviers
Loreux
Pruniers-en-Sologne
Villefranche-s.-Cher
St-Julien-s.-Cher
Langon
Gièvres
la Chapelle-Montmartin
Châtres-s.-Cher
Thénioux
Méry-s.-Cher
St-Georges-s.-la-Prée
St-Hilaire-de-Court
Theillay
Nançay
Vouzeron
Chabris
Menetou-s.-Nahon
Sembleçay
St-Christophe-en-Bazelle
Dun-le-Poëlier
Ste-Cécile
Parpeçay
Anjouin
Genouilly
Dampierre-en-Graçay
Bagneux
Poulaines
Orville
St-Outrille
Nohant-en-Graçay
Massay
Méreau
Brinay
Foëcy
Quincy
Chéry
Cerbois
Reuilly
Preuilly
St-Pierre-de-Jards
Lucay-le-Libre
Meunet-s.-Vatan
Reboursin
Buxeuil
Aize
Guilly
St-Florentin
Giroux
Lazenay
Limeux
Ste-Thorette
Fontenay
la Chapelle-St-Laurian
Rouvres-les-Bois
Bouges-le-Château
Diou
Poisieux
Plou
Paudy
Migny
Ste-Lizaigne
St-Georges-s.-Arnon
Limez
Ménétréols-s/s-Vatan
Bretagne
Lizeray
les Bordes
Saugy
Civray
Brion
St-Valentin
St-Aoustrille
la Champenoise
St-Ambroix
Chouday
Primelles
Thizay
Ségry
Mareuil-s.-Arnon
Vineuil
Coings
Villers-les-Ormes
Neuvy-Pailloux
Montierchaume
Condé
Ste-Fauste
St-Aubin
Brives
Comne de Meunet-Planches
Diors
Déols
Vouillon
Chezal-Benoît
Villecelin
St-Baudel
St-Maur
Ambrault
10 km

95
96
111
128
BG
BH
BI
BJ
BK
54
55
56
57
58
59
60
Ennordres
Villegenon
Thou
Assigny
Presly
Nançay
LA CHAPELLE-D'ANGILLON
Ivoy-le-Pré
FORÊT D'IVOY
Jars
le Noyer
Subligny
la Chapelotte
Neuvy-s.-Barangeon
Méry-ès-Bois
HENRICHEMONT
Sens-Beaujeu
Neuilly-en-Sancerre
Crézancy-en-Sancerre
Menetou-Ratel
Verdigny
FORÊT DE VOUZERON
Vouzeron
Achères
Neuvy-Deux-Clochers
Humbligny
Vinon
Veaugues
St-Laurent
Allogny
St-Palais
Quantilly
Menetou-Salon
Parassy
Morogues
Montigny
Jalognes
Aubinges
St-Céols
ST-MARTIN-D'AUXIGNY
Vignoux-s/s-les-Aix
LES AIX-D'ANGILLON
Rians
St-Georges-s.-Moulon
Pigny
Soulangis
Allouis
Azy
Etréchy
MEHUN-S.-YEVRE
St-Eloy-de-Gy
Vasselay
St-Michel-de-Volangis
Fussy
Ste-Solange
Brécy
Chaumoux-Marcilly
ST-DOULCHARD
Marmagne
St-Germain-du-Puy
Gron
Villabon
BOURGES
Moulins-s.-Yevre
Nohant-en-Goût
Farges-en-Septaine
BAUGY
Osmoy
la Chapelle-St-Ursin
CAMP D'AVORD
Saligny-le-Vif
Savigny-en-Septaine
Avord
Morthomiers
Villeneuve-s.-Cher
Soye-en-Septaine
Laverdines
Trouy
Plaimpied-Givaudins
Crosses
St-Florent-s.-Cher
le Subdray
St-Just
Jussy-Champagne
Bengy-s.-Craon
NÉRONDES
Vornay
St-Caprais
Lissay-Lochy
Raymond
Flavigny
Arçay
Senneçay
Vorly
Annoix
Cornusse
St-Denis-de-Palin
Osmery
Lunery
Lapan
Ste-Lunaise
LEVET
Lugny-Bourbonnais
Primelles
St-Germain-des-Bois
Bussy
Lantan
Ourouer-les-Bourdelins
Corquoy
Serruelles
DUN-S.-AURON
Blet
Charly
CHÂTEAUNEUF-S.-CHER
Chavannes
Contres
Chalivoy-Milon
Venesmes
Parnay
Cogny
Sagonne
Montlouis
Chaumont
Crézançay-s.-Cher
St-Loup-des-Chaumes
Uzay-le-Venon
Verneuil
Thaumiers
St-Symphorien
Meillant
Arpheuilles
Chambon
Vallenay
la Celle-Condé
BOIS DE MEILLANT
FORÊT DE ST-PALAIS

96
97
114
129
COSNE-COURS-S.-LOIRE
SANCERRE
POUILLY-S.-LOIRE
LA CHARITÉ-S.-LOIRE
NEVERS
DONZY
VARZY
PRÉMERY
GUÉRIGNY
POUGUES-LES-EAUX
FOURCHAMBAULT
IMPHY
DECIZE
SANCOINS
LA GUERCHE-S.-L'AUBOIS
SANCERGUES
ST-PIERRE-LE-MOÛTIER
ST-BENIN-D'AZY
Châteauneuf-Val-de-Bargis
Magny-Cours
Apremont-s.-Allier
Varennes-Vauzelles
Marzy
Coulanges-lès-Nevers
Urzy
St-Eloi
Sermoise-s.-Loire
Challuy
Chevenon
Sauvigny-les-Bois
St-Parize-le-Châtel
Mars-s.-Allier
Langeron
Champvoux
Chaulgnes
Raveau
Narcy
Nannay
Arbourse
Chasnay
Murlin
Sichamps
Poiseux
Nolay
Beaumont-la-Ferrière
Champlemy
Menou
Colméry
St-Malo-en-Donziois
Cessy-les-Bois
Ste-Colombe-des-Bois
Vielmanay
Garchy
Bulcy
Mesves-s.-Loire
Herry
St-Martin-des-Champs
Jussy-le-Chaudrier
Précy
Garigny
Germigny-s.-Loire
Cours-les-Barres
Torteron
Cuffy
Gimouille
Saincaize-Meauce
Neuvy-le-Barrois
Mornay-s.-Allier
Luthenay-Uxeloup
Fleury-s.-Loire
Béard
St-Ouen-s.-Loire
Druy-Parigny
Beaumont-Sardolles
Sougy-s.-Loire
Avril-s.-Loire
Montigny-aux-Amognes
St-Jean-aux-Amognes
St-Sulpice
Ourouër
Balleray
St-Martin-d'Heuille
Parigny-les-Vaux
St-Aubin-les-Forges
Giry
Arzembouy
Arthel
St-Bonnot
Oulon
Montenoison
Moussy
Lurcy-le-Bourg
St-Benin-des-Bois
Bona
St-Firmin
Limon
La Fermeté
Trois-Vèvres
St-Léger-des-Vignes
Azy-le-Vif
St-Germain-Chassenay
Augy-s.-Aubois
10 km
N 7
N 151
N 76
N 81
A 77
D 977
D 38
D 33
D 2

97
98
113
130

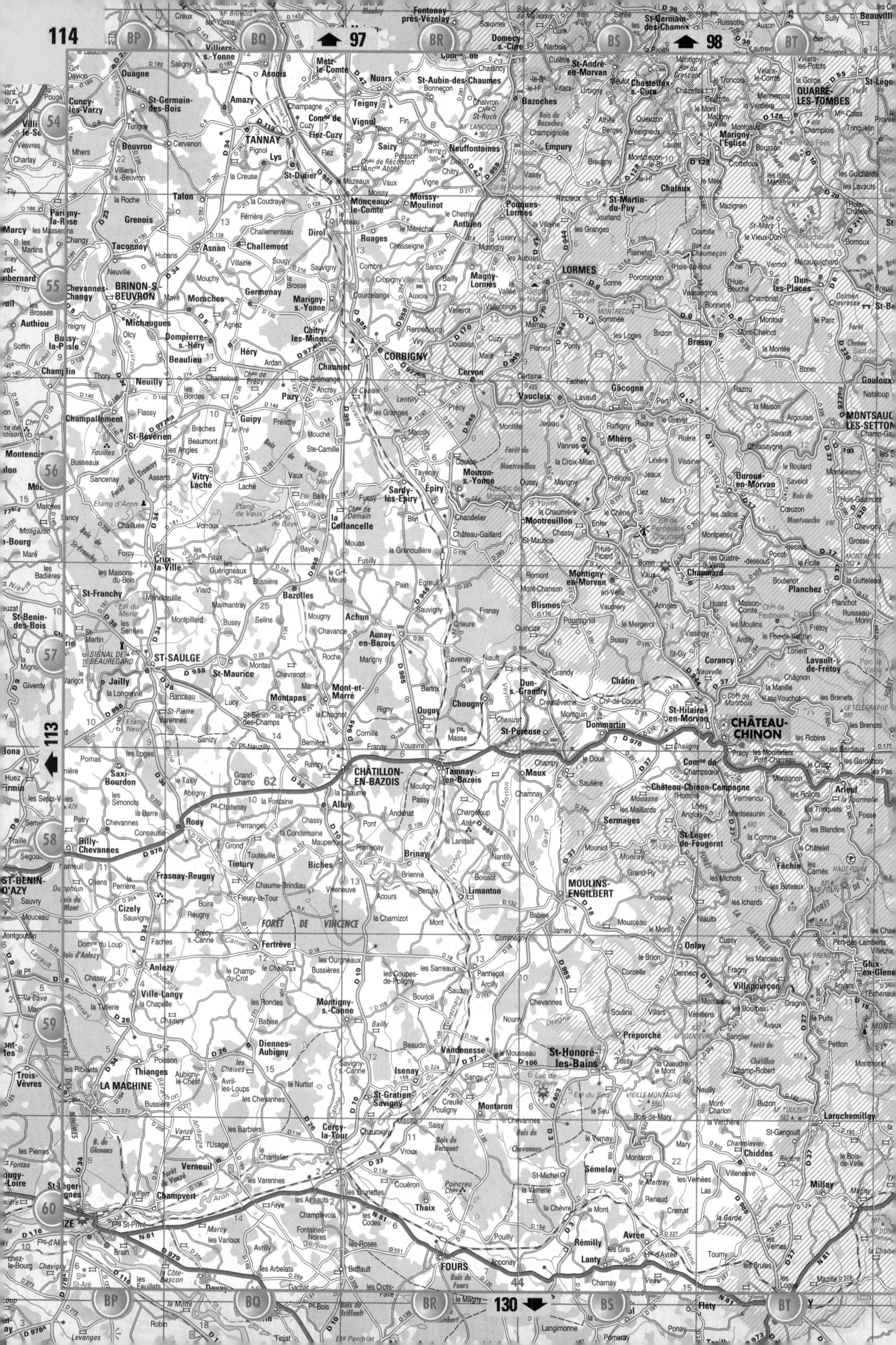
BP
BQ
BR
BS
BT
54
55
56
57
58
59
60
Fontenay-près-Vézelay
Domecy-s.-Cure
St-Germain-des-Champs
Villiers-s.-Yonne
Metz-le-Comte
Asnois
Ouagne
Nuars
St-Aubin-des-Chaumes
Bazoches
St-André-en-Morvan
Chastellux-s.-Cure
Quarré-les-Tombes
St-Germain-des-Bois
Cuncy-les-Varzy
Amazy
Teigny
Vignol
Tannay
Saizy
Neuffontaines
Empury
Marigny-l'Église
Beuvron
Lys
St-Didier
Talon
Monceaux-le-Comte
Moissy-Moulinot
Pouques-Lormes
St-Martin-du-Puy
Chalaux
Grenois
Dirol
Ruages
Anthien
Parigny-la-Rose
Taconnay
Asnan
Challement
Lormes
Brinon-s.-Beuvron
Moraches
Germenay
Marigny-s.-Yonne
Magny-Lormes
Dun-les-Places
Chevannes-Changy
Michaugues
Dompierre-s.-Héry
Héry
Chitry-les-Mines
Corbigny
Brassy
Authiou
Bussy-la-Pesle
Beaulieu
Chaumot
Cervon
Champlin
Neuilly
Pazy
Vauclaix
Gâcogne
Gouloux
Montsauche-les-Settons
Champallement
Guipy
St-Révérien
Mhère
Montenoison
Vitry-Laché
Mouron-s.-Yonne
Épiry
Sardy-lès-Épiry
Duroux-en-Morvan
La Collancelle
Montreuillon
Crux-la-Ville
Chaumard
Montigny-en-Morvan
St-Franchy
Bazolles
Planchez
Blismes
St-Benin-des-Bois
Achun
Aunay-en-Bazois
St-Saulge
St-Maurice
Corancy
Lavault-de-Frétoy
Jailly
Montapas
Mont-et-Marré
Châtin
Dun-s.-Grandry
Chougny
Ougny
Dommartin
St-Hilaire-en-Morvan
Château-Chinon
St-Péreuse
Châtillon-en-Bazois
Tamnay-en-Bazois
Maux
Saxi-Bourdon
Alluy
Château-Chinon-Campagne
Arleuf
Rouy
Billy-Chevannes
Sermages
St-Léger-de-Fougeret
Tintury
Brinay
Biches
Frasnay-Reugny
St-Benin-d'Azy
Limanton
Moulins-Engilbert
Fâchin
Cizely
Forêt de Vincence
Fertrève
Onlay
Anlezy
Villapourçon
Glux-en-Glenne
Ville-Langy
Montigny-s.-Canne
Préporché
Dienne-Aubigny
Vandenesse
St-Honoré-les-Bains
Thianges
La Machine
Isenay
St-Gratien-Savigny
Montaron
Larochemillay
Cercy-la-Tour
Verneuil
Sémelay
Chiddes
Champvert
Thaix
Millay
Decize
Fours
Rémilly
Lanty
Avrée
Fléty
D 978
D 985
D 945
D 37
D 34
N 81
D 981

98
99
116
131
10 km
BU
BV
BW
BX
BY
54
55
56
57
58
59
60
Rouvray
Brianny
Braux
Marcilly-et-Dracy
Velogny
Chevannay
Massingy-aux
Bierre-lès-Semur
PRÉCY-S/S-THIL
St-Germain-de-Modéon
la Roche-en-Brénil
Villars-Dompierre
Clamerey
Vesvres
St-Thibault
Boussey
Saffres
Avosnes
Verrey-s/s-Drée
Bussy-la-Pesle
Lacour-d'Arcenay
Juillenay
Vic-s/s-Thil
Nan-s/s-Thil
Normier
Fontangy
Noidan
Beurizot
Uncey-le-Franc
Marcellois
St-Mesmin
Montlay-en-Auxois
Molphey
St-Didier
Charny
Thorey-s/s-Charny
Soussey-s.-Brionne
Grosbois-en-Montagne
St-Anthot
SOMBERNON
Vieilmoulin
la Motte-Ternant
Gissey-le-Vieil
Eguilly
Martrois
Missery
Blancey
Aubigny-lès-Sombernon
Civry-en-Montagne
Bellenot-s/s-Pouilly
Mont-St-Jean
Villargoix
SAULIEU
Champeau-en-Morvan
Chailly-s.-Armançon
POUILLY-EN-AUXOIS
Montoillot
Commarin
Semarey
Marcilly-Ogny
Thoisy-la-Berchère
Thoisy-le-Désert
Créancey
Châtellenot
Vandenesse-en-Auxois
Châteauneuf
St-Martin-de-la-Mer
Sussey
Beurey-Bauguay
Arconcey
Maconge
Alligny-en-Morvan
LIERNAIS
Censerey
Essey
Meilly-s.-Rouvres
Rouvres-s/s-Meilly
Bouhey
FORÊT DE BOUHEY
Ste-Sabine
Crugey
Allerey
Clomot
le Fête
Chazilly
Chaudenay-le-Château
Chaudenay-la-Ville
Diancey
Musigny
Longecourt-lès-Culêtre
Cussy-le-Châtel
Moux-en-Morvan
Brazey-en-Morvan
Blanot
Vianges
Bard-le-Régulier
Marcheseuil
Mimeure
Culêtre
Painblanc
Thorey-s.-Ouche
Jouey
ARNAY-LE-DUC
Villiers-en-Morvan
Ménessaire
Savilly
Manlay
Veilly
Foissy
Auxant
BLIGNY-S.-OUCHE
Chissey-en-Morvan
Magnien
St-Prix-lès-Arnay
Antigny-la-Ville
Vic-des-Prés
Bessey-la-Cour
Cussy-en-Morvan
Voudenay
Barnay-dessus
Maligny
Lacanche
Thomirey
Écutigny
Saussey
LUCENAY-L'ÉVÊQUE
Anost
St-Pierre-en-Vaux
Champignolles
Jours-en-Vaux
Montceau-et-Écharnant
Cussy-la-Colonne
Sommant
Reclesne
Igornay
Viévy
Thury
Ivry-en-Montagne
La Petite-Verrière
Roussillon-en-Morvan
Cordesse
Tavernay
Dracy-St-Loup
St-Léger-du-Bois
Sully
ÉPINAC
Molinot
Santosse
La Celle-en-Morvan
St-Forgeot
Curgy
Aubigny-la-Ronce
Vauchignon
Cormot-le-Grd
NOLAY
La Rochepot
La Grande-Verrière
Monthelon
AUTUN
Morlet
Saisy
Epertully
Collonge-la-Madeleine
Auxy
Change
Chassagne-Montrachet
Tintry
St-Gervais-s.-Couches
Créot
Dezize-lès-Maranges
Santenay
ST-LÉGER-S/S-BEUVRAY
Brion
Antully
St-Émiland
St-Martin-de-Commune
Dracy-lès-Couches
Paris-l'Hôpital
Sampigny-lès-Maranges
Cheilly-lès-Maranges
Laizy
St-Sernin-du-Plain
la Comelle
Broye
COUCHES
St-Maurice-lès-Couches
Nantoux
Chamilly
Dennevy
Poil
Étang-s.-Arroux
MESVRES
St-Léger-s.-Dheune
Charrecey
Aluze
la Chapelle-s/s-Uchon
St-Pierre-de-Varennes
St-Jean-de-Trézy
St-Bérain-s.-Dheune
St-Martin-sous-Montaigu
St-Didier-s.-Arroux
St-Symphorien-de-Marmagne
Marmagne
St-Sernin-du-Bois
St-Firmin
Perreuil
Uchon
St-Nizier-s.-Arroux
LE CREUSOT
Essertenne
Morey
Châtel-Moron
Thil-s.-Arroux
la Tagnière
MONTCENIS
le Breuil
Barizey
St-Julien-s.-Dheune
Villeneuve-en-Montagne
Torcy
A6
A38
N6
N81
N80
D 980
D 970
D 973
D 978
D 981
E 15
E 60
FORÊT NATLE DES BATTÉES
Forêt de Buan
Forêt de Thoisy

99
100
115
132
DIJON
FONTAINE-LÈS-DIJON
CHENÔVE
GEVREY-CHAMBERTIN
NUITS-ST-GEORGES
BEAUNE
CHAGNY
CHALON-S.-SAÔNE
SEURRE
ST-JEAN-DE-LOSNE
VERDUN-S.-LE-DOUBS
ST-MARTIN-EN-BRESSE
PIERRE-DE-BRESSE
BLIGNY-S.-OUCHE
SOMBERNON
GENLIS
NOLAY
GIVRY
FORÊT DE CÎTEAUX
FORÊT DE GERGY

100
101
118
133
10 km
CE
CF
CG
CH
CI
54
55
56
57
58
59
60
Cheuge
Jancigny
Noiron
Champtonnay
Charcenne
Autoreille
Montbozon
Bézouotte
Charmes
Mirebeau
Germigney
le Tremblois
Arsans
Gézier-et-Fontenelay
St-Sauveur
Talmay
Montseugny
Lieucourt
Vadans
Venère
Virey
Courcuire
Chambornay-lès-Pin
Cussey-s.-l'Ognon
Pont-Bernard
Marandeuil
Montmançon
la Grande-Résie
Chevigney
Valay
Bonboillon
Tromarey
Drambon
Maxilly-s.-Saône
Heuilley-s.-Saône
Ste-Cécile
Chancey
Cult
Avrigney-Virey
Pin
Sauvagney
Aubigney
la Résie-St-Martin
Hugier
Beaumotte-lès-Pin
Vregille
Auxon-Dessus
St-Léger-Triey
Perrigny-s.-l'Ognon
Broye-Aubigney-Montseugny
Chaumercenne
Moncley
Auxon-Dessous
Sauvigney-lès-Pesmes
Motey-Besuche
Brussey
Émagny
PONTAILLER-S.-SAÔNE
Vonges
Cléry
Chassey
PESMES
Bard-lès-Pesmes
Montagney
Bay
MARNAY
Ruffey-le-Château
Chevigney-s.-l'Ognon
Chaucenne
Miserey-Salines
Mutigney
Sornay
Chenevrey-et-Morogne
Burgille
Recologne
Noironte
Pelousey
Ecole-Valentin
le Pays-Neuf
Vielverge
Champagney
Malans
Acey
Chazoy
Franey
AUDEUX
Pouilley-les-Vignes
Pirey
Lamarche-s.-Saône
Soissons-s.-Nacey
Dammartin-Marpain
Thervay
Bresilley
Pagney
Jallerange
Courchapon
Cordiron
Placey
Lavernay
Champagney
Champvans-les-Moulins
Montarlot
Marpain
Vitreux
le Moutherot
Mazerolles-le-Salin
Serre-les-Sapins
Franois
Magny-Montarlot
Champagnolot
Brans
Ougney
Etrabonne
Vertière
Corcondray
Villers-Buzon
Vaux-les-Prés
Poncey-lès-Athée
Athée
Flammerans
Pointre
MONTMIREY-LE-CHÂTEAU
Saligney
Taxenne
Rouffange
Mercey-le-Grand
Lantenne-Vertière
Corcelles-Ferrières
Chemaudin
Villers-les-Pots
Montmirey-la-Ville
Offlanges
Serre-lès-Moulières
Romain
Ferrières-les-Bois
Pouilley-Français
Dannemarie-s.-Crête
Grandfontaine
AUXONNE
Frasne-les-Meulières
GENDREY
Berthelange
la Feuillée
la Cour
Peintre
Moissey
Sermange
Louvatange
le Pt Mercey
Velesmes-Essarts
Rancenay
Larnod
la Chapelle
la Colombière
Vriange
Auxange
GENDREY DAMPIERRE
Évans
St-Vit
Montferrand-le-Château
Tillenay
Chevigny
l'Abergement-lès-Malange
Antorpe
Thoraise
Torpes
Pont
Malange
DAMPIERRE
Salans
Routelle
Busy
Labergement-lès-Auxonne
Villers-Rotin
Menotey
Amange
Romange
Monteplain
Roset-Fluans
Osselle
BOUSSIÈRES
Rainans
Gredisans
Lavans-lès-Dole
Ranchot
Mailly-le-Château
Billey
Biarne
Archelange
Châtenois
Lavangeot
Orchamps
la Barre
Fraisans
Abbans-Dessus
Flagey-lès-Auxonne
Jouhe
Rans
Courtefontaine
Abbans-Dessous
Audelange
Etrepigney
St-Seine-en-Bâche
Sampans
Authume
Eclans-Nénon
Villars-St-Georges
Byans-s.-Doubs
Chouzelot
Laperrière-s.-Saône
Monnières
ROCHEFORT-S.-NENON
la Bretenière
Plumont
Champvans
Baverans
Fourg
QUINGEY
Lavans-Quingey
Falletans
la Chatelaine
Samerey
Foucherans
DOLE
Brevans
Azans
FORÊT DE CHAUX
Lombard
Pessans
Damparis
le Temple
Liesle
Brères
Abergement-la-Ronce
Crissey
Choisey
la Louvière
Mesmay
Samson
Montfort
Ronchaux
Aumur
Tavaux-Cité
Villette-lès-Dole
la Motte
Buffard
Paroy
Bartherans
Tavaux
Gevry
la Vieille-Loye
Chatelay
Chay
St-Aubin
Goux
la Loye
Belmont
Germigney
Arc-et-Senans
Champagne-s.-Loue
Rennes-s.-Loue
Myon
Molay
Parcey
Augerans
MONTBARREY
Santans
Chissey-s.-Loue
Cramans
Port-Lesney
Grange-de-Vaivre
Champdivers
Nevy-lès-Dole
Chamblay
Ecleux
la Chapelle-s.-Furieuse
Peseux
Rahon
Souvans
Mont-s/s-Vaudrey
Ounans
VILLERS-FARLAY
Ivrey
CHEMIN
St-Baraing
Bans
Vaudrey
Villeneuve-d'Aval
Mouchard
Pagnoz
St-Thiébaud
Balaiseaux
Villers-Robert
Aiglepierre
Marnoz
CHAUSSIN
Longwy-s.-le-Doubs
Deschaux
la Ferté
Molamboz
St-Cyr-Montmalin
les Arsures
SALINS-LES-BAINS
Asnans-Beauvoisin
Gatey
Séligney
Vadans
Montigny-lès-Arsures
Pretin
Bracon
Petit-Noir
Neublans-Abergement
Chainée-des-Coupis
Tassenières
Mathenay
Villette-lès-Arbois
Ivory
Les Essards-Taignevaux
Pleure
Bretenières
Chêne-Bernard
Abergement-le-Grand
Mesnay
Chaux-Champagny
Les Hays
Sergenon
Villers-les-Bois
Oussières
Aumont
Montholier
Abergement-le-Petit
ARBOIS
Chilly-s.-Salins
Authumes
Sergenaux
Brefmorin
Neuvilley
Grozon
Pupillin
Les Planches-près-Arbois
Colonne
les Deux-Fays
le Chateley
Brainans
la Châtelaine
Pont-d'Héry
Rye
la Chassagne
Champrougier
Buvilly
Andelot-en-Montagne
Mouthier-en-Bresse
Chêne-Sec
Foulenay
Chemenot
Bersaillin
Villerserine
Tourmont
CHAUMERGY
Charme
la Villey
Monay
POLIGNY
Chamole
Valempoulières
Torpes
Bellevesvre
Beauvernois
Francheville
Chaussenans
Molain
la Chaux-en-Bresse
Bois-de-Gand
Recanoz
Vers-s/s-Sellières
SELLIÈRES
Toulouse-le-Château
Darbonnay
St-Lothain
Miéry
Vaux-s.-Poligny
Barretaine
Vers-en-Montagne
Commenailles
Chapelle-Voland
Froideville
Passenans
Plasne
Montrond
Mantry
St-Lamain
Frontenay
Besain
Ardon
le Planois
Vincent
Lombard
Brery
Ménétru-le-Vignoble
le Fied
Bosjean
Relans
Desnes
Domblans
St-Germain-lès-Arlay
Château-Chalon
Picarreau
Crotenay
Sens-s.-Seille
LETTERANS
Ruffey-s.-Seille
Arlay
Nevy-s.-Seille
Fay-en-Montagne
Pont-du-Navoy
CHAMPAGNOLE

101
102
117
134
CI
CJ
CK
CL
CM
54
55
56
57
58
59
60
BESANÇON
ORNANS
PONTARLIER
VERCEL-VILLEDIEU-LE-CAMP
MONTBENOIT
NOZEROY
LEVIER
AMANCEY
ROULANS
MARCHAUX
QUINGEY
Valdahon
Mamirolle
Saône
Nancray
Montfaucon
Morre
Beure
Fontain
Arguel
Pugey
Larnod
Busy
Tarcenay
Trépot
Foucherans
Étalans
Nods
Vanclans
Chasnans
Athose
Lods
Mouthier-Hte-Pierre
Vuillafans
Montgesoye
Échevannes
Lavans-Vuillafans
Voires
Durnes
Saules
Guyans-Durnes
Bonnevaux-le-Prieuré
Scey-Maisières
Cléron
Chassagne-St-Denis
Amondans
Rurey
Cademène
Épeugney
Malbrans
Mérey-s/s-Montrond
Villers-s/s-Montrond
Montrond-le-Château
Fertans
Malans
Flagey
Chantrans
Silley-Amancey
Bolandoz
Reugney
Déservilles
Éternoz
Nans-s/s-Ste-Anne
Montmahoux
Labergement-du-Navois
Septfontaines
Goux-les-Usiers
Bians-les-Usiers
Sombacour
Chaffois
Houtaud
Dommartin
Vuillecin
Doubs
Arçon
Maisons-du-Bois-Lièvremont
Hauterive-la-Fresse
Montflovin
Ville-du-Pont
La Longeville
Gilley
Arc-s/s-Cicon
Aubonne
St-Gorgon-Main
Bugny
Ouhans
Renédale
Longeville
Évillers
Amathay-Vésigneux
Chapelle-d'Huin
Bulle
Bannans
Dompierre-les-Tilleuls
Bouverans
Frasne
Courvières
Boujailles
Villeneuve-d'Amont
Crouzet-Migette
Ste-Anne
Geraise
Gevresin
Cernans
Dournon
Arc-s/s-Montenot
Villers-s/s-Chalamont
Andelot-en-Montagne
Chapois
Supt
Cuvier
Censeau
Bief-du-Fourg
Esserval-Tartre
Esserval-Combe
Mignovillard
Communailles-en-Montagne
Plénisette
Plénise
Mièges
Onglières
Longcochon
Rix
Billecul
Doye
Charency
La Favière
La Latette
Mournans-Charbonny
St-Germain-en-Montagne
Équevillon
Vannoz
Ardon
Sapois
Gillois
Sirod
Cerniébaud
Les Pontets
Vaux-et-Chantegrue
Bonnevaux
Remoray-Boujeons
Labergement-Ste-Marie
Malbuisson
St-Point-Lac
Montperreux
Oye-et-Pallet
Ste-Colombe
Granges-Narboz
La Cluse-et-Mijoux
Les Fourgs
Les Hôpitaux-Vieux
Les Hôpitaux-Neufs
Jougne
Métabief
Longevilles-Mont-d'Or
Fourcatier-et-Maison-Neuve
Brey-et-Maison-du-Bois
Rochejean
Ste-Croix
Ballaigues
Verrières-de-Joux
Les Alliés
La Planée
Malpas
Les Grangettes
Fallerans
Étray
Épenoy
Rantechaux
Passonfontaine
Vernierfontaine
Chevigney-lès-Vercel
Adam-lès-Vercel
Épenouse
Eysson
Belmont
Bremondans
Orsans
Passavant
Aïssey
Vauchamps
Glamondans
Bouclans
Gonsans
Côtebrune
Chaux-lès-Passavant
Magny-Châtelard
Naisey-les-Granges
Verrières-du-Grosbois
L'Hôpital-du-Grosbois
Charbonnières-les-Sapins
Osse
Vaire-Arcier
Vaire-le-Petit
Deluz
Laissey
Champlive
Dammartin-les-Templiers
Bretigney-Notre-Dame
St-Juan
Adam-lès-Passavant
Guillon-les-Bains
Pont-les-Moulins
Cusance
Servin
Lanans
Vellevans
Vaudrivillers
Ouvans
Landresse
Courtetain-et-Salans
Vellerot-lès-Vercel
Villers-la-Combe
Villers-Chief
Germéfontaine
Domprel
Grandfontaine-s.-Creuse
Longechaux
Flangebouche
Avoudrey
Orchamps-Vennes
Longemaison
Chalèze
Chalezeule
Thise
Roche-lez-Beaupré
Novillars
Amagney
Braillans
Châtillon-le-Duc
Tallenay
École-Valentin
Miserey-Salines
Pirey
Pouilley-les-Vignes
Avanne-Aveney
Grandfontaine
Rancenay
Montferrand-le-Château
Thoraise
Torpes
Vorges-les-Pins
Chenecey-Buillon
Charnay
Abbans-Dessus
Lizine
Échay
Myon
Saraz
Ivrey
Lemuy
Montmarlon
Arsures
Abergement-lès-Thésy
Cussey-s.-Lison
Châtillon-s.-Lison
Goux-s/s-Landet
Rouhe
Courcelles
Palantine
Pessans
Sechin
Séchin
Fourbanne
Esnans
Silley-Bléfond
Ougney-Douvot
Pouligney-Lusans
St-Hilaire
Vennans
Châtillon-Guyotte
Champoux
Vieilley
Mérey-Vieilley
Devecey
Bonnay
Geneuille
Voray-s.-l'Ognon
Buthiers
Boulot
Bussières
Chevroz
Cromary
Perrouse
Palise
Moncey
Corcelle-Mieslot
Villers-Grélot
Séchin
Tréconchaux
Grosbois
Cusance
Randevillers
Laviron
Loray
la Sommette
Crosey-le-Petit
Crosey-le-Grand
CAMP DU VALDAHON
FORÊT DE LEVIER
A 36
E 60
N 57
N 83
D 437
D 471
D 72
A 9
LES CLEES
Lac de St-Point

102
103
135
10 km
NEUCHÂTEL
LA CHAUX-DE-FONDS
LE LOCLE
FRIBOURG
GRANDSON
YVERDON-LES-BAINS
MORTEAU
LE RUSSEY
MAÎCHE
SAIGNELÉGIER
COURTELARY
LA NEUVILLE
ERLACH
AVENCHES
PAYERNE
ESTAVAYER-LE-LAC
MURTEN
St-Imier
Sonvilier
Renan
Villeret
Cormoret
Tramelan
Le Noirmont
Les Breuleux
Les Brenets
Les Ponts-de-Martel
La Sagne
La Brévine
Travers
Couvet
Môtiers
Fleurier
Noiraigue
Boudry
Colombier
Cortaillod
Bevaix
Gorgier
St-Aubin-Sauges
Vaumarcus
Concise
Peseux
Auvernier
Valangin
Cernier
Fontainemelon
Les Hauts-Geneveys
Dombresson
Villiers
Le Pâquier
Lignières
Nods
Prêles
Ligerz
Landeron-Combes
Cressier
Marin-Epagnier
St-Blaise
Hauterive
Cudrefin
Vully-le-Haut
Muntelier
Murten (Morat)
Portalban
Domdidier
Dompierre
Corcelles-près-Payerne
Cugy
Lully
Font
Cheyres
Yvonand
Montagny-près-d'Yverdon
Valeyres-s/s-Montagny
Chamblon
Orbe
Pontarlier
FRANCHES MONTAGNES
MONTAGNES DU DROIT
LAC DE NEUCHÂTEL
VAL DE RUZ
LE CHASSERAL
SONCEBOZ
KERZERS
MONT-SOLEIL

104

X
Y
Z
AA
W
61
62
63
64
65
66
67
Ker-Borny
Port-Joinville
L'ÎLE-D'YEU
Ker-Bossy
St-Sauveur
Pointe du Châtelet
Port-de-la-Meule
Pierre Tremblante
Sémaphore
ANSE DES VIEILLES
Pointe des Corbeaux
CÔTE SAUVAGE
Pointe de la Tranche
D 38
le Pissot
D 83
Villeneuve
D 754
la Vallée
St-Hilaire-de-Riez
le Fenouiller
Sion-s.-l'Océan
ST-GILLES-CROIX-DE-VIE
Croix-de-Vie
les Quatre-Chemins
D 6
Pointe de la Garenne
Givrand
D 42
Notre-Dame-des-Dunes
Beaumarchais
D 12
la Sauzaie
le Marais Girard
St-Nicolas-de-Brem
Brétignolles-s.-Mer
les Barges d'Olonne
Phare des Barges
Pointe de l'Aiguille

105
106
122
136
LA ROCHE-S.-YON
LES SABLES-D'OLONNE
La Mothe-Achard
Talmont-St-Hilaire
Moutiers-les-Mauxfaits
Mareuil-sur-Lay-Dissais
Luçon
l'Aiguillon-s.-Mer
la Tranche-s.-Mer
la Faute-s.-Mer
Ile de Ré
St-Martin-de-Ré
Ars-en-Ré
St-Clément-des-Baleines
les Portes-en-Ré
Loix
la Couarde-s.-Mer
le Bois-Plage-en-Ré
Rivedoux-Plage
Ste-Marie-de-Ré
Aizenay
Maché
Dompierre-s.-Yon
la Ferrière
la Chaize-le-Vicomte
Fougeré
Venansault
Mouilleron-le-Captif
la Génétouze
Beaulieu-s/s-la-Roche
Martinet
la Chapelle-Hermier
Coëx
Landevieille
St-Julien-des-Landes
St-Georges-de-Pointindoux
Landeronde
la Chapelle-Achard
Ste-Flaive-des-Loups
les Clouzeaux
Aubigny
Nesmy
Chaillé-s/s-les-Ormeaux
le Tablier
St-Florent-des-Bois
Thorigny
Château-Guibert
Rosnay
la Couture
Nieul-le-Dolent
le Girouard
la Boissière-des-Landes
St-Mathurin
Ste-Foy
Grosbreuil
Olonne-s.-Mer
Château-d'Olonne
Vairé
St-Avaugourd-des-Landes
Poiroux
Avrillé
St-Vincent-s.-Graon
le Champ-St-Père
la Bretonnière-la-Claye
les Magnils-Reigniers
Péault
le Givre
St-Cyr-en-Talmondais
Chasnais
Curzon
la Jonchère
Lairoux
St-Hilaire-la-Forêt
le Bernard
Longeville-s.-Mer
St-Vincent-s.-Jard
Jard-s.-Mer
Angles
St-Benoist-s.-Mer
Grues
St-Denis-du-Payré
Triaize
St-Michel-en-l'Herm
Moutiers-s.-le-Lay
Marsilly
Nieul-s.-Mer
l'Houmeau
Banc du Grouin du Cou
Fosse de Chevarache
Pertuis Breton
Rade de St-Martin
Baie de Cayola
Pointe du Payré
Plage du Veillon
Forêt de la Chaize
Anse de l'Aiguillon
10 km

LES ESSARTS
106
la Merlatière
Mouchamps
St-Prouant
Dompierre-s.-Yon
Belle-Entrée
la Parpaillonnerie
Morne
St-Vincent-Sterlanges
Ste-Cécile
Monsireigne
Mouilleron-le-Captif
la Ferrière
St-Martin-des-Noyers
St-Germain-de-Prinçay
Chavagnes-les-Redoux
Sigournais
Venansault
CHANTONNAY
Tallud-Ste-Gemme
-S.-YON
Abbaye des Fontenelles
Château-Fromage
la Chaize-le-Vicomte
St-Hilaire-le-Vouhis
Forêt de la Chaize
Fougeré
2e ch. ouv. proch.
les Essarts-Gouin
Bazoges-en-Pareds
les Clouzeaux
Bourneزau
Thorigny
CHANTONNAY 6
Jaudonnière
Nesmy
Chaillé-s/s-les-Ormeaux
le Tablier
St-Florent-des-Bois
les Pineaux
Château-Guibert
la Réorthe
St-Martin-Lars-en-Ste-Hermine
la Caillère-St-Hilaire
Thouarsais-Bouildroux
la Boissière-des-Landes
St-Juire-Champgillon
St-Laurent-de-la-Salle
St-Cyr-des-Gâts
Ste-Péxine
Rosnay
Moutiers-s.-le-Lay
Bessay
STE-HERMINE 7
STE-HERMINE
Thiré
la Chapelle-Thémer
St-Martin-des-Fontaines
Marsais-Ste-Radégonde
St-Vincent-s.-Graon
la Couture
MAREUIL-SUR-LAY-DISSAIS
St-Jean-de-Beugné
St-Étienne-de-Brillouet
St-Valérien
L'HERMENAULT
MOUTIERS-LES-MAUXFAITS
le Champ-St-Père
Péault
Corpe
St-Aubin-la-Plaine
Pouillé
Ouv. en 2005
la Bretonnière-la-Claye
les Magnils-Reigniers
Ouv. proch.
Ste-Gemme-la-Plaine
St-Cyr-en-Talmondais
le Givre
Chasnais
Nalliers
Mouzeuil-St-Martin
Pétosse
121
LUÇON
Curzon
la Jonchère
Lairoux
Moreilles
le Langon
Auzay
FONTENAY-LE-COMTE MARANS
St-Benoist-s.-Mer
Angles
St-Denis-du-Payré
Grues
le Poiré-s.-Velluire
Triaize
Réserve Naturelle
Champagné-les-Marais
Puyravault
CHAILLÉ-LES-MARAIS
Vouillé-les-Marais
Velluire
Ouv. proch.
St-Michel-en-l'Herm
Ste-Radegonde-des-Noyers
la Taillée
le Gué-de-Velluire
Vix
la Tranche-s.-Mer
la Faute-s.-Mer
l'Aiguillon-s.-Mer
MARAIS POITEVIN
l'Ile-d'Elle
MARANS
SEVRE NIORTAISE
PERTUIS BRETON
Réserve Ornithologique
Pointe d'Arçay
ANSE DE L'AIGUILLON
Charron
Réserve de la Pointe de l'Aiguillon
Pointe de l'Aiguillon
St-Jean-de-Liversay
Esnandes
Villedoux
Andilly
Loix
Rade de St-Martin
Marsilly
St-Ouen-d'Aunis
Longèves
ST-MARTIN-DE-RÉ
la Couarde-s.-Mer
le Bois-Plage-en-Ré
la Flotte
Nieul-s.-Mer
St-Xandre
Nuaillé-d'Aunis
St-Sauveur-d'Aunis
l'Houmeau
Lagord
Puilboreau
Dompierre-s.-Mer
Ste-Soulle
Angliers
Vérines
Anais
le Gué-d'Alleré
Rivedoux-Plage
la Pallice
Bourgneuf
St-Médard-d'Aunis
Ste-Marie-de-Ré
LA ROCHELLE
136
Périgny
St-Rogatien
Clavette
Montroy
Virson

107

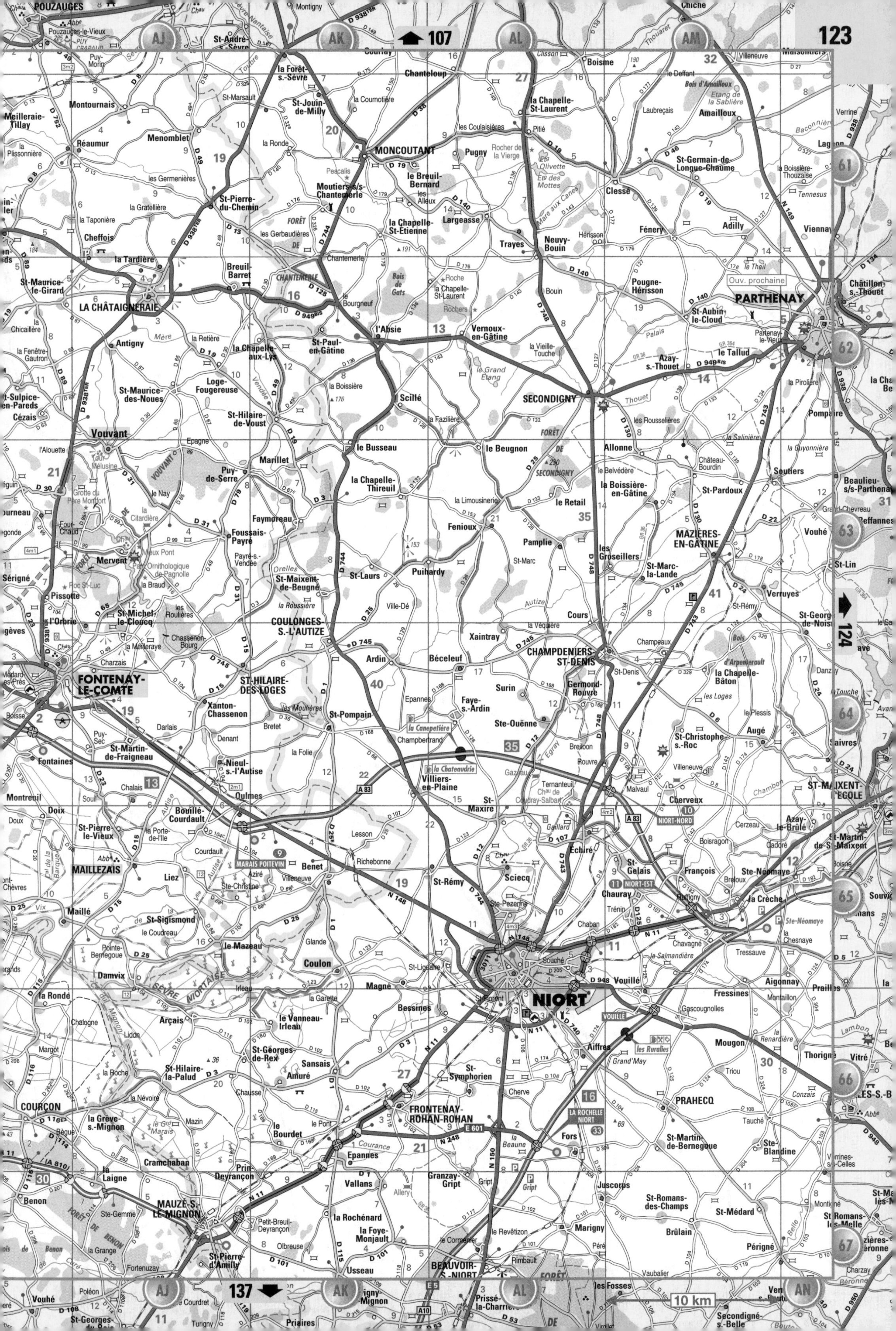
POUZAUGES
Pouzauges-le-Vieux
Montigny
St-André-s-Sèvre
la Forêt-s.-Sèvre
Courlay
Chanteloup
Chiche
Clisson
Boismé
le Deffant
Bois d'Amailloux
Étang de la Sablière
Amailloux
Laubreçais
la Chapelle-St-Laurent
Pitié
St-Jouin-de-Milly
la Cournotière
Puy-Morin
Montournais
Meilleraie-Tillay
Réaumur
Menomblet
St-Marsault
la Ronde
MONCOUTANT
Pugny
Rocher de la Vierge
Étg Olivette
Étg des Mottes
les Coulaisières
St-Germain-de-Longue-Chaume
Lageon
la Boissière-Thouzaise
Tennesus
Baconnière
Verrine
la Plissonnière
les Germenières
Pescalis
Moutiers-s/s-Chantemerle
le Breuil-Bernard
les Alleux
Clessé
Mare aux Canes
St-Pierre-du-Chemin
la Gratellière
la Taponière
Largeasse
la Chapelle-St-Étienne
Cheffois
les Gerbaudières
FORÊT DE CHANTEMERLE
Trayes
Neuvy-Bouin
Hérisson
Fénery
Adilly
Viennay
la Tardière
St-Maurice-le-Girard
Breuil-Barret
Chantemerle
Bois de Gats
Roche
la Chapelle-St-Laurent
Rochers
Bouin
Pougne-Hérisson
le Theil
Ouv. prochaine
Châtillon-s.-Thouet
PARTHENAY
LA CHÂTAIGNERAIE
le Bourgneuf
l'Absie
Vernoux-en-Gâtine
St-Aubin-le-Cloud
Parthenay-le-Vieux
Chicaillère
Antigny
Mère
la Retière
la Chapelle-aux-Lys
St-Paul-en-Gâtine
la Vieille-Touche
le Grand Étang
Palais
le Tallud
Azay-s.-Thouet
la Fenêtre-Gautron
la Boissière
Loge-Fougereuse
St-Maurice-des-Noues
Scillé
SECONDIGNY
Thouet
la Pirolière
la Cha
Pompaire
St-Sulpice-en-Pareds
Cézais
St-Hilaire-de-Voust
la Fazilière
les Rousselières
la Salinière
Vouvant
Tour Mélusine
Épagne
le Busseau
le Beugnon
FORÊT DE SECONDIGNY
Allonne
la Guyonnière
l'Alouette
Marillet
Château-Bourdin
Soutiers
Beaulieu-s/s-Parthenay
Puy-de-Serre
la Chapelle-Thireuil
le Belvédère
la Boissière-en-Gâtine
St-Pardoux
Grotte du Père Montfort
le Nay
la Limousinerie
le Retail
Grand-Chevreau
Faymoreau
la Citardière
Fenioux
Pamplie
MAZIÈRES-EN-GÂTINE
Vouhé
Foussais-Payré
Payré-s.-Vendée
Four-Chaud
Vieux Pont
Parc Ornithologique de Pagnolle
Mervent
FORÊT DE MERVENT
Orelles
St-Maixent-de-Beugné
St-Laurs
Puihardy
St-Marc
les Groseillers
St-Marc-la-Lande
St-Lin
Sérigné
Roc St-Luc
la Braud
la Roussière
Ville-Dé
Autize
Verruyes
Pissotte
St-Michel-le-Cloucq
les Roulières
COULONGES-S.-L'AUTIZE
Cours
St-Rémy
St-Georges-de-Noisné
l'Orbrie
Chassenon-Bourg
la Meilleraye
Xaintray
la Véquière
Champeaux
Charzais
Ardin
Béceleuf
CHAMPDENIERS-ST-DENIS
St-Denis
Bois d'Arpenteraut
la Chapelle-Bâton
Danzay
FONTENAY-LE-COMTE
ST-HILAIRE-DES-LOGES
Epannes
Surin
Germond-Rouvre
les Loges
Xanton-Chassenon
les Moulières
Faye-s.-Ardin
Darlais
St-Pompain
Ste-Ouënne
le Plessis
Augé
Puy-Sec
Bretet
la Canepetière
St-Christophe-s.-Roc
Saivres
Fontaines
St-Martin-de-Fraigneau
Denant
la Folie
Champbertrand
Breilbon
Nieul-s.-l'Autise
Rouvre
Villeneuve
la Chateaudrie
Gazeau
Villiers-en-Plaine
Ternanteuil
Malvaul
Cherveux
Chambon
ST-MAIXENT-L'ÉCOLE
Montreuil
Chalais
Souil
Oulmes
St-Maxire
Château de Coudray-Salbart
Bouillé-Courdault
NIORT-NORD
Azay-le-Brûlé
Doix
Doux
St-Pierre-le-Vieux
la Porte-de-l'Île
Lesson
Gaillard
Cerzeau
St-Martin-de-St-Maixent
Échiré
Boisragon
Cadoré
Courdault
Richebonne
Sciecq
St-Gelais
François
Ste-Néomaye
Boisne
MAILLEZAIS
MARAIS POITEVIN
Benet
Liez
Azire
Ste-Christine
Villeneuve
St-Rémy
NIORT-EST
Chauray
Breloux
la Crèche
Souvig
Chèvres
Vix
Maillé
Ste-Pezenne
Trénin
Ruffigny
Ste-Néomaye
St-Sigismond
le Coudreau
Chaban
Tressauve
Pointe-Bernegoue
le Mazeau
Glande
Chavagné
la Chesnaye
la Salmandière
Damvix
Coulon
Souché
St-Liguaire
Vouillé
Aigonnay
Prailles
SÈVRE NIORTAISE
Irleau
Magné
Fressines
la Rondé
la Garette
St-Florent
NIORT
Gascougnolles
Montaillon
Chalogne
Arçais
le Vanneau-Irleau
Bessines
VOUILLÉ
Lidon
les Ruralies
la Renardière
Margot
St-Georges-de-Rex
Aiffres
Grand'May
Mougon
Thorigné
Vitré
Sansais
St-Symphorien
Triou
la Roche
St-Hilaire-la-Palud
Amuré
Cherve
Conzais
COURÇON
la Névoire
Chausse
FRONTENAY-ROHAN-ROHAN
LA ROCHELLE NIORT
PRAHECQ
CELLES-S.-B
Tauché
la Grève-s.-Mignon
le Grand Marais
Mazin
le Pont
le Bourdet
Bègue
Courance
la Beaune
Fors
St-Martin-de-Bernegoue
Ste-Blandine
Verrines-s-Celles
Cramchaban
Prin-Deyrançon
Epannes
la Laigne
Vallans
Granzay-Gript
Gript
Juscorps
St-Romans-des-Champs
St-Médard
Benon
Pointe-Bernegoue
Allery
Ste-Gemme
MAUZÉ-S.-LE-MIGNON
FORÊT DE BENON
Petit-Breuil-Deyrançon
la Rochénard
la Foye-Monjault
le Revêtizon
Marigny
Brûlain
St-Romans-lès-Melle
la Grange
Olbreuse
le Cormenier
Péré
Périgné
St-Pierre-d'Amilly
Fortenuzay
Usseau
BEAUVOIR-S.-NIORT
Rimbault
Vaubalier
Charzay
Vouhé
Poléon
Courdret
Mignon
Prissé-la-Charrière
les Fosses
St-Georges-du-Bois
Turigny
Priaires
Virollet
Secondigné-s.-Belle
10 km

124
137

AN
AO
AP
AQ
AR
108
138
123
61
62
63
64
65
66
67
MIREBEAU
Amberre
Varennes
Thurageau
Blaslay
Chéneché
Vendeuvre-du-Poitou
Chabournay
Craon
Cuhon
Massognes
Jarzay
Doux
Maisonneuve
Cherves
Champigny-le-Sec
le Rochereau
Vouzailles
NEUVILLE-DE-POITOU
Charrais
Yversay
Villiers
Maillé
Frozes
Ayron
Chalandray
la Ferrière-en-Parthenay
Châtillon-s.-Thouet
PARTHENAY
la Peyratte
Oroux
Lhoumois
THÉNEZAY
Gourgé
Aubigny
Pressigny
le Chillou
Vouillé
Chiré-en-Montreuil
Latillé
Quinçay
Avanton
Migné-Auxances
Béruges
Vouneuil-s/s-Biard
Biard
St-Benoît
Ligugé
Croutelle
Fontaine-le-Comte
FUTUROSCOPE
POITIERS-NORD
POITIERS-SUD
la Chapelle-Bertrand
Saurais
St-Martin-du-Fouilloux
Vasles
Beaulieu-s/s-Parthenay
Reffannes
Vausseroux
Vautebis
Benassay
Lavausseau
Montreuil-Bonnin
la Chapelle-Montreuil
les Forges
Chantecorps
Coutières
MÉNIGOUTE
Sanxay
Curzay-s.-Vonne
Jazeneuil
Coulombiers
LUSIGNAN
Celle-Lévescault
Marçay
Marigny-Chémereau
VIVONNE
Iteuil
Smarves
Andillé
Fomperron
St-Germier
Exireuil
Saivres
ST-MAIXENT-L'ÉCOLE
Nanteuil
Soudan
Rouillé
Pamproux
Salles
Avon
Bougon
LA MOTHE-ST-HÉRAY
Exoudun
Souvigné
Romans
St-Sauvant
Chenay
Chey
Sepvret
Lezay
Vançais
Rom
Couhé
Châtillon
Payré
Anché
Voulon
Ceaux-en-Couhé
Messé
Ste-Soline
Vanzay
Brux
Chaunay
Pers
Caunay
Clussais-la-Pommeraie
MELLE
CELLES-S.-BELLE
Beaussais
Vitré
la Couarde
Prailles
St-Léger-de-la-Martinière
St-Martin-lès-Melle
St-Romans-lès-Melle
Mazières-s.-Béronne
Pouffonds
St-Génard
Chail
St-Vincent-la-Châtre
St-Coutant
Maisonnay
Château-Larcher
Marnay
Aslonnes
Romagne
Sommières-du-Clain
Champagné-St-Hilaire
St-Romain
Champniers
Blanzay
Ouv. proch.
2e ch. Ouv. proch.
Ouv. 2e ch. print. 2005
FORÊT DU ROUX
FORÊT DE LA SAISINE
BOIS DE SOUDAN
FORÊT DE ST-SAUVANT
FORÊT DE L'ÉPINE

CHÂTELLERAULT
109
la Roche-Posay
Yzeures-s.-Creuse
Cenon-s.-Vienne
Senillé
Availles-en-Châtellerault
Leigné-les-Bois
Pleumartin
Tournon-St-Martin
Colombiers
Naintré
Marigny-Brizay
Beaumont
Chenevelles
Monthoiron
Vouneuil-s.-Vienne
Vicq-s.-Gartempe
Angles-s.-l'Anglin
St-Cyr
Dissay
Lurais
Bonneuil-Matours
Archigny
St-Pierre-de-Maillé
Fontgombault
St-Georges-lès-Baillargeaux
Chasseneuil-du-Poitou
La Chapelle-Moulière
Bellefonds
Ste-Radegonde
la Puye
la Bussière
Mérigny
Montamisé
Liniers
Bonnes
Lauthiers
Nalliers
Ingrandes
Bignoux
Lavoux
POITIERS
Sèvres-Anxaumont
Jardres
Chauvigny
Paizay-le-Sec
St-Savin
St-Julien-l'Ars
Fleix
St-Germain
Villemort
Béthines
Mignaloux-Beauvoir
Savigny-Lévescault
Pouillé
Antigny
Nouaillé-Maupertuis
Tercé
Roches-Prémarie-Andillé
Nieuil-l'Espoir
Valdivienne
Leignes-s.-Fontaine
Jouhet
Haims
Fleuré
Chapelle-Viviers
Pindray
Journet
La Villedieu-du-Clain
Dienné
Civaux
Vernon
Gizay
Lhommaizé
Montmorillon
St-Léomer
Sillars
Lussac-les-Châteaux
Verrières
Mazerolles
St-Laurent-de-Jourdes
St-Maurice-la-Clouère
Saulgé
Brion
Bouresse
Gouex
Persac
Lathus-St-Rémy
St-Secondin
Queaux
Moulismes
Plaisance
Usson-du-Poitou
Nérignac
Moussac
Château-Garnier
Adriers
Thiat
L'Isle-Jourdain
Bussière-Poitevine
Oradour-St-Genest
Le Vigeant
Joussé
Payroux
St-Martin-l'Ars
Mouterre-s.-Blourde
Darnac
La Chapelle-Bâton
Mauprévoir
Luchapt
139
126
10 km
Ouv. 2e ch. début 2005
Ouv. prochaine

110
140
125

MEZIERES-EN-BRENNE
St-Michel-en-Brenne
Vendœuvres
PARC
DE
LA
BRENNE
Martizay
Lingé
Lureuil
St-Pierre
Méobecq
Neuillay-les-Bois
Luant
Rosnay
Migné
Douadic
Pouligny-St-Pierre
Fontgombault
Preuilly-la-Ville
Sauzelles
St-Aigny
LE BLANC
Ruffec
Ciron
Nuret-le-Ferron
ST-GAULTIER
Chitray
Rivarennes
Thenay
Chasseneuil
Le Pont-Chrétien-Chabenet
Tendu
St-Marcel
ARGENTON-S.-CREUSE
Le Pêchereau
Ceaulmont
Oulches
Concremiers
Mauvières
St-Hilaire-s.-Benaize
BÉLABRE
Chalais
Luzeret
Béthines
Liglet
Prissac
Sacierges-St-Martin
St-Civran
Chazelet
Celon
Vigoux
Bazaiges
Gargilesse-Dampierre
St-Gilles
Roussines
LA TRIMOUILLE
Journet
Lignac
Dunet
Parnac
St-Benoît-du-Sault
ÉGUZON-CHANTÔME
St-Léomer
Thollet
Chaillac
La Châtre-Langlin
Brigueil-le-Chantre
Bourg-Archambault
Coulonges
Tilly
Beaulieu
Mouhet
St-Sébastien
Bonneuil
St-Martin-le-Mault
Verneuil-Moustiers
Lussac-les-Eglises
Jouac
Cromac
Les Grands-Chézeaux
St-Georges-les-Landes
Azerables
Bazelat
Azat-le-Ris
Mailhac-s.-Benaize
ST-SULPICE-LES-FEUILLES
Vareilles
St-Germain-Beaupré
Tersannes
St-Léger-Magnazeix
Arnac-la-Poste
St-Agnant-de-Versillat
St-Léger-Bridereix
Thiat
la Bazeuge
St-Hilaire-la-Treille
Oradour-St-Genest
Dinsac
Dompierre-les-Eglises
LA SOUTERRAINE
LE DORAT
MAGNAC-LAVAL
St-Maurice-la-Souterraine
St-Priest-la-Feuille
St-Sornin-Leulac
Noth
Niherne
AW
AX
AY
AZ
BA
61
62
63
64
65
66
67
N 151
N 145
A 20
E 9
D 927
D 925
D 912

CHÂTEAUROUX 111
BB
BC
BD
BE
BF
141
128
ARDENTES
LA CHÂTRE
NEUVY-ST-SEPULCHRE
AIGURANDE
LIGNIÈRES
CHÂTEAUMEILLANT
STE-SÉVÈRE-S.-INDRE
BOUSSAC
BONNAT
DUN-LE-PALESTEL
CHÂTELUS-MALVALEIX
ST-VAURY
Déols
Diors
Ambrault
Bommiers
Pruniers
Etrechet
Sassierges-St-Germain
Mers-s.-Indre
Montipouret
St-Chartier
Thevet-St-Julien
Lys-St-Georges
Buxières-d'Aillac
Bouesse
Velles
Arthon
Mosnay
Gournay
Cluis
Maillet
Malicornay
Pommiers
Orsennes
St-Plantaire
Crozant
Fresselines
Montchevrier
la Buxerette
Crozon-s.-Vauvre
Crevant
Pouligny-Notre-Dame
Pouligny-St-Martin
Briantes
Lacs
Montlevicq
Champillet
Urciers
Néret
Vicq-Exemplet
St-Christophe-en-Boucherie
Rezay
Lourdoueix-St-Michel
Lourdoueix-St-Pierre
Méasnes
Nouziers
La Cellette
Tercillat
Bussière-St-Georges
Nouzerines
Moutier-Malcard
Genouillac
Linard
Malval
Chéniers
Chambon-Ste-Croix
Maison-Feyne
Villard
La Celle-Dunoise
St-Sulpice-le-Dunois
Bourg-d'Hem
Champsanglard
Anzême
Roches
Jalesches
Clugnat
Toulx-Ste-Croix
St-Silvain-s/s-Toulx
Ladapeyre
Jouillat
Glénic
St-Fiel
Ajain
Parsac
Fleurat
Naillat
Sagnat
Bussière-Dunoise
D 925
D 943
D 940
D 990
D 951
D 14
D 917
N 145
E 62
10 km
2e ch. ouv. fin 2004

112
127
142
BG
BH
BI
BJ
BK
61
62
63
64
65
66
67
ST-AMAND-MONTROND
Meillant
Bruère-Allichamps
Noirlac
Orval
Arpheuilles
CHARENTON-DU-CHER
Ainay-le-Château
St-Pierre-les-Étieux
Drevant
Colombiers
La Groutte
Ainay-le-Vieil
La Celette
La Perche
Urçay
Vitray
Meaulne
Braize
St-Bonnet-Tronçais
Isle-et-Bardais
Valigny
Bessais-le-Fromental
Vernais
Neuilly-en-Dun
St-Aignan-des-Noyers
Cérilly
LE CHATELET
Ardenais
Faverdines
Saulzais-le-Potier
Épineuil-le-Fleuriel
Vallon-en-Sully
Culan
Vesdun
St-Christophe-le-Chaudry
Reigny
St-Maur
Châteaumeillant
Morlac
Orcenais
Nozières
Marçais
Arcomps
Chambon
Vallenay
Ineuil
Touchay
Ids-St-Roch
Maisonnais
Le Brethon
St-Caprais
Hérisson
Venas
Louroux-Hodement
Nassigny
Chazemais
Maillet
Reugny
Givarlais
Audes
Vaux
Estivareilles
Bizeneuille
Verneix
St-Victor
Désertines
MONTLUÇON
Domérat
Huriel
Archignat
La Chapelaude
Chambérat
Mesples
Viplaix
Courçais
St-Désiré
St-Éloy-d'Allier
Sidiailles
St-Saturnin
Préveranges
St-Marien
St-Pierre-le-Bost
St-Sauvier
Leyrat
Boussac-Bourg
BOUSSAC
Treignat
Lavaufranche
Soumans
Nouhant
Lamaids
Quinssaines
Prémilhat
Lavault-Ste-Anne
Néris-les-Bains
COMMENTRY
Malicorne
Montvicq
Doyet
Chamblet
St-Angel
Teillet-Argenty
Lignerolles
Ste-Thérence
Villebret
St-Genest
Durdat-Larequille
Arpheuilles-St-Priest
Mazirat
Budelière
Viersat
Lépaud
Auge
Verneiges
Bord-St-Georges
Trois-Fonds
Gouzon
Ronnet
Colombier
La Celle
Deneuille-les-Mines
Vallon-en-Sully
St-Amand
Montluçon
A 71
E 11
N 144
N 145
D 951
D 943
D 916
E 62
Forêt de Tronçais
Forêt de Bornacq
Le Centre de la France

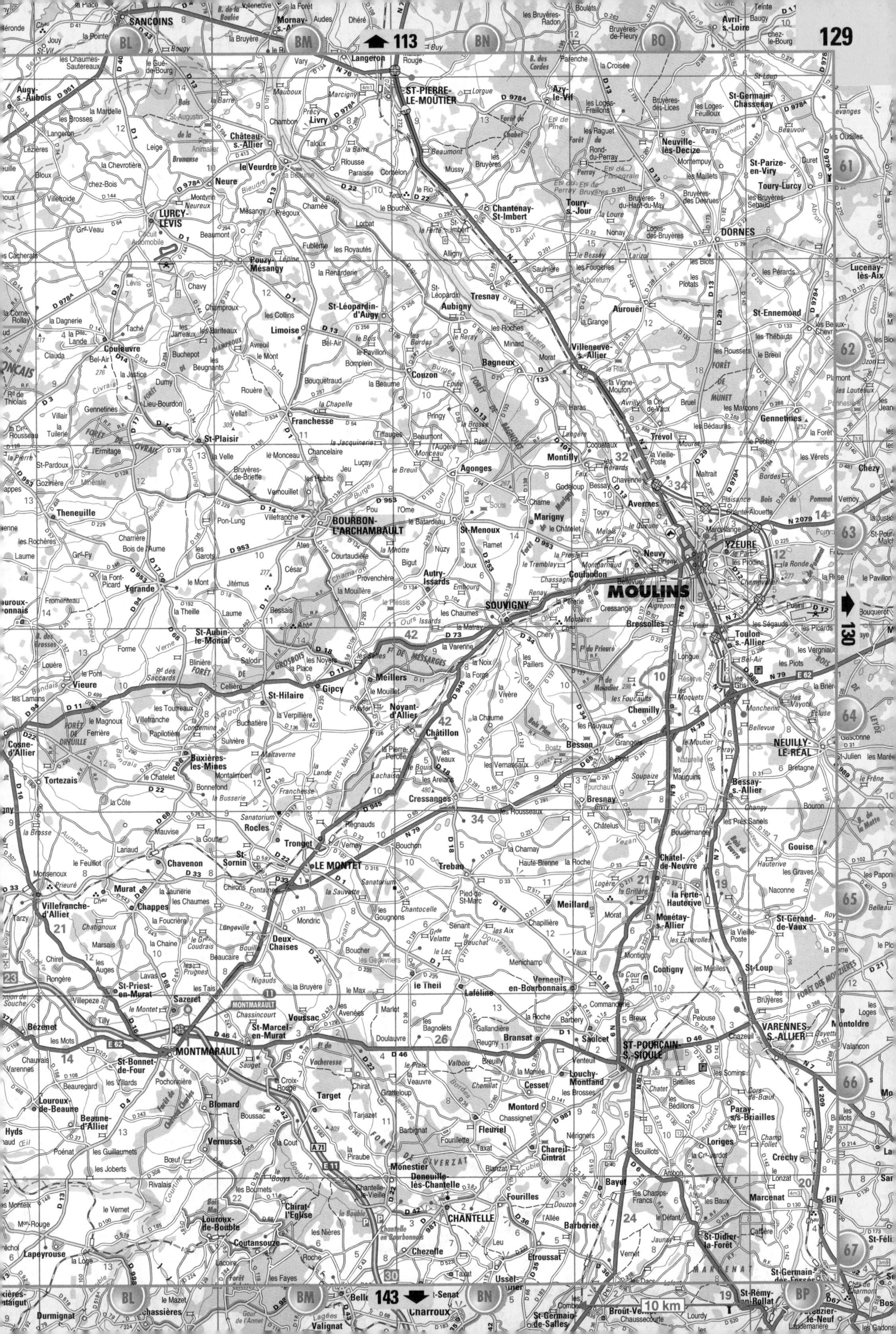
113
143
130
10 km
SANCOINS
Mornay-s.-Allier
Langeron
ST-PIERRE-LE-MOÛTIER
Azy-le-Vif
Avril-s.-Loire
Augy-s.-Aubois
Livry
Château-s.-Allier
le Veurdre
Neure
LURCY-LÉVIS
Chantenay-St-Imbert
Toury-s.-Jour
Neuville-lès-Decize
St-Germain-Chassenay
St-Parize-en-Viry
Toury-Lurcy
DORNES
Pouzy-Mésangy
St-Léopardin-d'Augy
Aubigny
Tresnay
Aurouër
Lucenay-lès-Aix
St-Ennemond
Couleuvre
Limoise
Couzon
Bagneux
Villeneuve-s.-Allier
Franchesse
St-Plaisir
Agonges
Montilly
Trévol
Gennetines
Chézy
Theneuille
BOURBON-L'ARCHAMBAULT
St-Menoux
Marigny
Avermes
YZEURE
Neuvy
Coulandon
MOULINS
Autry-Issards
Ygrande
SOUVIGNY
Bressolles
Toulon-s.-Allier
St-Aubin-le-Monial
Vieure
Gipcy
Meillers
St-Hilaire
Noyant-d'Allier
Châtillon
Chemilly
Cosne-d'Allier
Buxières-les-Mines
Besson
NEUILLY-LE-RÉAL
Tortezais
Cressanges
Bresnay
Bessay-s.-Allier
Rocles
Tronget
LE MONTET
Chavenon
St-Sornin
Treban
Châtel-de-Neuvre
Gouise
Murat
Villefranche-d'Allier
Chappes
Meillard
La Ferté-Hauterive
Monétay-s.-Allier
St-Gérand-de-Vaux
Deux-Chaises
Contigny
St-Loup
St-Priest-en-Murat
Sazeret
le Theil
Laféline
Verneuil-en-Bourbonnais
Bézenet
Voussac
St-Marcel-en-Murat
MONTMARAULT
Bransat
Saulcet
ST-POURÇAIN-S.-SIOULE
VARENNES-S.-ALLIER
Montoldre
St-Bonnet-de-Four
Target
Cesset
Louchy-Montfand
Paray-s/s-Briailles
Louroux-de-Beaune
Blomard
Beaune-d'Allier
Montord
Fleuriel
Chareil-Cintrat
Loriges
Créchy
Vernusse
Monestier
Deneuille-lès-Chantelle
Bayet
Marcenat
Billy
Chirat-l'Église
Fourilles
Louroux-de-Bouble
CHANTELLE
Barberier
St-Didier-la-Forêt
Lapeyrouse
Coutansouze
Chezelle
Étroussat
St-Félix
Ussel
St-Germain-des-Fossés
St-Rémy-en-Rollat
Durmignat
Chassières
Valignat
Charroux
St-Germain-de-Salles
Broût-Vernet
Creuzier-le-Neuf

114
144
129
BQ
BR
BS
BT
BP
61
62
63
64
65
66
67
LUZY
Devay
Charrin
St-Hilaire-Fontaine
Montambert
Lamenay-s.-Loire
Cossaye
Gannay-s.-Loire
Cronat
La Nocle-Maulaix
Ternant
Savigny-Poil-Fol
Fléty
Tazilly
Cuzy
St-Seine
Marly-s/s-Issy
ISSY-L'ÉVÊQUE
Lucenay-lès-Aix
Vitry-s.-Loire
Maltat
Cressy-s.-Somme
Grury
Uxeau
la Chapelle-aux-Chasses
Paray-le-Frésil
St-Martin-des-Lais
Lesme
Garnat-s.-Engièvre
BOURBON-LANCY
Mont
la Chapelle-au-Mans
CHEVAGNES
Chézy
Beaulon
Chalmoux
Neuvy-Grandchamp
Curdin
Lusigny
St-Aubin-s.-Loire
Gilly-s.-Loire
Perrigny-s.-Loire
Diou
DOMPIERRE-S.-BESBRE
Thiel-s.-Acolin
Monbeugny
les Guerreaux
Pierrefitte-s.-Loire
St-Agnan
la Motte-St-Jean
DIGOIN
Chapeau
St-Pourçain-s.-Besbre
Saligny-s.-Roudon
Coulanges
Molinet
NEUILLY-LE-RÉAL
Mercy
Vaumas
Chassenard
Monétay-s.-Loire
Gouise
Thionne
St-Voir
St-Léon
Liernolles
le Pin
St-Léger-s.-Vouzance
St-Didier-en-Donjon
JALIGNY-S.-BESBRE
Châtelperron
l'Hôpital-le-Mercier
Treteau
Sorbier
Chavroches
Montcombroux-les-Mines
LE DONJON
Neuilly-en-Donjon
Luneau
Vindecy
Avrilly
Montoldre
Bouçé
Cindré
Trézelles
Varennes-s.-Tèche
Bert
Le Bouchaud
Bourg-le-Comte
Baugy
Rongères
Montaigu-le-Blin
Barrais-Bussolles
Loddes
Lenax
Céron
Chambilly
Servilly
Langy
Périgny
LAPALISSE
Andelaroche
Montaiguët-en-Forez
Urbise
Sanssat
St-Gérand-le-Puy
Billy
St-Prix
Droiturier
Sail-les-Bains
Chenay-le-Châtel
Artaix
Melay
Magnet
St-Félix
Billezois
St-Pierre-Laval
St-Martin-d'Estréaux
Seuillet
LA PACAUDIÈRE
Ouv. début 2005

115
145
132
10 km
BU
BV
BW
BX
BY
61
62
63
64
65
66
67
Uchon
St-Nizier-s.-Arroux
Charbonnat
Montcenis
Le Creusot
Essertenne
Morey
Châtel-Moron
Torcy
Montchanin
Écuisses
St-Julien-s.-Dheune
Villeneuve-en-Montagne
Ste-Hélène
Dettey
Charmoy
Les Bizots
St-Laurent-d'Andenay
Comne de St-Martin-d'Auxy
Moroges
La Boulaye
Montmort
St-Eugène
St-Eusèbe
Marcilly-lès-Buxy
Cersot
Montagny-lès-Buxy
Toulon-s.-Arroux
St-Berain-s/s-Sanvignes
Blanzy
St-Micaud
Saviange
St-Vallerin
Ste-Radegonde
Montceau-les-Mines
Marigny
Le Puley
Germagny
Fley
Sanvignes-les-Mines
Genouilly
Bissy-s.-Fley
Dompierre-s/s-Sanvignes
Collonge-en-Charollais
St-Martin-du-Tartre
St-Romain-s/s-Versigny
St-Vallier
Gourdon
Mont-St-Vincent
St-Maurice-des-Champs
St-Gengoux-le-National
Vaux-en-Pré
St-Clément-s.-Guye
Marly-s.-Arroux
Perrecy-les-Forges
Ciry-le-Noble
St-Romain-s/s-Gourdon
Pouilloux
Mary
Joncy
Burzy
Curtil-s/s-Burnand
Génelard
St-Martin-la-Patrouille
St-Huruge
St-Ythaire
Chassy
Le Rousset
St-Marcelin-de-Cray
Marizy
Oudry
Clessy
La Guiche
Chevagny-s.-Guye
Sigy-le-Châtel
Bonnay
Cortevaix
Passy
Sailly
Palinges
Ballore
St-Vincent-Bragny
Martigny-le-Comte
St-Martin-de-Salencey
Chérizet
Salornay-s.-Guye
St-Bonnet-de-Vieille-Vigne
Mornay
Grandvaux
St-André-le-Désert
Vitry-lès-Cluny
St-Bonnet-de-Joux
St-Aubin-en-Charollais
Baron
Pressy-s/s-Dondin
St-Vincent-des-Prés
St-Léger-lès-Paray
Volesvres
Fontenay
La Vineuse
Massy
Paray-le-Monial
Champlecy
Viry
Chiddes
Donzy-le-National
Vitry-en-Charollais
Vendenesse-lès-Charolles
Suin
Sivignon
Charolles
Cluny
Château
Buffières
Lugny-lès-Charolles
Vaudebarrier
Curtil-s/s-Buffières
Jalogny
Beaubery
Marcilly-la-Gueurce
Changy
Verosvres
Bergesserin
Mazille
La Chapelle-du-Mont-de-France
Trivy
Ste-Cécile
Poisson
Ozolles
Dompierre-les-Ormes
Brandon
Bourgvilain
St-Julien-de-Civry
Ouroux-s/s-le-Bois-Ste-Marie
Clermain
Versaugues
Dyo
Colombier-en-Brionnais
Montagny-s.-Grosne
St-Point
Prizy
St-Germain-en-Brionnais
Montmelard
Trambly
St-Didier-en-Brionnais
Varenne-l'Arconce
St-Symphorien-des-Bois
Bois-Ste-Marie
Gibles
Anzy-le-Duc
Amanzé
Oyé
Matour
St-Léger-s/s-la-Bussière
Tramayes
Curbigny
Sarry
Briant
Vareilles
Varennes-s/s-Dun
Châtenay
Germolles-s.-Grosne
Trades
St-Christophe-en-Brionnais
Ste-Foy
Baudemont
La Clayette
Aigueperse
St-Bonnet-des-Bruyères
St-Pierre-le-Vieux
Marcigny
Semur-en-Brionnais
St-Laurent-en-Brionnais
St-Christophe
Vauban
St-Racho
St-Mamert
St-Jacques-des-Arrêts
St-Martin-du-Lac
La Chapelle-s/s-Dun
Mussy-s/s-Dun
Anglure-s/s-Dun
St-Julien-de-Jonzy
Chassigny-s/s-Dun
St-Igny-de-Vers
Ouroux
Émeringes
Ligny-en-Brionnais
St-Clément-de-Vers
Monsols
Mailly
St-Bonnet-de-Cray
St-Maurice-lès-Châteauneuf
Chauffailles
Iguerande
Châteauneuf
St-Germain-la-Montagne
Vauxrenard
Fleury-la-Montagne
Tancon
St-Martin-de-Lixy
St-Igny-de-Roche
Avenas
Pierre-la-Noaille
Azolette
Les Ardillats
Coublanc
Belleroche
Chénelette
Propières
Forêt de Charollais
Forêt des Trois Monts
Butte de Suin
Bois de la Fayolle

116

BUXY
GIVRY
St-Désert
Sevrey
St-Loup-de-Varennes
Varennes-le-Grand
Ouroux-s.-Saône
ST-GERMAIN-DU-PLAIN
St-Christophe-en-Bresse
Ste-Colombe
Lessard-en-Bresse
Thurey
Trouchy
Vérissey
St-Étienne-en-Bresse
St-Vincent-en-Bresse
MONTRET
Juif
Simard
St-Usuge
Vincelles
LOUHANS
Branges
Sornay
Savigny-s.-Seille
Bantanges
Rancy
Ménetreuil
la Chapelle-Naude
Bruailles
Huilly-s.-Seille
Loisy
Jouvençon
Ratenelle
Baudrières
Gigny-s.-Saône
Ormes
Simandre
la Frette
Beaumont-s.-Grosne
St-Ambreuil
St-Cyr
Marnay
Laives
Lalheue
Messey-s.-Grosne
St-Boil
SENNECEY-LE-GRAND
la Chapelle-de-Bragny
Nanton
Montceaux-Ragny
Jugy
Boyer
Étrigny
Vers
Mancey
TOURNUS
l'Abergement-de-Cuisery
CUISERY
Brienne
la Chapelle-Thècle
MONTPONT-EN-BRESSE
la Genête
Préty
Lacrost
Royer
Ozenay
Plottes
Farges-lès-Mâcon
le Villars
la Truchère
Chardonnay
Uchizy
Sermoyer
Romenay
Vernoux
Vescours
Arbigny
Montbellet
LUGNY
Burgy
Bissy-la-Mâconnaise
St-Gengoux-de-Scissé
Cruzille
Chissey-lès-Mâcon
Martailly-lès-Brancion
Cormatin
Chapaize
la Chapelle-s/s-Brancion
Bissy-s/s-Uxelles
Champagny-s/s-Uxelles
Malay
Santilly
Sercy
Bresse-s.-Grosne
ST-GENGOUX-LE-NATIONAL
Ameugny
Taizé
Bray
Blanot
Cortambert
Donzy-le-Pertuis
Azé
Péronne
Viré
Fleurville
Reyssouze
PONT-DE-VAUX
St-Bénigne
Chavannes-s.-Reyssouze
St-Étienne-s.-Reyssouze
Gorrevod
Servignat
ST-TRIVIER-DE-COURTES
St-Nizier-le-Bouchoux
Curciat-Dongalon
Mantenay-Montlin
Lescheroux
St-Jean-s.-Reyssouze
St-Julien-s.-Reyssouze
Jayat
Foissiat
MONTREVEL-EN-BRESSE
Marsonnas
Béréziat
Boissey
Chevroux
Ozan
Boz
St-Albain
Clessé
la Salle
Senozan
St-Maurice-de-Satonnay
CLUNY
Jalogny
Igé
Berzé-le-Châtel
Verzé
Laizé
Charbonnières
St-Martin-Belle-Roche
Asnières-s.-Saône
Vésines
Manziat
Berzé-la-Ville
Milly-Lamartine
Sologny
Bussières
Pierreclos
la Roche-Vineuse
Chevagny-les-Chevrières
Hurigny
Sancé
Feillens
Bâgé-la-Ville
Dommartin
St-Sulpice
St-Didier-d'Aussiat
Malafretaz
Cras-s.-Reyssouze
Attignat
Prissé
Davayé
Charnay-lès-Mâcon
MÂCON
Replonges
BÂGÉ-LE-CHÂTEL
St-André-de-Bâgé
St-Laurent-s.-Saône
St-Genis-s.-Menthon
St-Martin-le-Châtel
Curtafond
Confrançon
VIRIAT
Vergisson
Serrières
Solutré-Pouilly
Fuissé
Chasselas
Cenves
Leynes
Chaintré
Vinzelles
Varennes-lès-Mâcon
PONT-DE-VEYLE
Crottet
St-Cyr-s.-Menthon
Pruzilly
St-Vérand
St-Amour-Bellevue
Chânes
Crêches-s.-Saône
Grièges
Cormoranche-s.-Saône
St-Jean-s.-Veyle
Perrex
Mézériat
Polliat
Jullié
Juliénas
Émeringes
LA CHAPELLE-DE-GUINCHAY
Chénas
Fleurie
Romanèche-Thorins
St-Symphorien-d'Ancelles
Chiroubles
THOISSEY
Cruzilles-lès-Mépillat
Garnerans
St-André-d'Huiriat
Illiat
Biziat
St-Julien-s.-Veyle
Vonnas
Chaveyriat
Chanoz-Châtenay
Vandeins
Montcet
Buellas
Montracol
PERONNAS
St-Denis-lès-Bourg
St-Rémy
St-Didier-s.-Chalaronne
Condeissiat
St-André-s.-Vieux-Jonc
A6
A40
E15
N6
N79
N78
D975
D933
AUTOROUTE DU SOLEIL
SAÔNE

131

146

117
147
134
CE
CF
CG
CH
CI
61
62
63
64
65
66
67
10 km
LONS-LE-SAUNIER
BOURG-EN-BRESSE
ST-CLAUDE
OYONNAX
BLETTERANS
VOITEUR
Château-Chalon
Baume-les-Messieurs
CONLIÈGE
ORGELET
CLAIRVAUX-LES-LACS
MOIRANS-EN-MONTAGNE
ARINTHOD
ST-JULIEN
COLIGNY
ST-AMOUR
CUISEAUX
BEAUFORT
BEAUREPAIRE-EN-BRESSE
TREFFORT-CUISIAT
CEYZÉRIAT
IZERNORE
LES BOUCHOUX
HAUT JURA
Lac de Vouglans
Forêt de Vaucluse
Montréal-la-Cluse
St-Germain-de-Joux
Champfromier
Chézery-Forens
Septmoncel
Nantua
Arbent
Dortan
Jeurre
Pratz
Lavans-lès-St-Claude
Montrevel
Chavéria
Pimorin
Maynal
Augea
Cousance
Gizia
Champagnat
Courlaoux
Chilly-le-Vignoble
Montmorot
Perrigny
Macornay
Vernantois
Revigny
Publy
Doucier
Châtillon
Bonlieu
Saugeot
Fontenu
Crotenay
Picarreau
Relans
Vincent
Lombard
Arlay
Frontenay
Ménétru-le-Vignoble
Mirebel
Crançot
Saffloz
Chevrotaine
Le Frasnois
Ilay
Meussia
Étival
Coyron
Maisod
Crenans
Charchilla
Onoz
Cernon
Martigna
Lect
Vescles
Cézia
Chemilla
Dessia
Valfin-s.-Valouse
Genod
Lains
Florentia
Pouillat
Germagnat
Aromas
Thoirette
Matafelon-Granges
Samognat
Geovreisset
Bellignat
Groissiat
Martignat
Charix
Plagne
Giron
Belleydoux
Viry
Rogna
Choux
Larrivoire
Molinges
Chassal
Coiserette
Coyrière
Villard-St-Sauveur
Avignon-lès-St-Claude
Ravilloles
Cuttura
St-Lupicin
Villards-d'Héria
Leschères
Les Crozets
La Rixouse
Les Piards
Prénovel
Châtel-de-Joux
La Frasnée
Soucia
Thoiria
Cogna
Hautecour
Patornay
Boissia
Vertamboz
Uxelles
Denezières
Charcier
Blye
Charézier
Mesnois
Marnézia
Pont-de-Poitte
Nogna
Poids-de-Fiole
Courbette
Alièze
Essia
Rotalier
Orbagna
Grusse
Arthenas
Varessia
Reithouse
Présilly
Dompierre-s.-Mont
Mérona
Largillay-Marsonnay
Plaisia
La Tour-du-Meix
Écrille
Beffia
Rothonay
Cressia
Rosay
Digna
Chevreaux
Loisia
Graye-et-Charnay
Montagna-le-Reconduit
Gigny
Monnetay
Nancuise
Sarrogna
Chambéria
Savigna
Fétigny
Marigna-s.-Valouse
Chatonnay
Légna
Véria
Andelot-Morval
Thoissia
Nanc-lès-St-Amour
Nantey
Chazelles
St-Jean-d'Étreux
Senaud
Louvenne
Dramelay
La Boissière
Villechantria
La Balme-d'Epy
Val-d'Epy
Salavre
Pirajoux
Verjon
Villemotier
Broissia
Bourcia
Villeneuve-lès-Charnod
Montfleur
Pressiat
Courmangoux
Meillonnas
Simandre-s.-Suran
Drom
Grand-Corent
Ramasse
Jasseron
Cize
Bolozon
Nurieux-Volognat
Géovreissiat
Corveissiat
Sonthonnax-la-Montagne
Chavannes-s.-Suran
Villereversure
Hautecourt
Revonnas
Journans
Brion
Port
Leyssa
St-Martin-du-Frêne
Le Poizat
Montanges
Châtillon-en-Michaille
Collonges
Bellegarde

118

CHAMPAGNOLE
LES PLANCHES-EN-MONTAGNE
MOUTHE
Chaux-Neuve
Foncine-le-Haut
Foncine-le-Bas
ST-LAURENT-EN-GRANDVAUX
FORÊT DU MONT NOIR
FORÊT DU RISOUX
MONT RISOUX
VALLÉE DE JOUX
Vallorbe
Le Brassus
Le Sentier
Le Lieu
l'Abbaye
MONT TENDRE
Morbier
MOREZ
Bois-d'Amont
Bellefontaine
Les Rousses
La Cure
St-Cergue
PARC RÉGIONAL
Longchaumois
Prémanon
ST-CLAUDE
Lamoura
Lajoux
Septmoncel
Mijoux
Col de la Faucille
GEX
Divonne-les-Bains
VALSERINE
Mt COLOMBY DE GEX
CRÊT DE LA NEIGE
NYON
Prangins
Gland
ROLLE
AUBONNE
COSSONAY
Allaman
Coppet
Versoix
FERNEY-VOLTAIRE
Meyrin
St-Genis-Pouilly
GENÈVE
Carouge
ANNEMASSE
DOUVAINE
Yvoire
THONON-LES-BAINS
Bons-en-Chablais
Boëge
ST-JULIEN-EN-GENEVOIS
LAC

133

148

119

LAUSANNE
MORGES
ORBE
ECHALLENS
MOUDON
ORON-LA-VILLE
VEVEY
Montreux
Châtel-St-Denis
Bulle
Gruyères
Blonay
Villeneuve
AIGLE
Leysin
MONTHEY
ST-MAURICE
ÉVIAN-LES-BAINS
Thonon
St-Gingolph
ABONDANCE
Châtel
Morzine
Avoriaz
Les Gets
LE BIOT
St-Jean-d'Aulps
TANINGES
Champéry
Val-d'Illiez
Bex
Ollon
Gryon
Château-d'Œx
Rossinière
Montbovon
L É M A N
10 km

149

121 122 150

LA ROCHELLE
AE
AF
AG
AH
67
68
69
70
71
72
73
74
PERTUIS D'ANTIOCHE
RADE DES BASQUES
ANSE DE FOURAS
PERTUIS DE MAUMUSSON
ILE D'OLÉRON
FORÊT DOMANIALE DE LA COUBRE
CÔTE SAUVAGE
MARAIS SALANTS
ANCIENS MARAIS
Ste-Marie-de-Ré
Pointe de Chauveau
Phare de Chauveau
Pointe des Minimes
Aquarium
Fbg de Tasdon
AYTRÉ
Périgny
Bourgneuf
Soulle
St-Coux
Anais
le Gué-d'Alleré
St-Rogatien
Clavette
Montroy
St-Christophe
Bouhet
la Martinière
Virson
la Jarne
LA JARRIE
Puyvineux
AIGREFEUILLE-D'AUNIS
Chambon
Angoulins
Salles-sur-Mer
Croix-Chapeau
la Fragnée
Forges
St-Jean-des-Sables
Châtelaillon-Plage
St-Vivien
Mortagne
Thairé
le Thou
Landrais
Ballon
Ardillières
les Boucholeurs
Réserve Naturelle du Marais d'Yves
Ciré-d'Aunis
Muron
Fort Liédot
Ile-d'Aix
Fort Boyard
Fort d'Enet
la Fumée
Fouras
Yves
Soumoran
Liron
Flay
Loire-les-Marais
Phare de Chassiron
la Morelière
St-Denis-d'Oléron
la Brée-les-Bains
les Boulassiers
Anse du Marais Salé
Chaucre
St-Georges-d'Oléron
Foulerot
Forêt des Saumonards
Domino
Cheray
Sauzelle
Boyardville
Réserve Naturelle de Moëze
Rade des Trousses
St-PIERRE-D'OLÉRON
St-Gilles
la Ménounière
Maisonneuve
Dolus-d'Oléron
la Cotinière
les Bardières
la Perroche
la Remigeasse
LE CHÂTEAU-D'OLÉRON
Vert-Bois
le Riveau
Ors
le Grand-Village-Plage
St-Trojan-les-Bains
Pointe de Gatseau
Ile Madame
Port-des-Barques
St-Laurent-de-la-Prée
Vergeroux
ROCHEFORT
St-Nazaire-sur-Charente
Soubise
St-Froult
Moëze
Beaugeay
Brouage
Hiers-Brouage
ST-AGNANT
Breuil-Magné
TONNAY-CHARENTE
Cabariot
St-Hippolyte
Echillais
Trizay
la Vallée
Beurlay
Ste-Radegonde
Champagne
Pont-l'Abbé-d'Arnoult
le Chapus
Bourcefranc-le-Chapus
Nodes
MARENNES
Marennes-Plage
St-Just-Luzac
St-Jean-d'Angle
la Gripperie-St-Symphorien
St-Sulpice-d'Arnoult
Ronce-les-Bains
LA TREMBLADE
Mauzac
Luzac
Artouan
la Cayenne
St-Sornin
Ste-Gemme
Ouv. prochaine
Arvert
les Mathes
Étaules
Chaillevette
Nieulle-s.-Seudre
Nancras
Balanzac
Mornac-s.-Seudre
le Gua
Sablonceaux
Phare de la Coubre
Pointe de la Coubre
la Palmyre
St-Augustin
l'Eguille
Breuillet
St-Sulpice-de-Royan
St-Romain-de-Benet
SAUJON
la Grande-Côte
Phare de Terre-Nègre
St-Palais-sur-Mer
Vaux-sur-Mer
Médis
Le Chay
Corme-Écluse
ROYAN
St-Georges-de-Didonne
Semussac
Grézac
Phare de Cordouan
Pointe de Grave
Fort de Verdon
COZES
Meschers-s.-Gironde
Arces
Le Verdon-

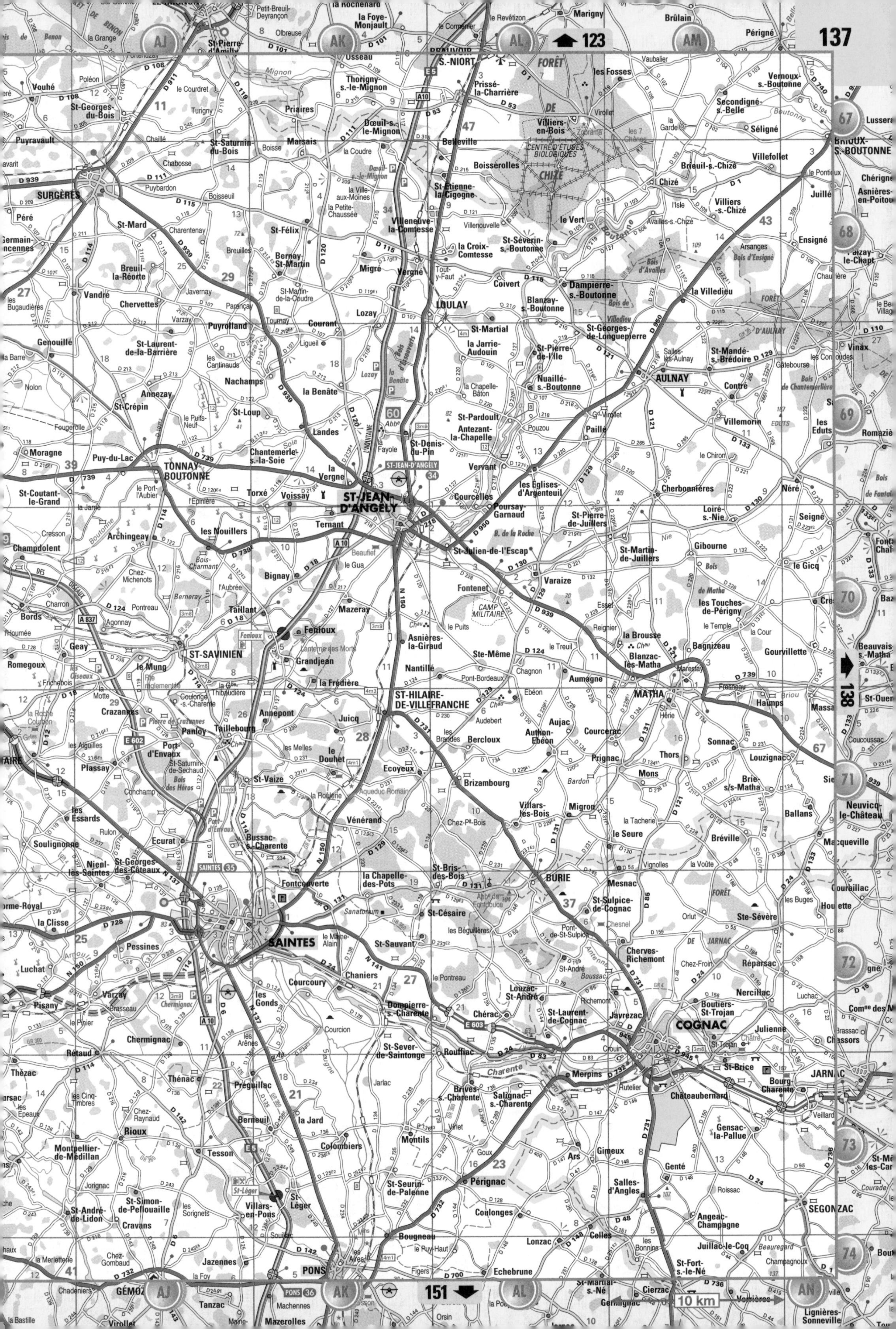
123
151
138
AJ
AK
AL
AM
AN
SURGÈRES
St-Pierre-d'Amilly
Usseau
Thorigny-s.-le-Mignon
Prissé-la-Charrière
Beauvoir-s.-Niort
Marigny
Brûlain
Périgné
Vouhé
St-Georges-du-Bois
Puyravault
St-Saturnin-du-Bois
Priaires
Marsais
Dœuil-s.-le-Mignon
Belleville
Boisserolles
Villiers-en-Bois
Forêt de Chizé
Les Fosses
Vernoux-s.-Boutonne
Secondigné-s.-Belle
Séligné
Brioux-s.-Boutonne
Villefollet
Brieuil-s.-Chizé
Chizé
Villiers-s.-Chizé
Juillé
St-Étienne-la-Cigogne
Villeneuve-la-Comtesse
St-Félix
St-Mard
Péré
Bernay-St-Martin
Migré
Vergné
La Croix-Comtesse
St-Séverin-s.-Boutonne
Le Vert
Ensigné
Breuil-la-Réorte
Vandré
Chervettes
Loulay
Coivert
Dampierre-s.-Boutonne
Blanzay-s.-Boutonne
La Villedieu
Lozay
Puyrolland
Courant
St-Martial
St-Georges-de-Longuepierre
Genouillé
St-Laurent-de-la-Barrière
La Jarrie-Audouin
St-Pierre-de-l'Isle
Salles-lès-Aulnay
St-Mandé-s.-Brédoire
Vinax
Nachamps
La Benâte
Nuaillé-s.-Boutonne
AULNAY
Contré
Annezay
St-Crépin
St-Loup
Landes
St-Pardoult
Antezant-la-Chapelle
Paillé
Villemorin
Les Éduts
Moragne
Puy-du-Lac
TONNAY-BOUTONNE
Chantemerle-s.-la-Soie
La Vergne
St-Denis-du-Pin
Vervant
Les Églises-d'Argenteuil
Cherbonnières
Néré
St-Coutant-le-Grand
Torxé
Voissay
ST-JEAN-D'ANGÉLY
Courcelles
Poursay-Garnaud
St-Pierre-de-Juillers
Loiré-s.-Nie
Seigné
Archingeay
Les Nouillers
Ternant
St-Julien-de-l'Escap
St-Martin-de-Juillers
Gibourne
Champdolent
Bignay
Varaize
Le Gicq
Fontenet
Les Touches-de-Périgny
Bords
Taillant
Mazeray
Fenioux
Asnières-la-Giraud
La Brousse
Blanzac-lès-Matha
Bagnizeau
Gourvillette
Geay
ST-SAVINIEN
Romegoux
Le Mung
Grandjean
Nantillé
Ste-Même
Aumagne
MATHA
Haimps
Crazannes
Annepont
ST-HILAIRE-DE-VILLEFRANCHE
Juicq
Aujac
Authon-Ébéon
Courcerac
Bercloux
Sonnac
Taillebourg
Plassay
Port-d'Envaux
Le Douhet
Écoyeux
Brizambourg
Prignac
Thors
Mons
Louzignac
St-Vaize
Brie-s/s-Matha
Ballans
Neuvicq-le-Château
Les Essards
Vénérand
Villars-les-Bois
Migron
Le Seure
Bréville
Macqueville
Soulignonne
Ecurat
Bussac-s.-Charente
Nieul-lès-Saintes
St-Georges-des-Côteaux
Fontcouverte
La Chapelle-des-Pots
St-Bris-des-Bois
BURIE
Mesnac
St-Sulpice-de-Cognac
Courbillac
La Clisse
SAINTES
St-Césaire
Ste-Sévère
Pessines
St-Sauvant
Cherves-Richemont
Réparsac
Luchat
Chaniers
Courcoury
Varzay
Pisany
Les Gonds
Dompierre-s.-Charente
Louzac-St-André
St-Laurent-de-Cognac
Javrezac
COGNAC
Nercillac
Boutiers-St-Trojan
Julienne
Chermignac
Rétaud
St-Sever-de-Saintonge
Chérac
Rouffiac
Merpins
Châteaubernard
St-Brice
JARNAC
Thénac
Préguillac
Brives-s.-Charente
Salignac-s.-Charente
Bourg-Charente
Rioux
Berneuil
La Jard
Montils
Colombiers
Gimeux
Gensac-la-Pallue
Montpellier-de-Médillan
Tesson
Ars
Genté
Pérignac
Salles-d'Angles
St-Simon-de-Pellouaille
St-André-de-Lidon
Villars-en-Pons
St-Léger
St-Seurin-de-Palenne
Coulonges
Angeac-Champagne
SEGONZAC
Cravans
Jazennes
Bougneau
Lonzac
Celles
Juillac-le-Coq
St-Fort-s.-le-Né
PONS
Echebrune
Cierzac
Gémozac
10 km

124

AN
AO
AP
AQ
AR
Pouffonds
Clussais-la-Pommeraie
Caunay
Chaunay
Blanzay
Champniers
Paizay-le-Tort
Chaignepain
la Pommeraie
la Presle
Pliboux
Champagné-le-Sec
Tillou
Sompt
Gournay-Loizé
les Alleuds
Mairé-Levescault
Traversay
Linazay
St-Pierre-d'Exideuil
Savigné
CIVRAY
Lusseray
BRIOUX-S.-BOUTONNE
Luché-s.-Brioux
Fontenille-St-Martin-d'Entraigues
Loizé
Mandegault
Melleran
la Chapelle-Pouilloux
SAUZÉ-VAUSSAIS
Limalonges
les Maisons-Blanches
St-Saviol
Chérigné
Asnières-en-Poitou
St-Martin-d'Entraigues
Javarzay
CHEF-BOUTONNE
Loriné
Vaussais
Montalembert
St-Macoux
St-Gaudent
Genouillé
la Bataille
Ardilleux
Bouin
la Place
la Forêt-de-Tessé
Montjean
Voulême
Paizay-le-Chapt
Crézières
Loubigné
Hanc
Jouhé
Pioussay
Londigny
Chez-Branger
les Adjots
Lizant
Aubigné
Theil-Rabier
St-Martin-du-Clocher
Taizé-Aizie
Fleury
Loubillé
Villeneuve
la Magdeleine
Villiers-le-Roux
FORÊT DE RUFFEC
Vinax
Villemain
Paizay-Naudouin-Embourie
Embourie
la Chèvrerie
Bernac
RUFFEC
Bioussac
Moutardon
Saleignes
Empuré
VILLEFAGNAN
la Faye
Condac
Messeux
Romazières
Longré
Brettes
Raix
Barro
Nanteuil-en-Vallée
Villiers-Couture
Couture-d'Argenson
le Vivier
Marsillé
Courcôme
Villegats
Néré
Souvigné
Tuzie
Verteuil-s.-Charente
St-Georges
Chives
les Gours
St-Fraigne
Besse
Charmé
Salles-de-Villefagnan
Poursac
Fontaine-Chalendray
le Breuil
Lupsault
Ebréon
le Bouchet
Tusson
Lonnes
Chenon
St-Gourson
le Gicq
Barbezières
Ligné
Juillé
les Maisons-Rouges
Chenommet
St-Sulpice-de-Ruffec
Bazauges
Chillé
Germeville
FORÊT DE TUSSON
Bayers
Couture
Beauvais-s.-Matha
Ranville-Breuillaud
Oradour
Villejésus
Fontenille
Aunac
Moutonneau
Ventouse
Bresdon
Guignefolle
AIGRE
Luxé
St-Groux
Lichères
St-Front
Cellefrouin
Verdille
Fouqueure
MANSLE
Fontclaireau
Mouton
Valence
St-Ouen
Mons
Echoisy
Cellettes
Puyréaux
la Tâche
Auge
Auge-St-Médard
Lanville
Marcillac-Lanville
Ambérac
Villognon
St-Ciers-s.-Bonnieure
St-Amant-de-Bonnieure
Siecq
Anville
Bonneville
Gourville
la Chapelle
Vervant
le-Maine-de-Boixe
Nanclars
St-Angeau
Neuvicq-le-Château
Montigné
Coulonges
Xambes
Aussac-Vadalle
Ste-Colombe
Ballans
Sonneville
le Breuil
Vouharte
ST-AMANT-DE-BOIXE
Coulgens
les Pins
Macqueville
Genac
Bignac
Montignac-Charente
Villejoubert
Tourriers
la Rochette
les Bouchauds
Théâtre Gallo-Romain
Courbillac
Mareuil
ROUILLAC
Chebrac
Jauldes
St-Cybardeaux
Anais
Agris
Vars
Couziers
Rivières
Plaizac
St-Amant-de-Nouère
St-Genis-d'Hiersac
Churet
la Chignolle
Brie
Sigogne
Vaux-Rouillac
Marsac
St-Projet-St-Constant
Fleurac
Échallat
Vindelle
la Jauvigère
Comne des Métairies
Foussignac
Douzat
Balzac
la Simarde
Champniers
Chassors
Mérignac
Asnières-s.-Nouère
St-Yrieix-s.-Charente
les Chauvauds
Bunzac
JARNAC
Triac-Lautrait
Villars
RUELLE-S.-TOUVRE
Mornac
Gondeville
Bassac
Malvieille
la Vigerie
Fléac
LE GOND-PONTOUVRE
Pranzac
Mainxe
St-Simon
HIERSAC
St-Saturnin
l'Isle-d'Espagnac
Magnac-s.-Touvre
Touvre
Graves-St-Amant
Moulidars
Vibrac
Trois-Palis
Linars
ANGOULÊME
St-Même-les-Carrières
Champmillon
Angeac-Charente
St-Michel
Nersac
SOYAUX
Grottes du Quéroy et de Barroury
Chazelles
SEGONZAC
St-Simeux
Ste-Catherine
Mosnac
Sireuil
Garat
CHÂTEAUNEUF-S.-CHARENTE
LA COURONNE
Puymoyen
Bouteville
Bouëx
St-Preuil
Dirac
Sers
Bonneuil
Eraville
St-Estèphe
Vœuil-et-Giget
FORÊT DE DIRAC
Lignières-Sonneville

137

152

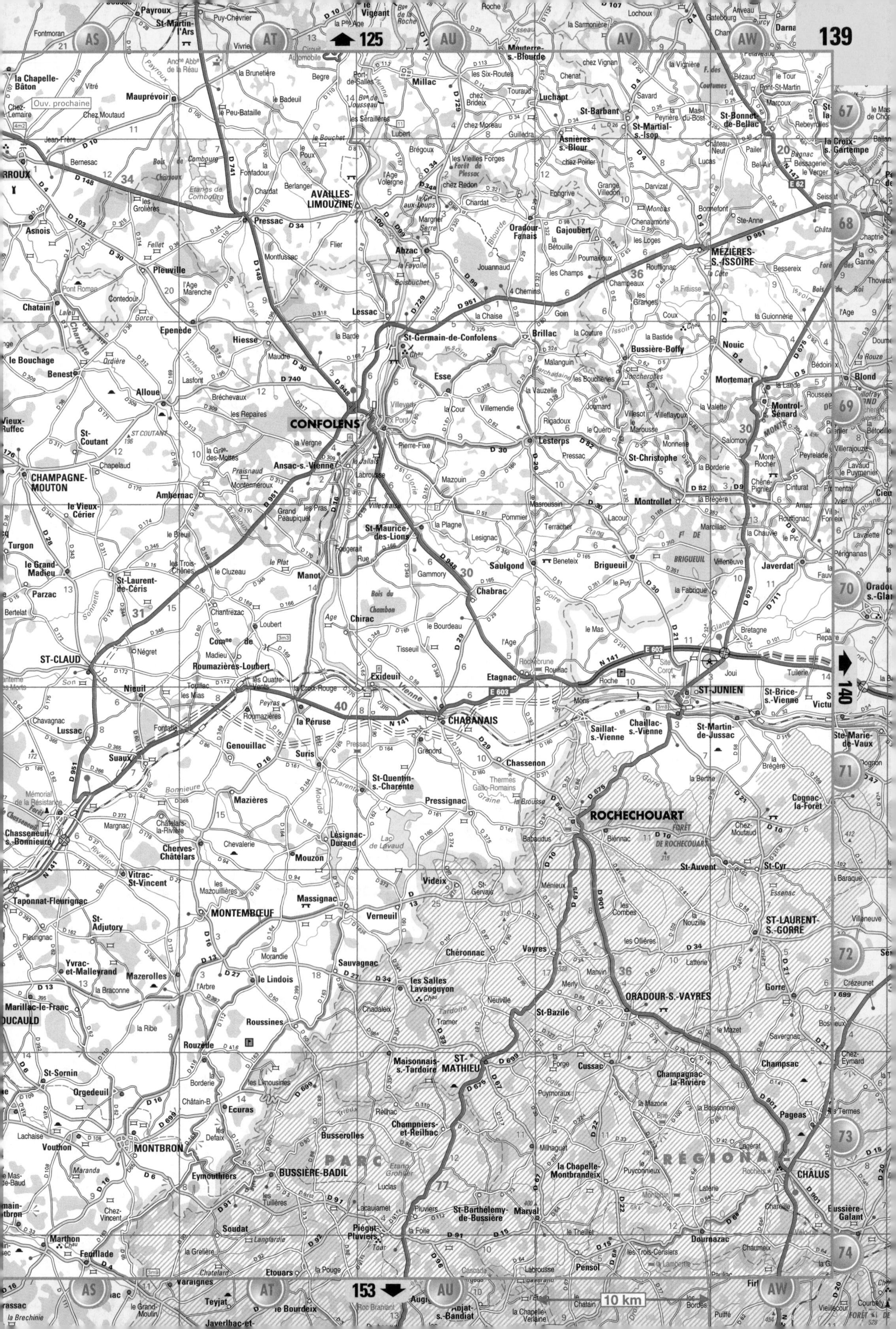

CONFOLENS
ROCHECHOUART
ST-JUNIEN
CHABANAIS
AVAILLES-LIMOUZINE
MÉZIÈRES-S.-ISSOIRE
CHAMPAGNE-MOUTON
ST-CLAUD
MONTEMBŒUF
MONTBRON
ST-LAURENT-S.-GORRE
ORADOUR-S.-VAYRES
CHÂLUS
BUSSIÈRE-BADIL
St-Germain-de-Confolens
Ansac-s.-Vienne
St-Maurice-des-Lions
Roumazières-Loubert
Pressac
Lessac
Brillac
Esse
Lesterps
Saulgond
Chabrac
Brigueuil
Etagnac
Exideuil
Chassenon
Pressignac
St-Quentin-s.-Charente
Vayres
Cussac
St-Mathieu
Champagnac-la-Rivière
Pageas
Massignac
Verneuil
Videix
Chéronnac
Marval
Dournazac
Pensol
St-Auvent
Cognac-la-Forêt
Javerdat
Montrollet
St-Christophe
Mortemart
Nouic
Blond
Bussière-Boffy
Oradour-Fanais
Luchapt
Millac
Mouterre-s.-Blourde
Payroux
Mauprévoir
Pleuville
Epenède
Alloue
Benest
Hiesse
Ambernac
Manot
Chirac
Genouillac
Suris
Mazières
Lésignac-Durand
Mouzon
Cherves-Châtelars
Vitrac-St-Vincent
Taponnat-Fleurignac
St-Adjutory
Yvrac-et-Malleyrand
Mazerolles
le Lindois
Roussines
Rouzède
Ecuras
Eymouthiers
Orgedeuil
Vouthon
Marthon
Feuillade
Soudat
Piégut-Pluviers
St-Barthélemy-de-Bussière
Champniers-et-Reilhac
Busserolles
Maisonnais-s.-Tardoire
Les Salles Lavauguyon
Sauvagnac
St-Bazile
La Chapelle-Montbrandeix
Saillat-s.-Vienne
Chaillac-s.-Vienne
St-Martin-de-Jussac
St-Brice-s.-Vienne
Nieuil
Lussac
Suaux
Chasseneuil-s.-Bonnieure
St-Laurent-de-Céris
Parzac
le Grand-Madieu
Turgon
le Vieux-Cérier
St-Coutant
Chatain
Asnois
PARC RÉGIONAL
Bois du Chambon
FORÊT DE ROCHECHOUART
Vienne
Charente
Issoire
Goire
Glane
Tardoire
Lac de Lavaud
N 141
E 603
D 951
D 948
D 741
D 675
D 901
10 km

125
140
153

126

LE DORAT
MAGNAC-LAVAL
Dompierre-les-Eglises
St-Sornin-Leulac
St-Maurice-la-Souterraine
Lathière
Villefavard
Droux
Blanzac
Rancon
CHÂTEAUPONSAC
BESSINES-S.-GARTEMPE
Fromental
St-Amand-Magnazeix
St-Priest-la-Feuille
St-Pierre-de-Fursac
St-Etienne-de-Fursac
Chamborand
Folles
Laurière
Bersac-s.-Rivalier
St-Sornin-la-Marche
la Croix-s.-Gartempe
St-Ouen-s.-Gartempe
Peyrat-de-Bellac
BELLAC
St-Junien-les-Combes
Balledent
Roussac
Berneuil
St-Symphorien-s.-Couze
St-Pardoux
Razès
St-Sulpice-Laurière
St-Léger-la-Montagne
Jabreilles-les-Bordes
la Jonchère-St-Maurice
Blond
Vaulry
Breuilaufa
Le Buis
NANTIAT
Thouron
Compreignac
St-Sylvestre
Chamboret
Cieux
Oradour-s.-Glane
Peyrilhac
St-Jouvent
Bonnac-la-Côte
AMBAZAC
St-Laurent-les-Eglises
les Billanges
Javerdat
NIEUL
St-Gence
Veyrac
Chaptelat
Beaune-les-Mines
Rilhac-Rancon
St-Martin-Terressus
le Châtenet-en-Dognon
St-Brice-s.-Vienne
St-Victurnien
Ste-Marie-de-Vaux
Verneuil-s.-Vienne
Couzeix
le Palais-s.-Vienne
St-Priest-Taurion
St-Just-le-Martel
Royères
Moissannes
St-Yrieix-s/s-Aixe
St-Priest-s/s-Aixe
LIMOGES
Panazol
Feytiat
Isle
ST-LÉONARD-DE-NOBLAT
Aureil
Eybouleuf
St-Denis-des-Murs
St-Cyr
AIXE-S.-VIENNE
Condat-s.-Vienne
la Geneytouse
Eyjeaux
Boisseuil
ST-LAURENT-S.-GORRE
Beynac
Bosmie-l'Aiguille
Solignac
le Vigen
Masléon
Roziers-St-Georges
Séreilhac
St-Martin-le-Vieux
Burgnac
Jourgnac
St-Paul
St-Hilaire-Bonneval
Lavignac
Meilhac
Flavignac
St-Maurice-les-Brousses
St-Genest-s.-Roselle
St-Bonnet-Briance
Linards
Champsac
Pageas
les Cars
Rilhac-Lastours
NEXON
St-Jean-Ligoure
PIERRE-BUFFIÈRE
St-Hilaire-les-Places
Glanges
St-Méard
CHÂLUS
Bussière-Galant
St-Priest-Ligoure
Janailhac
Vicq-s.-Breuilh
Magnac-Bourg
ST-GERMAIN-LES-BELLES
St-Vitte-s.-Briance
la Meyze
FORÊT DE LASTOURS
FORÊT DES CARS
FORÊT D'AIXE
MONTS D'AMBAZAC
N 145
N 147
N 141
N 21
A 20
E 9
E 62
AX
AY
AZ
BA
AW

139

154

127
142
155
BB
BC
BD
BE
BF
67
68
69
70
71
72
73
74
10 km
GUÉRET
AUBUSSON
BOURGANEUF
EYMOUTIERS
FELLETIN
AHUN
JARNAGES
CHÉNÉRAILLES
PONTARION
ROYÈRE-DE-VASSIVIÈRE
GENTIOUX-PIGEROLLES
LE GRAND-BOURG
BÉNÉVENT-L'ABBAYE
ST-SULPICE-LES-CHAMPS
CHÂTEAUNEUF-LA-FORÊT
PLATEAU DE MILLEVACHES
Peyrat-le-Château
Peyrelevade
Millevaches
Sornac
Crocq
Gioux
Vallière
Sardent
St-Éloi
Lépinas
Janaillat
Ahun
Moutier-d'Ahun
Chamberaud
Croze
Pionnat
Vigeville
Cressat
Mazeirat
Savennes
Nedde
Tarnac
Rempnat
Lacelle
Viam
Chavanac
Faux-la-Montagne
la Villedieu
St-Merd-les-Oussines
Toy-Viam
Beaumont-du-Lac
Banize
Chavanat
Vidaillat
Soubrebost
Thauron
Masbaraud-Mérignat
Montboucher
Auriat
Cheissoux
Augne
Sussac
Domps
Lac de Vassivière
Fêniers
Clairavaux

128

CHAMBON-S.-VOUEIZE
EVAUX-LES-BAINS
Gouzon
Lussat
Chambonchard
MARCILLAT-EN-COMBRAILLE
MONTAIGUT
Pierrefitte
St-Loup
Tardes
St-Julien-la-Genête
St-Marcel-en-Marcillat
St-Fargeol
Virlet
Youx
St-Julien-le-Châtel
Sannat
Fontanières
Château-s.-Cher
PIONSAT
le Chauchet
Reterre
St-Priest
Peyrat-la-Nonière
St-Maurice-près-Pionsat
Charron
Bussières
Gouttières
Mainsat
Arfeuille-Châtain
Rougnat
Roche-d'Agoux
St-Julien-la-Geneste
la Serre-Bussière-Vieille
St-Domet
Puy-Malsignat
Espinasse
AUZANCES
Vergheas
Champagnat
Bussière-Nouvelle
Bosroger
BELLEGARDE-EN-MARCHE
Biollet
le Compas
St-Priest-des-Champs
Dontreix
Charensat
Lupersat
Sermur
Brousse
les Mars
St-Silvain-Bellegarde
Châtelard
Lioux-les-Monges
Chard
Mautes
Montel-de-Gelat
St-Pardoux-le-Neuf
Néoux
la Villetelle
St-Avit-de-Tardes
St-Bard
Mérinchal
Villosanges
St-Jacques-d'Ambur
la Villeneuve
Tralaigues
Miremont
Montfermy
Ste-Feyre-la-Montagne
St-Pardoux-d'Arnet
St-Oradoux-près-Crocq
la Mazière-aux-Bons-Hommes
St-Avit
Landogne
PONTAUMUR
Pontcharraud
St-Maurice-près-Crocq
CROCQ
Basville
la Celle
St-Frion
Condat-en-Combraille
la Goutelle
St-Georges-Nigremont
Combrailles
Poussanges
St-Étienne-des-Champs
St-Hilaire-les-Monges
Fernoël
Magnat-l'Etrange
St-Agnant-près-Crocq
Giat
Voingt
Puy-St-Gulmier
Cisternes-la-Forêt
Flayat
Sauvagnat
Malleret
Beissat
Verneugheol
Gelles
Prondines
HERMENT
Commune de St-Germain-près-Herment
Tortebesse
St-Oradoux-de-Chirouze
St-Merd-la-Breuille
Heume-l'Eglise
LA COURTINE
Laroche-près-Feyt
Lastic
Briffons
ROCHEFORT-MONTAGNE
Feyt
Lamazière-Haute
Perpezat
St-Martial-le-Vieux
EYGURANDE
St-Julien-Puy-Lavèze
St-Rémy
Couffy-s.-Sarsonne
Courteix
Monestier-Merlines
BOURG-LASTIC
Commune de Lignareix
Bellechassagne
Merlines
St-Sulpice
Laqueuille
Aix
Messeix
St-Pardoux-le-Vieux
St-Pardoux-le-Neuf
Savennes
Murat-le-Quaire
LA BOURBOULE
CAMP DE LA COURTINE
MASSIF DES AGRIERS
CAMP MILITAIRE
PUY-VIVANSON
PUY DE PRETIO
LA BANNE D'ORDANCHE
PUY DE NEUFFOND
PUY DE BANSON
N 141
N 89
A 89
D 988
D 996
D 941
D 987
D 204
D 82
D 13
BG
BH
BI
BJ
BK
67
68
69
70
71
72
73
74

141

156

129

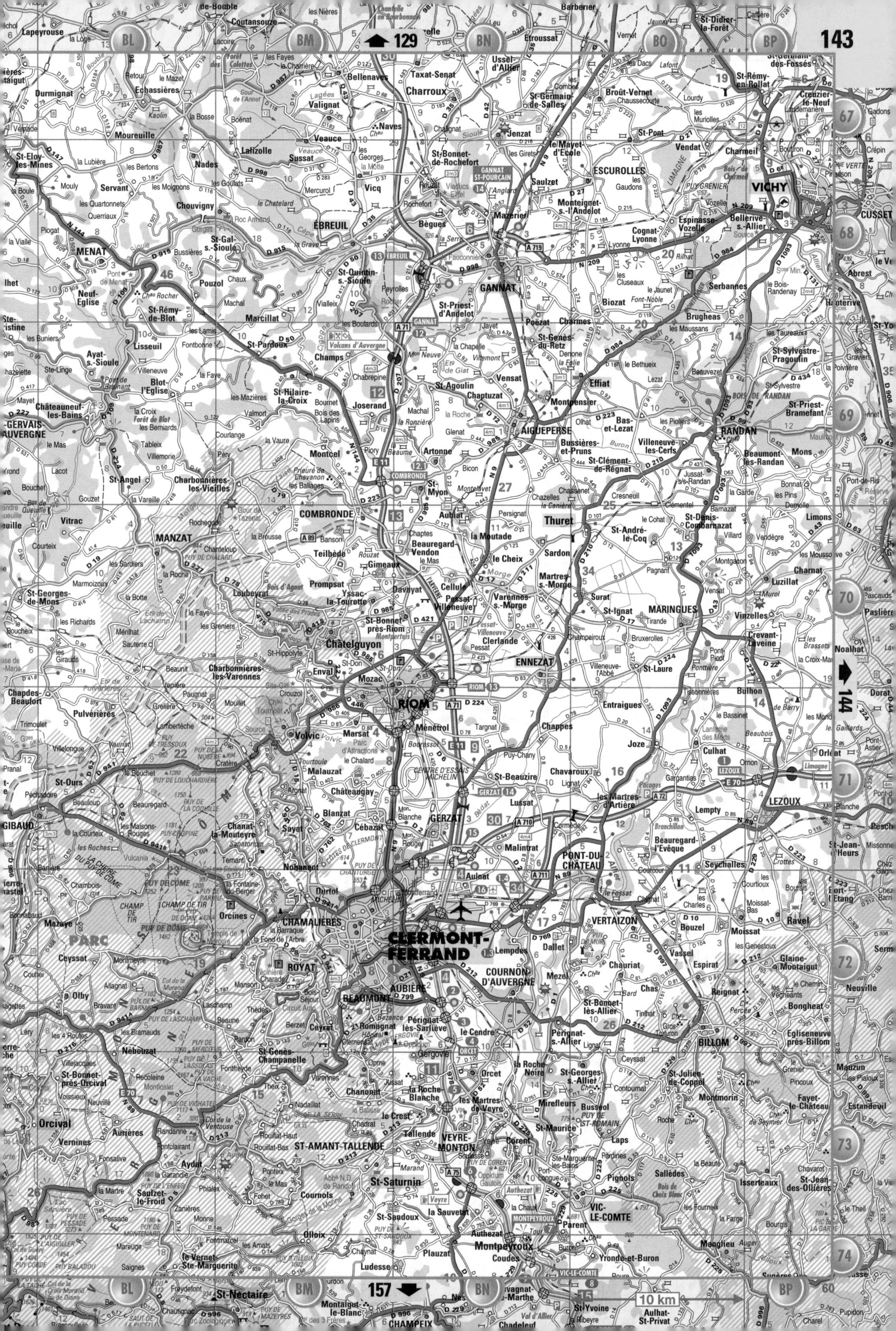
BL
BM
BN
BO
BP
67
68
69
70
71
72
73
74
Lapeyrouse
Coutansouze
Bellenaves
Taxat-Senat
Charroux
Ussel-d'Allier
Etroussat
Barberier
St-Didier-la-Forêt
St-Rémy-en-Rollat
Durmignat
Echassières
Valignat
Naves
Jenzat
St-Germain-de-Salles
Broût-Vernet
Creuzier-le-Neuf
Moureuille
Veauce
Le Mayet-d'École
St-Pont
Vendat
Charmeil
St-Eloy-les-Mines
Lalizolle
Nades
Sussat
St-Bonnet-de-Rochefort
Escurolles
Vichy
Cusset
Servant
Chouvigny
Vicq
Saulzet
Monteignet-s.-l'Andelot
Ébreuil
Bègues
Mazerier
Cognat-Lyonne
Espinasse-Vozelle
Bellerive-s.-Allier
Menat
St-Gal-s.-Sioule
Neuf-Église
Pouzol
St-Quintin-s.-Sioule
Gannat
Biozat
Serbannes
Abrest
St-Rémy-de-Blot
Marcillat
St-Priest-d'Andelot
Poëzat
Charmes
Brugheas
Hauterive
Lisseuil
St-Pardoux
Champs
St-Genès-du-Retz
St-Sylvestre-Pragoulin
Ayat-s.-Sioule
Blot-l'Église
St-Hilaire-la-Croix
St-Agoulin
Vensat
Effiat
Châteauneuf-les-Bains
Joserand
Chaptuzat
Montpensier
St-Priest-Bramefant
Aigueperse
Bas-et-Lezat
Randan
Montcel
Artonne
Bussières-et-Pruns
Villeneuve-les-Cerfs
Beaumont-les-Randan
Mons
St-Angel
Charbonnières-les-Vieilles
St-Myon
St-Clément-de-Régnat
Combronde
Aubiat
Thuret
St-André-le-Coq
St-Denis-Combarnazat
Limons
Manzat
Beauregard-Vendon
La Moutade
Teilhède
Le Cheix
Sardon
Gimeaux
Martres-s.-Morge
Charnat
Luzillat
Prompsat
Davayat
Cellule
Varennes-s.-Morge
St-Georges-de-Mons
Loubeyrat
Yssac-la-Tourette
Pessat-Villeneuve
Surat
St-Ignat
Maringues
Vinzelles
St-Bonnet-près-Riom
Clerlande
Crevant-Laveine
Châtelguyon
Ennezat
St-Laure
Charbonnières-les-Varennes
Enval
Mozac
Riom
Bulhon
Entraigues
Pulvérières
Volvic
Ménétrol
Chappes
Marsat
Joze
Malauzat
Culhat
St-Ours
Châteaugay
St-Beauzire
Chavaroux
Lezoux
Lussat
Les Martres-d'Artière
Lempty
Blanzat
Gerzat
Chanat-la-Mouteyre
Sayat
Cébazat
Beauregard-l'Évêque
Malintrat
Pont-du-Château
Nohanent
Aulnat
Seychalles
Durtol
Chamalières
Clermont-Ferrand
Vertaizon
Ravel
Orcines
Lempdes
Dallet
Moissat
Mazaye
Ceyssat
Royat
Cournon-d'Auvergne
Mezel
Chauriat
Espirat
Glaine-Montaigut
Aubière
Vassel
Olby
Beaumont
Chas
Reignat
Neuville
Bongheat
Pérignat-lès-Sarliève
St-Bonnet-lès-Allier
Billom
Romagnat
Le Cendre
Pérignat-s.-Allier
Egliseneuve-près-Billom
Nébouzat
St-Genès-Champanelle
Orcet
La Roche Noire
St-Georges-s.-Allier
St-Julien-de-Coppel
Mauzun
St-Bonnet-près-Orcival
Chanonat
La Roche-Blanche
Les Martres-de-Veyre
Mirefleurs
Busséol
Montmorin
Fayet-le-Château
Estandeuil
Orcival
Aurières
Le Crest
Tallende
St-Maurice
Vernines
St-Amant-Tallende
Veyre-Monton
Corent
Laps
Aydat
St-Saturnin
Pignols
Sallèdes
Isserteaux
St-Jean-des-Ollières
Saulzet-le-Froid
Cournols
La Sauvetat
Vic-le-Comte
Olloix
St-Sandoux
Authezat
Parent
Le Vernet-Ste-Marguerite
Montpeyroux
Coudes
Plauzat
Ludesse
Yronde-et-Buron
Manglieu
St-Nectaire
Montaigut-le-Blanc
Champeix
St-Yvoine
Aulhat-St-Privat
10 km

144

157

130

BP
BQ
BR
BS
BT
Ouv. début 2005
Seuillet
Cusset
Creuzier-le-Vieux
St-Étienne-de-Vicq
St-Christophe
Isserpent
le Breuil
Châtelus
Arfeuilles
St-Martin-d'Estréaux
La Pacaudière
le Crozet
Changy
St-Bonnet-des-Quarts
St-Forgeux-Lespinasse
St-Germain-Lespinasse
Ambierle
St-Haon-le-Vieux
St-Haon-le-Châtel
St-Romain-la-Motte
Renaison
St-André-d'Apchon
Pouilly-les-Nonains
St-Léger-s.-Roanne
Ouches
St-Alban-les-Eaux
Lentigny
Villerest
Villemontais
St-Jean-St-Maurice-s.-Loire
Châtel-Montagne
Molles
le Vernet
Abrest
la Chapelle
Nizerolles
Le Mayet-de-Montagne
St-Clément
St-Nicolas-des-Biefs
St-Rirand
les Noës
Arcon
Hauterive
St-Yorre
Busset
Arronnes
Glozel
Ferrières-s.-Sichon
La Chabanne
Laprugne
St-Priest-la-Prugne
la Tuilière
Mariol
Ris
Lachaux
Châteldon
la Guillermie
Lavoine
Puy-Guillaume
St-Victor-Montvianeix
Paslières
Palladuc
St-Rémy-s.-Durolle
Arconsat
Chausseterre
St-Just-en-Chevalet
Cremeaux
St-Polgues
Bully
Juré
St-Romain-d'Urfé
Noalhat
Dorat
la Monnerie-le-Montel
Chabreloche
Celles-s.-Durolle
Thiers
Cervières
Noirétable
les Salles
Champoly
St-Marcel-d'Urfé
Grézolles
Souternon
St-Germain-Laval
St-Julien-d'Oddes
Lezoux
Peschadoires
Escoutoux
Viscomtat
St-Julien-la-Vêtre
St-Martin-la-Sauveté
St-Thurin
Nollieux
St-Jean-d'Heurs
Néronde-s.-Dore
Vollore-Ville
Vollore-Montagne
St-Jean-la-Vêtre
St-Priest-la-Vêtre
St-Didier-s.-Rochefort
Ailleux
Cezay
St-Sixte
l'Hôpital-s/s-Rochefort
St-Laurent-Rochefort
Bort-l'Étang
Ravel
Sermentizon
Courpière
Aubusson-d'Auvergne
la Chambonie
la Renaudie
la Chamba
la Valla-s.-Rochefort
Leigneux
Palogneux
Sail-s/s-Couzan
St-Just-en-Bas
Neuville
Bongheat
Trézioux
Augerolles
le Brugeron
Marcoux
St-Georges-en-Couzan
Chalmazel
Sauviat
Mauzun
St-Flour
Domaize
Olmet
St-Gervais-s/s-Meymont
Olliergues
Tours-s-Meymont
St-Dier-d'Auvergne
Estandeuil
Fayet-le-Château
St-Pierre-la-Bourlhonne
Sauvain
St-Bonnet-le-Courreau
Marat
Vertolaye
Ceilloux
Cunlhat
St-Jean-des-Ollières
la Chapelle-Agnon
Bertignat
Job
Valcivières
Châtelneuf
Essertines-en-Châtelneuf
Roche
Lérigneux
Sugères
Brousse
Auzelles
St-Amant-Roche-Savine
PARC
RÉGIONAL
LES BOIS NOIRS
MONTS DE LA MADELEINE
E 70
A 72
N 89
D 906
N 7
Noirétable St-Just-en-Ch.
La Monnerie Chabreloche
Thiers
Haut-Forez
Pierre sur Haute
Puy de Montoncel
Puy Snidre
Vichy
Randan

143

158

131
CHAUFFAILLES
MONSOLS
Charlieu
Belmont-de-la-Loire
Beaujeu
Roanne
Perreux
Thizy
Amplepuis
Lamure-s.-Azergues
St-Symphorien-de-Lay
Tarare
Le Bois-d'Oingt
L'Arbresle
Néronde
Feurs
St-Laurent-de-Chamousset
Chazelles-s.-Lyon
St-Symphorien-s.-Coise
Montbrison
146
159
10 km

132
145
160

THOISSEY
St-Didier-s.-Chalaronne
Neuville-les-Dames
Condeissiat
Chaveyriat
PÉRONNAS
St-Symphorien-d'Ancelles
Fleurie
Chiroubles
Villié-Morgon
Corcelles-en-Beaujolais
Dracé
St-Jean-d'Ardières
Taponas
BELLEVILLE
Genouilleux
Guéreins
Montmerle-s.-Saône
Montceaux
CHATILLON-S.-CHALARONNE
Valeins
Baneins
Relevant
ST-TRIVIER-S.-MOIGNANS
Sandrans
Romans
St-André-le-Bouchoux
St-Georges-s.-Renon
St-Paul-de-Varax
Marlieux
St-Nizier-le-Désert
Dompierre-s.-Veyle
Lent
Servas
St-Georges-de-Reneins
Lurcy
Messimy-s.-Saône
Chaleins
Fareins
Villeneuve
Bouligneux
VILLARS-LES-DOMBES
Le Plantay
Châtenay
CHALAMONT
Versailleux
VILLEFRANCHE-S.-SAÔNE
Gleizé
Beauregard
Frans
Jassans-Riottier
Savigneux
Ars-s.-Formans
Ambérieux-en-Dombes
Lapeyrouse
Misérieux
Rancé
Monthieux
Birieux
Joyeux
Limas
Ste-Euphémie
St-Bernard
Trévoux
ANSE
Toussieux
St-Jean-de-Thurigneux
Reyrieux
St-André-de-Corcy
St-Marcel
Le Montellier
Parcieux
Civrieux
Ambérieux
Lachassagne
Quincieux
Massieux
Genay
Mionnay
Ste-Croix
Pérouges
MEXIMIEUX
Bourg-St-Christophe
Faramans
Lucenay
Marcy
Morancé
Charnay
Les Chères
Chazay-d'Azergues
St-Germain-au-Mont-d'Or
Montanay
Tramoyes
Pizay
Béligneux
Châtillon
Civrieux-d'Azergues
Marcilly-d'Azergues
Chasselay
Poleymieux
NEUVILLE-S.-SAÔNE
Fleurieu-s.-Saône
Cailloux-s.-Fontaines
Les Echets
MONTLUEL
Dagneux
Bressolles
Lozanne
Lissieu
LIMONEST
Rochetaillée
Fontaines-St-Martin
Fontaines-s.-Saône
Sathonay-Village
Sathonay-Camp
St-Maurice-de-Beynost
Beynost
MIRIBEL
Neyron
RILLIEUX-LA-PAPE
Thil
Niévroz
Balan
St-Maurice-de-Gourdans
Dommartin
Lentilly
Collonges
St-Didier
St-Cyr
CALUIRE-ET-CUIRE
Jonage
Jons
Villette-d'Anthon
Anthon
La Tour-de-Salvagny
Dardilly
Champagne
Ecully
VAULX-EN-VELIN
MEYZIEU
Charbonnières-les-Bains
TASSIN-LA-DEMI-LUNE
VILLEURBANNE
DÉCINES-CHARPIEU
Pusignan
PONT-DE-CHÉRUY
Ste-Consorce
Pollionnay
Grézieu-la-Varenne
St-Genis-les-Ollières
Chassieu
Genas
VAUGNERAY
Craponne
LYON
BRON
Francheville
STE-FOY
La Mulatière
OULLINS
ST-FONS
ST-PRIEST
Colombier-Saugnieu
Charvieu-Chavagneux
Tignieu-Jameyzieu
Villemoirieu
Brindas
St-Laurent-de-Vaux
Chaponost
VÉNISSIEUX
Pierre-Bénite
ST-GENIS-LAVAL
Satolas-et-Bonce
St-Bonnet-de-Mure
St-Laurent-de-Mure
Grenay
Messimy
Thurins
Soucieu-en-Jarrest
Brignais
IRIGNY
Feyzin
Corbas
Mions
Toussieu
Chamagnieu
Frontonas
Rontalon
Orliénas
Vourles
Vernaison
Charly
Millery
Taluyers
ST-SYMPHORIEN-D'OZON
Solaize
St-Pierre-de-Chandieu
HEYRIEUX
St-Quentin-Fallavier
LA VERPILLIÈRE
Chaussan
St-Laurent-d'Agny
MORNANT
Montagny
Sérézin-du-Rhône
Simandres
Chaponnay
Marennes
Valencin
VILLEFONTAINE
Vaulx-Milieu
Grigny
Ternay
Communay
Luzinay
St-Just-Chaleyssin
Diémoz
Bonnefamille
Chassagny
GIVORS
St-Andéol-le-Château
Chuzelles
Villette
Roche
St-Maurice-s.-Dargoire
St-Jean-de-Touslas
Dargoire
Seyssuel
Serpaize
Oytier-St-Oblas

133
161
148
NANTUA
BELLEGARDE-S-VALSERINE
PONCIN
PONT-D'AIN
AMBÉRIEU-EN-BUGEY
ST-RAMBERT-EN-BUGEY
HAUTEVILLE-LOMPNES
BRÉNOD
CHAMPAGNE-EN-VALROMEY
VIRIEU-LE-GRAND
LAGNIEU
BELLEY
LHUIS
CRÉMIEU
MORESTEL
YENNE
ST-GENIX-S-GUIERS
BOURGOIN-JALLIEU
SEYSSEL
CEYZÉRIAT
LA MOTTE-SERVOLEX
10 km

134

CI
CJ
CK
CL
CM
67
68
69
70
71
72
73
EN-GENEVOIS
ST-JULIEN
REIGNIER
BONNEVILLE
COLLONGES
Valleiry
Vulbens
Dingy-en-Vuache
Bossey
Collonges-s/s-Salève
Archamps
Neydens
Viry
Feigères
Beaumont
le Sappey
Arbusigny
la Muraz
Pers-Jussy
Cornier
Amancy
LA ROCHE-S.-FORON
St-Pierre-en-Faucigny
Clarafond
Savigny
Jonzier-Epagny
Minzier
Chavannaz
Cernex
Andilly
Copponex
CRUSEILLES
Vovray-en-Bornes
Menthonnex-en-Bornes
Villy-le-Bouveret
Evires
Groisy
THORENS-GLIÈRES
Chessenaz
FRANGY
Musièges
Contamine-Sarzin
Sallenôves
Chilly
Allonzier-la-Caille
Villy-le-Pelloux
Choisy
Mésigny
Desingy
Cuvat
Charvonnex
les Ollières
Aviernoz
Clermont
Droisy
Menthonnex-s/s-Clermont
la Balme-de-Sillingy
St-Martin-Bellevue
Pringy
Argonay
Villaz
SEYSSEL
Crempigny-Bonneguete
Thusy
Sillingy
Nâves-Parmelan
Versonnex
St-Eusèbe
Epagny
Metz-Tessy
ANNECY-LE-VIEUX
ANNECY
Dingy-St-Clair
Val-de-Fier
Vaulx
Poisy
Meythet
Nonglard
Lovagny
Cran-Gevrier
la Balme-de-Thuy
les Villards-s.-Thônes
Motz
Lornay
Vallières
Hauteville-s.-Fier
Chavanod
SEYNOD
Veyrier-du-Lac
Alex
THÔNES
Serrières-en-Chautagne
Moye
Sales
Etercy
Marcellaz-Albanais
Bluffy
Manigod
RUMILLY
Montagny-les-Lanches
Sévrier
Menthon-St-Bernard
les Clefs
RUFFIEUX
Boussy
Chapeiry
St-Sylvestre
Quintal
St-Jorioz
Duingt
Talloires
Massingy
Marigny-St-Marcel
Bloye
Chindrieux
ALBY-S.-CHÉRAN
Viuz-la-Chiésaz
Mûres
St-Eustache
Entrevernes
Montmin
Serraval
le Bouchet
Cessens
ALBENS
St-Félix
Héry-s.-Alby
Gruffy
Leschaux
la Chapelle-St-Maurice
Doussard
St-Ferréol
Marlens
St-Germain-la-Chambotte
St-Girod
Cusy
Chainaz-les-Frasses
St-Ours
Allèves
Chevaline
Giez
FAVERGES
Cons-Ste-Colombe
Marthod
Mognard
Epersy
Bellecombe-en-Bauges
Seythenex
Dessous St-Offenge-Dessus
GRÉSY-S.-AIX
Montcel
Arith
Lescheraines
la Motte-en-Bauges
Doucy-en-Bauges
Allondaz
Pallud
Brison-St-Innocent
Trévignin
la Chapelle-du-Mont-du-Chat
LE CHÂTELARD
ALBERTVILLE
AIX-LES-BAINS
Pugny-Chatenod
St-François-de-Sales
le Noyer
la Compôte
Mercury
Bourdeau
Tresserve
Mouxy
Gilly-s.-Isère
Verrens-Arvey
Grignon
Jarsy
Aillon-le-Vieux
DRUMETTAZ-CLARAFOND
Viviers-du-Lac
Cléry
Tournon
Frontenex
Monthion
Notre-Dame-des-Millières
Méry
Voglans
Aillon-le-Jeune
Ste-Reine
Ste-Hélène-s.-Isère
Sonnaz
les Déserts
GRÉSY-S.-ISÈRE
Montailleur
Vérel-Pragondran
LA MOTTE-SERVOLEX
ST-ALBAN-LEYSSE
St-Jean-d'Arvey
Thoiry
Fréterive
Bonvillard
ST-PIERRE-D'ALBIGNY
Bonvillaret
Bassens
Barby
Curienne
Puygros
Aiton
COGNIN
CHAMBÉRY
LA RAVOIRE
Chamousset
Bourgneuf
Châteauneuf
Montgilbert
Randens
AIGUEBELLE
PARC
RÉGIONAL
DU
MASSIF
DES
BAUGES
LAC D'ANNECY
A 40
A 41
A 43
A 430
N 201
N 203
N 508
N 90
D 909
D 1508

147

162

135

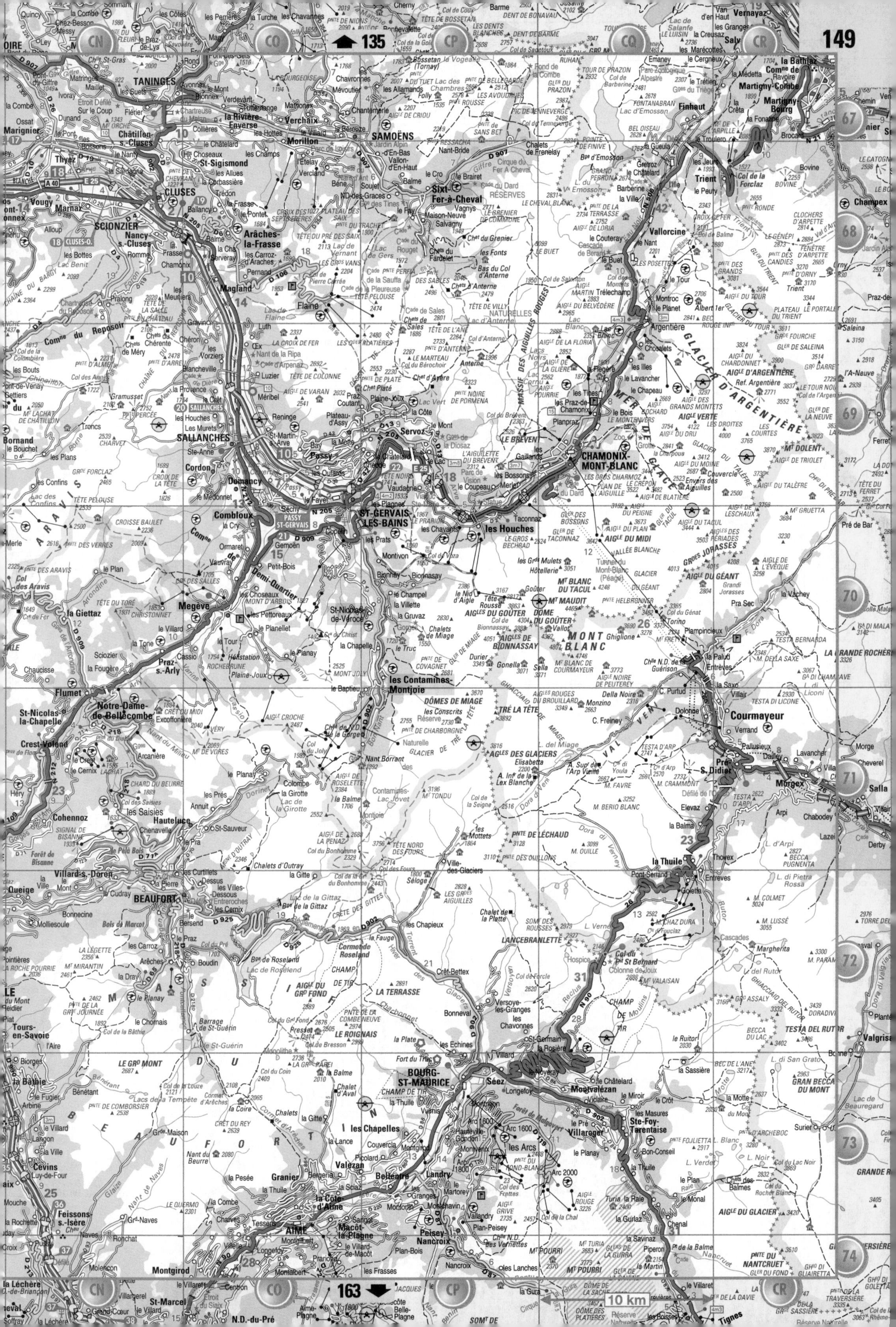

CN
CO
CP
CQ
CR
TANINGES
Châtillon-s.-Cluses
Samoëns
Verchaix
Morillon
CLUSES
SCIONZIER
Marnaz
Thyez
Marignier
Vougy
St-Sigismond
Arâches-la-Frasse
Magland
Flaine
Sixt-Fer-à-Cheval
Vallorcine
Finhaut
Trient
Col de la Forclaz
Martigny-Combe
Martigny-Bourg
La Bâtiaz
Champex
Argentière
CHAMONIX-MONT-BLANC
les Houches
Servoz
Passy
SALLANCHES
Cordon
Domancy
Combloux
ST-GERVAIS-LES-BAINS
Megève
Demi-Quartier
Praz-s.-Arly
Flumet
Notre-Dame-de-Bellecombe
St-Nicolas-la-Chapelle
Crest-Voland
la Giettaz
Hauteluce
les Saisies
Cohennoz
Villard-s.-Doron
BEAUFORT
Queige
les Contamines-Montjoie
St-Nicolas-de-Véroce
MONT BLANC
Mt MAUDIT
AIG^LE DU MIDI
DÔME DU GOÛTER
AIG^LE VERTE
Mt DOLENT
GLACIER D'ARGENTIÈRE
MER DE GLACE
G^RDES JORASSES
AIG^LE DU GÉANT
Courmayeur
Pré-S. Didier
Morgex
la Thuile
Col du P^t St Bernard
BOURG-ST-MAURICE
Séez
Ste-Foy-Tarentaise
Villaroger
les Arcs
Landry
Bellentre
Valezan
les Chapelles
AIME
Macôt-la-Plagne
Peisey-Nancroix
Tours-en-Savoie
la Bâthie
Cevins
Feissons-s.-Isère
Montgirod
St-Marcel
Tignes
AIG^LE DU GLACIER
Valgrisa
Salla
Derby
10 km

163

136

AE
AF
AG
AH
AI
74
75
76
77
78
79
80
Pointe de Grave
Passe de Grave
Pte de Suzac
Meschers-s.-Gironde
Grottes
Talmont-s.-Gironde
Arces
Epargnes
Barzan
Chenac-St-Seurin-d'Uzet
St-Seurin-d'Uzet
Mortagne-s.-Gironde
Bardécille
Liboulas
Théon
Javresac
Port-Marant
le Colombier
Bancs des Marguerites
Banc de St-Vivien
le Logit
le Royannais
Le Verdon-sur-Mer
Pointe de la Chambrette
Zone Portuaire
les Huttes
Soulac-sur-Mer
Vieux-Soulac
Neyran
le Jeune Soulac
Banc des Olives
l'Amélie
Pointe de Négade
Lillan
Talais
Pointe aux Oiseaux
Grayan-et-l'Hôpital
les Eyres
Daugagnan
Canau
Charmail
Phare de Richard
le Gurp
Lède du Gurp
Etang de la Barreyre
ST-VIVIEN-DE-MÉDOC
la Hourcade
Jau-Dignac-et-Loirac
Dignac
Dépée
l'Hôpital
Gaudin
Port-de-Goulée
Noaillac
le Centre
Vensac
Loirac
Valeyrac
Lède de la Canillouse
Montalivet-les-Bains
MARAIS DE LA PERGE
Mayan
Sémian
le Mouva
Courbian
Troussas
Port-de-By
By
Lède des Frayres
Vendays-Montalivet
Queyrac
Bégadan
Sarnac
l'Escapon
Tremblaux
Couquèques
St-Christoly-Médoc
Hourean
Coudessan
Gaillan-en-Médoc
Prignac-en-Médoc
Civrac-en-Médoc
Blaignan
Queyzan
St-Yzans-de-Médoc
Bourgueyraud
Blanc
Marais de la Devise
Marais de Lespan
Forêt du Junca
LESPARRE-MÉDOC
St-Trélody
la Cardonne
Vernous
Potensac
Ordonnac
la Bresquette
Escot
Canquillac
Marque
St-Germain-d'Esteuil
Théatre Gallo-Romain
St-Isidore
le Pin-Sec
Plassan
Llard
Artiguillon
St-Corbian
St-Gaux
Magagnan
Péris
Naujac-sur-Mer
la Prise
Lugagnac
Vertheuil
Leyssac
Dunes de Brémontier
Marais Baisarieu
Lande de Vignolles
Bois de Plantier
Hourtin-Plage
Contaut
M.F. Genets
Marais dit Palu
Cartignac
Buradey
Cissac-Médoc
Larrivaux
le Breuil
Landes de la Sausseouse
Piqueyrot
Craste Moutouse
St-Sauveur
Fonpiqueyre
Hourtin
Landes de Bré
Lagunan
Landes de Garrigou
Fournas
FORÊT D'HOURTIN
ETANG D'HOURTIN
M.F. Crohot-de-France
Lachanau
Berle de Cailloux
Sémignan
M.F. Bracieuse
Dunes des Places
Lupian
Villeneuve
Mourlan
Phares d'Hourdin
ST-LAURENT-MÉDOC
Chle
Craste
Ste-Hélène
Berdillan
M.F. Crohot-des-Cavales
FORÊT DOMANIALE DE CARCANS
Bombannes
Pipeyrous
Craste de la Queytive
Lambert
Bernos
Benon
Couyras
ETANG DE CARCANS
Carcans-Plage
Berron
Gargouilh
Donissan
Maubuisson
Carcans
Cap-de-Ville
Devidas
Fourcas
Gratencousse
Moulin de Troussas
Pudos
Listrac
le Montaut
Réserve Naturelle
Marais de Talaris
Libardac
Bernones
Lestage
M.F. l'Alexandre
Fon-Reaux
Etang de Cousseau
Devinas
Brach
Barbat
Bouqueyran
Canal de Jonction
les Lamberts
Lande de Ludey
le Pont
Landes de Moogas
Lacanau-Océan
le Huga
Pont-du-Canal
le Moutchic
Talaris
Cordes
CASTELNAU-DE-MÉDOC
Foulon
Preventorium
Carreyre
Lande de Taussac
Landes du Bourg
la Providence
Bois de Jonton
Lacanau
Narsot
Taussac
Sadouillan
Macavin
Pimbelin
l'Escourette
le Port
FORÊT DE LACANAU
ETANG DE LACANAU
les Nerps
M.F. le Lion
Longarisse
Craste de la Levade
Mistre
le Gartillot
N 215
D 101
D 102
D 2
D 3
D 4
D 6
D 104
D 205
D 207
D 204

166

137
167
152
AJ
AK
AL
AM
AN
74
75
76
77
78
79
80
PONS
GÉMOZAC
Jazennes
Tanzac
Mazerolles
Belluire
Fléac-s.-Seugne
Avy
Biron
Chadenac
Marignac
Jarnac-Champagne
Germignac
ARCHIAC
St-Germain-du-Seudre
Champagnolles
St-Palais-de-Phiolin
St-Quantin-de-Rançanne
St-Grégoire-d'Ardennes
Mosnac
Brie-s/s-Mortagne
Boutenac-Touvent
Floirac
Bois
ST-GENIS-DE-SAINTONGE
St-Georges-Antignac
Neulles
Clam
St-Maurice-de-Tavernole
Moings
Clion
Lussac
St-Fort-s.-Gironde
Lorignac
Plassac
St-Sigismond-de-Clermont
St-Martial-de-Vitaterne
JONZAC
Réaux
Allas-Champagne
Guimps
BARBEZIEUX-ST-HILAIRE
St-Romain-s.-Gironde
St-Dizant-du-Gua
Guitinières
St-Germain-de-Lusignan
Meux
St-Ciers-Champagne
Ste-Ramée
St-Ciers-du-Taillon
St-Hilaire-du-Bois
Champagnac
St-Germain-de-Vibrac
Consac
Nieul-le-Virouil
St-Maigrin
Semillac
St-Dizant-du-Bois
St-Simon-de-Bordes
Mortiers
Reignac
St-Thomas-de-Conac
St-Martial-de-Mirambeau
Allas-Bocage
Agudelle
Ozillac
St-Médard
Fontaines-d'Ozillac
Léoville
Semoussac
St-Georges-des-Agoûts
MIRAMBEAU
Villexavier
Tugéras-St-Maurice
BAIGNES-STE-RADEGONDE
St-Sorlin-de-Conac
St-Bonnet-s.-Gironde
Soubran
Salignac-de-Mirambeau
Chaunac
Vibrac
Vanzac
GIRONDE
Pleine-Selve
Courpignac
Rouffignac
Chartuzac
Messac
Bran
Chantillac
St-Palais
Boisredon
Chamouillac
Expiremont
Pommiers-Moulons
Mérignac
Coux
Le Pin
Chevanceaux
St-Caprais-de-Blaye
Souméras
MONTENDRE
Sousmoulins
Chatenet
Ste-Colombe
ST-CIERS-S.-GIRONDE
Marcillac
St-Aubin-de-Blaye
Jussas
Polignac
St-Palais-de-Négrignac
LANDES DE TOUT-Y-FAUT
Braud-et-St-Louis
Pouillac
Donnezac
Corignac
Chepniers
MONTLIEU-LA-GARDE
St-Estèphe
Reignac
Etauliers
Orignolles
St-Martin-d'Ary
MONTGUYON
Anglade
Bussac-Forêt
CAMP MILITAIRE
PAUILLAC
Eyrans
Cartelègue
Chierzac
St-Androny
Générac
Saugon
Clérac
St-Julien-Beychevelle
Fours
Campugnan
Mazion
Bédenac
St-Genès-de-Blaye
St-Seurin-de-Cursac
St-Paul
St-Yzan-de-Soudiac
St-Martin-Lacaussade
St-Girons-d'Aiguevives
ST-SAVIN
Cercoux
BLAYE
Cars
St-Christoly-de-Blaye
Cussac-Fort-Médoc
Berson
Comne de St-Vivien-de-Blaye
Laruscade
St-Mariens
Plassac
Cavignac
Cézac
Civrac-de-Blaye
Lamarque
Villeneuve
St-Trojan
Teuillac
Tizac-de-Lapouyade
Lapouyade
Arcins
St-Ciers-de-Canesse
Mombrier
Pugnac
Cubnezais
Gauriac
Samonac
Lagorce
Moulis-en-Médoc
Soussans
Comps
Bayon-s.-Gironde
Lansac
Marsas
Maransin
Margaux
Tauriac
Marcenais
Bayas
St-Seurin-de-Bourg
BOURG
GUÎTRES
Avensan
Cantenac
St-Laurent-d'Arce
Gauriaguet
St-Ciers-d'Abzac
St-Martin-de-Laye
Peujard
Prignac-et-Marcamps
Virsac
St-Gervais
Aubie-et-Espessas
St-Genès-de-Fronsac
Périssac
St-Martin-du-Bois
Sablons
Abzac
Labarde
Ambès
Salignac
Macau
St-Antoine
Mouillac
Bonzac
Arsac
ST-ANDRÉ-DE-CUBZAC
Savignac-de-l'Isle
St-Denis-de-Pile
Galgon
Vérac
Ludon-Médoc
Cubzac
10 km

138

AN
AO
AP
AQ
AR
CHÂTEAUNEUF-S-CHARENTE
LA COURONNE
Puymoyen
Garat
Bouë
Vouzan
Bonneuil
Eraville
St-Estèphe
Roullet-St-Estèphe
Vœuil-et-Giget
Torsac
Dignac
Touzac
Malaville
Birac
Claix
Mouthiers-s.-Boëme
Fouquebrune
Rougnac
Nonaville
Viville
Jurignac
Etriac
Mainfonds
Plassac-Rouffiac
Ladiville
Vignolles
St-Médard
Aubeville
Champagne-Vigny
Voulgézac
Magnac-Lavalette-Villars
St-Bonnet
Angeduc
Péreuil
Blanzac-Porcheresse
Bécheresse
Chadurie
Charmant
Gardes-le-Pontaroux
Edon
BARBEZIEUX-ST-HILAIRE
Salles-de-Barbezieux
St-Aulais-la-Chapelle
St-Léger
Pérignac
Chavenat
Juillaguet
Ronsenac
VILLEBOIS-LAVALETTE
Blanzaguet-St-Cybard
La Roche-et-Argentine
Montchaude
Lamérac
Brie-s/s-Barbezieux
Bessac
Cressac-St-Genis
Aignes-et-Puypéroux
Reignac
Challignac
Deviat
Nonac
Gurat
Vaux-Lavalette
Condéon
Poullignac
St-Eutrope
MONTMOREAU-ST-CYBARD
St-Amant
Vendoire
Champagne-et-Fontaine
Gout-Rossignol
Berneuil
Ste-Souline
Courgeac
St-Laurent-de-Belzagot
Nanteuil-Auriac-de-Bourzac
Cherval
La Chapelle-Grésignac
Oriolles
Chillac
St-Félix
St-Martial
Juignac
Salles-Lavalette
St-Laurent-des-Combes
Bors
Palluaud
St-Martial-Viveyrol
VERTEILLAC
Passirac
BROSSAC
Châtignac
Boisbreteau
Montboyer
Montignac-le-Coq
Pillac
Bouteilles-St-Sébastien
St-Paul-Lizonne
Lusignac
Brie-s/s-Chalais
Chevanceaux
Guizengeard
Bardenac
Curac
Courlac
Bellon
St-Séverin
Bertric-Burée
St-Vallier
Boresse-et-Martron
Yviers
CHALAIS
Orival
St-Romain
Nabinaud
Laprade
AUBETERRE-S.-DRONNE
Petit-Bersac
Comberanche-et-Epeluche
Allemans
Bourg-du-Bost
Villetoureix
Sauvignac
Rioux-Martin
Rouffiac
St-Quentin-de-Chalais
St-Avit
Bazac
Bonnes
St-Antoine-Cumond
Chassaignes
RIBÉRAC
Neuvicq
Médillac
les Essards
St-Privat-des-Prés
Festalemps
Vanxains
MONTGUYON
la Génétouze
Parcoul
Chenaud
St-Vincent-Jalmoutiers
le Fouilloux
Boscamnant
ST-AULAYE
Puymangou
Ponteyraud
Siorac-de-Ribérac
St-Aigulin
La Roche-Chalais
St-Pierre-du-Palais
St-Martin-de-Coux
Servanches
la Jemaye
St-André-de-Double
la Clotte
la Barde
Echourgnac
Chamadelle
Les Eglisottes-et-Chalaures
St-Christophe-de-Double
St-Barthélemy-de-Bellegarde
St-Étienne-de-Puycorbier
Beauronne
Lagorce
les Peintures
le Fieu
Eygurande-et-Gardedeuil
St-Michel-de-Double
Douzillac
GUÎTRES
COUTRAS
St-Antoine-sur-l'Isle
St-Laurent-des-Hommes
St-Martin-l'Astier
St-Front-de-Pradoux
St-Louis-en-l'Isle
St-Médard-de-Guizières
Camps-sur-l'Isle
St-Seurin-sur-l'Isle
Porchères
Ménesplet
St-Martial-d'Artenset
St-Médard-de-Mussidan
MUSSIDAN
Abzac
Le Pizou
Moulin-Neuf
St-Denis-de-Pile
St-Sauveur-de-Puynormand
Gours
MONTPON-MÉNESTÉROL
FORÊT DE LA DOUBLE
Petit-Palais-et-Cornemps
Les Artigues-de-Lussac
Minzac
St-Sauveur-Lalande
St-Géry
Les Lèches

151

168

139
154
169
PÉRIGORD
LIMOUSIN
NONTRON
Piégut-Pluviers
Soudat
Marthon
Dournazac
Firbeix
Varaignes
Souffrignac
Teyjat
Etouars
St-Estèphe
Augignac
Abjat-s.-Bandiat
Javerlhac-et-la-Chapelle-St-Robert
le Bourdeix
St-Martin-le-Pin
Savignac-de-Nontron
Champs-Romain
St-Saud-Lacoussière
Mialet
La Coquille
St-Priest-les-Fougères
Mainzac
Hautefaye
St-Martial-de-Valette
Connezac
Lussas-et-Nontronneau
Les Graulges
Beaussac
Puyrenier
Rudeau-Ladosse
St-Front-s.-Nizonne
Sceau-St-Angel
ST-PARDOUX-LA-RIVIÈRE
St-Front-la-Rivière
Milhac-de-Nontron
Chaleix
St-Jory-de-Chalais
MAREUIL
St-Sulpice-de-Mareuil
Champeaux-et-la-Chapelle-Pommier
Vieux-Mareuil
Monsec
La Chapelle-Montmoreau
Quinsac
St-Pancrace
St-Crépin-de-Richemont
Villars
St-Jean-de-Côle
St-Martin-de-Fressengeas
St-Romain-et-St-Clément
THIVIERS
Nantheuil
Nanthiat
St-Félix-de-Bourdeilles
La Chapelle-Montabourlet
Léguillac-de-Cercles
Cantillac
CHAMPAGNAC-DE-BELAIR
La Gonterie-Boulouneix
BRANTÔME
Condat-s.-Trincou
La Chapelle-Faucher
St-Pierre-de-Côle
Lempzours
Vaunac
Eyzerac
Corgnac-s.-l'Isle
St-Jory-las-Bloux
Cercles
St-Julien-de-Bourdeilles
Chapdeuil
Bourg-des-Maisons
St-Just
Paussac-et-St-Vivien
Négrondes
Valeuil
Bourdeilles
Sencenac-Puy-de-Fourches
Eyvirat
St-Front-d'Alemps
St-Germain-des-Prés
St-Pantaly-d'Excideuil
Creyssac
Grand-Brassac
Biras
Agonac
Ligueux
Sorges
Coulaures
Mayac
MONTAGRIER
Lisle
Bussac
SAVIGNAC-LES-EGLISES
Tocane-St-Apre
Douchapt
Château-l'Evêque
Cornille
St-Vincent-s.-l'Isle
Sarliac-s.-l'Isle
Cubjac
St-Pantaly-d'Ans
Ste-Eulalie-d'Ans
Mensignac
La Chapelle-Gonaguet
Champcevinel
Antonne-et-Trigonant
La Boissière-d'Ans
Chourgnac
Segonzac
PÉRIGUEUX
Chancelade
Trélissac
Escoire
Brouchaud
Gabillou
St-Aquilin
Léguillac-de-l'Auche
Marsac-sur-l'Isle
Coulounieix-Chamiers
Bassilac
Le Change
Blis-et-Born
Montagnac-d'Auberoche
Chanterac
Annesse-et-Beaulieu
Razac-sur-l'Isle
Boulazac
Eyliac
Limeyrat
Ajat
ST-ASTIER
St-Laurent-s.-Manoire
Atur
Ste-Marie-de-Chignac
St-Antoine-d'Auberoche
Montrem
Coursac
Notre-Dame-de-Sanilhac
St-Léon-sur-l'Isle
ST-PIERRE-DE-CHIGNAC
St-Crépin-d'Auberoche
Fossemagne
NEUVIC
Milhac-d'Auberoche
Manzac-sur-Vern
St-Paul-de-Serre
Chalagnac
Eglise-Neuve-de-Vergt
Marsaneix
Bars
Grignols
Creyssensac-et-Pissot
St-Geyrac
Vallereuil
Jaure
Grun-Bordas
Breuilh
La Douze
St-Séverin-d'Estissac
Bourrou
St-Jean-d'Estissac
VILLAMBLARD
Lacropte
Rouffignac-St-Cernin-de-Reilhac
Issac
St-Maime-de-Péreyrol
VERGT
Salon
St-Félix-de-Reilhac-et-Mortemart
St-Hilaire-d'Estissac
Douville
Veyrines-de-Vergt
Mauzens-et-Miremont
Fouleix
St-Michel-de-Villadeix
Beauregard-et-Bassac
10 km
Ouv. début 2005

140
170
153
AX
AY
AZ
BA
AW
74
75
76
77
78
79
80
ST-YRIEIX-LA-PERCHE
Coussac-Bonneval
JUMILHAC-LE-GRAND
LANOUAILLE
Payzac
Beyssenac
LUBERSAC
Ségur-le-Château
St-Eloy-les-Tuileries
St-Julien-le-Vendômois
Arnac-Pompadour
UZERCHE
VIGEOIS
Masseret
Meuzac
Montgibaud
Benayes
Château-Chervix
La Roche-l'Abeille
Ladignac-le-Long
St-Pierre-de-Frugie
St-Priest-les-Fougères
le Chalard
la Meyze
Magnac-Bourg
EXCIDEUIL
St-Médard-d'Excideuil
Preyssac-d'Excideuil
Génis
Anlhiac
Savignac-Lédrier
St-Mesmin
JUILLAC
Chabrignac
Vignols
St-Solve
Concèze
Lascaux
Objat
Allassac
DONZENAC
Voutezac
Orgnac-s.-Vézère
Estivaux
Perpezac-le-Noir
Sadroc
HAUTEFORT
Cubas
Cherveix-Cubas
Tourtoirac
Boisseuilh
Segonzac
Teillots
St-Robert
AYEN
Vars-s.-Roseix
St-Cyprien
Badefols-d'Ans
Coubjours
Louignac
St-Aulaire
Perpezac-le-Blanc
Yssandon
Brignac-la-Plaine
Mansac
Nailhac
Granges-d'Ans
La Chapelle-St-Jean
Châtres
Villac
St-Rabier
Peyrignac
THENON
Azerat
La Bachellerie
Le Lardin-St-Lazare
Beauregard-de-Terrasson
Cublac
TERRASSON-LAVILLEDIEU
Pazayac
LARCHE
St-Pantaléon-de-Larche
BRIVE-LA-GAILLARDE
MALEMORT-S.-CORRÈZE
Ussac
Varetz
St-Viance
Cosnac
Noailles
Jugeals-Nazareth
Noailhac
Turenne
Nespouls
Chasteaux
Lissac-s.-Couze
St-Cernin-de-Larche
Chartrier-Ferrière
Nadaillac
Estivals
Cressensac
Jayac
La Cassagne
St-Amand-de-Coly
Coly
Chavagnac
Grèzes
La Feuillade
Condat-s.-Vézère
Aubas
MONTIGNAC
Fanlac
Auriac-du-Périgord
Les Farges
Valojoulx
La Chapelle-Aubareil
Archignac
Thonac
Sergeac
Peyzac-le-Moustier
Fleurac
Bars
Limeyrat
Ajat
Gabillou
Ste-Orse
Temple-Laguyon
Chourgnac
Ste-Eulalie-d'Ans
St-Raphaël
St-Martial-d'Albarède
St-Pantaly-d'Excideuil
Clermont-d'Excideuil
St-Sulpice-d'Excideuil
Dussac
Angoisse
Sarlande
Sarrazac
Montpeyroux
Ouv. 2e ch. début 2005
Ouv. en 2005
Porte de Corrèze

141
171
156
BB
BC
BD
BE
BF
10 km
St-Gilles-les-Forêts
Bugeat
Chavanac
Surdoux
St-Hilaire-les-Courbes
Pérols-s.-Vézère
Lavolps
Chamberet
Meilhards
Soudaine-Lavinadière
Gourdon-Murat
Meymac
Treignac
Bonnefond
Ambrugeat
Rilhac-Treignac
Affieux
Lestards
Peyrissac
Veix
Pradines
St-Angel
Grandsaigne
Davignac
Combressol
Madranges
Péret-Bel-Air
Maussac
St-Yrieix-le-Déjalat
Chaumeil
le Lonzac
Eyburie
Chamboulive
Soudeilles
Beaumont
Darnets
Pierrefitte
St-Augustin
Égletons
Meyrignac-l'Eglise
Sarran
Moustier-Ventadour
St-Jal
St-Salvadour
Vitrac-s.-Montane
Rosiers-d'Egletons
Seilhac
Corrèze
Chapelle-Spinasse
Montaignac-St-Hippolyte
Lamazière-Basse
Orliac-de-Bar
Lagraulière
St-Clément
Bar
Eyrein
Chanteix
St-Hilaire-Foissac
Naves
les Angles-sur-Corrèze
St-Priest-de-Gimel
Champagnac-la-Noaille
Lafage-s.-Sombre
Lapleau
Gimel-les-Cascades
St-Mexant
Tulle
Clergoux
Marcillac-la-Croisille
Chanac-les-Mines
St-Martial-de-Gimel
St-Merd-de-Lapleau
Soursac
Favars
St-Bonnet-Avalouze
St-Pardoux-la-Croisille
Laval-s.-Luzège
Chameyrat
Ladignac-s.-Rondelles
Laguenne
Espagnac
Pandrignes
St-Paul
Gumond
Bassignac-le-Haut
Auriac
St-Hilaire-Peyroux
Ste-Fortunade
Marc-la-Tour
Gros-Chastang
La Roche-Canillac
Cornil
St-Sylvain
Lagarde-Enval
Champagnac-la-Prune
Aubazines
St-Martin-la-Méanne
Darazac
Le Chastang
St-Bazile-de-la-Roche
Palazinges
Forgès
St-Bonnet-Elvert
Rilhac-Xaintrie
Albignac
Albussac
St-Chamant
St-Privat
Pleaux
St-Martial-Entraygues
Servières-le-Château
Beynat
Neuville
St-Julien-aux-Bois
Ménoire
Argentat
Sérilhac
Lagleygeolle
Hautefage
Monceaux-s.-Dordogne
St-Geniez-ô-Merle
St-Cirgues-la-Loutre
Collonges-la-Rouge
Le Pescher
St-Hilaire-Taurieux
Meyssac
St-Bazile-de-Meyssac
Lostanges
Chenailler-Mascheix
Sexcles
St-Bonnet-les-Tours-de-Merle
Goulles
Cros-de-Montvert
Tudeils
St-Julien-Maumont
Marcillac-la-Croze
Puy-d'Arnac
La Chapelle-St-Géraud
Chauffour-s.-Vell
Nonards
Brivezac
Mercœur
St-Julien-le-Pèlerin
Rouffiac
Branceilles
Bassignac-le-Bas
La Chapelle-aux-Saints
Curemonte
Beaulieu-s.-Dordogne
Camps
Montvert
Nieudan

142

BG
BH
BI
BJ
BK
74
75
76
77
78
79
80
USSEL
St-Pardoux-le-Vieux
St-Pardoux-le-Neuf
Alleyrat
Chaveroche
St-Dézery
Monteil-du-Bos
N.D. de la Chabanne
St-Fréjoux
St-Angel
Mestes
Valiergues
St-Exupéry-les-Roches
St-Bonnet-près-Bort
Veyrières
St-Victour
Chirac-Bellevue
St-Étienne-la-Geneste
Margerides
Roche-le-Peyroux
Ste-Marie-Lapanouze
St-Julien-près-Bort
Liginiac
Palisse
Sarroux
St-Pierre
NEUVIC
Madic
Sérandon
Champagnac
Veyrières
Ydes
SAIGNES
Vebret
Arches
Sauvat
Bassignac
Latronche
Sourniac
Jaleyrac
Auzers
Méallet
Moussages
Chalvignac
MAURIAC
le Vigean
Brageac
Salins
Anglards-de-Salers
Escorailles
Drugeac
Chaussenac
Ally
St-Bonnet-de-Salers
Barriac-les-Bosquets
SALERS
St-Paul-de-Salers
St-Martin-Valmeroux
Fontanges
Ste-Eulalie
St-Martin-Cantalès
Besse
St-Chamant
St-Projet-de-Salers
St-Cirgues-de-Malbert
ST-CERNIN
St-Illide
Tournemire
Girgols
St-Santin-Cantalès
St-Victor
Freix-Anglards
Savennes
St-Étienne-aux-Clos
Singles
Confolent-Port-Dieu
Thalamy
Monestier-Port-Dieu
Labessette
Beaulieu
Lanobre
BORT-LES-ORGUES
Trémouille-St-Loup
Larodde
TAUVES
Avèze
St-Sauves-d'Auvergne
la Bourboule
Murat-le-Quaire
LA TOUR-D'AUVERGNE
Bagnols
Chastreix
Cros
St-Donat
Picherande
St-Genès-Champespe
CHAMPS-S.-TARENTAINE-MARCHAL
Trémouille
Montboudif
CONDAT
Antignac
la Monselie
St-Étienne-de-Chomeil
St-Amandin
Menet
RIOM-ÈS-MONTAGNES
Marchastel
Lugarde
Trizac
Collandres
Apchon
St-Hippolyte
St-Saturnin
Cheylade
St-Vincent-de-Salers
le Vaulmier
le Falgoux
le Claux
Dienne
Lavigerie
Laveissière
le Lioran
PUY MARY
PUY GRIOU
Mandailles-St-Julien
St-Jacques-des-Blats
St-Cirgues-de-Jordanne
Lascelle
Thiézac
PLOMB DU CANTAL
VOLCANS
D'AUVERGNE
VALLÉE DU FALGOUX
MONTS DU CANTAL
FORÊT DU FLEIX
USSEL-EST
USSEL-OUEST

155

172

143

BL
BM
BN
BO
BP
St-Nectaire
Murol
Champeix
Issoire
Vic-le-Comte
Chambon-s-Lac
St-Victor-la-Rivière
Besse-et-St-Anastaise
Super Besse
Sauxillanges
Usson
Parentignat
Varennes-s.-Usson
St-Germain-Lembron
Nonette
Jumeaux
Brassac-les-Mines
Auzon
Ardes
Blesle
Lempdes-s.-Allagnon
Léotoing
Torsiac
Lorlanges
Brioude
Vieille-Brioude
Lavaudieu
Massiac
Molompize
Allanche
Marcenat
Compains
la Godivelle
Ste-Anastasie
Neussargues-Moissac
Murat
Ferrières-St-Mary
Vieillespesse
Coren
St-Flour
Roffiac
Andelat
Lastic
Chastel
Pinols
Lavoûte-Chilhac
Ruynes-en-Margeride
Forêt de la Margeride
Villeneuve-d'Allier
Blassac
Ally
Cheylade
la Chapelle-Laurent
Mercœur
St-Just-près-Brioude
Valuéjols
Ussel
Tanavelle
Anglards-de-St-Flour
Clavières
Cussac
Paulhac
St-Beauzire
Grenier-Montgon
Védrines-St-Loup
Régional
Des
Monts du Cézallier
10 km

158

173

144
157
174
AMBERT
ST-AMANT-ROCHE-SAVINE
ST-ANTHÈME
ST-GERMAIN-L'HERM
ARLANC
VIVEROLS
LA CHAISE-DIEU
CRAPONNE-S-ARZON
PAULHAGUET
ALLÈGRE
LANGEAC
ST-PAULIEN
LOUDES
LE PUY-EN-VELAY
VOREY
LIVRADOIS
FOREZ
Valcivières
Grandval
Marsac-en-Livradois
Dore-l'Eglise
Craponne
Chomelix
Bellevue-la-Montagne
Vals-le-Chastel
Allègre
Polignac
Espaly-St-Marcel
Lavoûte-s.-Loire
Brives-Charensac
Vals-près-le-Puy
Chanteuges
St-Julien-des-Chazes
Pébrac
Lamothe
Vieille-Brioude
Lavaudieu
Domeyrat
La Chomette
Couteuges
Jax
Chavaniac-Lafayette
Fix-St-Geneys
Vernassal
Blanzac
Borne
Ceyssac
Chadrac
Aiguilhe
Retournac
Usson-en-Forez
St-Pal-de-Chalencon
Tiranges
Boisset
Beaulieu
Malrevers
Chaspinhac
Blavozy
St-Germain-Laprade

145
175
160
10 km
MONTBRISON
ST-GALMIER
Veauche
Andrézieux-Bouthéon
Sury-le-Comtal
ST-JUST-ST-RAMBERT
St-Marcellin-en-Forez
ST-HÉAND
Chambœuf
Aveizieux
Grammond
Fontanès
St-Christo-en-Jarez
Vallfleury
Chagnon
Génilac
RIVE-DE-GIER
LA GRAND-CROIX
ST-CHAMOND
Sorbiers
La Talaudière
St-Priest-en-Jarez
St-Jean-Bonnefonds
ST-ÉTIENNE
LE CHAMBON-FEUGEROLLES
La Ricamarie
Roche-la-Molière
St-Genest-Lerpt
Villars
L'Étrat
Unieux
FIRMINY
Fraisses
St-Paul-en-Cornillon
Caloire
Chambles
Périgneux
Luriecq
ST-BONNET-LE-CHÂTEAU
Estivareilles
St-Maurice-en-Gourgois
Aboën
la Tourette
St-Nizier-de-Fornas
AUREC-S.-LOIRE
Rozier-Côtes-d'Aurec
Malvalette
St-Ferréol-d'Auroure
St-Just-Malmont
Pont-Salomon
La Chapelle-d'Aurec
MONISTROL-S.-LOIRE
BAS-EN-BASSET
Valprivas
La Séauve-s.-Semène
ST-DIDIER-EN-VELAY
St-Victor-Malescours
St-Romain-les-Atheux
ST-GENEST-MALIFAUX
Jonzieux
Marlhes
St-Régis-du-Coin
Planfoy
Tarentaise
Le Bessat
La Valla-en-Gier
Doizieux
PÉLUSSIN
Graix
St-Julien-Molin-Molette
La Versanne
BOURG-ARGENTAL
Burdignes
St-Sauveur-en-Rue
ST-PAL-DE-MONS
STE-SIGOLÈNE
Beauzac
RETOURNAC
St-Maurice-de-Lignon
Les Villettes
Dunières
Riotord
MONTFAUCON-EN-VELAY
Raucoules
Grazac
Lapte
YSSINGEAUX
Bessamorel
Montregard
St-Bonnet-le-Froid
Vanosc
Villevocance
Vocance
Monestier
St-Julien-Vocance
St-Julien-Molhesabate
SATILLIEU
Lalouvesc
St-Pierre-s.-Doux
St-André-en-Vivarais
Le Mas-de-Tence
TENCE
Chenereilles
Araules
Queyrières
St-Jeures
Le Chambon-s.-Lignon
Mazet-St-Voy
Devesset
Rochepaule
St-Jeure-d'Andaure
Lafarre
Pailharès
Labatie-d'Andaure
Nozières
ST-AGRÈVE
Mars
Champclause
ST-JULIEN-CHAPTEUIL
Montusclat
FAY-S.-LIGNON
St-Julien-Boutières
Désaignes
PARC RÉGIONAL DU PILAT
MASSIF DU PILAT

146
159
176
BZ
CA
CB
CC
CD
74
75
76
77
78
79
80
GIVORS
Chassagny
St-Just-Chaleyssin
Chasse-s.-Rhône
Villette-de-Vienne
St-Jean-de-Touslas
Dargoire
St-Romain-en-Gier
Loire-s.-Rhône
Seyssuel
Serpaize
Septème
Oytier-St-Oblas
St-Georges-d'Espéranche
Charantonnay
VIENNE
Tartaras
Echalas
Trèves
Châteauneuf
RIVE-DE-GIER
LA GRAND-CROIX
Farnay
St-Romain-en-Gal
Ste-Colombe
St-Cyr-s.-le-Rhône
Pont-Évêque
Estrablin
Moidieu-Détourbe
Beauvoir-de-Marc
Royas
ST-JEAN-DE-BOURNAY
Meyrieu-les-Étangs
Artas
Longes
Les Haies
Tupin-et-Semons
Ampuis
Jardin
Savas-Mépin
Villeneuve-de-Marc
Châtonnay
Lieudieu
St-Paul-en-Jarez
Ste-Croix-en-Jarez
Pavezin
Chuyer
La Chapelle-Villars
CONDRIEU
Vérin
Reventin-Vaugris
Chonas-l'Amballan
Les Roches-de-Condrieu
Les Côtes-d'Arey
Eyzin-Pinet
St-Sorlin-de-Vienne
Châlons
Meyssiès
St-Julien-de-l'Herms
Semons
Arzay
Bossieu
St-Michel-s.-Rhône
St-Clair-du-Rhône
Auberives-s.-Varèze
Cheyssieu
Vernioz
Monsteroux-Milieu
Cour-et-Buis
Montseveroux
St-Prim
PILAT
PÉLUSSIN
Chavanay
St-Alban-du-Rhône
Clonas-s.-Varèze
Assieu
La Chapelle-de-Surieu
Primarette
Pommier-de-Beaurepaire
Ornacieux
Balbins
Faramans
Moissieu-s.-Dolon
Bellegarde-Poussieu
Pisieu
Revel-Tourdan
St-Maurice-l'Exil
Malleval
Bessey
Roisey
St-Romain-de-Surieu
Ville-s/s-Anjou
ROUSSILLON
St-Pierre-de-Bœuf
Le Péage-de-Roussillon
Véranne
Lupé
Maclas
Pajay
Penol
Sonnay
Pact
St-Barthélemy
Limony
Salaise-s.-Sanne
Anjou
Agnin
Jarcieu
BEAUREPAIRE
Marcilloles
St-Appolinard
St-Jacques-d'Atticieux
Charnas
Brossainc
Vinzieux
SERRIÈRES
Sablons
Chanas
Bougé-Chambalud
Lapeyrouse-Mornay
Beaufort
Thodure
Marcollin
Lentiol
Félines
Epinouze
St-Sorlin-en-Valloire
Manthes
Lens-Lestang
Moras-en-Valloire
LE GRAND-SERRE
St-Clair-s.-Galaure
Savas
Peaugres
St-Clair
Peyraud
Bogy
St-Rambert-d'Albon
Champagne
Anneyron
Hauterives
Montfalcon
Boulieu-lès-Annonay
Colombier-le-Cardinal
Davézieux
St-Cyr
St-Désirat
St-Étienne-de-Valoux
Andancette
Andance
ANNONAY
Thorrenc
Roiffieux
Villevocance
Vernosc-lès-Annonay
Talencieux
Châteauneuf-de-Galaure
St-Martin-d'Août
Tersanne
Montrigaud
Fay-le-Clos
Beausemblant
Laveyron
La Motte-de-Galaure
Mureils
St-Avit
Montchenu
St-Christophe-et-le-Laris
Miribel
St-Bonnet-de-Valclérieux
Quintenas
Ardoix
Sarras
St-Uze
Claveyson
Ratières
Bathernay
Crépol
St-Laurent-d'Onay
St-Alban-d'Ay
St-Romain-d'Ay
ST-VALLIER
Ozon
St-Barthélemy-de-Vals
Ponsas
Montmiral
SATILLIEU
Eclassan
Arras-s.-Rhône
Charmes-s.-l'Herbasse
Margès
Arthémonay
St-Michel-s.-Savasse
Préaux
St-Jeure-d'Ay
Sécheras
Serves-s.-Rhône
Bren
Geyssans
Marsaz
Cheminas
Erôme
Gervans
ST-DONAT-S.-L'HERBASSE
Parnans
Vaudevant
Lemps
Vion
Larnage
Chantemerle-les-Blés
Chavannes
Peyrins
Triors
Châtillon-St-Jean
St-Victor
Étables
Crozes-Hermitage
St-Jean-de-Muzols
TAIN-L'HERMITAGE
Veaunes
Mercurol
St-Bardoux
Clérieux
Mours-St-Eusèbe
Génissieux
ST-FÉLICIEN
Colombier-le-Vieux
TOURNON-S.-RHÔNE
Chanos-Curson
Granges-les-Beaumont
ROMANS-S.-ISÈRE
St-Paul-lès-Romans
Bozas
Boucieu-le-Roi
St-Barthélemy-le-Plain
BOURG-DE-PÉAGE
Arlebosc
Mauves
Jaillans
Glun
La Roche-de-Glun
Beaumont-Monteux
Pont-de-l'Isère
Châteauneuf-s.-Isère
Chatuzange-le-Goubet
Le Crestet
Colombier-le-Jeune
Châteaubourg
St-Sylvestre
Plats
Cornas
Marches
Rochefort-Samson
Barbières
St-Barthélemy-Grozon
Ouv. en 2005
Latitude 45
BOURG-LÈS-VALENCE

147
177
161
CE
CF
CG
CH
CI
BOURGOIN-JALLIEU
LA TOUR-DU-PIN
LES ABRETS
LE PONT-DE-BEAUVOISIN (Savoie)
LE PONT-DE-BEAUVOISIN (Isère)
Aiguebelette-le-Lac
VIRIEU
Montrevel
ST-GEOIRE-EN-VALDAINE
LES ECHELLES
Entre-Deux-Guiers
Charavines
Chirens
LA CÔTE-ST-ANDRÉ
LE GRAND-LEMPS
RIVES
VOIRON
ST-LAURENT-DU-PONT
ST-ÉTIENNE-DE-ST-GEOIRS
Moirans
Voreppe
TULLINS
St-Quentin-s-Isère
ST-EGRÈVE
ROYBON
VINAY
MEYLAN
DOMÈNE
FONTAINE
GRENOBLE
Sassenage
Seyssinet-Pariset
St-Nizier-du-Moucherotte
Autrans
Méaudre
Lans-en-Vercors
VILLARD-DE-LANS
St-Martin-d'Hères
EYBENS
ECHIROLLES
Le Pont-de-Claix
Claix
ST-MARCELLIN
St-Antoine-l'Abbaye
PONT-EN-ROYANS
ST-JEAN-EN-ROYANS
Corrençon-en-Vercors
VIF
VIZILLE
Laffrey
St-Martin-en-Vercors
Monteynard
PARC RÉGIONAL
MASSIF DE CHARTREUSE
MASSIF DU VERCORS
Forêt de Chambaran
10 km

148

CHAMBÉRY
MONTMÉLIAN
CHAMOUX-S-GELON
AIGUEBELLE
LA ROCHETTE
PONTCHARRA
ALLEVARD
LE TOUVET
GONCELIN
LA CHAMBRE
ST-JEAN-DE-MAURIENNE
ST-ISMIER
MEYLAN
DOMÈNE
VIZILLE
LE BOURG-D'OISANS
LA GRAVE
CHARTREUSE
MASSIF D'ALLEVARD
MASSIF DU SORELLER
PIC DU FRÊNE
PIC DE L'ÉTENDARD
LES AIGUILLES D'ARVES
St-Pierre-de-Chartreuse
St-Hilaire-du-Touvet
Chamrousse
l'Alpe d'Huez
Les Deux-Alpes
St-Christophe-en-Oisans
St-Sorlin-d'Arves
Col du Glandon
Col de la Croix de Fer
Col de la Madeleine
Col du Galibier

161

178

149
164
165
179
CN
CO
CP
CQ
CR
74
75
76
77
78
79
80
Aime
Mâcot-la-Plagne
Peisey-Nancroix
Montgirod
Centron
Léchère
St-Marcel
N.D.-du-Pré
St-Oyen
Aigueblanche
Hautecour
Moûtiers
Salins-les-Thermes
Feissons-s.-Salins
Montagny
les Avanchers-Valmorel
Fontaine-le-Puits
Villarlurin
Brides-les-Bains
Bozel
Champagny-en-Vanoise
la Perrière
St-Bon-Tarentaise
Planay
les Allues
Courchevel
Courchevel 1850
Méribel
Pralognan-la-Vanoise
St-Jean-de-Belleville
St-Martin-de-Belleville
Val Thorens
les Ménuires
la Plagne
Tignes
Tignes le Lac
Val-Claret
Val-d'Isère
le Fornet
Bessans
Lanslebourg-Mont-Cenis
Lanslevillard
Termignon
Sollières-Sardières
PARC NATIONAL DE LA VANOISE
Glaciers de la Vanoise
Dôme de Chasseforêt
Dôme de l'Arpont
La Dent Parrachée
Aigle de Péclet
Aigle du Fruit
Pointe de Ronce
Col du Mont Cenis
Lac du Mont Cenis
Hospice
Moncenisio
Novalesa
Venaus
St-Michel-de-Maurienne
St-Martin-d'Arc
St-Julien-Mont-Denis
St-Martin-de-la-Porte
Orelle
St-André
Modane
Fourneaux
Freney
Aussois
Avrieux
Villarodin-Bourget
Bramans
Valmeinier
Valfréjus
Tunnel du Fréjus
Mt Thabor
Aigle de Scolette
Bardonecchia
Salbertrand
Exilles
Chiomonte
Oulx
Sauze d'Oux
Pragelato
Cesana-Torinese
Clavière
Montgenèvre
Sestrière
Sauze-di-Cézana
Névache
Plampinet
Col du Galibier
Col du Lautaret
Le Monêtier-les-Bains
la Salle-les-Alpes
Val-des-Prés
Briançon
A 43
E 70
N 90
D 915
D 902
N 6
N 91
N 94
A 32
S 24
S 335
10 km

Val-d'Isère
Tignes
Bonneval-s.-Arc
Bessans
Lanslevillard
Lanslebourg-Mont-Cenis
Termignon
Modane
Aussois
Avrieux
Bramans
Pralognan-la-Vanoise
Champagny-en-Vanoise
Bozel
Moûtiers
Aime
Brides-les-Bains
Méribel
Val Thorens
Les Ménuires
St-Martin-de-Belleville
Valloire
St-Michel-de-Maurienne
St-Jean-de-Maurienne
Susa
Novalesa
PARC NATIONAL DE LA VANOISE
149
162

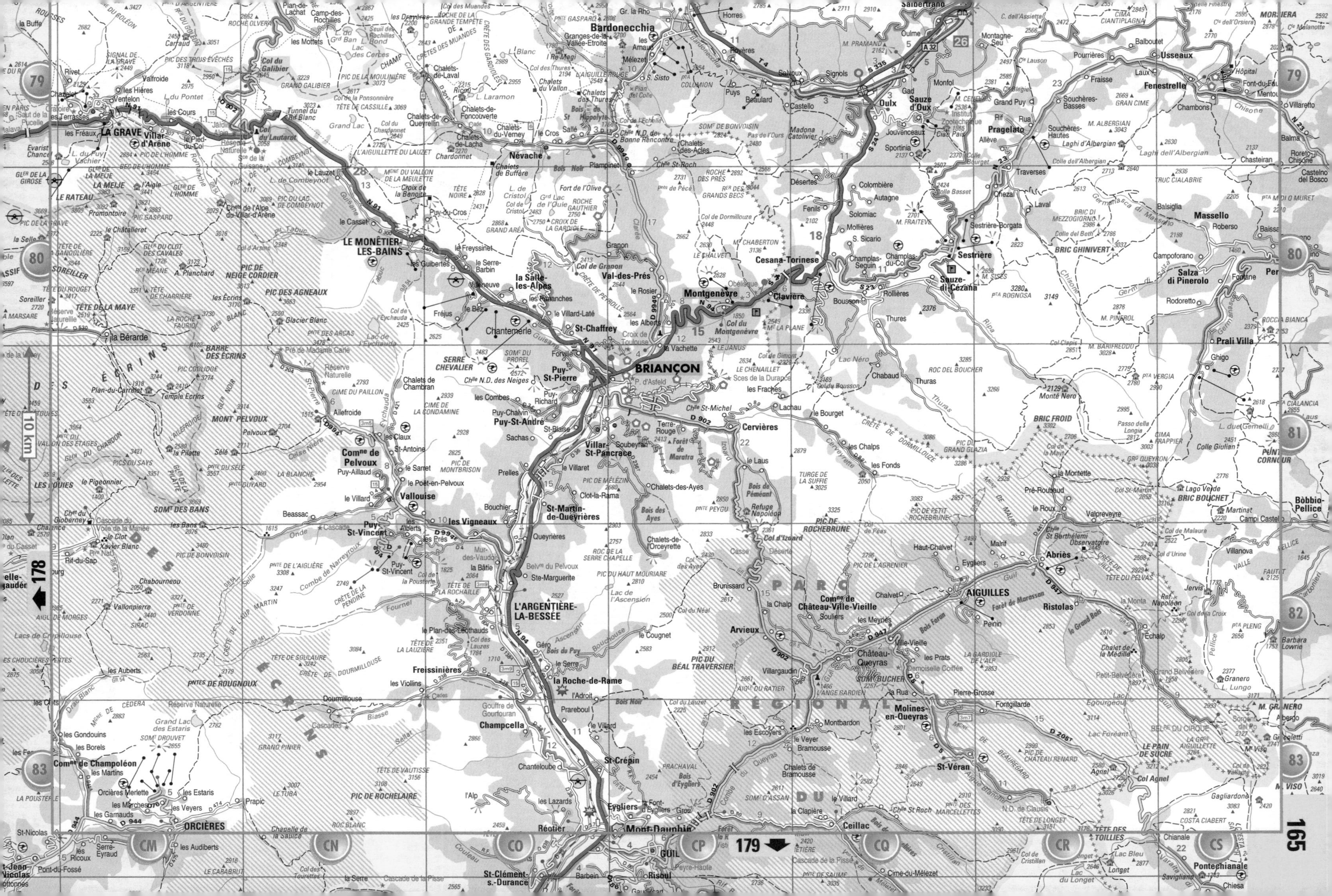
BRIANÇON
Bardonecchia
Sestrière
Cesana-Torinese
Montgenèvre
Claviere
Pragelato
Fenestrelle
Usseaux
Prali Villa
Salza di Pinerolo
Massello
Oulx
Sauze d'Oulx
Névache
Val-des-Prés
St-Chaffrey
la Salle-les-Alpes
Puy-St-Pierre
Villar-St-Pancrace
Cervières
Abriès
Ristolas
AIGUILLES
Comne de Château-Ville-Vieille
Molines-en-Queyras
St-Véran
Arvieux
Ceillac
Guil
Mont-Dauphin
Risoul
Eygliers
St-Crépin
Réotier
St-Clément-s.-Durance
L'ARGENTIÈRE-LA-BESSÉE
la Roche-de-Rame
Champcella
Freissinières
Vallouise
les Vigneaux
St-Martin-de-Queyrières
Puy-St-Vincent
Comne de Pelvoux
LE MONÊTIER-LES-BAINS
LA GRAVE
Villar-d'Arène
Col du Galibier
Col du Lautaret
Col d'Izoard
Col du Montgenèvre
Col Agnel
MONT PELVOUX
BARRE DES ÉCRINS
ORCIÈRES
Comne de Champoléon
PARC RÉGIONAL DU
ÉCRINS
10 km
178
179

150

AE
AF
AG
AH
AI
81
82
83
84
85
86
87
Lacanau
Landes du Bourg
Taussac
la Providence
Macavin
le Lion
les Nerps
Longarisse
Bois de Sémignan
Craste de la Levade
Ste-Hélène
Mistre
le Gartillot
Bedillon
Salaunes
Et de Batejin
Lande
Landes du Gartiou Croutat
Castagnet
Saumos
FORÊT DE SALAUNES
Lande de Lavigne
Et de Batourtot
Lacousteyre
Bois de Puy Bacot
le Lignan
le Gressier
le Porge-Océan
Et de Lède Basse
Lande de la Berle
le Temple
Sautuges
Issac
Gleyse-Vieille
le Porge
CHAMP DE TIR DE SOUGE
Bois de Candale
la Jenny
Laruau
Camp de Souge
Lauros
Landes des Courtious Brûlés
Pas du Bouc
Bois de Boutas
Martignas-s.-Jalle
FORÊT DOMANIALE DU PORGE
Bois du Bourgey
Maisonnieu
le Grand-Crohot
St-Jean-d'Illac
Lège-Cap-Ferret
les Dorats
la Grande Lande
Landes des Courtious Brûlés
le Las
Blagon
M.F. du Cousteau de la Machine
Cirès
le Chalet
les Landes des Nargues
les Nargues
la Pignada (Sanatorium)
Réserve Naturelle
Arès
Berganton
Claouey
Andernos-les-Bains
Jossaume
Bois de Berganton
Lande des Agassats
le Petit-Piquey
le Mauret
Pierroton
FORÊT DOMANIALE DE LÈGE ET GARONNE
Taussat
BASSIN
le Grand-Piquey
Cassy
Bois de Lubec
la Pointe
Lubec
Croix-d'Hins
ST-JEAN-D'ILLAC
le Canon
Ile aux Oiseaux
Réserve Naturelle
Lanton
la Possession
Atelier Aéronautique
Villa-Algérienne
D'ARCACHON
AUDENGE
Marcheprime
la Vigne
ARCACHON
Vigneau
les Quatre-Routes
les Gargails
Cap-Ferret
Argentières
Testarouch
le Moulleau
Pointe de l'Aiguillon
Tagon
Canauley
Lacanau-de-Mios
LE BARP MARCHEPRIME
Pyla-s.-Mer
Gujan-Mestras
Parc Ornithologique
Biganos
Centre d'Études Nucléaires
la Hume
le Teich
Florence
LA TESTE-DE-BUCH
Meyran
Lamothe
les Douils
Garrot
CAP FERRET
Pyla-Plage
Parc d'Attractions
Camps
Facture
CAP-FERRET
A 660
LACANAU-DE-MIOS
le Voisin
Balanos
Caze
Réserve Naturelle
Forêt de Nezer
Mios
Surgenne
Banc d'Arguin
Petit-Caudos
Peyot
Le Truc de la Truque
Zoo
Arnauton
Lillet
Montmorency
Argilas
Castor
Castandet
Peylahon
M.F. de Gaillouneys
Gassian
Lavignolle
Puits de Pétrole
CHAMP
Curchade
Bouges
Pointe d'Arcachon
Caudos
Caplanne
Salles
Cazaux
Perrin
M.F. de la Salie
DE TIR
Béguey
l'Hospitalet
FORÊT DOMANIALE DE LAGNEREAU
Bilos
SALLES
Lanot
M.F. des Quatre Vents
Garot
CHAMP DE TIR
ÉTANG DE CAZAUX
Langeot
M.F. de Lagnereau
M.F. de St-Hubert
le Bran
Vieux Lugos
Béliet
BELIN-BÉLIET
Bertrine
Louse
Forêt de Salles
ET DE SANGUINET
Sanguinet
Sillac
Lugos
le Pont-de-Maguide
Méoule
Lombard
le Bouges
Corneilley
Mons
le Clerc
Forêt de Lugos
Camontès
Boutox
Biscarrosse-Plage
FORÊT
Ispe
Gare-de-Lugos
BELIN-BÉLIET
Mayotte
Goubern
Navarrosse
Forêt Communale
CENTRE D'ESSAIS
Peyrin
DOMANIALE
Millas
le Bosque
Lilaire
Petit Étang de Biscarrosse
Mouliots
Camp de Naouas
le Muret
Saugnacq et-Muret
En-Hil
DE BISCARROSSE
Biscarrosse
de Biscarrosse
Lubiosse
Locbeilh
la Crabette
PARC
ZONE
les Hourtiquets
Arbage
Castelnau
Hydroaérodrome
Puits de Pétrole
PARENTIS-EN-BORN
Moustey
ÉTANG DE BISCARROSSE ET DE PARENTIS
Poms
Bourruque
Malet
D 106
D 107
D 5
D 3
D 215
D 650
N 250
D 652
D 218
D 216
D 108
D 110
D 46
D 147
D 146
D 83
A 63
E 5
E 70
N 10
N 134
N 215
D 6

180
181

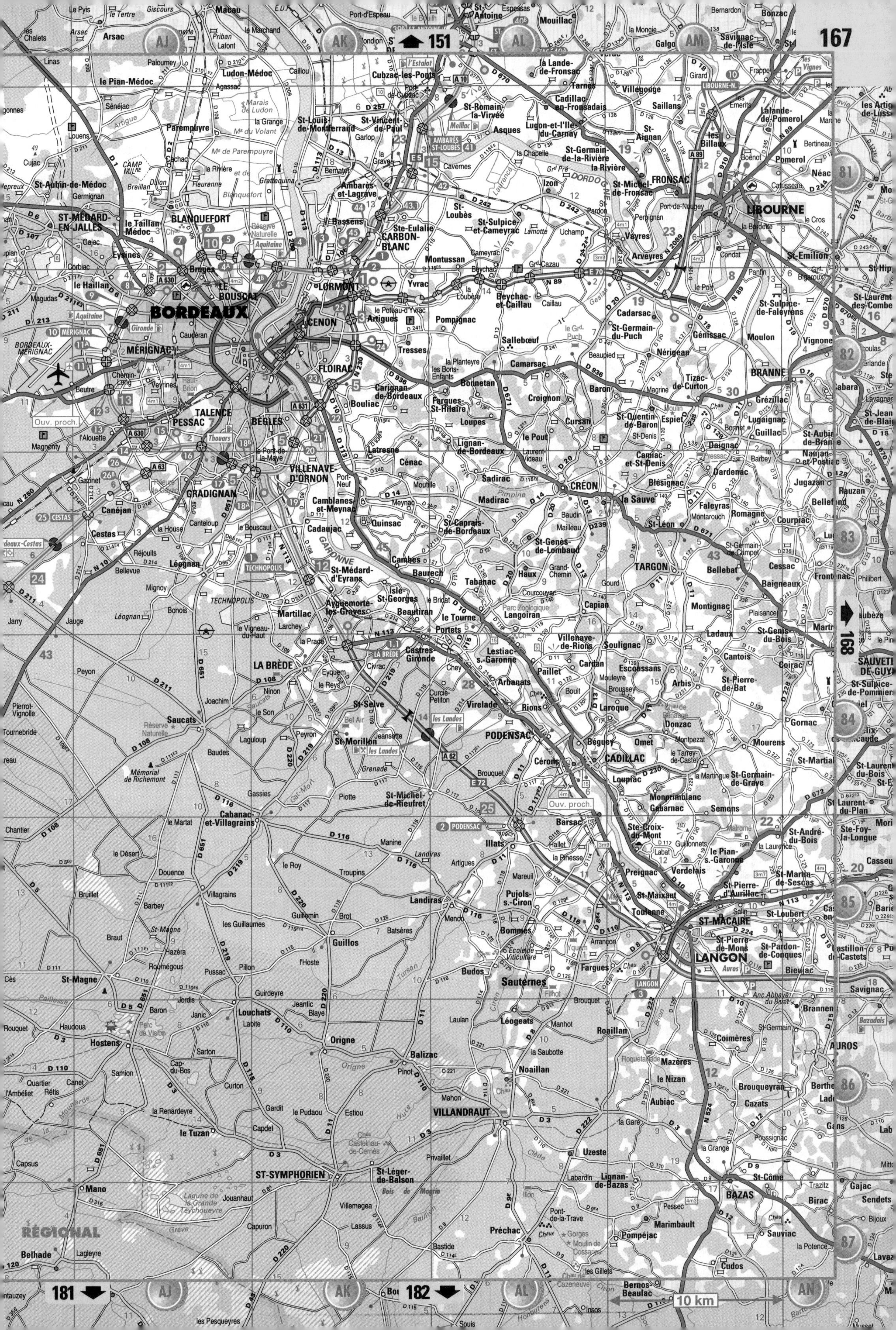
151
AJ
AK
AL
AM
AN
BORDEAUX
MÉRIGNAC
PESSAC
TALENCE
BÈGLES
CENON
FLOIRAC
LORMONT
BOUSCAT
BLANQUEFORT
ST-MÉDARD-EN-JALLES
GRADIGNAN
VILLENAVE-D'ORNON
LIBOURNE
FRONSAC
BRANNE
CRÉON
CADILLAC
LANGON
ST-MACAIRE
BAZAS
AUROS
PODENSAC
LA BRÈDE
ST-SYMPHORIEN
VILLANDRAUT
Sauternes
Léognan
Cestas
Canéjan
Saucats
Hostens
St-Magne
Carbon-Blanc
Ambarès-et-Lagrave
St-Loubès
Cubzac-les-Ponts
St-Émilion
Targon
Sauveterre-de-Guyenne
Uzeste
Préchac
Landiras
Barsac
Illats
Cérons
Rions
Portets
Castres-Gironde
St-Selve
Cabanac-et-Villagrains
Louchats
Balizac
Noaillan
Budos
Bommes
Fargues
Toulenne
Verdelais
Ste-Croix-du-Mont
Loupiac
Targon
Tresses
Artigues
Yvrac
Pompignac
Fargues-St-Hilaire
Latresne
Quinsac
Cambes
Langoiran
Haux
Capian
Izon
Vayres
Arveyres
Génissac
Moulon
Camarsac
Croignon
Baron
Pomerol
Néac
Lalande-de-Pomerol
Ouv. proch.
10 km
168
181
182
81
82
83
84
85
86
87
RÉGIONAL

AN
AO
AP
AQ
AR
152
Abzac
Moulin-Neuf
d'Artenset
Bourgn
St-Sauveur-de-Puynormand
Ménesterol
Montpon-Ménesterol
Beaupouyet
les Lèches
Petit-Palais-et-Cornemps
Puynormand
Minzac
Palombières
St-Sauveur-Lalande
St-Géry
Lalande-de-Pomerol
Les Artigues-de-Lussac
Tayac
Villefranche-de-Lonchat
Francs
St-Martin-de-Gurson
Lescat
Bosset
Pomerol
Lussac
Monbadon
Carsac-de-Gurson
St-Rémy
St-Géraud-de-Corps
Forêt du
Montagne
St-Georges
St-Cibard
Puisseguin
Chau de Gurson
Pourcaud
Vigerie
Libourne
St-Philippe-d'Aiguille
les Salles
Montpeyroux
Bos-Vieux
Piconneaux
Barat
La Cabane
Fraisse
St-Georges-Blancaneix
Lunas
St-Emilion
St-Christophe-des-Bardes
St-Genès-de-Castillon
Monfaucon
St-Méard-de-Gurçon
Alix
St-Hippolyte
Gardegan-et-Tourtirac
Théolat
St-Cloud
St-Vivien
Petit-Cluzeau
Bigounin
le Tulen
la Fargue
Ste-Colombe
Belvès-de-Castillon
Montazeau
St-Laurent-des-Combes
St-Etienne-de-Lisse
Bonneville-et-St-Avit-de-Fumadières
Ponchapt
Bitarel
St-Sulpice-de-Faleyrens
Castillon-la-Bataille
St-Michel-de-Montaigne
Nastringues
Fougueyrolles
Le Fleix
La Force
St-Magne-de-Castillon
Montcaret
Vélines
Larouquette
St-Avit-St-Nazaire
St-Nazaire
Bourg-d'Abren
Prigonr
St-Pey-d'Armens
Mounan
Lamothe-Montravel
Tête-Noire
Le Breuilly
Port-Ste-Foy-et-Ponchapt
les Briands
St-Pierre-d'Eyraud
Lamonzie-St-Martin
Merlande
Ste-Terre
Dordogne
Moulets-et-Villemartin
St-Seurin-de-Prats
St-Antoine-de-Breuilh
Ste-Foy-la-Grande
Cabara
Civrac-s.-Dordogne
Villemartin
Flaujagues
Eynesse
Pineuilh
St-Philippe-du-Seignal
Gardonne
Rieu-de-Laysse
Le Monteil
Lavagnac
Ste-Florence
Mouliets
Pessac-s.-Dordogne
St-Aulaye
Pont-de-la-Beauze
St-André-et-Appelles
St-Jean-de-Blaignac
St-Aubin-de-Branne
St-Vincent-de-Pertignas
St-Pey-de-Castets
Pujols
Ste-Radegonde
Juillac
Gensac
St-Avit-de-Soulège
Razac-de-Saussignac
La Ferrière
Gageac-et-Rouillac
Naujan-et-Postiac
Bossugan
Doulezon
Coubeyrac
les Lèves-et-Thoumeyragues
Ouv. fin 2004
Thoumeyragues
les Arnodeaux
Saussignac
Jugazan
Mérignas
Villesèque
St-Quentin-de-Caplong
Caplong
Rauzan
Bellefond
Ruch
St-Antoine-du-Queyret
La Roquille
Ligueux
Monestier
Cunèges
Courpiac
Massugas
Riocaud
Couture
La Bastide
Lugasson
Blasimon
Mauriac
Listrac-de-Durèze
St-Laurent
Margueron
Lestignac
Thénac
Sigoulès
Cessac
Frontenac
Phillibert
Pellegrue
Landerrouat
Uffer
Baigneaux
D 672
Auriolles
Villeneuve-de-Duras
Mescoules
Soussac
Girard
Ste-Croix
Théobon
Monbos
Le Puch
Cleyrac
Moulin
Puyguilhem
Daubèze
Cazaugitat
Raty
Génas
St-Astier
Loubès-Bernac
Bernac
Ste-Innocence
St-Genis-du-Bois
St-Brice
Le Pin
St-Léger-de-Vignague
Esclottes
Lubersac
Montaillac
Lestang
167
Caumont
Ste-Colombe-de-Duras
Savignac-de-Duras
St-Sernin
Lac de Castel-Gaillard
Coirac
Sauveterre-de-Guyenne
St-Romain-de-Vignague
Ségur
St-Ferme
Baleyssagues
Malromé
St-Jean-de-Duras
Ste-Eulalie-d'Eymet
St-Sulpice-de-Pommiers
Castelmoron-d'Albret
Dieulivol
Soumensac
Les Roux
Castelviel
St-Martin-du-Puy
Rimons
Pont-de-Duras
Duras
St-Front
St-Sulpice-d'Eymet
Rouquette
St-Félix-de-Foncaude
St-Hilaire-du-Bois
Landerrouet-s.-Ségur
Le Puy
Bordepaille
Gallochet
Ste-Foy-Petit
Eymet
et-Montg
Neuffons
Monségur
Cours-de-Monségur
Auriac-s.-Dropt
Pardaillan
Foncaude
St-Martin-de-Lerm
Mesterrieux
Coutures
Dropt
Taillecavat
Gargou
St-Pierre-s.-Dropt
La Sauvetat-du-Dropt
Agnac
St-Martial
St-Laurent-du-Bois
St-Exupéry
Camiran
Le Gaucher
Moustier
St-Romain
St-Laurent-du-Plan
Bagas
Loubens
Roquebrune
St-Sulpice-de-Guilleragues
Lévignac-de-Guyenne
Monteton
Allemans-du-Dropt
Iffour
Morizès
La Barthe
Ste-Gemme
St-Géraud
Farbeau
Roumagne
Comne de St-Pardoux-Isaac
St-André-du-Bois
Ste-Foy-la-Longue
Les Esseintes
St-Sève
St-Hilaire-de-la-Noaille
St-Vivien-de-Monségur
Issac
St-Pardoux
Bourg
Mellon
Rambaux
Pépin
Chapelle de Lorette
Puysserampion
Casseuil
La Réole
Signal du Mirail
Comne Fossès-et-Baleyssac
Caubon-St-Sauveur
Cambes
Miramont-de-Guyenne
St-Martin-de-Sescas
Caudrot
Gironde-s.-Dropt
Montagoudin
St-André-du-Garn
St-Michel-de-Lapujade
St-Sauveur-de-Lévignac
Lavergne
Bois-Vert
Castets-en-Dorthe
Barie
Floudès
Rouergue
Bassanne
Landerron
Lachapelle
Peyrière
Lac du Saut-du-Loup
St-Loubès
Fontet
Mongauzy
Lamothe-Landerron
Castelnau-s.-Gupie
St-Avit
Le Pinié
St-Pardon
Blaignac
St-Pardon-de-Conques
Castillon-de-Castets
Puybarban
Loupiac-de-la-Réole
Bourdelles
St-Martin-Petit
Lagupie
Mauvezin-s.-Gupie
Gupie
Les Vennes
Seyches
Montignac-Toupinerie
Armillac
Bieujac
Pondaurat
Hure
Les Hourneis
Jusix
Comne de Beaupuy
Escassefort
Savignac
Carroux
Peyrou
Pignéra
Laperche
Ste-Bazeille
Lalane
La Magdelaine
Ste-Abondance
Moirax
Brannens
Bazadais
Meilhan-s.-Garonne
Couthures-s.-Garonne
St-Etienne-de-Londres
Tour
Noaillac
35
Virazeil
La Gazelle
Puymiclan
St-Barthélemy-d'Agenais
Auros
La Réole
A 62
Marmande
Castaing
Bernès
Gaujac
La Moroux
Garrigues
Trec
Tourtrès
St-Sauveur-de-Meilhan
E 72
Coussan
Labretonie
Chez Pados
Aillas
Chant du Coucou
Marcellus
Montpouillan
Birac-s.-Trec
Poussac
Agmé
Verteuil-d'Agenais
Gans
Labescau
Autoroute des Deux Mers
St-Pardoux-du-Breuil
Pont-des-Sables
Longueville
Sigalens
Latéral
Taillebourg
Garonne
Gontaud-de-Nogaret
Hautesvignes
Cocumont
Mitton
Sérac
Fourques-s.-Garonne
Caumont-s.-Garonne
Fauguerolles
Brugnac
Gajac
Sendets
Goutx
Samazan
Marmande
Varès
Birac
Sallette
Sénestis
Bijoux
Cauvignac
Romestaing
Le Mas-d'Agenais
Fauillet
Roquebert
Villotte
Tolzac
Sauviac
Grateloup
Lavazan
Masseilles
Guérin
Le Pin
Ste-Marthe
Ste-Caprais
Artigues
Lagarde
Bahalade
Mas d'Agenais
Forêt du
Grignols
Rouglon
Grézet
Lagruère
La Castagnac
Artiguevieille
Marions
182
Argenton
Le Clavier
183
Lapar
Sillas
Calonges
Marsac
Mas d'Agenais

153
170
183
184
10 km
BERGERAC
Monbazillac
Mouleydier
Lalinde
Lanquais
Issigeac
Beaumont-du-Périgord
Monpazier
Belvès
Le Buisson-de-Cadouin
Le Bugue
Ste-Alvère
les Eyzies-de-Tayac-Sireuil
Tursac
Manaurie
Trémolat
Calès
Castillonnès
Villeréal
Biron
Gavaudun
Cancon
Monflanquin
Fumel
Monsempron-Libos
Condezaygues
Tournon-d'Agenais
Villeneuve-s.-Lot
Penne-d'Agenais
Ste-Livrade-s.-Lot
Casseneuil
Monclar
Castelmoron-s.-Lot
Lauzun
Eymet
Sigoulès
Douville
Cendrieux
Mauzens-et-Miremont
Fleurac
Siorac-en-Périgord
Cadouin
Molières
St-Cyprien
Lacapelle-Biron
Sauveterre-la-Lémance
St-Front-s.-Lémance
Cuzorn
Villefranche-du-Périgord
Montagnac-s.-Lède
Savignac-s.-Leyze
Monségur
Trentels
St-Vite
Montayral
Soturac
Thézac
Pujols
Trémons

154

AX
AY
AZ
BA
Thonac
Valojoulx
la Sagne
la Chapelle-Aubareil
Poux
Jayac
Ouv. en 2005
Heyjade
Estivals
Cresse
Pech Montat
la Rivière
Archignac
St-Léon-s.-Vézère
Sergeac
la Reymondie
Paulin
Linard
Gignac
le Batut
St-Palavy
St-Jean
Sarrazac
Moustier
Peyzac-le-Moustier
le Masnègre
St-Geniès
la Salamonie
la Babourie
Lasvaux
Le Lespinasse
Galinat
Pelvési
St-Bonnet
Siréjol
MARTEL
Chapelle
Paunac
Manaurie
Tursac
Tamniès
la Beune
SALIGNAC-EYVIGUES
Valeille
Falsemoyer
la Geneste
Caran
Lacisque
le Bories
Marcillac-St-Quentin
Mas
le Poujol
Carlucet
la Sotte
le Chabournac
Cuzance
Murel
Les Eyzies-de-Tayac-Sireuil
Lasserre
Laussel
Tourgou
St-Crépin-et-Carlucet
Borrèze
Marquay
St-Quentin
le Claud
Rignac
Bournissard
Proissans
Jardins d'Eyrignac
Eyvigues
Bourzoles
la Croix
Maynades
Sireuil
Bedis
Beyssac
Carrière
le Roucal
Campagnac
Prentegarde
la Tour
la Serre
Eybènes
Lachapelle-Auzac
Baladou
Castang
Orliaguet
Puymartin
le Roch
la Veyssières
Temniac
Ste-Nathalène
Prats-de-Carlux
Millac
St-Étienne
Laumède
Pommier
Gluges
Meyrals
la Boyne
Croix-d'Alon
Simeyrols
Peyrillac-et-Millac
SOUILLAC
le Faget
Mayrac
la Chapelle
la Roque
St-André-d'Allas
SARLAT-LA-CANÉDA
St-Vincent-le-Paluel
Viviers
l'Homond
CARLUX
Claurac
Lanzac
Port-de-Souillac
St-Sozy
Creysse
Castels
Finsac
Cazoulès
Meyronne
la Grave
ST-CYPRIEN
la Grange
Rouffillac
Mareuil
Calviac-en-Périgord
St-Julien-de-Lampon
le Roc
Hermier
Nadaillac-de-Rouge
Terregaye
Pinsac
Meyraguet
le Bougayrou
Mouzens
Bézenac
Caufour
Bonneton
Beynac-et-Cazenac
la Canéda
Montfort
Carsac-Aillac
Aillac
Lamothe-Fénelon
Blanzaguet
Mayrignac-le-Francal
Marnac
Allas-les-Mines
Birat
Vézac
la Roque-Gageac
Vitrac
Fénelon
Masclat
le Belcastel
Lacave
Bigaroque
Berbiguières
St-Vincent-de-Cosse
Fayrac
Cingle de Montfort
Ste-Mondane
Veyrignac
la Bastit
Siorac-en-Périgord
les Milandes
le Port
Manobre
le Trell
St-Germain-de-Belvès
Cladech
Castelnaud-la-Chapelle
Cénac-et-St-Julien
Giverzac
Grolejac
la Mouline
Fajoles
Loupiac
les Granges
Cantaloube
Calès
la Cavalerie
Lacoste
Pont de Cause
DOMME
Milhac
la Dame
Veyrines-de-Domme
Carves
Aérodrome Sarlat-Domme
le Sales
Rouffilhac
PAYRAC
Les Vitarelles
Sagelat
BELVÈS
St-Cybranet
Liaubou-Bas
St-Cirq-Madelon
Aunlac
Anglars-Nozac
Camy
Laval
St-Amand-de-Belvès
Grives
la Chapelle Péchaud
la Gorce
les Places
Cournazac
la Seguinie
Bonnecoste
les Granges-de-Bonnecoste
Prouilhac
Reilhaguet
la Vayssière
Pechpialat
Grottes de Cougnac
St-Projet
la Barde
St-Laurent-la-Vallée
St-Martial-de-Nabirat
Nabirat
Payrignac
Basses Graules Hautes
Doissat
Daglan
St-Aubin-de-Nabirat
GOURDON
le Vigan
Ste-Foy-de-Belvès
St-Pompont
Bouzic
la Bastide
Les Vitarelles
Peyrebrune
Ginouillac
la Comte
Gaumier
Léobard
Chelle N.D. des Neiges
St-Romain
St-Cirq-Souillaguet
Orliac
Spentiras
Aurimont
la Fontade
Pechrigal
Souillaguet
Soucirac
la Poujade
LABASTIDE-MURAT
la Trappe
Nadaillac
Pont Carral
l'Abbaye-Nouvelle
Eglise
St-Clair
Sénièrgues
Florimont-Gaumier
Campagnac-lès-Quercy
Poudens
la Feydédie
Prats-du-Périgord
Brunet
Benauge
SALVIAC
Bessous
Linards
St-Chamarand
Montfaucon
Mazeyrolles
Besse
Luziers
Dégagnac
Beauregard
Château de Clermont
Goulème
Pont-de-Rhodes
Vaillac
Aire-Jardin des Causses
Sineul
Marminiac
Cambelève
Mazérac
Pech-Roussy
Frayssinet
Beaumat
Goudou
CAZALS
Bourbou
Rampoux
Concorès
la Croix-Blanche
la Devèze
St-Étienne-des-Landes
ST-GERMAIN-DU-BEL-AIR
St-Cernin-de-l'Herm
VILLEFRANCHE-DU-PÉRIGORD
Gindou
Lavercantière
les Cabrairies
Septfons
Meylargues
Soulomès
Montcléra
Murat
Lamothe-Cassel
Lavaur
les Gunies
les Places
Surges
Peyrilles
Bonnet
le Platgier
St-Sauveur-la-Vallée
St-Caprais
St-André
Maussac
Degagnazes
Théclrac
Uzech
Montamel
Ussel
Puycalvel
St-Cernin
Loubejac
la Thèze
les Arques
le Camus
Montgesty
Gigouzac
le Pouzat
St-Pierre-la-Lémance
Frayssinet-le-Gélat
Goujounac
Salvezou
Mechmont
Fage
St-Martin-de-Vers
Lastreilles
Lherm
Siffray
St-Denis-Catus
Pomarède
Tourniac
CATUS
Chapelle St-Pierre
Nadillac
Cras
LAUZÈS
Cassagnes
Pelacoy
Pontcirq
Brouelles
Raze
Oppidum
Château de Bonaguil
Montcabrier
St-Médard
Boissières
Les Junies
Nuzéjouls
Francoulès
Moulin-de-Guillot
Martignac
la Masse
le Cluzel
Moncoutié
Couvert
St-Martin-le-Redon
Duravel
Niaudon
Rostassac
Calamane
Maxou
Gironde
St-Pierre-Lafeuille
St-Michel
Cours
Merlan
CAHORS-NORD
Cavagnac
PUY-L'ÉVÊQUE
le Pouzat
Espère
Mas-de-Bouydou
Valroufié
Château de Roussillon
Touzac
Prayssac
Labastide-du-Vert
Crayssac
Labarthe
Trégantou
Pescadoires
Castelfranc
Mercuès
Vire-s.-Lot
Lagardelle
Anglars-Juillac
Malayries-Hautes
Touraillon
Caix
Parnac
Lapoujade
Mas-de-Laroques
Vers
ST-GÉRY
Soturac
Camy
Juillac
LUZECH
Oppidum de l'Impernal
Caillac
Cessac
Causses de Cahors
Laroque-des-Arcs
Chelle N.D. de Velles
Bouziès
Grézels
Albas
la Rivière-Haute
St-Vincent-Rive-d'Olt
Douelle
Pradines
Lamagdelaine
Bears
Pasturac
Bélaye
Donjon
Labéraudie
Lot
Mauroux
Lacapelle-Cabanac
CAHORS
Begoux
Mt ST-CYR
Arcambal
Floressas
Cousserans
Cenac
la Bouysse
les Mazuts
Cournoux
Thézac
Sérignac
les Roques
la Capelle
Flottes
Peyrefite
Rouffiac
Cambayrac
la Rozière
St-Julien
St-Cirice
Pissepourcets
Tour
Esclauzels
Ferrières
Le Boulvé
Farguettes
Sauzet
Bournaguet
Trespoux-Rassiels
TOURNON-D'AGENAIS
Fargues
Rouffiac
Bovila
Villesèque
Marnhac
Quercy
la Combe du Tréboulou
Saux
Ma
L'OCCITANE
DORDOGNE
Dordogne
Vert
Masse
Thèze
Lémance
DES
Céou
Vers
Aux-
Bigaroque
Lot

169

155

BB
BC
BD
BE
BF
Beaulieu-s.-Dordogne
Curemonte
Vayrac
Carennac
Bretenoux
St-Céré
Gramat
Sousceyrac
Latronquière
Lacapelle-Marival
Livernon
Figeac
Capdenac
Capdenac-Gare
Maurs
Cajarc
Cabrerets
St-Cirq-Lapopie
Villeneuve
Laroquebrou
Montvert
Laval-de-Cère
Gagnac-s.-Cère
Biars-s.-Cère
Teyssieu
Comiac
Autoire
Padirac
Gouffre de Padirac
Rocamadour
Alvignac
Miers
Thégra
Assier
Reyrevignes
Lissac-et-Mouret
Planioles
Viazac
Bagnac-s.-Célé
Aubin
Montbazens
Decazeville
Peyrusse-le-Roc
Naussac
Causse-et-Diège
Salles-Courbatiès
Villeneuve
St-Sulpice
Marcilhac-s.-Célé
Sauliac-s.-Célé
Brengues
Espagnac-Ste-Eulalie
Cénevières
Calvignac
St-Martin-Labouval
Tour-de-Faure
Crégols
Larnagol
Saujac
Montbrun
Larroque-Toirac
St-Pierre-Toirac
Frontenac
Faycelles
Béduer
Camboulit
Corn
Boussac
Grèzes
Parc Régional des Causses de Quercy
Quercy
N 140
N 122
D 840
D 653
D 673
D 677
10 km

172

BG
BH
156
BI
BJ
BK
D'AUVERGNE
CANTAL
AURILLAC
ARPAJON-S.-CÈRE
VIC-S.-CÈRE
JUSSAC
Reilhac
Naucelles
Marmanhac
Laroquevieille
Velzic
St-Cirgues-de-Jordanne
St-Simon
Polminhac
Yolet
Giou-de-Mamou
Ytrac
Crandelles
St-Paul-des-Landes
Lacapelle-Viescamp
Nieudan
Ayrens
Teissières-de-Cornet
St-Étienne-Cantalès
Sansac-de-Marmiesse
Omps
Vézac
Carlat
St-Étienne-de-Carlat
Badailhac
Raulhac
St-Clément
Pailherols
Jou-s/s-Monjou
Lacapelle-Barrès
Malbo
Thérondels
MUR-DE-BARREZ
Brommat
Taussac
Cros-de-Ronesque
Labrousse
Roannes-St-Mary
ST-MAMET-LA-SALVETAT
Prunet
Teissières-lès-Bouliès
Vezels-Roussy
Cayrols
Vitrac
Boisset
Marcolès
Lacapelle-del-Fraisse
Lafeuillade-en-Vézie
Leucamp
Lacroix-Barrez
STE-GENEVIÈVE-S.-ARGENCE
St-Antoine
Leynhac
Sansac-Veinazès
Labesserette
Ladinhac
Murols
St-Symphorien-de-Thénières
Graissac
Calvinet
Junhac
MONTSALVY
Lapeyrugue
St-Hippolyte
Montézic
Huparlac
Cassanionze
Sénezergues
Mourjou
Fournoulès
Campouriez
ST-AMANS-DES-COTS
Le Fel
ENTRAYGUES-S.-TRUYÈRE
Vieillevie
Grand-Vabre
St-Parthem
Florentin-la-Capelle
Le Nayrac
Espeyrac
CONQUES
Sénergues
Golinhac
Almont-les-Junies
Flagnac
Livinhac-le-Haut
DECAZEVILLE
Noailhac
St-Félix-de-Lunel
Campuac
ESTAING
Le Cayrol
Coubisou
Viviez
Firmi
St-Cyprien-s.-Dourdou
Villecomtal
Pruines
AUBIN
Cransac
Nauviale
Mouret
Sébrazac
Bessuéjouls
ESPALION
Auzits
Muret-le-Château
Rodelle
St-Christophe-Vallon
MARCILLAC-VALLON
Lugan
MONTBAZENS
Escandolières
Bournazel
BOZOULS
Gabriac
Roussennac
Goutrens
Valady
Salles-la-Source
CAUSSE DU COMTAL
CAUSSE DE LANHAC
Clairvaux-d'Aveyron
Anglars-St-Félix
RIGNAC
Sébazac-Concourès
PUY DE L'ARBRE
PLATEAU DE LA VIADÈNE
Lot
LA TRUYÈRE
81
82
83
84
85
86
87
171
186
187

ST-FLOUR
157
MARGERIDE
RUYNES-EN-MARGERIDE
Paulhac
Cussac
Villedieu
les Ternes
Sériers
Anglards-de-St-Flour
Clavières
Lorcières
Alleuze
Chaliers
Faverolles
Loubaresse
Julianges
Paulhac-en-Margeride
Pierrefort
Gourdièges
Neuvéglise
Oradour
Lavastrie
Chaulhac
St-Privat-du-Fau
Fridefont
St-Marc
Albaret-Ste-Marie
St-Just
St-Léger-du-Malzieu
Albaret-le-Comtal
Blavignac
Comne de le Malzieu-Forain
St-Martial
Maurines
Espinasse
Ste-Marie
LE MALZIEU-VILLE
Monts-Verts
CHAUDES-AIGUES
Anterrieux
Arzenc-d'Apcher
Comne de St-Pierre-le-Vieux
Lieutadès
FOURNELS
St-Juéry
Noalhac
Prunières
Termes
ST-CHÉLY-D'APCHER
Jabrun
Deux-Verges
la Fage-St-Julien
Vitrac-en-Viadène
Chauchailles
St-Rémy-de-Chaudes-Aigues
ST-ALBAN-S.-LIMAGNOLE
Les Bessons
Lacalm
St-Laurent-de-Veyrès
Rimeize
Alpuech
la Fage-Montivernoux
Brion
Fau-de-Peyre
la Terrisse
la Trinitat
Grandvals
Fontans
AUMONT-AUBRAC
174
Malbouzon
Javols
St-Urcize
Recoules-d'Aubrac
la Chaze-de-Peyre
Serverette
Ste-Colombe-de-Peyre
LAGUIOLE
Prinsuéjols
St-Sauveur-de-Peyre
NASBINALS
Marchastel
Recoules-de-Fumas
Curières
Ribennes
MONTS
D'AUBRAC
le Buisson
Lachamp
Condom-d'Aubrac
St-Laurent-de-Muret
Antrenas
St-Léger-de-Peyre
ST-CHÉLY-D'AUBRAC
Servières
Montrodat
Gabrias
MARVEJOLS
Castelnau-de-Mandailles
Prades-d'Aubrac
les Salces
les Hermaux
le Monastier-Pin-Moriès
Chirac
Palhers
Aurelle-Verlac
St-Bonnet-de-Chirac
Grèzes
Trélans
Cultures
Lassouts
Pomayrols
ST-GERMAIN-DU-TEIL
Esclanèdes
St-Pierre-de-Nogaret
les Salelles
CHANAC
Ste-Eulalie-d'Olt
ST-GENIEZ-D'OLT
Cruéjouls
Pierrefiche
la Capelle-Bonance
St-Laurent-d'Olt
LA CANOURGUE
St-Martin-de-Lenne
St-Saturnin-de-Lenne
Canilhac
Banassac
Coussergues
CAMPAGNAC
SAUVETERRE
187
188
10 km
Palmas

BP
BQ
BR
BS
BT
158
173
188
189
81
82
83
84
85
86
87
Saugues
Monistrol-d'Allier
St-Préjet-d'Allier
Esplantas
Grèzes
Vazeilles-près-Saugues
Croisances
Thoras
Chanaleilles
St-Christophe-d'Allier
Chambon-le-Château
St-Symphorien
St-Vénérand
Alleyras
Cayres
Costaros
Le Bouchet-St-Nicolas
St-Haon
Landos
Rauret
St-Bonnet-de-Montauroux
Laval-Atger
Grandrieu
St-Paul-le-Froid
Ste-Eulalie
St-Alban-s-Limagnole
St-Denis-en-Margeride
la Panouse
Auroux
Chastanier
Naussac
Langogne
Pradelles
Fontanes
St-Étienne-du-Vigan
Arlempdes
Solignac-s-Loire
Le Brignon
Goudet
Coucouron
Landos
Rocles
St-Flour-de-Mercoire
St-Alban-en-Montagne
Cellier-du-Luc
Luc
Laveyrune
St-Étienne-de-Lugdarès
Pierrefiche
Chaudeyrac
Châteauneuf-de-Randon
Arzenc-de-Randon
St-Sauveur-de-Ginestoux
St-Jean-la-Fouillouse
la Villedieu
Estables
St-Amans
Rieutort-de-Randon
Serverette
les Laubies
Ribennes
Laubert
Pelouse
Montbel
Belvezet
Allenc
Chastel-Nouvel
Badaroux
Mende
Chadenet
Bagnols-les-Bains
St-Julien-du-Tournel
Le Bleymard
Lanuéjols
Brenoux
Balsièges
Barjac
Esclanèdes
St-Bauzile
St-Étienne-du-Valdonnez
Mas-d'Orcières
Cubières
Cubiérettes
Altier
Pourcharesses
Villefort
Prévenchères
La Bastide-Puylaurent
Cheylard-l'Évêque
St-Frézal-d'Albuges
Chasseradès
Gabrias
Mont Lozère
Plateau du Palais du Roi
Causse de Montbel
Montagne du Goulet
Forêt de Mercoire
Margeride
Lac de Charpal
Mt Mimat
Truc de Balduc
Truc de Fortunio
Roc de Fenestre
Le Moure de la Gardille 1503
Col de la Pierre Plantée 1264
Finiels 1699
Les Bondons
N 88
N 102
N 106
D 906
D 901
D 988
D 985

159
189
190
176
10 km
BU
BV
BW
BX
BY
81
82
83
84
85
86
87
52
58
PRIV
ST-JULIEN-CHAPTEUIL
ST-AGRÈVE
LAMASTRE
FAY-S.-LIGNON
Desaignes
St-Julien-Boutières
St-Prix
St-Barthélemy-Grozon
St-Basile
Laussonne
St-Front
Moudeyres
Freycenet-la-Tour
Chaudeyrolles
St-Clément
Lachapelle-s/s-Chanéac
St-Jean-Roure
Nonières
ST-MARTIN-DE-VALAMAS
St-Cierge-s/s-le-Cheylard
St-Apollinaire-de-Rias
Chanéac
LE CHEYLARD
St-Julien-Labrousse
St-Michel-d'Aurance
St-Jean-Chambre
Les Estables
Mt MÉZENC
La Rochette
Borée
Arcens
Mariac
Accons
St-Barthélemy-le-Meil
Beauvène
Silhac
Chalencon
Freycenet-la-Cuche
St-Martial
St-Christol
Dornas
St-Maurice-en-Chalencon
Les Peyrets
Gluiras
St-Andéol-de-Fourchades
Le Béage
Issarlès
Le Chambon
St-Genest-Lachamp
St-Sauveur-de-Montagut
ST-PIERREVILLE
Le Lac-d'Issarlès
Lachamp-Raphaël
Mézilhac
Marcols-les-Eaux
Albon-d'Ardèche
St-Étienne-de-Serre
Ste-Eulalie
PARC
RÉGIONAL
Cros-de-Géorand
Sagnes-et-Goudoulet
Péreyres
Issamoulenc
St-Julien-du-Gua
Pranles
Usclades-et-Rieutord
Laviolle
Ajoux
Creysseilles
Pourchères
St-Cirgues-en-Montagne
BURZET
Veyras
St-Joseph-des-Bancs
St-Priest
Mazan-l'Abbaye
Aizac
Lanarce
MONTPEZAT-S/S-BAUZON
Labastide-s.-Bésorgues
ANTRAIGUES-S.-VOLANE
Genestelle
St-Pierre-de-Colombier
Juvinas
St-Étienne-de-Boulogne
St-Andéol-de-Vals
St-Michel-de-Boulogne
Asperjoc
Rochessauve
DES
THUEYTS
Meyras
Chirols
VALS-LES-BAINS
Astet
Barnas
Pont-de-Labeaume
St-Julien-du-Serre
Berzème
Darbres
Mayres
Lalevade-d'Ardèche
Labégude
Ucel
Vesseaux
Fabras
St-Laurent-s/s-Coiron
St-Gineis-en-Coiron
Jaujac
Prades
St-Privat
MONTS
Mercuer
La Souche
St-Cirgues-de-Prades
AUBENAS
St-Didier-s/s-Aubenas
Lussas
Mirabel
Sceautres
Lentillères
St-Étienne-de-Fontbellon
St-Jean-le-Centenier
Loubaresse
VALGORGE
Laboule
Chazeaux
Prunet
Ailhon
Fons
St-Sernin
Lavilledieu
VILLENEUVE-DE-BERG
Rocher
Alba-la-Romaine
Dompnac
Rocles
Joannas
Tauriers
Chassiers
Lachapelle-s/s-Aubenas
Vogüé
St-Germain
LARGENTIÈRE
Beaumont
Vinezac
Lanas
St-Andéol-de-Berg
St-Mélany
Sablières
Uzer
St-Maurice-d'Ardèche
Rochecolombe
Montréal
Laurac-en-Vivarais
D'ARDÈCHE
St-André-Lachamp
Vernon
Balazuc
St-Maurice-d'Ibie
Valvignères
St-Thomé
Ribes
Chauzon
Planzolles
Ste-Marguerite-Lafigère
Rosières
JOYEUSE
Pradons
Faugères
Lablachère
Labeaume
Ruoms
Lagorce
Gras
Larnas
St-Pierre-St-Jean
Malarce-s.-la-Thines
Payzac
St-Genest-de-Beauzon
St-Montant
St-Alban-Auriolles
Sampzon
Gravières
Chambonas
Les Assions
Malons-et-Elze
Les Salelles
Chandolas
VALLON-PONT-D'ARC
Grospierres
Salavas
LES VANS
Berrias-et-Casteljau
Bidon
MONTAGNE DE BERG
PLATEAU DU COIRON
LE TANARGUE
Mt GERBIER DE JONC

160

175

190

191

161
178
191
192
CE
CF
CG
CH
CI
10 km
LA CHAPELLE-EN-VERCORS
St-Martin-le-Colonel
Bouvante
Château-Bernard
Comne de Miribel-Lanchâtre
St-Andéol
St-Guillaume
Avignonet
Sinard
St-Agnan-en-Vercors
St-Paul-lès-Monestier
MONESTIER-DE-CLERMONT
Treffort
Marcieu
LA MURE
Gresse-en-Vercors
Vassieux-en-Vercors
Roissard
St-Michel-les-Portes
Mayres-Savel
St-Arey
St-Jean-d'Hérans
Ouv. début 2005
Commune d'Omblèze
St-Julien-en-Quint
St-Martin-de-Clelles
Cornillon-en-Trièves
CLELLES
MENS
Chichilianne
Marignac-en-Diois
Chamaloc
Percy
Le Monestier-du-Percy
Prébois
St-Andéol
Eygluy-Escoulin
Vachères-en-Quint
Ponet-et-St-Auban
Romeyer
St-Maurice-en-Trièves
St-Baudille-et-Pipet
Ste-Croix
DIE
Lalley
Trémanis
Pontaix
Commune de Véronne
Barsac
Molières-Glandaz
Comne de Treschenu-Creyers
Col de la Croix Haute
Comne de Vercheny
Laval-d'Aix
Aix-en-Diois
CHÂTILLON-EN-DIOIS
SAILLANS
Aurel
St-Roman
Glandage
Comne de Montmaur-en-Diois
Lus-la-Croix-Haute
Espenel
St-Benoit-en-Diois
Barnave
Recoubeau-Jansac
Menglon
Chastel-Arnaud
Comne de Rimon-et-Savel
Boulc
Pennes-le-Sec
Montlaur-en-Diois
Miscon
St-Julien-en-Beauchêne
la Chaudière
Aucelon
LUC-EN-DIOIS
Pradelle
Poyols
Lesches-en-Diois
Val-Maravel
Montbrand
Rochefourchat
Comne de Brette
Jonchères
Beaumont-en-Diois
Beaurières
La Haute-Beaume
La Beaume
la Faurie
les Tonils
St-Nazaire-le-Désert
Volvent
Charens
les Prés
ASPRES-S.-BUËCH
Bellegarde-en-Diois
St-Dizier-en-Diois
la Bâtie-des-Fonds
St-Pierre-d'Argençon
Bouvières
Gumiane
Chalancon
Establet
Valdrôme
Aspremont
Comne d'Arnayon
LA MOTTE-CHALANCON
Rottier
la Charce
Bruis
la Piarre
Comne de Chaudebonne
Valouse
Ste-Marie
Sigottier
Cornillon-s.-l'Oule
Cornillac
Montmorin
Comne de Pommerol
SERRES
Villeperdrix
St-May
Ribeyret
Montclus
St-Ferréol-Trente-Pas
Sahune
RÉMUZAT
l'Épine
Eyroles
Condorcet
Montréal-les-Sources
Moydans
ROSANS
Verclause
St-André-de-Rosans
Sorbiers
Curnier
Pelonne
Arpavon
Montjay
Trescléoux
Montaulieu
Bellecombe-Tarendol
Montferrand-la-Fare
Lemps
Lagrand
Eyguians

162 163

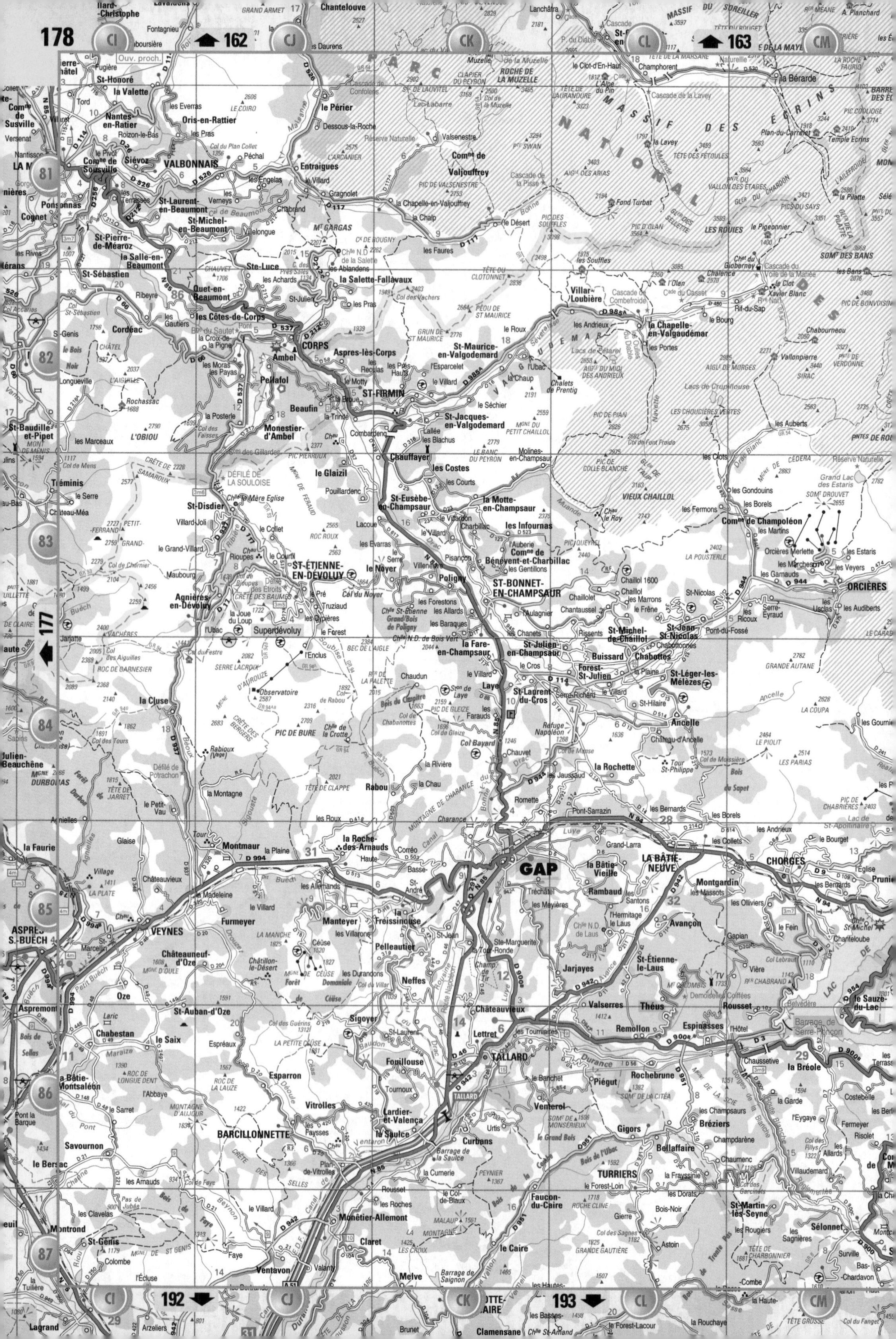

PARC NATIONAL DES ÉCRINS
MASSIF DES ÉCRINS
VALBONNAIS
Valjouffrey
Entraigues
CORPS
ST-FIRMIN
St-Maurice-en-Valgodemard
St-Jacques-en-Valgodemard
la Chapelle-en-Valgaudémar
Chauffayer
St-Eusèbe-en-Champsaur
ST-ÉTIENNE-EN-DÉVOLUY
Superdévoluy
Agnières-en-Dévoluy
ST-BONNET-EN-CHAMPSAUR
ORCIÈRES
Orcières Merlette
Comne de Champoléon
St-Jean-St-Nicolas
Pont-du-Fossé
Ancelle
La Rochette
PIC DE BURE
Rabou
GAP
LA BÂTIE-NEUVE
CHORGES
Montmaur
VEYNES
ASPRES-S.-BUËCH
Châteauneuf-d'Oze
St-Auban-d'Oze
Chabestan
Sigoyer
TALLARD
Théus
Remollon
Espinasses
Barrage de Serre-Ponçon
LAC DE SERRE-PONÇON
La Bréole
Rochebrune
Venterol
TURRIERS
BARCILLONNETTE
Vitrolles
Lardier-et-Valença
Monêtier-Allemont
Claret
Ventavon
St-Martin-lès-Seyne
Sélonnet
Montrond
St-Genis
Lagrand
Clamensane

177

163
165
193
194

AB
AC
AD
AE
AF
166
87
88
89
90
91
92
93
ÉTANG DE BISCARROSSE ET DE PARENTIS
Biscarrosse
les Hourtiquets
Arbage
Hydroaérodrome
Lahitte
Puits de pétrole
le Lac
Gastes
Hillaou
Maynage
Esleys
CENTRE D'ESSAIS
MILITAIRE
FORÊT
INTERDITE
DOMANIALE
DES LANDES
DE SAINTE-EULALIE
Forêt de Piche
Lafont
Mongaillard
Ste-Eulalie-en-Born
Bellevue
Richard
Pontenx-les-Forges
Bestaven
Menaut
Mimizan-Plage
Boulogne
Merquedey
Aureilhan
St-Paul-en-Born
Jean-de-Crabe
la Forge
Haza
MIMIZAN
M.F. de Leslurgues
Baschoc
Ménéou
Salin
Esting
Archus
Leych
Gaye
Jouanicot
M.F. de l'Espécier
FORÊT DOMANIALE DE MIMIZAN
Bias
Jouanon
FORÊT DOMANIALE
DE ST-JULIEN-EN-BORN
Larden
Sallebert
Lestajou
Contis-les-Bains
la Lette
Cusson
Mézos
Courant de Contis
St-Julien-en-Born
Guetch
Onesse-et-Laharie
Cap de l'Homy-Plage
FORÊT DOMANIALE
Lit-et-Mixe
Uza
Tachiet
DE LIT-ET-MIXE
M.F. de Yons
Lévignacq
les Miqueou
Mixe
Gemier
Carpit
Naboude
FORÊT DOMANIALE
Bernadic
Lesperon
St-Girons-Plage
le Grand Tuc
St-Girons-en-Marensin
DE VIELLE-ST-GIRONS
Comne de Vielle-St-Girons
Vielle
Linxe
Benaut
Pélliou
Étang de Léon
Réserve Naturelle
Retcheyre
Pouin
Huchet
Courant d'Huchet
Pas du Loup
Escalus
Comne de St-Michel-Escalus
Léon
Quartier-de-Maa
St-Michel
CASTETS
Taller
Moliets-Plage
Étang de Moliets
Moliets-et-Maa
Étang de la Prade
Étang de Coidoum
Petit-Jean-Vieux
Messanges-Plage
Messanges
Étang de Moisan
Vieux-Boucau-les-Bains
Quartier-Caliot
Azur
Herm
Cluquetardit
Étang de Pinsolle
Bayonnais
Étang de Soustons
Magescq
Soustons
D 652
D 626
D 46
D 87
D 44
D 38
D 63
D 41
D 167
D 88
D 5
D 42
D 142
D 16
D 116
D 947
D 79
E 5 E 70
(A 63) N 10
196

PARC RÉGIONAL DES LANDES DE GASCOGNE
AG
AH
AI
AJ
AK
166
167
182
197
87
88
89
90
91
92
93
PARENTIS-EN-BORN
Ychoux
Liposthey
Moustey
Argelouse
Belhade
Castelnau
la Crabette
Capuron
Montauzey
Botte
Richet
le Brous
le Haut-Richet
Harribey
la Ville
Naudon
les Pesqueyres
SORE
Douc
PISSOS
Menroux
Poms
Bourruque
Malet
Mothes
les Espalanques
Lucats
Lavigne
Forêt de Ligautenx
Grand-Ligautenx
Petit-Ligautenx
Escoursolles
Bern
Gruey
le Thus
Pirette
Callen
Luxey
Écomusée
Carbouade
Mahan
Pédelay
Sarroucas
Daugnague
Baxentes
Fontaine de St-Jean Bouricos
Lüe
Gaillard
les Houssats
Labouheyre
Guisoua
Guidenson
Commensacq
Trensacq
le Désert
Médous
Gillet
Grué
Terrenave
Angoulin
Escource
Paguetout
Marquèze
Écomusée
Chapelle
Lesgoudies
Nan
Bathariére
Bouheben
Solférino
Cap-de-Pin
SABRES
Perrègue
Musée Napoléon III
Lasbroudes
Marais du Platiet
Lestage
Lompre
le Sen
Lesbordes
Couartes
Maguide
Vert
LABRIT
Luglon
le Barrail
Marais de l'Anguille
Marais du Brau de Pian
Comalis
Forêt de Morcenx
Laharie
Hourre
MORCENX
Cachen
Sindères
Garein
PUY LUCON
Brocas
Bezin
RÉSERVE NATURELLE
Arjuzanx
Garrosse
Parcs de Poussade
Morcenx-Bourg
Malecraste
Arengosse
Bagatelle
la Chapelle
Fruit
Marais de la Coumme
Cère
Lapeyre
Souquet
Villenave
Chinan
Tour
Ygos-St-Saturnin
Geloux
Ousse-Suzan
Suzan
Rion-des-Landes
le Gourmau
St-Martin-d'Oney
Campet-et-Lamolère
Uchacq-et-Parentis
Beylongue
Pouy
Coumet
Laurens
Mailloc
Lamolère
Boos
Toine
St-Orens
MONT-DE-MARSAN
Camp Militaire
St-Jean-d'Août
St-Médard
Carcen-Ponson
St-Yaguen
Berteuil
Pouchiou
St-Pierre-du-Mont
Ste-Croix
Meilhan
St-Perdon
Campagne
Laluque
Lesgor
Cangrand
Ponson
Carcarès-Ste-Croix
Bretagne-de-Marsan
TARTAS
Lestronques
Haut-Mauco
Benquet
Bégaar
le Leuy
Aurice
Gourbera
Petche
Audon
St-Jean-de-Lier
Vicq-d'Auribat
Gouts
Comne de Bas-Mauco
Chlle N.D. de Buglose
Pontonx-s.-l'Adour
Buglose
Onard
St-Étienne
Lamothe
Souprosse
Cauna
Comne de St-Vincent-de-Paul
Berceau de St-Vincent-de-Paul
Préchacq-les-Bains
Cass
Laurede
Louer
St-Geours-d'Auribat
Poyanne
MUGRON
Nerbis
Toulouzette
ST-SEVER
GRENADE-S.-L'ADOUR
Larrivière
Téthieu
l'Église
10 km
N 10 (A 63)
E 5
E 70
N 134
N 124
D 43
D 626
D 45
D 44
D 38
D 651
D 924
Adour

167
168
181
198
AK
AL
AM
AN
AO
87
88
89
90
91
92
93
Préchac
Marimbault
Pompéjac
Sauviac
Cauvignac
Romestaing
Guérin
Bourideys
Souis
Insos
Bernos-Beaulac
Beaulac
Cazalis
Lucmau
Soubiran
GRIGNOLS
Cours-les-Bains
Marions
Sillas
Artiguevieille
Musset
Taves
Pétron
les Trois-Chênes
Heuliès
Antagnac
Poussignac
Ruffiac
BOUGLON
Argenton
Figuès
Lanan
Pirette
Callen
Dumène
Pallas
les Deymets
CAPTIEUX
Escaudes
Lerm-et-Musset
Goualade
St-Martin-Curton
Comne de Beauziac
le Bouchet
Saurine
CASTELJALOUX
Castelnau
St-Michel-de-Castelnau
Giscos
Pinchoix
Pindères
Péjouans
la Roque
Ecomusée
CHAMP DE TIR
Maillas
Lartigue
Prulies
Pompogne
Pédelay
Sarroucas
Gouts
Sauméjan
Font-Guillem
Rieussout
Publanc
le Poteau
Grand-Ponchot
Allons
HOUEILLÈS
Luxigney
Bertranet
le Houga
Etang de Graoulie
Labroudes
Traverses
Tour-Neuve
le Sen
Bourriot-Bergonce
l'Artigaou
Bergonce
Miquetot
Jourets
Morin
Lencouacq
Chlle de Lugaut
Retjons
Vialotte
Ouv. prochaine
Losse
Lubbon
Peyrebère
Carr. du Tremblant
Arx
Lussolle
Baudignan
Lasalle
Cachen
Bélis
Bénézet-de-Guinas
Arue
St-Gor
Estampon
Lapeyrade
Vielle-Soubiran
ROQUEFORT
Maillères
Sarbazan
Canenx-et-Réaut
St-Martin
Estigarde
Rimbez-et-Baudiets
Laslangaches
Créon-d'Armagnac
Herré
Courau
Ste-Meille
Buros
Carpiet
Lapeyre
Douzevielle
Réault
Bargues
Lucbardez-et-Bargues
Bostens
Pille-l'Ardit
St-Justin
Parissot
Betbezer-d'Armagnac
St-Julien-d'Armagnac
Labeyrie
GABARRET
Escalans
Pouydesseaux
Labastide-d'Armagnac
Lagrange
Chlle N.-D. de Pibèque
la Caloy
St-Avit
Gaillères
Lacquy
St-Aigne
Chlle N.D. des Cyclistes
Barbotan-les-Thermes
Mauvezin-d'Armagnac
Bellevue
Sarran
Parleboscq
Béziey
Ste-Foy
la Bataille
le Frêche
CAZAUBON
Lac de l'Uby
Bouau
Duran
St-Vidou
Bréchan
Monclar
Peyroué
Ste-Fauste
Laballe
Bougue
St-Cricq-Villeneuve
VILLENEUVE-DE-MARSAN
Arthez-d'Armagnac
Lannemaignan
Mauléon-d'Armagnac
Larée
St-Médard
Mazerolles
Laglorieuse
Perquie
Pujo-le-Plan
Ravignan
Montégut
Soubère
Berduquet
Marguestau
Lauran
Cutxan
Cap-Pelat
Escagnan
Bretagne-de-Marsan
Arricaud
le Plan
Carrette
St-Cane
Castagnet
Castex-d'Armagnac
Estang
Borcary
Lias-d'Armagnac
Campagne-d'Armagnac
Réans
EAUZE
Artassenx
Gaube
Monguilhem
Maupas
le Pin
Caves
St-Gein
Bourdalat
St-Roch
Ayzieu
Maurrin
Bascons
Hontanx
Toujouse
Monlezun-d'Armagnac
Panjas
Sauboires
Castandet
les Arbouts
Rondebœuf
Bascaules
Laujuzan
Salles-d'Armagnac
Bourrouillan
Mormès
Cantiran
Manciet
St-Maurice-s.-Adour
les Quatre-
la Vallée
Caupenne-d'Armagnac
Larrivière
Bordères-et-Lamensans
le Vigna
Lussagnet
Brouquères
le Houga
Perchède
Magnan
Espagnet
Ste-Christie-d'Armagnac
Bouit-Jusan
Cravencères
la Parisie
D 4
D 9
D 10
D 11
D 12
D 15
D 24
D 30
D 32
D 33
D 35
D 36
D 37
D 51
D 104
D 114
D 115
D 124
D 154
D 157
D 291
D 323
D 377
D 428
D 626
D 656
D 665
D 931
D 932
D 933
D 934
N 124
N 524
D 924

168
169
199
184
AP
AQ
AR
AS
AT
87
88
89
90
91
92
93
LE MAS-D'AGENAIS
Grateloup
Fauillet
Sermet
Pinel-Hauterive
Septfond
Lagruère
TONNEINS
Laparade
CASTELMORON-S.-LOT
STE-LIVRADE-S.-LOT
VILLENEUVE-S.-LOT
Pujols
Grézet-Cavagnan
Calonges
Fongrave
Granges-s.-Lot
Allez-et-Cazeneuve
Ste-Gemme-Martaillac
Villeton
Clairac
le Temple-sur-Lot
Labastide-Castel-Amouroux
Razimet
Dolmayrac
Ste-Colombe-de-Villeneuve
Leyritz-Moncassin
Queyran
Monheurt
Bourran
Lafitte-s.-Lot
Montpezat
Nicole
St-Sardos
Puch-d'Agenais
Lacépède
Villefranche-du-Queyran
Cours
Sembas
Aiguillon
DAMAZAN
St-Léon
Laugnac
Castella
Anzex
Lagarrigue
Galapian
St-Salvy
PRAYSSAS
St-Léger
Frégimont
Buzet-s.-Baïse
Thouars-s.-Garonne
PORT-STE-MARIE
Bazens
Lusignan-Petit
Caubeyres
Clermont-Dessous
St-Pierre-de-Buzet
Fargues-s.-Ourbise
St-Laurent
Foulayronnes
Ambrus
St-Hilaire-de-Lusignan
Xaintrailles
Mongaillard
Feugarolles
Sérignac-s.-Garonne
Colayrac-St-Cirq
Pompiey
Vianne
Bruch
Montesquieu
Brax
AGEN
LAVARDAC
le Passage
Barbaste
Durance
Espiens
Ste-Colombe-en-Bruilhois
Roquefort
Bon-Encontre
Montagnac-s.-Auvignon
Boé
Sauveterre-St-Denis
NÉRAC
Moncaut
Estillac
Aubiac
Moirax
Calignac
Layrac
Saumont
LAPLUME
Andiran
Fréchou
Fieux
Nomdieu
St-Vincent-de-Lamontjoie
Comne de Marmont-Pachas
Réaup-Lisse
Lamontjoie
Fals
Lasserre
FRANCESCAS
MÉZIN
Pergain-Taillac
ASTAFFORT
Sos
Poudenas
Lannes
Ligardes
Pouy-Roquelaure
Moncrabeau
St-Mézard
Ste-Maure-de-Peyriac
Gazaupouy
Berrac
Sempesserre
Ste-Mère
Fourcès
St-Martin-de-Goyne
Larroque-Engalin
Castéra-Lectourois
St-Avit-Frandat
Labarrère
Larroque-s.-l'Osse
Castelnau-s.-l'Auvignon
Lagarde
CONDOM
MONTREAL
Beaumont
Larressingle
Marsolan
Lauraët
Caussens
Blaziert
LECTOURE
Mouchan
Cassaigne
Béraut
St-Orens-Pouy-Petit
Roquepine
Lagraulet-du-Gers
Terraube
Gondrin
Mas-d'Auvignon
Cazeneuve
VALENCE-S.-BAÏSE
Maignaut-Tauzia
St-Puy
Mansencôme
Lamothe-Goas
Pauilhac
Courrensan
Roques
La Sauvetat
Lagardère
Beaucaire
Ayguetinte
FLEURANCE
Ste-Radegonde
Ramouzens
Bezolles
Justian
Larroque-St-Sernin
Réjaumont
Noulens
Mourède
Castéra-Verduzan
Cézan
Lannepax
Rozès
Marambat
Bonas
10 km
A 62
N 113
N 21
D 931
D 930
D 911

AU
169
AV
AW
170
AX
183
200
87
88
89
90
91
92
93
TOURNON-D'AGENAIS
PENNE-D'AGENAIS
MONTAIGU-DE-QUERCY
MONTCUQ
LAROQUE-TIMBAUT
BEAUVILLE
BOURG-DE-VISA
LAUZERTE
PUYMIROL
VALENCE
MOISSAC
AUVILLAR
ST-NICOLAS-DE-LA-GRAVE
CASTELSARRASIN
MIRADOUX
LAVIT
ST-CLAR
BEAUMONT-DE-LOMAGNE
MONTECH
VERDUN-S-GARONNE
LAFRANÇAISE
GARONNE
Tarn
AUTOROUTE DES DEUX MERS
A 62
E 72
N 113
D 661
D 656
D 953
D 927
D 928
St-Sylvestre-s.-Lot
Trémons
Cazideroque
Masquières
St-Matré
Sérignac
Fargues
Carnac-Rouffiac
Pujols
Ste-Colombe-de-Villeneuve
Courbiac
Anthé
Valeilles
Belmontet
Valprionde
Bagat-en-Quercy
St-Beauzeil
Auradou
Massoulès
St-Antoine-de-Ficalba
Hautefage-la-Tour
Roquecor
Belvèze
Ste-Croix
Lebreil
St-Daunès
Frespech
Massels
St-Amans-du-Pech
Blaymont
Bouloc
Montlauzun
St-Laurent-Lolmie
Monbalen
Cassignas
Lacour
Ste-Juliette
Cauzac
Touffailles
Tréjouls
Dondas
Engayrac
Sauvagnas
St-Robert
Fauroux
Montagudet
St-Martin-de-Beauville
Miramont-de-Quercy
Cazes-Mondenard
la Sauvetat-de-Savères
St-Nazaire-de-Valentane
St-Amans-de-Pellagal
St-Caprais-de-Lerm
St-Maurin
Brassac
Montjoi
Tayrac
Castelculier
Perville
Castelsagrat
St-Pierre-de-Clairac
St-Jean-de-Thurac
Grayssas
St-Urcisse
St-Clair
Clermont-Soubiran
Gasques
St-Nicolas-de-la-Balerme
St-Sixte
Lamagistère
Golfech
Caudecoste
Donzac
Goudourville
St-Vincent-Lespinasse
Boudou
Pommevic
Malause
Lizac
Dunes
St-Loup
Espalais
Meauzac
Cuq
Sistels
Merles
Albefeuille-Lagarde
St-Cirice
Bardigues
St-Michel
Gimbrède
St-Antoine
le Pin
Flamarens
Mansonville
Castelmayran
St-Aignan
Castelferrus
Caumont
Peyrecave
Castéra-Bouzet
Angeville
St-Porquier
Castet-Arrouy
Lachapelle
St-Jean-du-Bouzet
Asques
St-Arroumex
Garganvillar
Cordes-Tolosannes
Escatalens
Poupas
Puygaillard-de-Lomagne
Fajolles
Lafitte
Plieux
Balignac
Gensac
Coutures
Labourgade
Montain
Bourret
Marsac
Gramont
Montgaillard
Larrazet
Maumusson
Sérignac
St-Créac
Mauroux
Esparsac
Finhan
Castéron
Belbèse
St-Sardos
Mas-Grenier
Glatens
Vigueron
Montbéqui
Gaudonville
Avezan
Lamothe-Cumont
Bessens
St-Léonard
Tournecoupe
Cumont
Comberouger
Dieupentale
Pessoulens
Auterive
Gimat
Brugnens
Marignac
Bouillac
Cadeilhan
Bivès
Estramiac
Avensac
Escazeaux
Savenès
Faudoas
Beaupuy
Homps
Maubec
Goas
Lalanne
Solomiac
Aucamville
Taybosc
Monfort
Lagraulet-St-Nicolas
Brignemont
Le Burgo
Sauzet
Ste-Mère
ASTAFFORT
Castelnau-d'Arbieu
Urdens
Céran
Magnas

170
171
QUERCY
CAUSSE DE LIMOGNE
Cambayrac
Flottes
Peyrefite
Esclauzels
St-Cirice
Aujols
Flaujac-Poujols
Lugagnac
Concots
St-Jean-de-Laur
Villesèque
Labastide-Marnhac
le Montat
Laburgade
Cremps
Limogne-en-Quercy
Promilhanes
Lhospitalet
Cieurac
Escamps
Varaire
Laramière
Cahors-Sud
Lalbenque
Vaylats
Bach
Beauregard
Vidaillac
Cézac
Pern
Saillac
Fontanes
St-Hilaire
Aubrelong
St-Projet
Puylagarde
Ste-Alauzie
St-Paul-de-Loubressac
Labastide-de-Penne
CAMP DE CAYLUS
Belmont-Ste-Foi
Flaugnac
Castelnau-Montratier
Montdoumerc
Belfort-du-Quercy
Mouillac
Espagots
Lacapelle-Livron
Loze
Parisot
Montpezat-de-Quercy
Puylaroque
Caylus
Montfermier
Montalzat
Lapenche
Cayriech
St-Georges
Lavaurette
Labarthe
St-Martin-des-Piamont
Espinas
Ginals
Verfeil
Molières
Auty
Monteils
Septfonds
Caussade
St-Vincent
Servanac
St-Antonin-Noble-Val
Comne de Puycornet
Mirabel
St-Cirq
Pradals
Féneyrols
Montrosier
Milhars
Varen
Réalville
Cazals
Ste-Sabine
St-Michel-de-Vax
Piquecos
Comne de l'Honor-de-Cos
Cayrac
Albias
Bioule
Nègrepelisse
Montricoux
Roussayrolles
Lamothe-Capdeville
Penne
Vaour
Villemade
St-Étienne-de-Tulmont
Bruniquel
Tonnac
Itzac
Montauban
Vaissac
Campagnac
Puygaillard-de-Quercy
FORÊT DE LA GRÉSIGNE
St-Beauzile
Alos
Comne de Léojac
Génébrières
Larroque
Puycelci
Ste-Cécile-du-Cayrou
le Verdier
Vieux
Andillac
Bressols
St-Nauphary
Monclar-de-Quercy
Castelnau-de-Montmiral
Montdurausse
Comne de la Sauzière-St-Jean
Corbarieu
St-Urcisse
Verlhac-Tescou
Broze
Labastide-St-Pierre
Reyniès
Montgaillard
Villebrumier
Orgueil
Varennes
Salvagnac
Beauvais-s.-Tescou
Nohic
Campsas
Tauriac
le Born
Fabas
Villemur-s.-Tarn
Montvalen
Canals
Fronton
Bondigoux
Layrac-s.-Tarn
Grazac
Lisle-s.-Tarn
Villaudric
Villematier
Mirepoix-s.-Tarn
Roquemaure
Rabastens
Loupiac
Pompignan
St-Rustice
Couffouleux
Bessières
Mézens
186
201
10 km

171 172

BD
BE
BF
BG
BH
VILLENEUVE
St-Igest
Lanuéjouls
RIGNAC
Privezac
Maleville
Brandonnet
Belcastel
Mayran
Puyjourdes
St-Rémy
Toulonjac
Martiel
Savignac
VILLEFRANCHE-DE-ROUERGUE
Compolibat
Prévinquières
la Bastide-l'Evêque
Morlhon-le-Haut
Vailhourles
la Rouquette
Sanvensa
RIEUPEYROUX
la Capelle-Bleys
Colombiès
Moyrazès
Parisot
Castanet
Monteils
St-Salvadou
Vabre-Tizac
Boussac
Gramond
NAJAC
la Fouillade
Lunac
Lescure-Jaoul
Pradinas
LA SALVETAT-PEYRALÈS
Sauveterre-de-Rouergue
Quins
Tayrac
Bor-et-Bar
NAUCELLE
Ginals
Varen
Laguépie
St-Martin-Laguépie
St-André-de-Najac
Castelmary
Cabanès
Camjac
Centrès
Montirat
Crespin
Tauriac-de-Naucelle
Mirandol-Bourgnounac
St-Christophe
Meljac
Lacapelle-Ségalar
le Ségur
PAMPELONNE
St-Just-s.-Viaur
Tanus
Marnaves
Mouzieys-Panens
Bournazel
Laparrouquial
Almayrac
Trévien
Ste-Gemme
Tréban
Lédas-et-Penthiès
St-Marcel-Campes
Salles
MONESTIÈS
CARMAUX
Moularès
Lacapelle-Pinet
Vindrac-Alayrac
CORDES-S.-CIEL
Livers-Cazelles
Combefa
St-Benoît-de-Carmaux
Rosières
St-Jean-de-Marcel
Crespin
Padiès
Faussergues
VALENCE-D'ALBIGEOIS
Amarens
Souel
Virac
Milhavet
Blaye-les-Mines
Labastide-Gabausse
Frausseilles
Noailles
le Garric
VALDERIÈS
Donnazac
Andillac
Villeneuve-s.-Vère
Mailhoc
Taix
Saussenac
St-Julien-Gaulène
St-Michel-Labadié
Cahuzac-s.-Vère
Castanet
Cestayrols
Cagnac-les-Mines
Sérénac
Assac
Montels
Fayssac
Bernac
Ste-Croix
Lescure-d'Albigeois
Arthès
St-Grégoire
St-Cirgue
Broze
Senouillac
Castelnau-de-Lévis
Crespinet
Ambialet
Courris
Labastide-de-Lévis
Terssac
ALBI
St-Juéry
Marsal
St-André
Rivières
Marssac-s.-Tarn
Puygouzon
Cambon
GAILLAC
Lagrave
Florentin
Rouffiac
Saliès
Carlus
VILLEFRANCHE-D'ALBIGEOIS
Le Frayssé
Brens
Fréjairolles
Mouzieys-Teulet
Aussac
Labastide-Dénat
Poulan-Pouzols
CADALEN
Técou
Fénols
Orban
Lamillarié
Dénat
Paulinet
Teillet
Fauch
Ronel
Rayssac
Labessière-Candeil
Roumégoux
Mont-Roc
202
185

CAUSSE DU COMTAL
172
173
BI
BJ
BK
BL
BM
RODEZ
Onet-le-Château
Sébazac-Concourès
Montrozier
Bertholène
Palmas
Vimenet
LAISSAC
la Loubière
FORÊT DES PALANGES
Sévérac-l'Eglise
Gaillac-d'Aveyron
Buzeins
Druelle
Olemps
le Monastère
Agen-d'Aveyron
Ste-Radegonde
Luc
Arques
le Vibal
Recoules-Prévinquières
Lapanouse
Lavernhe
Flavin
PONT-DE-SALARS
Ségur
VÉZINS-DE-LÉVÉZOU
Calmont
Prades-Salars
Trémouilles
Canet-de-Salars
Comps-la-Grand-Ville
Ste-Juliette-s-Viaur
Curan
Lac de Pareloup
St-Léons
St-Laurent-de-Lévézou
Verrières
Arvieu
SALLES-CURAN
Salmiech
CASSAGNES-BÉGONHES
PARC
ST-BEAUZÉLY
Auriac-Lagast
Alrance
LE LÉVÉZOU
Castelnau-Pégayrols
Rullac-St-Cirq
Durenque
la Selve
Montjaux
Ouv. début 2005
188
Villefranche-de-Panat
la Serre
Viala-du-Tarn
Comprégnac
Lestrade-et-Thouels
Ayssènes
le Truel
St-Victor-et-Melvieu
ST-ROME-DE-TARN
St-Georges-de-Luzençon
St-Jean-Delnous
RÉQUISTA
Connac
les Costes-Gozon
RÉGIONAL
St-Rome-de-Cernon
Brousse-le-Château
Broquiès
Roquefort-s.-Soulzon
Brasc
Montclar
St-Izaire
ST-AFFRIQUE
Fraissines
Coupiac
la Bastide-Solages
Calmels-et-le-Viala
Vabres-l'Abbaye
St-Jean-d'Alcapiès
Martrin
Plaisance
DES
St-Jean-et-St-Paul
Curvalle
St-Juéry
Balaguier-s.-Rance
ST-SERNIN-S.-RANCE
Rebourguil
Versols-et-Lapeyre
Mioles
St-Félix-de-Sorgues
Montlaur
Massals
Pousthomy
GRANDS
CAUSSES
Montfranc
Combret
Gissac
Montagnol
la Verdole
Sylvanès
BELMONT-S.-RANCE
CAMARÈS
203
10 km
Laval-Roquecezière
Fayet

173
174
187
204

BR
BS
BT
BU
BV
174
175
205
190
LE PONT-DE-MONTVERT
Fraissinet-de-Lozère
GÉNOLHAC
LES VANS
Berrias-et-Casteljau
Beaulieu
Malbosc
Bonnevaux
Concoules
Vialas
St-Maurice-de-Ventalon
Sénéchas
Aujac
Bordezac
St-Paul-le-Jeune
Chambon
Chamborigaud
BESSÈGES
Peyremale
la Vernarède
Robiac-Rochessadoule
Meyrannes
St-Brès
ST-AMBROIX
St-Victor-de-Malcap
Molières-s.-Cèze
St-Florent-s.-Auzonnet
St-Jean-de-Valériscle
Cassagnas
BARRE-DES-CÉVENNES
St-Julien-des-Points
Ste-Cécile-d'Andorge
le Collet-de-Dèze
St-Michel-de-Dèze
Branoux-les-Taillades
LA GRAND-COMBE
Laval-Pradel
les Salles-du-Gardon
Rousson
St-Martin-de-Lansuscle
ST-GERMAIN-DE-CALBERTE
St-Martin-de-Boubaux
Ste-Croix-Vallée-Française
St-Étienne-Vallée-Française
Gabriac
ST-ANDRÉ-DE-VALBORGNE
Salindres
Servas
St-Martin-de-Valgalgues
St-Paul-la-Coste
St-Sébastien-d'Aigrefeuille
ALÈS
St-Privat-des-Vieux
Mons
Saumane
les Plantiers
l'Estréchure
ST-JEAN-DU-GARD
Mialet
St-Jean-du-Pin
Méjannes-lès-Alès
Corbès
Thoiras
Générargues
St-Christol-lès-Alès
Bagard
St-Hilaire-de-Brethmas
Deaux
St-Hippolyte-de-Caton
VÉZENOBRES
ANDUZE
LASALLE
Soudorgues
N.-D.-de-la-Rouvière
St-Martial
Colognac
Tornac
St-Félix-de-Pallières
Vabres
Ribaute-les-Tavernes
Cardet
Massanes
Ners
Martignargues
Lézan
Ledignan
Marujéols-lès-Gardon
Boucoiran-et-Nozières
St-Roman-de-Codières
Monoblet
Fressac
SUMÈNE
Roquedur
ST-HIPPOLYTE-DU-FORT
Cros
Savignargues
Aigremont
Domessargues
Sauzet
GANGES
Laroque
Montoulieu
SAUVE
Conqueyrac
Logrian-Florian
Puechredon
St-Théodorit
Bragassargues
Cannes-et-Clairan
Moulézan
Montignargues
Montagnac
St-Bauzély
Fons
Cazilhac
Agonès
QUISSAC
St-Bauzille-de-Putois
Pompignan
Brissac
Ferrières-les-Verreries
CLARET
Corconne
Brouzet-lès-Quissac
Sardan
Crespian
Montmirat
ST-MAMERT-DU-GARD
Vic-le-Fesq
Combas
Montpezat
Parignargues
Vacquières
Sauteyrargues
Lauret
Gailhan
Lecques
Carnas
St-Clément
Fontanès
Aspères
Salinelles
Souvignargues
St-Côme-et-Maruéjols
Clarensac
Notre-Dame-de-Londres
St-André-de-Buèges
Valflaunès
SOMMIÈRES
Villevieille
Congénies
Calvisson
Nages-et-Solorgues
10 km

175
176

189
206

176
177
192
207
CB
CC
CD
CE
CF
10 km
Chantemerle-lès-Grignan
Grillon
St-Pantaléon-les-Vignes
Venterol
NYONS
VALRÉAS
Aubres
les Pilles
Arpavon
le Poët-Sigillat
Montaulieu
Ste-Jalle
Bellecombe-Tarendol
St-Sauveur-Gouvernet
Montségur-s.-Lauzon
Richerenches
la Baume-de-Transit
Vinsobres
Châteauneuf-de-Bordette
Rochebrune
Bésignan
Visan
Mirabel-aux-Baronnies
Piégon
Bénivay-Ollon
Beauvoisin
Vercoiran
Bouchet
Tulette
St-Maurice-s.-Eygues
Villedieu
BUIS-LES-BARONNIES
la Roche-s.-le-Buis
Ste-Euphémie-s.-Ouvèze
Buisson
Puyméras
Mérindol-les-Oliviers
Propiac
St-Roman-de-Malegarde
Faucon
la Penne-s.-l'Ouvèze
le Poët-en-Percip
Roaix
St-Romain-en-Viennois
Pierrelongue
VAISON-LA-ROMAINE
Mollans-s.-Ouvèze
Eygaliers
Plaisians
Ste-Cécile-les-Vignes
Rasteau
Cairanne
St-Marcellin-lès-Vaison
Lagarde-Paréol
Crestet
Entrechaux
St-Léger-du-Ventoux
Séguret
Brantes
Sablet
Beaumont-du-Ventoux
Savoillan
Reilhanette
Sérignan-du-Comtat
Travaillan
Gigondas
MALAUCÈNE
Suzette
MONT VENTOUX
Camaret-s.-Aigues
Violès
Lafare
la Roque-Alric
ORANGE
Vacqueyras
le Barroux
Bédoin
St-Hippolyte-le-Graveyron
Crillon-le-Brave
Flassan
BEAUMES-DE-VENISE
Caromb
Jonquières
Modène
St-Pierre-de-Vassols
Aubignan
Monieux
Courthézon
Sarrians
Loriol-du-Comtat
MORMOIRON
Mazan
Villes-s.-Auzon
CARPENTRAS
BÉDARRIDES
Blauvac
Monteux
Malemort-du-Comtat
Méthamis
Entraigues-s.-la-Sorgue
Sorgues
Althen-des-Paluds
St-Didier
PERNES-LES-FONTAINES
Vénasque
Vedène
la Roque-s.-Pernes
le Beaucet
PLATEAU
le Pontet
Velleron
St-Saturnin-lès-Avignon
Morières-lès-Avignon
Jonquerettes
Saumane-de-Vaucluse
Murs
Lioux
St-Saturnin-lès-Apt
Le Thor
Fontaine-de-Vaucluse
Joucas
Villars
Montfavet
Châteauneuf-de-Gadagne
L'ISLE-S.-LA-SORGUE
GORDES
Caumont-s.-Durance
Cabrières-d'Avignon
Roussillon
Gargas
APT
Lagnes
St-Pantaléon
Noves
CHÂTEAURENARD
Goult
Cabannes
Beaumettes
Maubec
Robion
Ménerbes
Lacoste
BONNIEUX
Eyragues
Verquières
St-Andiol
CAVAILLON
Taillades
Oppède-le-Vieux
Plan-d'Orgon
PARC RÉGIONAL
Mollégès
ST-RÉMY-DE-PROVENCE
Cheval-Blanc
MONTAGNE
ORGON
Mérindol
Puget
Lauris
Lourmarin
Ouv. été 2005
AVIGNON-NORD
AVIGNON-SUD
ORANGE-SUD
CAVAILLON

177
178
191
208
CF
CG
CH
CI
CJ
87
88
89
90
91
92
93
Sorbiers
Montrond
St-Genis
Claret
Montjay
Trescléoux
Eyguians
Lazer
Chalabrus
Montferrand-la-Fare
Lemps
Sironne
Chanousse
Lagrand
Saléon
Arzeliers
Thèze
Upaix
Sigoyer
Roussieux
Villebois-les-Pins
Étoile-St-Cyrice
ORPIERRE
Comne de Nossage-et-Bénévent
LARAGNE-MONTÉGLIN
Chauvac
Comne de Laux-Montaux
Laborel
Ste-Colombe
Comne de Châteauneuf-de-Chabre
le Poët
Montguers
St-Auban-s.-l'Ouvèze
Comne de Montauban-s.-l'Ouvèze
Comne de Rioms
Izon-la-Bruisse
Ballons
Barret-s.-Méouge
St-Pierre-Avez
Antonaves
Mison
le Poët-en-Percip
Comne de Mévouillon
Eygalayes
Lachau
Salérans
RIBIERS
Aulan
Comne de Vers-s.-Méouge
Villefranche-le-Château
SÉDERON
Éourres
SISTERON
Barret-de-Lioure
Montfroc
Curel
St-Vincent-s.-Jabron
NOYERS-S.-JABRON
Bevons
Montbrun-les-Bains
Reilhanette
les Omergues
Comne de Châteauneuf-Miravail
Valbelle
Peipin
Aubignosc
Ferrassières
Aurel
MONTAGNE DE LURE
SIGNAL DE LURE
Comne de Châteauneuf-Val-St-Donat
St-Trinit
SAULT
Revest-du-Bion
Comne de Redortiers
Saumane
l'Hospitalet
la Rochegiron
Lardiers
Mallefougasse-Augès
Cruis
ST-ÉTIENNE-LES-ORGUES
PLATEAU D'ALBION
VAUCLUSE
St-Christol
BANON
Montsalier
Ongles
Comne de Montlaux
Comne de Revest-St-Martin
PEYRUIS
Comne de Ganagobie
Fontienne
Sigonce
Limans
Lagarde-d'Apt
Simiane-la-Rotonde
Revest-des-Brousses
Lurs
FORCALQUIER
Pierrerue
St-Saturnin-lès-Apt
Oppedette
Aubenas-les-Alpes
Mane
Niozelles
la Brillanne
Rustrel
Villars
Gignac
Vachères
St-Michel-l'Observatoire
Tour St-Maime
Dauphin
Oraison
Villeneuve
Gargas
Viens
Ste-Croix-à-Lauze
APT
Caseneuve
REILLANNE
St-Martin-les-Eaux
Volx
St-Martin-de-Castillon
Villemus
Saignon
Céreste
Montjustin
MANOSQUE
Buoux
Castellet
Auribeau
Montfuron
Sivergues
Pierrevert
BONNIEUX
Vitrolles-en-Lubéron
MONTAGNE DU LUBÉRON
Peypin-d'Aigues
Cabrières-d'Aigues
Ste-Tulle
Vaugines
Cucuron
la Motte-d'Aigues
la Bastide-des-Jourdans
St-Martin-de-Brômes
Gréoux-les-Bains
Puyvert
Lauris
St-Martin-de-la-Brasque
SISTERON-NORD
SISTERON-SUD
Manosque

178
179
194
209
CK
CL
CM
CN
CO
87
88
89
90
91
92
93
LA MOTTE-DU-CAIRE
le Caire
Clamensane
Bayons
Valavoire
Nibles
Châteaufort
St-Geniez
Authon
Barles
Auzet
Verdaches
le Vernet
Seyne
Prads-Haute-Bléone
Beaujeu
LA JAVIE
le Brusquet
Draix
Archail
Marcoux
Thoard
Sourribes
VOLONNE
Barras
Champtercier
DIGNE-LES-BAINS
l'Escale
Aiglun
Mirabeau
Mallemoisson
Malijai
MÉES
le Chaffaut-St-Jurson
Châteauredon
Entrages
MÉZEL
Beynes
Puimichel
St-Jeannet
Estoublon
Entrevennes
le Castellet
Bras-d'Asse
St-Julien-d'Asse
Majastres
Senez
Barrême
St-Jacques
Comne de Chaudon-Norante
St-Lions
Moriez
ST-ANDRÉ-LES-ALPES
Thorame-Haute
Thorame-Basse
Lambruisse
Comne de Clumanc
Comne de Tartonne
Villars-Colmars
Angles
St-Julien-du-Verdon
Blieux
CASTELLANE
la Garde
Brunet
Puimoisson
MOUSTIERS-STE-MARIE
RIEZ
Roumoules
Montagnac-Montpezat
Allemagne-en-Provence
Ste-Croix-de-Verdon
Aiguines
les Salles sur-Verdon
La Palud-sur-Verdon
Rougon
Trigance
le Bourguet
Brenon
Châteauneuf-lès-Moustiers
PARC
RÉGIONAL
DU
VERDON
Ouv. fin 2004
CHAMP DE TIR
10 km

179
193
210

Allos
Colmars
Beauvezer
Thorame-Haute
Annot
Entrevaux
Puget-Théniers
Guillaumes
St-Étienne-de-Tinée
Isola
Beuil
Valberg
Auron
Entraunes
St-Martin-d'Entraunes
Villeneuve-d'Entraunes
Châteauneuf-d'Entraunes
Péone
Daluis
Sausses
Méailles
Le Fugeret
Braux
St-Benoît
Castellet-lès-Sausses
Villars-s.-Var
Touët-s.-Var
Roquesteron
Aiglun
Sallagriffon
St-Auban
Briançonnet
Séranon
Andon
Caille
Valderoure
Peyroules
La Garde
Castellane
St-Julien-du-Verdon
Vergons
Angles
Demandolx
Soleilhas
Ubraye
Gréolières
Cipières
Coursegoules
Courmes
Gourdon
Le Bar-s.-Loup
Caussols
Thorenc
Cime de la Bonette
St-Dalmas-le-Selvage
Mont Pelat
Le Grand Coyer
Rigaud
Pierlas
Ilonse
Roubion
Roure
Lieuche
Thiéry
Auvare
Puget-Rostang
St-Léger
La Croix-s.-Roudoule
Amirat
Collongues
Les Mujouls
Gars
Le Mas
Conségudes
Escragnolles
La Bastide
Bargème
Brenon
Châteauvieux
La Martre
Gorges du Cians
Gorges de Daluis
Gorges du Loup
Parc

DEMONTE
Moiola
ROCCAVIONE
Valdieri
Entracque
Roschia
Vernante
LIMONE-PIEMONTE
PARCO
NATURALE
DELL'
ARGENTERA
NATIONAL
DU
MERCANTOUR
TENDE
la Brigue
St-Dalmas-de-Tende
ST-MARTIN-VÉSUBIE
Venanson
ROQUEBILLIÈRE
Belvédère
la Bollène-Vésubie
LANTOSQUE
FORÊT DE CAYROS
Saorge
Fontan
BREIL-S.-ROYA
Pigna
Castel-Vittorio
Baiardo
Apricale
Isolabona
Rochetta-Nervina
Dolceacqua
Airole
Olivetta-S.-Michele
SOSPEL
Moulinet
Peïra-Cava
Lucéram
Utelle
Levens
Coaraze
L'ESCARÈNE
Castillon
Castellar
MENTON
VENTIMIGLIA
BORDIGHERA
Vallecrosia
Camporosso
Ospedaletti
Roquebrune-Cap-Martin
Cap Martin
BEAUSOLEIL
MONTE CARLO
la Condamine
MONACO
Cap-d'Ail
Eze
Beaulieu-s.-Mer
la Turbie
Peille
Peillon
Contes
Drap
Cantaron
St-André-de-la-Roche
la Trinité
Falicon
Aspremont
Tourrette-Levens
Castagniers
Colomars
CARROS
Gattières
St-Martin-du-Var
la Roquette-s.-Var
Gilette
Bonson
Revest-les-Roches
Tournefort
Clans
St-Jean-Cap-Ferrat
VILLEFRANCHE
St-Paul
St-LAURENT
RIVIERA
10 km
211

180

GOLFE
DE GASCOGNE
Fosse de Capbreton
SOUSTONS
Magescq
Seignosse
Soorts-Hossegor
Hossegor
Capbreton
Labenne
Ondres
Tarnos
Boucau
Anglet
BAYONNE
BIARRITZ
ST-PIERRE-D'IRUBE
ST-MARTIN-DE-SEIGNANX
ST-VINCENT-DE-TYROSSE
St-Geours-de-Maremne
Bénesse-Maremne
Saubrigues
Saubion
Angresse
Tosse
Orx
St-André-de-Seignanx
Biarrotte
Biaudos
St-Martin-de-Hinx
Ste-Marie-de-Gosse
St-Laurent-de-Gosse
St-Barthélemy
Port-de-Lanne
Orthevielle
PEYREHORADE
Hastingues
Sames
Guiche
Urt
Urcuit
Lahonce
Mouguerre
Villefranque
Briscous
BIDACHE
Bardos
LA BASTIDE-CLAIRENCE
HASPARREN
Ayherre
Bonloc
Isturits
St-Martin-d'Arberoue
Méharin
ST-PALAIS
Garris
Orègue
Masparraute
Arraute-Charritte
Labets-Biscay
Bergouey-Viellenave
Arancou
Came
USTARITZ
Jatxou
Halsou
Larressore
Cambo-les-Bains
ESPELETTE
Souraïde
St-Pée-s.-Nivelle
Arcangues
Arbonne
Bassussarry
Ahetze
Guéthary
Sare
Ainhoa
Itxassou
Louhossoa
Macaye
Mendionde
St-Esteben
Hélette
Armendarits
IHOLDY
Bidarray
Irissarry
Ossès
St-Martin-d'Arrossa
Suhescun
Zugarramurdi
Urdax-Urdazuli
Amaiur-Maia
Azpilkueta
Erratzu
Arizkun
ST-ÉTIENNE-DE-BAÏGORRY
Irouléguy
Anhaux
Ascarat
Ispoure
Uhart-Cize
ST-JEAN-DE-PORT
St-Jean-le-Vieux
Jaxu
Bunus
Ibarrolle
Juxue
Ostabat-Asme
Uhart-Mixe
Orsanco
Beyrie-s.-Joyeuse
Elizondo
Etxalar
Aincille
Lécumberry
Bascassan

214
215

AG
AH
AI
AJ
AK
181
198
215
216
10 km
94
95
96
97
98
99
100
Pontonx-s.-l'Adour
St-Jean-de-Lier
Vicq-d'Auribat
Lamothe
Buglose
Gousse
Cassen
Laurède
Mugron
Nerbis
Toulouzette
St-Sever
St-Maurice-s.-Adour
Préchacq-les-Bains
Louer
St-Geours-d'Auribat
Poyanne
Téthieu
Gamarde-les-Bains
Lourquen
Hauriet
Montaut
Banos
Montgaillard
Anc.ne Abbaye Divielle
Goos
Candresse
Yzosse
Nousse
Lahosse
Poyaller
Brocas
Audignon
Montsoué
Fargues
Montfort-en-Chalosse
Narrosse
Hinx
St-Aubin
Eyres-Moncube
Dumes
Buanes
Larbey
St-Jean-Baptiste-d'Aulès
Sarraziet
Poyartin
Gibret
Maylis
Doazit
Sort-en-Chalosse
Baigts
Caupenne
Horsarrieu
Coudures
Saugnac-et-Cambran
Garrey
Castelnau-Chalosse
Bergouey
Ste-Colombe
Vielle-Tursan
Ozourt
Aubagnan
Mimbaste
Clermont
Donzacq
Serreslous-et-Arribans
St-Girons
Hagetmau
Bénesse-lès-Dax
Bastennes
St-Cricq-Chalosse
Bats
Urgons
Bois de Labarthe
Gaujacq
Serres-Gaston
Samadet
Pomarez
Brassempouy
Gaas
Lande d'Agès
Cazalis
Momuy
Labastide-Chalosse
Arboucave
Pouillon
Estibeaux
Castel-Sarrazin
Nassiet
Lacrabe
Morganx
Monségur
Misson
Amou
Castaignos-Souslens
Arsague
Tilh
Mouscardès
Habas
Argelos
Poudenx
Mant
Bonnegarde
Marpaps
Beyries
Peyre
Labatut
Ossages
Monget
St-Girons
Bassercles
Castelner
Malaussanne
St-Martin
Bonnut
Ste-Marie
Sault-de-Navailles
Comne de Montagut
Cabidos
Arget
Lahontan
Puyoô
St-Cricq-du-Gave
St-Boès
Labeyrie
Baradat
St-Médard
Moustrou
Arzacq-Arraziguet
Lacadée
Piets-Plasence-Moustrou
Baigts-de-Béarn
Bellocq
Ramous
Sallespisse
Mont du Général Foy
Hagetaubin
Casteide-Candau
Morlanne
Salies
Cassaber
Bérenx
Bas-de-Salles
Castetarbe
Mantette
Garos
Louvigny
Carresse-Cassaber
Salies-de-Béarn
Comne de Salles-Mongiscard
Orthez
Balansun
Mesplède
Poteau-de-Lannes
Bouillon
Pomps
Dax Orthez
Auterrive
Castagnède
Ste-Suzanne
Magret
N'Haux
Géus-d'Arzacq
Uzan
Larreule
Lanneplaà
Castétis
Arthez-de-Béarn
Castillon
Comne d'Arnos
Escos
Oraàs
Laà-Mondrans
Biron
Argagnon
Caubin
Quartier-des-Antys
Sarpourenx
Castetner
Doazon
Mazerolles
Momas
Lasbordes
La Saline
L'Hôpital-d'Orion
Ozenx-Montestrucq
Maslacq
Cagnez
Urdès
Boumourt
Abitain
Athos-Aspis
Orion
Loubieng
Gouze
Mont
Lacq-Audéjos
Aubin
Burgaronne
Lendresse
Audéjos
Casteide-Cami
Comne d'Autevielle-St-Martin-Bideren
Sauveterre-de-Béarn
Beuste
Lacq
Serres-Ste-Marie
Viellenave-d'Arthez
Orriule
Arance
SNPA
Cescau
Andrein
Artix Lacq
Pont Camu
Barraute-Camu
Abidos
Artix
Labastide-Monréjeau
Guinarthe-Parenties
Castetbon
Sauvelade
Os-Marsillon
Osserain-Rivareyte
Laàs
Lagor
Bougarber
Arbouet-Sussaute
Comne de St-Gladie-Arrive-Munein
Narp
Mourenx
Ossenx
Gave de Pau
Beyrie-en-Béarn
Labastide-Cézéracq
Tabaille-Usquain
Ville-Neuve
Noguères
Bésingrand
Montfort
Audaux
Pardies
Tarsacq
Espiute
Araujuzon
Vielleségure
Le Tuquet
Bugnein
Poey-de-Lescar
Gestas
Rivehaute
Araux
Bastanès
Lahourcade
Abos
Denguin
Arbérats-Sillègue
Viellenave-de-Navarrenx
Mériteín
Aussevielle
Domezain-Berraute
Nabas
Siros
Etcharry
Arriu
Mautalen
Lapiste
Charre
Castetnau-Camblong
Navarrenx
Camptort
Monein
Parbayse
Arbus
Aroue-Ithorots-Olhaïby
Lescar
Susmiou
Jasses
Ouv. proch.
Lichos
Cuqueron
Artiguelouve
Olhaïby
Larribar-Sorhapuru
Arrast-Larrebieu
Ogenne-Camptort
Charritte-de-Bas
Sus
Angous
Laroin
Lucq-de-Béarn
Sorhapuru
Undurein
Dognen
Lay-Lamidou
Lohitzun-Oyhercq
Oyhercq
Gurs
Espès-Undurein
Larrory
St-Faust-Bas
Préchacq-Navarrenx
Ainharp
Moncayolle-Larrory-Mendibieu
Lacommande
Aubertin
Saucède
Préchacq-Josbaig
St-Faust
Abense-de-Bas
Pic du Midi (Sanat.)
Mendibieu
Cardesse
Aren
Viodos-Abense-de-Bas
Geüs-d'Oloron
Poey-d'Oloron
Chapelle-de-Rousse
Berrogain-Laruns
L'Hôpital-St-Blaise
Bois du Laring
St-Goin
Géronce
Orin
Chéraute
Mauléon-Licharre
Bois de Cheraute
Le Faget
Ouv. prochaine
Uhalt
Gave d'Oloron
Estialescq
Garindein
Bois de Josbaig
Verdets
Ledeuix
Estos
Lasseube
Musculdy
Libarrenx
Gotein-Libarrenx
Roquiague
Moumour
Goès
Esquiule
Ordiarp
Précilhon
Legugnon
Pondeilh
Escout
Idaux-Mendy
Chapelle Ste-Barbe
Barcus
St-Pée-d'en-Bas
Oloron-Ste-Marie
Escou
Caparnia
Bidos
Herrère-de-Bas
Hautsan
Cambillou
Lasseubetat
Aussurucq
Sauguis-St-Etienne
Bois de Gouloume
Féas
Herrère
La Madeleine
Gurmençon
La Pyrénéenne
D 947
D 933
N 117
A 64
D 924
D 32
D 2
D 944
D 945
D 946
D 9
D 24
D 25
D 918
N 134

182

AK
AL
AM
AN
AO
GRENADE-S.-L'ADOUR
AIRE-S.-L'ADOUR
NOGARO
RISCLE
PLAISANCE
GEAUNE
GARLIN
ARZACQ-ARRAZIGUET
CASTELNAU-RIVIÈRE-BASSE
THÈZE
LEMBEYE
MAUBOURGUET
VIC-EN-BIGORRE
RABASTENS-DE-BIGORRE
MORLAÀS
MONTANER
PAU
LESCAR
BILLÈRE
TARBES
BORDÈRES-S.-L'ECHEZ
PONTACQ
OSSUN
SÉMEAC
LALOUBÈRE
AUREILHAN
AIGNAN
Barcelonne-du-Gers
Cazères-s.-l'Adour
Eugénie-les-Bains
Viella
Madiran
Lalonquette
Serres-Castet
Jurançon
Gelos
Soumoulou
N 124
N 134
D 935
D 943
D 946
N 117
A 64
E 80
SUD RADIO
TERRAIN MILITAIRE DE GER
94
95
96
97
98
99
100
47

197

217

183

AUCH
MIRANDE
VIC-FÉZENSAC
MASSEUBE
MIÉLAN
TRIE-S.-BAÏSE
CASTELNAU-MAGNOAC
BOULOGNE-S.-GESSE
MONTESQUIOU
JEGUN
Ramouzens
Justian
Castéra-Verduzan
Cézan
St-Sernin
Lagarde
Bascous
Marambat
St-Paul-de-Baïse
Bonas
Lescout
Neguebouc
Préchac
Montestruc-s.-Gers
Lalanne
Puységur
Démû
Lavardens
Mérens
Roquefort
Gavarret-s.-Aulouste
Ste-Christie
Mirepoix
Castillon-Debats
Préneron
Pléhaut
St-Jean-Poutge
Peyrusse-Massas
Castillon-Massas
Roquelaure
Antras
St-Lary
Roquebrune
Caillavet
Biran
Preignan
Montaut-les-Créneaux
Lupiac
Belmont
Castin
Castelnavet
Tudelle
Bazian
le Brouilh-Monbert
Ordan-Larroque
Duran
Leboulin
Lahitte
Marsan
Cazaux-d'Anglès
Riguepeu
St-Pierre-d'Aubézies
Peyrusse-Grande
Peyrusse-Vieille
Callian
St-Arailles
Mirannes
Embats
Montégut
Pessan
Barran
Sousson
Pavie
Gazax-et-Baccarisse
Castelnau-d'Anglès
Louslitges
L'Isle-de-Noé
Lasséran
St-Jean-le-Comtal
Lasseube-Propre
Auterive
Bassoues
Armous-et-Cau
Mouchès
Lamazère
Estipouy
Boucagnères
Haulies
Tourdun
Scieurac-et-Flourès
Mascaras
Pouylebon
Labéjan
Orbessan
Durban
Miramont-d'Astarac
Monclar-s.-Losse
Idrac-Respaillès
Traversères
Lartigue
Laveraët
St-Christaud
Sansan
Pallanne
Bars
St-Martin
Ornézan
Faget-Abbatial
Monlezun
Loubersan
Ricourt
Marseillan
St-Médard
Seissan
Lamaguère
Berdoues
Labarthe
Monferran-Plavès
Tillac
St-Maur
Tachoires
Blousson-Sérian
Laas
Clermont-Pouyguillès
Pouy-Loubrin
Monpardiac
Ponsampère
Bellocq-St-Clamens
Lourties-Monbrun
Moncorneil-Grazan
Cazaux-Villecomtal
Troncens
Aux-Aussat
Moncassin
Bazugues
Malabat
St-Elix-Theux
St-Arroman
Beccas
Laguian-Mazous
Ste-Dode
St-Michel
Bellegarde
Meilhan
Haget
Betplan
Villecomtal-s.-Arros
Estampes
Sauviac
Lagarde-Hachan
Sère
Sadeillan
Montaut
Barcugnan
Samaran
Panassac
Monties
Montégut-Arros
Mingot
Castex
Estampures
Mont-de-Marrast
St-Ost
Viozan
Aujan-Mournède
Aussos
Sarcos
Monbardon
Fréchède
Manas-Bastanous
Ste-Aurence-Cazaux
Sénac
St-Sever-de-Rustan
Moumoulous
Bernadets-Debat
Ponsan-Soubiran
Montaur-Bernet
Arrouède
Cabas-Loumassès
Lacassagne
Mazerolles
Sarraguzan
Fontrailles
Chélan
St-Blancard
Lunax
Mansan
Antin
Duffort
Cuélas
Lamèac
Bouilh-Devant
Cestias
Lapeyre
Peyret-St-André
Mont-d'Astarac
Manent-Montané
Lalanne-Arqué
Péguilhan
Jacque
Trouley-Labarthe
Lubret-St-Luc
Lalanne-Trie
Guizerix
Sariac-Magnoac
Larroque
Osmets
Sadournin
Vidou
Chelle-Debat
Puntous
Thermes-Magnoac
Mondilhan
Luby-Betmont
Tournous-Darré
Barthe
Aries-Espénan
Collongues
Castelvieilh
Mun
Hachan
Betbèze
Cabanac
Lamarque-Rustaing
Villembits
Lustar
Puydarrieux
Organ
Devèze
Lalanne
POUYASTRUC
Aubarède
Campuzan
Betpouy
St-Pé-Delbosc
Marquerie
Thuy
Sère-Rustaing
Sentous
Cizos
Pouy
Blajan
Hourc
Bugard
Libaros
Tournous-Devant
Vieuzos
Caubous
Gensac-de-Boulogne
Peyriguère
Bonnefont
Villemur
Monléon-Magnoac
St-Loup-en-Comminges
Coussan
Goudon
Sabarros
Laran
Gaussan
Nizan-Gesse
Lespugue
Mouledous
Souyeaux
Laslades
Gonez
Clarac
Orieux
Bazordan
Sarrecave
Charlas
Sinzos
Montastruc
Bernadets-Dessus
Galan
Recurt
Lassales
Montmaurin
Sarremezan
Calavanté
Peyraube
Monlong
Balesta
Bordes
TOURNAY
Tajan
Castelbajac
Galez
Arné
Larroque
Cazaril-Tambourès
Lalouret-Laffiteau
Larcan
Mascaras
10 km

200

218

184

AU
AV
AW
AX
Avensac
Faudoas
Beaupuy
Savenès
Homps
Goas
Gariès
Escufés
Goutz
Bajonnette
Solomiac
le Causé
Lagraulet-St-Nicolas
Aucamville
Monfort
la Bourdette
Séguenville
Cabanac
le Burgaud
Pis
Taybosc
St-Brès
Brignemont
Comne de Cabanac-Séguenville
Bois de Bellesserre
Ste-Gemme
Labrihe
Rébérado
Vinsac
St-Cézert
Sarrant
Gilard
Maravat
Lauret
Sérempuy
Ste-Memme
Cox
Burgaud
Tournequets
En-Galin
Bouvées
Galembrun
Mirepoix
Puycasquier
St-Pierre
Comne de Ste-Anne
Puysségur
Drudas
Mansempuy
Lamothe
Laréole
Launac
Menot
Pelleport
Crastes
MAUVEZIN
la Laurère
Frayret
Comne de Larra
Aubagnax
Augnax
St-Antonin
St-Georges
CADOURS
COLOGNE
le Grès
Merdans
les Quatre-Chemins
St-Orens
Guinot
Ardizas
Sirac
Thil
Bouet
Montaut-les-Créneaux
Caubiac
les Couayroux
Nougaroulet
St-Martin-du-Hour
Eglise du Pin
St-Cricq
Encausse
Beauregard
l'Arsène
St-Paul-s.-Save
Daux
St-Sauvy
Monplaisir
Bretx
Ansan
Touget
Thoux
Garac
Menville
Montaigut-s.-Save
Blanquefort
Roquelaure-St-Aubin
Vignaux
Ste-Agathe
Lahitte
Le Castéra
Marsan
Travès
Roulan
Lévignac
Mondonville
St-Germier
Monbrun
Bellegarde-Ste-Marie
Larmont
Ste-Marie
Escornebœuf
Catonvielle
Comne de Pradère-les-Bourguets
N 124
Cassemartin
Ste-Livrade
les Bourguets
la Jalousie
En-Sarrade
Beaupuy
Lasserre
Aubiet
Razengues
Lasserre
FORÊT DE BOUCONNE
Roquelaure
Ouv. prochaine
Ségoufielle
GIMONT
Cahuzac
Lussan
l'Isle-Arné
la Sardine
Clermont-Savès
Mérenville
Garbic
L'ISLE-JOURDAIN
Fargia
Brax
Pépieux
GR 653
Giscaro
Maurens
LÉGUEVIN
Pibrac
St-Caprais
Juilles
Monferran-Savès
Pujaudran
Tellère
Montiron
Marestaing
Entiau
Arques
St-Guiraud
Castelnau-Barbarens
Bédéchan
Frégouville
Aurimont
Goudourville
Pyroutet
Castillon-Savès
Auradé
Haulies
St-André
Pontéjac
Lias
Mazères
En-Brusc
Comne de Tirent-Pontéjac
Lahas
Endoufielle
Fontenilles
Zoo
Boulaur
Ancien Prieuré
Laurac
Bézéril
Caumont
le Garros
Tirent
Noilhan
Cezaux-Savès
Bonrepos-s.-Aussonnelle
Argos
Radio
Fonsorbes
Pogé
Camp Militaire
Lartigue
Polastron
le Peyrigué
SARAMON
Empeaux
Pescadoures
Héréchou
St-Martin-Gimois
Labastide-Savès
St-Thomas
Saiguède
Espie
Sémézies
Comne de Sémézies-Cachan
Mongausy
St-Soulan
Seysses-Savès
ST-LYS
Aiguebelle
Pompiac
Bois de St-Thomas
Lamaguère
Larroucan
Nizas
Cachan
le Mona
Ste-Foy-de-Peyrolières
St-Élix
Libou
SAMATAN
Savignac-Mona
Pourcet
Bragayrac
Lamasquère
Pellefigue
Gaujac
Montamat
la Rente
Lahillaire
Cambernard
LOMBEZ
Monblanc
Sabonnères
Saudrune
la Salvetat-de-Ste-Foy
Sauveterre
Pébées
Simorre
Puylausic
Beaufort
Parayre
St-Clar-de-Rivière
Labastidette
les Aubes
Sauvimont
Montgras
le Bauc
LHERM LABASTIDETTE
Sabaillan
St-Loube
Amades
Tournan
Montégut-Savès
Lahage
MURET-SUD
la Prade
Forêt
Laudine
Montadet
Laymont
Forgues
Peyssic
Lherm
Villefranche
Espaon
Garravet
Monès
Cadeillan
Boissède
St-Lizier-du-Planté
Plagnole
RIEUMES
Poucharramet
St-Hilaire
Molas
Frontignan-Savès
le Pin-Murelet
Savignac
Marrast
les Plagnes
Mirambeau
Gensac
LE FAUGA
Lacasse
Monties
Martisserre
Mauvezin
Montpézat
de Rieumes
Capdebat
Lavernose-Lacasse
Monbardon
St-Pierre
L'ISLE-EN-DODON
Lautignac
Latour
le Sentouret
Agassac
Goudex
Barrère
Sajas
Touch
Puymaurin
Ambax
Montastruc-le-Vieux
Savères
Mansencal
Bérat
LONGAGES
la Bujole
Nénigan
Castelgaillard
l'Houme
St-Araille
Montastruc-Savès
Cap-Dessus
Anan
Duprat
Latour
Castex
NOE
Lunax
Coueilles
Cazac
Labastide-Clermont
Longages
Gauchiran
l'Arrouy
Riolas
Sénarens
Bois-de-la-Pierre
Noé
St-Ferréol
Labastide-Paumès
Pouy-de-Touges
la Tourette
la Linde
St-Frajou
Volvestre
Capens
Montesquieu-Guittaut
St-Pé
Bertranas
St-Laurent
Polastron
Casties-Labrande
Crabères
Garonne
Escoubas
Fabas
Carretère
Gratens
Lacroix
Marquefave
Salerm
Peyssies
St-Michel
Milor
Forêt de Fabas
Lussan-Adeilhac
Castelnau-Picampeau
Marignac-Lasclares
les Arrougès
Lafitte-Vigordane
CARBONNE
Mondilhan
Montbernard
Fustignac
Peyrissas
Guillanat
Montégut-Bourjac
LE FOUSSERET
ST-ÉLIX-LE-CHÂTEAU
St-Élix-le-Château
la Terrasse
Castéra-Vignoles
Lilhac
les Carretères
St-André
Montoussin
Guibail
LAFITTE-VIGORDANE
Lacaugne
Péguilhan
Escanecrabe
Eoux
Nère
Benque
Salles-s.-Garonne
Ciadoux
Esparron
Benque
Samouillan
Francon
LAVELANET-DE-COMMINGES
Tachoires
Mailholas
RIEUX
Montgaillard-s.-Save
Forêt de Mouboussin
Lavelanet-de-Comminges
Latrape
Mouran
Micous
Peyron
Boussan
Bachas
Terrebasse
Mondavezan
Gargaillous
Charlas
Mondine
Ruère
Montoulieu-St-Bernard
Lescuns
CAZÈRES
MARTRES-TOLOSANE
St-Julien
St-Lary-Boujean
Cassagnabère-Tournas
Donjon
Alan
Sana
Blancotte
Larousset
la Morère
Boujean
AURIGNAC
Chlle N.-D.-St-Bernard
Marignac-Laspeyres
la Bernède
Gensac-s.-Garonne
Bax
Martres
Gouteverninsse
Prat-Bediau
Peyrouzet
Mengué
St-Élix-Séglan
Soulausé
MONTESQUIEU-VOLVESTRE
St-Marcet
Pinat
Bouzin
Cazères
Couladère
Larcan
Cazeneuve-Montaut
le Fréchet
CIMENTS LAFARGE
Mauran
St-Christaud
Cardonne
Gouzens

199

219

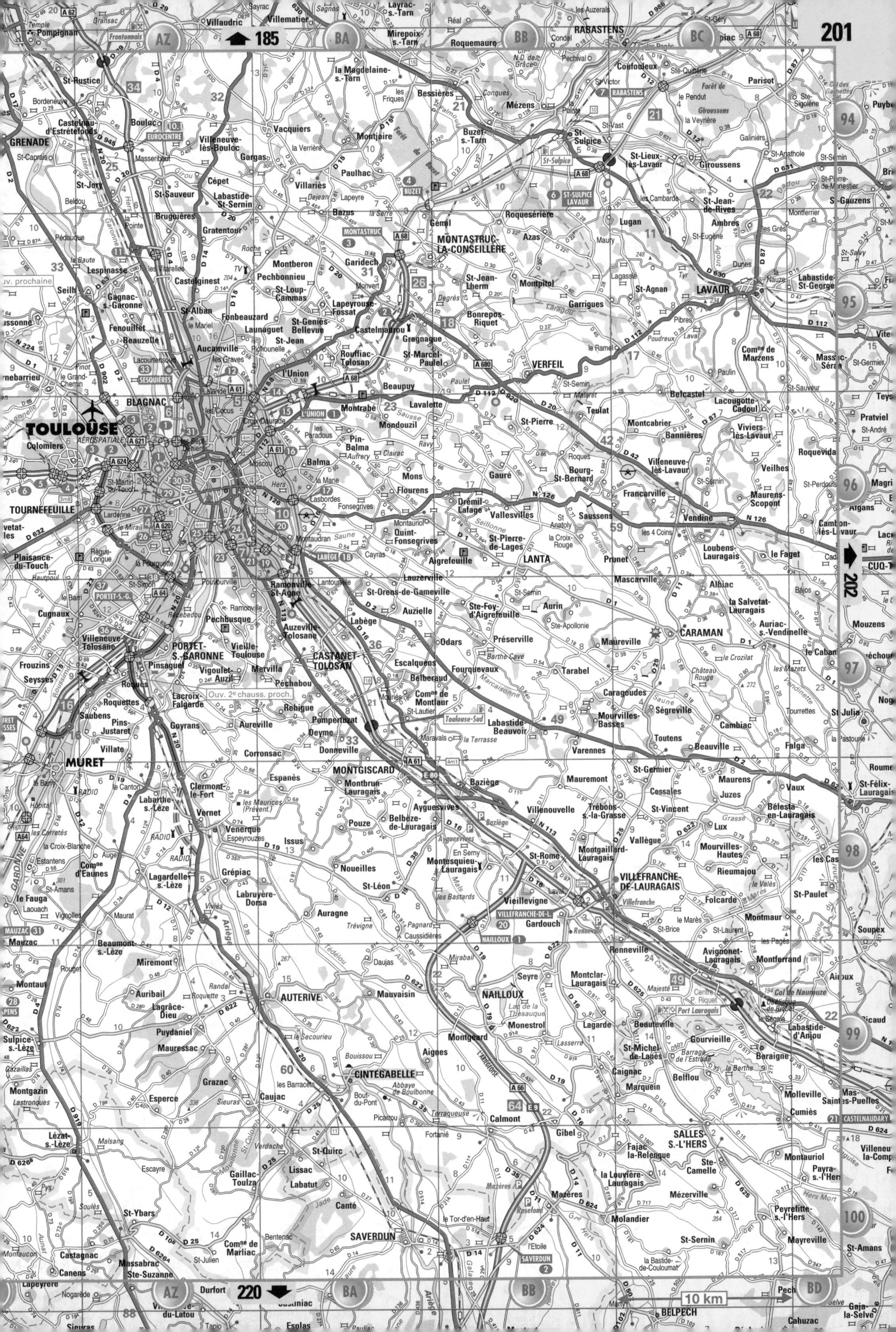
185
220
202
10 km
AZ
BA
BB
BC
BD
TOULOUSE
BLAGNAC
TOURNEFEUILLE
Colomiers
MURET
PORTET-S.-GARONNE
CASTANET-TOLOSAN
MONTGISCARD
MONTASTRUC-LA-CONSEILLÈRE
RABASTENS
LAVAUR
VERFEIL
LANTA
CARAMAN
VILLEFRANCHE-DE-LAURAGAIS
NAILLOUX
AUTERIVE
CINTEGABELLE
SAVERDUN
SALLES-S.-L'HERS
BELPECH
GRENADE
St-Sulpice
Balma
l'Union
Ramonville-St-Agne
Labège
Escalquens
Baziège
Ayguesvives
Montesquieu-Lauragais
Mazères
Calmont
Gibel
Caignac
Marquein
Molandier
Mézerville
Peyrefitte-s.-l'Hers
Mayreville
Beauteville
Gourvieille
Baraigne
Labastide-d'Anjou
Avignonet-Lauragais
Montferrand
Folcarde
Montmaur
St-Paulet
Soupex
Vaux
St-Félix-Lauragais
Cambiac
Beauville
Falga
Maurens
Juzes
Cessales
Lux
Mourvilles-Hautes
Rieumajou
Vallègue
Trébons-s.-la-Grasse
Montgaillard-Lauragais
Villenouvelle
Renneville
Gardouch
Vieillevigne
Seyre
Montclar-Lauragais
Lagarde
Monestrol
Montgeard
Aignes
Mauvaisin
Grazac
Esperce
Caujac
St-Quirc
Lissac
Labatut
Canté
Gaillac-Toulza
St-Ybars
Castagnac
Massabrac
Canens
Montaut
Auribail
Lagrâce-Dieu
Puydaniel
Mauressac
Miremont
Beaumont-s.-Lèze
Lagardelle-s.-Lèze
Labarthe-s.-Lèze
Vernet
Venerque
Grépiac
Labruyère-Dorsa
Issus
Noueilles
St-Léon
Auragne
Pouze
Belbèze-de-Lauragais
Montbrun-Lauragais
Espanès
Corronsac
Clermont-le-Fort
Goyrans
Aureville
Rebigue
Pompertuzat
Deyme
Donneville
Lacroix-Falgarde
Vigoulet-Auzil
Pechbusque
Vieille-Toulouse
Mervilla
Pechabou
Auzeville-Tolosane
Pinsaguel
Roques
Roquettes
Pins-Justaret
Villate
Saubens
Seysses
Frouzins
Villeneuve-Tolosane
Cugnaux
Plaisance-du-Touch
Lauzerville
St-Orens-de-Gameville
Auzielle
Odars
Préserville
Fourquevaux
Belberaud
Labastide-Beauvoir
Varennes
Mauremont
St-Germier
Tarabel
Caragoudes
Mourvilles-Basses
Toutens
Ségreville
Maureville
Aurin
Ste-Foy-d'Aigrefeuille
Aigrefeuille
Quint-Fonsegrives
St-Pierre-de-Lages
Vallesvilles
Drémil-Lafage
Flourens
Mons
Gauré
Bourg-St-Bernard
Saussens
Prunet
Francarville
Vendine
Loubens-Lauragais
Albiac
Mascarville
La Salvetat-Lauragais
Auriac-s.-Vendinelle
Le Faget
Maurens-Scopont
Veilhes
Roquevidal
Villeneuve-lès-Lavaur
Montcabrier
Bannières
Viviers-lès-Lavaur
Lacougotte-Cadoul
Belcastel
Teulat
St-Pierre
Lavalette
Beaupuy
Montrabé
Mondouzil
Pin-Balma
Rouffiac-Tolosan
St-Marcel-Paulel
Gragnague
Castelmaurou
Bonrepos-Riquet
St-Jean-Lherm
Montpitol
Garrigues
St-Agnan
Azas
Roqueserière
Gémil
Paulhac
Bazus
Villariès
Montjoire
Vacquiers
Bessières
Buzet-s.-Tarn
Mézens
St-Lieux-lès-Lavaur
Giroussens
Lugan
Ambres
St-Jean-de-Rives
Coufouleux
Parisot
Garidech
Montberon
Pechbonnieu
St-Loup-Cammas
Lapeyrouse-Fossat
St-Geniès-Bellevue
Launaguet
St-Jean
Fonbeauzard
Aucamville
St-Alban
Castelginest
Gratentour
Labastide-St-Sernin
Bruguières
Cépet
St-Sauveur
Gargas
Villeneuve-lès-Bouloc
Bouloc
Castelnau-d'Estrétefonds
St-Rustice
St-Jory
Lespinasse
Gagnac-s.-Garonne
Fenouillet
Beauzelle
Seilh
Villaudric
Villematier
Mirepoix-s.-Tarn
Roquemaure
Pompignan
Lanta
Montlaur
Lasbordes

186
221
201
GRAULHET
RÉALMONT
LAUTREC
CASTRES
ROQUECOURBE
MONTREDON-LABESSONNIE
VABRE
ST-PAUL-CAP-DE-JOUX
VIELMUR-S.-AGOUT
PUYLAURENS
CUQ-TOULZA
LABRUGUIÈRE
MAZAMET
DOURGNE
REVEL
SAISSAC
CASTELNAUDARY
ALZONNE
MAS-CABARDÈS
CONQUES-S.-ORBIEL
CARCASSONNE
MONTRÉAL
Lombers
Sieurac
Laboutarie
Montdragon
St-Julien-du-Puy
St-Genest-de-Contest
Vénès
Briatexte
St-Gauzens
Cabanès
Missècle
Moulayrès
Brousse
Fiac
Viterbe
Serviès
Damiatte
Teyssode
Guitalens
Lalbarède
Cuq
Puycalvel
Jonquières
Laboulbène
Burlats
Lacrouzette
Magrin
Prades
Algans
Appelle
Lacroiselle
Sémalens
Cambounet-s.-le-Sor
Fréjeville
Saix
St-Germain-des-Prés
Soual
Viviers-lès-Montagnes
Navès
Lescout
Péchaudier
St-Sernin-lès-Lavaur
Mouzens
Aguts
Blan
Lempaut
St-Avit
Lagardiolle
Poudis
Montgey
Puéchoursi
Nogaret
Palleville
Garrevaques
Montégut-Lauragais
Belleserre
Verdalle
Massaguel
Escoussens
St-Affrique-les-Montagnes
Caucalières
Payrin-Augmontel
Aussillon
Aiguefonde
Pont-de-Larn
Bout-du-Pont-de-Larn
Roumens
St-Félix-Lauragais
Sorèze
St-Amancet
Durfort
Arfons
Les Cammazes
Vaudreuille
St-Ferréol
Labécède-Lauragais
Les Brunels
Laprade
Les Martys
Lacombe
Fontiers-Cabardès
Cuxac-Cabardès
Caudebronde
Miraval-Cabardès
Labastide-Esparbairenque
Roquefère
Pradelles-Cabardès
Issel
Verdun-en-Lauragais
Villemagne
Peyrens
Souilhe
Puginier
Tréville
Soupex
Ricaud
Souilhanels
St-Papoul
Cenne-Monestiés
St-Denis
Brousses-et-Villaret
Fraisse-Cabardès
Villardonnel
Villanière
Salsigne
Lastours
Limousis
Villespy
St-Martin-Lalande
Carlipa
Montolieu
Lasbordes
St-Martin-le-Vieil
Villepinte
Raissac-s.-Lampy
Moussoulens
Ventenac-Cabardès
Aragon
Villegailhenc
Villemoustaussou
Pennautier
Pezens
Villalier
Villedubert
Pexiora
Bram
Ste-Eulalie
Villesèquelande
Caux-et-Sauzens
Villesiscle
Villeneuve-la-Comptal
Fendeille
Mireval-Lauragais
Laurabuc
Fonters-du-Razès
Laurac
Mas-Saintes-Puelles
St-Amans
Generville
Cazalrenoux
La Cassaigne
La Force
Forêt de Montaud
Montagne Noire
Pic de Montaud
Bassin de St-Ferréol
E 80
A 61
N 113
N 126
N 112
D 622
D 624
D 631
D 118

187

S.-RANCE
St-Salvi-de-Carcavès
Laval-Roquecezière
Fayet
Tauriac-de-Camarès
St-Sever-du-Moustier
Mounes-Prohencoux
Brusque
le Masnau-Massuguiès
Peux-et-Couffouleux
Murasson
Sénaux
Barre
Escroux
Mélagues
Lacaze
Arnac-s.-Dourdou
Moulin-Mage
Gijounet
LACAUNE
Espérausses
Berlats
St-Geniès-de-Varensal
MURAT-S.-VEBRE
Nages
Castanet-le-Haut
ST-GERVAIS-S.-MARE
Castelnau-de-Brassac
BRASSAC
Lamontélarié
Rosis
LA SALVETAT-S.-AGOUT
Fraisse-s.-Agout
Cambon-et-Salvergues
St-Martin-de-l'Arçon
Colombières-s.-Orb
ANGLÈS
St-Vincent-d'Olargues
St-Julien
Mons
OLARGUES
Vieussan
le Soulié
Prémian
St-Étienne-d'Albagnan
Riols
Berlou
ST-PONS-DE-THOMIÈRES
Rouairoux
St-Amans-Valtoret
Sauveterre
Ferrières-Poussarou
Labastide-Rouairoux
Lacabarède
Albine
Courniou
Verreries-de-Moussans
Pardailhan
Babeau-Bouldoux
ST-CHINIAN
Prades-s.-Vernazobre
Pierrerue
Cessenon-s.-Orb
Rieussec
Boisset
Assignan
Cébazan
Lespinassière
Ferrals-les-Montagnes
Cassagnoles
Vélieux
St-Jean-de-Minervois
Citou
Villespassans
Creissan
Cabrespine
Minerve
la Caunette
Cruzy
Quarante
Montouliers
Caunes-Minervois
Aigne
Aigues-Vives
Agel
Bize-Minervois
Cesseras
CAPESTANG
Félines-Minervois
la Livinière
Azillanet
Argeliers
Trausse
Siran
Mailhac
Montels
PEYRIAC-MINERVOIS
Pépieux
Beaufort
Ouveillan
Rieux-Minervois
Oupia
Pouzols-Minervois
Mirepeisset
Laure-Minervois
Azille
OLONZAC
Ste-Valière
Homps
GINESTAS
Sallèles-d'Aude
Tourouzelle
Argens-Minervois
Paraza
Ventenac-en-Minervois
Cuxac-d'Aude
St-Frichoux
la Redorte
Roubia
St-Nazaire-d'Aude
St-Marcel-s.-Aude
Aigues-Vives
Castelnau-d'Aude
Canet
Raissac-d'Aude
COURSAN
Puichéric
Escales
Marcorignan
Moussan
Badens
Rustiques
Blomac
Névian
NARBONNE
10 km
PARC NATUREL RÉGIONAL DU HAUT LANGUEDOC
MONTS DE LACAUNE
SOMMAIL
L'ESPINOUSE
LES CAUSSES
LE MINERVOIS
FORÊT DE NORE
PIC DE NORE 1210

204

222

188
223
203
BN
BO
BP
BQ
BM
94
95
96
97
98
99
100
Labastide-des-Fons
St-Félix-de-l'Héras
Pas de l'Escalette
la Vernède
les Besses
les Natges
St-Jean-de-Buèges
Ceilhes-et-Rocozels
Mas-Neuf
Romiguières
Pégairolles-de-l'Escalette
Mas-de-Rouquet
PÉGAIROLLES-DE-L'ESCALETTE
St-Pierre-de-la-Fage
la Vacquerie-et-St-Martin-de-Castries
Pégairolles-de-Buèges
Gervais
Roqueredonde
Lauroux
Soubès
Gourgas
Parlatges
la Trivalle
St-Étienne-de-Gourgas
Poujols
Avène
Dalmerie
Vinas
Joncelets
Soulages
les Plans
LODÈVE
St-Privat
Fozières
le Thérondel
Mélagues
Joncels
Soumont
Comne du Bosc
Usclas-du-Bosc
Arboras
St-Guilhem-le-Désert
Montcalmes
Lavène
Truscas
Sérieys
Servies
Cazilhac
Taillevent
Laval-de-Nize
Comne d'Olmet-et-Villecun
Olmet
Villecun
St-Jean-de-la-Blaquière
St-Jean-de-Fos
LUNAS
le Puech
St-Saturnin-de-Lucian
la Meillade
Montpeyroux
ANIANE
St-Gervais-s.-Mare
Graissessac
le Bousquet-d'Orb
Camplong
Lavalette
Briandes
Gours
St-Amans
St-Martin-des-Combes
Valquières
Dio
Comne de Dio-et-Valquières
Les Valarèdes
Chile de Roubignac
LE BOSC
Octon
Celles
Salelles
SALELLES-DU-B.
St-Guiraud
Rabieux
St-Félix-de-Lodez
Jonquières
Lagamas
St-Étienne-Estréchoux
la Tour-s.-Orb
Brenas
Basse
Lac du Salagou
Mas-Audran
Barrage du Salagou
Lacoste
Ceyras
St-André-de-Sangonis
GIGNAC
Taussac-la-Billière
le Pradal
Villemagne-l'Argentière
BÉDARIEUX
Comne de Carlencas-et-Levas
Carlencas
Comne de Mérifons
Mas-de-Clergues
la Grange-Montagne
Liausson
CLERMONT-L'HÉRAULT
CIRQUE DE MOURÈZE
Mourèze
Salasc
Villeneuvette
Brignac
CLERMONT
Popian
Pouzols
St-Bauzille-de-la-Sylve
Lamalou-les-Bains
Hérépian
Colombières-s.-Orb
les Aires
le Poujol-s.-Orb
Tunnel du Col du Buis
Pézenas-les-Mines
Valmascle
Cabrières
Nébian
Lieuran-Cabrières
Canet
le Pouget
Vendémian
Tressan
Combes
Faugères
Fos
Péret
Aspiran
Puilacher
Caussiniojouls
Roquessels
Montesquieu
Vailhan
Fontès
Plaissan
Bélarga
Cabrerolles
Neffiès
Adissan
Paulhan
Campagnan
St-Pargoire
St-Nazaire-de-Ladarez
Laurens
Usclas-d'Hérault
Nizas
Caux
Roquebrun
Autignac
Gabian
ROUJAN
Lézignan-la-Cèbe
Cazouls-d'Hérault
St-Pons-de-Mauchiens
Causses-et-Veyran
Fouzilhon
Pouzolles
Margon
Alignan-du-Vent
MONTAGNAC
St-Geniès-de-Fontedit
Magalas
Puissalicon
Aumes
PÉZENAS
Cessenon-s.-Orb
MURVIEL-LÈS-BÉZIERS
Coulobres
Abeilhan
Tourbes
Castelnau-de-Guers
Puimisson
Pailhès
Espondeilhan
Thézan-lès-Béziers
Lieuran-lès-Béziers
SERVIAN
Nézignan-l'Évêque
Valros
Corneilhan
Bassan
St-Thibéry
Pinet
Cazouls-lès-Béziers
Montblanc
Pomérols
FLORENSAC
Puisserguier
Lignan-s.-Orb
Maraussan
Boujan-s.-Libron
AGDE-PÉZENAS
Béziers-Montblanc
Bessan
Marseillan
Maureilhan
BÉZIERS
Montady
BÉZIERS-EST
Cers
Vias
AGDE
Colombiers
Poilhes
Villeneuve-lès-Béziers
Sauvian
BÉZIERS-OUEST
Portiragnes
Marseillan-Plage
Nissan-lez-Enserune
Sérignan
Lespignan
Vendres
Valras-Plage
Redoute-Plage
Sérignan-Plage
la Tamarissière
le Grau-d'Agde
Cap-d'Agde
Fort Brescou
Salles-d'Aude
Fleury
COURSAN
NARBONNE
Vinassan
Grau de Vendres

189
206
BR
BS
BT
BU
BV
94
95
96
97
98
99
100
10 km
ST-MARTIN-DE-LONDRES
Notre-Dame-de-Londres
Valflaunès
Fontanès
Garrigues
St-Clément
Fontanès
SOMMIÈRES
Calvisson
Aujargues
Villevieille
Congénies
Mas-de-Londres
Viols-en-Laval
Cazevieille
St-Mathieu-de-Tréviers
Tréviers
Ste-Croix-de-Quintillargues
St-Bauzille-de-Montmel
Buzignargues
Galargues
Saussines
Boisseron
Junas
Aubais
AIGUES-MORTES
Aigues-Vives
Vergèze
St-Jean-de-Cuculles
Montaud
St-Jean-de-Cornies
St-Hilaire-de-Beauvoir
St-Drézéry
Beaulieu
St-Christol
St-Sériès
Villetelle
Codognan
Viols-le-Fort
LES MATELLES
le Triadou
Guzargues
Restinclières
Saturargues
Vérargues
Gallargues-le-Montueux
St-Vincent-de-Barbeyrargues
Sussargues
St-Geniès-des-Mourgues
LUNEL
Ambrussum
St-Gély-du-Fesc
St-Clément-de-Rivière
Prades-le-Lez
Assas
Teyran
CASTRIES
Argelliers
Murles
Combaillaux
Vailhauquès
Montferrier-s-Lez
Jacou
Vendargues
Baillargues
St-Brès
Valergues
Lunel-Viel
Lunel
AIMARGUES
la Boissière
Clapiers
Montarnaud
Grabels
CASTELNAU-LE-LEZ
le Crès
St-Aunès
Mudaison
Lansargues
Marsillargues
St-Just
St-Nazaire-de-Pézan
St-Laurent-d'Aigouze
St-Paul-et-Valmalle
Montpellier-la-Paillade
Juvignac
St-Georges-d'Orques
MONTPELLIER
MAUGUIO
Candillargues
Murviel-lès-Montpellier
MONTPELLIER-EST
Pignan
Lavérune
St-Jean-de-Védas
Saussan
LATTES
Pérols
Etang de Mauguio
Etang de l'Or
la Grande-Motte
le Grau-du-Roi
Cournonterral
Cournonsec
Fabrègues
ST-JEAN-DE-VEDAS
Villeneuve-lès-Maguelone
Palavas-les-Flots
Carnon-Plage
Port-Camargue
Montbazin
Gigean
Mireval
Vic-la-Gardiole
Poussan
FRONTIGNAN
Balaruc-le-Vieux
Bouzigues
Balaruc-les-Bains
SÈTE
Fort St-Pierre
Phare de l'Espiguette
Etang de Vic
Etang de Pérols
Etang du Repaus
A9
N 113
N 110
N 112
N 572
E 11
E 15
E 80

190
205
BW
BX
BY
BZ
CA
94
95
96
97
98
99
100
Manduel
BEAUCAIRE
TARASCON
Caissargues
Bouillargues
Milhaud
Nages-et-Solorgues
Garons
Boissières
Bernis
Uchaud
Aubord
Bellegarde
Vergèze
Vestric-et-Candiac
Mus
Aigues-Vives
Codognan
Gallargues-le-Montueux
Générac
Beauvoisin
VAUVERT
ST-GILLES
le Cailar
St-Laurent-d'Aigouze
AIGUES-MORTES
Fourques
ARLES
Fontvieille
St-Etienne-du-Grès
Mas-Blanc-des-Alpilles
Paradou
Raphèle-les-Arles
Moulès
Pont-de-Crau
Salin-de-Giraud
SALINS DU MIDI
PORT-ST-LOUIS-DU-RHÔNE
SAINTES-MARIES-DE-LA-MER
Golfe des Saintes-Maries ou de Beauduc
Pte de Beauduc ou du Sablon
Phare de Beauduc
Phare de Faraman
Phare de la Gacholle
Etang de Vaccarès
RÉSERVE NATURELLE ZOOLOGIQUE ET BOTANIQUE
PARC RÉGIONAL DE CAMARGUE
PLAINE DE LA CAMARGUE
PETITE CAMARGUE
GRAND RHÔNE
Petit Rhône
Albaron
Méjanes
Sylveréal
Listel
Etang de Scamandre
Etang du Charnier
Etang du Lairan
Etang de Malagroy
Etang du Fournelet
Etang du Lion
Etang de la Dame
Etang de Galabert
Etang du Fangassier
Etang du Grand Rascaillan
Etang du Vaisseau
Etang de Faraman
Tour Carbonnière
Tour-du-Valat
Mas-Thibert
le Sambuc
Gageron
Villeneuve
Salin-de-Badon
Musée du Mas du Pont de Rousty
Abbaye de Montmajour
N 113
N 572
N 570
D 570
A 54
A 9
E 80
D 36
D 35
D 37
D 38
D 58
D 179

191
208
CB
CC
CD
CE
CF
ST-RÉMY-DE-PROVENCE
Mollégès
ORGON
la Canebière
MONTAGNE DU LUBERON
Mérindol
Puget
Lauris
Puyvert
Lourmarin
les Baux-de-Provence
Maussane-les-Alpilles
Mouriès
Eygalières
Aureille
EYGUIÈRES
Sénas
Lamanon
Mallemort
Charleval
la Roque-d'Anthéron
Alleins
Vernègues
Cazan
LAMBESC
Rognes
SALON-DE-PROVENCE
PÉLISSANNE
la Barben
St-Cannat
St-Martin-de-Crau
Grans
Miramas
Lançon-Provence
Éguilles
Cornillon-Confoux
la Fare-les-Oliviers
Coudoux
Ventabren
St-Chamas
Velaux
ISTRES
ETANG DE BERRE
Rognac
VITROLLES
BERRE-L'ÉTANG
St-Mitre-les-Remparts
Fos-s-Mer
MARTIGUES
Port-de-Bouc
MARIGNANE
LES PENNES-MIRABEAU
CHÂTEAUNEUF-LES-MARTIGUES
Gignac-la-Nerthe
le Rove
Carry-le-Rouet
Sausset-les-Pins
Ensuès-la-Redonne
Cap Couronne
Golfe de Fos
LA CRAU
Rade de Marseille
MARSEILLE
Ile de Planier
Port de Frioul
10 km

192
207
212
CF
CG
CH
CI
CJ
Cabrières-d'Aigues
la Motte-d'Aigues
la Bastide-des-Jourd
Ste-Tulle
Cucuron
St-Martin-de-la-Brasque
Grambois
Corbières
Lourmarin
Sannes
Beaumont-de-Pertuis
CADENET
Ansouis
la Tour-d'Aigues
Vinon-s.-Verdon
Villelaure
Mirabeau
la Bastidonne
PERTUIS
St-Paul-lès-Durance
Jouques
Ginasservis
St-Estève-Janson
SOMT DE MALACOSTE
DURANCE
C.E.N. DE CARADACHE
CENTRE D'ÉTUDES NUCLÉAIRES DE CARADACHE
St-Julien
Rognes
le Puy-Ste-Réparade
PEYROLLES-EN-PROVENCE
Meyrargues
Jouques
Traconnade
la Bastide-Blanche
St-Antoine
Bois du Mont Major
Jas-d'Amour
St-Canadet
Venelles
St-Antonin
RIANS
Artigues
Esparron
St-Martin
Canal de Provence
Font-Rousse
les Logis
MEYRARGUES
VENELLES
la Campane
Puyricard
la Calade
les Logissons
LES PLATANES
Lambruisse
Bois de la Gardiole
le Puits-de-Rians
Vauvenargues
Calony
St-Marc-Jaumegarde
Tour de César
PAIN DE MUNITION
Oppidum
le Puits-d'Agnie
Brue-Auriac
MONTAGNE STE-VICTOIRE
PIC DES MOUCHES
la Croix de Provence
AIX-EN-PROVENCE
AIX-EN-P.
St-Mitre
les Granettes
le Tholonet
Beaurecueil
St-Antonin-s.-Bayon
Puyloubier
Pourrières
AIX-OUEST
LES MILLES
Palette
Meyreuil
FUVEAU
GARDANNE
Châteauneuf-le-Rouge
St-Hilaire
Ollières
Seillons-Source-d'Argens
AIX-CENTRE
AIX-Pont de l'Arc
AIX-EST
les Milles
Luynes
la Barque
le Plan
Rousset
TRETS
LUYNES-GARDANNE
BOUC-BEL-AIR
Chapus
Pourcieux
Roquefeuille
Lacombe
ST MAXIMIN
ST-MAXIMIN-LA-STE-BAUME
la Mounine
Bouc-Bel-Air
LUYNES-ZI des Milles
GARDANNE
Fuveau
les Michels
Peynier
TRETS
Mt AURÉLIEN
Cabriès
Champouse
Biver
Gréasque
Belcodène
les Puits
les Moulières
Simiane-Collongue
Mimet
Chaîne St-Jean du Puy
Kierbon
Baume de Marron
Peypin
la Malle
Valentine
la Pomme
le Pigeonnier
BOUC-BEL-AIR - GARDANNE
les Peyrets
PLAN-DE-CAMPAGNE
les Caillols
Septèmes-les-Vallons
PILON DU ROI
St-Savournin
Cadolive
la Bouilladisse
LA BOUILLADISSE
Auriol
Moulin-de-Redon
St-Zacharie
Nans-les-Pins
Rougiers
GRANDE ÉTOILE
Auberge Neuve
Mt JULIEN
Peypin
la Destrousse
ST-ANTOINE HÔPITAL NORD
St-Antoine
CHAÎNE DE L'ÉTOILE
ROQUEVAIRE
Chlle N.D. d'Orgnon
Mazaugues
Château-Gombert
la Montade
la Batarelle
Logis Neuf
Lascours
Plan-de-Cuques
les Aygalades
Pont-de-l'Étoile
Hôtellerie
le Merlan
Croix-Rouge
ALLAUCH
TÊTE DE ROUSSARGUE
St-Louis
GÉMENOS
St-Jean-de-Garguier
Plan-d'Aups-Ste-Baume
le Latay
TÊTE DE MASSON
les Olives
la Treille
St-Pierre-lès-Aubagnes
PIC DE BERTAGNE
CHAÎNE DE LA SAINTE BAUME
Marseille
RSEILLE
St-Julien
les Trois-Lucs
la Valentine
Éoures
Gémenos
Riboux
Signes
St-Barnabé
les Caillols
les Camoins
AUBAGNE
la Plaine
St-Marcel
Parc de St-Pons
N.D. de la Garde
St-Loup
la Pomme
la Penne-s.-Huveaune
Coulin
Cuges-les-Pins
Rade de l'Endoume
Ste-Marguerite
Carnoux-en-Provence
CARNOUX
la Petit-Rouvière
Parc d'Attractions
le Camp
Circuit Auto
Borély
Plage du Prado
Vaufrèges
CHAÎNE DE ST-CYR
Mt CARPIAGNE
CAMP MILITAIRE
les Fourniers
Roquefort
ROQUEFORT
Roquefort-la-Bédoule
la Bégude
Ste-Anne-du-Castellet
Montredon
Mazargues
le Redon
Col de la Gineste
Grand-Caunet
la Madrague
la Cayolle
Luminy
les Baumettes
Forêt Domle de la Gardiole
Cassis
CASSIS
Ceyreste
Laouque
le Brulat
ROCHER DE L'AIGLE
Cap Croisette
Ile Tiboulen
Callelongue
les Goudes
Sormiou
Morgiou
Chlle N.D. de Bon Voyage
ST-CYR-S.-MER
LE CASTELLET
Plaines Baronnes
le Castellet
LE BEAUSSET
LES CALANQUES
CAP CANAILLE
LA CIOTAT
la Cadière-d'Azur
Ile de Jarre
Ile Calseraigne
Sémaphore
LA CIOTAT
Liouquet
les Lecques
St-Cyr-s.-Mer
Chlle N.D. du Vieux Beausset
Ste-Anne-d'Évenos
le Broussan
Ile de Riou
Chlle N.D. de la Garde
les Baumelles
la Madrague
BANDOL
Évenos
Ile Verte
Anse de Figuerolle
le Port-d'Alon
Pointe du Deffend
OLLIOULES
LA BEAUCAIRE

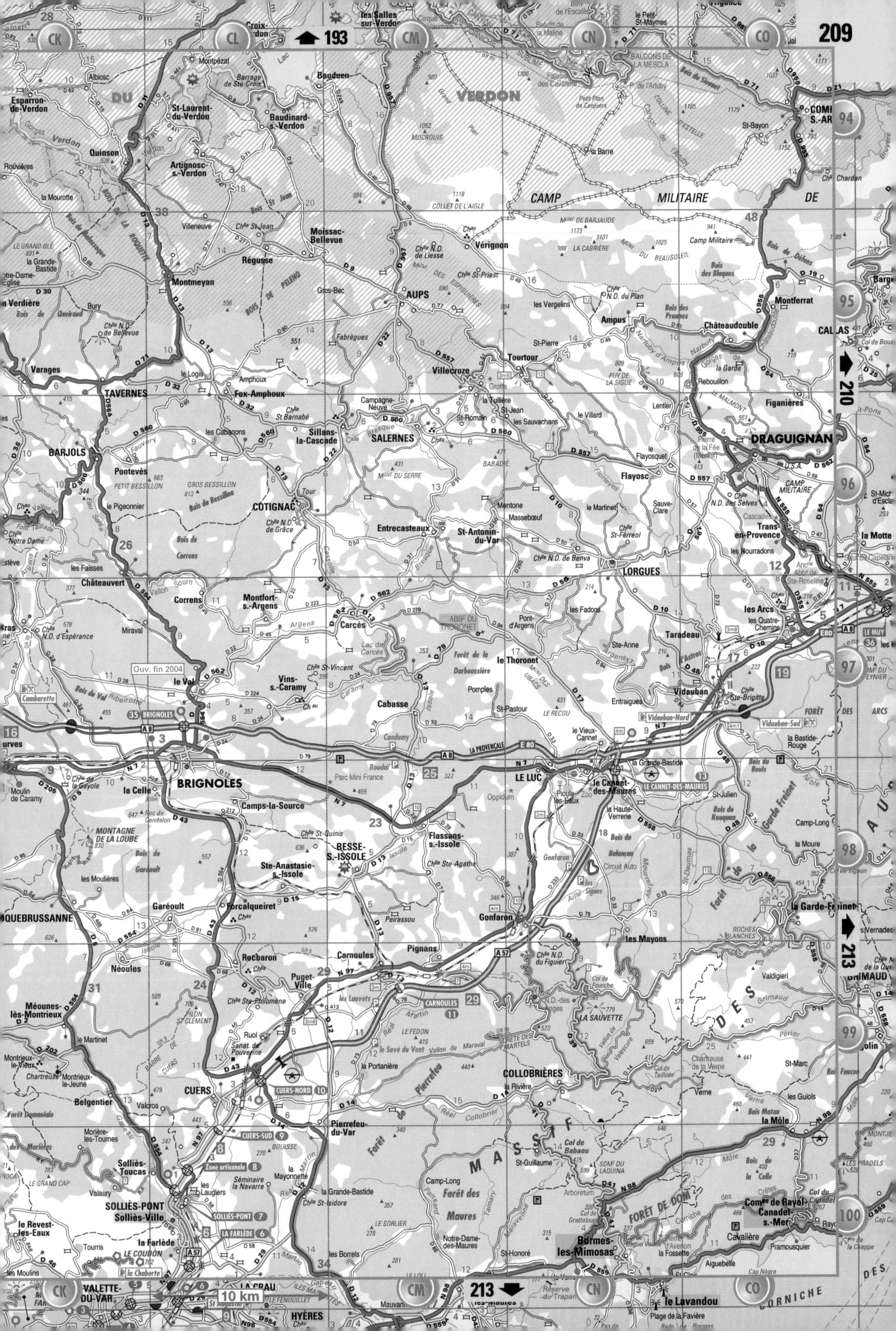
193
213
210
VERDON
CAMP MILITAIRE DE
Esparron-de-Verdon
St-Laurent-du-Verdon
Baudinard-s.-Verdon
Bauduen
Quinson
Artignosc-s.-Verdon
Montmeyan
Régusse
Moissac-Bellevue
Aups
Vérignon
Tourtour
Villecroze
Ampus
Châteaudouble
Montferrat
Figanières
Draguignan
Tavernes
Varages
Fox-Amphoux
Sillans-la-Cascade
Salernes
Barjols
Pontevès
Cotignac
Entrecasteaux
St-Antonin-du-Var
Lorgues
Flayosc
Trans-en-Provence
Les Arcs
Taradeau
Vidauban
Châteauvert
Correns
Montfort-s.-Argens
Carcès
Le Thoronet
Vins-s.-Caramy
Cabasse
Le Val
Brignoles
La Celle
Camps-la-Source
Le Luc
Le Cannet-des-Maures
Flassans-s.-Issole
Besse-s.-Issole
Ste-Anastasie-s.-Issole
Forcalqueiret
Garéoult
Gonfaron
Les Mayons
La Garde-Freinet
Rocbaron
Néoules
Carnoules
Pignans
Puget-Ville
Méounes-lès-Montrieux
Collobrières
Cuers
Belgentier
Pierrefeu-du-Var
Solliès-Toucas
Solliès-Pont
Solliès-Ville
La Farlède
Le Revest-les-Eaux
Bormes-les-Mimosas
Le Lavandou
Cavalière
Canadel-s.-Mer
La Môle
Grimaud
Cogolin
Valette-du-Var
La Crau
Hyères
Forêt des Maures
MASSIF DES MAURES
LA PROVENÇALE
A8
A57
10 km
Ouv. fin 2004

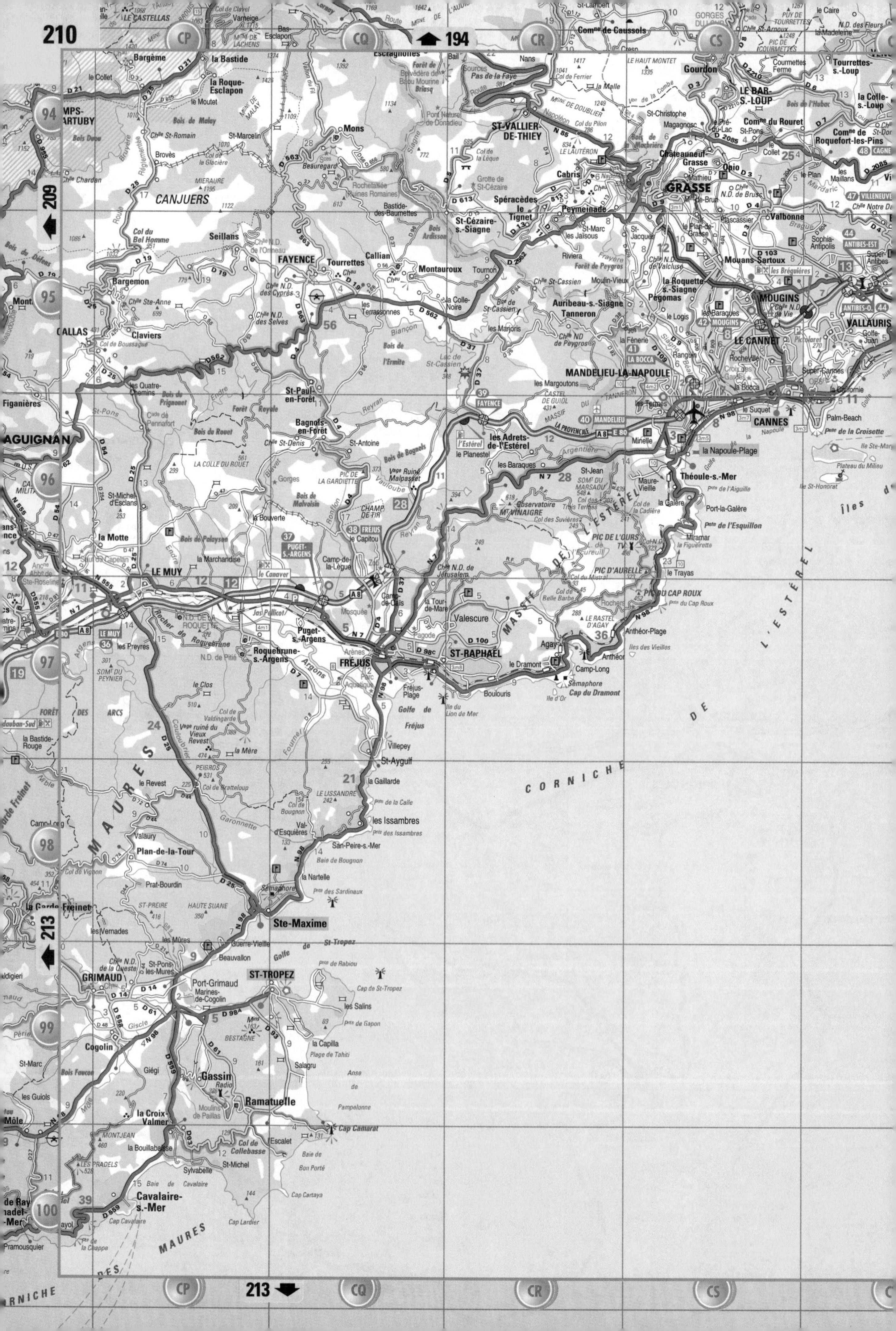
194
209
213
CP
CQ
CR
CS
Comne de Caussols
GORGES DU LOUP
PUY DE TOURRETTES
le Caire
N.D. des Fleurs
la Madeleine
Bargème
la Bastide
la Roque-Esclapon
le Moutet
Bois de Malay
Bois Doux
Chlle St-Romain
St-Marcelin
Brovès
CANJUERS
Col du Bel Homme
Seillans
Bargemon
FAYENCE
Tourrettes
Callian
Montauroux
Mons
Beauregard
Rochetaillée (Ruines Romaines)
Bastide-des-Baumettes
Forêt de Bélvédère de Baou Mourine
Pas de la Faye
Pont Naturel de Dondelieu
Nans
Col de Ferrier
la Malle
St-Christophe
Magagnosc
Gourdon
LE BAR-S.-LOUP
Comne du Rouret
Comne de Roquefort-les-Pins
ST-VALLIER-DE-THIEY
Col du Pilon
LE LAUTERON
Cabris
Grotte de St-Cézaire
Spéracèdes
le Tignet
Peymeinade
St-Cézaire-s.-Siagne
Châteauneuf-Grasse
Opio
GRASSE
Valbonne
Plascassier
Sophia-Antipolis
Mouans-Sartoux
la Roquette-s.-Siagne
Pégomas
Auribeau-s.-Siagne
Tanneron
MOUGINS
LE CANNET
VALLAURIS
Golfe-Juan
Super-Cannes
la Bocca
la Californie
MANDELIEU-LA-NAPOULE
CANNES
Palm-Beach
Pte de la Croisette
Plateau du Milieu
Ile St-Honorat
Iles de Lérins
la Napoule-Plage
Théoule-s.-Mer
Pte de l'Aiguille
Port-la-Galère
Pte de l'Esquillon
Miramar
le Trayas
PIC DU CAP ROUX
Anthéor-Plage
Anthéor
Camp-Long
Sémaphore Cap du Dramont
le Dramont
Agay
Boulouris
ST-RAPHAËL
Valescure
FRÉJUS
Fréjus-Plage
Golfe de Fréjus
Villepey
St-Aygulf
la Gaillarde
les Issambres
San-Peire-s.-Mer
la Nartelle
Ste-Maxime
Golfe de St-Tropez
ST-TROPEZ
les Salins
la Capilla
Plage de Tahiti
Anse de Pampelonne
Cap Camarat
Ramatuelle
Gassin
Cogolin
GRIMAUD
Port-Grimaud
Marines-de-Cogolin
la Croix-Valmer
Cavalaire-s.-Mer
Baie de Cavalaire
Cap Lardier
Cap Cartaya
Baie de Bon Porté
Escalet
CORNICHE DE L'ESTÉREL
CORNICHE DES MAURES
MAURES
MASSIF DE L'ESTÉREL
MASSIF DU TANNERON
PIC DE L'OURS
PIC D'AURELLE
Mt VINAIGRE
les Adrets-de-l'Estérel
St-Paul-en-Forêt
Bagnols-en-Forêt
Bois de Bagnols
Malpasset
Puget-s.-Argens
Roquebrune-s.-Argens
LE MUY
la Motte
Callas
Claviers
Figanières
DRAGUIGNAN
St-Michel-d'Esclans
la Bouverte
Plan-de-la-Tour
Valaury
le Revest
les Mûres
Beauvallon
la Garde-Freinet
Cap Cavalaire
Pramousquier

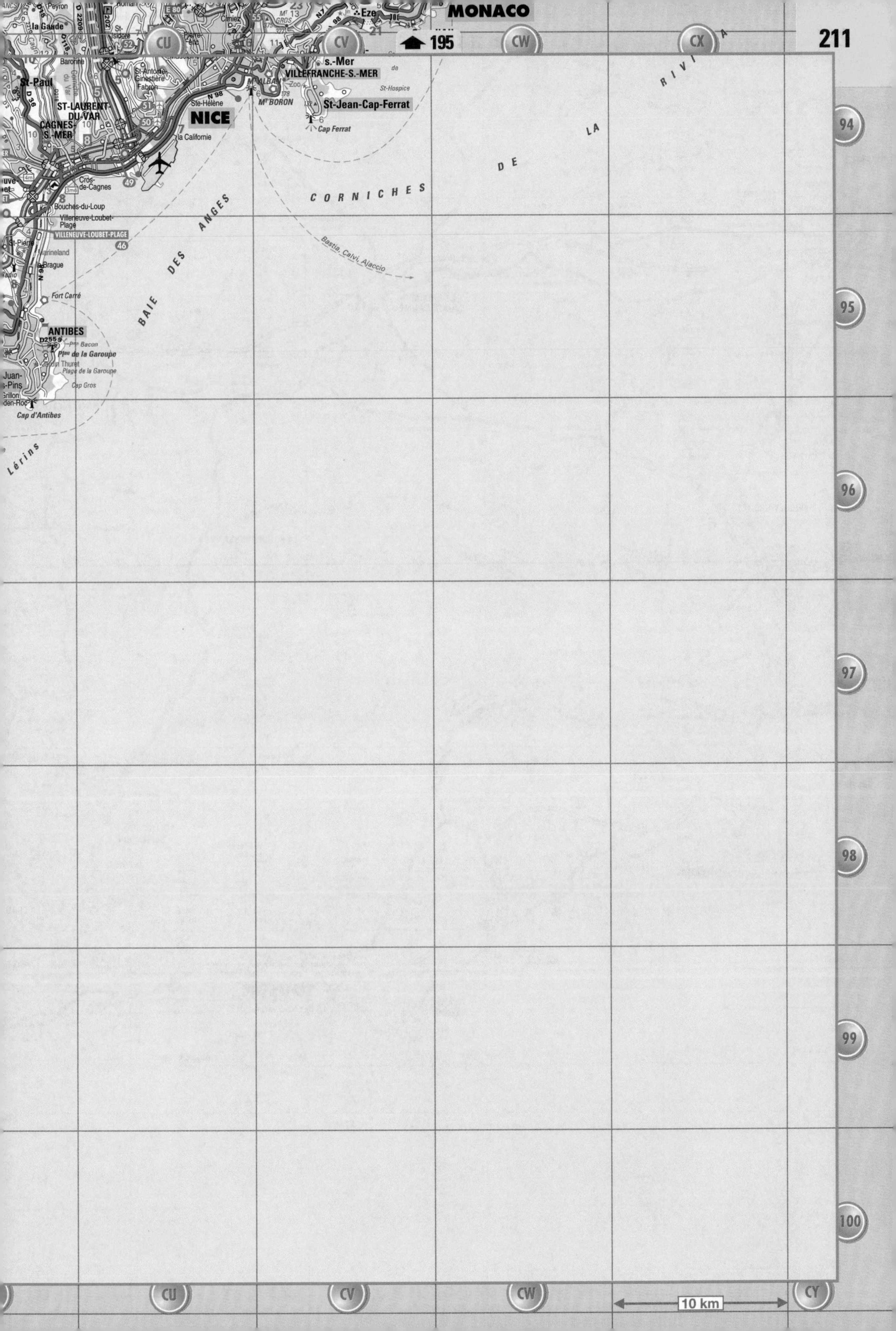
MONACO
195
CU
CV
CW
CX
CY
94
95
96
97
98
99
100
la Gaude
St-Paul
ST-LAURENT-DU-VAR
CAGNES-S.-MER
Cros-de-Cagnes
Bouches-du-Loup
Villeneuve-Loubet-Plage
VILLENEUVE-LOUBET-PLAGE
Marineland
la Brague
Fort Carré
ANTIBES
Pte Bacon
Plau de la Garoupe
Jardin Thuret
Plage de la Garoupe
Cap Gros
Juan-les-Pins
Cap d'Antibes
Lérins
NICE
Ste-Hélène
la Californie
Baronne
St-Isidore
Pierre-Feu
Cimiez
Eze
Mt BORON
VILLEFRANCHE-S.-MER
s.-Mer
St-Hospice
St-Jean-Cap-Ferrat
Cap Ferrat
BAIE DES ANGES
CORNICHES DE LA RIVIERA
Bastia, Calvi, Ajaccio
10 km

208
CH
CI
CJ
CK
CL
96
97
98
99
100
101
102
Rians
Artigues
Esparron
St-Martin
Tavernes
Fox-Amph
Vauvenargues
Lambruisse
le Puits-de-Rians
Bois de la Gardiole
Barjols
Pontevès
Brue-Auriac
le Puits-d'Agnie
Pain de Munition
Oppidum
Montagne Ste-Victoire
Pic des Mouches
Ste-Victoire
la Croix de Provence
Puyloubier
Pourrières
Chle les Hermentaires
Chle St-Pancrace
Beaurecueil
St-Antonin-s.-Bayon
le Tholonet
Châteauneuf-le-Rouge
Rousset
Gardanne
Fuveau
Trets
St-Hilaire
Ollières
Seillons-Source-d'Argens
Source d'Argens
St-Estève
Châteauvert
Correns
Bras
Miraval
Pourcieux
Roquefeuille
Lacombe
St-Maximin-la-Ste-Baume
Mt Aurélien
Peynier
les Michels
Belcodène
Gréasque
Tourves
Brignoles
le Val
Ouv. fin 2004
la Celle
Camps-la
Peypin
Baume de Marron
Kierbon
le Pigeonnier
Chle St-Jean du Puy
la Bouilladisse
Moulin-de-Redon
St-Zacharie
Rougiers
Nans-les-Pins
Moulin de Caramy
Montagne de la Loube
Cadolive
Auberge Neuve
Auriol
la Destrousse
Roquevaire
Chle N.D. d'Orgnon
Hôtellerie
Mazaugues
la Roquebrussanne
Garéoult
Forcalqueiret
Plan-d'Aups-Ste-Baume
St-Pilon
Chaîne de la Sainte Baume
Tête de Roussargue
Pont-de-l'Etoile
St-Jean-de-Garguier
St-Pierre-lès-Aubagnes
Gémenos
Aubagne
Riboux
Signes
Le Latay
Tête de Masson
Méounes-lès-Montrieux
Néoules
Rocbaron
Cuges-les-Pins
Parc d'Attractions
Coulin
Mt Cruvelier
Col de l'Ange
le Camp
Circuit Auto
Montrieux-le-Vieux
Chartreuse
Montrieux-le-Jeune
Belgentier
Cuers
la Penne-Huveaune
Carnoux-en-Provence
Camp Militaire
le Petit-Rouvière
Roquefort
Roquefort-la-Bédoule
la Bégude
Ste-Anne-du-Castellet
Plateau de Siou Blanc
Forêt Domaniale
Grand-Caunet
Laouque
Morière-les-Tournes
Solliès-Toucas
Cassis
Ceyreste
le Brulat
le Castellet
Le Beausset
Rocher de l'Aigle
Roca Troca
Le Grand Cap
Valaury
Solliès-Pont
Solliès-Ville
les Laugiers
St-Cyr-s.-Mer
Plaines Baronnes
La Ciotat
Liouquet
la Cadière-d'Azur
Mt Caume
le Revest-les-Eaux
Tourris
la Farlède
Le Coudon
Sémaphore
Chle N.D. de la Garde
Anse de Figuerolles
Cap de l'Aigle
Ile Verte
les Lecques
les Baumelles
la Madrague
le Plan
Ste-Anne-d'Evenos
le Broussan
Grd Canadeau
Evenos
Bau de 4 Heures
les Pomets
les Moulins
Mont Faron
La Valette-du-Var
La Crau
le Port-d'Alon
Pointe du Deffend
Bandol
Gros Cerveau
Ollioules
La Beaucaire
Six-Fours
Toulon
La Garde
le Pradet
Carqueiranne
Ile de Bendor
Pointe de la Cride
les Playes
Sanary-s.-Mer
La Seyne-s.-Mer
le Mourillon
Cap Brun
Grande Rade
la Garonne
les Oursinières
Six-Fours-les-Plages
Tamaris
Balaguier
Base Aéronavale
Hélistation
St-Mandrier-s.-Mer
St-Elme
Cap Cépet
Presqu'île de St-Mandrier
Observatoire de la Mer
Iles des Embiez
Roche-Blanche
le Brusc
les Sablettes
Fabrégas
Chle N.D. du Mai
Cap Sicié
Golfe de Giens
Cap de Carqueiranne
les Salettes
les Fourmigues
Corse
1h30

209
210
CM
CN
CO
CP
CQ
DRAGUIGNAN
SALERNES
Sillans-la-Cascade
Flayosc
Entrecasteaux
St-Antonin-du-Var
LORGUES
Trans-en-Provence
la Motte
LE MUY
Puget-s.-Argens
FRÉJUS
Carcès
le Thoronet
Les Arcs
Taradeau
Vidauban
Cabasse
LE LUC
le Cannet-des-Maures
Roquebrune-s.-Argens
Flassans-s.-Issole
BESSE-S.-ISSOLE
Gonfaron
Pignans
Carnoules
Puget-Ville
les Mayons
la Garde-Freinet
Plan-de-la-Tour
Ste-Maxime
les Issambres
GRIMAUD
Port-Grimaud
ST-TROPEZ
Cogolin
Gassin
Ramatuelle
COLLOBRIÈRES
Pierrefeu-du-Var
la Croix-Valmer
Cavalaire-s.-Mer
Bormes-les-Mimosas
le Lavandou
Comm de Rayol-Canadel-s.-Mer
Cavalière
la Londe-les-Maures
HYÈRES
Giens
Presqu'île de Giens
RADE D'HYÈRES
CORNICHE DES MAURES
MASSIF DES MAURES
Forêt des Maures
Forêt de Dom
Île de Porquerolles
Porquerolles
PARC NATIONAL DE PORT-CROS
Île de Port Cros
Île du Levant
ÎLES D'HYÈRES
Cap Bénat
Cap Camarat
Golfe de St-Tropez
10 km
96
97
98
99
100
101
102

196

Z
AA
AB
AC
AD
96
97
98
99
100
101
102
Roches de la Barre
Barre de l'Adour
Tarnos
ST-MARTIN-DE-SEIGNANX
Boucau
Chiberta
Lac de Chiberta
Blancpignon
la Chambre d'Amour
Pointe St-Martin
Rocher de la Vierge
ANGLET
BAYONNE
BIARRITZ
ST-PIERRE-D'IRUBE
Ilbarritz
Négresse
Mouguerre
Lahonce
Urcuit
BAYONNE-PEYREHORADE
Préventorium Honzac
les Barthes
Quartier-Neuf
le Pey
D'ARGENT
CÔTE
Bidart
Chle Ste-Madeleine
Guéthary
Bassussarry
Arcangues
Arbonne
Villefranque
les Salines
Elizaberry
Ahetze
ST-JEAN-DE-LUZ
Cabo Higer
(Cap du Figuier)
Pointe Ste-Anne
Socoa
Ciboure
Hendaye-Plage
Hondarribia
(Fuenterrabia)
HENDAYE
Béhobie
Urrugne
Chantaco
Serres
Dorréa
Ascain
Ibarron
St-Pée-s.-Nivelle
Lac de St-Pée
Souraide
ESPELETTE
USTARITZ
Séminaire
Larressore
Jatxou
Halsou
Bas-Cambo
Cambo-les-Bains
Urcuray
Mendionde
Macaye
Elisaberriko-Plaza
Landes
IRUN
Biriatou
Herboure
Olhette
Lezo
Errenteria
(Renteria)
Oiarzun
Ugaldecho
Alcibar
Gurutze
San Narciso
Ermitage S. Marcial
Fuerte Erlaiz
Fuerte Pagogaña
Peñas de Haya
Endarlaza
Col d'Ibardin
LA RHUNE
Col de St-Ignace
Sare
Lehenbiscaye
Lhalar
Cherchebruit
Col de Pinodiéta
Aïnhoa
Itxassou
la Place
Pas de Roland
Laxia
Louhossoa
Guibelarte
PIC DU MONDARRAIN
ARTZAMENDI
Col des Trois Croix
Dancharinea
Dancharia
Bera
(Vera-de-Bidasoa)
Zalain
Col de Lizuniaga
Grottes de Sare
Col de Lizarrieta
PIC ATCHURIA
Col des 3 Bornes
Zugarramurdi
Urdax-Urdazuli
(Leorlaz)
LIZARZU
Bidarray
St-Martin-d'Arrossa
Eyharce
la Bastide
Urdos
Cinco
Villas
Lesaka
Igantzi
Etxalar (Lakain-Aperzborro)
Berrizaun
Bidasoa
Cuevas de Landarbaso
Collado de Archuleguix
Ermita de San Antón
ZARIA
Embalse de Añarbe
Arano
Artikutza
ALTUETA
IZU
Arantza
AZKUA
UNANUA
Olabidea
Puerto de Otsondo
Alcurrunz
Peñas de Betarte
GORRAMENDI
PIC D'IPARLA
Amaiur-Mala
Goizueta
DESCARGA
ARAÑA
LOIZATE
MONTES DE BIDASOA
Izcolegui
MENDAUR
Sunbilla
LEGATE
Azpilkueta
(San Fermin)
Erratzu
(San Pedro)
Col d'Ispéguy
Arizkun
Valle del Baztán
ST-ÉTIENNE-DE-BAÏGORRY
Occos
Irouléguy
Guermiette
OYLARANDOY
Etchaux
Elgorriaga
Ituren
Narbate
(Bétiz-Arana)
Arraioz
Lekároz
Elizondo
(Baztán)
Mugaire
Zubieta
Doneztebe
(Santesteban)
Oitz
Donamaria
Ziga
Irurita
Urroz-de-Santesteban
Venta de Arraras
Adarza
Aldudes
Banca
Erratchuenea
Leitzalarrea
Monte Eracurri
Ezkurra
Saldias
Eratzun
Labaien
Beintza-Labaien
Almándoz
ABARTÁN
Peña de Alba
Vallée des Aldudes
Nive des Aldudes
Luzaide
(Valcarlos)
ZUPERRI
ZUACHAPI
Embalses de Leurza
ARNAIZU
PUCHOTECOGAÑE
OCHARTE
Puerto de Belate
GARTZAGA
SAIDA
OCORO
Esnazu
Urepel
Forêt d'Hayra
ARGARAY
LAURIGNA
Sierra de San Pablo
Arrarats
Igoa
Beruete
Orokieta
Monte Erreguerena
Collado de Urkiaga
ARGUINZU
ITURRUMBURRU
Col de Burdinkurutch
Redoute
Ermitage
Puerto de Ibañeta
Orreaga
(Roncesvalles)
Extarri
Aldatz
Jauntsarats
(Basaburúa-Mayor)
Itxaso
Gartzaron
Erbiti
Eltzaburu
Juarbe
ZUAZMENDI
Alkotz
Auza
Lanz
GOITEAU
Arga
MENDITXURI
Auritz
(Burguette)
Udare
Etxaleku
(Imotz)
Larrainzar
(Ulzama)
Elso
Urritzola-Galáin
Aritzu
Emb. de Eugi
Eugi
Cilveti
Espinal-Auzberri
Venta de Urriza
Latasa
Oscoz
Beunza
(Larrea)
Lizaso
Eraso
Gorrontz-Olano
Olaïgue
(Anue)
Egozkue
Iragi
URTASUN
Linzoain
(Erro)
Alto Mezquiriz
Mezkiritz
TRES HAYAS
Oderitz
Zarrantz
Ermita de Sn-Miguel
Leazkue
Leranotz
Erice
Aróstegui
TRINIDAD
Irurtzun
Egiarreta
Nuin
Eguaras
Etxain
Burutáin
Inbuluzketa
Zubiri
ALTO ERRO
Esnoz
Corona

196
197
216
10 km
AE
AF
AG
AH
AI
96
97
98
99
100
101
102
PEYREHORADE
Hastingues
Sames
Guiche
Urt
BIDACHE
Bardos
Came
LA BASTIDE-CLAIRENCE
SALIES-DE-BÉARN
Puyoô
Bellocq
Ramous
ORTHEZ
Biron
Lahontan
Labatut
Ossages
St-Girons
St-Boès
Baigts-de-Béarn
Berenx
Carresse-Cassaber
Léren
St-Pé-de-Léren
St-Dos
Auterrive
Castagnède
Labastide-Villefranche
Escos
Oraàs
Abitain
Athos-Aspis
SAUVETERRE-DE-BÉARN
Burgaronne
Orion
Orriule
Andrein
Barraute-Camu
Laàs
Castetbon
Narp
Ossenx
Montfort
Araujuzon
Audaux
Bugnein
Bastanès
Méritein
NAVARRENX
Jasses
Sus
Dognen
Gurs
Préchacq-Josbaig
L'Hôpital-St-Blaise
Géronce
Orin
Ayherre
Orègue
Isturits
Bonloc
St-Martin-d'Arberoue
St-Esteben
Méharin
Hélette
Armendarits
IHOLDY
Irissarry
Ossès
Suhescun
ST-PALAIS
Garris
Béguios
Luxe-Sumberraute
Amorots-Succos
Masparraute
Arraute-Charritte
Gabat
Beyrie-s.-Joyeuse
Orsanco
Uhart-Mixe
Larribar-Sorhapuru
Ostabat-Asme
Arhansus
Juxue
Pagolle
Lohitzun-Oyhercq
Ainharp
Domezain-Berraute
Aroue-Ithorots-Olhaïby
Charre
Lichos
Charritte-de-Bas
Espès-Undurein
Viodos-Abense-de-Bas
MAULÉON-LICHARRE
Chéraute
Garindein
Musculdy
Ordiarp
Gotein-Libarrenx
Roquiague
Barcus
Idaux-Mendy
Menditte
Aussurucq
Sauguis-St-Étienne
Ossas-Suhare
Trois-Villes
TARDETS-SORHOLUS
Alos-Sibas-Abense
Camou-Cihigue
Alçay-Alçabéhéty-Sunharette
Lacarry-Arhan-Charritte-de-Haut
Lichans-Sunhar
Laguinge-Restoue
Montory
Haux
Etchebar
Licq-Athérey
Lanne-en-Barétous
Arette
Larrau
Comne de Ste-Engrâce
Arette-la-Pierre-St-Martin
ST-JEAN-PIED-DE-PORT
Ispoure
St-Jean-le-Vieux
Ascarat
Uhart-Cize
Caro
Aincille
St-Michel
Arnéguy
Estérençuby
Lecumberry
Mendive
Béhorléguy
Ainhice-Mongelos
Gamarthe
Ibarrolle
Bunus
St-Just-Ibarre
Hosta
Jaxu
Lacarre
Larceveau-Arros-Cibits
FORÊT DES ARBAILLES
FORÊT D'IRATY
OCCABE
PIC D'ORHY
PIC DES ESCALIERS
Orbaitzeta
Orbara
Hiriberri (Villanueva de Aezcoa)
Aribe
Garaioa
Ouv. proch.

215
OLORON-STE-MARIE
Ordiarp
Gotein-Libarrenx
Barcus
Esquiule
Goès
Précilhon
Mendy
Menditte
Aussurucq
Sauguis-St-Etienne
la Madeleine
Ossas-Suhare
Trois-Villes
TARDETS-SORHOLUS
Camou-Cihigue
Alos-Sibas-Abense
Alçay-Alçabéhéty-Sunharette
Lichans-Sunhar
Lacarry-Arhan-Charritte-de-Haut
Etchebar
Licq-Athérey
Laguinge-Restoue
Haux
Montory
Lanne-en-Barétous
ARAMITS
Arette
Féas
Ance
Agnos
Bidos
Gurmençon
Herrère
Ogeu-les-Bains
Buziet
Buzy
Lasseubetat
Eysus
Asasp-Arros
Lurbe-St-Christau
Issor
Escot
Sarrance
Lourdios-Ichère
Bedous
Osse-en-Aspe
Aydius
Lées-Athas
ACCOUS
Cette-Eygun
Lescun
Etsaut
Borce
Urdos
Larrau
Chapelle St-Joseph
Comne de Ste-Engrâce
Arette-la-Pierre-St-Martin
FORÊT DES ARBAILLES
D'IRATY
PIC D'ORHY
PIC D'ANIE
TABLE DES TROIS ROIS
PIC D'ANSABÈRE
PIC DU MIDI D'OSSAU
Valle de Astún
Col du Somport
Somport
Candanchú
Tunnel du Somport (péage)
Canfranc-Estación
Canfranc
Villanúa
Sierra de Aisa
Sierra de Bernera
Sierra de Aragüés
Valle de Hecho
Hecho
Siresa
Selva de Oza
Sierra del Vedao
Sierra de los Dos Ríos
Ansó
Fago
Valle del Roncal
Isaba
Urzainqui
Roncal
Garde
Uztárroz
Sa de Arrigorrieta
Sa de San Miguel
Sierra de Beldúo
Burgui
Vidángoz
Salvatierra de Esca
Miramont
Berdún
Mianos
Artieda
Sa Nobla
Canal de Berdún
Jacetania
Aisa
Borau
Jasa
Aragüés del Puerto
Sierra de Luesia
Sierra de los Ángeles
Sierra de Baraguás
Valle de Garcipollera
Castiello de Jaca
Jaca
Santa Cilia
Puente la Reina
Embún
Biniés
Santa Lucía
Santa Isabel
Villareal de la Canal
Majones
Huértalo
Lorbés
Pintano
Martes
Sa Babil
Javierregay
Somanes
Novés
Guasillo
Asieso
Abay
AF AG AH AI AJ
101 102 103 104 105 106 107

197
198
218
AK
AL
AM
AN
AO
NAY
PONTACQ
OSSUN
Bénéjacq
Labatmale
Coarraze
Lamarque-Pontacq
Igon
St-Vincent
Asson
Barlest
Bruges-Capbis-Mifaget
Lestelle-Bétharram
Montaut
Loubajac
Lys
Sévignacq-Meyracq
Ste-Colome
ST-PÉ-DE-BIGORRE
Peyrouse
Poueyferré
Bartrès
GROTTES DE BÉTHARRAM
LOURDES
Lézignan
Arthez-d'Asson
Louvie-Juzon
Castet
Omex
Ségus
Ossen
Viger
Agos-Vidalos
Ouzous
Salles
Sère-en-Lavedan
Ayzac-Ost
Gez
ARGELÈS-GAZOST
Arras-en-Lavedan
Arcizans-Dessus
Gaillagos
AUCUN
Marsous
Arrens-Marsous
Bun
Sireix
Estaing
St-Savin
Uz
Pierrefitte-Nestalas
Villelongue
Soulom
Viscos
Chèze
Saligos
Grust
Sazos
Sassis
Vizos
Esquièze-Sère
Viella
Esterre
LUZ-ST-SAUVEUR
Barèges
Sers
Viey
Betpouey
Gèdre
Gavarnie
Cauterets
BAGNÈRES-DE-BIGORRE
PIC DU MIDI DE BIGORRE
Eaux-Bonnes
Gourette
PIC DE GER
Aste-Béon
Louvie-Soubiron
Béost
Arbéost
Ferrières
Col d'Aubisque
Col du Soulor
PIC DE LA SAGETTE
Fabrèges
Lac d'Artouste
BALAÏTOUS
PIC DU POURTALET
Formigal
Sallent-de Gallego
Baños de Panticosa
Lanuza
Escarrilla
Panticosa
El Pueyo-de-Jaca
Piedrafita-de-Jaca
Hoz-de-Jaca
Biescas
Torla
Broto
VIGNEMALE
Lac de Gaube
Cirque de Gavarnie
Monte Perdido
PARQUE NACIONAL DE ORDESA Y MONTE PERDIDO
Valle de Otal
Sierra de Tendeñera
Valle de Pineta
Ouv. proch.
Ouv. début 2005
10 km

199
217
AP
AQ
AR
AS
AT
101
102
103
104
105
106
107
TOURNAY
LANNEMEZAN
LA BARTHE-DE-NESTE
ST-LAURENT-DE-NESTE
MONTRÉJEAU
ST-GAUDENS
BAGNÈRES-DE-BIGORRE
CAMPAN
BARBAZAN
St-Bertrand-de-Comminges
MAULÉON-BAROUSSE
ARREAU
BORDÈRES-LOURON
VIELLE-AURE
St-Lary-Soulan
BAGNÈRES-DE-LUCHON
ST-BÉAT
Superbagnères
PIC DU MIDI DE BIGORRE
Col d'Aspin
Mauvezin
Capvern
Sarrancolin
Loudenvielle
Aragnouet
Le Plan-d'Aragnouet
Tunnel de Bielsa
Bielsa
Parzán
Benasque
Plateau de Lannemezan
Vallée d'Aure
Vallée du Louron
Massís de la Maladeta
Montes Malditos
Valle de Bielsa
Valle de Gistaín
PARQUE NATURAL DE POSETS - MALADETA
A64
A645
D 929
D 938
D 618
N 125
N 117

200
224
220
101
102
103
104
105
106
107
AU
AV
AW
AX
AY
Aurignac
St-Elix-Séglan
Aulon
Bouzin
Cazeneuve-Montaut
le Fréchet
Boussens
Martres-Tolosane
Palaminy
Cazères
Couladère
Mauran
Montclar-de-Comminges
St-Michel
le Plan
St-Christaud
Gouzens
Gouteveruisse
Montesquieu-Volvestre
Loubaut
Thouars-s.-Arize
Fornex
Montberaud
Lahitère
Latoue
Auzas
Sepx
Proupiary
Laffite-Toupière
Mancioux
Roquefort-s.-Garonne
Plagne
Ausseing
St-Martory
Castillon-de-St-Martory
Arnaud-Guilhem
Lestelle-de-St-Martory
Mazères-s.-Salat
Belbèze-en-Comminges
Cérizols
Ste-Croix-Volvestre
Montbrun-Bocage
Landorthe
St-Médard
Savarthès
Estancarbon
Montsaunès
Cassagne
Escoulis
Fabas
Beauchalot
Labarthe-Inard
Pointis-Inard
Miramont-de-Comminges
Montespan
Salies-du-Salat
Marsoulas
Betchat
Bédeille
Tourtouse
Mérigon
Montfa
Camarade
Mauvezin-de-Ste-Croix
Montardit
Lasserre
Bagert
Barjac
Contrazy
Figarol
Mane
Touille
Ganties
Lespiteau
Montgaillard-de-Salies
His
la Bastide-du-Salat
Encausse-les-Thermes
Couret
Rouède
Comne de Montastruc-de-Salies
Castagnède
Lacave
Mercenac
Taurignan-Castet
Clermont
Soueich
Cabanac-Cazaux
Estadens
Castelbiague
Saleich
Mauvezin-de-Prat
Prat-Bonrepaux
Caumont
Lorp-Sentaraille
Taurignan-Vieux
Gajan
Montesquieu-Avantès
Aspet
Chein-Dessus
Izaut-de-l'Hôtel
Urau
Francazal
Montgauch
St-Lizier
Montjoie-en-Couserans
Lescure
Rimont
Montseron
Castelnau-Durban
Sengouagnet
Milhas
Arbas
Fougaron
Cazavet
Juzet-d'Izaut
Montégut-en-Couserans
St-Girons
Razecueillé
Herran
Balaguères
Eycheil
Comne d'Encourtiech
Rivèrenert
Moulis
Arrout
Engomer
Lacourt
Erp
St-Jean-du-Castillonnais
Galey
Buzan
Villeneuve
Argein
Audressein
Portet-d'Aspet
St-Lary
Augirein
Orgibet
Illartein
Aucazein
Sor
Cescau
Comne de Soulan
Castillon-en-Couserans
Salsein
Alos
Boussan
Les Bordes-s.-Lez
Balacet
Uchentein
Arrien-en-Bethmale
Comne de Bethmale
Soueix-Rogalle
Aleu
Antras
Sentein
Bonac-Irazein
Sentenac-d'Oust
Oust
Melles
Seix
Canejan
Ercé
Comne d'Ustou
Aula
Couflens
Arrós y Vila
Betlan
Vilac
Vielha
Gausac
Casau
Garòs
Gessa
Salardú
Bagerque
Caserilh
Escunhau
Betren
Artiés
Tredós
Vaquèira
Port de la Bonaigua
la Bonaigua de Baix
Isil
Esterri d'Àneu
Tavascan
Lladorre
PIC DE MAUBERMÉ
PICO DE MOREDO
MONT VALIER
Tunnel de Vielha
10 km
PARQUE NACIONAL DE AYGÜES-TORTES I ESTANY DE SANT MAURICI

AY
AZ
201
BA
BB
BC
SAVERDUN
Massabrac
Ste-Suzanne
Canens
Lapeyrère
Durfort
Justiniac
Brie
Nogarède
Villeneuve-du-Latou
Loubaut
Méras
Sieuras
LE FOSSAT
Esplas
Unzent
le Vernet
Montaut
BELPECH
Cahuzac
Pécharic-et-le-Py
Castex
la Bastide-de-Besplas
St-Martin-d'Oydes
Bonnac
Gaudiès
Plaigne
Villautou
Carla-Bayle
Lescousse
St-Amans
Comne de Bézac
Villeneuve-du-Paréage
Trémoulet
Lapenne
Daumazan-s.-Arize
Campagne-s.-Arize
Artigat
St-Michel
PAMIERS
PAMIERS-NORD
la Bastide-de-Lordat
Montbrun-Bocage
Castéras
Lanoux
Escosse
le Carlaret
St-Félix-de-Tournegat
Ludiès
Pailhès
Madière
les Bordes-s.-Arize
Sabarat
Montfa
la Tour-du-Crieu
St-Amadou
Vals
Manses
St-Victor-Rouzaud
Comne de Monesple
Comne de St-Bauzeil
St-Jean-du-Falga
Verniolle
les Pujols
Teilhet
Rieucros
Besset
LE MAS-D'AZIL
Gabre
Camarade
Montégut-Plantaurel
Artix
Benagues
les Issards
Coutens
Tourtrol
Rieux-de-Pelleport
Coussa
Viviès
Comne de Cazaux
Loubens
Comne de Arvigna
Vira
Clermont
VARILHES
St-Félix-de-Rieutord
Ségura
Calzan
Allières
Comne de Aigues-Juntes
Suzan
Crampagna
Dalou
St-Julien-de-Gras-Capou
Durban-s.-Arize
Comne de Baulou
Dun
Malléon
Limbrassac
Montseron
Castelnau-Durban
Rimont
LA BASTIDE-DE-SÉROU
Cadarcet
Loubières
St-Jean-de-Verges
Gudas
Ventenac
Larbont
Montels
St-Martin-de-Caralp
Aigues-Vives
Nescus
Alzen
Vernajoul
Arabaux
Pradettes
Tabre
Esplas-de-Sérou
Montagagne
Cos
Lieurac
Carla-de-Roquefort
Sautel
Esclagne
Sentenac-de-Sérou
Serres-s.-Arget
St-Pierre-de-Rivière
l'Herm
Burret
Bénac
FOIX
Comne de Pradières
Roquefort-les-Cascades
Ilhat
Raissac
Comne du Bosc
Brassac
Ganac
Soula
Leychert
Roquefixade
Dreuilh
Ferrières-s.-Ariège
Prayols
MONTGAILLARD
St-Paul-de-Jarrat
Celles
Nalzen
Péreille
LAVELANET
Bénaix
Montoulieu
Freychenet
Villeneuve-d'Olmes
Boussenac
MASSAT
Biert
Aleu
Montferrier
Saurat
Arignac
Mercus-Garrabet
le Port
Bédeilhac-et-Aynat
Rabat-les-Trois-Seigneurs
Surba
Bompas
Arnave
Montségur
Cazenave-Serres-et-Allens
TARASCON-S.-ARIÈGE
Gourbit
Génat
Ussat
Comne de Ornolac-Ussat-les-Bains
Alliat
Niaux
Sinsat
Lapège
Larnat
Senconac
Caychax
Appy
Illier-et-Laramade
Comne de Capoulet-et-Junac
Verdun
LES CABANNES
Axiat
Aulus-les-Bains
Suc-et-Sentenac
Orus
Comne de Miglos
Château-Verdun
Vèbre
Lordat
Vernaux
Bestiac
Caussou
Prades
Lercoul
Aston
Albiès
Urs
Garanou
Auzat
VICDESSOS
Sem
Siguer
Gestiès
Pech
Lassur
Unac
Luzenac
Tignac
Goulier
Perles-et-Castelet
Vaychis
Sorgeat
Ascou
Savignac-les-Ormeaux
Ignaux
AX-LES-THERMES
Mérens-les-Vals
PIC DES TROIS SEIGNEURS
PIC DE ST-BARTHÉLEMY
PIC DE PEYROT
PIC DE MALCARAS
PIC DE L'ASPRE
PIC DE FOURCAT
PIC DE MONTCALM
PIC D'ESTATS
Col de la Didorte
TUTE DE L'OURS
Lago de Cheus
Esterri de Cardós
219
101
102
103
104
105
106
107
224
225

202
225
226
222
10 km
Bram
Villesiscle
Fanjeaux
Montréal
Carcassonne-Arzens
Arzens
Alairac
Lavalette
Cazilhac
Palaja
Berriac
Carcassonne-ZI
Carcassonne-La Cité
Villasavary
la Cassaigne
Lasserre-de-Prouille
Villeneuve-lès-Montréal
Brézilhac
Cailhavel
Ferran
Orsans
Fenouillet-du-Razès
Gramazie
Cailhau
Mazerolles-du-Razès
Belvèze-du-Razès
Cambieure
Brugairolles
Villarzel-du-Razès
Montclar
Roullens
Couffoulens
Preixan
Rouffiac-d'Aude
Leuc
Cavanac
Montirat
Verzeille
Villefloure
Mas-des-Cours
Montgradail
Hounoux
St-Gaudéric
Malegoude
Escueillens-et-St-Just-de-Bélengard
Alaigne
Routier
Lauraguel
Malviès
St-Martin-de-Villereglan
Cépie
Pomas
St-Hilaire
Ladern-s.-Lauquet
Bellegarde-du-Razès
Seignalens
Cazals-des-Baylès
Lignairolles
Monthaut
Gueytes-et-Labastide
Donazac
Pauligne
Gaja-et-Villedieu
Pieusse
Greffeil
Villar-en-Val
Roumengoux
Moulin-Neuf
Caudeval
Peyrefitte-du-Razès
Loupia
Gardie
Villebazy
Limoux
Malras
Tréziers
Pomy
Villelongue-d'Aude
Lagarde
Corbières
Villar-St-Anselme
St-Polycarpe
Clermont-s.-Lauquet
Caunette-s.-Lauquet
Courtauly
la Bezole
Ajac
la Digne-d'Aval
la Digne-d'Amont
Magrie
Brasse
Buc
Belcastel-et-Buc
St-Quentin-la-Tour
Camon
Castelreng
Cournanel
Tourreilles
Villardebelle
Belloc
St-Benoît
Sonnac-s.-l'Hers
Missègre
Alet-les-Bains
Bouisse
Valmigère
Véraza
Léran
Chalabre
St-Couat-du-Razès
Bourigeole
Bouriège
Roquetaillade
Montbel
Montjardin
Conilhac-de-la-Montagne
Terroles
Festes-et-St-André
la Serpent
Luc-s.-Aude
Peyrolles
Arques
Villefort
le Peyrat
Antugnac
Cassaignes
Coustaussa
Montazels
Espéraza
Couiza
Serres
Ste-Colombe-s.-l'Hers
Rivel
Rouvenac
Rennes-le-Château
Rennes-les-Bains
Lesparrou
l'Aiguillon
St-Jean-de-Paracol
Campagne-s.-Aude
Puivert
Fourtou
Bélesta
Sougraigne
Nébias
Brenac
Granès
Camp-Bonnaure
Lescale
Bugarach
Fougax-et-Barrineuf
Quillan
St-Ferriol
St-Just-et-le-Bézu
Coudons
Ginoles
St-Julia-de-Bec
Belvis
Belvianes-et-Cavirac
Cubières-s.-Cinoble
Camps-s.-l'Agly
St-Louis-et-Parahou
Quirbajou
Belfort-s.-Rebenty
St-Martin-Lys
Prugnanes
Caudiès-de-Fenouillèdes
Roquefeuil
Espezel
Joucou
Marsa
Cailla
Camurac
Belcaire
Galinagues
Axat
Puilaurens
Fenouillet
Niort-de-Sault
Mazuby
Rodome
Aunat
Artigues
Bessède-de-Sault
le Clat
Montaillou
Mérial
Salvezines
St-Martin
la Fajolle
Fontanès-de-Sault
Gincla
Vira
le Vivier
Campagna-de-Sault
Ste-Colombe-s.-Guette
Escouloubre
Roquefort-de-Sault
Montfort-s.-Boulzane
Rabouillet
Prats-de-Sournia
le Bousquet
Mijanès
Rouze
Counozouls
Le Puch
Sournia
Orlu
Artigues
le Pla
Carcanières
Quérigut
Mosset
Campôme
Molitg-les-Bains
Catllar
Puyvalador
Fontrabiouse
Réal
Urbanya
Nohèdes
Prades
Formiguères
Codalet

203
221
226
227
Aigues-Vives
Puichéric
Castelnau-d'Aude
Roubia
St-Nazaire-d'Aude
Badens
Rustiques
Blomac
Roquecourbe-Minervois
LÉZIGNAN-CORBIÈRES
Villedaigne
Névian
Marseillette
CAPENDU
St-Couat-d'Aude
Montbrun-des-Corbières
Conilhac-Corbières
Cruscades
Montredon-des-Corbières
Floure
Fontiès-d'Aude
Barbaira
Douzens
Moux
Ornaisons
Montirat
Comigne
Fontcouverte
Luc-s.-Orbieu
Bizanet
NARBONNE-SUD
Boutenac
Ferrals-les-Corbières
Pradelles-en-Val
Réquy
Fabrezan
Camplong-d'Aude
Montlaur
St-André-de-Roquelongue
Bages
Arquettes-en-Val
Serviès-en-Val
Ribaute
LAGRASSE
Thézan-des-Corbières
Montséret
PARC RÉGIONAL DE LA NARBONNAISE EN MÉDITERRANÉE
Villetritouls
Rieux-en-Val
Tournissan
St-Laurent-de-la-Cabrerisse
Peyriac-de-Mer
Labastide-en-Val
Taurize
Caunettes-en-Val
Talairan
Mayronnes
St-Pierre-des-Champs
Fontjoncouse
Coustouge
Portel-des-Corbières
St-Martin-des-Puits
Jonquières
SIGEAN
Lairière
Villerouge-Termenès
Villesèque-des-Corbières
Vignevieille
Montjoi
Termes
Félines-Termenès
Albas
Salza
Cascastel-des-Corbières
DURBAN-CORBIÈRES
Roquefort-des-Corbières
Lanet
MOUTHOUMET
Davejean
Villeneuve-les-Corbières
Quintillan
La Palme
Albières
Laroque-de-Fa
Palairac
St-Jean-de-Barrou
Fraissé-des-Corbières
Embres-et-Castelmaure
Auriac
Dernacueillette
Maisons
Ségure
Feuilla
Caves
Massac
Montgaillard
Treilles
Fourtou
Nouvelles
Soulatgé
TUCHAN
Fitou
Rouffiac-des-Corbières
Padern
Opoul-Périllos
Cubières-s.-Cinoble
Duilhac-s/s-Peyrepertuse
Cucugnan
Paziols
Vingrau
Salses-le-Château
ST-PAUL-DE-FENOUILLET
Maury
Tautavel
Lesquerde
Mas-Camps
Cases-de-Pène
Espira-de-l'Agly
St-Hippolyte
St-Martin
LATOUR-DE-FRANCE
Planèzes
Rasiguères
Estagel
Calce
RIVESALTES
Felluns
Ansignan
Lansac
Montner
Baixas
Peyrestortes
Claira
ST-LAURENT-DE-LA-SALANQUE
Pézilla-de-Conflent
Trilla
Cassagnes
Pia
Bompas
SOURNIA
Caramany
Bélesta
ST-ESTÈVE
Villelongue-de-la-Salanque
Trévillach
Campoussy
Néfiach
Corneilla-la-Rivière
Pézilla-la-Rivière
Villeneuve-la-Rivière
Baho
Tarerach
Montalba-le-Château
MILLAS
St-Féliu-d'Amont
St-Féliu-d'Avall
PERPIGNAN
Ille-s.-Têt
Le Soler
TOULOUGES
Cabestany
St-Nazaire
Arboussols
Rodès
Corbère
Corbère-les-Cabanes
Saleilles
Eus
Bouleternère
St-Michel-de-Llotes
THUIR
Canohès
Pollestres
Villeneuve-de-la-Raho
Alénya
Marquixanes
VINÇA
Rigarda
Camélas
Ponteilla
Théza
ST-CYPRIEN
Ouv. en 2005
PERPIGNAN-NORD
PERPIGNAN-SUD

204

d'Aude
Pech
D 31
Celeyran
A 9
Narbonne
Moyau-Lez
les Cabanes-de-Fleury
la Yole
Vinassan
Marmorières
D 1118
Armissan
NARBONNE-EST
Gouffre de l'Œil Doux
St-Pierre-s.-Mer
Vires
Moujan
Ricardelle
Pech-Redon
Coffre de Pech Redon
D 168
Narbonne-Plage
Cimetière Marin
Chle des Auzils
D 32
Grand-Mandirac
les Ayguades
Etang de Mateille
Etang de Gruissan
Tour de Barberousse
Gruissan
Gruissan-Plage
Campignol
Réserve
Salines de St-Martin
l'Evêque
Etang de l'Ayrolle
Grau de la Vieille-Nouvelle
Salin de Ste-Lucie
Port-la-Nouvelle
D 709
la Franqui
Cap Leucate
Leucate
Leucate-Plage
Grau de Leucate
D 627
Port-Leucate
Aquamagic
Paquebot Lydia
Casino
Port-Barcarès
Port-du-Grau-St-Ange
D 83
le Barcarès
D 90
Torreilles-Plage
Ste-Marie-Plage
NET-EN-ROUSSILLON
Canet-Plage
D 81A
St-Cyprien-Plage
les Capellans
BN
BO
BP
BQ
BR
101
102
103
105
106
107
10 km

227

219
220
AX
AY
AZ
BA
BB
104
105
106
107
108
109
110
219
FOIX
Eycheil
Comne d'Encourtiech
le Coch
Touron
Rivèrenert
de-Sérou
Sentenac-de-Sérou
Burret
Serres-s.-Arget
St-Pierre-de-Rivière
Lacourt
Erp
Forêt de Rivèrenert
Comne de Soulan
MASSIF DE L'ARIZE
Segalas
Boussan
Buleix
St-Pierre
Rivière
Alos
Tunnel de Kercabanac
St-Sernin
Soueix-Rogalle
Rogalle
Castet-d'Aleu
Aleu
Biert
Boussenac
MASSAT
Liers
Jacoy
Rieuprégon
Encenou
les Arils
Tour Lafont
Fontaine de la Crouzette
Comne du Bosc
la Cabirole
le Four
Cazals
Brassac
Ganac
Ferrières-s.-Ariège
Prayols
MONTGA
Montoulieu
Forêt de Brassac
Sentenac-d'Oust
OUST
Seix
Cap de Bouirex
Aunac
Conflens-de-Betmajou
Chau de Mirabat
Chau de la Garde
Pont-de-Taule
Estours
Vallée d'Ustou
Comne d'Ustou
le Trein
Bielle
Sérac
St-Lizier
Guzet-Neige
Prat-Mataou
Aulus-les-Bains
Ercé
Carré
Costes
Jammets
Gouffre du Puits
Cominac
Naudou
Saraillé
Mourès
Bougareit
le Port
Arac
Carol
Saurat
Prat-Communal
Bédeilhac-et-Aynat
Rabat-les-Trois-Seigneurs
Surba
Arignac
Mercus-G
Bompas
TARASCON-S.-ARIÈGE
Ussat
Gourbit
Génat
Alliat
Niaux
Larnat
Bouan
Capoulet
Illier-et-Laramade
Lapège
Comne de Capoulet-et-Junac
Comne de Miglos
Château-Ve
Larcat
Suc-et-Sentenac
Sentenac
Orus
Lercoul
Sem
Siguer
Gestiès
Saleix
Auzat
VICDESSOS
Goulier
PIC DES TROIS SEIGNEURS
MONT BEAS
PIC DE CAYZARDET
PIC DU MONT CEINT
Couflens
Faup
Col de Pause
Aula
Salau
Espis
Ossèse
Cascade
Cirque de Cagateille
PIC DE MONT ROUGE
PIC DE MONTAGNOU
PIC DE SOUBIROU
PIC DE MONTAUD
PIC DE SERON
CAP DE FUM
PIC ROUGE DE BASSIES
PIC DES PLANES
Étangs de Bassiès
Ranet
Artiès
Sarradeil
Bouychet
Cayanes
Marc
Mounicou
l'Artigue
LES CADELLS
PIC D'ENDRON
PIC DE PEYROT
PIC DE L'ASPRE
PIC DE MALCARAS
PIC DE FOURCAT
Ref. de Montcalm
Pla-Subra
Bge de Pla de Soulcem
PIC DE MONTCALM
PIC D'ESTATS
SOTLLO
PIC DE ANALBONNE
PIC DE LA ROUGE
PIC DE BROUGAT
PIC DE CERTESCAN
PIC DE TURGUILLA
PIC DES 3 COMTES
CAP DE RUHOS
PIC DES MULATS
Mt ROUCH
Lago Mayor
Lago de la Gola
COSTA BLAVA
PIC DE LA COMA DEL FORN
PICO DEL CAUBO
SIERRA DELS CANALS
L. de Cestascan
Noarre
Sorra de Pilàs
SIERRA DE MITJANA
Alòs d'Isil
Isil
Àrreu
Borén
Isavarre
Sorpe
Castell de Portaran
Cerví
Gavàs
Ermita de Sant Pere
Unarre
Ermita de Sant Joan
Valencia d'Àneu
Castell de Valencia
Esterri d'Àneu
Escalarre
Pantà de la Torrassa
la Guingueta d'Àneu
Dorve
Jou
Berròs Jussà
Berròs Sobirà
Espot
Espot Esqui
Mt ESCOBEDO
SIERRA DE AURATI
Estaon
Lladrós
Arros
Esterri de Cardós
Boldis Sobirà
Lladorre
Tavascan
Ayneto
SIERRA DELLS PLANS
Lago de Cheus
PICO DE JERRY
SIERRA DEL MONTEIXO
PLA DE LA NEGUA
Àreu
Noris
Tor
COMA PEDROSA
PIC NEGRE
Arinsal
PIC DE PERCANELA
Erts
Pal
la Massana
Sispony
Ordino
Sornàs
la Cortinada
Llorts
El Serrat
PIC DE CASAMANYA
Anyós
Aldosa
Encamp
Carillo
Prats
Santuari de Meritxell
TOSSAL DE LA LLOSADA
ALT DEL GRIU
Radio Andorra
St-Miquel-d'Engolasters
ANDORRA-LA-VELLA
les Escaldes-Engordany
Sta Coloma
Aós
Aixovall
Certers
Nagol
Sant-Julià-de-Lòria
Fontaneda
Auvinyà
Juverri
Arcavell
la Farga de Moles
Ribera de Cardós
Escaló
Escart
Estarón
Ainet de Besan
Alins
Arahos
Tirvia
Burg
Farrera
Montesclado
Mallolis
Llavorsí
Bajasca
Arestui
CAP MAJOR
Sant Romà de Tavèrnoles
Surp
Rodés
Escàs
Roní
Montenartró
Rialp
Llessui
Sauri
Altron
Port Ainé
ROCA DEL PILLILLO
Sort
Olp
Castell de Pallars
Enviny
Montardit
Llarvén
Estac
LA TORRETA DE L'ORRI
Vilamur
Rubió
Tornafort
les Llacunes
la Torre
Freixe
Biscarbó
Vila-rubla
Arcalís
Sant Sebastià de Buseu
Castellàs
Baén
Enseu
Guils
la Parroquia d'Hortó
S. Juan de l'Erm
Seix
Solanell
Albet
San Andreu
Pallerols del Cantó
Castellbò
Avellanet
Civis
Asnurri
Argolell
Ars
San Joan Fumat
Anserall
Aravell
Castellciutat
LA SEU-D'URGELL
Cerc
Estamariu
Bescaran
PLA DE LLOSES
SIERRA ALBUNA
Castelnou de Carcolze
Aristot
Pont de Bar
Arsèguell
Toloriu
Cava
Ansovell
Aranser
Musse
l'Aldosa
Ransol
Aulos
PIC DE SERRAMIJANA
PIC MONTURULL
PIC DELS PESSONS
PIC DES AGOLS
Ermita de Santa Magdalena de Ribalera
PIC D'URDOSSA
SIERRA DE BOSQUE
SIERRA DE MÀNIGA
Noguera Pallaresa
N 260
N 145
N 1
N 2
N 20
D 618

221
226
221
10 km
BC
BD
BE
BF
BG
104
105
106
107
108
109
110
Roquefort
Laroque-d'Olmes
Festes-et-St-André
Leychert
Raissac
Roquefixade
Dreuilhe
Ste-Colombe-s.-l'Hers
Rivel
Rouvenac
Espéraza
Montazels
COUIZA
Rennes-le-Château
Soula
St-Cirac
Péreille
LAVELANET
St-Jean-d'Aigues-Vives
Lesparrou
En Gauly
St-Jean-de-Paracol
Campagne-s.-Aude
Celles
Nalzen
Bénaix
l'Aiguillon
les Armoulats
Puivert
Freychenet
Villeneuve-d'Olmes
Bélesta
Nébias
Brenac
Montferrier
Fougax
Comne de Fougax-et-Barrineuf
Barrineuf
QUILLAN
St-Ferriol
Montségur
Coudons
Ginoles
Belvis
Belvianes-et-Cavirac
Cazenave-Serres-et-Allens
Belfort-s.-Rebenty
Quirbajou
Comus
Camurac
BELCAIRE
Roquefeuil
Espezel
Galinagues
Joucou
Marsa
Cailla
St-Martin-Lys
Senconac
Caychax
Appy
Axiat
Verdun
LES CABANNES
Lordat
Vèbre
Albiès
Verniaux
Bestiac
Caussou
Prades
Montaillou
Niort-de-Sault
Mazuby
Rodome
Aunat
Bessède-de-Sault
Artigues
Le Clat
Mérial
Lassur
Garanou
Unac
Luzenac
Tignac
la Fajolle
Fontanès-de-Sault
Campagna-de-Sault
Perles-et-Castelet
Vaychis
Ignaux
Sorgeat
Ascou
Escouloubre
le Bousquet
Roquefort-de-Sault
Counozouls
Savignac-les-Ormeaux
AX-LES-THERMES
Orgeix
Orlu
Mijanès
Rouze
Usson-les-Bains
le Puch
Artigues
le Pla
Carcanières
QUÉRIGUT
Mérens-lès-Vals
Vives
Puyvalador
Fontrabiouse
Réal
Formiguères
Sansa
Railleu
Matemale
Ayguatébia-Talau
l'Hospitalet-près-l'Andorre
les Angles
Caudiès-de-Conflent
Canaveilles
Pas de la Casa
Porté-Puymorens
Porta
la Llagonne
MONT-LOUIS
Sauto
Thuès-Entre-Valls
Targassonne
Egat
Bolquère
Font-Romeu-Odeillo-Via
Fontpédrouse
la Cabanasse
St-Pierre-Dels-Forcats
Planès
Dorres
Latour-de-Carol
Angoustrine-Villeneuve-des-Escaldes
Llivia
Estavar
SAILLAGOUSE
Eyne
Ur
Enveitg
Llo
Meranges
Guils de Cerdanya
PUIGCERDA
Err
Bolvir
Ger
Bourg-Madame
Ste-Léocadie
Nahuja
Osséja
Palau-de-Cerdagne
Olopte
All
Queixans
Valcebollère
Núria
Isòvol
el Villar d'Urtx
Prullans
Sansor
Prats
Alp
Bellver de Cerdanya
Montellà de Cadí
Das
La Molina
Urús
Super Molina
Tunnel d'Envalira (Péage)
Tunnel de Puymorens (Péage)
RÉSERVE NATIONALE DE CHASSE
PIC CARLIT
Lac des Bouillouses
Forêt de Bélesta
Forêt du Trabanet
Forêt des Fanges
PIC DE ST-BARTHÉLEMY
MONTAGNE DE TABE
PUIG DE CAMPCARDOS
N 20
N 22
N 116
N 152
N 260
D 117
D 118
D 613
D 618
E 9

221
222
225
BG
BH
BI
BJ
BK
104
105
106
107
108
109
110
Couiza
Rennes-le-Château
Rennes-les-Bains
Sougraigne
Fourtou
Auriac
Dernacueillette
Massac
Montgaillard
Maisons
Tuchan
Padern
Paziols
Cucugnan
Duilhac-s/s-Peyrepertuse
Rouffiac-des-Corbières
Soulatgé
Cubières-s.-Cinoble
Camps-s.-l'Agly
Bugarach
St-Just-et-le-Bézu
St-Julia-de-Bec
St-Louis-et-Parahou
St-Paul-de-Fenouillet
Maury
Lesquerde
Caudiès-de-Fenouillèdes
Prugnanes
Axat
Puilaurens
Lapradelle
Fenouillet
Fosse
St-Martin
Felluns
St-Arnac
Ansignan
Lansac
Rasiguères
Planèzes
Latour-de-France
Estagel
Calce
Baixas
Montner
Cassagnes
Caramany
Bélesta
Trévillach
Montalba-le-Château
Néfiach
Millas
Corneilla-la-Rivière
Pézilla-la-Rivière
St-Féliu-d'Amont
St-Féliu-d'Avall
Ille-s.-Têt
Rodès
Bouleternère
Corbère
Corbère-les-Cabanes
St-Michel-de-Llotes
Thuir
Camélas
Castelnou
Ste-Colombe-de-la-Commanderie
Fourques
Montauriol
Tordères
Llauro
Calmeilles
Oms
Taillet
St-Marsal
Taulis
Céret
Reynès
Amélie-les-Bains-Palalda
Arles-s.-Tech
Corsavy
Montbolo
Montferrer
Prats-de-Mollo-la-Preste
le Tech
Serralongue
St-Laurent-de-Cerdans
Coustouges
Lamanère
Vallespir
Mosset
Molitg-les-Bains
Campôme
Catllar
Eus
Prades
Vinça
Rigarda
Marquixanes
Joch
Finestret
Espira-de-Conflent
Estoher
Glorianes
Boule-d'Amont
Casefabre
Villefranche-de-Conflent
Corneilla-de-Conflent
Vernet-les-Bains
Fillols
Taurinya
Clara
Codalet
Serdinya
Olette
Jujols
Nohèdes
Urbanya
Conat
Souanyas
Escaro
Nyer
Sahorre
Casteil
Py
Mantet
Mont Canigou
Valmanya
Baillestavy
la Bastide
Sournia
Rabouillet
Prats-de-Sournia
Pézilla-de-Conflent
Campoussy
Tarerach
Arboussols
Mouthoumet
Davejean
Quintillan
Vingrau
Tautavel
Cases-de-Pène
Le Fenouillèdes
Thuès-les-Bains
Canaveilles

BL
BM
BN
BO
BP
104
105
106
107
108
109
110
Etang de Palme
la Palme
Chlle St-Pancrace
LEUCATE
la Franqui
Cap Leucate
Feuilla
Hortoux
MT MONTOULIE DE PERILLOU
Caves
Treilles
LA CATALANE
Leucate
Leucate-Plage
Fitou
les Cabanes-de-Fitou
Grau de Leucate
Périllos
Opoul-Périllos
Port-Fitou
Etang de Leucate ou de Salses
Port-Leucate
Chau de Salses
Salses-le-Château
Aquamagic
Paquebot Lydia
Casino
Garrieux
Port-Barcarès
CAMP MILITAIRE
Port-du-Grau-St-Ange
PERPIGNAN-NORD
le Barcarès
Espira-de-l'Agly
St-Hippolyte
RIVESALTES
Claira
ST-LAURENT-DE-LA-SALANQUE
Torreilles-Plage
Torreilles
Peyrestortes
Pia
Bompas
Ste-Marie
Ste-Marie-Plage
le Vernet-St-Esprit
Château-Roussillon
Villelongue-de-la-Salanque
ESTÈVE
CANET-EN-ROUSSILLON
Baho
Têt
Canet-Plage
PERPIGNAN
Cabestany
Etang de Canet
St-Nazaire
Etang de St Nazaire
PERPIGNAN-SUD
PLAINE
Saleilles
Canohès
Pollestres
Alénya
Villeneuve-de-la-Raho
St-Cyprien-Plage
Théza
ST-CYPRIEN
Nils
Corneilla-del-Vercol
Montescot
Bages
les Capellans
Latour-Bas-Elne
ELNE
Mas-Sabole
Rameyle
St-Jean-Lasseille
Tech
Réserve Naturelle Mas-Larrieu
la Riberette
Banyuls-dels-Aspres
Ortaffa
Brouilla
Palau-del-Vidre
Taxo-d'Amont
Taxo-d'Aval
Villeclare
Argelès-Plage
la Grange
St-Genis-des-Fontaines
St-André
ARGELÈS-S.-MER
le Racou-Plage
Collioure
CÔTE VERMEILLE
le Boulou
Sorède
Valmy
PORT-VENDRES
PIC MARTINEAU
Ermitage N.D. de Consolation
Cap Bear
Villelongue-dels-Monts
Laroque-des-Albères
Lavall
le Rimbau
Anse de Paulilles
LE BOULOU
Montesquieu-des-Albères
Ouv. été 2005
la Forge
Cap Oullestreil
Bains-du-Boulou
PIC ESTELLE
ROC DU MIDI
Cosprons
St-Christophe
FORÊT DE SORÈDE
Abbe de Valbonne
l'Albère
PIC NEULOS
Tour Madeloc
Banyuls-s.-Mer
les Cluses
LA CATALANE
Reserve Naturelle
PIC SAILFORT
Cap de l'Abeille
Réserve Natle Marine
Col du Perthus
le Perthus
PIC DES 3 TERMES
PIC DES 4 TERMES
Chle de la Salette
les Abeilles
la Ville-d'Amont
Puig-d'el-Mas
Bellegarde
PUIG DEL PIGNE
la Llosa
PIC JOUAN
Cap de Peyrefite
Anse de Terrimbo
Cap Canadell
PIC CALMEILLE
Requesens
Col de Banyuls
Grotte
Carroig
Cerbère
Castllo de Rocabertí
Col de Rumpissa
Punta del Aussel
Col d'el Tourn
Col des Balitres
Portbou
Punta Clapé
la Jonquera
Cantallops
S. Quirse
Molinas
Colera
Cap Lladro
LA JONQUERA
Espolla
Cap Ras
la Jonquera
Agullana
Collado Faroll
Capmany
S. Clemente Sasebas
Rabós
Vilamaniscle
PICO TIFELL
el Port de Llançà
Darnius
Balneario de las Mercedes
Zona de Monuments Megalitics
Virgon del Campo
Monestir de el Camp
Mont-roig
Masarac
Mollet de Perelada
Llançà
PUIG GROS
El Golfet
el Port de la Selva
Biure
les Costes
Garriguella
la Vall de St-Creu
Ermita de Santa Elena
Muralles
10 km

DG
DH
DI
DJ
DK
100
101
102
103
104
105
106
L'ILE-ROUSSE
CALVI
Algajola
CALENZANA
BELGODÈRE
Sant' Antonino
la Pietra
Marseille
Nice
Marseille
(saison) Nice
(saison) Toulon
Savona
N 1197
N 197
D 151
D 81
D 71
Lozari
Monticello
Corbara
Occhiatana
Ville-di-Paraso
Speloncato
Costa
Palasca
Olmi-Cappella
Mausoléo
Pioggiola
Nessa
Feliceto
Zilia
Muro
Avapessa
Cateri
Lavatoggio
Lumio
Aregno
Pigna
Montegrosso
Montemaggiore
St Rainier de B.
Moncale
Lunghignano
Cassano
Pietra-Major
Ste-Catherine
San-Quilcu
Bocca-Seria
Torra Truccia
Tour Mozza
Crovani
Laboratoire Marin
Pointa di a Revellata
Grotte des Veaux Marins
Port de Recisa
Port de Nichiareto
Capo a u Cavallo
Capo d'Alzo
Etang de Crovani
Punta Spano
Baie d'Algajo
Golfe de Calvi
G. de Revellata
Marine de St-Ambrogio
la Marine de la Davia
Bocca di Carbonaghia
CAMP RAFFALLI
CAPO DI A CONCA
CAPO DI SERRA D'ALZO
MONTE CINTO
CAPO DI A TIR
CIMA GAZELLE
MTE GROSSO
CAPO A DENTE
CAPO LOVO
MTE PADRO
CAPO SELOLLA
CIMA DI TORNABUE
CIMA DI U CUGNOLO
Forêt de Calenzana
Forêt de Melaja
FORÊT DE TARTAGINE
Barrage de Codole
Sta-Reparata-di-Balagna
Occiglioni
Oliastro
Etang
Pta di l'Acciola
MTE ORLANDO
PTA D'ARCO
Dolmens
MTE NEGRO
MTE D'ORTO
Tour
Bergerie d'Intrata
CAPO GHINEPARO
CAPO DI L'ARGENTELLA
BALAGNA

230

DL
DM
DN
DO
100
101
102
103
104
105
106
Ile de la Giraglia
CAP CORSE
Tour
Tollare
Barcaggio
Pointa di Corno di Becco
Sémaphore
Capo Bianco
Réserve Naturelle
Ile Finocchiarola
Commune d'Ersa
Cocinco
Granaggiolo
Botticella
Pointa di A Coscia
Centuri-Port
Ile de Centuri
Comne de Centuri
Camera
Olivo
ROGLIANO
Macinaggio
Bettolacce
Mandolacce
Couvent
Pruno
Comne de
Comne de Tomino
Mucchieta
MTE DI A FUNA
Marine de Meria
Morsiglia
Pastina
Meria
Golfe d'Aliso
A FILETTA
MTE CASTELLO
C. de Sta Lucia
Ancn Couvt
Ciocce
Campo
Piazza
Pointa Minervio
Pino
Tour de Sénèque
Luri
Sta-Severa
Fieno
Castello
Tufo
Minerbio
Comne de Luri
Piazza
Poggio
Carbonacce
Marine de Porticciolo
Comne de Barrettali
Ortale
Comne de Cagnano
Tour de Losso
Marine de Giottani
Tour
Ghilloni
Commune
Conchiglio
MTE ALTICCIONE
la Pedina
de
Pietracorbara
Marinca
Chine
Orneto
Cortina
Selmacci
Marine de Pietracorbara
Pinzuta
Tour
CIMA DI LE FOLICCE
Pointa di Canelle
Comne de Canari
Ancienne Mine d'amiante
Col de San Giovanni
Chioso
Balba
Crosciano
Couvent Sta Catterina
Marine de Sisco
Ogliastro
Lainosa
Rocher d'Albo
Ferragini
Barrigioni
Comne de Sisco
Chlle St-Michel
Marine d'Albo
Comne d'Olcani
MTE CORVO
Tour
Silgaggia
STELLO
Nonza
Tour
Castello
Erbalunga
BRANDO
Tour
Couvent
Celle
MTE CAPRA
Pozzo
Grotte
Grillasca
Comne d'Olmeta-di-Capocorso
Lavasina
Tour
MTE PINZUTO
Comne de Santa-Maria-di-Lota
Ficarella
Mandriale
Marine du Miomo
MTE PRUNO
Acqualto
Grisgione
C. de S. Leonardo
COMNE DE SAN-MARTINO-DI-LOTA
Tour
Pietranera
Braccolaccia
Comne de Farinole
Couvent
Comne de Patrimonio
Comne de Guaitella
Ville-di-Pietrabugno
Sta-Lucia
Patrimonio
Cardo
BASTIA
Marseille
Nice
Toulon (saison)
Livorno
Genova
la Spezia
Piombino (saison)
Porto-Santo-Stefano (saison)
Pointa di Santolino
Pointa di Curza
Pointa di A Mortella
GOLFE DE ST-FLORENT
Marine-d'Alga
Port de Maltalco
MTE PORCINI
MTE ROBBIA
AGRIATES
Bocca di San Bernardino
Phare de Fornali
SERRA DI PIGNO
T.V.
Comne de Barbaggio
Citadelle
Cathle de Nebbio
MTE S. ANGELO
MTE DI REZZA
MTE GENOVA
DES
Chau
CASTAGNE
MTE REVINCO
St-Florent
Col de Teghime
CIMA D'IFANA
Casta
CHAMP DE TIR
MTE SILVA MARE
Furiani
DÉSERT
CIMA DI VEZZO
CIMA DEL BUTTOGIO
Bacciaiu
B. di Vezzo
Mon Cantre de Tédola
MTE A MAZZOLA
MTE DI A TORRA
Marana-Plage
Mon Cantre de Cerchio
Pt du Diable
CIMA PIEDE PILATO
Ancien Couvent St-François
Olivacce
Chlle Sta Lucia
Biguglia
MTE FILETTO
Poggio-d'Oletta
MTE REDINE
CHAMP DE TIR
Aliso
OLETTA
CIMA DI U ZUCCARELLO
Etang de Biguglia
Barrage de Padula
Rosoli
Casatorra
Pinetu
NEBBIO
Lancone
Réserve Naturelle
MTE AMBRICA
Bocca di San Pancrazio
Couvent
Olmeta-di-Tuda
Défilé
Sto-Pietro-di-Tenda
Chlle St-Antoine
Vallecalle
MTE ALLE BUZELLE
Lavandalo
San Stefano
Ortale
Purettoni
Menhirs
Rapale
MTE TORRICELLE
CIM' ALTA
San-Gavino-di-Tenda
Chlle Sta Chiara
TERRAIN MILITAIRE
Urtaca
Eglise
San-Michele-de-Murato
Rutali
MTE ASTO
Sorio
Piève
MURATO
Novella
Lama
CIMA DI GRIMASETA
CIMA DI TAFFONI
Poretta
Mariana-Plage
CIMA DE L'ALTURAIA
Eglise de S. Nicolao
BORGO
la Canonica
MTE BUGGIENTONE
Forêt de Cagnone
Fouilles de Mariana
Pietralba
CIMA A U SPAZZUOLO
Lucciana
CIMA DI MUTERENO
Bocca di Bigorno
MTE REGINA DI POZZO
Vignale
Scolca
Pedano
Chlle Sta Maria
Tegine
CAMPITELLO
Volpajola
Casamozza
CIMA DI PRISTALDO
MTE MAGGIORE
Lento
Chlle S. Rocco
MTE TASSO
Bigorno
Prunelli-di-Casacconi
l'Arena
Accendi-Pina
Barchetta
Piana
QUERCITELLO
VESCOVATO
Canaghia
Castifao
MTE TEVISI
Canavaggia
Olmo
Venzolasca
Querciolo
Anghione
Costa-Roda
Campile
B. di Cherchetone
CIMA A TREPITE
Divina
Couvent
Bisinchi
Cologne
Loreto-di-Casinca
Sorbo-Ocagnano
Moltifao
Ponte-Novo
Castellare-di-Casinca
Comne de
St-André
Monte
Crocicchia
Penta-di-Casinca
Castello-di-Rostino
Poggiola
Folelli
San-Pellegrino
Pastoreccia
Penta-Acquatella
Fertaggia
Ponte-Leccia
Valle-di-Rostino
Ortiporio
Piano
Porri
Murchio
SERRA DEBBIONE
Chlle S. Michele
Col de St-Antoine
Silvareccio
Grate
Casa-Pitti
Giocatojo
Casalta
Taglio-Isolaccio
Piedigriggio
Poggio-
Casabianca
Isolaccio
B. Serna
231
MOROSAGLIA
Comne San d'Ampugnani
Pero-Casevecchie
PTA CAVALLARA
Castineta
Popolasca
Prato-di-
Olmi
S. Pietro d'Accia
LA PORTA
Scata
Pruno
Talasani
Forêt de Pineto
10 km

228

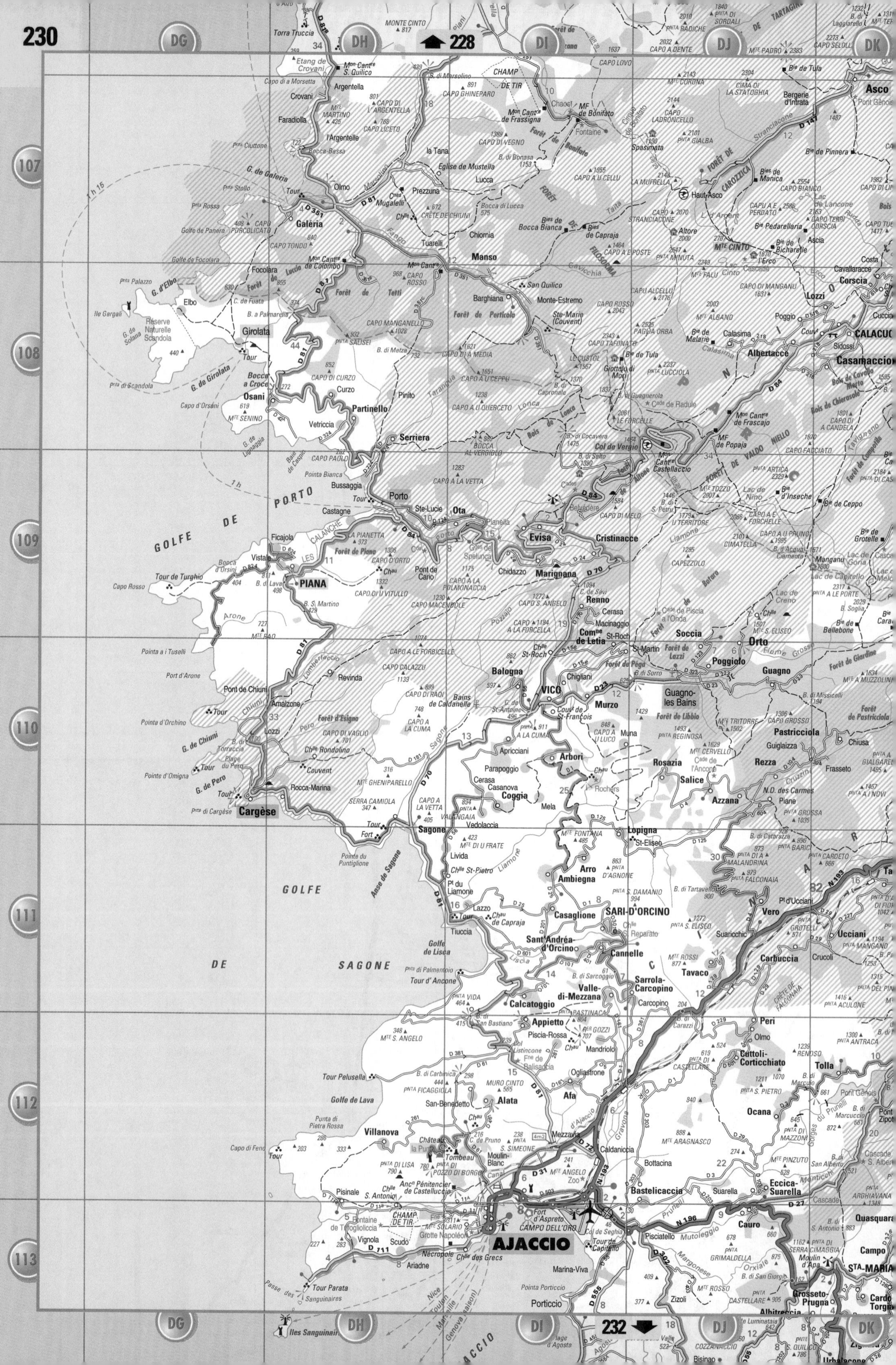

DG
DH
DI
DJ
DK
107
108
109
110
111
112
113
Torra Truccia
Argentella
Crovani
Faradiolla
l'Argentelle
G. de Galeria
Galéria
Olmo
Prezzuna
Lucca
Tuarelli
Chiornia
Manso
Barghiana
Monte-Estremo
Asco
Haut Asco
Altore
Corsica
Lozzi
Calasima
Albertacce
CALACUCCIA
Casamaccioli
Sidossi
Poggio
Focolara
Elbo
G. d'Elbo
Ile Gargali
Reserve Naturelle Scandola
Girolata
G. de Girolata
Osani
Curzo
Partinello
Vetriccia
Serriera
Pinito
Col de Vergio
Bussaggia
Porto
Ota
Ste-Lucie
Evisa
Cristinacce
Marignana
Chidazzo
GOLFE DE PORTO
Ficajola
Vistale
PIANA
Capo Rosso
Tour de Turghio
Renno
Cerasa
Macinaggio
Letia
Soccia
Orto
Poggiolo
Guagno
Balogna
VICO
Murzo
Guagno-les Bains
Chigliani
Arbori
Rosazia
Salice
Azzana
Rezza
Pastricciola
Chiusa
Frasseto
Revinda
Amalzone
Pont de Chiuni
Lozzi
G. de Chiuni
G. de Pero
Cargèse
Rocca-Marina
Coggia
Cerasa
Casanova
Parapoggio
Apricciani
Mela
Sagone
Vedolaccia
Lopigna
Arro
Ambiegna
Livida
Lazzo
Tiuccia
Casaglione
SARI-D'ORCINO
Sant'Andréa-d'Orcino
Cannelle
Sarrola-Carcopino
Tavaco
Vero
Ucciani
Carbuccia
Crucoli
GOLFE DE SAGONE
Golfe de Lisca
Tour d'Ancone
Calcatoggio
Valle-di-Mezzana
Carcopino
Peri
Appietto
Piscia-Rossa
Mandriolo
Cuttoli-Corticchiato
Tolla
Ogliastrone
Tour Pelusella
Golfe de Lava
San-Benedetto
Alata
Afa
Ocana
Villanova
Mezzavia
Caldaniccia
Bottacina
Tombeau
Moulin-Blanc
Bastelicaccia
Eccica-Suarella
Suarella
Pisinale
Vignola
Scudo
AJACCIO
Campo dell'Oro
Cauro
Pisciatello
Ariadne
Tour Parata
Iles Sanguinaires
Marina-Viva
Porticcio
Zizoli
Grosseto-Prugna
Albitreccia
Quasquara
Campo
Cardo Torgia
STA-MARIA

232

229
233
10 km
DL
DM
DN
DO
107
108
109
110
111
112
113
Ponte-Leccia
Castello-di-Rostino
Valle-di-Rostino
Folelli
San-Pellegrino
Piedigriggio
Popolasca
Prato-di-Giovellina
Castiglione
Morosaglia
Castineta
La Porta
Piedicroce
Croce
Polveroso
Ficaja
Scata
Verdese
Pero-Casevecchie
Talasani
Taglio-Isolaccio
Poggio-Mezzana
Sta-Lucia-di-Moriani
San-Nicolao
Moriani-Plage
Sta-Maria-Poggio
Com^ne de Valle di Campoloro
Cervione
Pruneta-Cervione
San-Giuliano
Valle-d'Alesani
Sant'Andréa-di-Cotone
Pietra-di-Verde
Chiatra
Canale-di-Verde
Linguizzetta
Phare d'Alistro
Moïta
Zalana
Tox
Tallone
Bravone
Champ de tir
Corte
Soveria
Omessa
Castirla
Tralonca
Sermano
Bustanico
Alando
Favalello
Sant'Andréa-di-Bozio
Erbajolo
Poggio-di-Venaco
Riventosa
Venaco
Casanova
Noceta
Rospigliani
Vezzani
Antisanti
Pietroso
Casevecchie
Vivario
Muracciole
Vizzavona
Ghisoni
Aléria
Etang de Diane
Thermes romains
Casabianda
Pénitencier de Casabianda
Ghisonaccia-Gare
Etang d'Urbino
Ghisonaccia
Prunelli-di-Fiumorbo
Isolaccio-di-Fiumorbo
San-Gavino-di-Fiumorbo
Commune de Serra-di-Fiumorbo
Ventiseri
Solaro
Chisa
Lugo-di-Nazza
Poggio-di-Nazza
Bocognano
Bastelica
Palneca
Ciamannacce
Sampolo
Tasso
Cozzano
Zicavo
Guitera-les-Bains
Zévaco
Corrano
Frasseto
Azilone-Ampaza
Forciolo
Olivese
Solenzara
Marine de Scaffa Rossa
Sari
Cala-d'Oro
Marine de Cana d'Oro
N 193
N 200
N 198
Forêt de Vizzavona
Forêt de Pinia
Tour de Vignale

230

DG
DH
DI
DJ
DK
113
114
115
116
117
118
119
Iles Sanguinaires
Passe des Sanguinaires
Tour Parata
Ariadne
Chlle des Grecs
Marina-Viva
Porticcio
GOLFE D'AJACCIO
Molini
Plage d'Agosta
Agosta
Col de Belle Valle
Tour dell'Isollella
Pointe de Sette Nave
Plage de Ruppione
la Crociata
Pietrosella
Marato
Isola-Piana
Port de Chiavari
RER DE CRISPOLAGGIO
PNTA DI U MONTE
C. de Chenova
Forêt de Chiavari
Tour
Pointe della Castagna
Pénitencier de Chiavari
la Castagna
Col de Cortone
Forêt de Pennoni
Coti-Chiavari
Ariezza
Acqua-Doria
Zifignola
Pointa Guardiola
Marmontaja
Capo di Muro
Cala d'Orzo
Giglia
Capo Nero
Cala di Copabia
Serra-di-Ferro
Pointa Pratarella
Porto-Pollo
Tour
Pointa di Porto Pollo
Pietra-Rossa
Filitosa
Station Préhist.
Calvese
Sollacaro
Couvent
Castello Della Rocca
OLMETO
MTE BARBATO
PNTA DE BUTURETTO
Castello de Cuntorba
Abbartello
Tour
Bains de Baraci
Viggianello
Propriano
Vetaro
Marseille (saison)
Toulon
Capo Lauroso
Col de Santa Giulia
Pont de Rena Bianca
GOLFE DE VALINCO
Portigliolo
Rizzanese
Jumenta-Crossa
PNTA DI MURO
SARTÈNE
Pointa di Compomoro
Tour
Belvédère
Tivolaggio
Campomoro
Dolmen
Comne de Belvédère-Campomoro
Bilia
Grossa
Canale
Menhir
Cala d'Agulia
Pointa d'Eccica
Port de Conca
Pointa di Senetosa
PNTA CAPANNACCIA
Alignements de Palaggiu
Col de Caprarosa
PNTA PASTANIA
Tizzano
Dolmen de Fontanaccia
Stantari
Renaggiu
Cauria
Plage de Traliceto
PNTA CAURIA
Cap de Zivia
Golfe de Mortoli
Rocher du Lion
Golfe de Roccapina
Ile des Moines
Albitreccia
Col de Luminataia
PNTA COZZANACCIO
Bisinao
Guargualé
Cognocoli-Monticchi
Pila-Canale
PNTA DI PISOLA
Urbalacone
Zigliara
Prugna
Bains d'Urbalacone
Pont d'Abra
Pt Cassone
PNTA DI ORCO
Fontaine
Pt de Copala
Pt di Calzola
Pratavone
PNTA PIOLELLA
PNTA CONCA MAIORE
PNTA FURCHICCIOLI
PETRETO-BICCHISANO
Casalabriva
Col de Celaccia
PNTA FINOCCHIAIA
PNTA CAVALLINI
Grosseto-Prugna
GRIMALDELLA
Moulin d'Apa
Zicavo
Orasi
PNTA DI MARATO
Col de Piave

231

DL
DM
DN
DO
113
114
115
116
117
118
119
Solenzara
Sari Solenzara
la Penna
Cala-d'Oro
Marine de Cana d'Oro
Marine de Cannella
Port de Favone
Favone
B. di Guardia
Pont de Tarco
101
Tour Génoise
Etang de Lovo Santo
Conca
Chapelle
Taglio-Rosso
Sta-Lucia-di-Porto-Vecchio
Pinarello
Ile Roscana
Port de Pinarello
Ile de Pinarello
Capo
Nevatoli
Poggioli
Croix de Lecci
Torraccia
Commune de Lecci
Vigna-Piana
Etg de Padulatu
Etg d'Araso
Golfo di Sogno
San Cipriano
Ile St-Cyprien
Pointe St-Cyprien
Cala Rossa
GOLFE DE PORTO VECCHIO
(saison)
Marseille
Porto-Santo-Stefano
Pazzuoli
Palau
Pointe de Chiappa
Piccovaggia
Iles Cerbicale
Réserve Naturelle
Ile Farina
Ile Forana
Rocher de la Vacca
Ile de Maestro Maria
Ile Piana
Ile Pietricaggiosa
Capo d'Asciobo
Palombaggia
PORTO-VECCHIO
Muratello
Arca
Ceccia
Mon^t Préhistorique
Preccio
Bocca-di-l'Oro
Sotta
Golfe de Santa Giula
Ile de Toro
Petra Longa Salvini
Porto Nuovo
Suartone
Tour de Sponsaglia
Chera
Saparelli
PLATEAU D'ARAPA
Sta-Giula
Chiova-d'Asino
Presqu'île de Rondinara
Mon Francolo
Balistra
GOLFE DE SANTA MANZA
Pointe de Capicciola
Tour de Sta-Manza
Etang de Stentino
Gurgazo
Iles Lavezzi
Réserve Naturelle
Ile Poraggia
Ile Ratino
Iles Perduto
Ile Piana
Ile de Cavallo
Ile de San Bainso
Cimre de l'Achiarino
Pyramide de la Sémillante
Cimre de Furcone
Ecueil des Lavezzi
BONIFACIO
Falaises
Phare
Capo Pertusato
Pointe de Sprono
Anc. Couvt St-Julien
Grotte du Sdragonato
Pointe de la Madonetta
Capo di Feno
Ermitage-de-la-Trinité
CHAMP DE TIR
la Tonnara
Pont de Ventilegne
Golfe de Ventilegne
Pointe di Ventilegne
Iles Bruzzi
Golfe de Figari
Tour de Figari
Barrage de Figari
FIGARI
Caravone
Pt de Figari
Col de la Testa
Pianottoli-Caldarello
Caldarello
Viagenti
Monacia-d'Aullène
Poggiale
Ogliastrello
Tarrabucceta
Pruno
San-Gavino
Pero-Longo
Giannucio
Borivoli
MONTAGNE DE CAGNA
Vignalella
Murato
Foce
Forconcello
la Mola
Granace
Tasso
Orio
Foce-Bilzese
Casa
Bisene
Tirolo
Pantano
Orone
Carbini
l'Ospédale
Latarriccio
Pont de Paesello
Palavese
Tunnel de Bacino
Castello d'Arraggio
FORÊT DE L'OSPÉDALE
Cascade
Carabona
Zonza
Quenza
Aullène
Serra-di-Scopamène
Sorbollano
Zérubia
San-Gavino-di-Carbini
Levie
Gualdariccio
Cargiaca
Zoza
Altagène
Loreto-di-Tallano
Mela
Ste-Lucie-de-Tallano
Olmiccia
Arbellara
Olivese
Forciolo
Azilone-Ampaza
Argiusta-Moriccio
Croce
Cantoli
Col de Bavella
AIGUILLES DE BAVELLA
FORÊT DE BAVELLA
Asinao
Arggiavara
Palaggiolo
Pedinielli
FORÊT DE TOVA
SAMBUCA
Vitolli
Forêt de Vitolli
N 198
N 196
D 268
D 368
D 859
D 420
D 69
39
BOUCHES DE BONIFACIO
I. Lavezzi
I. la Presa
M. Capello
I. Razzoli
I. Sta-Maria
I. Corcelli
I. Barrettini
I. Budelli
M. Budello
P. Marginetto
I. MADDALENA
P. Abbatoggia
Stagno Torto
Cassa Azara
P. Galera
I. Giardinelli
Messo D. Cervo
I. Spargiotto
I. Spargi
Guardia Preposti
P. de Falcone
I. Marmorata
la Ficaccia
Capo Testa
Torre
Santa-Terra-di Gallura
Marassino
LA LICCIOLA
Moneta
Tomba di Garibaldi
Casa di G. Garibaldi
I. Caprera
la Maddalena
10 km
1h

Index des communes

• Town index
• Ortsverzeichnis
• Gemeente-lijst
• Indice dei comuni

Administratif :
C Chef-Lieu de Canton
S Sous-Préfecture
P Préfecture

01 Ain	24 Dordogne	49 Maine-et-Loire	73 Savoie
02 Aisne	25 Doubs	50 Manche	74 Savoie (Haute)
03 Allier	26 Drôme	51 Marne	75 Paris
04 Alpes-de-Haute Provence	27 Eure	52 Marne (Haute)	76 Seine-Maritime
05 Alpes (Hautes)	28 Eure-et-Loir	53 Mayenne	77 Seine-et-Marne
06 Alpes-Maritimes	29 Finistère	54 Meurthe-et-Moselle	78 Yvelines
07 Ardèche	30 Gard	55 Meuse	79 Deux-Sèvres
08 Ardennes	31 Garonne (Haute)	56 Morbihan	80 Somme
09 Ariège	32 Gers	57 Moselle	81 Tarn
10 Aube	33 Gironde	58 Nièvre	82 Tarn-et-Garonne
11 Aude	34 Hérault	59 Nord	83 Var
12 Aveyron	35 Ille-et-Vilaine	60 Oise	84 Vaucluse
13 Bouches-du-Rhône	36 Indre	61 Orne	85 Vendée
14 Calvados	37 Indre-et-Loire	62 Pas-de-Calais	86 Vienne
15 Cantal	38 Isère	63 Puy-de-Dôme	87 Vienne (Haute)
16 Charente	39 Jura	64 Pyrénées-Atlantiques	88 Vosges
17 Charente-Maritime	40 Landes	65 Pyrénées (Hautes)	89 Yonne
18 Cher	41 Loir-et-Cher	66 Pyrénées-Orientales	90 Belfort (Territoire de)
19 Corrèze	42 Loire	67 Rhin (Bas)	91 Essonne
2A Corse du Sud	43 Loire (Haute)	68 Rhin (Haut)	92 Hauts-de-Seine
2B Corse (Haute)	44 Loire-Atlantique	69 Rhône	93 Seine-Saint-Denis
21 Côte-d'Or	45 Loiret	70 Saône (Haute)	94 Val-de-Marne
22 Côtes-d'Armor	46 Lot	71 Saône-et-Loire	95 Val d'Oise
23 Creuse	47 Lot-et-Garonne	72 Sarthe	
	48 Lozère		

Page	Carreau	Commune	Adm.	Dpt
		A		
198	**AN 99**	AAST		64
82	**CE 41**	ABAINVILLE		55
22	**BN 22**	ABANCOURT		59
34	**BC 28**	ABANCOURT		60
61	**CJ 36**	ABAUCOURT		54
40	**CE 33**	ABAUCOURT HAUTECOURT		55
117	**CH 56**	ABBANS DESSOUS		25
117	**CH 56**	ABBANS DESSUS		25
89	**AD 51**	ABBARETZ		44
36	**BM 29**	ABBECOURT		02
35	**BF 32**	ABBECOURT		60
102	**CL 52**	ABBENANS		25
20	**BC 24**	ABBEVILLE	S	80
77	**BF 43**	ABBEVILLE LA RIVIERE		91
40	**CG 33**	ABBEVILLE LES CONFLANS		54
35	**BF 30**	ABBEVILLE ST LUCIEN		60
102	**CP 52**	ABBEVILLERS		25
204	**BO 98**	ABEILHAN		34
101	**CK 49**	ABELCOURT		70
198	**AM 98**	ABERE		64
146	**CB 67**	ABERGEMENT CLEMENCIAT, L'		01
132	**CA 62**	ABERGEMENT DE CUISERY, L'		71
147	**CE 69**	ABERGEMENT DE VAREY, L'		01
117	**CD 57**	ABERGEMENT LA RONCE		39
117	**CG 59**	ABERGEMENT LE GRAND		39
117	**CG 59**	ABERGEMENT LE PETIT		39
118	**CI 59**	ABERGEMENT LES THESY		39
116	**CB 60**	ABERGEMENT STE COLOMBE, L'		71
197	**AJ 98**	ABIDOS		64
109	**AU 59**	ABILLY		37
197	**AF 98**	ABITAIN		64
153	**AU 74**	ABJAT SUR BANDIAT		24
22	**BJ 21**	ABLAIN ST NAZAIRE		62
22	**BK 27**	ABLAINCOURT PRESSOIR		80
22	**BJ 23**	ABLAINZEVELLE		62
58	**BW 38**	ABLANCOURT		51
54	**BE 35**	ABLEIGES		95
83	**CJ 44**	ABLEUVENETTES, LES		88
76	**BD 41**	ABLIS		78
32	**AS 31**	ABLON		14
55	**BH 39**	ABLON SUR SEINE		94
159	**BV 76**	ABOEN		42
83	**CH 43**	ABONCOURT		54
41	**CK 32**	ABONCOURT		57
101	**CI 49**	ABONCOURT GESINCOURT		70
61	**CK 37**	ABONCOURT SUR SEILLE		57
135	**CO 65**	ABONDANCE	C	74
54	**BA 38**	ABONDANT		28
197	**AJ 98**	ABOS		64
62	**CQ 39**	ABRESCHVILLER		57
144	**BP 68**	ABREST		03
161	**CG 74**	ABRETS, LES		38
179	**CR 82**	ABRIES		05
22	**BN 21**	ABSCON		59
123	**AK 62**	ABSIE, L'		79
139	**AU 68**	ABZAC		16
152	**AN 80**	ABZAC		33
102	**CM 52**	ACCOLANS		25
97	**BR 51**	ACCOLAY		89
175	**BX 82**	ACCONS		07
216	**AJ 103**	ACCOUS	C	64
62	**CM 36**	ACHAIN		57
62	**CQ 34**	ACHEN		57
64	**CU 39**	ACHENHEIM		67
112	**BH 55**	ACHERES		18
55	**BF 36**	ACHERES		78
77	**BI 43**	ACHERES LA FORET		77
37	**BO 28**	ACHERY		02
21	**BI 24**	ACHEUX EN AMIENOIS	C	80
20	**BC 24**	ACHEUX EN VIMEU		80
22	**BK 21**	ACHEVILLE		62
100	**CF 51**	ACHEY		70
22	**BJ 22**	ACHICOURT		62
22	**BK 23**	ACHIET LE GRAND		62
22	**BK 24**	ACHIET LE PETIT		62
114	**BR 57**	ACHUN		58
34	**BE 30**	ACHY		60
71	**AE 45**	ACIGNE		35
52	**AU 34**	ACLOU		27
53	**AX 39**	ACON		27
21	**BJ 21**	ACQ		62
51	**AM 36**	ACQUEVILLE		14
29	**AD 28**	ACQUEVILLE		50
53	**AY 34**	ACQUIGNY		27
11	**BF 17**	ACQUIN WESTBECOURT		62
37	**BO 32**	ACY		02
56	**BL 35**	ACY EN MULTIEN		60
38	**BV 30**	ACY ROMANCE		08
61	**CK 35**	ADAINCOURT		57
54	**BC 39**	ADAINVILLE		78
118	**CL 54**	ADAM LES PASSAVANT		25
118	**CL 56**	ADAM LES VERCEL		25
63	**CQ 36**	ADAMSWILLER		67
217	**AN 103**	ADAST		65
217	**AN 101**	ADE		65
62	**CM 35**	ADELANGE		57
101	**CL 50**	ADELANS ET LE VAL DE BITHAINE		70
218	**AQ 105**	ADERVIELLE POUCHERGUES		65
123	**AM 61**	ADILLY		79
22	**BJ 23**	ADINFER		62
204	**BP 97**	ADISSAN		34
138	**AQ 68**	ADJOTS, LES		16
96	**BK 50**	ADON		45
162	**CJ 77**	ADRETS, LES		38
210	**CR 96**	ADRETS DE L'ESTEREL, LES		83
125	**AV 66**	ADRIERS		86
230	**DI 112**	AFA		2A
155	**BC 75**	AFFIEUX		19
40	**CG 32**	AFFLEVILLE		54
145	**BX 71**	AFFOUX		69
83	**CJ 41**	AFFRACOURT		54
11	**BF 17**	AFFRINGUES		62
200	**AV 98**	AGASSAC		31
204	**BQ 99**	AGDE	C	34
203	**BL 99**	AGEL		34
183	**AT 89**	AGEN	P	47
187	**BJ 88**	AGEN D'AVEYRON		12
116	**CB 56**	AGENCOURT		21
21	**BF 23**	AGENVILLE		80
20	**BD 23**	AGENVILLERS		80
35	**BI 33**	AGEUX, LES		60
82	**CD 46**	AGEVILLE		52
116	**BZ 55**	AGEY		21
231	**DN 110**	AGHIONE		2B
61	**CJ 38**	AGINCOURT		54
168	**AR 86**	AGME		47
168	**AR 84**	AGNAC		47
158	**BP 77**	AGNAT		43
50	**AH 34**	AGNEAUX		50
35	**BH 32**	AGNETZ		60
21	**BJ 21**	AGNEZ LES DUISANS		62
37	**BS 28**	AGNICOURT ET SECHELLES		02
21	**BI 21**	AGNIERES		62
178	**CI 83**	AGNIERES EN DEVOLUY		05
160	**CA 76**	AGNIN		38
216	**AI 100**	AGNOS		64
22	**BJ 22**	AGNY		62
49	**AE 35**	AGON COUTAINVILLE		50
153	**AU 77**	AGONAC		24
189	**BS 93**	AGONES		34
129	**BN 63**	AGONGES		03
217	**AN 102**	AGOS VIDALOS		65
138	**AR 72**	AGRIS		16
151	**AK 76**	AGUDELLE		17
188	**BM 90**	AGUESSAC		12
37	**BS 31**	AGUILCOURT		02
202	**BD 97**	AGUTS		81
30	**AK 33**	AGY		14
215	**AE 100**	AHAXE ALCIETTE BASCASSAN		64
196	**AB 97**	AHETZE		64
83	**CJ 43**	AHEVILLE		88
72	**AJ 47**	AHUILLE		53
141	**BE 68**	AHUN	C	23
116	**CB 54**	AHUY		21
24	**BT 22**	AIBES		59
102	**CN 51**	AIBRE		25
215	**AF 98**	AICIRITS CAMOU SUHAST		64
123	**AL 66**	AIFFRES		79
190	**BW 91**	AIGALIERS		30
52	**AU 38**	AIGLE, L'	C	61
25	**BY 27**	AIGLEMONT		08
117	**CH 58**	AIGLEPIERRE		39
54	**BA 36**	AIGLEVILLE		27
193	**CL 90**	AIGLUN		04
194	**CR 92**	AIGLUN		06
198	**AO 95**	AIGNAN	C	32
99	**BZ 51**	AIGNAY LE DUC	C	21
203	**BK 99**	AIGNE		34
73	**AQ 46**	AIGNE		72
30	**AJ 32**	AIGNERVILLE		14
201	**BA 99**	AIGNES		31
152	**AP 75**	AIGNES ET PUYPEROUX		16
20	**BB 24**	AIGNEVILLE		80
58	**BU 35**	AIGNY		51
123	**AM 65**	AIGONNAY		79
138	**AO 70**	AIGRE	C	16
201	**BA 96**	AIGREFEUILLE		31
136	**AH 67**	AIGREFEUILLE D'AUNIS	C	17
106	**AE 57**	AIGREFEUILLE SUR MAINE	C	44
189	**BV 92**	AIGREMONT		30
82	**CG 46**	AIGREMONT		52
54	**BE 37**	AIGREMONT		78
97	**BS 50**	AIGREMONT		89
161	**CI 74**	AIGUEBELETTE LE LAC		73
162	**CL 74**	AIGUEBELLE	C	73
163	**CN 74**	AIGUEBLANCHE		73
202	**BG 97**	AIGUEFONDE		81
143	**BN 69**	AIGUEPERSE	C	63
131	**BW 66**	AIGUEPERSE		69
220	**AZ 102**	AIGUES JUNTES		09
206	**BW 96**	AIGUES MORTES	C	30
220	**BC 103**	AIGUES VIVES		09
203	**BI 100**	AIGUES VIVES		11
205	**BV 94**	AIGUES VIVES		30
203	**BK 99**	AIGUES VIVES		34
190	**BY 88**	AIGUEZE		30
158	**BT 80**	AIGUILHE		43
179	**CQ 82**	AIGUILLES	C	05
221	**BD 104**	AIGUILLON, L'		09
183	**AR 88**	AIGUILLON		47
122	**AF 65**	AIGUILLON SUR MER, L'		85
120	**AB 61**	AIGUILLON SUR VIE, L'		85
193	**CM 93**	AIGUINES		83
127	**BD 64**	AIGURANDE	C	36
175	**BW 85**	AILHON		07
96	**BL 49**	AILLANT SUR MILLERON		45
97	**BO 48**	AILLANT SUR THOLON	C	89
168	**AN 86**	AILLAS		33
144	**BT 71**	AILLEUX		42
102	**CL 51**	AILLEVANS		70
81	**BY 44**	AILLEVILLE		10
101	**CK 47**	AILLEVILLERS ET LYAUMONT		70
82	**CE 43**	AILLIANVILLE		52
74	**AR 42**	AILLIERES BEAUVOIR		72
148	**CK 73**	AILLON LE JEUNE		73
148	**CK 73**	AILLON LE VIEUX		73
101	**CL 49**	AILLONCOURT		70
53	**AY 34**	AILLY		27
20	**BE 24**	AILLY LE HAUT CLOCHER	C	80
35	**BH 28**	AILLY SUR NOYE	C	80
21	**BF 26**	AILLY SUR SOMME		80
205	**BV 95**	AIMARGUES	C	30
149	**CO 73**	AIME	C	73
128	**BJ 61**	AINAY LE CHATEAU		03
128	**BI 62**	AINAY LE VIEIL		18
215	**AE 101**	AINCILLE		64
54	**BC 35**	AINCOURT		95
39	**CB 32**	AINCREVILLE		55
61	**CI 38**	AINGERAY		54
82	**CG 44**	AINGEVILLE		88
82	**CC 42**	AINGOULAINCOURT		52
197	**AG 99**	AINHARP		64
215	**AE 100**	AINHICE MONGELOS		64
214	**AB 99**	AINHOA		64
101	**CK 48**	AINVELLE		70
83	**CH 47**	AINVELLE		88
20	**BE 25**	AIRAINES		80
51	**AO 35**	AIRAN		14
38	**BU 31**	AIRE		08
11	**BH 18**	AIRE SUR LA LYS	C	62
198	**AL 95**	AIRE SUR L'ADOUR	C	40
30	**AI 33**	AIREL		50
204	**BN 96**	AIRES, LES		34
35	**BH 31**	AIRION		60
10	**BC 20**	AIRON NOTRE DAME		62
10	**BC 20**	AIRON ST VAAST		62
201	**BD 99**	AIROUX		11
108	**AO 60**	AIRVAULT	C	79
116	**CC 56**	AISEREY		21
101	**CH 48**	AISEY ET RICHECOURT		70
99	**BX 50**	AISEY SUR SEINE		21
23	**BP 26**	AISONVILLE ET BERNOVILLE		02
118	**CL 54**	AISSEY		25
98	**BV 54**	AISY SOUS THIL		21
98	**BV 51**	AISY SUR ARMANCON		89
231	**DL 107**	AITI		2B
148	**CL 73**	AITON		73
142	**BH 74**	AIX		19
12	**BN 19**	AIX		59
112	**BI 56**	AIX D'ANGILLON, LES	C	18
177	**CF 83**	AIX EN DIOIS		26
10	**BE 18**	AIX EN ERGNY		62
10	**BD 20**	AIX EN ISSART		62
79	**BR 45**	AIX EN OTHE	C	10
208	**CG 96**	AIX EN PROVENCE	S	13
158	**BQ 75**	AIX LA FAYETTE		63
148	**CI 72**	AIX LES BAINS	C	73
12	**BJ 20**	AIX NOULETTE		62
140	**AX 72**	AIXE SUR VIENNE	C	87
175	**BW 83**	AIZAC		07
81	**CA 46**	AIZANVILLE		52
111	**BC 57**	AIZE		36
22	**BM 25**	AIZECOURT LE BAS		80
22	**BL 25**	AIZECOURT LE HAUT		80
37	**BR 31**	AIZELLES		02
105	**AC 60**	AIZENAY		85
32	**AU 31**	AIZIER		27
37	**BP 31**	AIZY JOUY		02
221	**BF 102**	AJAC		11
230	**DI 113**	AJACCIO	P	2A
141	**BE 67**	AJAIN		23
153	**AW 79**	AJAT		24
61	**CK 37**	AJONCOURT		57
53	**AV 36**	AJOU		27
175	**BY 83**	AJOUX		07
221	**BE 102**	ALAIGNE	C	11
37	**BO 28**	ALAINCOURT		02
101	**CI 47**	ALAINCOURT		70
61	**CK 36**	ALAINCOURT LA COTE		57
221	**BG 101**	ALAIRAC		11
200	**AV 100**	ALAN		31
231	**DM 108**	ALANDO		2B
230	**DI 112**	ALATA		2A
175	**BY 85**	ALBA LA ROMAINE		07
187	**BI 93**	ALBAN	C	81
173	**BN 82**	ALBARET LE COMTAL		48
173	**BO 82**	ALBARET STE MARIE		48
222	**BK 103**	ALBAS		11
170	**AY 86**	ALBAS		46
85	**CR 42**	ALBE		67
184	**AY 91**	ALBEFEUILLE LAGARDE		82
161	**CF 77**	ALBENC, L'		38
148	**CI 71**	ALBENS	C	73
157	**BK 79**	ALBEPIERRE BREDONS		15
227	**BL 108**	ALBERE, L'		66
21	**BJ 25**	ALBERT	C	80
230	**DJ 108**	ALBERTACCE		2B
148	**CM 72**	ALBERTVILLE	S	73
62	**CO 36**	ALBESTROFF	C	57
186	**BF 92**	ALBI	P	81
201	**BC 97**	ALBIAC		31
171	**BC 83**	ALBIAC		46
185	**AZ 91**	ALBIAS		82
221	**BH 103**	ALBIERES		11
220	**BB 105**	ALBIES		09
162	**CM 77**	ALBIEZ LE JEUNE		73
162	**CM 77**	ALBIEZ MONTROND		73
155	**BB 79**	ALBIGNAC		19
146	**CA 71**	ALBIGNY SUR SAONE		69
203	**BI 98**	ALBINE		81
232	**DJ 113**	ALBITRECCIA		2A
160	**CB 77**	ALBON		26
175	**BX 82**	ALBON D'ARDECHE		07
176	**BZ 81**	ALBOUSSIERE		07
171	**BF 86**	ALBRES, LES		12
155	**BC 79**	ALBUSSAC		19
148	**CJ 71**	ALBY SUR CHERAN	C	74
215	**AG 101**	ALCAY ALCABEHETY SUNHARETTE		64
214	**AC 101**	ALDUDES		64
10	**BD 16**	ALEMBON		62
74	**AQ 42**	ALENCON	P	61
222	**BM 107**	ALENYA		66
231	**DO 110**	ALERIA		2B
189	**BU 90**	ALES	S	30
221	**BG 103**	ALET LES BAINS		11
10	**BD 19**	ALETTE		62
219	**AY 104**	ALEU		09
148	**CL 70**	ALEX		74
72	**AJ 44**	ALEXAIN		53
176	**CB 86**	ALEYRAC		26
55	**BH 38**	ALFORTVILLE	C	94
228	**DI 105**	ALGAJOLA		2B
202	**BD 96**	ALGANS		81
85	**CT 46**	ALGOLSHEIM		68
41	**CH 31**	ALGRANGE	C	57
133	**CF 62**	ALIEZE		39
204	**BO 97**	ALIGNAN DU VENT		34
38	**BV 31**	ALINCOURT		08
10	**BD 17**	ALINCTHUN		62
98	**BX 52**	ALISE STE REINE		21
176	**BZ 83**	ALISSAS		07
146	**BY 70**	ALIX		69
176	**CC 80**	ALIXAN		26
33	**AY 32**	ALIZAY		27
83	**CH 40**	ALLAIN		54
22	**BL 25**	ALLAINES		80
76	**BD 45**	ALLAINES MERVILLIERS		28
53	**AZ 39**	ALLAINVILLE		28
76	**BD 42**	ALLAINVILLE		78
88	**Z 50**	ALLAIRE	C	56
60	**CG 34**	ALLAMONT		54
82	**CG 40**	ALLAMPS		54
176	**CA 86**	ALLAN		26
157	**BL 78**	ALLANCHE	C	15
38	**BX 30**	ALLAND'HUY ET SAUSSEUIL		08
84	**CP 41**	ALLARMONT		88
151	**AK 76**	ALLAS BOCAGE		17
151	**AM 75**	ALLAS CHAMPAGNE		17
170	**AW 82**	ALLAS LES MINES		24
154	**BA 78**	ALLASSAC		19
208	**CG 98**	ALLAUCH	C	13
190	**BW 89**	ALLEGRE		30
158	**BR 78**	ALLEGRE	C	43
207	**CD 95**	ALLEINS		13
193	**CK 93**	ALLEMAGNE EN PROVENCE		04
57	**BR 40**	ALLEMANCHE LAUNAY ET SOYER		51
152	**AR 77**	ALLEMANS		24
168	**AQ 85**	ALLEMANS DU DROPT		47
37	**BP 31**	ALLEMANT		02
57	**BR 39**	ALLEMANT		51
162	**CJ 78**	ALLEMOND		38
20	**BA 24**	ALLENAY		80
174	**BR 85**	ALLENC		48
102	**CP 51**	ALLENJOIE		25
12	**BL 19**	ALLENNES LES MARAIS		59
63	**CR 39**	ALLENWILLER		67
115	**BW 56**	ALLEREY		21
116	**CB 59**	ALLEREY SUR SAONE		71
116	**CA 60**	ALLERIOT		71
20	**BD 25**	ALLERY		80
169	**AV 82**	ALLES SUR DORDOGNE		24
107	**AM 54**	ALLEUDS, LES		49
138	**AP 67**	ALLEUDS, LES		79
39	**BY 31**	ALLEUX, LES		08
173	**BM 81**	ALLEUZE		15
162	**CJ 75**	ALLEVARD	C	38
148	**CK 71**	ALLEVES		74
176	**CB 83**	ALLEX		26
174	**BU 82**	ALLEYRAC		43
174	**BR 81**	ALLEYRAS		43
155	**BG 74**	ALLEYRAT		19
141	**BF 70**	ALLEYRAT		23
183	**AT 87**	ALLEZ ET CAZENEUVE		47
59	**BZ 38**	ALLIANCELLES		51
220	**BA 105**	ALLIAT		09
58	**BU 40**	ALLIBAUDIERES		10
81	**BZ 41**	ALLICHAMPS		52
217	**AO 101**	ALLIER		65
220	**AZ 102**	ALLIERES		09
118	**CM 58**	ALLIES, LES		25
96	**BM 53**	ALLIGNY COSNE		58
115	**BU 56**	ALLIGNY EN MORVAN		58
69	**U 42**	ALLINEUC		22
134	**CM 65**	ALLINGES		74
112	**BG 56**	ALLOGNY		18
102	**CO 52**	ALLONDANS		25
148	**CM 72**	ALLONDAZ		73
40	**CE 30**	ALLONDRELLE LA MALMAISON		54
35	**BF 32**	ALLONNE		60
123	**AM 63**	ALLONNE		79
76	**BB 43**	ALLONNES		28
108	**AP 55**	ALLONNES	C	49
91	**AQ 47**	ALLONNES	C	72
194	**CP 91**	ALLONS		04
182	**AN 89**	ALLONS		47
21	**BH 26**	ALLONVILLE		80
148	**CK 69**	ALLONZIER LA CAILLE		74
194	**CP 88**	ALLOS		04
11	**BI 19**	ALLOUAGNE		62
139	**AS 69**	ALLOUE		16
112	**BG 56**	ALLOUIS		18
32	**AV 29**	ALLOUVILLE BELLEFOSSE		76
163	**CO 75**	ALLUES, LES		73
54	**BD 37**	ALLUETS LE ROI, LES		78
114	**BQ 58**	ALLUY		58
75	**AZ 45**	ALLUYES		28
156	**BG 79**	ALLY		15
157	**BO 79**	ALLY		43
186	**BF 90**	ALMAYRAC		81
52	**AQ 39**	ALMENECHES		61
172	**BG 85**	ALMONT LES JUNIES		12
219	**AX 104**	ALOS		09
185	**BD 91**	ALOS		81
215	**AG 101**	ALOS SIBAS ABENSE		64
116	**CA 57**	ALOXE CORTON		21
173	**BL 83**	ALPUECH		12
10	**BE 17**	ALQUINES		62
187	**BJ 90**	ALRANCE		12
42	**CO 33**	ALSTING		57
233	**DL 115**	ALTAGENE		2A
64	**CT 37**	ALTECKENDORF		67
103	**CQ 50**	ALTENACH		68
63	**CS 38**	ALTENHEIM		67
191	**CC 91**	ALTHEN DES PALUDS		84
231	**DM 109**	ALTIANI		2B
174	**BT 86**	ALTIER		48
171	**BC 81**	ALTILLAC		19
103	**CR 50**	ALTKIRCH	S	68
64	**CT 40**	ALTORF		67
62	**CN 35**	ALTRIPPE		57
62	**CN 34**	ALTVILLER		57
62	**CP 36**	ALTWILLER		67
116	**BZ 60**	ALUZE		71
171	**BB 82**	ALVIGNAC		46
32	**AU 29**	ALVIMARE		76
220	**AZ 103**	ALZEN		09
231	**DM 108**	ALZI		2B
42	**CL 32**	ALZING		57
188	**BP 92**	ALZON	C	30
202	**BF 100**	ALZONNE	C	11
102	**CM 48**	AMAGE		70
38	**BW 30**	AMAGNE		08
118	**CJ 54**	AMAGNEY		25
123	**AM 61**	AMAILLOUX		79
80	**BX 44**	AMANCE		10
61	**CK 38**	AMANCE		54
101	**CI 49**	AMANCE	C	70
118	**CJ 57**	AMANCEY	C	25
148	**CL 68**	AMANCY		74
117	**CF 56**	AMANGE		39
71	**AE 46**	AMANLIS		35
82	**CF 41**	AMANTY		55
41	**CH 34**	AMANVILLERS		57
131	**BV 66**	AMANZE		71
186	**BD 91**	AMARENS		81
118	**CK 57**	AMATHAY VESIGNEUX		25
51	**AM 35**	AMAYE SUR ORNE		14
50	**AK 35**	AMAYE SUR SEULLES		14
114	**BQ 54**	AMAZY		58
83	**CJ 43**	AMBACOURT		88
167	**AK 81**	AMBARES ET LAGRAVE		33
200	**AV 99**	AMBAX		31
140	**AZ 70**	AMBAZAC	C	87
178	**CJ 82**	AMBEL		38
52	**AV 38**	AMBENAY		27
138	**AP 71**	AMBERAC		16
147	**CE 69**	AMBERIEU EN BUGEY	C	01
146	**BZ 70**	AMBERIEUX		69
146	**CA 69**	AMBERIEUX EN DOMBES		01
139	**AS 69**	AMBERNAC		16
124	**AQ 61**	AMBERRE		86
158	**BS 74**	AMBERT	S	63
151	**AK 80**	AMBES		33

Page	Carreau	Commune	Adm.	Dpt
171	BD 86	AMBEYRAC		12
186	BH 92	AMBIALET		81
230	DI 111	AMBIEGNA		2A
144	BS 68	AMBIERLE		42
83	CJ 47	AMBIEVILLERS		70
92	AS 53	AMBILLOU		37
107	AM 55	AMBILLOU CHATEAU		49
134	CK 66	AMBILLY		74
55	BF 34	AMBLAINVILLE		60
101	CL 50	AMBLANS ET VELOTTE		70
36	BN 32	AMBLENY		02
147	CG 72	AMBLEON		01
10	BB 16	AMBLETEUSE		62
151	AN 74	AMBLEVILLE		16
54	BC 34	AMBLEVILLE		95
31	AM 32	AMBLIE		14
39	CA 29	AMBLIMONT		08
93	AW 50	AMBLOY		41
38	BW 30	AMBLY FLEURY		08
60	CD 35	AMBLY SUR MEUSE		55
93	AW 54	AMBOISE	C	37
87	W 51	AMBON		56
176	CB 82	AMBONIL		26
58	BU 35	AMBONNAY		51
81	CA 43	AMBONVILLE		52
127	BE 61	AMBRAULT		36
201	BC 95	AMBRES		81
11	BF 20	AMBRICOURT		62
37	BO 32	AMBRIEF		02
59	BZ 40	AMBRIERES		51
72	AK 42	AMBRIERES LES VALLEES	C	53
21	BH 21	AMBRINES		62
147	CE 69	AMBRONAY		01
155	BF 75	AMBRUGEAT		19
19	AX 26	AMBRUMESNIL		76
183	AQ 89	AMBRUS		47
147	CE 70	AMBUTRIX		01
34	BC 32	AMECOURT		27
40	CF 33	AMEL SUR L'ETANG		55
61	CL 37	AMELECOURT		57
226	BJ 109	AMELIE LES BAINS PALALDA		66
215	AF 98	AMENDEUIX ONEIX		64
62	CN 39	AMENONCOURT		54
54	BB 35	AMENUCOURT		95
11	BH 19	AMES		62
11	BH 19	AMETTES		62
131	BY 63	AMEUGNY		71
101	CH 47	AMEUVELLE		88
31	AO 33	AMFREVILLE		14
29	AF 31	AMFREVILLE		50
33	AW 34	AMFREVILLE LA CAMPAGNE	C	27
33	AY 32	AMFREVILLE LA MI VOIE		76
33	AZ 32	AMFREVILLE LES CHAMPS		27
19	AV 28	AMFREVILLE LES CHAMPS		76
33	AZ 33	AMFREVILLE SOUS LES MONTS		27
53	AY 34	AMFREVILLE SUR ITON		27
23	BQ 22	AMFROIPRET		59
21	BG 26	AMIENS	P	80
37	BS 31	AMIFONTAINE		02
30	AH 34	AMIGNY		50
36	BO 29	AMIGNY ROUY		02
56	BM 39	AMILLIS		77
76	AZ 42	AMILLY		28
96	BK 47	AMILLY	C	45
144	BU 71	AMIONS		42
194	CR 92	AMIRAT		06
85	CR 45	AMMERSCHWIHR		68
103	CR 50	AMMERZWILLER		68
73	AP 46	AMNE		72
41	CI 33	AMNEVILLE		57
101	CI 49	AMONCOURT		70
118	CI 57	AMONDANS		25
102	CM 48	AMONT ET EFFRENEY		70
215	AE 98	AMOROTS SUCCOS		64
197	AI 96	AMOU	C	40
98	BX 49	AMPILLY LE SEC		21
99	BY 51	AMPILLY LES BORDES		21
145	BW 70	AMPLEPUIS	C	69
21	BH 23	AMPLIER		62
90	AJ 49	AMPOIGNE		53
77	BI 44	AMPONVILLE		77
231	DN 109	AMPRIANI		2B
160	CA 75	AMPUIS		69
209	CN 95	AMPUS		83
123	AK 66	AMURE		79
36	BK 29	AMY		60
138	AQ 72	ANAIS		16
122	AH 67	ANAIS		17
200	AU 99	ANAN		31
216	AI 101	ANCE		64
33	AX 30	ANCEAUMEVILLE		76
52	AT 37	ANCEINS		61
178	CL 84	ANCELLE		05
60	CD 35	ANCEMONT		55
89	AG 53	ANCENIS	S	44
59	CA 40	ANCERVILLE	C	55
61	CK 35	ANCERVILLE		57
62	CO 40	ANCERVILLER		54
116	BZ 54	ANCEY		21
25	BX 25	ANCHAMPS		08
108	AR 57	ANCHE		37
124	AR 65	ANCHE		86
101	CJ 48	ANCHENONCOURT ET CHAZEL		70
36	BN 34	ANCIENVILLE		02
100	CF 53	ANCIER		70
74	AR 43	ANCINNES		72
218	AQ 104	ANCIZAN		65
142	BK 70	ANCIZES COMPS, LES		63
176	BZ 85	ANCONE		26
19	AY 26	ANCOURT		76
18	AU 28	ANCOURTEVILLE SUR HERICOURT		76
19	AX 29	ANCRETIEVILLE ST VICTOR		76
18	AT 27	ANCRETTEVILLE SUR MER		76
49	AF 34	ANCTEVILLE		50
50	AK 34	ANCTOVILLE		14
49	AE 37	ANCTOVILLE SUR BOSCQ		50
145	BX 71	ANCY		69
98	BU 49	ANCY LE FRANC	C	89
98	BU 49	ANCY LE LIBRE		89
61	CH 35	ANCY SUR MOSELLE		57
20	BC 26	ANDAINVILLE		80
160	CA 78	ANDANCE		07
160	CA 77	ANDANCETTE		26
91	AM 53	ANDARD		49
33	AY 33	ANDE		27
36	BJ 28	ANDECHY		80
47	W 40	ANDEL		22
37	BO 29	ANDELAIN		02
130	BR 66	ANDELAROCHE		03
101	CJ 51	ANDELARRE		70
101	CJ 51	ANDELARROT		70
157	BM 80	ANDELAT		15
102	CP 51	ANDELNANS		90
82	CD 44	ANDELOT BLANCHEVILLE	C	52
118	CI 59	ANDELOT EN MONTAGNE		39
133	CE 64	ANDELOT MORVAL		39
54	BD 37	ANDELU		78
34	BA 33	ANDELYS, LES	S	27
59	CA 38	ANDERNAY		55
166	AF 83	ANDERNOS LES BAINS		33
40	CG 32	ANDERNY		54
147	CG 71	ANDERT ET CONDON		01
35	BF 33	ANDEVILLE		60
90	AJ 50	ANDIGNE		49
186	BD 92	ANDILLAC		81
122	AG 66	ANDILLY		17
61	CH 38	ANDILLY		54
148	CJ 68	ANDILLY		74
55	BG 36	ANDILLY		95
100	CE 47	ANDILLY EN BASSIGNY		52
183	AQ 90	ANDIRAN		47
85	CS 42	ANDLAU		67
198	AM 99	ANDOINS		64
85	CS 45	ANDOLSHEIM	C	68
194	CQ 93	ANDON		06
76	BE 44	ANDONVILLE		45
102	CM 50	ANDORNAY		70
72	AJ 45	ANDOUILLE		53
71	AD 43	ANDOUILLE NEUVILLE		35
186	BG 92	ANDOUQUE		81
197	AG 98	ANDREIN		64
10	BD 15	ANDRES		62
198	AO 99	ANDREST		65
55	BE 36	ANDRESY	C	78
106	AI 56	ANDREZE		49
56	BK 40	ANDREZEL		77
159	BV 74	ANDREZIEUX BOUTHEON		42
97	BP 52	ANDRYES		89
189	BT 91	ANDUZE	C	30
218	AR 102	ANERES		65
54	BA 38	ANET	C	28
89	AH 54	ANETZ		44
198	AM 100	ANGAIS		64
110	AY 55	ANGE		41
137	AM 73	ANGEAC CHAMPAGNE		16
138	AO 73	ANGEAC CHARENTE		16
39	BZ 29	ANGECOURT		08
152	AO 75	ANGEDUC		16
98	BT 52	ANGELY		89
102	CP 50	ANGEOT		90
90	AK 53	ANGERS	P	49
31	AP 33	ANGERVILLE		14
76	BE 44	ANGERVILLE		91
18	AT 28	ANGERVILLE BAILLEUL		76
53	AY 36	ANGERVILLE LA CAMPAGNE		27
18	AT 27	ANGERVILLE LA MARTEL		76
32	AR 29	ANGERVILLE L'ORCHER		76
77	BF 41	ANGERVILLIERS		91
184	AW 92	ANGEVILLE		82
41	CH 31	ANGEVILLERS		57
49	AE 38	ANGEY		50
35	BI 33	ANGICOURT		60
19	AV 27	ANGIENS		76
101	CG 53	ANGIREY		70
35	BH 31	ANGIVILLERS		60
151	AJ 78	ANGLADE		33
156	BH 78	ANGLARDS DE SALERS		15
173	BN 81	ANGLARDS DE ST FLOUR		15
171	BD 84	ANGLARS		46
170	AX 86	ANGLARS JUILLAC		46
170	AZ 83	ANGLARS NOZAC		46
172	BG 87	ANGLARS ST FELIX		12
147	CH 70	ANGLEFORT		01
84	CM 42	ANGLEMONT		88
194	CO 91	ANGLES		04
190	CA 92	ANGLES, LES		30
217	AO 102	ANGLES, LES		65
225	BE 108	ANGLES, LES		66
203	BI 96	ANGLES	C	81
121	AE 64	ANGLES		85
155	BC 77	ANGLES SUR CORREZE, LES		19
125	AV 62	ANGLES SUR L'ANGLIN		86
19	AV 27	ANGLESQUEVILLE LA BRAS LONG		76
18	AR 29	ANGLESQUEVILLE L'ESNEVAL		76
196	AB 97	ANGLET	C	64
122	AH 67	ANGLIERS		17
108	AQ 59	ANGLIERS		86
79	BR 41	ANGLURE	C	51
131	BW 67	ANGLURE SOUS DUN		71
57	BS 40	ANGLUZELLES ET COURCELLES		51
154	AX 76	ANGOISSE		24
84	CP 40	ANGOMONT		54
217	AP 100	ANGOS		65
138	AQ 73	ANGOULEME	P	16
136	AG 68	ANGOULINS		17
196	AE 94	ANGOUME		40
197	AH 99	ANGOUS		64
225	BD 109	ANGOUSTRINE VILLENEUVE DES ESCALDES		66
51	AM 36	ANGOVILLE		14
29	AG 32	ANGOVILLE AU PLAIN		50
29	AE 32	ANGOVILLE SUR AY		50
12	BK 20	ANGRES		62
196	AD 95	ANGRESSE		40
90	AI 51	ANGRIE		49
31	AM 33	ANGUERNY		14
37	BO 28	ANGUILCOURT LE SART		02
35	BH 33	ANGY		60
214	AD 100	ANHAUX		64
12	BM 20	ANHIERS		59
204	BR 95	ANIANE	C	34
22	BN 21	ANICHE		59
31	AN 33	ANISY		14
37	BP 30	ANIZY LE CHATEAU	C	02
101	CJ 48	ANJEUX		70
160	CA 76	ANJOU		38
111	BC 56	ANJOUIN		36
102	CP 50	ANJOUTEY		90
218	AS 103	ANLA		65
114	BP 59	ANLEZY		58
154	AX 77	ANLHIAC		24
96	BL 52	ANNAY		58
12	BK 20	ANNAY		62
97	BS 52	ANNAY LA COTE		89
98	BT 50	ANNAY SUR SEREIN		89
31	AQ 33	ANNEBAULT		14
148	CK 70	ANNECY	P	74
148	CK 69	ANNECY LE VIEUX	C	74
38	BV 31	ANNELLES		08
134	CL 66	ANNEMASSE	C	74
97	BS 52	ANNEOT		89
137	AK 71	ANNEPONT		17
12	BJ 19	ANNEQUIN		62
153	AT 79	ANNESSE ET BEAULIEU		24
56	BJ 37	ANNET SUR MARNE		77
22	BM 23	ANNEUX		59
33	AW 31	ANNEVILLE AMBOURVILLE		76
29	AG 28	ANNEVILLE EN SAIRE		50
81	CB 45	ANNEVILLE LA PRAIRIE		52
49	AE 34	ANNEVILLE SUR MER		50
19	AY 27	ANNEVILLE SUR SCIE		76
160	CA 77	ANNEYRON		26
137	AJ 69	ANNEZAY		17
11	BI 19	ANNEZIN		62
12	BL 19	ANNOEULLIN		59
116	CD 58	ANNOIRE		39
36	BM 28	ANNOIS		02
147	CE 72	ANNOISIN CHATELANS		38
112	BI 59	ANNOIX		18
160	BZ 78	ANNONAY	C	07
82	CC 42	ANNONVILLE		52
194	CP 91	ANNOT	C	04
18	AT 28	ANNOUVILLE VILMESNIL		76
98	BT 51	ANNOUX		89
49	AE 36	ANNOVILLE		50
24	BT 25	ANOR		59
198	AL 98	ANOS		64
115	BU 57	ANOST		71
84	CP 44	ANOULD		88
40	CG 32	ANOUX		54
198	AM 98	ANOYE		64
32	AU 30	ANQUETIERVILLE		76
100	CF 48	ANROSEY		52
139	AT 69	ANSAC SUR VIENNE		16
35	BH 32	ANSACQ		60
200	AU 95	ANSAN		32
60	CG 38	ANSAUVILLE		54
35	BH 30	ANSAUVILLERS		60
146	BZ 70	ANSE	C	69
35	BF 34	ANSERVILLE		60
222	BI 105	ANSIGNAN		66
198	AO 98	ANSOST		65
208	CG 94	ANSOUIS		84
12	BM 18	ANSTAING		59
182	AO 87	ANTAGNAC		47
173	BM 82	ANTERRIEUX		15
102	CM 53	ANTEUIL		25
137	AL 69	ANTEZANT LA CHAPELLE		17
184	AV 87	ANTHE		47
61	CL 40	ANTHELUPT		54
57	BR 34	ANTHENAY		51
24	BV 26	ANTHENY		08
116	BZ 56	ANTHEUIL		21
36	BK 31	ANTHEUIL PORTES		60
114	BR 55	ANTHIEN		58
146	CD 71	ANTHON		38
134	CM 65	ANTHY SUR LEMAN		74
211	CT 95	ANTIBES	C	06
218	AS 103	ANTICHAN		65
218	AT 103	ANTICHAN DE FRONTIGNES		31
156	BI 77	ANTIGNAC		15
218	AS 105	ANTIGNAC		31
123	AJ 62	ANTIGNY		85
125	AV 63	ANTIGNY		86
115	BX 57	ANTIGNY LA VILLE		21
41	CJ 33	ANTILLY		57
56	BL 34	ANTILLY		60
199	AQ 99	ANTIN		65
231	DN 109	ANTISANTI		2B
217	AP 101	ANTIST		65
109	AT 58	ANTOGNY LE TILLAC		37
108	AO 57	ANTOIGNE		49
73	AN 41	ANTOIGNY		61
157	BN 75	ANTOINGT		63
192	CI 88	ANTONAVES		05
153	AU 78	ANTONNE ET TRIGONANT		24
55	BG 39	ANTONY	S	92
175	BX 83	ANTRAIGUES SUR VOLANE	C	07
71	AE 41	ANTRAIN	C	35
109	AT 60	ANTRAN		86
219	AV 104	ANTRAS		09
199	AR 95	ANTRAS		32
173	BO 85	ANTRENAS		48
221	BF 103	ANTUGNAC		11
115	BW 59	ANTULLY		71
19	AV 28	ANVEVILLE		76
138	AO 71	ANVILLE		16
11	BG 20	ANVIN		62
24	BU 26	ANY MARTIN RIEUX		02
157	BM 77	ANZAT LE LUGUET		63
41	CL 32	ANZELING		57
127	BD 66	ANZEME		23
183	AP 88	ANZEX		47
23	BP 21	ANZIN	C	59
22	BJ 21	ANZIN ST AUBIN		62
131	BU 66	ANZY LE DUC		71
147	CG 74	AOSTE		38
57	BR 34	AOUGNY		51
24	BV 27	AOUSTE		08
176	CC 83	AOUSTE SUR SYE		26
83	CG 42	AOUZE		88
41	CK 30	APACH		57
157	BN 76	APCHAT		63
156	BJ 78	APCHON		15
158	BU 76	APINAC		42
202	BD 96	APPELLE		81
74	AT 43	APPENAI SOUS BELLEME		61
102	CM 53	APPENANS		25
85	CS 46	APPENWIHR		68
29	AG 32	APPEVILLE		50
32	AU 32	APPEVILLE ANNEBAULT		27
230	DI 112	APPIETTO		2A
36	BM 30	APPILLY		60
97	BP 48	APPOIGNY		89
161	CF 76	APPRIEU		38
220	BC 105	APPY		09
133	CG 67	APREMONT		01
39	CA 33	APREMONT		08
35	BI 34	APREMONT		60
100	CE 53	APREMONT		70
162	CJ 74	APREMONT		73
105	AB 60	APREMONT		85
60	CE 37	APREMONT LA FORET		55
113	BM 59	APREMONT SUR ALLIER		18
100	CC 49	APREY		52
192	CF 92	APT	S	84
220	BB 103	ARABAUX		09
149	CO 68	ARACHES LA FRASSE		74
218	AP 105	ARAGNOUET		65
202	BG 99	ARAGON		11
215	AI 101	ARAMITS	C	64
190	BZ 93	ARAMON	C	30
147	CF 69	ARANC		01
196	AF 97	ARANCOU		64
147	CF 70	ARANDAS		01
147	CF 72	ARANDON		38
197	AH 98	ARAUJUZON		64
159	BV 79	ARAULES		43
197	AH 98	ARAUX		64
167	AL 84	ARBANATS		33
219	AV 103	ARBAS		31
101	CH 49	ARBECEY		70
233	DK 115	ARBELLARA		2A
133	CG 66	ARBENT		01
217	AL 102	ARBEOST		65
197	AF 98	ARBERATS SILLEGUE		64
147	CG 72	ARBIGNIEU		01
132	CB 64	ARBIGNY		01
100	CF 48	ARBIGNY SOUS VARENNES		52
162	CK 74	ARBIN		73
167	AM 84	ARBIS		33
198	AM 95	ARBLADE LE BAS		32
198	AN 94	ARBLADE LE HAUT		32
117	CH 59	ARBOIS	C	39
219	AT 103	ARBON		31
196	AB 97	ARBONNE		64
77	BI 43	ARBONNE LA FORET		77
204	BQ 95	ARBORAS		34
230	DI 110	ARBORI		2A
99	CA 49	ARBOT		52
102	CO 52	ARBOUANS		25
198	AK 96	ARBOUCAVE		40
197	AF 98	ARBOUET SUSSAUTE		64
113	BN 55	ARBOURSE		58
221	BH 107	ARBOUSSOLS		66
145	BY 71	ARBRESLE, L'	C	69
89	AF 47	ARBRISSEL		35
197	AJ 99	ARBUS		64
148	CK 68	ARBUSIGNY		74
99	CA 47	ARC EN BARROIS	C	52
117	CG 57	ARC ET SENANS		25
100	CF 53	ARC LES GRAY		70
118	CL 57	ARC SOUS CICON		25
118	CI 59	ARC SOUS MONTENOT		25
116	CC 54	ARC SUR TILLE		21
166	AF 84	ARCACHON	C	33
123	AJ 66	ARCAIS		79
170	BA 87	ARCAMBAL		46
196	AB 97	ARCANGUES		64
112	BH 59	ARCAY		18
108	AP 58	ARCAY		86
100	CC 54	ARCEAU		21
116	BZ 56	ARCENANT		21
175	BW 81	ARCENS		07
150	AI 74	ARCES		17
79	BQ 46	ARCES DILO		89
116	BZ 55	ARCEY		21
102	CN 52	ARCEY		25
193	CM 90	ARCHAIL		04
148	CK 67	ARCHAMPS		74
117	CE 56	ARCHELANGE		39
156	BG 77	ARCHES		15
84	CM 45	ARCHES		88
84	CM 45	ARCHETTES		88
151	AM 74	ARCHIAC	C	17
170	AY 80	ARCHIGNAC		24
128	BH 65	ARCHIGNAT		03
125	AU 62	ARCHIGNY		86
137	AJ 70	ARCHINGEAY		17
38	BT 28	ARCHON		02
145	BV 68	ARCINGES		42
151	AI 79	ARCINS		33
37	BQ 33	ARCIS LE PONSART		51
80	BU 41	ARCIS SUR AUBE	C	10
217	AO 101	ARCIZAC ADOUR		65
217	AN 101	ARCIZAC EZ ANGLES		65
217	AM 103	ARCIZANS AVANT		65
217	AM 103	ARCIZANS DESSUS		65
128	BH 62	ARCOMPS		18
118	CL 58	ARCON		25
144	BS 69	ARCON		42
115	BX 56	ARCONCEY		21
73	AQ 43	ARCONNAY		72
144	BR 70	ARCONSAT		63
81	BY 45	ARCONVILLE		10
209	CO 97	ARCS, LES		83
55	BG 38	ARCUEIL	C	94
37	BP 33	ARCY STE RESTITUE		02
97	BR 51	ARCY SUR CURE		89
75	AY 41	ARDELLES		28
76	BD 43	ARDELU		28
128	BH 62	ARDENAIS		18
74	AS 47	ARDENAY SUR MERIZE		72
218	AR 103	ARDENGOST		65
127	BD 61	ARDENTES	C	36
157	BM 76	ARDES	C	63
39	BY 33	ARDEUIL ET MONTFAUXELLES		08
218	AT 102	ARDIEGE		31
145	BY 67	ARDILLATS, LES		69
138	AO 68	ARDILLEUX		79
136	AH 68	ARDILLIERES		17
123	AK 64	ARDIN		79
200	AW 95	ARDIZAS		32
160	BZ 78	ARDOIX		07
117	CH 60	ARDON		39
94	BD 50	ARDON		45
19	AZ 28	ARDOUVAL		76
10	BE 15	ARDRES	C	62
228	DI 105	AREGNO		2B
93	AX 49	AREINES		41
197	AI 99	AREN		64
181	AH 91	ARENGOSSE		40
148	CL 67	ARENTHON		74
166	AF 83	ARES		33
117	CI 59	ARESCHES		39
198	AL 99	ARESSY		64
215	AI 101	ARETTE		64
142	BH 69	ARFEUILLE CHATAIN		23
144	BR 67	ARFEUILLES		03
202	BF 98	ARFONS		81
197	AI 97	ARGAGNON		64
30	AK 33	ARGANCHY		14
81	BX 44	ARGANCON		10
41	CJ 33	ARGANCY		57
219	AW 103	ARGEIN		09
218	AP 102	ARGELES		65
217	AM 102	ARGELES GAZOST	S	65
227	BM 108	ARGELES SUR MER	C	66
203	BL 99	ARGELIERS		11
205	BR 95	ARGELLIERS		34
197	AJ 96	ARGELOS		40
198	AL 97	ARGELOS		64
181	AI 87	ARGELOUSE		40
51	AO 34	ARGENCES		14
203	BK 100	ARGENS MINERVOIS		11
95	BH 52	ARGENT SUR SAULDRE	C	18
51	AP 39	ARGENTAN	S	61
155	BD 79	ARGENTAT	C	19
98	BU 49	ARGENTENAY		89
55	BF 37	ARGENTEUIL	S	95
98	BU 50	ARGENTEUIL SUR ARMANCON		89
179	CO 82	ARGENTIERE LA BESSEE, L'	C	05
56	BK 40	ARGENTIERES		77
162	CM 74	ARGENTINE		73
182	AO 87	ARGENTON		47
107	AL 58	ARGENTON CHATEAU	C	79
107	AN 57	ARGENTON L'EGLISE		79
90	AK 49	ARGENTON NOTRE DAME		53
126	BA 63	ARGENTON SUR CREUSE	C	36
72	AK 46	ARGENTRE	C	53
71	AG 46	ARGENTRE DU PLESSIS	C	35
113	BL 57	ARGENVIERES		18
75	AW 44	ARGENVILLIERS		28
59	BZ 35	ARGERS		51
197	AJ 96	ARGET		64
102	CO 51	ARGIESANS		90
100	CF 50	ARGILLIERES		70
190	BY 92	ARGILLIERS		30
116	CB 57	ARGILLY		21
147	CF 70	ARGIS		01
233	DK 114	ARGIUSTA MORICCIO		2A
21	BG 26	ARGOEUVES		80
66	J 42	ARGOL		29
148	CK 69	ARGONAY		74
71	AF 41	ARGOUGES		50
20	BD 21	ARGOULES		80
34	BB 30	ARGUEIL	C	76
118	CI 55	ARGUEL		25
20	BD 26	ARGUEL		80
218	AT 103	ARGUENOS		31
218	AT 104	ARGUT DESSOUS		31
110	AZ 59	ARGY		36
215	AF 99	ARHANSUS		64
199	AS 99	ARIES ESPENAN		65
202	BG 94	ARIFAT		81
220	BA 104	ARIGNAC		09
133	CF 65	ARINTHOD	C	39
148	CK 72	ARITH		73
181	AH 91	ARJUZANX		40
158	BR 76	ARLANC	C	63
133	CF 60	ARLAY		39
160	BY 80	ARLEBOSC		07
174	BT 82	ARLEMPDES		43
206	BZ 95	ARLES	S	13
226	BJ 109	ARLES SUR TECH	C	66
157	BP 79	ARLET		43
114	BT 58	ARLEUF		58
22	BM 22	ARLEUX	C	59
22	BK 21	ARLEUX EN GOHELLE		62
218	AT 104	ARLOS		31
89	AG 50	ARMAILLE		49
36	BK 32	ARMANCOURT		60
36	BJ 28	ARMANCOURT		80
61	CK 37	ARMAUCOURT		54
11	BG 14	ARMBOUTS CAPPEL		59
79	BO 47	ARMEAU		89
215	AE 99	ARMENDARITS		64
218	AQ 105	ARMENTEULE		65
12	BK 17	ARMENTIERES	C	59
56	BM 36	ARMENTIERES EN BRIE		77
53	AV 39	ARMENTIERES SUR AVRE		27
57	BO 34	ARMENTIERES SUR OURCQ		02
198	AO 97	ARMENTIEUX		32
97	BQ 53	ARMES		58
168	AR 85	ARMILLAC		47
223	BN 101	ARMISSAN		11
147	CG 71	ARMIX		01
199	AP 96	ARMOUS ET CAU		32
135	CN 65	ARMOY		74
155	BG 80	ARNAC		15
126	AZ 66	ARNAC LA POSTE		87
154	AZ 76	ARNAC POMPADOUR		19
203	BL 95	ARNAC SUR DOURDOU		12
92	AR 48	ARNAGE		72
81	CA 43	ARNANCOURT		52
146	BZ 69	ARNAS		69
219	AV 101	ARNAUD GUILHEM		31
220	BB 104	ARNAVE		09
61	CH 35	ARNAVILLE		54
115	BX 56	ARNAY LE DUC	C	21
98	BX 53	ARNAY SOUS VITTEAUX		21
177	CE 86	ARNAYON		26
218	AR 101	ARNE		65
215	AD 101	ARNEGUY		64
11	BH 16	ARNEKE		59
38	BV 30	ARNICOURT		08
53	AY 36	ARNIERES SUR ITON		27
197	AJ 97	ARNOS		64
55	BH 36	ARNOUVILLE LES GONESSE		95
54	BC 37	ARNOUVILLE LES MANTES		78
83	CH 42	AROFFE		88
133	CF 66	AROMAS		39
72	AL 43	ARON		53
197	AG 99	AROUE ITHOROTS OLHAIBY		64
101	CI 51	AROZ		70
190	BX 91	ARPAILLARGUES ET AUREILLAC		30
77	BG 41	ARPAJON	C	91
172	BH 81	ARPAJON SUR CERE	C	15
191	CE 87	ARPAVON		26
101	CL 51	ARPENANS		70
128	BI 61	ARPHEUILLES		18
110	AY 59	ARPHEUILLES		36
128	BJ 67	ARPHEUILLES ST PRIEST		03
188	BR 91	ARPHY		30
72	AL 47	ARQUENAY		53
221	BH 103	ARQUES		11
187	BK 88	ARQUES		12
170	AY 85	ARQUES, LES		46
11	BG 17	ARQUES	C	62
19	AY 26	ARQUES LA BATAILLE		76
222	BI 102	ARQUETTES EN VAL		11
21	BH 24	ARQUEVES		80
96	BL 52	ARQUIAN		58
62	CL 38	ARRACOURT	C	54
87	U 50	ARRADON		56
62	CL 35	ARRAINCOURT		57
77	BF 43	ARRANCOURT		91
37	BR 30	ARRANCY		02
40	CE 31	ARRANCY SUR CRUSNE		55
98	BV 50	ARRANS		21
22	BJ 22	ARRAS	P	62
217	AM 102	ARRAS EN LAVEDAN		65
160	CA 79	ARRAS SUR RHONE		07
197	AH 99	ARRAST LARREBIEU		64
196	AF 98	ARRAUTE CHARRITTE		64
61	CK 37	ARRAYE ET HAN		54
217	AO 101	ARRAYOU LAHITTE		65
188	BQ 92	ARRE		30
218	AQ 104	ARREAU	C	65
80	BV 46	ARRELLES		10
81	BX 41	ARREMBECOURT		10
140	BA 69	ARRENES		23
217	AL 103	ARRENS MARSOUS		65
84	CO 45	ARRENTES DE CORCIEUX		88
81	BY 44	ARRENTIERES		10
20	BB 23	ARREST		80
25	BX 27	ARREUX		08
61	CL 35	ARRIANCE		57
198	AM 97	ARRICAU BORDES		64
198	AM 99	ARRIEN		64
219	AW 104	ARRIEN EN BETHMALE		09
188	BQ 92	ARRIGAS		30
59	BY 40	ARRIGNY		51
230	DI 111	ARRO		2A
218	AQ 102	ARRODETS		65
217	AO 102	ARRODETS EZ ANGLES		65
30	AL 32	ARROMANCHES LES BAINS		14
144	BQ 69	ARRONNES		03
55	BF 34	ARRONVILLE		95
198	AL 100	ARROS DE NAY		64
198	AN 97	ARROSES		64

Page	Carreau	Commune	Adm.	Dpt
75	AX 46	ARROU		.28
199	AS 99	ARROUEDE		.32
219	AW 103	ARROUT		.09
61	CI 35	ARRY		.57
20	BC 22	ARRY		.80
137	AL 73	ARS		.16
141	BE 69	ARS		.23
121	AC 66	ARS EN RE	C	.17
61	CJ 34	ARS LAQUENEXY		.57
142	BK 67	ARS LES FAVETS		.63
146	CA 69	ARS SUR FORMANS		.01
61	CH 35	ARS SUR MOSELLE	C	.57
151	AJ 80	ARSAC		.33
174	BT 81	ARSAC EN VELAY		.43
197	AH 96	ARSAGUE		.40
100	CF 54	ARSANS		.70
81	BY 44	ARSONVAL		.10
134	CJ 61	ARSURE ARSURETTE		.39
117	CH 58	ARSURES, LES		.39
36	BJ 32	ARSY		.60
61	CJ 39	ART SUR MEURTHE		.54
198	AO 98	ARTAGNAN		.65
39	BZ 29	ARTAISE LE VIVIER		.08
130	BT 67	ARTAIX		.71
217	AN 103	ARTALENS SOUIN		.65
109	AT 55	ARTANNES SUR INDRE		.37
108	AO 56	ARTANNES SUR THOUET		.49
160	CD 74	ARTAS		.38
182	AL 93	ARTASSENX		.40
147	CG 70	ARTEMARE		.01
36	BN 28	ARTEMPS		.02
76	BD 46	ARTENAY	C	.45
134	CL 67	ARTHAZ PONT NOTRE DAME		.74
113	BO 55	ARTHEL		.58
160	CC 78	ARTHEMONAY		.26
151	AM 75	ARTHENAC		.17
133	CF 62	ARTHENAS		.39
186	BF 92	ARTHES		.81
182	AM 92	ARTHEZ D'ARMAGNAC		.40
217	AL 101	ARTHEZ D'ASSON		.64
197	AJ 97	ARTHEZ DE BEARN	C	.64
91	AO 49	ARTHEZE		.72
54	BD 35	ARTHIES		.95
127	BC 62	ARTHON		.36
105	AA 56	ARTHON EN RETZ		.44
98	BV 48	ARTHONNAY		.89
145	BU 72	ARTHUN		.42
220	AZ 101	ARTIGAT		.09
209	CL 94	ARTIGNOSC SUR VERDON		.83
218	AS 104	ARTIGUE		.31
198	AL 99	ARTIGUELOUTAN		.64
197	AJ 99	ARTIGUELOUVE		.64
218	AP 101	ARTIGUEMY		.65
221	BE 106	ARTIGUES		.09
221	BF 105	ARTIGUES		.11
217	AN 102	ARTIGUES		.65
208	CJ 96	ARTIGUES		.83
168	AN 81	ARTIGUES DE LUSSAC, LES		.33
167	AK 82	ARTIGUES PRES BORDEAUX		.33
92	AV 50	ARTINS		.41
220	BA 102	ARTIX		.09
197	AJ 98	ARTIX		.64
85	CT 44	ARTOLSHEIM		.67
57	BP 37	ARTONGES		.02
143	BN 69	ARTONNE		.63
23	BP 22	ARTRES		.59
85	CT 45	ARTZENHEIM		.68
216	AK 101	ARUDY	C	.64
182	AL 91	ARUE		.40
136	AF 72	ARVERT		.17
167	AM 81	ARVEYRES		.33
187	BJ 90	ARVIEU		.12
179	CP 82	ARVIEUX		.05
220	BB 102	ARVIGNA		.09
162	CK 75	ARVILLARD		.73
75	AW 46	ARVILLE		.41
77	BI 45	ARVILLE		.77
35	BJ 28	ARVILLERS		.80
182	AO 90	ARX		.40
198	AK 96	ARZACQ ARRAZIGUET	C	.64
87	X 51	ARZAL		.56
68	P 47	ARZANO	C	.29
160	CD 75	ARZAY		.38
113	BO 56	ARZEMBOUY		.58
173	BM 82	ARZENC D'APCHER		.48
174	BR 84	ARZENC DE RANDON		.48
221	BF 101	ARZENS		.11
59	BX 40	ARZILLIERES NEUVILLE		.51
87	T 51	ARZON		.56
63	CQ 38	ARZVILLER		.57
216	AI 101	ASASP ARROS		.64
214	AA 98	ASCAIN		.64
215	AD 100	ASCARAT		.64
64	CW 35	ASCHBACH		.67
76	BE 46	ASCHERES LE MARCHE		.45
230	DK 107	ASCO		.2B
220	BD 106	ASCOU		.09
77	BG 46	ASCOUX		.45
194	CS 91	ASCROS		.06
38	BT 31	ASFELD	C	.08
124	AR 64	ASLONNES		.86
114	BQ 55	ASNAN		.58
117	CE 58	ASNANS BEAUVOISIN		.39
30	AL 32	ASNELLES		.14
32	AS 34	ASNIERES		.27
30	AI 31	ASNIERES EN BESSIN		.14
98	BV 50	ASNIERES EN MONTAGNE		.21
138	AN 68	ASNIERES EN POITOU		.79
137	AK 70	ASNIERES LA GIRAUD		.17
99	CB 54	ASNIERES LES DIJON		.21
97	BQ 53	ASNIERES SOUS BOIS		.89
139	AV 68	ASNIERES SUR BLOUR		.86
138	AP 72	ASNIERES SUR NOUERE		.16
55	BH 35	ASNIERES SUR OISE		.95
132	CA 65	ASNIERES SUR SAONE		.01
55	BG 37	ASNIERES SUR SEINE	C	.92
91	AN 48	ASNIERES SUR VEGRE		.72
114	BQ 54	ASNOIS		.58
139	AS 68	ASNOIS		.86
62	CO 39	ASPACH		.57
103	CR 50	ASPACH		.68
103	CQ 49	ASPACH LE BAS		.68
103	CQ 49	ASPACH LE HAUT		.68
189	BU 94	ASPERES		.30
175	BW 84	ASPERJOC		.07
219	AU 102	ASPET	C	.31
218	AQ 103	ASPIN AURE		.65
217	AN 102	ASPIN EN LAVEDAN		.65
204	BP 96	ASPIRAN		.34
177	CI 86	ASPREMONT		.05
195	CU 93	ASPREMONT		.06
52	AU 39	ASPRES, LES		.61
178	CJ 82	ASPRES LES CORPS		.05
177	CH 85	ASPRES SUR BUECH	C	.05
218	AT 102	ASPRET SARRAT		.31
171	BF 86	ASPRIERES		.12
218	AP 102	ASQUE		.65
167	AL 81	ASQUES		.33
184	AV 92	ASQUES		.82
97	BR 53	ASQUINS		.89
186	BH 92	ASSAC		.81
35	BI 29	ASSAINVILLERS		.80
108	AO 60	ASSAIS LES JUMEAUX		.79
205	BT 95	ASSAS		.34
198	AL 100	ASSAT		.64
108	AR 57	ASSAY		.37
73	AN 45	ASSE LE BERENGER		.53
73	AP 43	ASSE LE BOISNE		.72
73	AQ 45	ASSE LE RIBOUL		.72
80	BT 45	ASSENAY		.10
80	BU 43	ASSENCIERES		.10
62	CN 38	ASSENONCOURT		.57
87	X 52	ASSERAC		.44
23	BS 22	ASSEVENT		.59
22	BK 26	ASSEVILLERS		.80
171	BD 84	ASSIER		.46
160	CA 76	ASSIEU		.38
203	BL 98	ASSIGNAN		.34
96	BK 54	ASSIGNY		.18
19	AZ 25	ASSIGNY		.76
175	BV 87	ASSIONS, LES		.07
37	BP 28	ASSIS SUR SERRE		.02
217	AL 101	ASSON		.64
63	CQ 36	ASSWILLER		.67
183	AT 91	ASTAFFORT	C	.47
171	BC 81	ASTAILLAC		.19
218	AP 102	ASTE		.65
217	AK 102	ASTE BEON		.64
175	BU 84	ASTET		.07
72	AJ 47	ASTILLE		.53
198	AL 97	ASTIS		.64
220	BB 105	ASTON		.09
217	AO 101	ASTUGUE		.65
117	CE 55	ATHEE		.21
90	AI 48	ATHEE		.53
109	AW 55	ATHEE SUR CHER		.37
102	CM 51	ATHESANS ETROITEFONTAINE		.70
98	BV 52	ATHIE		.21
98	BT 52	ATHIE		.89
61	CL 38	ATHIENVILLE		.54
22	BK 21	ATHIES		.62
22	BL 26	ATHIES		.80
37	BQ 30	ATHIES SOUS LAON		.02
58	BU 36	ATHIS		.51
51	AL 38	ATHIS DE L'ORNE	C	.61
55	BH 39	ATHIS MONS	C	.91
197	AG 98	ATHOS ASPIS		.64
118	CL 57	ATHOSE		.25
55	BH 35	ATTAINVILLE		.95
81	CA 41	ATTANCOURT		.52
10	BE 15	ATTAQUES, LES		.62
103	CT 51	ATTENSCHWILLER		.68
12	BM 19	ATTICHES		.59
36	BM 31	ATTICHY	C	.60
132	CC 66	ATTIGNAT		.01
161	CH 74	ATTIGNAT ONCIN		.73
82	CG 42	ATTIGNEVILLE		.88
38	BX 31	ATTIGNY	C	.08
83	CI 46	ATTIGNY		.88
61	CK 38	ATTILLONCOURT		.57
22	BM 26	ATTILLY		.02
10	BC 19	ATTIN		.62
61	CI 37	ATTON		.54
77	BF 46	ATTRAY		.45
100	CE 52	ATTRICOURT		.70
153	AU 79	ATUR		.24
197	AJ 95	AUBAGNAN		.40
208	CH 99	AUBAGNE	C	.13
116	BZ 56	AUBAINE		.21
205	BV 94	AUBAIS		.30
199	AP 100	AUBAREDE		.65
154	AY 80	AUBAS		.24
157	BP 79	AUBAZAT		.43
155	BB 79	AUBAZINES		.19
61	CK 35	AUBE		.57
52	AT 39	AUBE		.61
20	BC 27	AUBEGUIMONT		.76
175	BW 85	AUBENAS	C	.07
192	CH 92	AUBENAS LES ALPES		.04
176	CC 84	AUBENASSON		.26
22	BM 22	AUBENCHEUL AU BAC		.59
22	BN 24	AUBENCHEUL AUX BOIS		.02
24	BU 27	AUBENTON	C	.02
56	BL 40	AUBEPIERRE OZOUER LE REPOS		.77
99	CA 48	AUBEPIERRE SUR AUBE		.52
133	CE 64	AUBEPIN, L'		.39
22	BN 21	AUBERCHICOURT		.59
21	BI 27	AUBERCOURT		.80
54	BD 37	AUBERGENVILLE	C	.78
38	BW 34	AUBERIVE		.51
99	CB 49	AUBERIVE	C	.52
161	CE 79	AUBERIVES EN ROYANS		.38
160	CA 75	AUBERIVES SUR VAREZE		.38
20	BB 27	AUBERMESNIL AUX ERABLES		.76
19	AX 26	AUBERMESNIL BEAUMAIS		.76
12	BK 18	AUBERS		.59
197	AK 99	AUBERTIN		.64
31	AP 32	AUBERVILLE		.14
32	AU 30	AUBERVILLE LA CAMPAGNE		.76
18	AU 27	AUBERVILLE LA MANUEL		.76
18	AS 28	AUBERVILLE LA RENAULT		.76
55	BH 37	AUBERVILLIERS	C	.93
80	BT 42	AUBETERRE		.10
152	AQ 77	AUBETERRE SUR DRONNE	C	.16
152	AO 75	AUBEVILLE		.16
53	AZ 34	AUBEVOYE		.27
167	AM 86	AUBIAC		.33
183	AS 90	AUBIAC		.47
143	BN 70	AUBIAT		.63
151	AL 80	AUBIE ET ESPESSAS		.33
143	BM 72	AUBIERE	C	.63
107	AK 58	AUBIERS, LES		.79
200	AU 96	AUBIET		.32
191	CC 90	AUBIGNAN		.84
176	BZ 85	AUBIGNAS		.07
71	AD 43	AUBIGNE		.35
138	AN 68	AUBIGNE		.79
92	AR 50	AUBIGNE RACAN		.72
107	AL 56	AUBIGNE SUR LAYON		.49
192	CJ 90	AUBIGNOSC		.04
129	BN 62	AUBIGNY		.03
51	AO 37	AUBIGNY		.14
124	AO 61	AUBIGNY		.79
21	BH 26	AUBIGNY		.80
121	AD 62	AUBIGNY		.85
22	BM 22	AUBIGNY AU BAC		.59
36	BM 27	AUBIGNY AUX KAISNES		.02
21	BI 21	AUBIGNY EN ARTOIS	C	.62
37	BR 30	AUBIGNY EN LAONNOIS		.02
116	CC 56	AUBIGNY EN PLAINE		.21
115	BY 58	AUBIGNY LA RONCE		.21
38	BW 27	AUBIGNY LES POTHEES		.08
115	BY 55	AUBIGNY LES SOMBERNON		.21
95	BH 53	AUBIGNY SUR NERE	C	.18
37	BR 34	AUBILLY		.51
172	BG 86	AUBIN	C	.12
198	AK 98	AUBIN		.64
20	BE 21	AUBIN ST VAAST		.62
112	BI 56	AUBINGES		.18
38	BW 30	AUBONCOURT VAUZELLES		.08
118	CL 57	AUBONNE		.25
206	BW 94	AUBORD		.30
41	CH 33	AUBOUE		.54
198	AM 96	AUBOUS		.64
191	CD 87	AUBRES		.26
59	CB 34	AUBREVILLE		.55
25	BY 24	AUBRIVES		.08
21	BF 22	AUBROMETZ		.62
23	BO 21	AUBRY DU HAINAUT		.59
51	AQ 38	AUBRY EN EXMES		.61
52	AR 37	AUBRY LE PANTHOU		.61
85	CR 44	AUBURE		.68
190	BW 91	AUBUSSARGUES		.30
141	BF 70	AUBUSSON	S	.23
50	AL 38	AUBUSSON		.61
144	BQ 72	AUBUSSON D'AUVERGNE		.63
35	BI 28	AUBVILLERS		.80
12	BM 20	AUBY		.59
70	Z 41	AUCALEUC		.22
201	AZ 95	AUCAMVILLE		.31
200	AX 94	AUCAMVILLE		.82
219	AV 103	AUCAZEIN		.09
177	CE 84	AUCELON		.26
71	AE 40	AUCEY LA PLAINE		.50
199	AS 95	AUCH	P	.32
11	BH 19	AUCHEL	C	.62
21	BJ 24	AUCHONVILLERS		.80
11	BH 19	AUCHY AU BOIS		.62
35	BF 30	AUCHY LA MONTAGNE		.60
11	BF 20	AUCHY LES HESDIN		.62
12	BK 19	AUCHY LES MINES		.62
12	BN 19	AUCHY LEZ ORCHIES		.59
217	AM 103	AUCUN	C	.65
197	AH 98	AUDAUX		.64
117	CF 56	AUDELANGE		.39
82	CE 46	AUDELONCOURT		.52
10	BC 15	AUDEMBERT		.62
166	AG 84	AUDENGE	C	.33
28	AB 27	AUDERVILLE		.50
128	BI 64	AUDES		.03
117	CH 55	AUDEUX	C	.25
77	BG 44	AUDEVILLE		.45
66	H 45	AUDIERNE		.29
36	BM 31	AUDIGNICOURT		.02
23	BR 22	AUDIGNIES		.59
197	AJ 94	AUDIGNON		.40
23	BQ 26	AUDIGNY		.02
102	CO 52	AUDINCOURT	C	.25
11	BF 18	AUDINCTHUN		.62
10	BB 15	AUDINGHEN		.62
181	AH 93	AUDON		.40
29	AH 31	AUDOUVILLE LA HUBERT		.50
10	BE 16	AUDREHEM		.62
219	AW 103	AUDRESSEIN		.09
10	BB 16	AUDRESSELLES		.62
30	AL 33	AUDRIEU		.14
169	AW 82	AUDRIX		.24
11	BF 15	AUDRUICQ	C	.62
40	CG 31	AUDUN LE ROMAN	C	.54
41	CH 30	AUDUN LE TICHE		.57
65	CW 37	AUENHEIM		.67
54	BD 39	AUFFARGIS		.78
19	AY 28	AUFFAY		.76
77	BJ 45	AUFFERVILLE		.77
54	BC 36	AUFFREVILLE BRASSEUIL		.78
40	CC 29	AUFLANCE		.08
198	AL 97	AUGA		.64
70	Y 47	AUGAN		.56
24	BU 26	AUGE		.08
128	BG 67	AUGE		.23
123	AM 64	AUGE		.79
138	AO 71	AUGE ST MEDARD		.16
133	CE 63	AUGEA		.39
36	BK 34	AUGER ST VINCENT		.60
117	CF 58	AUGERANS		.39
141	BC 68	AUGERES		.23
144	BQ 72	AUGEROLLES		.63
57	BO 40	AUGERS EN BRIE		.77
77	BH 44	AUGERVILLE LA RIVIERE		.45
101	CH 49	AUGICOURT		.70
153	AU 74	AUGIGNAC		.24
219	AV 103	AUGIREIN		.09
133	CF 63	AUGISEY		.39
157	BN 76	AUGNAT		.63
200	AU 95	AUGNAX		.32
141	BC 72	AUGNE		.87
61	CI 35	AUGNY		.57
52	AT 39	AUGUAISE		.61
37	BP 32	AUGY		.02
97	BQ 50	AUGY		.89
129	BK 61	AUGY SUR AUBOIS		.18
137	AL 71	AUJAC		.17
189	BU 88	AUJAC		.30
199	AS 98	AUJAN MOURNEDE		.32
205	BV 94	AUJARGUES		.30
99	CC 50	AUJEURRES		.52
185	BA 87	AUJOLS		.46
192	CF 89	AULAN		.26
188	BQ 92	AULAS		.30
157	BO 74	AULHAT ST PRIVAT		.63
233	DL 114	AULLENE		.2A
143	BN 72	AULNAT		.63
80	BW 42	AULNAY		.10
137	AM 69	AULNAY	C	.17
108	AP 59	AULNAY		.86
77	BH 45	AULNAY LA RIVIERE		.45
58	BX 38	AULNAY L'AITRE		.51
55	BI 37	AULNAY SOUS BOIS	C	.93
53	AX 36	AULNAY SUR ITON		.27
58	BU 36	AULNAY SUR MARNE		.51
54	BD 37	AULNAY SUR MAULDRE		.78
74	AS 42	AULNEAUX, LES		.72
82	CG 44	AULNOIS		.88
59	CB 40	AULNOIS EN PERTHOIS		.55
37	BQ 29	AULNOIS SOUS LAON		.02
61	CK 37	AULNOIS SUR SEILLE		.57
56	BM 38	AULNOY		.77
23	BP 21	AULNOY LEZ VALENCIENNES		.59
99	CB 49	AULNOY SUR AUBE		.52
23	BR 23	AULNOYE AYMERIES		.59
141	BB 69	AULON		.23
219	AU 101	AULON		.31
218	AQ 104	AULON		.65
220	BB 105	AULOS		.09
20	BA 24	AULT	C	.80
220	AY 105	AULUS LES BAINS		.09
101	CJ 53	AULX LES CROMARY		.70
137	AL 70	AUMAGNE		.17
34	BC 27	AUMALE	C	.76
20	BC 26	AUMATRE		.80
205	BR 96	AUMELAS		.34
38	BT 32	AUMENANCOURT		.51
11	BH 19	AUMERVAL		.62
204	BQ 98	AUMES		.34
188	BQ 92	AUMESSAS		.30
41	CH 31	AUMETZ		.57
29	AG 29	AUMEVILLE LESTRE		.50
117	CG 59	AUMONT		.39
20	BE 26	AUMONT		.80
173	BO 83	AUMONT AUBRAC	C	.48
35	BI 33	AUMONT EN HALATTE		.60
84	CO 44	AUMONTZEY		.88
117	CD 57	AUMUR		.39
138	AQ 70	AUNAC		.16
221	BF 105	AUNAT		.11
114	BR 57	AUNAY EN BAZOIS		.58
74	AR 41	AUNAY LES BOIS		.61
76	BD 42	AUNAY SOUS AUNEAU		.28
53	AZ 40	AUNAY SOUS CRECY		.28
50	AL 35	AUNAY SUR ODON	C	.14
76	BC 42	AUNEAU	C	.28
34	BE 32	AUNEUIL	C	.60
51	AQ 39	AUNOU LE FAUCON		.61
52	AR 40	AUNOU SUR ORNE		.61
19	AX 27	AUPPEGARD		.76
209	CM 95	AUPS	C	.83
52	AR 35	AUQUAINVILLE		.14
19	AZ 25	AUQUEMESNIL		.76
200	AW 96	AURADE		.32
184	AU 88	AURADOU		.47
201	BA 98	AURAGNE		.31
86	T 49	AURAY	C	.56
39	BX 33	AURE		.08
159	BV 76	AUREC SUR LOIRE	C	.43
140	AZ 72	AUREIL		.87
180	AE 89	AUREILHAN		.40
198	AO 100	AUREILHAN	C	.65
207	CC 95	AUREILLE		.13
177	CE 83	AUREL		.26
192	CF 90	AUREL		.84
173	BM 86	AURELLE VERLAC		.12
198	AM 96	AURENSAN		.32
198	AO 99	AURENSAN		.65
201	AZ 97	AUREVILLE		.31
222	BI 104	AURIAC		.11
155	BF 78	AURIAC		.19
198	AL 97	AURIAC		.64
154	AX 79	AURIAC DU PERIGORD		.24
187	BI 90	AURIAC LAGAST		.12
157	BN 78	AURIAC L'EGLISE		.15
168	AQ 84	AURIAC SUR DROPT		.47
201	BC 97	AURIAC SUR VENDINELLE		.31
141	BB 71	AURIAT		.23
201	AZ 99	AURIBAIL		.31
192	CG 93	AURIBEAU		.84
210	CR 95	AURIBEAU SUR SIAGNE		.06
181	AJ 93	AURICE		.40
198	AO 97	AURIEBAT		.65
143	BL 73	AURIERES		.63
200	AU 100	AURIGNAC	C	.31
172	BH 81	AURILLAC	P	.15
200	AU 96	AURIMONT		.32
201	BB 97	AURIN		.31
208	CH 98	AURIOL		.13
168	AO 83	AURIOLLES		.33
198	AN 97	AURIONS IDERNES		.64
162	CK 79	AURIS		.38
207	CD 95	AURONS		.13
168	AN 86	AUROS	C	.33
129	BO 62	AUROUER		.03
174	BR 83	AUROUX		.48
186	BE 93	AUSSAC		.81
138	AQ 71	AUSSAC VADALLE		.16
219	AW 101	AUSSEING		.31
197	AJ 98	AUSSEVIELLE		.64
202	BH 97	AUSSILLON		.81
163	CP 77	AUSSOIS		.73
218	AS 102	AUSSON		.31
38	BV 32	AUSSONCE		.08
201	AY 95	AUSSONNE		.31
199	AT 98	AUSSOS		.32
215	AG 100	AUSSURUCQ		.64
94	BA 48	AUTAINVILLE		.41
101	CL 53	AUTECHAUX		.25
102	CO 53	AUTECHAUX ROIDE		.25
38	BU 27	AUTELS, LES		.02
51	AQ 36	AUTELS ST BAZILE, LES		.14
75	AW 45	AUTELS VILLEVILLON, LES		.28
201	BA 99	AUTERIVE	C	.31
199	AT 96	AUTERIVE		.32
184	AW 93	AUTERIVE		.82
197	AG 97	AUTERRIVE		.64
100	CG 52	AUTET		.70
35	BF 32	AUTEUIL		.60
54	BD 38	AUTEUIL		.78
197	AG 98	AUTEVIELLE ST MARTIN BIDEREN		.64
39	BZ 31	AUTHE		.08
75	AZ 47	AUTHEUIL		.28
74	AU 41	AUTHEUIL		.61
53	AZ 35	AUTHEUIL AUTHOUILLET		.27
56	BM 34	AUTHEUIL EN VALOIS		.60
21	BG 23	AUTHEUX		.80
34	BB 34	AUTHEVERNES		.27
143	BN 74	AUTHEZAT		.63
31	AM 33	AUTHIE		.14
21	BI 24	AUTHIE		.80
21	BH 23	AUTHIEULE		.80
53	AY 37	AUTHIEUX, LES		.27
52	AS 39	AUTHIEUX DU PUITS, LES		.61
51	AQ 35	AUTHIEUX PAPION, LES		.14
33	AY 29	AUTHIEUX RATIEVILLE		.76
32	AS 32	AUTHIEUX SUR CALONNE, LES		.14
33	AY 32	AUTHIEUX SUR LE PORT ST OUEN, LES		.76
113	BP 55	AUTHIOU		.58
101	CJ 52	AUTHOISON		.70
193	CL 88	AUTHON		.04
93	AV 51	AUTHON		.41
75	AW 45	AUTHON DU PERCHE	C	.28
137	AL 71	AUTHON EBEON		.17
76	BE 42	AUTHON LA PLAINE		.91
32	AU 33	AUTHOU		.27
22	BJ 24	AUTHUILLE		.80
117	CE 56	AUTHUME		.39
117	CD 59	AUTHUMES		.71
176	CB 84	AUTICHAMP		.26
204	BN 97	AUTIGNAC		.34
19	AW 27	AUTIGNY		.76
82	CG 42	AUTIGNY LA TOUR		.88
81	CB 42	AUTIGNY LE GRAND		.52
81	CB 41	AUTIGNY LE PETIT		.52
10	BE 15	AUTINGUES		.62
171	BC 82	AUTOIRE		.46
101	CH 54	AUTOREILLE		.70
54	BC 38	AUTOUILLET		.78
157	BN 77	AUTRAC		.43
161	CG 78	AUTRANS		.38
93	AW 52	AUTRECHE		.37
102	CP 51	AUTRECHENE		.90
36	BM 31	AUTRECHES		.60
39	CA 29	AUTRECOURT ET POURRON		.08
59	CB 35	AUTRECOURT SUR AIRE		.55
37	BR 28	AUTREMENCOURT		.02
62	CN 39	AUTREPIERRE		.54
23	BR 26	AUTREPPES		.02
18	AV 29	AUTRETOT		.76
36	BN 30	AUTREVILLE		.02
82	CG 41	AUTREVILLE		.88
39	CA 29	AUTREVILLE ST LAMBERT		.55
81	CA 46	AUTREVILLE SUR LA RENNE		.52
61	CI 37	AUTREVILLE SUR MOSELLE		.54
83	CJ 41	AUTREY		.54
84	CN 43	AUTREY		.88
101	CL 51	AUTREY LE VAY		.70
101	CL 51	AUTREY LES CERRE		.70
100	CE 52	AUTREY LES GRAY	C	.70
81	BY 47	AUTRICOURT		.21
39	BZ 31	AUTRUCHE		.08
77	BF 44	AUTRUY SUR JUINE		.45
39	BZ 33	AUTRY		.08
129	BN 63	AUTRY ISSARDS		.03
95	BI 52	AUTRY LE CHATEL		.45
115	BV 59	AUTUN	S	.71
185	BA 89	AUTY		.82
194	CR 91	AUVARE		.06
59	BY 35	AUVE		.51
77	BH 41	AUVERNAUX		.91
173	BP 80	AUVERS		.43
29	AG 32	AUVERS		.50
91	AM 48	AUVERS LE HAMON		.72
73	AP 47	AUVERS SOUS MONTFAUCON		.72
77	BG 42	AUVERS ST GEORGES		.91
55	BF 35	AUVERS SUR OISE	C	.95
91	AP 52	AUVERSE		.49
100	CE 52	AUVET ET LA CHAPELOTTE		.70
184	AV 91	AUVILLAR	C	.82
31	AQ 34	AUVILLARS		.14
116	CC 57	AUVILLARS SUR SAONE		.21
24	BV 26	AUVILLERS LES FORGES		.08
34	BB 28	AUVILLIERS		.76
95	BI 48	AUVILLIERS EN GATINAIS		.45
199	AQ 98	AUX AUSSAT		.32
29	AG 33	AUXAIS		.50
117	CG 56	AUXANGE		.39
115	BY 57	AUXANT		.21
102	CO 49	AUXELLES BAS		.90
102	CO 49	AUXELLES HAUT		.90
97	BQ 50	AUXERRE	P	.89
116	BZ 58	AUXEY DURESSES		.21
21	BF 22	AUXI LE CHATEAU	C	.62
79	BS 46	AUXON		.10
101	CJ 50	AUXON		.70
117	CI 54	AUXON DESSOUS		.25
118	CI 54	AUXON DESSUS		.25
117	CD 56	AUXONNE	C	.21
77	BH 46	AUXY		.45
115	BW 59	AUXY		.71
82	CG 44	AUZAINVILLIERS		.88
142	BI 69	AUZANCES	C	.23
219	AU 101	AUZAS		.31
220	AZ 105	AUZAT		.09
157	BO 75	AUZAT LA COMBELLE		.63
122	AI 64	AUZAY		.85
33	AV 29	AUZEBOSC		.76
158	BQ 74	AUZELLES		.63
156	BH 77	AUZERS		.15
193	CM 88	AUZET		.04
201	BA 97	AUZEVILLE TOLOSANE		.31
201	BA 97	AUZIELLE		.31
172	BG 86	AUZITS		.12
157	BP 76	AUZON	C	.43
93	AW 52	AUZOUER EN TOURAINE		.37
18	AU 29	AUZOUVILLE AUBERBOSC		.76
19	AW 29	AUZOUVILLE L'ESNEVAL		.76
33	AZ 31	AUZOUVILLE SUR RY		.76
19	AW 28	AUZOUVILLE SUR SAANE		.76
125	AT 61	AVAILLES EN CHATELLERAULT		.86
139	AT 68	AVAILLES LIMOUZINE	C	.86
71	AG 47	AVAILLES SUR SEICHE		.35
108	AO 60	AVAILLES THOUARSAIS		.79
218	AR 104	AVAJAN		.65
98	BS 53	AVALLON	S	.89
163	CN 74	AVANCHERS VALMOREL, LES		.73
178	CL 85	AVANCON		.05
38	BU 31	AVANCON		.08
118	CI 55	AVANNE AVENEY		.25
79	BQ 42	AVANT LES MARCILLY		.10
80	BV 42	AVANT LES RAMERUPT		.10
124	AR 62	AVANTON		.86
228	DJ 105	AVAPESSA		.2B
94	BB 50	AVARAY		.41
38	BT 31	AVAUX		.08
145	BX 73	AVEIZE		.69
159	BW 74	AVEIZIEUX		.42
99	CB 51	AVELANGES		.21
20	BD 26	AVELESGES		.80
12	BM 19	AVELIN		.59
21	BJ 25	AVELUY		.80
131	BY 67	AVENAS		.69
51	AM 35	AVENAY		.14
58	BT 35	AVENAY VAL D'OR		.51
204	BN 94	AVENE		.34
147	CG 73	AVENIERES, LES		.38
184	AV 93	AVENSAC		.32
151	AI 80	AVENSAN		.33
218	AR 102	AVENTIGNAN		.65
217	AN 101	AVERAN		.65
21	BH 21	AVERDOINGT		.62
93	AZ 51	AVERDON		.41
129	BO 63	AVERMES		.03
54	BD 35	AVERNES		.95
52	AR 38	AVERNES SOUS EXMES		.61
52	AS 36	AVERNES ST GOURGON		.61
198	AO 94	AVERON BERGELLE		.32
73	AO 43	AVERTON		.53
23	BS 24	AVESNELLES		.59
10	BE 19	AVESNES		.62
20	BD 26	AVESNES CHAUSSOY		.80
34	BC 31	AVESNES EN BRAY		.76
74	AS 44	AVESNES EN SAOSNOIS		.72
20	BA 26	AVESNES EN VAL		.76
21	BI 22	AVESNES LE COMTE	C	.62
23	BO 22	AVESNES LE SEC		.59
23	BO 23	AVESNES LES AUBERT		.59
22	BK 24	AVESNES LES BAPAUME		.62
23	BR 24	AVESNES SUR HELPE	S	.59
88	AA 50	AVESSAC		.44
91	AN 47	AVESSE		.72
218	AS 102	AVEUX		.65
218	AQ 102	AVEZAC PRAT LAHITTE		.65
184	AU 93	AVEZAN		.32

Page	Carreau	Commune	Adm.	Dpt
188	BR 92	AVEZE		30
156	BJ 74	AVEZE		63
74	AU 44	AVEZE		72
148	CL 69	AVIERNOZ		74
190	CA 92	AVIGNON	P	84
133	CH 64	AVIGNON LES ST CLAUDE		39
177	CH 80	AVIGNONET		38
201	BC 99	AVIGNONET LAURAGAIS		31
40	CF 32	AVILLERS		54
83	CJ 43	AVILLERS		88
60	CF 35	AVILLERS STE CROIX		55
101	CK 53	AVILLEY		25
55	BI 34	AVILLY ST LEONARD		60
12	BK 20	AVION	C	62
40	CD 29	AVIOTH		55
90	AJ 50	AVIRE		49
80	BV 47	AVIREY LINGEY		10
53	AY 35	AVIRON		27
58	BT 36	AVIZE	C	51
39	CB 33	AVOCOURT		55
108	AQ 56	AVOINE		37
51	AP 39	AVOINE		61
91	AN 48	AVOISE		72
64	CT 40	AVOLSHEIM		67
78	BJ 43	AVON		77
124	AO 65	AVON		79
79	BQ 43	AVON LA PEZE		10
109	AS 56	AVON LES ROCHES		37
11	BF 20	AVONDANCE		62
112	BJ 58	AVORD		18
115	BY 54	AVOSNES		21
99	CB 51	AVOT		21
118	CM 56	AVOUDREY		25
61	CH 38	AVRAINVILLE		54
83	CJ 42	AVRAINVILLE		88
77	BG 41	AVRAINVILLE		91
49	AF 39	AVRANCHES	S	50
82	CE 42	AVRANVILLE		88
35	BH 31	AVRECHY		60
114	BS 60	AVREE		58
19	AW 26	AVREMESNIL		76
147	CH 74	AVRESSIEUX		73
80	BT 47	AVREUIL		10
62	CN 39	AVRICOURT		54
62	CN 39	AVRICOURT		57
36	BK 29	AVRICOURT		60
163	CP 77	AVRIEUX		73
117	CH 54	AVRIGNEY VIREY		70
35	BI 32	AVRIGNY		60
41	CH 32	AVRIL		54
113	BO 60	AVRIL SUR LOIRE		58
90	AK 52	AVRILLE		49
121	AD 63	AVRILLE		85
108	AR 54	AVRILLE LES PONCEAUX		37
130	BT 66	AVRILLY		03
53	AY 37	AVRILLY		27
72	AL 41	AVRILLY		61
11	BF 18	AVROULT		62
151	AK 74	AVY		17
22	BN 23	AWOINGT		59
220	BC 106	AX LES THERMES	C	09
221	BG 105	AXAT	C	11
220	BC 105	AXIAT		09
58	BT 35	AY	C	51
41	CJ 33	AY SUR MOSELLE		57
143	BL 69	AYAT SUR SIOULE		63
143	BL 73	AYDAT		63
198	AN 96	AYDIE		64
216	AJ 102	AYDIUS		64
84	CM 44	AYDOILLES		88
154	AY 78	AYEN	C	19
35	BI 29	AYENCOURT		80
22	BJ 23	AYETTE		62
225	BF 107	AYGUATEBIA TALAU		66
167	AKL 83	AYGUEMORTE LES GRAVES		33
201	BA 98	AYGUESVIVES		31
183	AR 93	AYGUETINTE		32
196	AD 98	AYHERRE		64
147	CH 74	AYN		73
171	BD 83	AYNAC		46
102	CL 51	AYNANS, LES		70
172	BG 81	AYRENS		15
124	AP 62	AYRON		86
217	AN 102	AYROS ARBOUIX		65
148	CM 68	AYSE		74
187	BK 91	AYSSENES		12
136	AG 67	AYTRE	C	17
39	BY 28	AYVELLES, LES		08
217	AM 102	AYZAC OST		65
182	AO 93	AYZIEU		32
40	CD 32	AZANNES ET SOUMAZANNES		55
201	BB 95	AZAS		31
141	BC 69	AZAT CHATENET		23
126	AX 66	AZAT LE RIS		87
123	AN 65	AZAY LE BRULE		79
110	AX 60	AZAY LE FERRON		36
109	AS 55	AZAY LE RIDEAU	C	37
109	AV 54	AZAY SUR CHER		37
109	AW 56	AZAY SUR INDRE		37
123	AM 62	AZAY SUR THOUET		79
93	AX 49	AZE		41
90	AK 49	AZE		53
132	BZ 64	AZE		71
61	CJ 40	AZELOT		54
126	BA 65	AZERABLES		23
84	CN 41	AZERAILLES		54
154	AX 79	AZERAT		24
157	BP 76	AZERAT		43
198	AN 100	AZEREIX		65
218	AQ 105	AZET		65
29	AG 30	AZEVILLE		50
203	BK 99	AZILLANET		34
203	BJ 100	AZILLE		11
231	DK 113	AZILONE AMPAZA		2A
11	BF 20	AZINCOURT		62
145	BX 67	AZOLETTE		69
62	CN 38	AZOUDANGE		57
180	AD 93	AZUR		40
112	BJ 56	AZY		18
129	BN 61	AZY LE VIF		58
57	BO 36	AZY SUR MARNE		02
230	DJ 110	AZZANA		2A

B

Page	Carreau	Commune	Adm.	Dpt
39	CC 30	BAALON		55
39	BX 29	BAALONS		08
203	BL 98	BABEAU BOULDOUX		34
36	BM 29	BABOEUF		60
79	BO 43	BABY		77
84	CN 41	BACCARAT	C	54
94	BB 48	BACCON		45
185	BB 88	BACH		46
23	BR 22	BACHANT		59
200	AV 100	BACHAS		31
154	AX 79	BACHELLERIE, LA		24
34	BE 33	BACHIVILLERS		60
218	AS 104	BACHOS		31
12	BN 19	BACHY		59
49	AF 39	BACILLY		50
58	BV 34	BACONNES		51
72	AJ 45	BACONNIERE, LA		53
35	BH 29	BACOUEL		60
21	BG 27	BACOUEL SUR SELLE		80
61	CK 36	BACOURT		57
53	AX 35	BACQUEPUIS		27
33	AZ 33	BACQUEVILLE		27
19	AX 27	BACQUEVILLE EN CAUX	C	76
172	BJ 81	BADAILHAC		15
174	BQ 86	BADAROUX		48
126	BB 63	BADECON LE PIN		36
154	AX 78	BADEFOLS D'ANS		24
169	AU 82	BADEFOLS SUR DORDOGNE		24
87	T 50	BADEN		56
222	BI 100	BADENS		11
102	CP 52	BADEVEL		25
161	CD 74	BADINIERES		38
84	CM 43	BADMENIL AUX BOIS		88
84	CO 41	BADONVILLER	C	54
82	CE 40	BADONVILLIERS GERAUVILLIERS		55
62	CP 37	BAERENDORF		67
64	CS 35	BAERENTHAL		57
84	CM 44	BAFFE, LA		88
158	BS 75	BAFFIE		63
189	BU 91	BAGARD		30
168	AO 84	BAGAS		33
184	AY 87	BAGAT EN QUERCY		46
132	CB 66	BAGE LA VILLE		01
132	CA 66	BAGE LE CHATEL	C	01
219	AW 102	BAGERT		09
222	BM 101	BAGES		11
227	BL 107	BAGES		66
218	AS 103	BAGIRY		31
171	BF 84	BAGNAC SUR CELE		46
79	BQ 44	BAGNEAUX		89
78	BJ 45	BAGNEAUX SUR LOING		77
217	AO 102	BAGNERES DE BIGORRE	S	65
218	AS 105	BAGNERES DE LUCHON	C	31
36	BN 31	BAGNEUX		02
129	BN 62	BAGNEUX		03
111	BC 56	BAGNEUX		36
79	BR 41	BAGNEUX		51
61	CH 40	BAGNEUX		54
55	BG 38	BAGNEUX	C	92
80	BV 47	BAGNEUX LA FOSSE		10
137	AM 70	BAGNIZEAU		17
202	BH 100	BAGNOLES		11
73	AM 41	BAGNOLES DE L'ORNE		61
55	BH 37	BAGNOLET	C	93
156	BJ 75	BAGNOLS		63
145	BY 70	BAGNOLS		69
210	CQ 96	BAGNOLS EN FORET		83
174	BR 86	BAGNOLS LES BAINS		48
190	BY 89	BAGNOLS SUR CEZE	C	30
116	CB 57	BAGNOT		21
48	AC 40	BAGUER MORVAN		35
49	AD 40	BAGUER PICAN		35
222	BL 106	BAHO		66
198	AL 95	BAHUS SOUBIRAN		40
76	BD 46	BAIGNEAUX		28
167	AM 83	BAIGNEAUX		33
93	AY 50	BAIGNEAUX		41
101	CI 51	BAIGNES		70
151	AM 76	BAIGNES STE RADEGONDE	C	16
99	BY 51	BAIGNEUX LES JUIFS	C	21
76	BB 45	BAIGNOLET		28
197	AH 95	BAIGTS		40
197	AH 96	BAIGTS DE BEARN		64
205	BU 95	BAILLARGUES		34
71	AF 42	BAILLE		35
76	BB 41	BAILLEAU ARMENONVILLE		28
75	AZ 43	BAILLEAU LE PIN		28
76	BA 42	BAILLEAU L'EVEQUE		28
226	BI 108	BAILLESTAVY		66
55	BG 35	BAILLET EN FRANCE		95
12	BJ 17	BAILLEUL	C	59
51	AP 38	BAILLEUL		61
91	AO 49	BAILLEUL, LE		72
20	BD 25	BAILLEUL		80
21	BH 21	BAILLEUL AUX CORNAILLES		62
32	AS 34	BAILLEUL LA VALLEE		27
35	BI 31	BAILLEUL LE SOC		60
11	BH 19	BAILLEUL LES PERNES		62
20	BA 27	BAILLEUL NEUVILLE		76
22	BK 21	BAILLEUL SIR BERTHOULT		62
35	BG 32	BAILLEUL SUR THERAIN		60
21	BJ 23	BAILLEULMONT		62
21	BJ 22	BAILLEULVAL		62
35	BH 32	BAILLEVAL		60
34	BA 27	BAILLOLET		76
93	AV 47	BAILLOU		41
36	BL 30	BAILLY		60
55	BF 38	BAILLY		78
81	CA 42	BAILLY AUX FORGES		52
19	AZ 26	BAILLY EN RIVIERE		76
81	BY 41	BAILLY LE FRANC		10
56	BK 38	BAILLY ROMAINVILLIERS		77
89	AD 48	BAIN DE BRETAGNE	C	35
10	BC 17	BAINCTHUN		62
10	BD 16	BAINGHEN		62
158	BS 80	BAINS		43
83	CK 46	BAINS LES BAINS	C	88
88	Z 49	BAINS SUR OUST		35
83	CJ 42	BAINVILLE AUX MIROIRS		54
83	CJ 44	BAINVILLE AUX SAULES		88
61	CI 40	BAINVILLE SUR MADON		54
194	CT 91	BAIROLS		06
71	AF 46	BAIS		35
73	AN 44	BAIS	C	53
12	BN 18	BAISIEUX		59
100	CC 49	BAISSEY		52
24	BU 24	BAIVES		59
176	CA 83	BAIX		07
222	BK 106	BAIXAS		66
21	BI 25	BAIZIEUX		80
57	BR 36	BAIZIL, LE		51
184	AU 89	BAJAMONT		47
200	AU 94	BAJONNETTE		32
11	BH 20	BAJUS		62
219	AV 104	BALACET		09
170	BA 81	BALADOU		46
35	BG 33	BALAGNY SUR THERAIN		60
219	AV 103	BALAGUERES		09
171	BE 86	BALAGUIER D'OLT		12
187	BI 93	BALAGUIER SUR RANCE		12
117	CE 58	BALAISEAUX		39
39	BY 28	BALAIVES ET BUTZ		08
146	CC 71	BALAN		01
39	BZ 28	BALAN		08
133	CE 64	BALANOD		39
197	AI 97	BALANSUN		64
136	AI 72	BALANZAC		17
205	BR 98	BALARUC LE VIEUX		34
205	BR 98	BALARUC LES BAINS		34
36	BK 28	BALATRE		80
71	AG 45	BALAZE		35
175	BX 86	BALAZUC		07
145	BV 71	BALBIGNY		42
160	CD 76	BALBINS		38
63	CS 39	BALBRONN		67
85	CT 43	BALDENHEIM		67
103	CS 48	BALDERSHEIM		68
49	AG 36	BALEINE, LA		50
198	AN 98	BALEIX		64
100	CD 49	BALESMES SUR MARNE		52
218	AS 100	BALESTA		31
168	AP 84	BALEYSSAGUES		47
85	CT 47	BALGAU		68
38	BU 30	BALHAM		08
184	AV 92	BALIGNAC		82
80	BW 41	BALIGNICOURT		10
53	AX 39	BALINES		27
10	BE 15	BALINGHEM		62
198	AL 96	BALIRACQ MAUMUSSON		64
198	AL 100	BALIROS		64
167	AK 86	BALIZAC		33
55	BG 40	BALLAINVILLIERS		91
134	CL 65	BALLAISON		74
109	AT 54	BALLAN MIRE	C	37
77	BH 41	BALLANCOURT SUR ESSONNE		91
137	AN 71	BALLANS		17
39	BY 31	BALLAY		08
140	AY 68	BALLEDENT		87
91	AM 48	BALLEE		53
113	BO 57	BALLERAY		58
30	AJ 33	BALLEROY	C	14
103	CR 50	BALLERSDORF		68
82	CG 43	BALLEVILLE		88
136	AH 68	BALLON		17
74	AR 45	BALLON	C	72
192	CH 88	BALLONS		26
131	BW 63	BALLORE		71
90	AH 48	BALLOTS		53
78	BN 43	BALLOY		77
201	BA 96	BALMA		31
147	CH 72	BALME, LA		73
148	CJ 69	BALME DE SILLINGY, LA		74
148	CL 70	BALME DE THUY, LA		74
133	CE 65	BALME D'EPY, LA		39
147	CE 70	BALME LES GROTTES, LA		38
98	BU 47	BALNOT LA GRANGE		10
80	BV 47	BALNOT SUR LAIGNES		10
230	DI 110	BALOGNA		2A
98	BW 49	BALOT		21
186	BH 87	BALSAC		12
103	CQ 50	BALSCHWILLER		68
174	BP 86	BALSIEGES		48
85	CT 45	BALTZENHEIM		68
138	AP 72	BALZAC		16
11	BI 15	BAMBECQUE		59
62	CM 34	BAMBIDERSTROFF		57
84	CQ 43	BAN DE LAVELINE		88
84	CP 42	BAN DE SAPT		88
61	CI 34	BAN ST MARTIN, LE		57
84	CP 44	BAN SUR MEURTHE CLEFCY		88
173	BN 87	BANASSAC		48
214	AC 101	BANCA		64
24	BT 27	BANCIGNY		02
22	BK 24	BANCOURT		62
212	CI 101	BANDOL		83
146	CA 68	BANEINS		01
169	AU 82	BANEUIL		24
86	R 53	BANGOR		56
218	AP 102	BANIOS		65
141	BE 70	BANIZE		23
67	O 46	BANNALEC	C	29
118	CK 59	BANNANS		25
113	BK 54	BANNAY		18
57	BR 37	BANNAY		51
61	CL 34	BANNAY		57
189	BV 87	BANNE		07
128	BJ 61	BANNEGON		18
171	BD 83	BANNES		46
57	BS 38	BANNES		51
100	CD 48	BANNES		52
73	AM 47	BANNES		53
51	AO 34	BANNEVILLE LA CAMPAGNE		14
50	AL 35	BANNEVILLE SUR AJON		14
201	BC 96	BANNIERES		81
60	CD 36	BANNONCOURT		55
56	BN 40	BANNOST VILLEGAGNON		77
38	BU 29	BANOGNE RECOUVRANCE		08
192	CH 91	BANON	C	04
197	AI 94	BANOS		40
117	CF 58	BANS		39
157	BO 75	BANSAT		63
132	CC 62	BANTANGES		71
22	BN 24	BANTEUX		59
54	BD 35	BANTHELU		95
39	CA 32	BANTHEVILLE		55
22	BN 22	BANTIGNY		59
22	BN 24	BANTOUZELLE		59
103	CT 48	BANTZENHEIM		68
102	CO 51	BANVILLARS		90
31	AM 32	BANVILLE		14
50	AL 39	BANVOU		61
227	BL 107	BANYULS DELS ASPRES		66
227	BN 108	BANYULS SUR MER		66
98	BU 49	BAON		89
19	AV 29	BAONS LE COMTE		76
22	BK 24	BAPAUME	C	62
155	BC 77	BAR		19
59	CB 38	BAR LE DUC	P	55
39	BZ 31	BAR LES BUZANCY		08
81	BY 44	BAR SUR AUBE	S	10
210	CS 94	BAR SUR LOUP, LE	C	06
80	BW 46	BAR SUR SEINE	C	10
91	AM 51	BARACE		49
201	BC 99	BARAIGNE		11
126	BB 64	BARAIZE		36
22	BL 23	BARALLE		62
186	BH 88	BARAQUEVILLE	C	12
22	BL 24	BARASTRE		62
179	CN 85	BARATIER		05
198	AP 98	BARBACHEN		65
229	DM 104	BARBAGGIO		2B
222	BI 101	BARBAIRA		11
38	BX 28	BARBAISE		08
62	CO 40	BARBAS		54
183	AQ 90	BARBASTE		47
104	Y 58	BARBATRE		85
218	AT 102	BARBAZAN	C	31
217	AO 100	BARBAZAN DEBAT		65
218	AP 101	BARBAZAN DESSUS		65
106	AF 55	BARBECHAT		44
207	CE 95	BARBEN, LA		13
190	CA 93	BARBENTANE		13
162	CJ 74	BARBERAZ		73
80	BT 43	BARBEREY ST SULPICE		10
129	BN 67	BARBERIER		03
51	AN 36	BARBERY		14
36	BJ 34	BARBERY		60
30	AK 33	BARBEVILLE		14
78	BM 43	BARBEY		77
84	CO 45	BARBEY SEROUX		88
138	AO 70	BARBEZIERES		16
151	AN 75	BARBEZIEUX ST HILAIRE	C	16
176	CD 81	BARBIERES		26
116	BZ 55	BARBIREY SUR OUCHE		21
77	BI 42	BARBIZON		77
57	BQ 40	BARBONNE FAYEL		51
61	CK 40	BARBONVILLE		54
119	CO 56	BARBOUX, LE		25
79	BQ 41	BARBUISE		10
38	BV 30	BARBY		08
148	CJ 74	BARBY		73
53	AV 35	BARC		27
223	BM 105	BARCARES, LE		66
176	CC 82	BARCELONNE		26
198	AM 95	BARCELONNE DU GERS		32
179	CP 86	BARCELONNETTE	S	04
62	CO 38	BARCHAIN		57
178	CJ 86	BARCILLONNETTE	C	05
199	AR 98	BARCUGNAN		32
197	AH 100	BARCUS		64
56	BK 36	BARCY		77
158	BU 74	BARD		42
115	BV 56	BARD LE REGULIER		21
98	BV 52	BARD LES EPOISSES		21
117	CF 55	BARD LES PESMES		70
152	AO 79	BARDE, LA		17
152	AO 77	BARDENAC		16
184	AV 91	BARDIGUES		82
94	BB 49	BARDON, LE		45
196	AE 97	BARDOS		64
169	AT 83	BARDOU		24
33	AW 31	BARDOUVILLE		76
217	AO 104	BAREGES		65
218	AR 104	BAREILLES		65
85	CR 41	BAREMBACH		67
218	AS 104	BAREN		31
33	AW 30	BARENTIN		76
50	AJ 40	BARENTON	C	50
37	BQ 29	BARENTON BUGNY		02
37	BQ 29	BARENTON CEL		02
37	BQ 29	BARENTON SUR SERRE		02
133	CG 63	BARESIA SUR L'AIN		39
29	AH 28	BARFLEUR		50
210	CP 94	BARGEME		83
210	CP 95	BARGEMON		83
116	CB 56	BARGES		21
174	BT 82	BARGES		43
101	CH 48	BARGES		70
56	BL 34	BARGNY		60
168	AN 85	BARIE		33
53	AV 39	BARILS, LES		27
198	AL 98	BARINQUE		64
83	CG 41	BARISEY AU PLAIN		54
82	CG 41	BARISEY LA COTE		54
37	BO 30	BARISIS		02
115	BY 60	BARIZEY		71
219	AX 102	BARJAC		09
190	BX 88	BARJAC	C	30
174	BP 86	BARJAC		48
209	CK 96	BARJOLS	C	83
99	CA 51	BARJON		21
76	BA 43	BARJOUVILLE		28
193	CM 88	BARLES		04
217	AN 101	BARLEST		65
22	BL 26	BARLEUX		80
95	BJ 53	BARLIEU		18
11	BJ 20	BARLIN	C	62
21	BI 22	BARLY		62
21	BG 23	BARLY		80
76	BD 44	BARMAINVILLE		28
175	BV 84	BARNAS		07
177	CE 84	BARNAVE		26
115	BV 57	BARNAY		71
29	AD 31	BARNEVILLE CARTERET	C	50
32	AR 32	BARNEVILLE LA BERTRAN		14
33	AW 32	BARNEVILLE SUR SEINE		27
72	AL 41	BAROCHE SOUS LUCE, LA		61
41	CG 33	BAROCHES, LES		54
20	BA 25	BAROMESNIL		76
190	BW 91	BARON		30
167	AL 82	BARON		33
56	BJ 34	BARON		60
131	BV 64	BARON		71
51	AM 34	BARON SUR ODON		14
62	CM 36	BARONVILLE		57
51	AP 37	BAROU EN AUGE		14
81	BY 45	BAROVILLE		10
166	AI 84	BARP, LE		33
53	AW 35	BARQUET		27
85	CS 41	BARR	C	67
130	BR 66	BARRAIS BUSSOLLES		03
199	AR 96	BARRAN		32
218	AQ 104	BARRANCOUEU		65
193	CL 90	BARRAS		04
197	AG 98	BARRAUTE CAMU		64
162	CJ 75	BARRAUX		38
117	CG 56	BARRE, LA		39
101	CJ 53	BARRE, LA		70
203	BK 94	BARRE		81
105	Z 59	BARRE DE MONTS, LA		85
50	AI 34	BARRE DE SEMILLY, LA		50
189	BR 89	BARRE DES CEVENNES	C	48
52	AU 36	BARRE EN OUCHE, LA		27
193	CN 91	BARREME	C	04
151	AM 75	BARRET		16
192	CG 89	BARRET DE LIOURE		26
192	CI 88	BARRET SUR MEOUGE		05
117	CG 60	BARRETAINE		39
229	DM 102	BARRETTALI		2B
156	BG 79	BARRIAC LES BOSQUETS		15
138	AQ 69	BARRO		16
109	AV 60	BARROU		37
191	CD 90	BARROUX, LE		84
217	AO 101	BARRY		65
184	AY 91	BARRY D'ISLEMADE		82
154	AW 79	BARS		24
199	AQ 97	BARS		32
177	CE 83	BARSAC		26
167	AL 85	BARSAC		33
62	CN 34	BARST		57
102	CO 52	BART		25
103	CT 50	BARTENHEIM		68
199	AR 99	BARTHE		65
218	AR 102	BARTHE DE NESTE, LA	C	65
117	CI 57	BARTHERANS		25
184	AX 90	BARTHES, LES		82
217	AN 101	BARTRES		65
52	AT 34	BARVILLE		27
74	AS 42	BARVILLE		61
82	CG 42	BARVILLE		88
77	BH 46	BARVILLE EN GATINAIS		45
150	AI 74	BARZAN		17
198	AM 100	BARZUN		64
23	BQ 24	BARZY EN THIERACHE		02
57	BP 35	BARZY SUR MARNE		02
159	BU 77	BAS EN BASSET	C	43
143	BO 69	BAS ET LEZAT		63
23	BS 23	BAS LIEU		59
181	AJ 94	BAS MAUCO		40
182	AK 93	BASCONS		40
199	AP 94	BASCOUS		32
40	CF 31	BASLIEUX		54
37	BR 32	BASLIEUX LES FISMES		51
57	BR 35	BASLIEUX SOUS CHATILLON		51
31	AM 33	BASLY		14
138	AO 73	BASSAC		16
204	BO 98	BASSAN		34
168	AN 85	BASSANNE		33
106	AE 55	BASSE GOULAINE	C	44
41	CJ 31	BASSE HAM		57
41	CI 30	BASSE RENTGEN		57
84	CN 46	BASSE SUR LE RUPT		88
83	CI 47	BASSE VAIVRE, LA		70
12	BK 19	BASSEE, LA	C	59
85	CR 42	BASSEMBERG		67
31	AO 33	BASSENEVILLE		14
167	AK 81	BASSENS		33
148	CJ 73	BASSENS		73
197	AJ 96	BASSERCLES		40
108	AQ 58	BASSES		86
21	BJ 22	BASSEUX		62
56	BN 37	BASSEVELLE		77
156	BH 77	BASSIGNAC		15
155	BD 80	BASSIGNAC LE BAS		19
155	BE 78	BASSIGNAC LE HAUT		19
101	CJ 48	BASSIGNEY		70
153	AV 78	BASSILAC		24
198	AN 97	BASSILLON VAUZE		64
62	CN 37	BASSING		57
37	BO 30	BASSOLES AULERS		02
82	CE 46	BASSONCOURT		52
97	BP 48	BASSOU		89
199	AQ 96	BASSOUES		32
59	BY 38	BASSU		51
59	BX 38	BASSUET		51
188	BR 90	BASSURELS		48
196	AB 97	BASSUSSARRY		64
147	CI 69	BASSY		74
197	AH 98	BASTANES		64
231	DK 112	BASTELICA	C	2A
230	DJ 112	BASTELICACCIA		2A
197	AH 95	BASTENNES		40
229	DN 104	BASTIA	P	2B
226	BJ 108	BASTIDE, LA		66
210	CP 94	BASTIDE, LA		83
196	AD 97	BASTIDE CLAIRENCE, LA	C	64
219	AY 101	BASTIDE DE BESPLAS, LA		09
220	BD 102	BASTIDE DE BOUSIGNAC, LA		09
220	BB 101	BASTIDE DE LORDAT, LA		09
220	AZ 103	BASTIDE DE SEROU, LA	C	09
190	BY 90	BASTIDE D'ENGRAS, LA		30
192	CH 94	BASTIDE DES JOURDANS, LA		84
219	AW 102	BASTIDE DU SALAT, LA		09
186	BF 88	BASTIDE L'EVEQUE, LA		12
188	BM 92	BASTIDE PRADINES, LA		12
174	BT 85	BASTIDE PUYLAURENT, LA		48
187	BI 92	BASTIDE SOLAGES, LA		12
221	BD 103	BASTIDE SUR L'HERS, LA		09
208	CH 94	BASTIDONNE, LA		84
171	BB 84	BASTIT, LE		46
142	BH 71	BASVILLE		23
138	AO 68	BATAILLE, LA		79
62	CL 39	BATHELEMONT LES BAUZEMONT		54
160	CB 78	BATHERNAY		26
149	CN 73	BATHIE, LA		73
177	CH 85	BATIE DES FONDS, LA		26
161	CG 74	BATIE DIVISIN, LA		38
147	CF 74	BATIE MONTGASCON, LA		38
178	CI 86	BATIE MONTSALEON, LA		05
178	CL 85	BATIE NEUVE, LA	C	05
176	CB 85	BATIE ROLLAND, LA		26
178	CL 85	BATIE VIEILLE, LA		05
101	CH 52	BATIES, LES		70
41	CH 34	BATILLY		54
51	AO 39	BATILLY		61
77	BH 46	BATILLY EN GATINAIS		45
96	BL 51	BATILLY EN PUISAYE		45
197	AK 95	BATS		40
218	AQ 102	BATSERE		65
101	CK 53	BATTENANS LES MINES		25
119	CO 55	BATTENANS VARIN		25
103	CS 48	BATTENHEIM		68
83	CJ 42	BATTEXEY		88
83	CH 42	BATTIGNY		54
100	CF 53	BATTRANS		70
87	W 54	BATZ SUR MER		44
64	CU 37	BATZENDORF		67
116	BY 58	BAUBIGNY		21
29	AC 30	BAUBIGNY		50
161	CH 75	BAUCHE, LA		73
68	S 47	BAUD	C	56
79	BR 41	BAUDEMENT		51
131	BV 66	BAUDEMONT		71
182	AO 90	BAUDIGNAN		40
60	CD 40	BAUDIGNECOURT		55
209	CL 94	BAUDINARD SUR VERDON		83
101	CK 49	BAUDONCOURT		70
59	CA 39	BAUDONVILLIERS		55
50	AI 35	BAUDRE		50
81	CA 42	BAUDRECOURT		52
61	CL 36	BAUDRECOURT		57
198	AL 100	BAUDREIX		64
60	CD 37	BAUDREMONT		55
110	BB 58	BAUDRES		36
76	BD 43	BAUDREVILLE		28
29	AE 32	BAUDREVILLE		50
83	CI 43	BAUDRICOURT		88
132	CB 61	BAUDRIERES		71
209	CL 94	BAUDUEN		83
91	AO 52	BAUGE	C	49
112	BK 57	BAUGY	C	18
36	BJ 31	BAUGY		60
130	BT 66	BAUGY		71
101	CI 49	BAULAY		70
94	BC 49	BAULE		45
87	W 54	BAULE ESCOUBLAC, LA	C	44
116	BZ 54	BAULME LA ROCHE		21
77	BH 42	BAULNE		91
57	BQ 36	BAULNE EN BRIE		02
39	CA 33	BAULNY		55
70	AB 46	BAULON		35
220	BA 103	BAULOU		09
135	CN 65	BAUME, LA		74
176	CC 82	BAUME CORNILLANE, LA		26
191	CB 88	BAUME DE TRANSIT, LA		26
161	CD 80	BAUME D'HOSTUN, LA		26

Page	Carreau	Commune	Adm.	Dpt
101	CL 53	BAUME LES DAMES	C	25
133	CG 61	BAUME LES MESSIEURS		39
91	AM 53	BAUNE		49
29	AG 32	BAUPTE		50
50	AL 35	BAUQUAY		14
167	AK 83	BAURECH		33
70	AB 43	BAUSSAINE, LA		35
12	BK 19	BAUVIN		59
53	AV 37	BAUX DE BRETEUIL, LES		27
207	CA 94	BAUX DE PROVENCE, LES		13
53	AX 36	BAUX STE CROIX, LES		27
62	CL 39	BAUZEMONT		54
94	BB 52	BAUZY		41
102	CN 52	BAVANS		25
23	BR 22	BAVAY	C	59
21	BH 25	BAVELINCOURT		80
31	AO 33	BAVENT		14
117	CF 57	BAVERANS		39
102	CO 50	BAVILLIERS		90
11	BH 16	BAVINCHOVE		59
21	BI 22	BAVINCOURT		62
200	AY 100	BAX		31
117	CG 55	BAY		70
99	CB 49	BAY SUR AUBE		52
169	AU 83	BAYAC		24
81	CB 41	BAYARD SUR MARNE		52
151	AM 80	BAYAS		33
68	O 47	BAYE		29
57	BR 38	BAYE		51
84	CL 43	BAYECOURT		88
81	BZ 45	BAYEL		10
21	BI 23	BAYENCOURT		80
11	BF 16	BAYENGHEM LES EPERLECQUES		62
11	BF 17	BAYENGHEM LES SENINGHEM		62
138	AQ 70	BAYERS		16
129	BO 67	BAYET		03
30	AK 32	BAYEUX	S	14
83	CK 41	BAYON	C	54
151	AJ 80	BAYON SUR GIRONDE		33
196	AC 97	BAYONNE	S	64
193	CL 87	BAYONS		04
39	CA 31	BAYONVILLE		08
61	CH 35	BAYONVILLE SUR MAD		54
21	BJ 26	BAYONVILLERS		80
152	AP 78	BAZAC		16
126	BA 64	BAZAIGES		36
40	CF 31	BAZAILLES		54
54	BC 38	BAZAINVILLE		78
38	BU 32	BAZANCOURT		51
34	BC 30	BAZANCOURT		60
97	BQ 51	BAZARNES		89
167	AM 87	BAZAS	C	33
138	AN 70	BAZAUGES		17
83	CJ 44	BAZEGNEY		88
39	CA 28	BAZEILLES		08
40	CD 30	BAZEILLES SUR OTHAIN		55
126	BA 65	BAZELAT		23
54	BD 37	BAZEMONT		78
183	AR 89	BAZENS		47
22	BJ 25	BAZENTIN		80
30	AL 32	BAZENVILLE		14
198	AO 99	BAZET		65
126	AX 67	BAZEUGE, LA		87
199	AQ 95	BAZIAN		32
35	BJ 32	BAZICOURT		60
201	BB 98	BAZIEGE		31
84	CN 42	BAZIEN		88
198	AO 99	BAZILLAC		65
34	BC 33	BAZINCOURT SUR EPTE		27
59	CB 39	BAZINCOURT SUR SAULX		55
10	BC 16	BAZINGHEN		62
20	BB 25	BAZINVAL		76
75	AW 45	BAZOCHE GOUET, LA		28
114	BS 54	BAZOCHES		58
51	AO 38	BAZOCHES AU HOULME		61
76	BB 46	BAZOCHES EN DUNOIS		28
78	BN 43	BAZOCHES LES BRAY		77
77	BE 45	BAZOCHES LES GALLERANDES		45
76	BC 45	BAZOCHES LES HAUTES		28
54	BD 39	BAZOCHES SUR GUYONNE		78
74	AT 41	BAZOCHES SUR HOENE	C	61
78	BL 46	BAZOCHES SUR LE BETZ		45
37	BQ 33	BAZOCHES SUR VESLES		02
50	AI 39	BAZOGE, LA		50
74	AQ 46	BAZOGE, LA		72
72	AL 44	BAZOGE MONTPINCON, LA		53
106	AG 59	BAZOGES EN PAILLERS		85
122	AH 62	BAZOGES EN PAREDS		85
83	CI 44	BAZOILLES ET MENIL		88
82	CF 43	BAZOILLES SUR MEUSE		88
114	BQ 57	BAZOLLES		58
61	CK 35	BAZONCOURT		57
30	AJ 34	BAZOQUE, LA		14
50	AL 38	BAZOQUE, LA		61
52	AT 34	BAZOQUES		27
199	AS 100	BAZORDAN		65
72	AL 47	BAZOUGE DE CHEMERE, LA		53
72	AL 45	BAZOUGE DES ALLEUX, LA		53
72	AH 42	BAZOUGE DU DESERT, LA		35
72	AL 47	BAZOUGERS		53
71	AE 42	BAZOUGES LA PEROUSE		35
91	AO 50	BAZOUGES SUR LE LOIR		72
23	BP 24	BAZUEL		59
199	AQ 98	BAZUGUES		32
201	BA 95	BAZUS		31
218	AQ 104	BAZUS AURE		65
218	AR 102	BAZUS NESTE		65
175	BV 82	BEAGE, LE		07
21	BF 23	BEALCOURT		80
11	BF 20	BEALENCOURT		62
113	BO 60	BEARD		58
34	BB 29	BEAUBEC LA ROSIERE		76
131	BW 65	BEAUBERY		71
53	AW 37	BEAUBRAY		27
190	BZ 93	BEAUCAIRE	C	30
183	AR 93	BEAUCAIRE		32
20	BC 27	BEAUCAMPS LE JEUNE		80
20	BC 27	BEAUCAMPS LE VIEUX		80
12	BK 18	BEAUCAMPS LIGNY		59
71	AH 43	BEAUCE		35
217	AN 103	BEAUCENS		65
191	CD 91	BEAUCET, LE		84
219	AV 102	BEAUCHALOT		31
55	BF 36	BEAUCHAMP	C	95
49	AF 37	BEAUCHAMPS		50
20	BB 25	BEAUCHAMPS		80
95	BH 48	BEAUCHAMPS SUR HUILLARD		45
176	CA 82	BEAUCHASTEL		07
53	AW 39	BEAUCHE		28
100	CC 48	BEAUCHEMIN		52
93	AW 48	BEAUCHENE		41
50	AK 39	BEAUCHENE		61
57	BO 40	BEAUCHERY ST MARTIN		77
39	CA 31	BEAUCLAIR		55
50	AH 36	BEAUCOUDRAY		50
102	CP 52	BEAUCOURT	C	90
21	BI 27	BEAUCOURT EN SANTERRE		80
22	BJ 24	BEAUCOURT SUR L'ANCRE		80
21	BH 25	BEAUCOURT SUR L'HALLUE		80
90	AK 53	BEAUCOUZE		49
161	CF 76	BEAUCROISSANT		38
217	AP 102	BEAUDEAN		65
35	BE 29	BEAUDEDUIT		60
23	BP 22	BEAUDIGNIES		59
21	BH 22	BEAUDRICOURT		62
52	AT 39	BEAUFAI		61
74	AS 45	BEAUFAY		72
50	AI 38	BEAUFICEL		50
34	BB 31	BEAUFICEL EN LYONS		27
178	CJ 82	BEAUFIN		38
200	AX 98	BEAUFORT		31
203	BK 99	BEAUFORT		34
160	CC 77	BEAUFORT		38
133	CE 62	BEAUFORT	C	39
23	BS 22	BEAUFORT		59
149	CN 72	BEAUFORT	C	73
21	BH 22	BEAUFORT BLAVINCOURT		62
39	CB 30	BEAUFORT EN ARGONNE		55
35	BJ 27	BEAUFORT EN SANTERRE		80
91	AN 53	BEAUFORT EN VALLEE	C	49
176	CD 83	BEAUFORT SUR GERVANNE		26
105	AD 59	BEAUFOU		85
31	AQ 33	BEAUFOUR DRUVAL		14
82	CG 44	BEAUFREMONT		88
169	AS 86	BEAUGAS		47
136	AG 70	BEAUGEAY		17
94	BB 50	BEAUGENCY	C	45
36	BM 29	BEAUGIES SOUS BOIS		60
193	CN 89	BEAUJEU		04
145	BY 67	BEAUJEU	C	69
100	CG 52	BEAUJEU ST VALLIER PIERREJUX ET QUITTEUR		70
72	AL 41	BEAULANDAIS		61
22	BK 24	BEAULENCOURT		62
189	BV 87	BEAULIEU		07
50	AJ 37	BEAULIEU		14
156	BI 75	BEAULIEU		15
99	BY 50	BEAULIEU		21
205	BU 94	BEAULIEU		34
126	AY 65	BEAULIEU		36
161	CE 78	BEAULIEU		38
158	BT 79	BEAULIEU		43
114	BQ 55	BEAULIEU		58
52	AV 39	BEAULIEU		61
157	BO 75	BEAULIEU		63
59	CB 35	BEAULIEU EN ARGONNE		55
36	BL 29	BEAULIEU LES FONTAINES		60
110	AX 57	BEAULIEU LES LOCHES		37
121	AC 61	BEAULIEU SOUS LA ROCHE		85
124	AN 63	BEAULIEU SOUS PARTHENAY		79
171	BD 81	BEAULIEU SUR DORDOGNE	C	19
107	AK 54	BEAULIEU SUR LAYON		49
96	BK 52	BEAULIEU SUR LOIRE		45
195	CV 94	BEAULIEU SUR MER		06
72	AH 47	BEAULIEU SUR OUDON		53
138	AR 70	BEAULIEU SUR SONNETTE		16
130	BR 63	BEAULON		03
51	AP 37	BEAUMAIS		14
198	AO 96	BEAUMARCHES		32
170	BA 84	BEAUMAT		46
24	BU 27	BEAUME		02
177	CH 85	BEAUME, LA		05
84	CN 44	BEAUMENIL		88
10	BD 20	BEAUMERIE ST MARTIN		62
191	CC 90	BEAUMES DE VENISE	C	84
50	AI 37	BEAUMESNIL		14
52	AV 36	BEAUMESNIL	C	27
191	CE 93	BEAUMETTES		84
21	BF 23	BEAUMETZ		80
11	BG 19	BEAUMETZ LES AIRE		62
22	BL 23	BEAUMETZ LES CAMBRAI		62
21	BJ 22	BEAUMETZ LES LOGES	C	62
175	BV 85	BEAUMONT		07
155	BC 76	BEAUMONT		19
183	AQ 92	BEAUMONT		32
157	BO 77	BEAUMONT		43
60	CG 37	BEAUMONT		54
143	BM 72	BEAUMONT	C	63
148	CK 68	BEAUMONT		74
125	AS 61	BEAUMONT		86
97	BQ 48	BEAUMONT		89
184	AW 93	BEAUMONT DE LOMAGNE	C	82
208	CH 94	BEAUMONT DE PERTUIS		84
77	BI 46	BEAUMONT DU GATINAIS		77
141	BC 72	BEAUMONT DU LAC		87
169	AU 83	BEAUMONT DU PERIGORD	C	24
191	CD 89	BEAUMONT DU VENTOUX		84
39	CA 30	BEAUMONT EN ARGONNE		08
32	AQ 33	BEAUMONT EN AUGE		14
36	BM 28	BEAUMONT EN BEINE		02
23	BO 23	BEAUMONT EN CAMBRESIS		59
177	CF 85	BEAUMONT EN DIOIS		26
40	CD 33	BEAUMONT EN VERDUNOIS, VILLAGE RUINE		55
108	AQ 56	BEAUMONT EN VERON		37
29	AC 28	BEAUMONT HAGUE	C	50
21	BJ 24	BEAUMONT HAMEL		80
113	BN 56	BEAUMONT LA FERRIERE		58
92	AU 52	BEAUMONT LA RONCE		37
19	AY 29	BEAUMONT LE HARENG		76
52	AV 35	BEAUMONT LE ROGER	C	27
75	AW 44	BEAUMONT LES AUTELS		28
34	BE 32	BEAUMONT LES NONAINS		60
143	BP 69	BEAUMONT LES RANDAN		63
176	CB 82	BEAUMONT LES VALENCE		26
160	CB 80	BEAUMONT MONTEUX		26
91	AM 48	BEAUMONT PIED DE BOEUF		53
92	AS 50	BEAUMONT PIED DE BOEUF		72
113	BO 59	BEAUMONT SARDOLLES		58
92	AT 50	BEAUMONT SUR DEME		72
132	CA 62	BEAUMONT SUR GROSNE		71
201	AZ 99	BEAUMONT SUR LEZE		31
55	BG 34	BEAUMONT SUR OISE	C	95
73	AQ 44	BEAUMONT SUR SARTHE	C	72
58	BU 34	BEAUMONT SUR VESLE		51
100	CD 53	BEAUMONT SUR VINGEANNE		21
110	AY 56	BEAUMONT VILLAGE		37
53	AV 35	BEAUMONTEL		27
101	CJ 53	BEAUMOTTE AUBERTANS		70
117	CH 54	BEAUMOTTE LES PIN		70
57	BS 37	BEAUNAY		51
116	BZ 58	BEAUNE	S	21
129	BL 66	BEAUNE D'ALLIER		03
77	BH 46	BEAUNE LA ROLANDE	C	45
158	BS 77	BEAUNE SUR ARZON		43
99	BY 50	BEAUNOTTE		21
132	CD 64	BEAUPONT		01
168	AQ 80	BEAUPOUYET		24
106	AH 55	BEAUPREAU	C	49
201	BA 95	BEAUPUY		31
200	AW 95	BEAUPUY		32
168	AP 85	BEAUPUY		47
184	AX 93	BEAUPUY		82
21	BH 24	BEAUQUESNE		80
23	BP 23	BEAURAIN		59
22	BK 22	BEAURAINS		62
36	BL 29	BEAURAINS LES NOYON		60
10	BD 20	BEAURAINVILLE		62
208	CH 96	BEAURECUEIL		13
146	BZ 69	BEAUREGARD		01
185	BC 88	BEAUREGARD		46
160	CD 80	BEAUREGARD BARET		26
154	AY 79	BEAUREGARD DE TERRASSON		24
169	AT 81	BEAUREGARD ET BASSAC		24
143	BO 71	BEAUREGARD L'EVEQUE		63
143	BN 70	BEAUREGARD VENDON		63
160	CB 76	BEAUREPAIRE	C	38
35	BI 33	BEAUREPAIRE		60
18	AR 28	BEAUREPAIRE		76
106	AG 59	BEAUREPAIRE		85
133	CE 61	BEAUREPAIRE EN BRESSE	C	71
23	BR 24	BEAUREPAIRE SUR SAMBRE		59
22	BN 25	BEAUREVOIR		02
177	CG 85	BEAURIERES		26
37	BR 32	BEAURIEUX		02
24	BT 23	BEAURIEUX		59
152	AR 79	BEAURONNE		24
160	CA 78	BEAUSEMBLANT		26
59	CB 36	BEAUSITE		55
195	CW 93	BEAUSOLEIL	C	06
153	AS 75	BEAUSSAC		24
124	AN 66	BEAUSSAIS		79
34	BB 28	BEAUSSAULT		76
106	AI 54	BEAUSSE		49
208	CJ 100	BEAUSSET, LE	C	83
201	BC 99	BEAUTEVILLE		31
56	BM 39	BEAUTHEIL		77
167	AK 83	BEAUTIRAN		33
37	BO 29	BEAUTOR		02
19	AX 29	BEAUTOT		76
51	AN 40	BEAUVAIN		61
35	BF 31	BEAUVAIS	P	60
138	AN 70	BEAUVAIS SUR MATHA		17
185	BA 93	BEAUVAIS SUR TESCOU		81
21	BG 24	BEAUVAL		80
19	AX 28	BEAUVAL EN CAUX		76
176	CB 82	BEAUVALLON		26
91	AN 52	BEAUVAU		49
175	BY 82	BEAUVENE		07
117	CE 60	BEAUVERNOIS		71
194	CP 89	BEAUVEZER		04
201	BC 97	BEAUVILLE		31
184	AV 89	BEAUVILLE	C	47
76	BB 44	BEAUVILLIERS		28
93	AY 49	BEAUVILLIERS		41
98	BT 54	BEAUVILLIERS		89
49	AE 40	BEAUVOIR		50
35	BH 29	BEAUVOIR		60
56	BK 40	BEAUVOIR		77
97	BO 49	BEAUVOIR		89
160	CC 74	BEAUVOIR DE MARC		38
34	BB 30	BEAUVOIR EN LYONS		76
161	CE 79	BEAUVOIR EN ROYANS		38
105	Z 58	BEAUVOIR SUR MER	C	85
123	AL 67	BEAUVOIR SUR NIORT	C	79
21	BF 22	BEAUVOIR WAVANS		62
21	BG 21	BEAUVOIS		62
23	BO 23	BEAUVOIS EN CAMBRESIS		59
22	BM 27	BEAUVOIS EN VERMANDOIS		02
191	CD 88	BEAUVOISIN		26
206	BX 95	BEAUVOISIN		30
159	BU 78	BEAUX		43
159	BU 77	BEAUZAC		43
201	AZ 95	BEAUZELLE		31
182	AO 88	BEAUZIAC		47
62	CP 38	BEBING		57
85	CS 44	BEBLENHEIM		68
18	AT 28	BEC DE MORTAGNE		76
32	AV 33	BEC HELLOUIN, LE		27
33	AX 33	BEC THOMAS, LE		27
199	AP 98	BECCAS		32
123	AL 64	BECELEUF		79
40	CF 33	BECHAMPS		54
70	AB 43	BECHEREL	C	35
152	AP 75	BECHERESSE		16
61	CK 36	BECHY		57
90	AJ 52	BECON LES GRANITS		49
22	BJ 25	BECORDEL BECOURT		80
10	BD 18	BECOURT		62
23	BP 25	BECQUIGNY		02
35	BI 28	BECQUIGNY		80
204	BN 96	BEDARIEUX	C	34
191	CB 91	BEDARRIDES	C	84
127	BF 63	BEDDES		18
200	AU 96	BEDECHAN		32
70	AB 44	BEDEE		35
220	BA 104	BEDEILHAC ET AYNAT		09
219	AW 102	BEDEILLE		09
198	AN 99	BEDEILLE		64
151	AM 78	BEDENAC		17
191	CD 90	BEDOIN		84
188	BR 88	BEDOUES		48
216	AJ 102	BEDOUS		64
171	BD 85	BEDUER		46
113	BL 57	BEFFES		18
133	CF 63	BEFFIA		39
39	BZ 32	BEFFU ET LE MORTHOMME		08
181	AH 93	BEGAAR		40
150	AH 76	BEGADAN		33
88	Y 51	BEGANNE		56
46	R 39	BEGARD	C	22
167	AK 82	BEGLES	C	33
83	CJ 44	BEGNECOURT		88
218	AQ 101	BEGOLE		65
106	AI 56	BEGROLLES EN MAUGES		49
176	CB 85	BEGUDE DE MAZENC, LA		26
143	BN 68	BEGUES		03
167	AL 84	BEGUEY		33
215	AF 98	BEGUIOS		64
22	BK 23	BEHAGNIES		62
215	AF 98	BEHASQUE LAPISTE		64
20	BC 24	BEHEN		80
21	BH 25	BEHENCOURT		80
36	BM 29	BEHERICOURT		60
59	CB 38	BEHONNE		55
215	AE 101	BEHORLEGUY		64
54	BC 38	BEHOUST		78
42	CO 33	BEHREN LES FORBACH	C	57
90	AK 54	BEHUARD		49
70	Z 47	BEIGNON		56
74	AT 46	BEILLE		72
97	BR 49	BEINE		89
38	BU 33	BEINE NAUROY	C	51
65	CX 36	BEINHEIM		67
100	CC 53	BEIRE LE CHATEL		21
116	CC 55	BEIRE LE FORT		21
142	BG 72	BEISSAT		23
126	AY 63	BELABRE	C	36
99	BY 47	BELAN SUR OURCE		21
204	BQ 97	BELARGA		34
170	AX 86	BELAYE		46
201	BA 97	BELBERAUD		31
184	AW 93	BELBESE		82
33	AY 32	BELBEUF		76
201	BA 98	BELBEZE DE LAURAGAIS		31
219	AW 101	BELBEZE EN COMMINGES		31
221	BD 105	BELCAIRE	C	11
186	BG 87	BELCASTEL		12
201	BC 96	BELCASTEL		81
221	BG 102	BELCASTEL ET BUC		11
208	CH 97	BELCODENE		13
221	BD 104	BELESTA		09
222	BJ 106	BELESTA		66
201	BC 98	BELESTA EN LAURAGAIS		31
169	AS 80	BELEYMAS		24
102	CN 49	BELFAHY		70
119	CP 54	BELFAYS		25
201	BC 99	BELFLOU		11
52	AQ 40	BELFONDS		61
102	CO 50	BELFORT	P	90
185	BA 89	BELFORT DU QUERCY		46
221	BE 105	BELFORT SUR REBENTY		11
72	AL 44	BELGEARD		53
209	CK 99	BELGENTIER		83
228	DJ 105	BELGODERE	C	2B
167	AI 87	BELHADE		40
75	AX 41	BELHOMERT GUEHOUVILLE		28
119	CN 56	BELIEU, LE		25
146	CC 70	BELIGNEUX		01
166	AH 86	BELIN BELIET	C	33
182	AK 91	BELIS		40
140	AX 68	BELLAC	S	87
178	CL 86	BELLAFFAIRE		04
23	BO 21	BELLAING		59
20	BD 24	BELLANCOURT		80
62	CM 36	BELLANGE		57
74	AT 42	BELLAVILLIERS		61
54	BD 34	BELLAY EN VEXIN, LE		95
55	BG 34	BELLE EGLISE		60
10	BC 17	BELLE ET HOULLEFORT		62
46	Q 40	BELLE ISLE EN TERRE	C	22
56	BO 35	BELLEAU		02
61	CJ 37	BELLEAU		54
167	AM 83	BELLEBAT		33
10	BC 17	BELLEBRUNE		62
142	BG 73	BELLECHASSAGNE		19
79	BQ 47	BELLECHAUME		89
134	CI 65	BELLECOMBE		39
148	CK 72	BELLECOMBE EN BAUGES		73
191	CF 87	BELLECOMBE TARENDOL		26
99	CB 54	BELLEFOND		21
167	AN 83	BELLEFOND		33
125	AT 62	BELLEFONDS		86
134	CJ 63	BELLEFONTAINE		39
50	AI 39	BELLEFONTAINE		50
84	CL 46	BELLEFONTAINE		88
55	BH 35	BELLEFONTAINE		95
85	CR 42	BELLEFOSSE		67
206	BY 94	BELLEGARDE		30
199	AS 98	BELLEGARDE		32
95	BH 47	BELLEGARDE	C	45
186	BG 93	BELLEGARDE		81
221	BE 102	BELLEGARDE DU RAZES		11
177	CF 85	BELLEGARDE EN DIOIS		26
145	BW 73	BELLEGARDE EN FOREZ		42
142	BG 69	BELLEGARDE EN MARCHE	C	23
160	CB 76	BELLEGARDE POUSSIEU		38
200	AX 95	BELLEGARDE STE MARIE		31
147	CH 67	BELLEGARDE SUR VALSERINE	C	01
119	CN 54	BELLEHERBE		25
103	CQ 50	BELLEMAGNY		68
74	AT 43	BELLEME	C	61
143	BM 67	BELLENAVES		03
19	AY 28	BELLENCOMBRE	C	76
116	CC 54	BELLENEUVE		21
22	BN 26	BELLENGLISE		02
51	AO 34	BELLENGREVILLE		14
19	AY 26	BELLENGREVILLE		76
99	BY 50	BELLENOD SUR SEINE		21
115	BX 55	BELLENOT SOUS POUILLY		21
149	CP 73	BELLENTRE		73
60	CD 34	BELLERAY		55
143	BO 68	BELLERIVE SUR ALLIER		03
145	BX 67	BELLEROCHE		42
62	CO 37	BELLES FORETS		57
202	BE 97	BELLESERRE		81
200	AX 94	BELLESSERRE		31
37	BO 32	BELLEU		02
35	BF 28	BELLEUSE		80
135	CN 66	BELLEVAUX		74
117	CE 60	BELLEVESVRE		71
61	CI 37	BELLEVILLE		54
146	BZ 68	BELLEVILLE	C	69
137	AL 68	BELLEVILLE		79
19	AX 28	BELLEVILLE EN CAUX		76
39	BZ 31	BELLEVILLE ET CHATILLON SUR BAR		08
96	BK 53	BELLEVILLE SUR LOIRE		18
19	AY 25	BELLEVILLE SUR MER		76
40	CD 34	BELLEVILLE SUR MEUSE		55
106	AD 60	BELLEVILLE SUR VIE		85
158	BS 78	BELLEVUE LA MONTAGNE		43
147	CG 72	BELLEY	S	01
133	CH 66	BELLEYDOUX		01
22	BN 25	BELLICOURT		02
51	AP 40	BELLIERE, LA		61
34	BB 29	BELLIERE, LA		76
133	CG 66	BELLIGNAT		01
90	AH 53	BELLIGNE		44
23	BR 21	BELLIGNIES		59
78	BM 45	BELLIOLE, LA		89
221	BD 103	BELLOC		09
199	AR 97	BELLOC ST CLAMENS		32
197	AG 96	BELLOCQ		64
152	AP 77	BELLON		16
22	BL 22	BELLONNE		62
57	BO 38	BELLOT		77
52	AR 36	BELLOU		14
51	AM 39	BELLOU EN HOULME		61
74	AT 44	BELLOU LE TRICHARD		61
74	AV 42	BELLOU SUR HUISNE		61
35	BJ 30	BELLOY		60
55	BH 35	BELLOY EN FRANCE		95
22	BK 26	BELLOY EN SANTERRE		80
20	BD 26	BELLOY ST LEONARD		80
21	BF 25	BELLOY SUR SOMME		80
151	AK 74	BELLUIRE		17
19	AX 27	BELMESNIL		76
118	CL 55	BELMONT		25
199	AQ 95	BELMONT		32
161	CE 75	BELMONT		38
117	CF 58	BELMONT		39
100	CE 50	BELMONT		52
85	CR 41	BELMONT		67
102	CM 49	BELMONT		70
171	BD 82	BELMONT BRETENOUX		46
145	BY 71	BELMONT D'AZERGUES		69
145	BW 67	BELMONT DE LA LOIRE	C	42
83	CI 45	BELMONT LES DARNEY		88
147	CG 70	BELMONT LUTHEZIEU		01
185	BB 88	BELMONT STE FOI		46
84	CN 44	BELMONT SUR BUTTANT		88
187	BK 94	BELMONT SUR RANCE	C	12
83	CH 44	BELMONT SUR VAIR		88
161	CG 74	BELMONT TRAMONET		73
184	AX 88	BELMONTET		46
102	CM 49	BELONCHAMP		70
220	BC 101	BELPECH	C	11
60	CC 37	BELRAIN		55
83	CJ 46	BELRUPT		88
60	CD 34	BELRUPT EN VERDUNOIS		55
196	AF 96	BELUS		40
38	BX 27	BELVAL		08
49	AF 35	BELVAL		50
84	CP 42	BELVAL		88
39	CA 31	BELVAL BOIS DES DAMES		08
59	CA 36	BELVAL EN ARGONNE		51
57	BS 35	BELVAL SOUS CHATILLON		51
195	CV 90	BELVEDERE		06
232	DJ 116	BELVEDERE CAMPOMORO		2A
102	CN 50	BELVERNE		70
169	AW 83	BELVES	C	24
168	AO 82	BELVES DE CASTILLON		33
184	AW 88	BELVEZE		82
221	BE 101	BELVEZE DU RAZES		11
190	BX 90	BELVEZET		30
174	BS 85	BELVEZET		48
221	BF 104	BELVIANES ET CAVIRAC		11
221	BE 104	BELVIS		11
119	CN 54	BELVOIR		25
86	R 49	BELZ	C	56
53	AW 38	BEMECOURT		27
220	BA 103	BENAC		09
217	AN 101	BENAC		65
220	BA 102	BENAGUES		09
108	AQ 55	BENAIS		37
220	BD 104	BENAIX		09
62	CM 40	BENAMENIL		54
18	AT 28	BENARVILLE		76
124	AP 63	BENASSAY		86
137	AK 69	BENATE, LA		17
36	BN 28	BENAY		02
154	BA 75	BENAYES		19
195	CU 92	BENDEJUN		06
103	CS 52	BENDORF		68
217	AM 100	BENEJACQ		64
31	AP 32	BENERVILLE SUR MER		14
197	AF 95	BENESSE LES DAX		40
196	AD 95	BENESSE MAREMNE		40
139	AS 69	BENEST		16
62	CN 36	BENESTROFF		57
19	AV 28	BENESVILLE		76
123	AK 65	BENET		85
99	CA 50	BENEUVRE		21
178	CK 83	BENEVENT ET CHARBILLAC		05
141	BB 68	BENEVENT L'ABBAYE	C	23
60	CG 36	BENEY EN WOEVRE		55
85	CT 42	BENFELD	C	67
112	BJ 58	BENGY SUR CRAON		18
12	BK 19	BENIFONTAINE		62
42	CN 34	BENING LES ST AVOLD		57
144	BU 68	BENISSON DIEU, LA		42
191	CD 88	BENIVAY OLLON		26
54	BB 35	BENNECOURT		78
18	AT 28	BENNETOT		76
83	CJ 41	BENNEY		54
85	CS 44	BENNWIHR		68
67	K 47	BENODET		29
98	BW 52	BENOISEY		21
29	AD 29	BENOITVILLE		50
123	AI 67	BENON		17
147	CF 71	BENONCES		01
31	AO 33	BENOUVILLE		14
18	AR 28	BENOUVILLE		76
200	AV 100	BENQUE		31
218	AQ 102	BENQUE		65
218	AS 105	BENQUE DESSOUS ET DESSUS		31
181	AK 93	BENQUET		40
198	AN 98	BENTAYOU SEREE		64
133	CD 65	BENY		01
50	AJ 36	BENY BOCAGE, LE	C	14
31	AM 32	BENY SUR MER		14
147	CH 70	BEON		01
97	BO 48	BEON		89
217	AK 102	BEOST		64
200	AX 98	BERAT		31
183	AR 92	BERAUT		32
217	AN 102	BERBERUST LIAS		65
158	BQ 77	BERBEZIT		43
169	AW 82	BERBIGUIERES		24
79	BS 45	BERCENAY EN OTHE		10
79	BQ 43	BERCENAY LE HAYER		10
102	CO 52	BERCHE		25
76	BB 43	BERCHERES LES PIERRES		28
76	BA 41	BERCHERES ST GERMAIN		28
54	BB 38	BERCHERES SUR VESGRE		28
10	BB 20	BERCK	C	62
137	AL 71	BERCLOUX		17
74	AU 43	BERD'HUIS		61
199	AR 97	BERDOUES		32
24	BT 22	BERELLES		59
53	AX 35	BERENGEVILLE LA CAMPAGNE		27
103	CS 51	BERENTZWILLER		68
197	AG 97	BERENX		64
132	CB 65	BEREZIAT		01
92	AV 47	BERFAY		72
63	CQ 36	BERG		67
41	CJ 31	BERG SUR MOSELLE		57
170	BB 87	BERGANTY		46
63	CS 40	BERGBIETEN		67
168	AS 82	BERGERAC	S	24
81	BY 45	BERGERES		10
58	BT 37	BERGERES LES VERTUS		51
57	BQ 38	BERGERES SOUS MONTMIRAIL		51
131	BX 65	BERGESSERIN		71
85	CS 44	BERGHEIM		68
85	CR 47	BERGHOLTZ		68
85	CR 47	BERGHOLTZZELL		68
35	BE 28	BERGICOURT		80
38	BU 31	BERGNICOURT		08
157	BN 75	BERGONNE		63
197	AI 95	BERGOUEY		40
196	AF 97	BERGOUEY VIELLENAVE		64
11	BG 20	BERGUENEUSE		62
11	BH 14	BERGUES	C	59
23	BQ 24	BERGUES SUR SAMBRE		02
46	R 38	BERHET		22
62	CM 36	BERIG VINTRANGE		57
50	AJ 34	BERIGNY		50
51	AM 37	BERJOU		61
23	BR 23	BERLAIMONT	C	59
37	BR 27	BERLANCOURT		02

Page	Carreau	Commune	Adm.Dpt
36	BM 29	BERLANCOURT	.60
203	BI 95	BERLATS	.81
21	BH 22	BERLENCOURT LE CAUROY	.62
21	BJ 23	BERLES AU BOIS	.62
21	BI 21	BERLES MONCHEL	.62
39	BZ 30	BERLIERE, LA	.08
63	CQ 37	BERLING	.57
38	BT 28	BERLISE	.02
203	BL 97	BERLOU	.34
23	BP 22	BERMERAIN	.59
38	BS 32	BERMERICOURT	.51
23	BQ 22	BERMERIES	.59
62	CN 36	BERMERING	.57
20	BC 26	BERMESNIL	.80
11	BG 20	BERMICOURT	.62
102	CO 51	BERMONT	.90
18	AU 29	BERMONVILLE	.76
138	AQ 69	BERNAC	.16
186	BE 92	BERNAC	.81
217	AO 101	BERNAC DEBAT	.65
217	AO 101	BERNAC DESSUS	.65
198	AL 98	BERNADETS	.64
199	AQ 99	BERNADETS DEBAT	.65
199	AQ 100	BERNADETS DESSUS	.65
121	AD 64	BERNARD, LE	.85
106	AF 57	BERNARDIERE, LA	.85
85	CS 41	BERNARDSWILLER	.67
85	CS 42	BERNARDVILLE	.67
21	BF 23	BERNATRE	.80
21	BF 23	BERNAVILLE	C .80
52	AU 35	BERNAY	S .27
73	AP 46	BERNAY	.72
20	BC 22	BERNAY EN PONTHIEU	.80
137	AK 68	BERNAY ST MARTIN	.17
56	BL 40	BERNAY VILBERT	.77
68	Q 46	BERNE	.56
60	CG 37	BERNECOURT	.54
198	AM 95	BERNEDE	.32
105	Z 56	BERNERIE EN RETZ, LA	.44
22	BM 26	BERNES	.80
55	BG 34	BERNES SUR OISE	.95
30	AJ 32	BERNESQ	.14
152	AN 76	BERNEUIL	.16
137	AJ 73	BERNEUIL	.17
21	BF 24	BERNEUIL	.80
140	AX 69	BERNEUIL	.87
35	BF 32	BERNEUIL EN BRAY	.60
36	BL 31	BERNEUIL SUR AISNE	.60
19	AY 25	BERNEVAL LE GRAND	.76
22	BJ 22	BERNEVILLE	.62
135	CO 65	BERNEX	.74
53	AX 35	BERNIENVILLE	.27
18	AT 29	BERNIERES	.76
51	AP 36	BERNIERES D'AILLY	.14
50	AK 38	BERNIERES LE PATRY	.14
31	AM 32	BERNIERES SUR MER	.14
33	AZ 33	BERNIERES SUR SEINE	.27
10	BD 19	BERNIEULLES	.62
162	CI 77	BERNIN	.38
206	BW 94	BERNIS	.30
64	CU 37	BERNOLSHEIM	.67
98	BT 47	BERNON	.10
182	AM 87	BERNOS BEAULAC	.33
23	BP 26	BERNOT	.02
97	BS 48	BERNOUIL	.89
34	BC 33	BERNOUVILLE	.27
103	CR 49	BERNWILLER	.68
22	BK 26	BERNY EN SANTERRE	.80
36	BM 31	BERNY RIVIERE	.02
53	AX 39	BEROU LA MULOTIERE	.28
183	AS 91	BERRAC	.32
195	CV 92	BERRE LES ALPES	.06
207	CE 97	BERRE L'ETANG	C .13
221	BH 100	BERRIAC	.11
189	BV 87	BERRIAS ET CASTELJAU	.07
87	W 50	BERRIC	.56
108	AO 57	BERRIE	.86
45	N 41	BERRIEN	.29
37	BR 31	BERRIEUX	.02
197	AH 100	BERROGAIN LARUNS	.64
38	BU 33	BERRU	.51
103	CR 48	BERRWILLER	.68
37	BS 31	BERRY AU BAC	.02
112	BG 57	BERRY BOUY	.18
177	CI 86	BERSAC, LE	.05
140	AZ 68	BERSAC SUR RIVALIER	.87
117	CF 59	BERSAILLIN	.39
12	BM 19	BERSEE	.59
24	BS 21	BERSILLIES	.59
151	AJ 79	BERSON	.33
64	CU 38	BERSTETT	.67
64	CU 37	BERSTHEIM	.67
130	BR 66	BERT	.03
21	BG 25	BERTANGLES	.80
37	BO 29	BERTAUCOURT EPOURDON	.02
21	BF 24	BERTEAUCOURT LES DAMES	.80
21	BH 27	BERTEAUCOURT LES THENNES	.80
18	AU 27	BERTHEAUVILLE	.76
35	BG 32	BERTHECOURT	.60
108	AR 59	BERTHEGON	.86
117	CG 55	BERTHELANGE	.25
62	CP 37	BERTHELMING	.57
12	BJ 16	BERTHEN	.59
109	AT 54	BERTHENAY	.37
37	BO 27	BERTHENICOURT	.02
54	BC 34	BERTHENONVILLE	.27
127	BE 62	BERTHENOUX, LA	.36
167	AN 86	BERTHEZ	.33
187	BK 87	BERTHOLENE	.12
52	AU 34	BERTHOUVILLE	.27
144	BR 74	BERTIGNAT	.63
80	BX 46	BERTIGNOLLES	.10
22	BL 24	BERTINCOURT	C .62
38	BV 30	BERTONCOURT	.08
62	CP 39	BERTRAMBOIS	.54
21	BI 24	BERTRANCOURT	.80
41	CI 32	BERTRANGE	.57
202	BD 96	BERTRE	.81
218	AS 103	BERTREN	.65
18	AU 27	BERTREVILLE	.76
19	AX 27	BERTREVILLE ST OUEN	.76
152	AR 77	BERTRIC BUREE	.24
84	CO 41	BERTRICHAMPS	.54
38	BT 32	BERTRICOURT	.02
19	AX 28	BERTRIMONT	.76
84	CQ 43	BERTRIMOUTIER	.88
23	BO 24	BERTRY	.59
97	BS 49	BERU	.89
124	AQ 63	BERUGES	.86
79	BQ 45	BERULLE	.10
73	AQ 43	BERUS	.72
19	AW 28	BERVILLE	.76
55	BE 34	BERVILLE	.95
33	AW 33	BERVILLE EN ROUMOIS	.27
53	AW 36	BERVILLE LA CAMPAGNE	.27
32	AS 31	BERVILLE SUR MER	.27
33	AW 31	BERVILLE SUR SEINE	.76
42	CM 32	BERVILLER EN MOSELLE	.57
132	BZ 65	BERZE LA VILLE	.71
132	BZ 65	BERZE LE CHATEL	.71
175	BY 84	BERZEME	.07
59	BZ 34	BERZIEUX	.51
36	BO 32	BERZY LE SEC	.02
39	BZ 29	BESACE, LA	.08
117	CH 60	BESAIN	.39
118	CJ 55	BESANCON	P .25
176	CC 81	BESAYES	.26
217	AK 101	BESCAT	.64
191	CE 88	BESIGNAN	.26
197	AJ 98	BESINGRAND	.64
50	AH 37	BESLON	.50
36	BN 30	BESME	.02
24	BT 27	BESMONT	.02
101	CK 53	BESNANS	.70
88	Z 53	BESNE	.44
29	AD 31	BESNEVILLE	.50
37	BQ 29	BESNY ET LOIZY	.02
152	AO 76	BESSAC	.16
128	BK 61	BESSAIS LE FROMENTAL	.18
159	BU 79	BESSAMOREL	.43
204	BP 99	BESSAN	.34
55	BF 36	BESSANCOURT	.95
163	CR 76	BESSANS	.73
190	BW 88	BESSAS	.07
159	BY 76	BESSAT, LE	.42
122	AG 63	BESSAY	.85
129	BO 64	BESSAY SUR ALLIER	.03
156	BH 79	BESSE	.15
138	AP 70	BESSE	.16
170	AX 84	BESSE	.24
162	CL 79	BESSE	.38
157	BL 75	BESSE ET ST ANASTAISE	C .63
92	AU 49	BESSE SUR BRAYE	.72
209	CM 98	BESSE SUR ISSOLE	C .83
221	BF 105	BESSEDE DE SAULT	.11
189	BU 88	BESSEGES	C .30
145	BX 72	BESSENAY	.69
184	AY 93	BESSENS	.82
220	BC 102	BESSET	.09
160	BZ 76	BESSEY	.42
116	BZ 57	BESSEY EN CHAUME	.21
115	BY 57	BESSEY LA COUR	.21
116	CC 56	BESSEY LES CITEAUX	.21
174	BP 81	BESSEYRE ST MARY, LA	.43
201	BA 94	BESSIERES	.31
123	AK 66	BESSINES	.79
140	AZ 68	BESSINES SUR GARTEMPE	C .87
161	CE 78	BESSINS	.38
129	BN 64	BESSON	.03
102	CP 50	BESSONCOURT	.90
171	BF 83	BESSONIES	.46
173	BO 83	BESSONS, LES	.48
172	BJ 86	BESSUEJOULS	.12
80	BT 41	BESSY	.10
97	BR 51	BESSY SUR CURE	.89
220	BC 105	BESTIAC	.09
171	BC 81	BETAILLE	.46
101	CH 48	BETAUCOURT	.70
199	AS 100	BETBEZE	.65
182	AM 92	BETBEZER D'ARMAGNAC	.40
199	AT 98	BETCAVE AGUIN	.32
219	AW 102	BETCHAT	.09
127	BE 65	BETETE	.23
36	BK 33	BETHANCOURT EN VALOIS	.60
36	BM 29	BETHANCOURT EN VAUX	.02
40	CC 34	BETHELAINVILLE	.55
55	BG 36	BETHEMONT LA FORET	.95
23	BO 23	BETHENCOURT	.59
20	BB 24	BETHENCOURT SUR MER	.80
36	BL 27	BETHENCOURT SUR SOMME	.80
38	BV 33	BETHENIVILLE	.51
38	BT 33	BETHENY	.51
39	CB 33	BETHINCOURT	.55
125	AW 63	BETHINES	.86
36	BK 33	BETHISY ST MARTIN	.60
36	BK 33	BETHISY ST PIERRE	.60
219	AW 104	BETHMALE	.09
57	BQ 40	BETHON	.51
73	AQ 43	BETHON	.72
102	CO 51	BETHONCOURT	.25
21	BI 21	BETHONSART	.62
75	AW 45	BETHONVILLIERS	.28
102	CP 50	BETHONVILLIERS	.90
11	BJ 19	BETHUNE	S .62
80	BW 42	BETIGNICOURT	.10
56	BN 39	BETON BAZOCHES	.77
101	CK 49	BETONCOURT LES BROTTE	.70
101	CJ 47	BETONCOURT ST PANCRAS	.70
100	CG 48	BETONCOURT SUR MANCE	.70
198	AO 94	BETOUS	.32
199	AP 98	BETPLAN	.32
217	AO 104	BETPOUEY	.65
199	AR 100	BETPOUY	.65
198	AN 97	BETRACQ	.64
64	CV 36	BETSCHDORF	.67
41	CH 32	BETTAINVILLERS	.54
59	CA 40	BETTANCOURT LA FERREE	.52
59	BZ 38	BETTANCOURT LA LONGUE	.51
41	CL 33	BETTANGE	.57
147	CE 70	BETTANT	.01
62	CP 37	BETTBORN	.57
83	CK 43	BETTEGNEY ST BRICE	.88
41	CJ 33	BETTELAINVILLE	.57
20	BD 27	BETTEMBOS	.80
20	BE 25	BETTENCOURT RIVIERE	.80
21	BF 25	BETTENCOURT ST OUEN	.80
103	CS 51	BETTENDORF	.68
218	AP 102	BETTES	.65
33	AV 30	BETTEVILLE	.76
23	BS 21	BETTIGNIES	.59
42	CN 34	BETTING LES ST AVOLD	.57
103	CT 51	BETTLACH	.68
71	AD 44	BETTON	C .35
162	CL 74	BETTON BETTONET	.73
83	CJ 43	BETTONCOURT	.88
23	BQ 21	BETTRECHIES	.59
63	CR 34	BETTVILLER	.57
63	CQ 36	BETTWILLER	.67
56	BL 34	BETZ	C .60
109	AW 58	BETZ LE CHATEAU	.37
11	BI 20	BEUGIN	.62
22	BK 23	BEUGNATRE	.62
37	BO 33	BEUGNEUX	.02
24	BS 23	BEUGNIES	.59
123	AL 63	BEUGNON, LE	.79
79	BR 47	BEUGNON	.89
22	BL 23	BEUGNY	.62
194	CS 90	BEUIL	.06
84	CP 43	BEULAY, LE	.88
102	CN 48	BEULOTTE ST LAURENT	.70
118	CI 55	BEURE	.25
80	BW 45	BEUREY	.10
115	BW 56	BEUREY BAUGUAY	.21
59	CA 38	BEUREY SUR SAULX	.55
158	BS 75	BEURIERES	.63
115	BX 54	BEURIZOT	.21
136	AI 70	BEURLAY	.17
81	BZ 43	BEURVILLE	.52
10	BD 19	BEUSSENT	.62
198	AM 100	BEUSTE	.64
102	CN 52	BEUTAL	.25
10	BC 19	BEUTIN	.62
57	BP 34	BEUVARDES	.02
40	CF 31	BEUVEILLE	.54
83	CH 42	BEUVEZIN	.54
52	AR 34	BEUVILLERS	.14
40	CG 31	BEUVILLERS	.54
13	BP 20	BEUVRAGES	.59
36	BK 29	BEUVRAIGNES	.80
10	BC 16	BEUVREQUEN	.62
50	AI 36	BEUVRIGNY	.50
114	BP 54	BEUVRON	.58
31	AP 34	BEUVRON EN AUGE	.14
12	BJ 19	BEUVRY	.62
12	BN 20	BEUVRY LA FORET	.59
61	CK 35	BEUX	.57
108	AQ 57	BEUXES	.86
66	H 44	BEUZEC CAP SIZUN	.29
32	AS 32	BEUZEVILLE	C .27
29	AG 31	BEUZEVILLE AU PLAIN	.50
29	AF 31	BEUZEVILLE LA BASTILLE	.50
32	AT 29	BEUZEVILLE LA GRENIER	.76
18	AU 28	BEUZEVILLE LA GUERARD	.76
32	AT 30	BEUZEVILLETTE	.76
161	CE 76	BEVENAIS	.38
102	CM 51	BEVEUGE	.70
76	BC 42	BEVILLE LE COMTE	.28
23	BO 23	BEVILLERS	.59
192	CJ 89	BEVONS	.04
116	BZ 56	BEVY	.21
132	CA 67	BEY	.01
116	CB 60	BEY	.71
61	CK 38	BEY SUR SEILLE	.54
167	AL 82	BEYCHAC ET CAILLAU	.33
181	AH 92	BEYLONGUE	.40
140	AX 72	BEYNAC	.87
170	AX 82	BEYNAC ET CAZENAC	.24
155	BC 79	BEYNAT	C .19
193	CM 91	BEYNES	.04
54	BD 38	BEYNES	.78
146	CB 71	BEYNOST	.01
218	AQ 103	BEYREDE JUMET	.65
41	CJ 30	BEYREN LES SIERCK	.57
197	AK 98	BEYRIE EN BEARN	.64
215	AF 99	BEYRIE SUR JOYEUSE	.64
197	AJ 96	BEYRIES	.40
154	AZ 76	BEYSSAC	.19
154	AY 76	BEYSSENAC	.19
203	BI 96	BEZ, LE	.81
188	BQ 92	BEZ ET ESPARON	.30
220	BA 101	BEZAC	.09
56	BN 40	BEZALLES	.77
34	BB 31	BEZANCOURT	.76
61	CL 38	BEZANGE LA GRANDE	.54
62	CM 38	BEZANGE LA PETITE	.57
38	BT 34	BEZANNES	.51
194	CT 93	BEZAUDUN LES ALPES	.06
177	CD 85	BEZAUDUN SUR BINE	.26
61	CI 37	BEZAUMONT	.54
100	CD 53	BEZE	.21
170	AX 82	BEZENAC	.24
129	BK 66	BEZENET	.03
200	AV 97	BEZERIL	.32
204	BO 99	BEZIERS	S .34
10	BD 18	BEZINGHEM	.62
218	AT 103	BEZINS GARRAUX	.31
221	BE 102	BEZOLE, LA	.11
183	AQ 93	BEZOLLES	.32
55	BG 37	BEZONS	C .95
40	CD 33	BEZONVAUX, VILLAGE RUINE	.55
190	BY 93	BEZOUCE	.30
100	CD 54	BEZOUOTTE	.21
34	BB 31	BEZU LA FORET	.27
56	BN 36	BEZU LE GUERY	.02
34	BC 33	BEZU ST ELOI	.27
57	BO 35	BEZU ST GERMAIN	.02
199	AS 98	BEZUES BAJON	.32
22	BL 21	BIACHE ST VAAST	.62
22	BK 26	BIACHES	.80
118	CK 58	BIANS LES USIERS	.25
124	AR 63	BIARD	.86
117	CE 56	BIARNE	.39
36	BK 28	BIARRE	.80
196	AB 97	BIARRITZ	C .64
196	AD 96	BIARROTTE	.40
171	BD 81	BIARS SUR CERE	.46
180	AE 89	BIAS	.40
169	AT 87	BIAS	.47
196	AD 96	BIAUDOS	.40
41	CK 32	BIBICHE	.57
64	CV 36	BIBLISHEIM	.67
145	BY 71	BIBOST	.69
36	BN 30	BICHANCOURT	.02
114	BQ 58	BICHES	.58
62	CQ 37	BICKENHOLTZ	.57
61	CH 40	BICQUELEY	.54
196	AE 97	BIDACHE	C .64
214	AD 99	BIDARRAY	.64
214	AA 97	BIDART	.64
62	CN 37	BIDESTROFF	.57
62	CN 34	BIDING	.57
190	BY 87	BIDON	.07
216	AJ 100	BIDOS	.64
83	CH 43	BIECOURT	.88
103	CT 52	BIEDERTHAL	.68
102	CO 54	BIEF	.25
134	CJ 61	BIEF DES MAISONS	.39
118	CJ 60	BIEF DU FOURG	.39
117	CF 59	BIEFMORIN	.39
22	BK 24	BIEFVILLERS LES BAPAUME	.62
216	AK 102	BIELLE	.64
20	BC 25	BIENCOURT	.80
82	CD 40	BIENCOURT SUR ORGE	.55
36	BK 31	BIENVILLE	.60
61	CL 39	BIENVILLE LA PETITE	.54
21	BI 23	BIENVILLERS AU BOIS	.62
38	BV 30	BIERMES	.08
36	BJ 29	BIERMONT	.60
90	AL 49	BIERNE	C .53
11	BH 14	BIERNE	.59
98	BV 54	BIERRE LES SEMUR	.21
98	BU 52	BIERRY LES BELLES FONTAINES	.89
220	AY 104	BIERT	.09
33	AZ 30	BIERVILLE	.76
85	CT 45	BIESHEIM	.68
82	CD 46	BIESLES	.52
64	CU 38	BIETLENHEIM	.67
167	AN 85	BIEUJAC	.33
36	BN 31	BIEUXY	.02
68	S 46	BIEUZY	.56
50	AJ 35	BIEVILLE	.50
31	AN 33	BIEVILLE BEUVILLE	.14
51	AP 35	BIEVILLE QUETIEVILLE	.14
37	BR 31	BIEVRES	.02
40	CC 29	BIEVRES	.08
55	BG 39	BIEVRES	C .91
84	CN 44	BIFFONTAINE	.88
166	AG 84	BIGANOS	.33
138	AP 71	BIGNAC	.16
69	U 47	BIGNAN	.56
137	AK 70	BIGNAY	.17
50	AK 36	BIGNE, LA	.14
38	BW 31	BIGNICOURT	.08
59	BX 39	BIGNICOURT SUR MARNE	.51
59	BY 38	BIGNICOURT SUR SAULX	.51
106	AD 57	BIGNON, LE	.44
90	AL 47	BIGNON DU MAINE, LE	.53
78	BL 45	BIGNON MIRABEAU, LE	.45
125	AS 62	BIGNOUX	.86
229	DM 106	BIGORNO	.2B
72	AJ 44	BIGOTTIERE, LA	.53
229	DN 104	BIGUGLIA	.2B
33	AY 31	BIHOREL	.76
22	BK 23	BIHUCOURT	.62
216	AK 102	BILHERES	.64
232	DJ 116	BILIA	.2A
161	CF 75	BILIEU	.38
171	BC 81	BILLAC	.19
75	AY 42	BILLANCELLES	.28
36	BL 28	BILLANCOURT	.80
140	BA 70	BILLANGES, LES	.87
167	AM 81	BILLAUX, LES	.33
71	AG 43	BILLE	.35
118	CJ 60	BILLECUL	.39
198	AK 99	BILLERE	C .64
117	CE 56	BILLEY	.21
130	BQ 67	BILLEZOIS	.03
147	CH 68	BILLIAT	.01
147	CH 72	BILLIEME	.73
218	AS 105	BILLIERE	.31
87	W 51	BILLIERS	.56
69	V 47	BILLIO	.56
143	BO 72	BILLOM	C .63
129	BP 67	BILLY	.03
51	AO 35	BILLY	.14
110	BB 55	BILLY	.41
12	BK 19	BILLY BERCLAU	.62
114	BP 58	BILLY CHEVANNES	.58
58	BU 35	BILLY LE GRAND	.51
99	BY 52	BILLY LES CHANCEAUX	.21
12	BL 20	BILLY MONTIGNY	.62
40	CE 32	BILLY SOUS MANGIENNES	.55
37	BO 32	BILLY SUR AISNE	.02
97	BO 53	BILLY SUR OISY	.58
36	BN 34	BILLY SUR OURCQ	.02
85	CS 46	BILTZHEIM	.68
64	CU 38	BILWISHEIM	.67
10	BD 19	BIMONT	.62
39	BZ 33	BINARVILLE	.51
94	BA 48	BINAS	.41
85	CU 43	BINDERNHEIM	.67
116	CC 54	BINGES	.21
47	U 39	BINIC	.22
63	CQ 34	BINING	.57
29	AF 31	BINIVILLE	.50
218	AS 104	BINOS	.31
57	BR 35	BINSON ET ORQUIGNY	.51
171	BC 83	BIO	.46
161	CE 75	BIOL	.38
148	CI 72	BIOLLE, LA	.73
142	BJ 69	BIOLLET	.63
50	AI 40	BION	.50
61	CK 38	BIONCOURT	.57
84	CP 41	BIONVILLE	.54
61	CL 34	BIONVILLE SUR NIED	.57
210	CT 95	BIOT	.06
135	CO 66	BIOT, LE	C .74
185	BA 91	BIOULE	.82
138	AQ 69	BIOUSSAC	.16
143	BO 68	BIOZAT	.03
152	AO 74	BIRAC	.16
167	AN 87	BIRAC	.33
168	AQ 86	BIRAC SUR TREC	.47
199	AR 95	BIRAN	.32
153	AT 77	BIRAS	.24
214	Z 98	BIRIATOU	.64
146	CC 69	BIRIEUX	.01
63	CR 39	BIRKENWALD	.67
151	AL 74	BIRON	.17
169	AV 85	BIRON	.24
197	AH 97	BIRON	.64
166	AF 87	BISCARROSSE	.40
64	CV 39	BISCHHEIM	C .67
64	CT 36	BISCHHOLTZ	.67
64	CT 40	BISCHOFFSHEIM	.67
85	CS 45	BISCHWIHR	.68
64	CV 37	BISCHWILLER	C .67
103	CR 51	BISEL	.68
229	DM 106	BISINCHI	.2B
60	CE 37	BISLEE	.55
62	CP 36	BISSERT	.67
58	BT 35	BISSEUIL	.51
99	BY 48	BISSEY LA COTE	.21
98	BW 49	BISSEY LA PIERRE	.21
132	BZ 61	BISSEY SOUS CRUCHAUD	.71
11	BH 15	BISSEZEELE	.59
51	AP 34	BISSIERES	.14
132	BZ 64	BISSY LA MACONNAISE	.71
132	BZ 63	BISSY SOUS UXELLES	.71
131	BY 62	BISSY SUR FLEY	.71
42	CM 33	BISTEN EN LORRAINE	.57
62	CM 35	BISTROFF	.57
63	CS 34	BITCHE	C .57
96	BM 53	BITRY	.58
36	BM 31	BITRY	.60
64	CT 36	BITSCHHOFFEN	.67
102	CQ 48	BITSCHWILLER LES THANN	.68
184	AU 93	BIVES	.32
161	CI 77	BIVIERS	.38
29	AC 28	BIVILLE	.50
19	AX 28	BIVILLE LA BAIGNARDE	.76
19	AW 27	BIVILLE LA RIVIERE	.76
19	AZ 25	BIVILLE SUR MER	.76
74	AU 41	BIVILLIERS	.61
222	BL 101	BIZANET	.11
198	AL 99	BIZANOS	.64
100	CF 48	BIZE	.52
218	AR 102	BIZE	.65
203	BL 99	BIZE MINERVOIS	.11
128	BK 65	BIZENEUILLE	.03
132	CB 67	BIZIAT	.01
161	CE 75	BIZONNES	.38
119	CN 56	BIZOT, LE	.25
131	BW 61	BIZOTS, LES	.71
74	AV 41	BIZOU	.61
218	AR 102	BIZOUS	.65
145	BY 69	BLACE	.69
34	BD 31	BLACOURT	.60
33	AW 30	BLACQUEVILLE	.76
58	BX 39	BLACY	.51
98	BT 52	BLACY	.89
64	CU 40	BLAESHEIM	.67
201	AZ 96	BLAGNAC	C .31
39	CB 29	BLAGNY	.08
100	CD 53	BLAGNY SUR VINGEANNE	.21
168	AN 85	BLAIGNAC	.33
150	AH 76	BLAIGNAN	.33
88	AC 52	BLAIN	C .44
35	BH 34	BLAINCOURT LES PRECY	.60
80	BW 43	BLAINCOURT SUR AUBE	.10
33	AZ 30	BLAINVILLE CREVON	.76
61	CL 40	BLAINVILLE SUR L'EAU	.54
49	AE 34	BLAINVILLE SUR MER	.50
31	AN 33	BLAINVILLE SUR ORNE	.14
22	BJ 22	BLAIRVILLE	.62
59	BX 40	BLAISE SOUS ARZILLIERES	.51
91	AM 54	BLAISON GOHIER	.49
81	CA 45	BLAISY	.52
116	BY 54	BLAISY BAS	.21
116	BZ 54	BLAISY HAUT	.21
199	AT 100	BLAJAN	.31
102	CP 53	BLAMONT	.25
62	CO 40	BLAMONT	C .54
202	BE 97	BLAN	.81
126	AW 62	BLANC, LE	S .36
55	BH 37	BLANC MESNIL, LE	C .93
95	BI 52	BLANCAFORT	.18
115	BW 55	BLANCEY	.21
35	BF 29	BLANCFOSSE	.60
62	CM 38	BLANCHE EGLISE	.57
38	BU 27	BLANCHEFOSSE ET BAY	.08
85	CQ 41	BLANCHERUPT	.67
75	AZ 44	BLANDAINVILLE	.28
188	BQ 93	BLANDAS	.30
161	CF 75	BLANDIN	.38
73	AN 46	BLANDOUET	.53
78	BK 41	BLANDY	.77
77	BG 44	BLANDY	.91
21	BG 21	BLANGERVAL BLANGERMONT	.62
32	AS 33	BLANGY LE CHATEAU	C .14
34	BE 28	BLANGY SOUS POIX	.80
20	BB 26	BLANGY SUR BRESLE	C .76
11	BF 20	BLANGY SUR TERNOISE	.62
21	BH 26	BLANGY TRONVILLE	.80
97	BR 52	BLANNAY	.89
115	BV 56	BLANOT	.21
132	BZ 64	BLANOT	.71
200	AU 95	BLANQUEFORT	.32
167	AJ 81	BLANQUEFORT	C .33
169	AV 85	BLANQUEFORT SUR BRIOLANCE	.47
158	BS 79	BLANZAC	.43
140	AX 68	BLANZAC	.87
137	AM 70	BLANZAC LES MATHA	.17
152	AO 75	BLANZAC PORCHERESSE	C .16
152	AR 75	BLANZAGUET ST CYBARD	.16
143	BM 71	BLANZAT	.63
124	AR 67	BLANZAY	.86
137	AL 68	BLANZAY SUR BOUTONNE	.17
60	CE 34	BLANZEE	.55
131	BW 61	BLANZY	.71
38	BU 30	BLANZY LA SALONNAISE	.08
37	BQ 32	BLANZY LES FISMES	.02
34	BC 29	BLARGIES	.60
101	CJ 53	BLARIANS	.25
11	BH 17	BLARINGHEM	.59
171	BC 85	BLARS	.46
54	BA 36	BLARU	.78
168	AN 83	BLASIMON	.33
124	AR 61	BLASLAY	.86
157	BP 79	BLASSAC	.43
127	BE 67	BLAUDEIX	.23
195	CV 93	BLAUSASC	.06
191	CD 91	BLAUVAC	.84
190	BX 92	BLAUZAC	.30
173	BO 82	BLAVIGNAC	.48
158	BT 80	BLAVOZY	.43
30	AJ 33	BLAY	.14
151	AJ 79	BLAYE	S .33
186	BF 91	BLAYE LES MINES	.81
184	AV 88	BLAYMONT	.47
183	AS 92	BLAZIERT	.32
81	CB 43	BLECOURT	.52
22	BN 22	BLECOURT	.59
97	BR 49	BLEIGNY LE CARREAU	.89
62	CN 40	BLEMEREY	.54
83	CI 43	BLEMEREY	.88
11	BG 17	BLENDECQUES	.62
96	BL 50	BLENEAU	C .89
78	BM 44	BLENNES	.77
61	CH 37	BLENOD LES PONT A MOUSSON	.54
60	CG 40	BLENOD LES TOUL	.54
10	BE 17	BLEQUIN	.62
36	BN 30	BLERANCOURT	.02
110	AW 55	BLERE	C .37
70	Z 45	BLERUAIS	.35
167	AM 83	BLESIGNAC	.33
157	BN 77	BLESLE	C .43
59	BY 39	BLESME	.51
57	BP 36	BLESMES	.02
141	BF 70	BLESSAC	.23
99	BY 53	BLESSEY	.21
81	CA 46	BLESSONVILLE	.52
11	BG 18	BLESSY	.62
112	BJ 59	BLET	.18
133	CE 61	BLETTERANS	C .39
83	CH 46	BLEURVILLE	.88
76	BC 41	BLEURY	.28
82	CF 45	BLEVAINCOURT	.88
74	AS 42	BLEVES	.72
174	BR 86	BLEYMARD, LE	C .48
35	BF 30	BLICOURT	.60
85	CS 42	BLIENSCHWILLER	.67
42	CQ 34	BLIES EBERSING	.57
42	CP 33	BLIES GUERSVILLER	.57
43	CQ 34	BLIESBRUCK	.57
193	CN 92	BLIEUX	.04
80	BX 42	BLIGNICOURT	.10
81	BX 45	BLIGNY	.10
37	BR 34	BLIGNY	.51
99	BZ 53	BLIGNY LE SEC	.21
116	BZ 58	BLIGNY LES BEAUNE	.21
115	BY 57	BLIGNY SUR OUCHE	C .21
35	BI 32	BLINCOURT	.60
11	BF 20	BLINGEL	.62
153	AV 78	BLIS ET BORN	.24
114	BS 57	BLISMES	.58
103	CT 47	BLODELSHEIM	.68
93	AY 52	BLOIS	P .41
133	CG 60	BLOIS SUR SEILLE	.39
222	BJ 100	BLOMAC	.11

Page	Carreau	Commune	Adm.	Dpt
129	BL 66	BLOMARD		03
24	BW 27	BLOMBAY		08
140	AW 69	BLOND		87
101	CH 48	BLONDEFONTAINE		70
31	AP 32	BLONVILLE SUR MER		14
19	AV 26	BLOSSEVILLE		76
29	AG 31	BLOSVILLE		50
143	BL 69	BLOT L'EGLISE		63
103	CT 50	BLOTZHEIM		68
108	AP 54	BLOU		49
199	AP 97	BLOUSSON SERIAN		32
49	AG 37	BLOUTIERE, LA		50
148	CI 71	BLOYE		74
148	CL 70	BLUFFY		74
81	BZ 43	BLUMERAY		52
102	CN 53	BLUSSANGEAUX		25
102	CN 53	BLUSSANS		25
133	CG 62	BLYE		39
146	CD 71	BLYES		01
51	AM 37	BO, LE		14
55	BH 37	BOBIGNY	P	93
70	Z 42	BOBITAL		22
33	AX 29	BOCASSE, LE		76
91	AO 52	BOCE		49
231	DK 111	BOCOGNANO	C	2A
83	CK 44	BOCQUEGNEY		88
52	AT 38	BOCQUENCE		61
47	U 42	BODEO, LE		22
45	L 39	BODILIS		29
183	AT 90	BOE		47
74	AT 41	BOECE		61
134	CM 66	BOEGE	C	74
198	AL 100	BOEIL BEZING		64
144	BU 72	BOEN	C	42
85	CS 41	BOERSCH		67
12	BJ 16	BOESCHEPE		59
11	BH 18	BOESEGHEM		59
85	CT 43	BOESENBIESEN		67
107	AL 58	BOESSE		79
74	AT 46	BOESSE LE SEC		72
77	BH 45	BOESSES		45
79	BR 46	BOEURS EN OTHE		89
21	BF 22	BOFFLES		62
176	BZ 81	BOFFRES		07
134	CM 66	BOGEVE		74
25	BY 26	BOGNY SUR MEUSE		08
160	BZ 77	BOGY		07
23	BP 25	BOHAIN EN VERMANDOIS	C	02
69	X 48	BOHAL		56
91	AM 53	BOHALLE, LA		49
44	I 40	BOHARS		29
147	CE 67	BOHAS MEYRIAT RIGNAT		01
77	BH 43	BOIGNEVILLE		91
94	BE 48	BOIGNY SUR BIONNE		45
54	BC 37	BOINVILLE EN MANTOIS		78
40	CF 33	BOINVILLE EN WOEVRE		55
76	BD 42	BOINVILLE LE GAILLARD		78
54	BB 37	BOINVILLIERS		78
22	BK 22	BOIRY BECQUERELLE		62
22	BL 22	BOIRY NOTRE DAME		62
22	BJ 23	BOIRY ST MARTIN		62
22	BK 23	BOIRY STE RICTRUDE		62
151	AK 75	BOIS		17
163	CN 74	BOIS, LE		73
52	AU 37	BOIS ANZERAY		27
52	AV 38	BOIS ARNAULT		27
22	BL 21	BOIS BERNARD		62
55	BG 37	BOIS COLOMBES	C	92
134	CJ 63	BOIS D AMONT		39
54	BE 38	BOIS D'ARCY		78
97	BR 52	BOIS D'ARCY		89
105	AA 58	BOIS DE CENE		85
84	CO 43	BOIS DE CHAMP		88
117	CF 60	BOIS DE GAND		39
200	AX 99	BOIS DE LA PIERRE		31
33	AZ 31	BOIS D'ENNEBOURG		76
145	BY 70	BOIS D'OINGT, LE	C	69
12	BK 18	BOIS GRENIER		59
34	BA 30	BOIS GUILBERT		76
33	AY 31	BOIS GUILLAUME	C	76
32	AS 33	BOIS HELLAIN, LE		27
34	BA 30	BOIS HEROULT		76
77	BG 43	BOIS HERPIN		91
32	AU 29	BOIS HIMONT		76
54	BB 35	BOIS JEROME ST OUEN		27
53	AZ 38	BOIS LE ROI		27
78	BJ 42	BOIS LE ROI		77
37	BQ 28	BOIS LES PARGNY		02
33	AZ 31	BOIS L'EVEQUE		76
52	AU 37	BOIS NORMAND PRES LYRE		27
121	AE 67	BOIS PLAGE EN RE, LE		17
19	AY 27	BOIS ROBERT, LE		76
131	BW 66	BOIS STE MARIE		71
21	BG 23	BOISBERGUES		80
152	AN 77	BOISBRETEAU		16
77	BH 47	BOISCOMMUN		45
11	BF 17	BOISDINGHEM		62
56	BN 40	BOISDON		77
34	BA 33	BOISEMONT		27
54	BE 36	BOISEMONT		95
75	AX 47	BOISGASSON		28
70	AA 44	BOISGERVILLY		35
10	BC 20	BOISJEAN		62
20	BE 22	BOISLE, LE		80
22	BK 23	BOISLEUX AU MONT		62
22	BK 22	BOISLEUX ST MARC		62
123	AL 60	BOISME		79
40	CF 31	BOISMONT		54
20	BC 23	BOISMONT		80
96	BJ 50	BOISMORAND		45
52	AU 34	BOISNEY		27
151	AK 77	BOISREDON		17
49	AE 34	BOISROGER		50
33	AZ 30	BOISSAY		76
146	CB 71	BOISSE, LA		01
169	AT 84	BOISSE		24
171	BF 85	BOISSE PENCHOT		12
93	AZ 50	BOISSEAU		41
76	BE 44	BOISSEAUX		45
200	AU 98	BOISSEDE		31
51	AQ 39	BOISSEI LA LANDE		61
137	AL 68	BOISSEROLLES		79
205	BV 94	BOISSERON		34
172	BG 83	BOISSET		15
203	BJ 98	BOISSET		34
158	BT 77	BOISSET		43
189	BU 91	BOISSET ET GAUJAC		30
145	BV 73	BOISSET LES MONTROND		42
53	AZ 36	BOISSET LES PREVANCHES		27
159	BU 75	BOISSET ST PRIEST		42
54	BB 38	BOISSETS		78
77	BI 41	BOISSETTES		77
140	AZ 72	BOISSEUIL		87
154	AX 77	BOISSEUILH		24
132	CB 65	BOISSEY		01
51	AQ 36	BOISSEY		14
33	AV 33	BOISSEY LE CHATEL		27
202	BH 96	BOISSEZON		81
133	CH 62	BOISSIA		39
52	AQ 34	BOISSIERE, LA		14
53	AZ 37	BOISSIERE, LA		27
205	BR 95	BOISSIERE, LA		34
133	CF 64	BOISSIERE, LA		39
90	AI 49	BOISSIERE, LA		53
153	AW 78	BOISSIERE D'ANS, LA		24
106	AG 58	BOISSIERE DE MONTAIGU, LA		85
121	AD 62	BOISSIERE DES LANDES, LA		85
106	AG 55	BOISSIERE DU DORE, LA		44
54	BB 39	BOISSIERE ECOLE, LA		78
123	AM 63	BOISSIERE EN GATINE, LA		79
106	AG 54	BOISSIERE SUR EVRE, LA		49
206	BW 94	BOISSIERES		30
170	AZ 86	BOISSIERES		46
77	BI 41	BOISSISE LA BERTRAND		77
77	BI 41	BOISSISE LE ROI		77
77	BI 44	BOISSY AUX CAILLES		77
53	AY 39	BOISSY EN DROUAIS		28
56	BL 34	BOISSY FRESNOY		60
77	BF 43	BOISSY LA RIVIERE		91
55	BE 35	BOISSY L'AILLERIE		95
52	AU 34	BOISSY LAMBERVILLE		27
34	BE 33	BOISSY LE BOIS		60
56	BM 38	BOISSY LE CHATEL		77
77	BG 42	BOISSY LE CUTTE		91
57	BQ 38	BOISSY LE REPOS		51
77	BF 42	BOISSY LE SEC		91
53	AW 39	BOISSY LES PERCHE		28
74	AU 42	BOISSY MAUGIS		61
54	BB 36	BOISSY MAUVOISIN		78
54	BD 38	BOISSY SANS AVOIR		78
77	BF 41	BOISSY SOUS ST YON		91
55	BI 39	BOISSY ST LEGER	C	94
71	AF 47	BOISTRUDAN		35
76	BC 43	BOISVILLE LA ST PERE		28
50	AH 38	BOISYVON		50
74	AR 41	BOITRON		61
56	BN 37	BOITRON		77
118	CJ 57	BOLANDOZ		25
46	P 41	BOLAZEC		29
32	AT 30	BOLBEC	C	76
190	CA 88	BOLLENE	C	84
195	CV 90	BOLLENE VESUBIE, LA		06
29	AE 32	BOLLEVILLE		50
32	AU 29	BOLLEVILLE		76
11	BG 15	BOLLEZEELE		59
103	CR 48	BOLLWILLER		68
81	CB 45	BOLOGNE		52
133	CF 67	BOLOZON		01
225	BE 108	BOLQUERE		66
85	CT 41	BOLSENHEIM		67
78	BK 41	BOMBON		77
167	AL 85	BOMMES		33
127	BE 61	BOMMIERS		36
220	BB 104	BOMPAS		09
222	BL 106	BOMPAS		66
11	BG 18	BOMY		62
183	AT 90	BON ENCONTRE		47
113	BP 58	BONA		58
219	AV 104	BONAC IRAZEIN		09
199	AR 94	BONAS		32
117	CG 54	BONBOILLON		70
76	BA 44	BONCE		28
72	AK 46	BONCHAMP LES LAVAL		53
37	BS 29	BONCOURT		02
53	AZ 36	BONCOURT		27
54	BA 38	BONCOURT		28
40	CG 34	BONCOURT		54
116	CB 56	BONCOURT LE BOIS		21
60	CE 38	BONCOURT SUR MEUSE		55
77	BG 45	BONDAROY		45
102	CP 52	BONDEVAL		25
185	BA 93	BONDIGOUX		31
188	BR 87	BONDONS, LES		48
55	BH 40	BONDOUFLE		91
12	BM 17	BONDUES		59
55	BI 37	BONDY	C	93
143	BP 72	BONGHEAT		63
85	CQ 44	BONHOMME, LE		68
233	DM 118	BONIFACIO	C	2A
35	BF 31	BONLIER		60
133	CH 62	BONLIEU		39
176	CB 85	BONLIEU SUR ROUBION		26
196	AD 98	BONLOC		64
220	BA 101	BONNAC		09
157	BN 78	BONNAC		15
140	AY 70	BONNAC LA COTE		87
101	CL 52	BONNAL		25
97	BP 48	BONNARD		89
127	BD 66	BONNAT	C	23
133	CE 62	BONNAUD		39
118	CI 54	BONNAY		25
131	BY 63	BONNAY		71
21	BI 26	BONNAY		80
134	CL 67	BONNE		74
31	AQ 34	BONNEBOSQ		14
100	CE 47	BONNECOURT		52
95	BH 49	BONNEE		45
146	CC 73	BONNEFAMILLE		38
52	AT 39	BONNEFOI		61
155	BE 75	BONNEFOND		19
199	AQ 100	BONNEFONT		65
133	CG 61	BONNEFONTAINE		39
197	AI 96	BONNEGARDE		40
57	BO 36	BONNEIL		02
54	BE 40	BONNELLES		78
70	AC 41	BONNEMAIN		35
50	AL 36	BONNEMAISON		14
218	AP 101	BONNEMAZON		65
116	CC 57	BONNENCONTRE		21
152	AP 78	BONNES		16
125	AT 63	BONNES		86
57	BO 35	BONNESVALYN		02
82	CD 41	BONNET		55
74	AS 45	BONNETABLE	C	72
119	CO 55	BONNETAGE		25
167	AL 82	BONNETAN		33
152	AN 74	BONNEUIL		16
126	AY 65	BONNEUIL		36
55	BH 36	BONNEUIL EN FRANCE		95
36	BL 33	BONNEUIL EN VALOIS		60
35	BG 29	BONNEUIL LES EAUX		60
125	AT 62	BONNEUIL MATOURS		86
55	BI 38	BONNEUIL SUR MARNE	C	94
76	AZ 45	BONNEVAL	C	28
158	BR 77	BONNEVAL		43
162	CM 74	BONNEVAL		73
164	CR 75	BONNEVAL SUR ARC		73
118	CK 60	BONNEVAUX		25
189	BU 87	BONNEVAUX		30
135	CO 65	BONNEVAUX		74
118	CK 56	BONNEVAUX LE PRIEURE		25
92	AV 49	BONNEVEAU		41
101	CH 53	BONNEVENT VELLOREILLE		70
138	AO 71	BONNEVILLE		16
29	AF 31	BONNEVILLE, LA		50
148	CM 68	BONNEVILLE	S	74
21	BG 24	BONNEVILLE		80
32	AV 33	BONNEVILLE APTOT		27
168	AP 82	BONNEVILLE ET ST AVIT DE FUMADIERES		24
32	AS 33	BONNEVILLE LA LOUVET		14
53	AX 36	BONNEVILLE SUR ITON, LA		27
32	AQ 32	BONNEVILLE SUR TOUQUES		14
34	BE 30	BONNIERES		60
21	BG 22	BONNIERES		62
54	BB 36	BONNIERES SUR SEINE	C	78
191	CF 93	BONNIEUX	C	84
11	BE 16	BONNINGUES LES ARDRES		62
10	BD 15	BONNINGUES LES CALAIS		62
51	AN 37	BONNOEIL		14
89	AF 52	BONNOEUVRE		44
197	AH 96	BONNUT		64
96	BK 52	BONNY SUR LOIRE		45
87	T 50	BONO		56
218	AQ 100	BONREPOS		65
201	BB 95	BONREPOS RIQUET		31
200	AX 97	BONREPOS SUR AUSSONNELLE		31
134	CM 66	BONS EN CHABLAIS		74
51	AN 36	BONS TASSILLY		14
33	AY 31	BONSECOURS		76
52	AT 40	BONSMOULINS		61
195	CT 92	BONSON		06
159	BV 74	BONSON		42
148	CL 73	BONVILLARD		73
148	CL 74	BONVILLARET		73
62	CL 39	BONVILLER		54
35	BH 30	BONVILLERS		60
83	CI 45	BONVILLET		88
22	BN 25	BONY		02
151	AM 80	BONZAC		33
60	CE 34	BONZEE		55
217	AN 102	BOO SILHEN		65
85	CU 42	BOOFZHEIM		67
181	AG 92	BOOS		40
33	AY 32	BOOS	C	76
85	CU 42	BOOTZHEIM		67
47	T 41	BOQUEHO		22
186	BE 89	BOR ET BAR		12
55	BH 34	BORAN SUR OISE		60
216	AJ 103	BORCE		64
128	BG 66	BORD ST GEORGES		23
167	AJ 82	BORDEAUX	P	33
77	BI 46	BORDEAUX EN GATINAIS		45
18	AR 28	BORDEAUX ST CLAIR		76
198	AM 100	BORDERES		64
198	AL 94	BORDERES ET LAMENSANS		40
218	AR 104	BORDERES LOURON	C	65
198	AO 100	BORDERES SUR L'ECHEZ	C	65
111	BE 58	BORDES, LES		36
95	BH 49	BORDES, LES		45
198	AL 100	BORDES		64
218	AP 100	BORDES		65
116	CB 59	BORDES, LES		71
79	BO 46	BORDES, LES		89
80	BU 45	BORDES AUMONT, LES		10
218	AT 101	BORDES DE RIVIERE		31
220	AY 102	BORDES SUR ARIZE, LES		09
219	AV 104	BORDES SUR LEZ, LES		09
189	BU 88	BORDEZAC		30
137	AI 70	BORDS		17
175	BV 81	BOREE		07
152	AN 77	BORESSE ET MARTRON		17
56	BJ 34	BOREST		60
101	CL 51	BOREY		70
229	DN 105	BORGO	C	2B
209	CN 100	BORMES LES MIMOSAS		83
185	BA 93	BORN, LE		31
174	BQ 85	BORN, LE		48
32	AS 29	BORNAMBUSC		76
133	CF 62	BORNAY		39
175	BU 85	BORNE		07
158	BS 79	BORNE		43
55	BG 34	BORNEL		60
102	CQ 51	BORON		90
11	BI 17	BORRE		59
170	AZ 81	BORREZE		24
151	AN 77	BORS (canton de BAIGNES)		16
152	AP 76	BORS (canton de MONTMOREAU)		16
156	BI 76	BORT LES ORGUES	C	19
144	BP 72	BORT L'ETANG		63
83	CK 41	BORVILLE		54
220	AZ 103	BOSC, LE		09
204	BP 95	BOSC, LE		34
33	AW 32	BOSC BENARD COMMIN		27
33	AV 32	BOSC BENARD CRESCY		27
33	AZ 29	BOSC BERENGER		76
34	BA 29	BOSC BORDEL		76
34	BA 30	BOSC EDELINE		76
33	AX 30	BOSC GUERARD ST ADRIEN		76
34	BB 31	BOSC HYONS		76
33	AY 29	BOSC LE HARD		76
19	AZ 29	BOSC MESNIL		76
52	AS 37	BOSC RENOULT, LE		61
52	AU 36	BOSC RENOULT EN OUCHE		27
33	AV 33	BOSC RENOULT EN ROUMOIS		27
33	AW 33	BOSC ROGER EN ROUMOIS, LE		27
34	BA 30	BOSC ROGER SUR BUCHY		76
152	AO 78	BOSCAMNANT		17
198	AK 100	BOSDARROS		64
33	AW 32	BOSGOUET		27
33	AW 33	BOSGUERARD DE MARCOUVILLE		27
117	CD 60	BOSJEAN		71
140	AY 72	BOSMIE L'AIGUILLE		87
37	BS 28	BOSMONT SUR SERRE		02
141	BC 69	BOSMOREAU LES MINES		23
33	AW 33	BOSNORMAND		27
35	BF 28	BOSQUEL		80
34	BB 31	BOSQUENTIN		27
33	AV 33	BOSROBERT		27
142	BG 69	BOSROGER		23
81	BX 44	BOSSANCOURT		10
109	AW 60	BOSSAY SUR CLAISE		37
119	CN 56	BOSSE, LA		25
74	AT 45	BOSSE, LA		72
89	AD 48	BOSSE DE BRETAGNE, LA		35
109	AU 57	BOSSEE		37
64	CT 37	BOSSENDORF		67
168	AR 81	BOSSET		24
39	BZ 27	BOSSEVAL ET BRIANCOURT		08
148	CK 67	BOSSEY		74
160	CC 75	BOSSIEU		38
168	AN 83	BOSSUGAN		33
24	BU 27	BOSSUS LES RUMIGNY		08
144	BP 67	BOST		03
182	AL 92	BOSTENS		40
18	AV 27	BOSVILLE		76
102	CO 51	BOTANS		90
45	M 41	BOTMEUR		29
46	O 40	BOTSORHEL		29
52	AU 37	BOTTEREAUX, LES		27
106	AH 54	BOTZ EN MAUGES		49
95	BE 49	BOU		45
54	BD 36	BOUAFLE		78
34	BA 34	BOUAFLES		27
220	BB 105	BOUAN		09
105	AC 56	BOUAYE	C	44
10	BE 20	BOUBERS LES HESMOND		62
21	BG 22	BOUBERS SUR CANCHE		62
34	BD 34	BOUBIERS		60
208	CG 97	BOUC BEL AIR		13
199	AT 96	BOUCAGNERES		32
196	AC 96	BOUCAU		64
130	BP 66	BOUCE		03
51	AP 40	BOUCE		61
139	AS 69	BOUCHAGE, LE		16
147	CF 73	BOUCHAGE, LE		38
22	BN 22	BOUCHAIN	C	59
90	AH 49	BOUCHAMPS LES CRAON		53
130	BS 66	BOUCHAUD, LE		03
22	BL 25	BOUCHAVESNES BERGEN		80
90	AK 53	BOUCHEMAINE		49
42	CM 34	BOUCHEPORN		57
191	CB 88	BOUCHET		26
148	CM 71	BOUCHET, LE		74
174	BS 82	BOUCHET ST NICOLAS, LE		43
34	BC 32	BOUCHEVILLIERS		27
36	BJ 28	BOUCHOIR		80
20	BE 25	BOUCHON		80
59	CC 40	BOUCHON SUR SAULX, LE		55
133	CH 66	BOUCHOUX, LES	C	39
57	BP 40	BOUCHY ST GENEST		51
160	BZ 80	BOUCIEU LE ROI		07
118	CK 55	BOUCLANS		25
189	BV 91	BOUCOIRAN ET NOZIERES		30
39	BY 33	BOUCONVILLE		08
60	CF 37	BOUCONVILLE SUR MADT		55
37	BR 31	BOUCONVILLE VAUCLAIR		02
54	BD 34	BOUCONVILLERS		60
60	CG 38	BOUCQ		54
157	BN 75	BOUDES		63
19	AW 28	BOUDEVILLE		76
184	AW 90	BOUDOU		82
218	AS 100	BOUDRAC		31
99	BZ 48	BOUDREVILLE		21
169	AT 85	BOUDY DE BEAUREGARD		47
23	BQ 25	BOUE		02
105	AA 54	BOUEE		44
198	AL 97	BOUEILH BOUEILHO LASQUE		64
34	BA 28	BOUELLES		76
74	AU 46	BOUER		72
90	AL 48	BOUERE		53
91	AM 48	BOUESSAY		53
127	BC 63	BOUESSE		36
138	AR 74	BOUEX		16
71	AF 44	BOUEXIERE, LA		35
55	BG 36	BOUFFEMONT		95
106	AF 58	BOUFFERE		85
37	BR 32	BOUFFIGNEREUX		02
20	BE 22	BOUFFLERS		80
75	AX 47	BOUFFRY		41
21	BE 26	BOUGAINVILLE		80
197	AK 98	BOUGARBER		64
160	CA 77	BOUGE CHAMBALUD		38
111	BB 58	BOUGES LE CHATEAU		36
101	CH 49	BOUGEY		70
55	BF 38	BOUGIVAL		78
76	BA 41	BOUGLAINVAL		28
77	BJ 45	BOUGLIGNY		77
182	AO 87	BOUGLON	C	47
137	AK 74	BOUGNEAU		17
101	CJ 50	BOUGNON		70
124	AO 65	BOUGON		79
182	AK 93	BOUGUE		40
105	AC 55	BOUGUENAIS		44
51	AM 34	BOUGY		14
76	BE 47	BOUGY LEZ NEUVILLE		45
116	CD 60	BOUHANS		71
100	CE 52	BOUHANS ET FEURG		70
102	CL 50	BOUHANS LES LURE		70
101	CK 52	BOUHANS LES MONTBOZON		70
136	AI 67	BOUHET		17
115	BY 56	BOUHEY		21
96	BN 53	BOUHY		58
199	AQ 99	BOUILH DEVANT		65
199	AP 99	BOUILH PEREUILH		65
202	BH 100	BOUILHONNAC		11
171	BF 85	BOUILLAC		12
169	AV 83	BOUILLAC		24
184	AX 93	BOUILLAC		82
208	CH 98	BOUILLADISSE, LA		13
20	BB 25	BOUILLANCOURT EN SERY		80
35	BI 28	BOUILLANCOURT LA BATAILLE		80
56	BL 35	BOUILLANCY		60
116	BZ 57	BOUILLAND		21
206	BX 94	BOUILLARGUES	C	30
33	AW 32	BOUILLE, LA		76
123	AJ 65	BOUILLE COURDAULT		85
108	AN 57	BOUILLE LORETZ		79
90	AI 50	BOUILLE MENARD		49
107	AM 58	BOUILLE ST PAUL		79
47	X 40	BOUILLIE, LA		22
73	AQ 41	BOUILLON, LE		61
197	AJ 97	BOUILLON		64
60	CG 36	BOUILLONVILLE		54
80	BT 45	BOUILLY	C	10
37	BS 34	BOUILLY		51
77	BG 46	BOUILLY EN GATINAIS		45
138	AO 68	BOUIN		79
105	AA 58	BOUIN		85
20	BE 21	BOUIN PLUMOISON		62
221	BH 103	BOUISSE		11
98	BX 48	BOUIX		21
118	CJ 59	BOUJAILLES		25
204	BO 99	BOUJAN SUR LIBRON		34
79	BS 41	BOULAGES		10
83	CI 42	BOULAINCOURT		88
77	BH 44	BOULANCOURT		77
41	CH 31	BOULANGE		57
200	AU 97	BOULAUR		32
93	AV 51	BOULAY, LE		37
94	BC 47	BOULAY LES BARRES		45
73	AO 42	BOULAY LES IFS		53
53	AY 35	BOULAY MORIN, LE		27
41	CL 33	BOULAY MOSELLE	S	57
131	BU 61	BOULAYE, LA		71
153	AU 78	BOULAZAC		24
190	CA 93	BOULBON		13
177	CG 84	BOULC		26
226	BI 107	BOULE D'AMONT		66
222	BI 107	BOULETERNERE		66
56	BL 37	BOULEURS		77
37	BR 33	BOULEUSE		51
167	AK 82	BOULIAC		33
159	BY 77	BOULIEU LES ANNONAY		07
146	CB 69	BOULIGNEUX		01
101	CK 48	BOULIGNEY		70
40	CF 32	BOULIGNY		55
198	AO 100	BOULIN		65
56	BL 35	BOULLARRE		60
53	AZ 40	BOULLAY LES DEUX EGLISES, LE		28
55	BE 40	BOULLAY LES TROUX		91
54	BA 40	BOULLAY MIVOYE, LE		28
54	BA 40	BOULLAY THIERRY, LE		28
96	BK 54	BOULLERET		18
32	AS 32	BOULLEVILLE		27
201	AZ 94	BOULOC		31
184	AX 88	BOULOC		82
106	AE 60	BOULOGNE		85
55	BG 38	BOULOGNE BILLANCOURT	S	92
36	BJ 29	BOULOGNE LA GRASSE		60
199	AS 99	BOULOGNE SUR GESSE	C	31
23	BR 24	BOULOGNE SUR HELPE		59
10	BB 17	BOULOGNE SUR MER	S	62
92	AT 47	BOULOIRE	C	72
51	AN 35	BOULON		14
118	CI 54	BOULOT		70
227	BL 108	BOULOU, LE		66
101	CI 53	BOULT		70
39	BZ 31	BOULT AUX BOIS		08
38	BU 32	BOULT SUR SUIPPE		51
170	AX 87	BOULVE, LE		46
39	BY 28	BOULZICOURT		08
197	AJ 97	BOUMOURT		64
169	AS 83	BOUNIAGUES		24
106	AI 60	BOUPERE, LE		85
10	BD 16	BOUQUEHAULT		62
32	AT 31	BOUQUELON		27
21	BH 23	BOUQUEMAISON		80
60	CD 36	BOUQUEMONT		55
190	BW 90	BOUQUET		30
33	AV 32	BOUQUETOT		27
55	BH 36	BOUQUEVAL		95
80	BU 44	BOURANTON		10
77	BG 41	BOURAY SUR JUINE		91
103	CQ 49	BOURBACH LE BAS		68
102	CQ 48	BOURBACH LE HAUT		68
100	CD 52	BOURBERAIN		21
101	CH 47	BOURBEVELLE		70
130	BS 62	BOURBON LANCY	C	71
129	BM 63	BOURBON L'ARCHAMBAULT	C	03
82	CG 47	BOURBONNE LES BAINS	C	52
156	BJ 74	BOURBOULE, LA		63
11	BG 14	BOURBOURG	C	59
46	R 40	BOURBRIAC	C	22
136	AF 70	BOURCEFRANC LE CHAPUS		17
133	CE 65	BOURCIA		39
39	BX 32	BOURCQ		08
19	AW 28	BOURDAINVILLE		76
182	AM 93	BOURDALAT		40
148	CI 72	BOURDEAU		73
176	CD 85	BOURDEAUX	C	26
153	AT 77	BOURDEILLES		24
153	AT 74	BOURDEIX, LE		24
168	AO 85	BOURDELLES		33
79	BQ 43	BOURDENAY		10
123	AK 66	BOURDET, LE		79
198	AL 100	BOURDETTES		64
190	BX 92	BOURDIC		30
76	BA 44	BOURDINIERE ST LOUP, LA		28
21	BF 25	BOURDON		80
62	CN 38	BOURDONNAY		57
54	BB 39	BOURDONNE		78
82	CD 45	BOURDONS SUR ROGNON		52
11	BH 19	BOURECQ		62
56	BN 35	BOURESCHES		02
125	AT 65	BOURESSE		86
21	BG 22	BOURET SUR CANCHE		62
39	CA 34	BOUREUILLES		55
151	AK 80	BOURG	C	33
171	BD 84	BOURG, LE		46
100	CD 49	BOURG		52
33	AV 32	BOURG ACHARD		27
126	AW 65	BOURG ARCHAMBAULT		86
159	BY 77	BOURG ARGENTAL	C	42
33	AZ 32	BOURG BEAUDOUIN		27
44	I 39	BOURG BLANC		29
85	CQ 42	BOURG BRUCHE		67
137	AM 73	BOURG CHARENTE		16
218	AP 102	BOURG DE BIGORRE		65
160	CC 80	BOURG DE PEAGE	C	26
134	CI 61	BOURG DE SIROD		39
145	BV 69	BOURG DE THIZY		69
184	AV 89	BOURG DE VISA	C	82
88	AC 47	BOURG DES COMPTES		35
153	AS 77	BOURG DES MAISONS		24
127	BD 66	BOURG D'HEM, LE		23
90	AH 50	BOURG D'IRE, LE		49
162	CJ 79	BOURG D'OISANS, LE	C	38
218	AR 104	BOURG D'OUEIL		31
152	AQ 77	BOURG DU BOST		24
19	AW 26	BOURG DUN, LE		76
132	CD 67	BOURG EN BRESSE	P	01
37	BQ 31	BOURG ET COMIN		02
24	BW 26	BOURG FIDELE		08
55	BG 39	BOURG LA REINE	C	92
142	BI 73	BOURG LASTIC	C	63
130	BT 66	BOURG LE COMTE		71
74	AQ 43	BOURG LE ROI		72
176	CB 81	BOURG LES VALENCE	C	26
90	AH 50	BOURG L'EVEQUE		49
225	BD 109	BOURG MADAME		66
102	CP 49	BOURG SOUS CHATELET		90
190	BZ 87	BOURG ST ANDEOL	C	07
201	BB 96	BOURG ST BERNARD		31
146	CC 70	BOURG ST CHRISTOPHE		01
51	AQ 38	BOURG ST LEONARD, LE		61
149	CP 73	BOURG ST MAURICE	C	73
82	CE 45	BOURG STE MARIE		52
62	CN 37	BOURGALTROFF		57
141	BC 70	BOURGANEUF	C	23
71	AD 47	BOURGBARRE		35
31	AQ 33	BOURGEAUVILLE		14
112	BH 57	BOURGES	P	18
55	BH 37	BOURGET, LE	C	93
148	CI 73	BOURGET DU LAC, LE		73
162	CL 74	BOURGET EN HUILE		73
85	CT 41	BOURGHEIM		67
12	BN 19	BOURGHELLES		59
152	AR 80	BOURGNAC		24
122	AG 67	BOURGNEUF		17
148	CL 74	BOURGNEUF		73
107	AI 54	BOURGNEUF EN MAUGES		49
105	AA 57	BOURGNEUF EN RETZ	C	44
72	AI 45	BOURGNEUF LA FORET, LE		53
38	BT 32	BOURGOGNE	C	51
147	CD 74	BOURGOIN JALLIEU	C	38
72	AH 45	BOURGON		53
84	CO 43	BOURGONCE, LA		88
168	AR 85	BOURGOUGNAGUE		47
33	AV 33	BOURGTHEROULDE INFREVILLE	C	27
51	AN 34	BOURGUEBUS	C	14

Page	Carreau	Commune	Adm.	Dpt
108	AQ 55	BOURGUEIL	C	37
49	AG 38	BOURGUENOLLES		50
193	CO 93	BOURGUET, LE		83
102	CO 53	BOURGUIGNON		25
101	CJ 49	BOURGUIGNON LES CONFLANS		70
101	CI 52	BOURGUIGNON LES LA CHARITE		70
100	CG 50	BOURGUIGNON LES MOREY		70
36	BM 30	BOURGUIGNON SOUS COUCY		02
37	BP 30	BOURGUIGNON SOUS MONTBAVIN		02
80	BW 45	BOURGUIGNONS		10
131	BY 65	BOURGVILAIN		71
182	AK 87	BOURIDEYS		33
221	BF 103	BOURIEGE		11
221	BF 103	BOURIGEOLE		11
218	AQ 104	BOURISP		65
184	AW 87	BOURLENS		47
22	BM 23	BOURLON		62
82	CF 44	BOURMONT	C	52
52	AT 34	BOURNAINVILLE FAVEROLLES		27
109	AU 57	BOURNAN		37
108	AP 57	BOURNAND		86
172	BG 87	BOURNAZEL		12
186	BD 91	BOURNAZEL		81
123	AI 63	BOURNEAU		85
169	AT 85	BOURNEL		47
32	AU 31	BOURNEVILLE		27
122	AF 62	BOURNEZEAU		85
169	AU 83	BOURNIQUEL		24
102	CM 52	BOURNOIS		25
157	BO 76	BOURNONCLE ST PIERRE		43
10	BD 17	BOURNONVILLE		62
198	AK 98	BOURNOS		64
102	CP 51	BOUROGNE		90
183	AR 88	BOURRAN		47
110	AY 54	BOURRE		41
217	AN 101	BOURREAC		65
184	AX 92	BOURRET		82
182	AM 90	BOURRIOT BERGONCE		40
78	BJ 43	BOURRON MARLOTTE		77
153	AT 80	BOURROU		24
182	AO 93	BOURROUILLAN		32
11	BH 20	BOURS		62
198	AO 99	BOURS		65
57	BR 35	BOURSAULT		51
75	AW 47	BOURSAY		41
63	CQ 38	BOURSCHEID		57
70	Z 41	BOURSEUL		22
20	BB 24	BOURSEVILLE		80
101	CI 51	BOURSIERES		70
22	BL 23	BOURSIES		59
10	BD 16	BOURSIN		62
56	BM 34	BOURSONNE		60
53	AV 38	BOURTH		27
10	BD 18	BOURTHES		62
19	AV 27	BOURVILLE		76
34	BC 33	BOURY EN VEXIN		60
42	CO 33	BOUSBACH		57
12	BM 16	BOUSBECQUE		59
167	AJ 82	BOUSCAT, LE	C	33
23	BQ 23	BOUSIES		59
13	BO 20	BOUSIGNIES		59
24	BU 22	BOUSIGNIES SUR ROC		59
221	BF 106	BOUSQUET, LE		11
204	BN 95	BOUSQUET D'ORB, LE		34
186	BH 88	BOUSSAC		12
128	BG 66	BOUSSAC	C	23
71	AD 41	BOUSSAC, LA		35
171	BD 85	BOUSSAC		46
128	BG 65	BOUSSAC BOURG		23
108	AN 60	BOUSSAIS		79
200	AV 100	BOUSSAN		31
109	AV 60	BOUSSAY		37
106	AG 57	BOUSSAY		44
41	CI 32	BOUSSE		57
91	AO 49	BOUSSE		72
116	CD 58	BOUSSELANGE		21
220	AY 104	BOUSSENAC		09
100	CC 51	BOUSSENOIS		21
219	AV 101	BOUSSENS		31
83	CH 47	BOUSSERAUCOURT		70
182	AP 90	BOUSSES		47
43	CS 34	BOUSSEVILLER		57
115	BX 54	BOUSSEY		21
35	BI 28	BOUSSICOURT		80
117	CH 56	BOUSSIERES	C	25
23	BO 23	BOUSSIERES EN CAMBRESIS		59
23	BR 22	BOUSSIERES SUR SAMBRE		59
24	BT 22	BOUSSOIS		59
148	CJ 70	BOUSSY		74
55	BI 39	BOUSSY ST ANTOINE		91
41	CJ 31	BOUST		57
62	CM 35	BOUSTROFF		57
202	BH 97	BOUT DU PONT DE LARN		81
39	BY 28	BOUTANCOURT		08
34	BC 29	BOUTAVENT		60
23	BS 26	BOUTEILLE, LA		02
152	AR 77	BOUTEILLES ST SEBASTIEN		24
222	BK 101	BOUTENAC		11
151	AI 75	BOUTENAC TOUVENT		17
34	BD 32	BOUTENCOURT		60
77	BE 42	BOUTERVILLIERS		91
138	AN 74	BOUTEVILLE		16
137	AM 72	BOUTIERS ST TROJAN		16
56	BL 37	BOUTIGNY		77
54	BB 39	BOUTIGNY PROUAIS		28
77	BH 42	BOUTIGNY SUR ESSONNE		91
20	BC 26	BOUTTENCOURT		80
29	AG 31	BOUTTEVILLE		50
218	AT 103	BOUTX		31
20	BA 24	BOUVAINCOURT SUR BRESLE		80
37	BR 32	BOUVANCOURT		51
177	CD 80	BOUVANTE		26
11	BE 17	BOUVELINGHEM		62
39	BX 29	BOUVELLEMONT		08
118	CK 59	BOUVERANS		25
147	CE 71	BOUVESSE QUIRIEU		38
177	CD 85	BOUVIERES		26
12	BN 20	BOUVIGNIES		59
11	BJ 20	BOUVIGNY BOYEFFLES		62
75	AZ 44	BOUVILLE		28
33	AW 30	BOUVILLE		76
77	BG 42	BOUVILLE		91
22	BL 26	BOUVINCOURT EN VERMANDOIS		80
12	BM 18	BOUVINES		59
34	BC 29	BOUVRESSE		60
88	AB 53	BOUVRON		44
61	CH 38	BOUVRON		54
99	BY 53	BOUX SOUS SALMAISE		21
83	CK 44	BOUXIERES AUX BOIS		88
61	CJ 38	BOUXIERES AUX CHENES		54
61	CJ 38	BOUXIERES AUX DAMES		54
61	CI 36	BOUXIERES SOUS FROIDMONT		54
83	CJ 43	BOUXURULLES		88
64	CS 37	BOUXWILLER	C	67
103	CS 52	BOUXWILLER		68
58	BV 35	BOUY		51
80	BV 43	BOUY LUXEMBOURG		10
79	BP 42	BOUY SUR ORVIN		10
194	CT 92	BOUYON		06
171	BD 84	BOUYSSOU, LE		46
128	BH 62	BOUZAIS		18
81	CA 43	BOUZANCOURT		52
83	CI 42	BOUZANVILLE		54
116	BZ 57	BOUZE LES BEAUNE		21
143	BO 72	BOUZEL		63
83	CJ 44	BOUZEMONT		88
116	BZ 59	BOUZERON		71
170	AX 84	BOUZIC		24
170	BB 86	BOUZIES		46
205	BR 98	BOUZIGUES		34
106	AH 54	BOUZILLE		49
219	AV 101	BOUZIN		31
21	BI 25	BOUZINCOURT		80
198	AO 95	BOUZON GELLENAVE		32
42	CL 32	BOUZONVILLE	C	57
77	BG 46	BOUZONVILLE AUX BOIS		45
58	BU 35	BOUZY		51
95	BH 49	BOUZY LA FORET		45
60	CE 39	BOVEE SUR BARBOURE		55
70	AA 47	BOVEL		35
21	BF 26	BOVELLES		80
21	BH 27	BOVES	C	80
60	CD 39	BOVIOLLES		55
11	BG 20	BOYAVAL		62
22	BK 23	BOYELLES		62
145	BV 68	BOYER		42
132	CA 62	BOYER		71
147	CF 69	BOYEUX ST JEROME		01
77	BH 46	BOYNES		45
132	CA 65	BOZ		01
160	BZ 80	BOZAS		07
163	CO 75	BOZEL	C	73
172	BJ 86	BOZOULS	C	12
59	CA 37	BRABANT LE ROI		55
40	CC 33	BRABANT SUR MEUSE		55
150	AH 80	BRACH		33
81	CB 43	BRACHAY		52
35	BI 28	BRACHES		80
19	AX 27	BRACHY		76
94	BB 52	BRACIEUX	C	41
117	CH 59	BRACON		39
19	AY 25	BRACQUEMONT		76
19	AY 29	BRACQUETUIT		76
34	BA 29	BRADIANCOURT		76
49	AG 38	BRAFFAIS		50
189	BU 92	BRAGASSARGUES		30
200	AW 97	BRAGAYRAC		31
156	BG 78	BRAGEAC		15
98	BV 47	BRAGELOGNE BEAUVOIR		10
116	CB 59	BRAGNY SUR SAONE		71
118	CJ 54	BRAILLANS		25
20	BE 22	BRAILLY CORNEHOTTE		80
98	BX 53	BRAIN		21
108	AP 55	BRAIN SUR ALLONNES		49
91	AM 53	BRAIN SUR L'AUTHION		49
90	AJ 51	BRAIN SUR LONGUENEE		49
117	CG 59	BRAINANS		39
37	BP 32	BRAINE	C	02
105	AC 56	BRAINS		44
73	AP 47	BRAINS SUR GEE		72
89	AG 48	BRAINS SUR LES MARCHES		53
49	AE 34	BRAINVILLE		50
60	CG 34	BRAINVILLE		54
82	CF 45	BRAINVILLE SUR MEUSE		52
36	BK 31	BRAISNES		60
128	BJ 62	BRAIZE		03
83	CJ 42	BRALLEVILLE		54
202	BE 100	BRAM		11
163	CP 77	BRAMANS		73
19	AW 27	BRAMETOT		76
218	AS 103	BRAMEVAQUE		65
151	AM 76	BRAN		17
155	BC 80	BRANCEILLES		19
97	BP 48	BRANCHES		89
37	BO 30	BRANCOURT EN LAONNOIS		02
23	BO 25	BRANCOURT LE GRAND		02
68	R 48	BRANDERION		56
40	CC 31	BRANDEVILLE		55
69	T 48	BRANDIVY		56
229	DN 103	BRANDO	C	2B
131	BY 65	BRANDON		71
186	BF 87	BRANDONNET		12
58	BX 40	BRANDONVILLERS		51
132	CC 62	BRANGES		71
147	CF 72	BRANGUES		38
78	BM 45	BRANNAY		89
102	CM 53	BRANNE		25
167	AM 82	BRANNE	C	33
167	AN 86	BRANNENS		33
189	BU 89	BRANOUX LES TAILLADES		30
117	CF 55	BRANS		39
129	BN 66	BRANSAT		03
37	BR 33	BRANSCOURT		51
78	BK 45	BRANSLES		77
191	CE 89	BRANTES		84
83	CK 43	BRANTIGNY		88
153	AT 76	BRANTOME	C	24
31	AQ 33	BRANVILLE		14
29	AD 28	BRANVILLE HAGUE		50
60	CF 34	BRAQUIS		55
209	CK 97	BRAS		83
193	CL 92	BRAS D'ASSE		04
40	CD 33	BRAS SUR MEUSE		55
187	BI 92	BRASC		12
57	BP 35	BRASLES		02
109	AS 58	BRASLOU		37
45	M 42	BRASPARTS		29
220	BA 103	BRASSAC		09
203	BI 96	BRASSAC	C	81
184	AV 89	BRASSAC		82
157	BO 76	BRASSAC LES MINES		63
197	AI 95	BRASSEMPOUY		40
35	BJ 33	BRASSEUSE		60
114	BS 55	BRASSY		58
35	BE 28	BRASSY		80
61	CJ 37	BRATTE		54
151	AJ 77	BRAUD ET ST LOUIS		33
59	CB 40	BRAUVILLIERS		55
194	CQ 91	BRAUX		04
80	BW 42	BRAUX		10
98	BW 53	BRAUX		21
81	CA 46	BRAUX LE CHATEL		52
59	BZ 35	BRAUX ST REMY		51
59	BZ 35	BRAUX STE COHIERE		51
200	AY 96	BRAX		31
183	AS 89	BRAX		47
53	AW 35	BRAY		27
132	BZ 63	BRAY		71
4	BI 13	BRAY DUNES		59
95	BH 49	BRAY EN VAL		45
54	BC 35	BRAY ET LU		95
20	BD 24	BRAY LES MAREUIL		80
36	BM 27	BRAY ST CHRISTOPHE		02
78	BN 42	BRAY SUR SEINE	C	77
22	BJ 25	BRAY SUR SOMME	C	80
37	BO 31	BRAYE		02
37	BQ 31	BRAYE EN LAONNOIS		02
37	BS 27	BRAYE EN THIERACHE		02
108	AR 58	BRAYE SOUS FAYE		37
92	AR 52	BRAYE SUR MAULNE		37
115	BV 56	BRAZEY EN MORVAN		21
116	CC 56	BRAZEY EN PLAINE		21
70	AB 46	BREAL SOUS MONTFORT		35
72	AH 46	BREAL SOUS VITRE		35
54	BE 35	BREANCON		95
78	BK 41	BREAU		77
188	BQ 92	BREAU ET SALAGOSSE		30
18	AT 29	BREAUTE		76
80	BW 41	BREBAN		51
22	BL 21	BREBIERES		62
102	CP 51	BREBOTTE		90
71	AE 45	BRECE		35
72	AJ 42	BRECE		53
50	AH 38	BRECEY	C	50
68	T 49	BRECH		56
82	CE 43	BRECHAINVILLE		88
54	BB 40	BRECHAMPS		28
103	CQ 50	BRECHAUMONT		68
92	AS 52	BRECHES		37
101	CK 54	BRECONCHAUX		25
50	AI 35	BRECTOUVILLE		50
57	BP 34	BRECY		02
112	BJ 57	BRECY		18
39	BY 32	BRECY BRIERES		08
167	AK 84	BREDE, LA	C	33
72	AL 45	BREE		53
136	AE 69	BREE LES BAINS, LA		17
51	AN 38	BREEL		61
147	CG 73	BREGNIER CORDON		01
56	BK 35	BREGY		60
62	CL 36	BREHAIN		57
40	CG 31	BREHAIN LA VILLE		54
49	AE 36	BREHAL	C	50
69	V 45	BREHAN		56
47	W 42	BREHAND		22
109	AR 55	BREHEMONT		37
40	CC 31	BREHEVILLE		55
43	CS 33	BREIDENBACH		57
91	AQ 53	BREIL		49
74	AT 47	BREIL SUR MERIZE, LE		72
195	CW 91	BREIL SUR ROYA	C	06
108	AP 54	BREILLE LES PINS, LA		49
21	BF 26	BREILLY		80
41	CJ 30	BREISTROFF LA GRANDE		57
85	CR 42	BREITENAU		67
85	CR 42	BREITENBACH		67
85	CQ 46	BREITENBACH HAUT RHIN		68
44	H 39	BRELES		29
46	R 38	BRELIDY		22
120	AB 62	BREM SUR MER		85
62	CO 40	BREMENIL		54
10	BE 15	BREMES		62
83	CK 41	BREMONCOURT		54
118	CL 55	BREMONDANS		25
34	BB 30	BREMONTIER MERVAL		76
50	AK 36	BREMOY		14
99	BX 50	BREMUR ET VAUROIS		21
160	CB 79	BREN		26
221	BF 104	BRENAC		11
204	BO 95	BRENAS		34
157	BO 74	BRENAT		63
147	CH 69	BRENAZ		01
37	BP 32	BRENELLE		02
171	BD 85	BRENGUES		46
100	CC 49	BRENNES		52
45	N 41	BRENNILIS		29
147	CG 68	BRENOD	C	01
194	CO 93	BRENON		83
35	BI 33	BRENOUILLE		60
174	BQ 86	BRENOUX		48
147	CG 72	BRENS		01
186	BD 93	BRENS		81
134	CM 66	BRENTHONNE		74
57	BO 34	BRENY		02
178	CM 86	BREOLE, LA		04
117	CH 57	BRERES		25
117	CF 60	BRERY		39
138	AN 70	BRESDON		17
119	CO 54	BRESEUX, LES		25
117	CG 55	BRESILLEY		70
21	BI 25	BRESLE		80
35	BG 32	BRESLES		60
129	BO 64	BRESNAY		03
52	AU 40	BRESOLETTES		61
84	CO 46	BRESSE, LA		88
132	BZ 62	BRESSE SUR GROSNE		71
116	CC 55	BRESSEY SUR TILLE		21
161	CE 76	BRESSIEUX		38
146	CC 71	BRESSOLLES		01
129	BO 64	BRESSOLLES		03
185	AZ 92	BRESSOLS		82
161	CH 78	BRESSON		38
107	AL 60	BRESSUIRE	S	79
44	I 41	BREST	S	29
32	AV 32	BRESTOT		27
111	BB 58	BRETAGNE		36
102	CQ 51	BRETAGNE		90
183	AP 93	BRETAGNE D'ARMAGNAC		32
182	AK 93	BRETAGNE DE MARSAN		40
53	AZ 37	BRETAGNOLLES		27
96	BL 51	BRETEAU		45
70	AB 45	BRETEIL		35
116	CB 55	BRETENIERE		21
101	CK 53	BRETENIERE, LA		25
117	CG 56	BRETENIERE, LA		39
117	CF 59	BRETENIERES		39
171	BD 81	BRETENOUX	C	46
53	AW 38	BRETEUIL	C	27
35	BG 29	BRETEUIL	C	60
52	AT 39	BRETHEL		61
81	CB 45	BRETHENAY		52
128	BK 63	BRETHON, LE		03
102	CN 52	BRETIGNEY		25
118	CL 54	BRETIGNEY NOTRE DAME		25
107	AK 59	BRETIGNOLLES		79
120	AA 62	BRETIGNOLLES SUR MER		85
99	CB 54	BRETIGNY		21
32	AU 34	BRETIGNY		27
36	BM 30	BRETIGNY		60
77	BG 40	BRETIGNY SUR ORGE	C	91
75	AV 42	BRETONCELLES		61
122	AF 63	BRETONNIERE LA CLAYE, LA		85
119	CN 55	BRETONVILLERS		25
177	CE 85	BRETTE		26
92	AR 48	BRETTE LES PINS		72
103	CQ 49	BRETTEN		68
138	AP 69	BRETTES		16
29	AE 28	BRETTEVILLE		50
18	AS 28	BRETTEVILLE DU GRAND CAUX		76
51	AO 35	BRETTEVILLE LE RABET		14
31	AM 33	BRETTEVILLE L'ORGUEILLEUSE		14
19	AW 27	BRETTEVILLE ST LAURENT		76
29	AE 32	BRETTEVILLE SUR AY		50
51	AP 35	BRETTEVILLE SUR DIVES		14
51	AN 35	BRETTEVILLE SUR LAIZE	C	14
51	AM 34	BRETTEVILLE SUR ODON		14
42	CL 32	BRETTNACH		57
200	AX 95	BRETX		31
101	CK 49	BREUCHES		70
102	CL 48	BREUCHOTTE		70
97	BP 54	BREUGNON		58
144	BQ 67	BREUIL, LE		03
37	BR 32	BREUIL		51
57	BQ 36	BREUIL, LE		51
145	BY 70	BREUIL, LE		69
115	BX 60	BREUIL, LE		71
36	BL 28	BREUIL		80
123	AJ 62	BREUIL BARRET		85
123	AK 61	BREUIL BERNARD, LE		79
54	BC 37	BREUIL BOIS ROBERT		78
32	AR 33	BREUIL EN AUGE, LE		14
30	AJ 33	BREUIL EN BESSIN, LE		14
137	AJ 68	BREUIL LA REORTE		17
35	BH 32	BREUIL LE SEC		60
35	BH 32	BREUIL LE VERT		60
136	AH 69	BREUIL MAGNE		17
107	AM 58	BREUIL SOUS ARGENTON, LE		79
157	BO 75	BREUIL SUR COUZE, LE		63
140	AX 69	BREUILAUFA		87
153	AU 80	BREUILH		24
136	AG 72	BREUILLET		17
77	BF 41	BREUILLET		91
54	BA 36	BREUILPONT		27
101	CJ 49	BREUREY LES FAVERNEY		70
64	CT 39	BREUSCHWICKERSHEIM		67
82	CF 46	BREUVANNES EN BASSIGNY		52
58	BV 37	BREUVERY SUR COOLE		51
29	AD 29	BREUVILLE		50
40	CD 29	BREUX		55
77	BF 41	BREUX JOUY		91
53	AX 39	BREUX SUR AVRE		27
93	AZ 48	BREVAINVILLE		41
54	BA 37	BREVAL		78
30	AH 32	BREVANDS		50
117	CF 57	BREVANS		39
32	AS 33	BREVEDENT, LE		14
97	BQ 54	BREVES		58
54	BC 39	BREVIAIRES, LES		78
80	BT 44	BREVIANDES		10
52	AQ 36	BREVIERE, LA		14
31	AO 33	BREVILLE		14
137	AM 71	BREVILLE		16
49	AE 37	BREVILLE SUR MER		50
20	BE 21	BREVILLERS		62
21	BH 22	BREVILLERS		80
102	CO 51	BREVILLIERS		70
39	CA 28	BREVILLY		08
80	BW 43	BREVONNES		10
10	BC 19	BREXENT ENOCQ		62
118	CK 60	BREY ET MAISON DU BOIS		25
108	AO 56	BREZE		49
178	CL 86	BREZIERS		05
221	BE 101	BREZILHAC		11
161	CE 76	BREZINS		38
53	AX 39	BREZOLLES	C	28
172	BK 81	BREZONS		15
179	CP 81	BRIANCON	S	05
194	CQ 92	BRIANCONNET		06
98	BW 53	BRIANNY		21
131	BU 66	BRIANT		71
127	BE 63	BRIANTES		36
96	BJ 51	BRIARE	C	45
77	BH 45	BRIARRES SUR ESSONNE		45
11	BH 20	BRIAS		62
23	BP 23	BRIASTRE		59
202	BD 94	BRIATEXTE		81
82	CC 45	BRIAUCOURT		52
101	CK 48	BRIAUCOURT		70
81	CA 46	BRICON		52
76	BA 41	BRICONVILLE		28
29	AE 30	BRICQUEBEC	C	50
29	AD 29	BRICQUEBOSQ		50
30	AI 32	BRICQUEVILLE		14
49	AF 35	BRICQUEVILLE LA BLOUETTE		50
49	AE 36	BRICQUEVILLE SUR MER		50
94	BC 47	BRICY		45
163	CN 75	BRIDES LES BAINS		73
161	CH 74	BRIDOIRE, LA		73
110	AX 58	BRIDORE		37
37	BP 29	BRIE		02
220	BA 100	BRIE		09
138	AQ 72	BRIE		16
71	AE 47	BRIE		35
108	AO 59	BRIE		79
22	BL 26	BRIE		80
55	BJ 39	BRIE COMTE ROBERT	C	77
161	CI 78	BRIE ET ANGONNES		38
151	AM 75	BRIE SOUS ARCHIAC		17
152	AO 76	BRIE SOUS BARBEZIEUX		16
152	AO 77	BRIE SOUS CHALAIS		16
137	AM 71	BRIE SOUS MATHA		17
151	AI 75	BRIE SOUS MORTAGNE		17
67	L 44	BRIEC	C	29
80	BV 45	BRIEL SUR BARSE		10
72	AH 47	BRIELLES		35
132	CB 63	BRIENNE		71
80	BX 43	BRIENNE LA VIEILLE		10
80	BW 43	BRIENNE LE CHATEAU	C	10
38	BT 31	BRIENNE SUR AISNE		08
145	BU 68	BRIENNON		42
97	BQ 47	BRIENON SUR ARMANCON	C	89
77	BF 42	BRIERES LES SCELLES		91
137	AM 68	BRIEUIL SUR CHIZE		79
39	BZ 30	BRIEULLES SUR BAR		08
39	CB 32	BRIEULLES SUR MEUSE		55
51	AP 38	BRIEUX		61
41	CH 33	BRIEY	S	54
142	BJ 73	BRIFFONS		63
204	BQ 96	BRIGNAC		34
69	X 45	BRIGNAC		56
154	AZ 78	BRIGNAC LA PLAINE		19
146	BZ 73	BRIGNAIS		69
54	BE 35	BRIGNANCOURT		95
107	AM 55	BRIGNE		49
200	AV 94	BRIGNEMONT		31
45	K 38	BRIGNOGAN PLAGE		29
209	CL 98	BRIGNOLES	S	83
190	BW 92	BRIGNON		30
174	BT 81	BRIGNON, LE		43
195	CX 90	BRIGUE, LA		06
126	AX 65	BRIGUEIL LE CHANTRE		86
139	AV 70	BRIGUEUIL		16
55	BF 40	BRIIS SOUS FORGES		91
139	AU 69	BRILLAC		16
192	CJ 92	BRILLANNE, LA		04
80	BW 42	BRILLECOURT		10
29	AF 28	BRILLEVAST		50
12	BN 20	BRILLON		59
59	CB 39	BRILLON EN BARROIS		55
10	BD 20	BRIMEUX		62
38	BT 32	BRIMONT		51
61	CK 38	BRIN SUR SEILLE		54
111	BF 56	BRINAY		18
114	BR 58	BRINAY		58
103	CT 50	BRINCKHEIM		68
146	BZ 72	BRINDAS		69
47	T 39	BRINGOLO		22
114	BP 55	BRINON SUR BEUVRON	C	58
95	BG 52	BRINON SUR SAULDRE		18
133	CG 62	BRIOD		39
90	AL 52	BRIOLLAY		49
133	CF 67	BRION		01
111	BC 59	BRION		36
161	CE 77	BRION		38
173	BM 83	BRION		48
91	AO 53	BRION		49
115	BV 59	BRION		71
125	AS 65	BRION		86
97	BP 47	BRION		89
108	AN 57	BRION PRES THOUET		79
99	BY 48	BRION SUR OURCE		21
141	BC 67	BRIONNE, LA		23
32	AV 34	BRIONNE	C	27
147	CF 71	BRIORD		01
74	AS 45	BRIOSNE LES SABLES		72
34	BD 29	BRIOT		60
94	BA 49	BRIOU		41
157	BP 77	BRIOUDE	S	43
138	AN 68	BRIOUX SUR BOUTONNE	C	79
51	AM 39	BRIOUZE	C	61
21	BF 26	BRIQUEMESNIL FLOXICOURT		80
39	BZ 31	BRIQUENAY		08
196	AD 97	BRISCOUS		64
148	CI 72	BRISON ST INNOCENT		73
189	BR 93	BRISSAC		34
107	AL 54	BRISSAC QUINCE		49
90	AL 50	BRISSARTHE		49
37	BO 28	BRISSAY CHOIGNY		02
37	BO 28	BRISSY HAMEGICOURT		02
154	BA 79	BRIVE LA GAILLARDE	S	19
111	BD 60	BRIVES		36
158	BT 80	BRIVES CHARENSAC		43
137	AL 73	BRIVES SUR CHARENTE		17
155	BD 80	BRIVEZAC		19
29	AE 29	BRIX		50
82	CG 41	BRIXEY AUX CHANOINES		55
137	AL 71	BRIZAMBOURG		17
109	AS 57	BRIZAY		37
59	CA 36	BRIZEAUX		55
148	CM 68	BRIZON		74
195	CT 93	BROC, LE		06
92	AQ 52	BROC		49
157	BO 75	BROC, LE		63
181	AJ 91	BROCAS		40
116	CA 55	BROCHON		21
20	BD 27	BROCOURT		80
52	AT 36	BROGLIE	C	27
102	CP 51	BROGNARD		25
24	BU 25	BROGNON		08
100	CC 53	BROGNON		21
116	CC 57	BROIN		21
116	CB 56	BROINDON		21
133	CE 65	BROISSIA		39
34	BD 29	BROMBOS		60
77	BI 45	BROMEILLES		45
172	BJ 82	BROMMAT		12
142	BK 71	BROMONT LAMOTHE		63
146	CB 72	BRON	C	69
41	CI 33	BRONVAUX		57
70	Y 43	BROONS	C	22
85	CR 41	BROQUE, LA		67
34	BD 29	BROQUIERS		60
187	BJ 92	BROQUIES		12
152	AO 77	BROSSAC	C	16
160	BZ 77	BROSSAINC		07
108	AN 56	BROSSAY		49
78	BL 43	BROSSE MONTCEAUX, LA		77
97	BR 52	BROSSES		89
53	AX 35	BROSVILLE		27
101	CK 49	BROTTE LES LUXEUIL		70
100	CG 51	BROTTE LES RAY		70
75	AY 45	BROU	C	28
55	BJ 37	BROU SUR CHANTEREINE		77
50	AI 39	BROUAINS		50
71	AD 41	BROUALAN		35
30	AL 33	BROUAY		14
153	AW 78	BROUCHAUD		24
36	BM 28	BROUCHY		80
61	CL 34	BROUCK		57
11	BG 14	BROUCKERQUE		59
62	CP 38	BROUDERDORFF		57
54	BB 39	BROUE		28
39	CC 30	BROUENNES		55
199	AR 95	BROUILH MONBERT, LE		32
227	BL 108	BROUILLA		66
37	BR 33	BROUILLET		51
167	AM 86	BROUQUEYRAN		33
137	AM 70	BROUSSE, LA		17
142	BH 70	BROUSSE		23
158	BP 74	BROUSSE		63
202	BE 95	BROUSSE		81
187	BJ 92	BROUSSE LE CHATEAU		12
202	BG 99	BROUSSES ET VILLARET		11
81	CA 41	BROUSSEVAL		52
60	CE 40	BROUSSEY EN BLOIS		55
60	CF 37	BROUSSEY RAULECOURT		55
57	BS 38	BROUSSY LE GRAND		51
57	BR 38	BROUSSY LE PETIT		51
143	BO 67	BROUT VERNET		03
84	CN 44	BROUVELIEURES	C	88
84	CN 41	BROUVILLE		54
62	CQ 38	BROUVILLER		57
77	BG 44	BROUY		91
190	BW 90	BROUZET LES ALES		30
189	BU 93	BROUZET LES QUISSAC		30
106	AE 59	BROUZILS, LES		85
11	BG 16	BROXEELE		59
115	BV 59	BROYE		71
117	CF 54	BROYE AUBIGNEY MONTSEUGNY		70
100	CE 53	BROYE LES LOUPS ET VERFONTAINE		70
57	BR 39	BROYES		51
35	BH 29	BROYES		60
186	BD 92	BROZE		81
84	CN 42	BRU		88
132	CD 62	BRUAILLES		71
11	BI 20	BRUAY LA BUISSIERE	C	62
13	BP 20	BRUAY SUR L'ESCAUT		59
88	AA 48	BRUC SUR AFF		35
21	BF 24	BRUCAMPS		80
183	AR 89	BRUCH		47

Page	Carreau	Commune	Adm.	Dpt
30	AH 31	BRUCHEVILLE		50
31	AP 33	BRUCOURT		14
208	CJ 96	BRUE AURIAC		83
103	CS 49	BRUEBACH		68
54	BD 36	BRUEIL EN VEXIN		78
128	BH 61	BRUERE ALLICHAMPS		18
92	AR 51	BRUERE SUR LOIR, LA		72
106	AG 58	BRUFFIERE, LA		85
221	BF 101	BRUGAIROLLES		11
144	BR 72	BRUGERON, LE		63
167	AJ 82	BRUGES		33
217	AL 101	BRUGES CAPBIS MIFAGET		64
143	BO 68	BRUGHEAS		03
168	AR 87	BRUGNAC		47
184	AU 93	BRUGNENS		32
57	BS 36	BRUGNY VAUDANCOURT		51
190	BX 90	BRUGUIERE, LA		30
201	AZ 95	BRUGUIERES		31
22	BN 21	BRUILLE LEZ MARCHIENNES		59
13	BP 20	BRUILLE ST AMAND		59
177	CG 86	BRUIS		05
123	AM 67	BRULAIN		79
88	AA 47	BRULAIS, LES		35
62	CL 35	BRULANGE		57
72	AI 46	BRULATTE, LA		53
60	CG 39	BRULEY		54
52	AS 40	BRULLEMAIL		61
145	BX 72	BRULLIOLES		69
91	AN 47	BRULON	C	72
64	CU 38	BRUMATH	C	67
56	BM 35	BRUMETZ		02
38	BU 27	BRUNEHAMEL		02
75	AW 43	BRUNELLES		28
202	BE 98	BRUNELS, LES		11
10	BD 17	BRUNEMBERT		62
22	BM 22	BRUNEMONT		59
193	CK 92	BRUNET		04
185	BB 91	BRUNIQUEL		82
55	BI 39	BRUNOY	C	91
103	CS 49	BRUNSTATT		68
19	AZ 25	BRUNVILLE		76
35	BH 30	BRUNVILLERS LA MOTTE		60
203	BL 94	BRUSQUE		12
193	CM 89	BRUSQUET, LE		04
117	CH 54	BRUSSEY		70
145	BX 72	BRUSSIEU		69
59	BY 39	BRUSSON		51
70	AA 42	BRUSVILY		22
20	BB 23	BRUTELLES		80
61	CG 34	BRUVILLE		54
124	AQ 66	BRUX		86
102	CL 48	BRUYERE, LA		70
84	CN 44	BRUYERES	C	88
37	BQ 30	BRUYERES ET MONTBERAULT		02
77	BF 41	BRUYERES LE CHATEL		91
37	BO 34	BRUYERES SUR FERE		02
55	BH 34	BRUYERES SUR OISE		95
37	BP 33	BRUYS		02
71	AC 46	BRUZ	C	35
23	BQ 21	BRY		59
55	BI 38	BRY SUR MARNE	C	94
54	BA 38	BU		28
51	AO 35	BU SUR ROUVRES, LE		14
72	AI 41	BUAIS		50
198	AK 94	BUANES		40
52	AU 40	BUBERTRE		61
68	R 46	BUBRY		56
55	BF 39	BUC		78
102	CO 50	BUC		90
35	BG 30	BUCAMPS		60
30	AL 33	BUCEELS		14
79	BS 44	BUCEY EN OTHE		10
101	CH 53	BUCEY LES GY		70
101	CI 51	BUCEY LES TRAVES		70
54	BC 36	BUCHELAY		78
80	BU 44	BUCHERES		10
61	CJ 36	BUCHY		57
33	AZ 29	BUCHY	C	76
24	BT 26	BUCILLY		02
22	BJ 23	BUCQUOY		62
37	BO 32	BUCY LE LONG		02
76	BD 46	BUCY LE ROI		45
37	BP 30	BUCY LES CERNY		02
37	BS 29	BUCY LES PIERREPONT		02
94	BC 48	BUCY ST LIPHARD		45
128	BH 67	BUDELIERE		23
41	CK 32	BUDING		57
41	CK 31	BUDLING		57
167	AL 85	BUDOS		33
112	BK 55	BUE		18
54	BA 37	BUEIL		27
92	AT 51	BUEIL EN TOURAINE		37
132	CC 67	BUELLAS		01
103	CQ 50	BUETHWILLER		68
117	CH 57	BUFFARD		25
131	BX 64	BUFFIERES		71
101	CI 49	BUFFIGNECOURT		70
98	BV 51	BUFFON		21
221	BG 104	BUGARACH		11
199	AQ 100	BUGARD		65
155	BD 74	BUGEAT	C	19
197	AH 98	BUGNEIN		64
22	BM 22	BUGNICOURT		59
99	CB 47	BUGNIERES		52
118	CL 57	BUGNY		25
169	AV 81	BUGUE, LE	C	24
65	CW 36	BUHL		67
85	CR 47	BUHL		68
62	CP 38	BUHL LORRAINE		57
54	BC 34	BUHY		95
34	BD 30	BUICOURT		60
20	BE 24	BUIGNY L'ABBE		80
20	BB 25	BUIGNY LES GAMACHES		80
20	BD 23	BUIGNY ST MACLOU		80
24	BT 26	BUIRE		02
21	BF 22	BUIRE AU BOIS		62
22	BL 26	BUIRE COURCELLES		80
20	BD 21	BUIRE LE SEC		62
21	BI 25	BUIRE SUR L'ANCRE		80
23	BR 25	BUIRONFOSSE		02
140	AY 69	BUIS, LE		87
191	CE 88	BUIS LES BARONNIES	C	26
53	AY 38	BUIS SUR DAMVILLE		27
178	CL 84	BUISSARD		05
161	CG 76	BUISSE, LA		38
162	CJ 75	BUISSIERE, LA		38
173	BO 85	BUISSON, LE		48
59	BY 39	BUISSON, LE		51
191	CC 88	BUISSON		84
169	AV 82	BUISSON DE CADOUIN, LE	C	24
61	CK 39	BUISSONCOURT		54
22	BL 23	BUISSY		62
141	BB 72	BUJALEUF		87
218	AQ 102	BULAN		65
46	Q 41	BULAT PESTIVIEN		22
113	BM 56	BULCY		58
69	V 47	BULEON		56
83	CH 44	BULGNEVILLE	C	88
143	BO 71	BULHON		63
76	BA 45	BULLAINVILLE		28
118	CK 59	BULLE		25
22	BL 23	BULLECOURT		62
35	BG 31	BULLES		60
60	CG 40	BULLIGNY		54
54	BE 40	BULLION		78
75	AY 44	BULLOU		28
144	BT 70	BULLY		42
145	BY 71	BULLY		69
34	BA 28	BULLY		76
12	BJ 20	BULLY LES MINES	C	62
39	BZ 29	BULSON		08
84	CM 43	BULT		88
217	AM 103	BUN		65
99	BX 49	BUNCEY		21
21	BH 21	BUNEVILLE		62
77	BH 43	BUNO BONNEVAUX		91
215	AF 100	BUNUS		64
138	AR 73	BUNZAC		16
192	CF 93	BUOUX		84
62	CP 36	BURBACH		67
147	CF 71	BURBANCHE, LA		01
11	BH 19	BURBURE		62
161	CF 75	BURCIN		38
50	AJ 37	BURCY		14
77	BI 44	BURCY		77
159	BY 77	BURDIGNES		42
134	CM 66	BURDIGNIN		74
82	CD 41	BURE		55
74	AS 41	BURE		61
99	CA 50	BURE LES TEMPLIERS		21
37	BS 27	BURELLES		02
62	CM 39	BURES		54
74	AS 41	BURES		61
19	AZ 27	BURES EN BRAY		76
50	AI 36	BURES LES MONTS		14
55	BF 39	BURES SUR YVETTE		91
90	AL 48	BURET, LE		53
53	AW 36	BUREY		27
60	CF 40	BUREY EN VAUX		55
82	CF 41	BUREY LA COTE		55
218	AQ 100	BURG		65
218	AT 104	BURGALAYS		31
197	AG 98	BURGARONNE		64
200	AX 94	BURGAUD, LE		31
117	CG 55	BURGILLE		25
140	AX 72	BURGNAC		87
132	CA 64	BURGY		71
137	AL 72	BURIE	C	17
62	CN 40	BURIVILLE		54
202	BG 96	BURLATS		81
62	CL 37	BURLIONCOURT		57
131	BY 62	BURNAND		71
102	CQ 54	BURNEVILLERS		25
103	CR 49	BURNHAUPT LE BAS		68
103	CQ 49	BURNHAUPT LE HAUT		68
198	AL 98	BUROS		64
198	AM 97	BUROSSE MENDOUSSE		64
220	AZ 103	BURRET		09
74	AR 41	BURSARD		61
61	CJ 40	BURTHECOURT AUX CHENES		54
41	CK 33	BURTONCOURT		57
35	BH 33	BURY		60
175	BW 83	BURZET	C	07
131	BY 62	BURZY		71
22	BL 24	BUS		62
36	BJ 29	BUS LA MESIERE		80
21	BI 24	BUS LES ARTOIS		80
54	BB 34	BUS ST REMY		27
103	CT 51	BUSCHWILLER		68
23	BP 24	BUSIGNY		59
93	AX 48	BUSLOUP		41
11	BI 18	BUSNES		62
202	BD 94	BUSQUE		81
153	AT 77	BUSSAC		24
151	AL 78	BUSSAC FORET		17
137	AJ 71	BUSSAC SUR CHARENTE		17
102	CO 48	BUSSANG		88
123	AK 63	BUSSEAU, LE		79
99	BY 50	BUSSEAUT		21
143	BO 73	BUSSEOL		63
139	AT 73	BUSSEROLLES		24
99	CA 51	BUSSEROTTE ET MONTENAILLE		21
144	BP 69	BUSSET		03
56	BN 35	BUSSIARES		02
96	BK 50	BUSSIERE, LA		45
125	AV 62	BUSSIERE, LA		86
139	AT 73	BUSSIERE BADIL	C	24
139	AV 69	BUSSIERE BOFFY		87
127	BC 67	BUSSIERE DUNOISE		23
140	AW 73	BUSSIERE GALANT		87
142	BH 69	BUSSIERE NOUVELLE		23
125	AW 67	BUSSIERE POITEVINE		87
127	BF 65	BUSSIERE ST GEORGES		23
116	BY 55	BUSSIERE SUR OUCHE, LA		21
99	CA 51	BUSSIERES		21
145	BW 71	BUSSIERES		42
142	BJ 69	BUSSIERES		63
118	CI 54	BUSSIERES		70
132	BZ 65	BUSSIERES		71
56	BN 37	BUSSIERES		77
98	BU 53	BUSSIERES		89
143	BN 69	BUSSIERES ET PRUNS		63
82	CD 43	BUSSON		52
22	BL 26	BUSSU		80
215	AE 100	BUSSUNARITS SARRASQUETTE		64
20	BE 24	BUSSUS BUSSUEL		80
112	BJ 59	BUSSY		18
36	BL 29	BUSSY		60
145	BU 72	BUSSY ALBIEUX		42
79	BP 47	BUSSY EN OTHE		89
116	BY 54	BUSSY LA PESLE		21
113	BP 55	BUSSY LA PESLE		58
58	BW 35	BUSSY LE CHATEAU		51
98	BX 52	BUSSY LE GRAND		21
59	BY 37	BUSSY LE REPOS		51
78	BN 46	BUSSY LE REPOS		89
21	BH 26	BUSSY LES DAOURS		80
21	BE 27	BUSSY LES POIX		80
58	BV 38	BUSSY LETTREE		51
56	BJ 38	BUSSY ST GEORGES		77
56	BJ 38	BUSSY ST MARTIN		77
63	CR 37	BUST		67
231	DM 108	BUSTANICO		2B
215	AE 100	BUSTINCE IRIBERRY		64
64	CT 37	BUSWILLER		67
117	CI 56	BUSY		25
118	CI 54	BUTHIERS		70
77	BH 44	BUTHIERS		77
33	AX 29	BUTOT		76
18	AU 27	BUTOT VENESVILLE		76
55	BF 35	BUTRY SUR OISE		95
97	BS 47	BUTTEAUX		89
63	CQ 35	BUTTEN		67
36	BL 28	BUVERCHY		80
117	CG 59	BUVILLY		39
127	BC 64	BUXERETTE, LA		36
99	CA 49	BUXEROLLES		21
125	AR 62	BUXEROLLES		86
80	BW 46	BUXEUIL		10
111	BB 57	BUXEUIL		36
109	AU 58	BUXEUIL		86
127	BC 62	BUXIERES D'AILLAC		36
82	CE 46	BUXIERES LES CLEFMONT		52
129	BL 64	BUXIERES LES MINES		03
81	CA 46	BUXIERES LES VILLIERS		52
60	CF 36	BUXIERES SOUS LES COTES		55
142	BK 67	BUXIERES SOUS MONTAIGUT		63
80	BW 45	BUXIERES SUR ARCE		10
132	BY 61	BUXY	C	71
11	BG 16	BUYSSCHEURE		59
219	AV 103	BUZAN		09
110	AZ 60	BUZANCAIS	C	36
37	BO 33	BUZANCY		02
39	CA 31	BUZANCY	C	08
187	BM 88	BUZEINS		12
183	AQ 89	BUZET SUR BAISE		47
201	BB 94	BUZET SUR TARN		31
216	AJ 101	BUZIET		64
205	BU 94	BUZIGNARGUES		34
198	AP 98	BUZON		65
216	AK 101	BUZY		64
40	CF 34	BUZY DARMONT		55
117	CI 57	BY		25
117	CH 56	BYANS SUR DOUBS		25
		C		
199	AP 100	CABANAC		65
219	AU 102	CABANAC CAZAUX		31
167	AJ 85	CABANAC ET VILLAGRAINS		33
200	AW 94	CABANAC SEGUENVILLE		31
225	BF 108	CABANASSE, LA		66
186	BG 90	CABANES		12
202	BD 95	CABANES		81
201	BD 97	CABANIAL, LE		31
220	BB 105	CABANNES, LES	C	09
191	CB 93	CABANNES		13
186	BD 91	CABANNES, LES		81
168	AN 82	CABARA		33
136	AI 70	CABARIOT		17
199	AS 99	CABAS LOUMASSES		32
209	CM 97	CABASSE		83
222	BM 106	CABESTANY		66
197	AK 96	CABIDOS		64
31	AO 32	CABOURG	C	14
171	BB 86	CABRERETS		46
204	BN 97	CABREROLLES		34
203	BI 99	CABRESPINE		11
190	BX 92	CABRIERES		30
204	BP 96	CABRIERES		34
192	CG 93	CABRIERES D'AIGUES		84
191	CD 92	CABRIERES D'AVIGNON		84
208	CF 97	CABRIES		13
210	CR 94	CABRIS		06
55	BG 38	CACHAN	C	94
182	AK 90	CACHEN		40
21	BH 27	CACHY		80
186	BD 93	CADALEN	C	81
220	AZ 103	CADARCET		09
167	AM 82	CADARSAC		33
167	AK 83	CADAUJAC		33
218	AQ 104	CADEAC		65
184	AU 93	CADEILHAN		32
218	AQ 105	CADEILHAN TRACHERE		65
200	AU 98	CADEILLAN		32
118	CI 56	CADEMENE		25
88	Y 50	CADEN		56
208	CF 94	CADENET	C	84
190	CA 90	CADEROUSSE		84
208	CI 100	CADIERE D'AZUR, LA		83
189	BS 92	CADIERE ET CAMBO, LA		30
167	AM 84	CADILLAC	C	33
167	AL 81	CADILLAC EN FRONSADAIS		33
198	AM 97	CADILLON		64
187	BH 92	CADIX		81
208	CG 98	CADOLIVE		13
200	AW 95	CADOURS	C	31
171	BD 86	CADRIEU		46
31	AN 34	CAEN	P	14
11	BI 16	CAESTRE		59
10	BD 15	CAFFIERS		62
186	BF 92	CAGNAC LES MINES		81
229	DN 102	CAGNANO		2B
211	CT 94	CAGNES SUR MER	C	06
22	BL 22	CAGNICOURT		62
22	BN 23	CAGNONCLES		59
196	AF 96	CAGNOTTE		40
51	AO 34	CAGNY		14
21	BG 26	CAGNY		80
50	AK 35	CAHAGNES		14
30	AK 34	CAHAGNOLLES		14
34	BB 34	CAHAIGNES		27
51	AM 37	CAHAN		61
218	AQ 101	CAHARET		65
20	BC 24	CAHON		80
170	AZ 87	CAHORS	P	46
171	BD 81	CAHUS		46
220	BC 101	CAHUZAC		11
169	AS 84	CAHUZAC		47
202	BE 97	CAHUZAC		81
198	AN 95	CAHUZAC SUR ADOUR		32
186	BD 92	CAHUZAC SUR VERE		81
201	BB 99	CAIGNAC		31
206	BW 95	CAILAR, LE		30
221	BF 101	CAILHAU		11
221	BF 101	CAILHAVEL		11
221	BF 105	CAILLA		11
170	AY 86	CAILLAC		46
199	AQ 95	CAILLAVET		32
194	CQ 93	CAILLE		06
122	AH 62	CAILLERE ST HILAIRE, LA		85
18	AV 27	CAILLEVILLE		76
36	BM 29	CAILLOUEL CREPIGNY		02
53	AZ 36	CAILLOUET ORGEVILLE		27
146	CA 71	CAILLOUX SUR FONTAINES		69
33	AZ 30	CAILLY		76
53	AY 35	CAILLY SUR EURE		27
51	AL 35	CAINE, LA		14
191	CB 89	CAIRANNE		84
178	CK 87	CAIRE, LE		04
31	AM 33	CAIRON		14
36	BM 30	CAISNES		60
206	BX 94	CAISSARGUES		30
21	BJ 27	CAIX		80
226	BJ 107	CAIXAS		66
198	AO 98	CAIXON		65
171	BC 86	CAJARC	C	46
230	DK 108	CALACUCCIA	C	2B
10	BD 14	CALAIS	S	62
170	AZ 86	CALAMANE		46
68	Q 47	CALAN		56
46	P 41	CALANHEL		22
199	AP 100	CALAVANTE		65
230	DI 111	CALCATOGGIO		2A
222	BK 105	CALCE		66
228	DI 106	CALENZANA	C	2B
169	AU 82	CALES		24
170	BA 83	CALES		46
183	AR 90	CALIGNAC		47
50	AL 38	CALIGNY		61
46	Q 41	CALLAC	C	22
209	CO 95	CALLAS	C	83
182	AK 88	CALLEN		40
20	BB 27	CALLENGEVILLE		76
53	AV 34	CALLEVILLE		27
19	AX 28	CALLEVILLE LES DEUX EGLISES		76
199	AQ 95	CALLIAN		32
210	CQ 95	CALLIAN		83
226	BJ 108	CALMEILLES		66
187	BK 92	CALMELS ET LE VIALA		12
190	BW 92	CALMETTE, LA		30
187	BI 89	CALMONT		12
201	BB 99	CALMONT		31
101	CK 50	CALMOUTIER		70
159	BV 76	CALOIRE		42
183	AQ 87	CALONGES		47
11	BI 19	CALONNE RICOUART		62
11	BI 18	CALONNE SUR LA LYS		62
70	AA 42	CALORGUEN		22
10	BC 20	CALOTTERIE, LA		62
146	CA 71	CALUIRE ET CUIRE	C	69
228	DH 105	CALVI	S	2B
171	BE 81	CALVIAC		46
170	AY 82	CALVIAC EN PERIGORD		24
171	BC 87	CALVIGNAC		46
172	BH 84	CALVINET		15
205	BV 94	CALVISSON		30
220	BB 102	CALZAN		09
198	AO 99	CAMALES		65
219	AY 102	CAMARADE		09
187	BL 94	CAMARES	C	12
191	CB 90	CAMARET SUR AIGUES		84
44	H 42	CAMARET SUR MER		29
167	AL 82	CAMARSAC		33
170	AY 87	CAMBAYRAC		46
30	AI 32	CAMBE, LA		14
200	AX 97	CAMBERNARD		31
49	AF 35	CAMBERNON		50
167	AK 83	CAMBES		33
171	BD 85	CAMBES		46
168	AQ 85	CAMBES		47
31	AN 33	CAMBES EN PLAINE		14
231	DM 107	CAMBIA		2B
201	BC 97	CAMBIAC		31
221	BF 101	CAMBIEURE		11
11	BH 19	CAMBLAIN CHATELAIN		62
21	BJ 21	CAMBLAIN L'ABBE		62
167	AK 83	CAMBLANES ET MEYNAC		33
21	BI 21	CAMBLIGNEUL		62
214	AC 98	CAMBO LES BAINS		64
186	BF 93	CAMBON		81
203	BL 96	CAMBON ET SALVERGUES		34
201	BD 96	CAMBON LES LAVAUR		81
186	BH 89	CAMBOULAZET		12
171	BD 85	CAMBOULIT		46
202	BH 96	CAMBOUNES		81
202	BE 96	CAMBOUNET SUR LE SOR		81
69	W 45	CAMBOUT, LE		22
22	BN 23	CAMBRAI	S	59
51	AQ 34	CAMBREMER	C	14
12	BJ 19	CAMBRIN	C	62
20	BC 24	CAMBRON		80
35	BH 32	CAMBRONNE LES CLERMONT		60
36	BK 30	CAMBRONNE LES RIBECOURT		60
171	BE 84	CAMBURAT		46
196	AF 97	CAME		64
222	BJ 107	CAMELAS		66
36	BM 30	CAMELIN		02
52	AQ 37	CAMEMBERT		61
49	AG 35	CAMETOURS		50
167	AM 83	CAMIAC ET ST DENIS		33
10	BB 19	CAMIERS		62
168	AN 84	CAMIRAN		33
186	BH 90	CAMJAC		12
46	R 37	CAMLEZ		22
202	BE 98	CAMMAZES, LES		81
87	X 52	CAMOEL		56
221	BD 102	CAMON		09
21	BH 26	CAMON		80
69	T 47	CAMORS		56
215	AG 101	CAMOU CIHIGUE		64
218	AR 103	CAMOUS		65
221	BE 105	CAMPAGNA DE SAULT		11
173	BM 87	CAMPAGNAC	C	12
185	BD 91	CAMPAGNAC		81
170	AX 84	CAMPAGNAC LES QUERCY		24
204	BQ 97	CAMPAGNAN		34
169	AW 81	CAMPAGNE		24
205	BU 94	CAMPAGNE		34
181	AJ 93	CAMPAGNE		40
36	BL 29	CAMPAGNE		60
182	AN 93	CAMPAGNE D'ARMAGNAC		32
10	BE 18	CAMPAGNE LES BOULONNAIS		62
10	BD 16	CAMPAGNE LES GUINES		62
20	BD 21	CAMPAGNE LES HESDIN	C	62
11	BH 17	CAMPAGNE LES WARDRECQUES		62
220	AY 101	CAMPAGNE SUR ARIZE		09
221	BF 104	CAMPAGNE SUR AUDE		11
50	AI 37	CAMPAGNOLLES		14
218	AP 102	CAMPAN	C	65
231	DM 107	CAMPANA		2B
50	AL 36	CAMPANDRE VALCONGRAIN		14
218	AQ 104	CAMPARAN		65
88	AA 53	CAMPBON		44
50	AJ 36	CAMPEAUX		14
34	BC 29	CAMPEAUX		60
70	AA 47	CAMPEL		35
70	Y 47	CAMPENEAC		56
188	BP 92	CAMPESTRE ET LUC		30
181	AJ 92	CAMPET ET LAMOLERE		40
12	BL 19	CAMPHIN EN CAREMBAULT		59
12	BN 18	CAMPHIN EN PEVELE		59
231	DN 108	CAMPI		2B
10	BC 20	CAMPIGNEULLES LES GRANDES		62
10	BC 20	CAMPIGNEULLES LES PETITES		62
30	AK 33	CAMPIGNY		14
32	AT 32	CAMPIGNY		27
229	DM 106	CAMPILE		2B
218	AR 101	CAMPISTROUS		65
229	DM 105	CAMPITELLO	C	2B
204	BN 95	CAMPLONG		34
222	BJ 101	CAMPLONG D'AUDE		11
20	BB 26	CAMPNEUSEVILLE		76
230	DK 113	CAMPO		2A
221	BH 107	CAMPOME		66
172	BJ 84	CAMPOURIEZ		12
222	BI 106	CAMPOUSSY		66
35	BG 30	CAMPREMY		60
49	AG 34	CAMPROND		50
20	BE 26	CAMPS EN AMIENOIS		80
209	CL 98	CAMPS LA SOURCE		83
171	BE 81	CAMPS ST MATHURIN LEOBAZEL		19
221	BH 104	CAMPS SUR L'AGLY		11
152	AO 80	CAMPS SUR L'ISLE		33
185	AY 93	CAMPSAS		82
169	AS 81	CAMPSEGRET		24
172	BI 85	CAMPUAC		12
151	AK 78	CAMPUGNAN		33
199	AR 100	CAMPUZAN		65
221	BD 105	CAMURAC		11
231	DN 108	CANALE DI VERDE		2B
185	AY 93	CANALS		82
21	BG 24	CANAPLES		80
53	AX 34	CANAPPEVILLE		27
32	AQ 32	CANAPVILLE		14
52	AR 36	CANAPVILLE		61
229	DM 102	CANARI		2B
189	BU 92	CANAULES ET ARGENTIERES		30
229	DL 106	CANAVAGGIA		2B
225	BF 108	CANAVEILLES		66
48	AC 39	CANCALE	C	35
30	AI 32	CANCHY		14
20	BD 23	CANCHY		80
169	AT 86	CANCON	C	47
21	BG 24	CANDAS		80
90	AH 52	CANDE	C	49
93	AY 53	CANDE SUR BEUVRON		41
108	AP 56	CANDES ST MARTIN		37
205	BV 96	CANDILLARGUES		34
36	BK 29	CANDOR		60
197	AG 94	CANDRESSE		40
19	AZ 25	CANEHAN		76
167	AJ 83	CANEJAN		33
220	AY 100	CANENS		31
182	AK 91	CANENX ET REAUT		40
203	BL 100	CANET		11
204	BQ 96	CANET		34
187	BK 89	CANET DE SALARS		12
222	BM 106	CANET EN ROUSSILLON	C	66
21	BH 22	CANETTEMONT		62
93	AX 53	CANGEY		37
171	BB 85	CANIAC DU CAUSSE		46
46	S 42	CANIHUEL		22
173	BN 87	CANILHAC		48
49	AH 35	CANISY	C	50
11	BF 20	CANLERS		62
36	BJ 32	CANLY		60
36	BL 30	CANNECTANCOURT		60
230	DI 111	CANNELLE		2A
210	CS 96	CANNES	C	06
78	BL 43	CANNES ECLUSE		77
189	BU 92	CANNES ET CLAIRAN		30
20	BC 26	CANNESSIERES		80
210	CS 95	CANNET, LE	C	06
198	AN 96	CANNET		32
209	CN 98	CANNET DES MAURES, LE		83
36	BK 29	CANNY SUR MATZ		60
34	BC 29	CANNY SUR THERAIN		60
222	BK 107	CANOHES		66
173	BO 87	CANOURGUE, LA	C	48
18	AU 27	CANOUVILLE		76
22	BM 23	CANTAING SUR ESCAUT		59
218	AR 102	CANTAOUS		65
195	CU 93	CANTARON		06
201	BA 100	CANTE		09
33	AX 31	CANTELEU		76
21	BG 22	CANTELEUX		62
51	AO 34	CANTELOUP		14
29	AG 28	CANTELOUP		50
151	AJ 80	CANTENAC		33
90	AL 52	CANTENAY EPINARD		49
34	BB 33	CANTIERS		27
35	BI 29	CANTIGNY		80
153	AT 76	CANTILLAC		24
22	BM 21	CANTIN		59
172	BK 82	CANTOIN		12
167	AM 84	CANTOIS		33
29	AE 32	CANVILLE LA ROCQUE		50
19	AV 27	CANVILLE LES DEUX EGLISES		76
18	AU 27	CANY BARVILLE	C	76
52	AT 35	CAORCHES ST NICOLAS		27
46	R 38	CAOUENNEC LANVEZEAC		22
20	BD 23	CAOURS		80
195	CV 94	CAP D'AIL		06
196	AC 95	CAPBRETON		40
171	BE 85	CAPDENAC		46
171	BE 85	CAPDENAC GARE	C	12
169	AV 84	CAPDROT		24
23	BS 25	CAPELLE, LA	C	02
23	BP 22	CAPELLE		59
171	BD 87	CAPELLE BALAGUIER, LA		12
186	BF 88	CAPELLE BLEYS, LA		12
173	BM 87	CAPELLE BONANCE, LA		12
190	BY 91	CAPELLE ET MASMOLENE, LA		30
21	BJ 21	CAPELLE FERMONT		62
10	BC 17	CAPELLE LES BOULOGNE, LA		62
52	AT 35	CAPELLE LES GRANDS		27
20	BE 21	CAPELLE LES HESDIN		62
222	BI 101	CAPENDU	C	11
200	AY 99	CAPENS		31
203	BM 99	CAPESTANG	C	34
167	AL 83	CAPIAN		33
12	BL 18	CAPINGHEM		59
168	AP 83	CAPLONG		33
220	BA 105	CAPOULET ET JUNAC		09
62	CO 34	CAPPEL		57
11	BF 15	CAPPELLE BROUCK		59
12	BM 19	CAPPELLE EN PEVELE		59
4	BH 14	CAPPELLE LA GRANDE		59
22	BK 26	CAPPY		80
182	AL 88	CAPTIEUX	C	33
218	AQ 101	CAPVERN		65
201	BB 97	CARAGOUDES		31
201	BC 97	CARAMAN	C	31
222	BI 106	CARAMANY		66
45	M 38	CARANTEC		29
49	AG 35	CARANTILLY		50
171	BD 85	CARAYAC		46
89	AG 50	CARBAY		49
202	BF 96	CARBES		81
233	DL 115	CARBINI		2A
167	AK 81	CARBON BLANC	C	33
200	AY 99	CARBONNE	C	31
230	DJ 111	CARBUCCIA		2A
30	AL 33	CARCAGNY		14
221	BF 106	CARCANIERES		09
150	AG 79	CARCANS		33
181	AH 93	CARCARES STE CROIX		40
202	BH 100	CARCASSONNE	P	11
181	AH 92	CARCEN PONSON		40
209	CM 97	CARCES		83

Page	Carreau	Commune	Adm.	Dpt
231	DM 107	CARCHETO BRUSTICO		2B
171	BE 84	CARDAILLAC		46
167	AL 84	CARDAN		33
218	AT 100	CARDEILHAC		31
197	AJ 99	CARDESSE		64
189	BV 91	CARDET		30
230	DK 113	CARDO TORGIA		2A
21	BH 25	CARDONNETTE		80
35	BI 29	CARDONNOIS, LE		80
30	AI 32	CARDONVILLE		14
70	AB 43	CARDROC		35
72	AJ 42	CARELLES		53
22	BJ 21	CARENCY		62
171	BB 81	CARENNAC		46
29	AG 32	CARENTAN	C	50
88	Z 48	CARENTOIR		56
230	DG 110	CARGESE		2A
233	DL 115	CARGIACA		2A
68	O 42	CARHAIX PLOUGUER	C	29
39	CB 29	CARIGNAN	C	08
167	AK 82	CARIGNAN DE BORDEAUX		33
97	BS 48	CARISEY		89
220	AZ 101	CARLA BAYLE		09
220	BC 103	CARLA DE ROQUEFORT		09
220	BB 101	CARLARET, LE		09
172	BI 82	CARLAT		15
204	BO 96	CARLENCAS ET LEVAS		34
36	BM 30	CARLEPONT		60
42	CM 33	CARLING		57
202	BF 99	CARLIPA		11
170	BB 84	CARLUCET		46
186	BF 93	CARLUS		81
170	AZ 82	CARLUX	C	24
10	BC 18	CARLY		62
186	BF 91	CARMAUX	C	81
86	S 50	CARNAC		56
184	AY 87	CARNAC ROUFFIAC		46
189	BU 93	CARNAS		30
51	AM 38	CARNEILLE, LA		61
71	AF 41	CARNET		50
56	BJ 37	CARNETIN		77
29	AF 28	CARNEVILLE		50
22	BN 23	CARNIERES	C	59
12	BL 19	CARNIN		59
46	P 42	CARNOET		22
209	CM 99	CARNOULES		83
208	CH 99	CARNOUX EN PROVENCE		13
22	BK 25	CARNOY		80
88	Y 48	CARO		56
215	AE 100	CARO		64
49	AE 38	CAROLLES		50
191	CD 90	CAROMB		84
191	CC 91	CARPENTRAS	S	84
231	DN 107	CARPINETO		2B
31	AM 34	CARPIQUET		14
29	AG 31	CARQUEBUT		50
106	AE 54	CARQUEFOU	C	44
212	CL 101	CARQUEIRANNE		83
36	BK 28	CARREPUIS		80
198	AL 97	CARRERE		64
197	AG 97	CARRESSE CASSABER		64
55	BE 37	CARRIERES SOUS POISSY		78
55	BF 37	CARRIERES SUR SEINE		78
195	CU 93	CARROS	C	06
73	AO 41	CARROUGES	C	61
207	CD 99	CARRY LE ROUET		13
151	AJ 79	CARS		33
140	AX 73	CARS, LES		87
170	AY 82	CARSAC AILLAC		24
168	AP 81	CARSAC DE GURSON		24
190	BZ 89	CARSAN		30
52	AU 34	CARSIX		27
103	CR 50	CARSPACH		68
151	AK 78	CARTELEGUE		33
231	DM 107	CARTICASI		2B
23	BR 24	CARTIGNIES		59
22	BL 26	CARTIGNY		80
30	AI 33	CARTIGNY L'EPINAY		14
170	AW 83	CARVES		24
50	AJ 36	CARVILLE		14
33	AV 30	CARVILLE LA FOLLETIERE		76
19	AV 28	CARVILLE POT DE FER		76
12	BL 19	CARVIN	C	62
231	DM 106	CASABIANCA		2B
230	DI 111	CASAGLIONE		2A
232	DK 114	CASALABRIVA		2A
229	DN 106	CASALTA		2B
230	DK 108	CASAMACCIOLI		2B
231	DL 109	CASANOVA		2B
222	BK 103	CASCASTEL DES CORBIERES		11
226	BJ 107	CASEFABRE		66
192	CG 92	CASENEUVE		84
222	BK 105	CASES DE PENE		66
231	DN 110	CASEVECCHIE		2B
200	AU 100	CASSAGNABERE TOURNAS		31
189	BS 88	CASSAGNAS		48
154	AY 80	CASSAGNE, LA		24
219	AW 101	CASSAGNE		31
170	AX 85	CASSAGNES		46
222	BJ 106	CASSAGNES		66
187	BI 90	CASSAGNES BEGONHES	C	12
189	BV 91	CASSAGNOLES		30
203	BJ 98	CASSAGNOLES		34
221	BE 100	CASSAIGNE, LA		11
183	AQ 92	CASSAIGNE		32
221	BG 103	CASSAIGNES		11
172	BH 84	CASSANIOUZE		15
11	BI 16	CASSEL	C	59
197	AH 94	CASSEN		40
169	AS 87	CASSENEUIL		47
201	BD 98	CASSES, LES		11
168	AN 85	CASSEUIL		33
184	AU 88	CASSIGNAS		47
208	CG 100	CASSIS		13
89	AD 53	CASSON		44
172	BK 84	CASSUEJOULS		12
67	K 43	CAST		29
201	AY 100	CASTAGNAC		31
219	AV 102	CASTAGNEDE		31
197	AF 97	CASTAGNEDE		64
195	CU 93	CASTAGNIERS		06
197	AI 96	CASTAIGNOS SOUSLENS		40
182	AL 93	CASTANDET		40
186	BG 88	CASTANET		12
186	BE 92	CASTANET		81
186	BD 89	CASTANET		82
203	BM 95	CASTANET LE HAUT		34
201	BA 97	CASTANET TOLOSAN	C	31
203	BI 98	CASTANS		11
197	AJ 98	CASTEIDE CAMI		64
197	AJ 97	CASTEIDE CANDAU		64
198	AN 98	CASTEIDE DOAT		64
226	BH 108	CASTEIL		66
197	AH 96	CASTEL SARRAZIN		40
218	AQ 101	CASTELBAJAC		65
219	AV 102	CASTELBIAGUE		31
184	AT 90	CASTELCULIER		47
184	AX 91	CASTELFERRUS		82
170	AY 86	CASTELFRANC		46
200	AV 99	CASTELGAILLARD		31
201	AZ 95	CASTELGINEST		31
182	AO 88	CASTELJALOUX	C	47
183	AT 88	CASTELLA		47
193	CO 92	CASTELLANE	S	04
195	CW 92	CASTELLAR		06
193	CL 89	CASTELLARD MELAN, LE		04
229	DN 106	CASTELLARE DI CASINCA		2B
231	DL 108	CASTELLARE DI MERCURIO		2B
193	CK 92	CASTELLET, LE		04
208	CJ 100	CASTELLET, LE		83
192	CG 93	CASTELLET		84
194	CQ 91	CASTELLET LES SAUSSES		04
229	DM 106	CASTELLO DI ROSTINO		2B
186	BG 90	CASTELMARY		12
201	BA 95	CASTELMAUROU		31
184	AW 91	CASTELMAYRAN		82
168	AO 84	CASTELMORON D'ALBRET		33
183	AS 87	CASTELMORON SUR LOT	C	47
200	AU 96	CASTELNAU BARBARENS		32
197	AH 95	CASTELNAU CHALOSSE		40
199	AQ 96	CASTELNAU D'ANGLES		32
184	AT 93	CASTELNAU D'ARBIEU		32
203	BJ 100	CASTELNAU D'AUDE		11
182	AO 92	CASTELNAU D'AUZAN		32
203	BI 96	CASTELNAU DE BRASSAC		81
204	BQ 98	CASTELNAU DE GUERS		34
186	BE 92	CASTELNAU DE LEVIS		81
173	BL 86	CASTELNAU DE MANDAILLES		12
150	AH 80	CASTELNAU DE MEDOC	C	33
185	BC 92	CASTELNAU DE MONTMIRAL	C	81
201	AY 94	CASTELNAU D'ESTRETEFONDS		31
220	AY 103	CASTELNAU DURBAN		09
205	BT 95	CASTELNAU LE LEZ	C	34
199	AS 99	CASTELNAU MAGNOAC	C	65
185	AZ 89	CASTELNAU MONTRATIER	C	46
187	BL 90	CASTELNAU PEGAYROLS		12
200	AW 99	CASTELNAU PICAMPEAU		31
198	AN 96	CASTELNAU RIVIERE BASSE	C	65
168	AP 85	CASTELNAU SUR GUPIE		47
183	AR 92	CASTELNAU SUR L'AUVIGNON		32
198	AK 95	CASTELNAU TURSAN		40
190	BW 91	CASTELNAU VALENCE		30
169	AT 86	CASTELNAUD DE GRATECAMBE		47
170	AX 83	CASTELNAUD LA CHAPELLE		24
202	BD 99	CASTELNAUDARY	C	11
199	AP 95	CASTELNAVET		32
197	AJ 96	CASTELNER		40
226	BK 107	CASTELNOU		66
221	BF 102	CASTELRENG		11
170	AW 82	CASTELS		24
184	AV 90	CASTELSAGRAT		82
184	AX 91	CASTELSARRASIN	S	82
199	AP 99	CASTELVIEILH		65
168	AN 84	CASTELVIEL		33
200	AX 95	CASTERA, LE		31
184	AV 91	CASTERA BOUZET		82
218	AQ 101	CASTERA LANUSSE		65
183	AT 92	CASTERA LECTOUROIS		32
199	AP 99	CASTERA LOU		65
198	AN 98	CASTERA LOUBIX		64
183	AR 94	CASTERA VERDUZAN		32
200	AU 99	CASTERA VIGNOLES		31
220	AZ 101	CASTERAS		09
199	AS 99	CASTERETS		65
184	AU 93	CASTERON		32
217	AK 102	CASTET		64
184	AU 92	CASTET ARROUY		32
197	AH 98	CASTETBON		64
197	AI 97	CASTETIS		64
197	AH 99	CASTETNAU CAMBLONG		64
197	AI 97	CASTETNER		64
198	AM 96	CASTETPUGON		64
180	AE 92	CASTETS	C	40
167	AN 85	CASTETS EN DORTHE		33
220	AY 101	CASTEX		09
199	AQ 98	CASTEX		32
182	AM 93	CASTEX D'ARMAGNAC		32
200	AW 99	CASTIES LABRANDE		31
229	DK 106	CASTIFAO		2B
231	DK 107	CASTIGLIONE		2B
195	CW 92	CASTILLON		06
30	AK 33	CASTILLON		14
218	AP 102	CASTILLON		65
197	AJ 97	CASTILLON (Canton D'ARTHEZ DE BEARN)		64
198	AM 97	CASTILLON (Canton DE LEMBEYE)		64
168	AN 85	CASTILLON DE CASTETS		33
218	AS 105	CASTILLON DE LARBOUST		31
219	AU 101	CASTILLON DE ST MARTORY		31
199	AP 94	CASTILLON DEBATS		32
190	BY 92	CASTILLON DU GARD		30
51	AQ 35	CASTILLON EN AUGE		14
219	AW 104	CASTILLON EN COUSERANS	C	09
168	AO 82	CASTILLON LA BATAILLE	C	33
199	AS 94	CASTILLON MASSAS		32
200	AV 96	CASTILLON SAVES		32
169	AS 84	CASTILLONNES	C	47
30	AI 32	CASTILLY		14
199	AS 95	CASTIN		32
231	DM 107	CASTINETA		2B
231	DK 107	CASTIRLA		2B
22	BN 27	CASTRES		02
202	BG 96	CASTRES	S	81
167	AK 84	CASTRES GIRONDE		33
205	BU 95	CASTRIES	C	34
23	BP 24	CATEAU CAMBRESIS, LE	C	59
22	BN 25	CATELET, LE	C	02
19	AY 28	CATELIER, LE		76
33	AZ 30	CATENAY		76
35	BI 32	CATENOY		60
228	DJ 105	CATERI		2B
218	AR 105	CATHERVIELLE		31
35	BF 29	CATHEUX		60
36	BL 29	CATIGNY		60
35	BH 30	CATILLON FUMECHON		60
23	BQ 24	CATILLON SUR SAMBRE		59
221	BH 107	CATLLAR		66
200	AV 95	CATONVIELLE		32
22	BN 23	CATTENIERES		59
41	CJ 31	CATTENOM	C	57
29	AE 31	CATTEVILLE		50
170	AY 85	CATUS	C	46
30	AH 32	CATZ		50
183	AP 89	CAUBEYRES		47
200	AW 95	CAUBIAC		31
198	AK 98	CAUBIOS LOOS		64
168	AP 85	CAUBON ST SAUVEUR		47
218	AS 104	CAUBOUS		31
199	AR 100	CAUBOUS		65
202	BG 97	CAUCALIERES		81
21	BI 23	CAUCHIE, LA		62
11	BH 19	CAUCHY A LA TOUR		62
11	BI 20	CAUCOURT		62
68	Q 48	CAUDAN		56
33	AV 30	CAUDEBEC EN CAUX	C	76
33	AX 33	CAUDEBEC LES ELBEUF	C	76
202	BG 99	CAUDEBRONDE		11
184	AU 90	CAUDECOSTE		47
221	BD 102	CAUDEVAL		11
225	BF 108	CAUDIES DE CONFLENT		66
221	BH 105	CAUDIES DE FENOUILLEDES		66
168	AN 85	CAUDROT		33
23	BO 24	CAUDRY		59
35	BH 33	CAUFFRY		60
53	AX 36	CAUGE		27
201	BA 99	CAUJAC		31
22	BM 26	CAULAINCOURT		02
34	BB 28	CAULE STE BEUVE, LE		76
34	BD 27	CAULIERES		80
23	BO 24	CAULLERY		59
70	Z 43	CAULNES	C	22
36	BN 29	CAUMONT		02
219	AW 102	CAUMONT		09
33	AW 32	CAUMONT		27
198	AN 95	CAUMONT		32
168	AO 84	CAUMONT		33
21	BE 22	CAUMONT		62
184	AW 91	CAUMONT		82
50	AK 35	CAUMONT L'EVENTE	C	14
191	CC 92	CAUMONT SUR DURANCE		84
168	AP 87	CAUMONT SUR GARONNE		47
51	AM 36	CAUMONT SUR ORNE		14
181	AJ 94	CAUNA		40
124	AP 67	CAUNAY		79
196	AF 96	CAUNEILLE		40
203	BI 99	CAUNES MINERVOIS		11
203	BK 99	CAUNETTE, LA		34
221	BH 102	CAUNETTE SUR LAUQUET		11
222	BI 102	CAUNETTES EN VAL		11
197	AI 95	CAUPENNE		40
198	AN 94	CAUPENNE D'ARMAGNAC		32
57	BR 37	CAURE, LA		51
69	T 43	CAUREL		22
38	BU 33	CAUREL		51
230	DJ 113	CAURO		2A
22	BN 23	CAUROIR		59
38	BW 32	CAUROY		08
37	BS 32	CAUROY LES HERMONVILLE		51
200	AV 94	CAUSE, LE		82
169	AT 82	CAUSE DE CLERANS		24
185	BA 90	CAUSSADE	C	82
198	AO 97	CAUSSADE RIVIERE		65
188	BP 91	CAUSSE BEGON		30
205	BR 94	CAUSSE DE LA SELLE		34
171	BE 86	CAUSSE ET DIEGE		12
183	AR 92	CAUSSENS		32
204	BN 97	CAUSSES ET VEYRAN		34
204	BN 97	CAUSSINIOJOULS		34
194	CR 94	CAUSSOLS		06
220	BC 105	CAUSSOU		09
217	AN 104	CAUTERETS		65
32	AU 32	CAUVERVILLE EN ROUMOIS		27
51	AN 35	CAUVICOURT		14
168	AN 87	CAUVIGNAC		33
35	BG 33	CAUVIGNY		60
50	AL 36	CAUVILLE		14
32	AQ 29	CAUVILLE		76
204	BP 97	CAUX		34
202	BG 100	CAUX ET SAUZENS		11
184	AV 89	CAUZAC		47
155	BB 80	CAVAGNAC		46
191	CC 93	CAVAILLON	C	84
210	CP 100	CAVALAIRE SUR MER		83
188	BN 92	CAVALERIE, LA		12
46	R 38	CAVAN		22
221	BG 101	CAVANAC		11
169	AT 84	CAVARC		47
190	BW 93	CAVEIRAC		30
222	BM 104	CAVES		11
151	AL 79	CAVIGNAC		33
30	AH 33	CAVIGNY		50
190	BY 90	CAVILLARGUES		30
21	BF 26	CAVILLON		80
10	BE 20	CAVRON ST MARTIN		62
220	BB 105	CAYCHAX		09
21	BI 27	CAYEUX EN SANTERRE		80
20	BB 23	CAYEUX SUR MER		80
188	BP 93	CAYLAR, LE	C	34
185	BC 89	CAYLUS	C	82
185	BA 91	CAYRAC		82
174	BS 81	CAYRES	C	43
185	BB 89	CAYRIECH		82
172	BK 85	CAYROL, LE		12
172	BG 82	CAYROLS		15
200	AV 99	CAZAC		31
182	AL 87	CAZALIS		33
197	AI 95	CAZALIS		40
221	BD 101	CAZALRENOUX		11
170	AY 84	CAZALS	C	46
185	BB 90	CAZALS		82
221	BD 102	CAZALS DES BAYLES		09
218	AS 105	CAZARIL LASPENES		31
218	AS 101	CAZARIL TAMBOURES		31
218	AS 103	CAZARILH		65
167	AM 86	CAZATS		33
182	AN 92	CAZAUBON	C	32
168	AO 83	CAZAUGITAT		33
218	AT 103	CAZAUNOUS		31
220	BA 102	CAZAUX		09
199	AQ 95	CAZAUX D'ANGLES		32
218	AQ 104	CAZAUX DEBAT		65
218	AR 104	CAZAUX FRECHET ANERAN CAMORS		65
218	AS 104	CAZAUX LAYRISSE		31
200	AV 97	CAZAUX SAVES		32
199	AP 98	CAZAUX VILLECOMTAL		32
219	AW 103	CAZAVET		09
218	AR 105	CAZEAUX DE LARBOUST		31
203	BM 98	CAZEDARNES		34
220	BB 104	CAZENAVE SERRES ET ALLENS		09
183	AP 93	CAZENEUVE		32
219	AU 101	CAZENEUVE MONTAUT		31
219	AW 100	CAZERES	C	31
198	AL 94	CAZERES SUR L'ADOUR		40
184	AX 89	CAZES MONDENARD		82
205	BS 94	CAZEVIEILLE		34
184	AV 87	CAZIDEROQUE		47
221	BG 101	CAZILHAC		11
189	BR 93	CAZILHAC		34
170	BB 81	CAZILLAC		46
170	AZ 82	CAZOULES		24
204	BQ 97	CAZOULS D'HERAULT		34
204	BN 98	CAZOULS LES BEZIERS		34
72	AK 41	CEAUCE		61
126	BB 64	CEAULMONT		36
49	AF 39	CEAUX		50
158	BR 78	CEAUX D'ALLEGRE		43
124	AQ 66	CEAUX EN COUHE		86
108	AR 58	CEAUX EN LOUDUN		86
203	BM 98	CEBAZAN		34
143	BM 71	CEBAZAT		63
81	BY 42	CEFFONDS		52
147	CF 68	CEIGNES		01
204	BN 94	CEILHES ET ROCOZELS		34
179	CQ 83	CEILLAC		05
144	BQ 73	CEILLOUX		63
83	CJ 41	CEINTREY		54
128	BI 62	CELETTE, LA		18
128	BK 67	CELLE, LA		03
128	BH 61	CELLE, LA		18
92	AV 49	CELLE		41
142	BI 71	CELLE, LA		63
209	CK 98	CELLE, LA		83
127	BF 61	CELLE CONDE, LA		18
127	BC 66	CELLE DUNOISE, LA		23
115	BU 58	CELLE EN MORVAN, LA		71
109	AW 59	CELLE GUENAND, LA		37
54	BE 40	CELLE LES BORDES, LA		78
124	AQ 64	CELLE LEVESCAULT		86
57	BR 40	CELLE SOUS CHANTEMERLE, LA		51
127	BF 67	CELLE SOUS GOUZON, LA		23
57	BP 37	CELLE SOUS MONTMIRAIL, LA		02
109	AT 58	CELLE ST AVANT, LA		37
55	BF 38	CELLE ST CLOUD, LA	C	78
96	BN 47	CELLE ST CYR, LA		89
96	BL 53	CELLE SUR LOIRE, LA		58
56	BL 38	CELLE SUR MORIN, LA		77
113	BN 56	CELLE SUR NIEVRE, LA		58
138	AR 70	CELLEFROUIN		16
220	BB 104	CELLES		09
157	BL 79	CELLES		15
137	AL 74	CELLES		17
152	AR 77	CELLES		24
204	BP 95	CELLES		34
100	CE 48	CELLES EN BASSIGNY		52
57	BP 36	CELLES LES CONDE		02
37	BP 31	CELLES SUR AISNE		02
124	AN 66	CELLES SUR BELLE	C	79
144	BR 71	CELLES SUR DUROLLE		63
80	BW 46	CELLES SUR OURCE		10
84	CP 41	CELLES SUR PLAINE		88
127	BE 65	CELLETTE, LA		23
142	BK 68	CELLETTE, LA		63
138	AQ 71	CELLETTES		16
93	AZ 52	CELLETTES		41
106	AE 54	CELLIER, LE		44
174	BT 84	CELLIER DU LUC		07
159	BY 74	CELLIEU		42
143	BN 70	CELLULE		63
126	BA 64	CELON		36
157	BO 79	CELOUX		15
100	CE 48	CELSOY		52
77	BI 42	CELY		77
101	CH 48	CEMBOING		70
34	BE 29	CEMPUIS		60
167	AK 83	CENAC		33
170	AX 83	CENAC ET ST JULIEN		24
101	CJ 53	CENANS		70
189	BU 90	CENDRAS		30
143	BN 72	CENDRE, LE		63
101	CH 48	CENDRECOURT		70
101	CK 53	CENDREY		25
169	AV 80	CENDRIEUX		24
171	BC 87	CENEVIERES		46
202	BF 99	CENNE MONESTIES		11
167	AK 82	CENON	C	33
125	AT 61	CENON SUR VIENNE		86
118	CJ 60	CENSEAU		39
115	BW 56	CENSEREY		21
98	BT 50	CENSY		89
19	AY 27	CENT ACRES, LES		76
186	BH 90	CENTRES		12
229	DM 101	CENTURI		2B
132	BY 66	CENVES		69
201	AZ 94	CEPET		31
221	BG 102	CEPIE		11
78	BJ 47	CEPOY		45
183	AT 94	CERAN		32
91	AP 49	CERANS FOULLETOURTE		72
227	BN 109	CERBERE		66
111	BF 57	CERBOIS		18
146	BZ 68	CERCIE		69
148	CJ 68	CERCIER		74
153	AS 76	CERCLES		24
94	BD 47	CERCOTTES		45
151	AM 79	CERCOUX		17
51	AP 40	CERCUEIL, LE		61
114	BQ 60	CERCY LA TOUR		58
147	CF 68	CERDON		01
95	BH 51	CERDON		45
181	AK 91	CERE		40
110	AY 55	CERE LA RONDE		37
92	AU 53	CERELLES		37
49	AF 36	CERENCES		50
192	CH 93	CERESTE		04
226	BK 109	CERET	S	66
24	BS 22	CERFONTAINE		59
145	BW 68	CERGNE, LE		42
55	BF 36	CERGY	C	95
128	BK 62	CERILLY	C	03
98	BW 48	CERILLY		21
79	BQ 45	CERILLY		89
74	AQ 42	CERISE		61
81	CB 43	CERISIERES		52
79	BP 46	CERISIERS	C	89
21	BI 26	CERISY		80
50	AL 38	CERISY BELLE ETOILE		61
20	BC 25	CERISY BULEUX		80
30	AJ 33	CERISY LA FORET		50
49	AG 35	CERISY LA SALLE	C	50
107	AK 60	CERIZAY	C	79
219	AW 101	CERIZOLS		09
36	BO 28	CERIZY		02
32	AT 30	CERLANGUE, LA		76
118	CI 58	CERNANS		39
52	AS 36	CERNAY		14
75	AY 43	CERNAY		28
103	CR 48	CERNAY	C	68
108	AR 60	CERNAY		86
39	BY 33	CERNAY EN DORMOIS		51
54	BE 40	CERNAY LA VILLE		78
119	CP 54	CERNAY L'EGLISE		25
38	BT 33	CERNAY LES REIMS		51
57	BO 39	CERNEUX		77
148	CJ 68	CERNEX		74
134	CJ 61	CERNIEBAUD		39
24	BW 27	CERNION		08
133	CG 64	CERNON		39
58	BV 38	CERNON		51
35	BI 31	CERNOY		60
96	BJ 52	CERNOY EN BERRY		45
107	AL 56	CERNUSSON		49
77	BG 42	CERNY		91
37	BQ 31	CERNY EN LAONNOIS		02
37	BP 30	CERNY LES BUCY		02
130	BT 66	CERON		71
167	AL 84	CERONS		33
52	AS 36	CERQUEUX		14
107	AK 58	CERQUEUX, LES		49
107	AL 57	CERQUEUX SOUS PASSAVANT, LES		49
101	CK 51	CERRE LES NOROY		70
204	BO 99	CERS		34
107	AM 57	CERSAY		79
37	BP 32	CERSEUIL		02
131	BY 61	CERSOT		71
82	CG 43	CERTILLEUX		88
146	CD 67	CERTINES		01
134	CM 65	CERVENS		74
179	CP 81	CERVIERES		05
144	BR 71	CERVIERES		42
61	CK 39	CERVILLE		54
231	DN 108	CERVIONE	C	2B
114	BR 55	CERVON		58
158	BP 79	CERZAT		43
133	CF 62	CESANCEY		39
148	CM 72	CESARCHES		73
77	BG 44	CESARVILLE DOSSAINVILLE		45
219	AW 103	CESCAU		09
197	AJ 98	CESCAU		64
51	AO 35	CESNY AUX VIGNES OUEZY		14
51	AM 36	CESNY BOIS HALBOUT		14
167	AM 83	CESSAC		33
201	BC 98	CESSALES		31
39	CB 30	CESSE		55
204	BM 98	CESSENON SUR ORB		34
148	CI 71	CESSENS		73
203	BJ 99	CESSERAS		34
129	BN 66	CESSET		03
53	AX 34	CESSEVILLE		27
117	CI 56	CESSEY		25
116	CC 55	CESSEY SUR TILLE		21
37	BP 30	CESSIERES		02
161	CE 74	CESSIEU		38
77	BI 41	CESSON		77
71	AD 45	CESSON SEVIGNE	C	35
78	BM 42	CESSOY EN MONTOIS		77
134	CJ 65	CESSY		01
113	BN 55	CESSY LES BOIS		58
167	AJ 83	CESTAS		33
186	BD 92	CESTAYROLS		81
74	AV 45	CETON		61
216	AJ 103	CETTE EYGUN		64
149	CN 73	CEVINS		73
204	BQ 96	CEYRAS		34
143	BM 72	CEYRAT		63
208	CH 100	CEYRESTE		13
141	BB 69	CEYROUX		23
158	BS 80	CEYSSAC		43
143	BL 72	CEYSSAT		63
133	CE 67	CEYZERIAT	C	01
147	CH 71	CEYZERIEU		01
151	AL 79	CEZAC		33
185	AZ 88	CEZAC		46
123	AI 62	CEZAIS		85
183	AS 94	CEZAN		32
144	BT 71	CEZAY		42
173	BL 81	CEZENS		15
133	CF 65	CEZIA		39
97	BO 47	CEZY		89
139	AU 71	CHABANAIS	C	16
144	BR 69	CHABANNE, LA		03
178	CI 86	CHABESTAN		05
176	CC 81	CHABEUIL	C	26
97	BS 49	CHABLIS	C	89
161	CF 75	CHABONS		38
178	CL 84	CHABOTTES		05
124	AQ 61	CHABOURNAY		86
139	AU 70	CHABRAC		16
144	BR 71	CHABRELOCHE		63
154	AZ 77	CHABRIGNAC		19
176	CB 83	CHABRILLAN		26
111	BB 55	CHABRIS		36
108	AO 56	CHACE		49
80	BX 46	CHACENAY		10
37	BO 33	CHACRISE		02
157	BN 74	CHADELEUF		63
151	AL 74	CHADENAC		17
174	BR 86	CHADENET		48
158	BT 80	CHADRAC		43
174	BT 81	CHADRON		43
152	AP 75	CHADURIE		16
176	CD 82	CHAFFAL, LE		26
193	CL 91	CHAFFAUT ST JURSON, LE		04
118	CK 59	CHAFFOIS		25
102	CN 51	CHAGEY		70
159	BY 74	CHAGNON		42
39	BY 29	CHAGNY		08
116	BZ 59	CHAGNY	C	71
92	AT 50	CHAHAIGNES		72
73	AO 41	CHAHAINS		61
99	CB 53	CHAIGNAY		21
54	BA 36	CHAIGNES		27
124	AO 67	CHAIL		79
126	AZ 65	CHAILLAC		36
139	AV 71	CHAILLAC SUR VIENNE		87
72	AJ 44	CHAILLAND	C	53
122	AH 64	CHAILLE LES MARAIS	C	85
121	AE 62	CHAILLE SOUS LES ORMEAUX		85
93	AZ 52	CHAILLES		41
136	AG 72	CHAILLEVETTE		17
37	BP 30	CHAILLEVOIS		02
79	BR 46	CHAILLEY		89
60	CF 36	CHAILLON		55
52	AR 40	CHAILLOUE		61
77	BJ 42	CHAILLY EN BIERE		77
56	BM 38	CHAILLY EN BRIE		77
95	BI 48	CHAILLY EN GATINAIS		45
41	CJ 33	CHAILLY LES ENNERY		57
115	BX 55	CHAILLY SUR ARMANCON		21
148	CJ 71	CHAINAZ LES FRASSES		74
117	CE 58	CHAINEE DES COUPIS		39
94	BC 48	CHAINGY		45
132	BZ 66	CHAINTRE		71
78	BK 45	CHAINTREAUX		77
58	BU 37	CHAINTRIX BIERGES		51
81	BY 43	CHAISE, LA		10
49	AG 38	CHAISE BAUDOUIN, LA		50
158	BR 77	CHAISE DIEU, LA	C	43
52	AV 38	CHAISE DIEU DU THEIL		27
122	AI 64	CHAIX		85
121	AB 61	CHAIZE GIRAUD, LA		85
122	AF 61	CHAIZE LE VICOMTE, LA		85
221	BE 103	CHALABRE	C	11
153	AT 79	CHALAGNAC		24
145	BU 73	CHALAIN D'UZORE		42
145	BV 73	CHALAIN LE COMTAL		42
60	CF 40	CHALAINES		55
152	AO 77	CHALAIS	C	16
126	AY 63	CHALAIS		36
108	AP 58	CHALAIS		86
146	CC 69	CHALAMONT	C	01
103	CT 48	CHALAMPE		68

Page	Carreau	Commune	Adm.	Dpt
99	CC 50	CHALANCEY		52
177	CE 86	CHALANCON		26
124	AO 62	CHALANDRAY		86
37	BQ 28	CHALANDRY		02
39	BY 28	CHALANDRY ELAIRE		08
52	AR 40	CHALANGE, LE		61
154	AX 74	CHALARD, LE		87
79	BP 41	CHALAUTRE LA GRANDE		77
79	BO 41	CHALAUTRE LA PETITE		77
114	BS 54	CHALAUX		58
146	CA 69	CHALEINS		01
153	AW 75	CHALEIX		24
175	BY 82	CHALENCON		07
134	CJ 61	CHALESMES, LES		39
78	BK 47	CHALETTE SUR LOING	C	45
80	BW 42	CHALETTE SUR VOIRE		10
147	CF 69	CHALEY		01
118	CJ 55	CHALEZE		25
118	CJ 55	CHALEZEULE		25
173	BN 81	CHALIERS		15
56	BK 37	CHALIFERT		77
61	CI 40	CHALIGNY		54
157	BL 79	CHALINARGUES		15
100	CE 49	CHALINDREY		52
112	BJ 60	CHALIVOY MILON		18
90	AH 51	CHALLAIN LA POTHERIE		49
105	AA 59	CHALLANS	C	85
114	BQ 55	CHALLEMENT		58
39	BY 32	CHALLERANGE		08
147	CF 67	CHALLES		01
92	AS 48	CHALLES		72
162	CJ 74	CHALLES LES EAUX		73
76	BA 41	CHALLET		28
134	CI 67	CHALLEX		01
152	AN 76	CHALLIGNAC		16
147	CH 68	CHALLONGES		74
113	BN 59	CHALLUY		58
78	BN 42	CHALMAISON		77
144	BS 73	CHALMAZEL		42
130	BS 63	CHALMOUX		71
77	BE 42	CHALO ST MARS		91
160	CC 78	CHALON, LE		26
116	CA 60	CHALON SUR SAONE	S	71
92	AQ 52	CHALONNES SOUS LE LUDE		49
107	AJ 54	CHALONNES SUR LOIRE	C	49
160	CB 75	CHALONS		38
72	AK 45	CHALONS DU MAINE		53
58	BW 36	CHALONS EN CHAMPAGNE	P	51
37	BS 33	CHALONS SUR VESLE		51
102	CO 50	CHALONVILLARS		70
77	BE 43	CHALOU MOULINEUX		91
57	BS 37	CHALTRAIT		51
157	BN 75	CHALUS		63
139	AW 73	CHALUS	C	87
156	BG 78	CHALVIGNAC		15
82	CE 44	CHALVRAINES		52
152	AN 79	CHAMADELLE		33
83	CK 42	CHAMAGNE		88
146	CC 73	CHAMAGNIEU		38
143	BM 72	CHAMALIERES	C	63
158	BT 78	CHAMALIERES SUR LOIRE		43
177	CE 82	CHAMALOC		26
35	BJ 34	CHAMANT		60
77	BG 41	CHAMARANDE		91
81	CC 46	CHAMARANDES CHOIGNES		52
176	CB 87	CHAMARET		26
144	BR 72	CHAMBA, LA		42
99	CA 49	CHAMBAIN		21
116	CD 55	CHAMBEIRE		21
90	AK 50	CHAMBELLAY		49
145	BV 73	CHAMBEON		42
128	BH 65	CHAMBERAT		03
141	BE 69	CHAMBERAUD		23
155	BC 74	CHAMBERET		19
133	CF 64	CHAMBERIA		39
162	CI 74	CHAMBERY	P	73
96	BM 49	CHAMBEUGLE		89
157	BN 76	CHAMBEZON		43
130	BT 66	CHAMBILLY		71
52	AT 36	CHAMBLAC		27
116	CC 58	CHAMBLANC		21
117	CG 58	CHAMBLAY		39
159	BV 75	CHAMBLES		42
128	BJ 66	CHAMBLET		03
60	CG 35	CHAMBLEY BUSSIERES	C	54
55	BG 34	CHAMBLY		60
116	CA 55	CHAMBOEUF		21
159	BW 74	CHAMBOEUF		42
52	AQ 38	CHAMBOIS		61
116	CA 56	CHAMBOLLE MUSIGNY		21
175	BW 82	CHAMBON, LE		07
136	AI 68	CHAMBON		17
128	BG 61	CHAMBON		18
189	BU 88	CHAMBON		30
109	AV 60	CHAMBON		37
159	BW 76	CHAMBON FEUGEROLLES, LE	C	42
77	BG 47	CHAMBON LA FORET		45
174	BR 82	CHAMBON LE CHATEAU		48
127	BC 65	CHAMBON STE CROIX		23
93	AY 52	CHAMBON SUR CISSE		41
158	BQ 75	CHAMBON SUR DOLORE		63
157	BL 74	CHAMBON SUR LAC		63
159	BW 80	CHAMBON SUR LIGNON, LE		43
142	BH 67	CHAMBON SUR VOUEIZE	C	23
175	BV 87	CHAMBONAS		07
142	BI 67	CHAMBONCHARD		23
144	BR 72	CHAMBONIE, LA		42
140	BA 68	CHAMBORAND		23
52	AU 37	CHAMBORD		27
94	BA 51	CHAMBORD		41
140	AX 69	CHAMBORET		87
189	BT 88	CHAMBORIGAUD		30
101	CJ 53	CHAMBORNAY LES BELLEVAUX		70
117	CH 54	CHAMBORNAY LES PIN		70
34	BD 33	CHAMBORS		60
145	BX 69	CHAMBOST ALLIERES		69
145	BW 72	CHAMBOST LONGESSAIGNE		69
155	BC 76	CHAMBOULIVE		19
55	BE 37	CHAMBOURCY		78
110	AW 56	CHAMBOURG SUR INDRE		37
53	AZ 35	CHAMBRAY		27
109	AU 54	CHAMBRAY LES TOURS	C	37
162	CL 76	CHAMBRE, LA	C	73
57	BR 34	CHAMBRECY		51
49	AF 38	CHAMBRES, LES		50
106	AH 59	CHAMBRETAUD		85
61	CL 38	CHAMBREY		57
82	CD 43	CHAMBRONCOURT		52
37	BQ 29	CHAMBRY		02
56	BK 36	CHAMBRY		77
157	BP 75	CHAMEANE		63
145	BX 69	CHAMELET		69
57	BS 34	CHAMERY		51
119	CN 55	CHAMESEY		25
102	CP 53	CHAMESOL		25
99	BX 49	CHAMESSON		21
155	BB 78	CHAMEYRAT		19
56	BM 36	CHAMIGNY		77
116	BY 59	CHAMILLY		71
73	AM 46	CHAMMES		53
117	CG 60	CHAMOLE		39
149	CQ 69	CHAMONIX MONT BLANC	C	74
151	AK 77	CHAMOUILLAC		17
37	BQ 31	CHAMOUILLE		02
59	CB 40	CHAMOUILLEY		52
148	CK 74	CHAMOUSSET		73
97	BQ 53	CHAMOUX		89
162	CL 74	CHAMOUX SUR GELON	C	73
80	BS 46	CHAMOY		10
51	AO 40	CHAMP DE LA PIERRE, LE		61
98	BW 52	CHAMP D'OISEAU		21
53	AX 36	CHAMP DOLENT		27
50	AI 38	CHAMP DU BOULT		14
52	AS 39	CHAMP HAUT		61
162	CL 74	CHAMP LAURENT		73
84	CN 44	CHAMP LE DUC		88
162	CJ 77	CHAMP PRES FROGES, LE		38
121	AE 63	CHAMP ST PERE, LE		85
80	BW 44	CHAMP SUR BARSE		10
161	CH 79	CHAMP SUR DRAC		38
107	AL 55	CHAMP SUR LAYON, LE		49
156	BH 77	CHAMPAGNAC		15
151	AL 75	CHAMPAGNAC		17
153	AT 76	CHAMPAGNAC DE BELAIR	C	24
155	BE 77	CHAMPAGNAC LA NOAILLE		19
155	BE 78	CHAMPAGNAC LA PRUNE		19
139	AV 73	CHAMPAGNAC LA RIVIERE		87
158	BP 76	CHAMPAGNAC LE VIEUX		43
142	BG 69	CHAMPAGNAT		23
133	CE 64	CHAMPAGNAT		71
158	BP 75	CHAMPAGNAT LE JEUNE		63
160	CA 77	CHAMPAGNE		07
136	AH 71	CHAMPAGNE		17
54	BB 39	CHAMPAGNE		28
74	AR 47	CHAMPAGNE		72
146	BZ 71	CHAMPAGNE AU MONT D'OR		69
147	CG 70	CHAMPAGNE EN VALROMEY	C	01
152	AR 76	CHAMPAGNE ET FONTAINE		24
138	AQ 67	CHAMPAGNE LE SEC		86
122	AG 64	CHAMPAGNE LES MARAIS		85
139	AS 69	CHAMPAGNE MOUTON	C	16
124	AR 66	CHAMPAGNE ST HILAIRE		86
117	CH 57	CHAMPAGNE SUR LOUE		39
55	BG 34	CHAMPAGNE SUR OISE		95
78	BK 43	CHAMPAGNE SUR SEINE		77
100	CE 53	CHAMPAGNE SUR VINGEANNE		21
152	AP 75	CHAMPAGNE VIGNY		16
147	CH 73	CHAMPAGNEUX		73
117	CH 55	CHAMPAGNEY		25
117	CE 55	CHAMPAGNEY		39
102	CN 50	CHAMPAGNEY	C	70
161	CH 79	CHAMPAGNIER		38
134	CI 61	CHAMPAGNOLE	C	39
151	AJ 74	CHAMPAGNOLLES		17
99	BZ 53	CHAMPAGNY		21
163	CP 75	CHAMPAGNY EN VANOISE		73
132	BZ 62	CHAMPAGNY SOUS UXELLES		71
113	BP 56	CHAMPALLEMENT		58
135	CN 64	CHAMPANGES		74
57	BR 37	CHAMPAUBERT		51
179	CO 83	CHAMPCELLA		05
56	BN 40	CHAMPCENEST		77
51	AO 38	CHAMPCERIE		61
49	AF 38	CHAMPCERVON		50
153	AU 78	CHAMPCEVINEL		24
96	BL 50	CHAMPCEVRAIS		89
49	AE 38	CHAMPCEY		50
159	BV 80	CHAMPCLAUSE		43
77	BH 41	CHAMPCUEIL		91
123	AL 64	CHAMPDENIERS ST DENIS	C	79
56	BJ 40	CHAMPDEUIL		77
144	BU 73	CHAMPDIEU		42
117	CE 58	CHAMPDIVERS		39
137	AI 70	CHAMPDOLENT		17
147	CG 69	CHAMPDOR		01
116	CD 56	CHAMPDOTRE		21
84	CN 45	CHAMPDRAY		88
115	BU 55	CHAMPEAU EN MORVAN		21
71	AF 45	CHAMPEAUX		35
49	AE 38	CHAMPEAUX		50
52	AQ 37	CHAMPEAUX, LES		61
78	BK 41	CHAMPEAUX		77
153	AT 75	CHAMPEAUX ET LA CHAPELLE POMMIER		24
74	AT 40	CHAMPEAUX SUR SARTHE		61
157	BM 74	CHAMPEIX	C	63
53	AZ 35	CHAMPENARD		27
111	BD 59	CHAMPENOISE, LA		36
61	CK 38	CHAMPENOUX		54
73	AL 43	CHAMPEON		53
158	BR 75	CHAMPETIERES		63
102	CN 51	CHAMPEY		70
61	CI 36	CHAMPEY SUR MOSELLE		54
74	AQ 43	CHAMPFLEUR		72
58	BT 40	CHAMPFLEURY		10
38	BT 34	CHAMPFLEURY		51
116	CA 60	CHAMPFORGEUIL		71
73	AP 42	CHAMPFREMONT		53
133	CH 67	CHAMPFROMIER		01
73	AM 44	CHAMPGENETEUX		53
57	BP 39	CHAMPGUYON		51
76	BA 42	CHAMPHOL		28
36	BK 28	CHAMPIEN		80
161	CD 75	CHAMPIER		38
90	AL 51	CHAMPIGNE		49
96	BM 50	CHAMPIGNELLES		89
58	BU 36	CHAMPIGNEUL CHAMPAGNE		51
38	BX 28	CHAMPIGNEUL SUR VENCE		08
39	BZ 32	CHAMPIGNEULLE		08
61	CI 38	CHAMPIGNEULLES		54
82	CF 45	CHAMPIGNEULLES EN BASSIGNY		52
81	BY 45	CHAMPIGNOL LEZ MONDEVILLE		10
115	BX 57	CHAMPIGNOLLES		21
53	AV 36	CHAMPIGNOLLES		27
37	BS 33	CHAMPIGNY		51
78	BM 44	CHAMPIGNY		89
93	AY 50	CHAMPIGNY EN BEAUCE		41
53	AZ 37	CHAMPIGNY LA FUTELAYE		27
124	AQ 61	CHAMPIGNY LE SEC		86
100	CD 48	CHAMPIGNY LES LANGRES		52
100	CF 48	CHAMPIGNY SOUS VARENNES		52
80	BT 41	CHAMPIGNY SUR AUBE		10
55	BI 38	CHAMPIGNY SUR MARNE	C	94
108	AR 57	CHAMPIGNY SUR VEUDE		37
127	BF 63	CHAMPILLET		36
58	BT 35	CHAMPILLON		51
176	CA 81	CHAMPIS		07
55	BG 39	CHAMPLAN		91
57	BR 34	CHAMPLAT ET BOUJACOURT		51
97	BP 48	CHAMPLAY		89
131	BV 64	CHAMPLECY		71
113	BO 55	CHAMPLEMY		58
24	BV 27	CHAMPLIN		08
113	BP 55	CHAMPLIN		58
100	CE 51	CHAMPLITTE	C	70
118	CK 54	CHAMPLIVE		25
79	BQ 47	CHAMPLOST		89
138	AO 73	CHAMPMILLON		16
77	BG 43	CHAMPMOTTEUX		91
140	BB 71	CHAMPNETERY		87
40	CC 33	CHAMPNEUVILLE		55
138	AQ 72	CHAMPNIERS		16
124	AR 67	CHAMPNIERS		86
139	AU 73	CHAMPNIERS ET REILHAC		24
178	CM 83	CHAMPOLEON		05
144	BS 71	CHAMPOLY		42
52	AQ 37	CHAMPOSOULT		61
82	CF 41	CHAMPOUGNY		55
96	BL 51	CHAMPOULET		45
118	CJ 54	CHAMPOUX		25
99	BY 54	CHAMPRENAULT		21
49	AG 37	CHAMPREPUS		50
74	AV 46	CHAMPROND		72
75	AX 42	CHAMPROND EN GATINE		28
75	AV 43	CHAMPROND EN PERCHET		28
117	CE 59	CHAMPROUGIER		39
36	BN 30	CHAMPS		02
74	AT 41	CHAMPS		61
143	BM 69	CHAMPS		63
29	AH 33	CHAMPS DE LOSQUE, LES		50
70	AA 42	CHAMPS GERAUX, LES		22
153	AU 74	CHAMPS ROMAIN		24
55	BI 38	CHAMPS SUR MARNE	C	77
156	BI 76	CHAMPS SUR TARENTAINE MARCHAL	C	15
97	BQ 50	CHAMPS SUR YONNE		89
139	AW 73	CHAMPSAC		87
127	BD 66	CHAMPSANGLARD		23
50	AL 40	CHAMPSECRET		61
76	BB 42	CHAMPSERU		28
100	CE 49	CHAMPSEVRAINE		52
193	CL 90	CHAMPTERCIER		04
90	AK 50	CHAMPTEUSSESUR BACONNE		49
90	AI 53	CHAMPTOCE SUR LOIRE		49
106	AF 54	CHAMPTOCEAUX	C	49
100	CG 54	CHAMPTONNAY		70
97	BO 48	CHAMPVALLON		89
117	CE 57	CHAMPVANS		39
100	CF 53	CHAMPVANS		70
117	CI 55	CHAMPVANS LES MOULINS		25
114	BP 60	CHAMPVERT		58
57	BQ 35	CHAMPVOISY		51
113	BM 57	CHAMPVOUX		58
162	CI 78	CHAMROUSSE		38
97	BO 48	CHAMVRES		89
173	BP 86	CHANAC	C	48
155	BC 78	CHANAC LES MINES		19
174	BP 82	CHANALEILLES		43
160	CA 77	CHANAS		38
143	BM 71	CHANAT LA MOUTEYRE		63
147	CH 69	CHANAY		01
147	CH 71	CHANAZ		73
93	AV 53	CHANCAY		37
71	AF 46	CHANCE		35
99	BY 52	CHANCEAUX		21
109	AW 56	CHANCEAUX PRES LOCHES		37
92	AU 53	CHANCEAUX SUR CHOISILLE		37
153	AT 78	CHANCELADE		24
59	CA 39	CHANCENAY		52
117	CG 54	CHANCEY		70
133	CG 65	CHANCIA		39
52	AV 39	CHANDAI		61
175	BW 87	CHANDOLAS		07
145	BV 68	CHANDON		42
175	BW 81	CHANEAC		07
146	CA 68	CHANEINS		01
132	BZ 66	CHANES		71
153	AV 78	CHANGE, LE		24
72	AJ 46	CHANGE		53
115	BY 59	CHANGE		71
92	AR 47	CHANGE		72
100	CD 48	CHANGEY		52
56	BL 36	CHANGIS SUR MARNE		77
144	BT 68	CHANGY		42
59	BY 38	CHANGY		51
131	BV 65	CHANGY		71
158	BQ 77	CHANIAT		43
137	AK 72	CHANIERS		17
98	BV 48	CHANNAY		21
92	AR 53	CHANNAY SUR LATHAN		37
98	BV 48	CHANNES		10
143	BM 73	CHANONAT		63
160	CB 79	CHANOS CURSON		26
192	CH 87	CHANOUSSE		05
100	CC 48	CHANOY		52
132	CB 67	CHANOZ CHATENAY		01
94	BE 47	CHANTEAU		45
78	BL 46	CHANTECOQ		45
124	AN 64	CHANTECORPS		79
62	CL 40	CHANTEHEUX		54
155	BB 77	CHANTEIX		19
129	BN 67	CHANTELLE	C	03
53	AX 37	CHANTELOUP		27
71	AD 47	CHANTELOUP		35
49	AF 36	CHANTELOUP		50
123	AK 61	CHANTELOUP		79
56	BJ 38	CHANTELOUP EN BRIE		77
107	AK 57	CHANTELOUP LES BOIS		49
55	BE 36	CHANTELOUP LES VIGNES		78
162	CJ 80	CHANTELOUVE		38
57	BQ 40	CHANTEMERLE		51
160	CB 79	CHANTEMERLE LES BLES		26
176	CA 87	CHANTEMERLE LES GRIGNAN		26
137	AK 69	CHANTEMERLE SUR LA SOIE		17
129	BN 61	CHANTENAY ST IMBERT		58
91	AO 48	CHANTENAY VILLEDIEU		72
71	AD 45	CHANTEPIE		35
153	AS 78	CHANTERAC		24
60	CD 39	CHANTERAINE		55
157	BK 76	CHANTERELLE		15
101	CH 51	CHANTES		70
161	CF 77	CHANTESSE		38
158	BQ 80	CHANTEUGES		43
151	AM 77	CHANTILLAC		16
55	BH 34	CHANTILLY	C	60
122	AH 61	CHANTONNAY	C	85
83	CL 45	CHANTRAINE		88
82	CC 44	CHANTRAINES		52
118	CJ 57	CHANTRANS		25
72	AL 42	CHANTRIGNE		53
50	AK 39	CHANU		61
61	CL 35	CHANVILLE		57
107	AK 55	CHANZEAUX		49
95	BF 52	CHAON		41
83	CI 42	CHAOUILLEY		54
80	BU 46	CHAOURCE	C	10
38	BS 28	CHAOURSE		02
132	BZ 63	CHAPAIZE		71
162	CJ 75	CHAPAREILLAN		38
143	BK 71	CHAPDES BEAUFORT		63
153	AS 76	CHAPDEUIL		24
130	BQ 64	CHAPEAU		03
148	CJ 70	CHAPEIRY		74
80	BW 41	CHAPELAINE		51
128	BI 65	CHAPELAUDE, LA		03
144	BQ 68	CHAPELLE, LA		03
39	CA 27	CHAPELLE, LA		08
138	AP 71	CHAPELLE, LA		16
162	CL 75	CHAPELLE, LA		73
121	AC 62	CHAPELLE ACHARD, LA		85
144	BQ 73	CHAPELLE AGNON, LA		63
72	AK 45	CHAPELLE ANTHENAISE, LA		53
130	BT 62	CHAPELLE AU MANS, LA		71
50	AL 39	CHAPELLE AU MOINE, LA		61
73	AM 43	CHAPELLE AU RIBOUL, LA		53
154	AX 80	CHAPELLE AUBAREIL, LA		24
83	CK 46	CHAPELLE AUX BOIS, LA		88
154	BB 79	CHAPELLE AUX BROCS, LA		19
130	BQ 62	CHAPELLE AUX CHASSES, LA		03
92	AR 51	CHAPELLE AUX CHOUX, LA		72
70	AC 42	CHAPELLE AUX FILTZMEENS, LA		35
123	AJ 62	CHAPELLE AUX LYS, LA		85
109	AS 55	CHAPELLE AUX NAUX, LA		37
171	BC 81	CHAPELLE AUX SAINTS, LA		19
126	BB 65	CHAPELLE BALOUE, LA		23
106	AF 55	CHAPELLE BASSE MER, LA		44
123	AM 64	CHAPELLE BATON, LA		79
139	AS 67	CHAPELLE BATON, LA		86
32	AT 33	CHAPELLE BAYVEL, LA		27
158	BR 78	CHAPELLE BERTIN, LA		43
124	AN 62	CHAPELLE BERTRAND, LA		79
50	AK 39	CHAPELLE BICHE, LA		61
70	Z 43	CHAPELLE BLANCHE, LA		22
162	CJ 75	CHAPELLE BLANCHE, LA		73
109	AV 57	CHAPELLE BLANCHE ST MARTIN, LA		37
70	AB 47	CHAPELLE BOUEXIC, LA		35
69	X 48	CHAPELLE CARO, LA		56
50	AH 38	CHAPELLE CECELIN, LA		50
70	AB 43	CHAPELLE CHAUSSEE, LA		35
90	AI 48	CHAPELLE CRAONNAISE, LA		53
135	CP 65	CHAPELLE D'ABONDANCE, LA		74
157	BL 79	CHAPELLE D'ALAGNON, LA		15
91	AN 50	CHAPELLE D'ALIGNE, LA		72
73	AL 41	CHAPELLE D'ANDAINE, LA		61
112	BH 54	CHAPELLE D'ANGILLON, LA	C	18
12	BK 17	CHAPELLE D'ARMENTIERES, LA		59
76	BD 42	CHAPELLE D'AUNAINVILLE, LA		28
159	BV 77	CHAPELLE D'AUREC, LA		43
132	BZ 62	CHAPELLE DE BRAGNY, LA		71
88	AB 50	CHAPELLE DE BRAIN, LA		35
132	BZ 67	CHAPELLE DE GUINCHAY, LA	C	71
147	CF 74	CHAPELLE DE LA TOUR, LA		38
145	BW 69	CHAPELLE DE MARDORE, LA		69
160	CB 76	CHAPELLE DE SURIEU, LA		38
134	CJ 62	CHAPELLE DES BOIS		25
71	AC 44	CHAPELLE DES FOUGERETZ, LA		35
88	Y 52	CHAPELLE DES MARAIS, LA		44
137	AK 72	CHAPELLE DES POTS, LA		17
84	CO 44	CHAPELLE DEVANT BRUYERES, LA		88
118	CK 58	CHAPELLE D'HUIN		25
162	CK 75	CHAPELLE DU BARD, LA		38
74	AT 44	CHAPELLE DU BOIS, LA		72
53	AY 35	CHAPELLE DU BOIS DES FAULX, LA		27
19	AY 27	CHAPELLE DU BOURGAY, LA		76
146	CB 68	CHAPELLE DU CHATELARD, LA		01
106	AH 56	CHAPELLE DU GENET, LA		49
70	AA 44	CHAPELLE DU LOU, LA		35
131	BX 65	CHAPELLE DU MONT DE FRANCE, LA		71
148	CI 72	CHAPELLE DU MONT DU CHAT, LA		73
75	AZ 47	CHAPELLE DU NOYER, LA		28
49	AG 34	CHAPELLE EN JUGER, LA		50
158	BU 75	CHAPELLE EN LAFAYE, LA		42
55	BI 35	CHAPELLE EN SERVAL, LA		60
178	CL 82	CHAPELLE EN VALGAUDEMAR, LA		05
177	CE 80	CHAPELLE EN VERCORS, LA	C	26
54	BC 34	CHAPELLE EN VEXIN, LA		95
93	AY 49	CHAPELLE ENCHERIE, LA		41
50	AL 37	CHAPELLE ENGERBOLD, LA		14
71	AH 45	CHAPELLE ERBREE, LA		35
153	AU 76	CHAPELLE FAUCHER, LA		24
59	BY 35	CHAPELLE FELCOURT, LA		51
54	BA 39	CHAPELLE FORAINVILLIERS, LA		28
53	AW 40	CHAPELLE FORTIN, LA		28
88	Z 49	CHAPELLE GACELINE, LA		56
107	AM 59	CHAPELLE GAUDIN, LA		79
92	AU 49	CHAPELLE GAUGAIN, LA		72
52	AT 36	CHAPELLE GAUTHIER, LA		27
78	BL 41	CHAPELLE GAUTHIER, LA		77
158	BR 76	CHAPELLE GENESTE, LA		43
89	AG 51	CHAPELLE GLAIN, LA		44
153	AT 78	CHAPELLE GONAGUET, LA		24
152	AR 76	CHAPELLE GRESIGNAC, LA		24
75	AW 46	CHAPELLE GUILLAUME		28
52	AS 35	CHAPELLE HARENG, LA		27
52	AQ 36	CHAPELLE HAUTE GRUE, LA		14
121	AB 61	CHAPELLE HERMIER, LA		85
106	AF 56	CHAPELLE HEULIN, LA		44
113	BL 59	CHAPELLE HUGON, LA		18
90	AH 49	CHAPELLE HULLIN, LA		49
92	AU 49	CHAPELLE HUON, LA		72
56	BL 40	CHAPELLE IGER, LA		77
72	AH 43	CHAPELLE JANSON, LA		35
77	BI 44	CHAPELLE LA REINE, LA	C	77
57	BS 40	CHAPELLE LASSON, LA		51
88	AA 53	CHAPELLE LAUNAY, LA		44
157	BO 78	CHAPELLE LAURENT, LA		15
101	CL 49	CHAPELLE LES LUXEUIL, LA		70
157	BM 75	CHAPELLE MARCOUSSE, LA		63
153	AS 76	CHAPELLE MONTABOURLET, LA		24
139	AV 73	CHAPELLE MONTBRANDEIX, LA		87
57	BQ 36	CHAPELLE MONTHODON, LA		02
74	AU 42	CHAPELLE MONTLIGEON, LA		61
113	BL 56	CHAPELLE MONTLINARD, LA		18
111	BC 55	CHAPELLE MONTMARTIN, LA		41
153	AT 75	CHAPELLE MONTMOREAU, LA		24
124	AQ 63	CHAPELLE MONTREUIL, LA		86
125	AT 62	CHAPELLE MOULIERE, LA		86
57	BO 38	CHAPELLE MOUTILS, LA		77
132	CC 62	CHAPELLE NAUDE, LA		71
46	Q 40	CHAPELLE NEUVE, LA		22
69	T 47	CHAPELLE NEUVE, LA		56
76	BB 47	CHAPELLE ONZERAIN, LA		45
110	BA 60	CHAPELLE ORTHEMALE, LA		36
105	AC 60	CHAPELLE PALLUAU, LA		85
138	AP 68	CHAPELLE POUILLOUX, LA		79
74	AQ 41	CHAPELLE PRES SEES, LA		61
78	BL 41	CHAPELLE RABLAIS, LA		77
72	AL 46	CHAPELLE RAINSOUIN, LA		53
148	CL 68	CHAPELLE RAMBAUD, LA		74
54	BA 35	CHAPELLE REANVILLE, LA		27
107	AJ 55	CHAPELLE ROUSSELIN, LA		49
75	AX 45	CHAPELLE ROYALE		28
74	AT 43	CHAPELLE SOUEF, LA		61
132	BZ 63	CHAPELLE SOUS BRANCION, LA		71
131	BW 66	CHAPELLE SOUS DUN, LA		71
57	BR 37	CHAPELLE SOUS ORBAIS, LA		51
115	BV 60	CHAPELLE SOUS UCHON, LA		71
155	BE 76	CHAPELLE SPINASSE		19
113	BO 54	CHAPELLE ST ANDRE, LA		58
71	AG 43	CHAPELLE ST AUBERT, LA		35
74	AQ 47	CHAPELLE ST AUBIN, LA		72
123	AK 61	CHAPELLE ST ETIENNE, LA		79
106	AH 54	CHAPELLE ST FLORENT, LA		49
73	AQ 46	CHAPELLE ST FRAY, LA		72
155	BE 80	CHAPELLE ST GERAUD, LA		19
154	AX 78	CHAPELLE ST JEAN, LA		24
91	AN 51	CHAPELLE ST LAUD, LA		49
123	AL 61	CHAPELLE ST LAURENT, LA		79
111	BC 58	CHAPELLE ST LAURIAN, LA		36
80	BT 44	CHAPELLE ST LUC, LA	C	10
141	BD 69	CHAPELLE ST MARTIAL, LA		23
147	CH 73	CHAPELLE ST MARTIN, LA		73
93	AZ 50	CHAPELLE ST MARTIN EN PLAINE, LA		41
148	CK 71	CHAPELLE ST MAURICE, LA		74
94	BD 48	CHAPELLE ST MESMIN, LA		45
34	BA 30	CHAPELLE ST OUEN, LA		76
101	CG 52	CHAPELLE ST QUILLAIN, LA		70
74	AS 46	CHAPELLE ST REMY, LA		72
90	AH 53	CHAPELLE ST SAUVEUR, LA		44
116	CD 60	CHAPELLE ST SAUVEUR, LA		71
78	BK 47	CHAPELLE ST SEPULCRE, LA		45
78	BN 41	CHAPELLE ST SULPICE, LA		77
112	BG 58	CHAPELLE ST URSIN, LA		18
96	BL 49	CHAPELLE SUR AVEYRON, LA		45
57	BO 37	CHAPELLE SUR CHEZY, LA		02
145	BX 73	CHAPELLE SUR COISE, LA		69
19	AW 26	CHAPELLE SUR DUN, LA		76
105	AD 54	CHAPELLE SUR ERDRE, LA	C	44
117	CH 58	CHAPELLE SUR FURIEUSE, LA		39
108	AR 55	CHAPELLE SUR LOIRE, LA		37
78	BO 44	CHAPELLE SUR OREUSE, LA		89
90	AJ 50	CHAPELLE SUR OUDON, LA		49
157	BP 75	CHAPELLE SUR USSON, LA		63
141	BC 68	CHAPELLE TAILLEFERT, LA		23
132	CC 63	CHAPELLE THECLE, LA		71
122	AH 63	CHAPELLE THEMER, LA		85
123	AK 63	CHAPELLE THIREUIL, LA		79
70	AB 45	CHAPELLE THOUARAULT, LA		35
50	AH 39	CHAPELLE UREE, LA		50
80	BT 42	CHAPELLE VALLON		10
97	BR 49	CHAPELLE VAUPELTEIGNE, LA		89
93	AY 51	CHAPELLE VENDOMOISE, LA		41
93	AX 47	CHAPELLE VICOMTESSE, LA		41
52	AU 39	CHAPELLE VIEL, LA		61
160	BZ 75	CHAPELLE VILLARS, LA		42
125	AU 64	CHAPELLE VIVIERS		86
117	CE 60	CHAPELLE VOLAND		39
52	AS 35	CHAPELLE YVON, LA		14
149	CP 73	CHAPELLES, LES		73
56	BK 39	CHAPELLES BOURBON, LES		77
77	BI 47	CHAPELON		45
112	BJ 54	CHAPELOTTE, LA		18
54	BE 36	CHAPET		78
118	CI 59	CHAPOIS		39
146	CB 73	CHAPONNAY		69
146	BZ 72	CHAPONOST		69
129	BL 65	CHAPPES		03
38	BU 29	CHAPPES		08
80	BV 45	CHAPPES		10
143	BN 71	CHAPPES		63
140	AY 70	CHAPTELAT		87
143	BN 69	CHAPTUZAT		63
161	CG 74	CHARANCIEU		38
160	CC 74	CHARANTONNAY		38
161	CF 75	CHARAVINES		38
38	BX 30	CHARBOGNE		08
131	BU 60	CHARBONNAT		71
157	BO 76	CHARBONNIER LES MINES		63
75	AW 45	CHARBONNIERES		28
132	BZ 65	CHARBONNIERES		71
146	BZ 72	CHARBONNIERES LES BAINS		69
118	CK 56	CHARBONNIERES LES SAPINS		25
143	BL 70	CHARBONNIERES LES VARENNES		63
143	BL 69	CHARBONNIERES LES VIEILLES		63
97	BP 49	CHARBUY		89
177	CF 86	CHARCE, LA		26
107	AM 54	CHARCE ST ELLIER SUR AUBANCE		49
101	CG 54	CHARCENNE		70
73	AM 42	CHARCHIGNE		53
133	CG 64	CHARCHILLA		39
133	CH 62	CHARCIER		39
142	BH 70	CHARD		23
38	BX 31	CHARDENY		08
59	CB 38	CHARDOGNE		55
132	CA 63	CHARDONNAY		71
129	BN 66	CHAREIL CINTRAT		03
99	BY 53	CHARENCEY		21
118	CI 60	CHARENCY		39
40	CE 30	CHARENCY VEZIN		54
177	CG 85	CHARENS		26
142	BJ 70	CHARENSAT		63
146	BZ 68	CHARENTAY		69
97	BQ 51	CHARENTENAY		89
92	AT 53	CHARENTILLY		37
128	BJ 61	CHARENTON DU CHER	C	18
55	BH 38	CHARENTON LE PONT	C	94
113	BL 57	CHARENTONNAY		18
147	CE 71	CHARETTE		38
116	CD 59	CHARETTE VARENNES		71
60	CG 35	CHAREY		54
133	CG 62	CHAREZIER		39
93	AX 53	CHARGE		37
100	CF 52	CHARGEY LES GRAY		70
101	CI 49	CHARGEY LES PORT		70
101	CJ 51	CHARIEZ		70
98	BW 53	CHARIGNY		21
113	BM 56	CHARITE SUR LOIRE, LA	C	58
133	CG 67	CHARIX		01
199	AT 100	CHARLAS		31
207	CE 94	CHARLEVAL		13
34	BA 32	CHARLEVAL		27
57	BQ 38	CHARLEVILLE		51
39	BY 28	CHARLEVILLE MEZIERES	P	08
41	CK 33	CHARLEVILLE SOUS BOIS		57
145	BV 67	CHARLIEU	C	42
56	BN 36	CHARLY	C	02
112	BK 59	CHARLY		18
146	CA 73	CHARLY		69
41	CJ 33	CHARLY ORADOUR		57
152	AQ 75	CHARMANT		16
119	CP 55	CHARMAUVILLERS		25
138	AP 70	CHARME		16
117	CF 59	CHARME, LA		39
96	BM 49	CHARME, LE		45
132	BZ 61	CHARMEE, LA		71
143	BO 68	CHARMEIL		03
57	BP 35	CHARMEL, LE		02
157	BM 78	CHARMENSAC		15
56	BK 37	CHARMENTRAY		77
37	BO 29	CHARMES		02
143	BN 69	CHARMES		03
100	CD 54	CHARMES		21

Page	Carreau	Commune	Adm.Dpt
100	CD 48	CHARMES	52
83	CK 42	CHARMES	C 88
81	CA 43	CHARMES EN L'ANGLE	52
60	CG 40	CHARMES LA COTE	54
81	CA 42	CHARMES LA GRANDE	52
100	CG 49	CHARMES ST VALBERT	70
160	CB 78	CHARMES SUR L'HERBASSE	26
176	CA 82	CHARMES SUR RHONE	07
119	CN 55	CHARMOILLE	25
101	CJ 50	CHARMOILLE	70
83	CK 40	CHARMOIS	54
102	CP 51	CHARMOIS	90
84	CM 44	CHARMOIS DEVANT BRUYERES	88
83	CK 45	CHARMOIS L'ORGUEILLEUX	88
59	BZ 37	CHARMONT	51
54	BD 35	CHARMONT	95
77	BF 45	CHARMONT EN BEAUCE	45
80	BU 42	CHARMONT SOUS BARBUISE	10
59	CA 36	CHARMONTOIS, LES	51
79	BQ 43	CHARMOY	10
131	BW 61	CHARMOY	71
97	BP 48	CHARMOY	89
160	BZ 76	CHARNAS	07
143	BP 70	CHARNAT	63
118	CI 56	CHARNAY	25
146	BY 70	CHARNAY	69
116	CC 58	CHARNAY LES CHALON	71
132	BZ 66	CHARNAY LES MACON	71
161	CF 76	CHARNECLES	38
110	AW 59	CHARNIZAY	37
133	CF 65	CHARNOD	39
25	BY 23	CHARNOIS	08
146	CD 70	CHARNOZ SUR AIN	01
115	BW 54	CHARNY	21
56	BJ 36	CHARNY	77
96	BM 48	CHARNY	C 89
80	BS 41	CHARNY LE BACHOT	10
40	CD 33	CHARNY SUR MEUSE	C 55
131	BW 64	CHAROLLES	S 71
176	CB 85	CHAROLS	26
75	AZ 44	CHARONVILLE	28
111	BF 58	CHAROST	C 18
39	CA 33	CHARPENTRY	55
176	CC 81	CHARPEY	26
54	BA 39	CHARPONT	28
119	CP 55	CHARQUEMONT	25
124	AQ 61	CHARRAIS	86
158	BQ 80	CHARRAIX	43
152	AR 74	CHARRAS	16
93	AZ 47	CHARRAY	28
197	AH 99	CHARRE	64
115	BY 60	CHARRECEY	71
116	CC 57	CHARREY SUR SAONE	21
98	BX 48	CHARREY SUR SEINE	21
130	BQ 61	CHARRIN	58
197	AG 99	CHARRITTE DE BAS	64
122	AG 66	CHARRON	17
142	BI 69	CHARRON	23
143	BN 67	CHARROUX	03
138	AR 68	CHARROUX	C 86
54	BE 34	CHARS	95
94	BB 48	CHARSONVILLE	45
76	BA 41	CHARTAINVILLIERS	28
57	BP 35	CHARTEVES	02
92	AT 50	CHARTRE SUR LE LOIR, LA	C 72
91	AO 53	CHARTRENE	49
76	BA 42	CHARTRES	P 28
71	AC 46	CHARTRES DE BRETAGNE	35
78	BJ 42	CHARTRETTES	77
154	AZ 80	CHARTRIER FERRIERE	19
56	BN 39	CHARTRONGES	77
151	AL 76	CHARTUZAC	17
146	CC 72	CHARVIEU CHAVAGNEUX	38
148	CK 69	CHARVONNEX	74
143	BO 72	CHAS	63
98	BT 48	CHASEREY	10
122	AF 64	CHASNAIS	85
118	CL 57	CHASNANS	25
113	BN 56	CHASNAY	58
71	AE 44	CHASNE SUR ILLET	35
158	BT 79	CHASPINHAC	43
158	BR 80	CHASPUZAC	43
117	CE 59	CHASSAGNE, LA	39
157	BM 75	CHASSAGNE	63
116	BY 59	CHASSAGNE MONTRACHET	21
118	CJ 57	CHASSAGNE ST DENIS	25
158	BQ 78	CHASSAGNES	43
146	BZ 74	CHASSAGNY	69
152	AQ 78	CHASSAIGNES	24
133	CH 65	CHASSAL	39
75	AX 44	CHASSANT	28
74	AR 42	CHASSE	72
160	CA 74	CHASSE SUR RHONE	38
50	AH 39	CHASSEGUEY	50
132	BZ 66	CHASSELAS	71
161	CE 77	CHASSELAY	38
146	BZ 71	CHASSELAY	69
37	BP 32	CHASSEMY	02
130	BT 64	CHASSENARD	03
126	BA 62	CHASSENEUIL	36
125	AS 62	CHASSENEUIL DU POITOU	86
139	AS 71	CHASSENEUIL SUR BONNIEURE	16
139	AU 71	CHASSENON	16
174	BS 85	CHASSERADES	48
98	BW 53	CHASSEY	21
82	CD 42	CHASSEY BEAUPRE	55
116	BZ 59	CHASSEY LE CAMP	71
101	CK 52	CHASSEY LES MONTBOZON	70
101	CI 50	CHASSEY LES SCEY	70
138	AR 70	CHASSIECQ	16
175	BW 85	CHASSIERS	07
146	CB 72	CHASSIEU	69
98	BU 50	CHASSIGNELLES	89
161	CF 75	CHASSIGNIEU	38
127	BE 63	CHASSIGNOLLES	36
158	BQ 76	CHASSIGNOLLES	43
100	CD 50	CHASSIGNY	52
131	BV 67	CHASSIGNY SOUS DUN	71
73	AO 47	CHASSILLE	72
137	AN 72	CHASSORS	16
112	BK 58	CHASSY	18
131	BU 63	CHASSY	71
97	BO 49	CHASSY	89
155	BC 79	CHASTANG, LE	19
174	BS 83	CHASTANIER	48
154	BA 80	CHASTEAUX	19
157	BO 80	CHASTEL	43
177	CD 84	CHASTEL ARNAUD	26
174	BQ 85	CHASTEL NOUVEL	48
157	BL 79	CHASTEL SUR MURAT	15
114	BS 54	CHASTELLUX SUR CURE	89
156	BK 75	CHASTREIX	63
123	AJ 62	CHATAIGNERAIE, LA	C 85
139	AS 68	CHATAIN	86
53	AY 39	CHATAINCOURT	28
84	CP 42	CHATAS	88
131	BY 64	CHATEAU	71
192	CK 90	CHATEAU ARNOUX ST AUBAN	04
161	CG 80	CHATEAU BERNARD	38
61	CL 36	CHATEAU BREHAIN	57
133	CG 60	CHATEAU CHALON	39
154	AZ 74	CHATEAU CHERVIX	87
114	BS 58	CHATEAU CHINON (Campagne)	58
114	BT 57	CHATEAU CHINON (Ville)	S 58
52	AQ 39	CHATEAU D'ALMENECHES, LE	61
134	CI 63	CHATEAU DES PRES	39
136	AF 70	CHATEAU D'OLERON, LE	C 17
121	AB 63	CHATEAU D'OLONNE	85
92	AS 50	CHATEAU DU LOIR	C 72
147	CE 69	CHATEAU GAILLARD	01
125	AS 66	CHATEAU GARNIER	86
90	AJ 49	CHATEAU GONTIER	S 53
122	AF 62	CHATEAU GUIBERT	85
92	AR 52	CHATEAU LA VALLIERE	C 37
13	BP 19	CHATEAU L'ABBAYE	59
78	BJ 46	CHATEAU LANDON	C 77
124	AR 64	CHATEAU LARCHER	86
153	AT 78	CHATEAU L'EVEQUE	24
92	AQ 49	CHATEAU L'HERMITAGE	72
38	BU 30	CHATEAU PORCIEN	C 08
96	BK 48	CHATEAU RENARD	C 45
93	AW 52	CHATEAU RENAULT	C 37
42	CL 32	CHATEAU ROUGE	57
62	CL 37	CHATEAU SALINS	S 57
129	BM 61	CHATEAU SUR ALLIER	03
142	BI 68	CHATEAU SUR CHER	63
54	BB 34	CHATEAU SUR EPTE	27
106	AE 56	CHATEAU THEBAUD	44
57	BO 35	CHATEAU THIERRY	S 02
220	BB 105	CHATEAU VERDUN	09
179	CQ 82	CHATEAU VILLE VIEILLE	05
62	CM 37	CHATEAU VOUE	57
137	AM 73	CHATEAUBERNARD	16
78	BM 41	CHATEAUBLEAU	77
160	CA 80	CHATEAUBOURG	07
71	AE 45	CHATEAUBOURG	C 35
89	AF 50	CHATEAUBRIANT	S 44
176	CC 81	CHATEAUDOUBLE	26
209	CO 95	CHATEAUDOUBLE	83
75	AY 46	CHATEAUDUN	S 28
193	CK 88	CHATEAUFORT	04
55	BE 39	CHATEAUFORT	78
143	BM 71	CHATEAUGAY	63
71	AD 46	CHATEAUGIRON	C 35
67	K 43	CHATEAULIN	S 29
127	BF 63	CHATEAUMEILLANT	C 18
115	BY 56	CHATEAUNEUF	21
160	BZ 74	CHATEAUNEUF	42
131	BV 67	CHATEAUNEUF	71
162	CL 74	CHATEAUNEUF	73
105	AA 58	CHATEAUNEUF	85
191	CD 88	CHATEAUNEUF DE BORDETTE	26
192	CI 88	CHATEAUNEUF DE CHABRE	05
191	CC 92	CHATEAUNEUF DE GADAGNE	84
160	CB 78	CHATEAUNEUF DE GALAURE	26
174	BR 84	CHATEAUNEUF DE RANDON	C 48
176	BZ 81	CHATEAUNEUF DE VERNOUX	07
194	CR 89	CHATEAUNEUF D'ENTRAUNES	06
48	AB 40	CHATEAUNEUF D'ILLE ET VILAINE	C 35
178	CI 85	CHATEAUNEUF D'OZE	05
67	M 43	CHATEAUNEUF DU FAOU	C 29
191	CA 91	CHATEAUNEUF DU PAPE	84
176	BZ 86	CHATEAUNEUF DU RHONE	26
75	AY 41	CHATEAUNEUF EN THYMERAIS	C 28
210	CS 94	CHATEAUNEUF GRASSE	06
141	BB 73	CHATEAUNEUF LA FORET	C 87
208	CH 97	CHATEAUNEUF LE ROUGE	13
143	BK 69	CHATEAUNEUF LES BAINS	63
207	CD 98	CHATEAUNEUF LES MARTIGUES	C 13
192	CI 89	CHATEAUNEUF MIRAVAIL	04
138	AO 74	CHATEAUNEUF SUR CHARENTE	C 16
112	BG 60	CHATEAUNEUF SUR CHER	C 18
160	CB 80	CHATEAUNEUF SUR ISERE	26
95	BG 49	CHATEAUNEUF SUR LOIRE	C 45
90	AL 50	CHATEAUNEUF SUR SARTHE	C 49
113	BN 55	CHATEAUNEUF VAL DE BARGIS	58
192	CJ 90	CHATEAUNEUF VAL ST DONAT	04
195	CU 92	CHATEAUNEUF VILLEVIEILLE	06
140	AY 68	CHATEAUPONSAC	C 87
193	CM 91	CHATEAUREDON	04
191	CB 93	CHATEAURENARD	C 13
111	BC 60	CHATEAUROUX	P 36
179	CN 84	CHATEAUROUX LES ALPES	05
209	CK 97	CHATEAUVERT	83
178	CK 86	CHATEAUVIEUX	05
110	AZ 56	CHATEAUVIEUX	41
194	CP 93	CHATEAUVIEUX	83
118	CK 57	CHATEAUVIEUX LES FOSSES	25
161	CE 74	CHATEAUVILAIN	38
81	CA 47	CHATEAUVILLAIN	C 52
162	CM 76	CHATEL, LE	73
135	CP 65	CHATEL	74
97	BQ 52	CHATEL CENSOIR	89
39	BZ 33	CHATEL CHEHERY	08
133	CH 63	CHATEL DE JOUX	39
129	BO 65	CHATEL DE NEUVRE	03
98	BU 51	CHATEL GERARD	89
144	BR 68	CHATEL MONTAGNE	03
115	BY 60	CHATEL MORON	71
61	CI 34	CHATEL ST GERMAIN	57
83	CL 43	CHATEL SUR MOSELLE	C 88
136	AG 68	CHATELAILLON PLAGE	17
90	AK 49	CHATELAIN	53
117	CH 59	CHATELAINE, LA	39
90	AI 49	CHATELAIS	49
142	BH 70	CHATELARD	23
148	CK 72	CHATELARD, LE	C 73
47	T 40	CHATELAUDREN	C 22
117	CG 57	CHATELAY	39
134	CJ 61	CHATELBLANC	25
144	BQ 70	CHATELDON	C 63
128	BG 62	CHATELET, LE	C 18
78	BK 41	CHATELET EN BRIE, LE	C 77
82	CF 47	CHATELET SUR MEUSE, LE	52
38	BV 31	CHATELET SUR RETOURNE, LE	08
24	BW 27	CHATELET SUR SORMONNE, LE	08
53	AX 40	CHATELETS, LES	28
117	CF 59	CHATELEY, LE	39
143	BM 70	CHATELGUYON	63
59	BZ 37	CHATELIER, LE	51
115	BX 55	CHATELLENOT	21
109	AS 60	CHATELLERAULT	S 86
71	AG 42	CHATELLIER, LE	35
50	AL 39	CHATELLIER, LE	61
107	AI 59	CHATELLIERS CHATEAUMUR, LES	85
75	AY 43	CHATELLIERS NOTRE DAME, LES	28
133	CI 61	CHATELNEUF	39
144	BT 73	CHATELNEUF	42
130	BQ 65	CHATELPERRON	03
58	BX 39	CHATELRAOULD ST LOUVENT	51
144	BR 67	CHATELUS	03
161	CE 79	CHATELUS	38
159	BX 74	CHATELUS	42
140	BB 69	CHATELUS LE MARCHEIX	23
127	BE 66	CHATELUS MALVALEIX	C 23
146	CC 69	CHATENAY	01
76	BD 43	CHATENAY	28
161	CD 77	CHATENAY	38
131	BW 66	CHATENAY	71
55	BH 35	CHATENAY EN FRANCE	95
100	CD 48	CHATENAY MACHERON	52
55	BG 39	CHATENAY MALABRY	C 92
78	BM 43	CHATENAY SUR SEINE	77
100	CE 48	CHATENAY VAUDIN	52
151	AM 77	CHATENET	17
140	BA 70	CHATENET EN DOGNON, LE	87
101	CK 50	CHATENEY	70
117	CF 56	CHATENOIS	39
85	CS 43	CHATENOIS	67
101	CK 50	CHATENOIS	70
82	CG 43	CHATENOIS	C 88
102	CO 51	CHATENOIS LES FORGES	C 90
95	BH 48	CHATENOY	45
77	BI 45	CHATENOY	77
116	CA 60	CHATENOY EN BRESSE	71
116	BZ 60	CHATENOY LE ROYAL	71
152	AO 76	CHATIGNAC	16
76	BD 42	CHATIGNONVILLE	91
129	BN 64	CHATILLON	03
133	CG 62	CHATILLON	39
146	BY 71	CHATILLON	69
124	AQ 66	CHATILLON	86
55	BG 38	CHATILLON	C 92
96	BK 49	CHATILLON COLIGNY	C 45
114	BR 58	CHATILLON EN BAZOIS	C 58
177	CF 83	CHATILLON EN DIOIS	C 26
75	AY 46	CHATILLON EN DUNOIS	28
147	CH 67	CHATILLON EN MICHAILLE	01
71	AG 44	CHATILLON EN VENDELAIS	35
118	CJ 54	CHATILLON GUYOTTE	25
78	BK 41	CHATILLON LA BORDE	77
146	CD 69	CHATILLON LA PALUD	01
118	CI 54	CHATILLON LE DUC	25
77	BF 45	CHATILLON LE ROI	45
37	BQ 28	CHATILLON LES SONS	02
60	CE 34	CHATILLON SOUS LES COTES	55
160	CD 79	CHATILLON ST JEAN	26
81	BY 41	CHATILLON SUR BROUE	51
146	CA 68	CHATILLON SUR CHALARONNE	C 01
110	BA 55	CHATILLON SUR CHER	41
149	CN 67	CHATILLON SUR CLUSES	74
72	AK 43	CHATILLON SUR COLMONT	53
110	AX 58	CHATILLON SUR INDRE	C 36
118	CI 57	CHATILLON SUR LISON	25
96	BJ 52	CHATILLON SUR LOIRE	C 45
57	BR 35	CHATILLON SUR MARNE	C 51
57	BP 39	CHATILLON SUR MORIN	51
23	BO 27	CHATILLON SUR OISE	02
101	CH 47	CHATILLON SUR SAONE	88
98	BX 49	CHATILLON SUR SEINE	C 21
124	AN 62	CHATILLON SUR THOUET	79
114	BS 57	CHATIN	58
160	CD 75	CHATONNAY	38
133	CF 64	CHATONNAY	39
81	CB 41	CHATONRUPT SOMMERMONT	52
55	BF 37	CHATOU	C 78
127	BE 63	CHATRE, LA	S 36
126	AZ 65	CHATRE LANGLIN, LA	36
79	BS 41	CHATRES	10
154	AY 78	CHATRES	24
56	BK 39	CHATRES	77
73	AM 45	CHATRES LA FORET	53
111	BD 55	CHATRES SUR CHER	41
59	CA 35	CHATRICES	51
39	CC 33	CHATTANCOURT	55
161	CD 78	CHATTE	38
160	CC 80	CHATUZANGE LE GOUBET	26
117	CH 54	CHAUCENNE	25
173	BM 83	CHAUCHAILLES	48
106	AF 60	CHAUCHE	85
142	BH 68	CHAUCHET, LE	23
80	BT 42	CHAUCHIGNY	10
56	BK 36	CHAUCONIN NEUFMONTIERS	77
37	BR 32	CHAUDARDES	02
177	CD 86	CHAUDEBONNE	26
107	AJ 54	CHAUDEFONDS SUR LAYON	49
101	CJ 54	CHAUDEFONTAINE	25
59	BZ 35	CHAUDEFONTAINE	51
100	CE 49	CHAUDENAY	52
116	BZ 59	CHAUDENAY	71
115	BY 56	CHAUDENAY LA VILLE	21
115	BY 56	CHAUDENAY LE CHATEAU	21
61	CH 39	CHAUDENEY SUR MOSELLE	54
173	BM 82	CHAUDES AIGUES	C 15
174	BS 84	CHAUDEYRAC	48
175	BV 81	CHAUDEYROLLES	43
177	CD 84	CHAUDIERE, LA	26
54	BA 40	CHAUDON	28
193	CN 91	CHAUDON NORANTE	04
80	BV 41	CHAUDREY	10
106	AH 55	CHAUDRON EN MAUGES	49
36	BN 32	CHAUDUN	02
131	BW 67	CHAUFFAILLES	C 71
178	CK 83	CHAUFFAYER	05
83	CJ 43	CHAUFFECOURT	88
80	BV 45	CHAUFFOUR LES BAILLY	10
77	BF 41	CHAUFFOUR LES ETRECHY	91
155	BB 80	CHAUFFOUR SUR VELL	19
75	AZ 43	CHAUFFOURS	28
82	CD 47	CHAUFFOURT	52
56	BN 38	CHAUFFRY	77
54	BA 36	CHAUFOUR LES BONNIERES	78
73	AP 47	CHAUFOUR NOTRE DAME	72
99	CA 50	CHAUGEY	21
113	BM 57	CHAULGNES	58
173	BO 81	CHAULHAC	48
50	AJ 39	CHAULIEU	50
158	BT 75	CHAULME, LA	63
22	BK 27	CHAULNES	C 80
218	AT 103	CHAUM	31
114	BS 57	CHAUMARD	58
99	BZ 48	CHAUME, LA	21
100	CD 51	CHAUME ET COURCHAMP	21
99	BX 51	CHAUME LES BAIGNEUX	21
155	BD 75	CHAUMEIL	19
117	CF 54	CHAUMERCENNE	70
117	CE 59	CHAUMERGY	C 39
56	BK 40	CHAUMES EN BRIE	77
81	BX 43	CHAUMESNIL	10
112	BJ 60	CHAUMONT	18
81	CB 46	CHAUMONT	P 52
52	AS 38	CHAUMONT	61
148	CI 68	CHAUMONT	74
78	BM 44	CHAUMONT	89
91	AN 52	CHAUMONT D'ANJOU	49
40	CD 32	CHAUMONT DEVANT DAMVILLERS	55
34	BD 33	CHAUMONT EN VEXIN	C 60
82	CF 45	CHAUMONT LA VILLE	52
99	BX 48	CHAUMONT LE BOIS	21
158	BS 75	CHAUMONT LE BOURG	63
38	BU 29	CHAUMONT PORCIEN	C 08
60	CC 36	CHAUMONT SUR AIRE	55
93	AY 53	CHAUMONT SUR LOIRE	41
94	BD 51	CHAUMONT SUR THARONNE	41
55	BH 35	CHAUMONTEL	95
114	BQ 55	CHAUMOT	58
78	BN 46	CHAUMOT	89
83	CK 44	CHAUMOUSEY	88
112	BK 57	CHAUMOUX MARCILLY	18
109	AV 60	CHAUMUSSAY	37
134	CI 62	CHAUMUSSE, LA	39
57	BS 34	CHAUMUZY	51
151	AL 76	CHAUNAC	17
124	AQ 67	CHAUNAY	86
36	BN 29	CHAUNY	C 02
123	AL 65	CHAURAY	79
143	BO 72	CHAURIAT	63
142	BG 70	CHAUSSADE, LA	23
106	AG 55	CHAUSSAIRE, LA	49
146	BZ 73	CHAUSSAN	69
19	AY 27	CHAUSSEE, LA	76
108	AP 59	CHAUSSEE, LA	86
54	BA 37	CHAUSSEE D'IVRY, LA	28
93	AZ 51	CHAUSSEE ST VICTOR, LA	41
58	BX 38	CHAUSSEE SUR MARNE, LA	51
21	BF 25	CHAUSSEE TIRANCOURT, LA	80
156	BG 79	CHAUSSENAC	15
117	CG 60	CHAUSSENANS	39
144	BR 70	CHAUSSETERRE	42
117	CE 58	CHAUSSIN	C 39
35	BG 28	CHAUSSOY EPAGNY	80
76	BE 45	CHAUSSY	45
54	BC 35	CHAUSSY	95
113	BL 59	CHAUTAY, LE	18
192	CG 88	CHAUVAC LAUX MONTAUX	26
105	AA 56	CHAUVE	44
40	CC 30	CHAUVENCY LE CHATEAU	55
40	CC 30	CHAUVENCY ST HUBERT	55
71	AE 42	CHAUVIGNE	35
125	AU 63	CHAUVIGNY	C 86
93	AX 48	CHAUVIGNY DU PERCHE	41
34	BC 33	CHAUVINCOURT PROVEMONT	27
100	CG 49	CHAUVIREY LE CHATEL	70
100	CG 49	CHAUVIREY LE VIEIL	70
60	CE 37	CHAUVONCOURT	55
55	BG 35	CHAUVRY	95
116	CA 57	CHAUX	21
118	CM 57	CHAUX, LA	25
51	AN 40	CHAUX, LA	61
116	CD 60	CHAUX, LA	71
102	CO 49	CHAUX	90
117	CH 59	CHAUX CHAMPAGNY	39
134	CI 61	CHAUX DES CROTENAY	39
133	CI 63	CHAUX DES PRES	39
134	CI 62	CHAUX DU DOMBIEF, LA	39
117	CE 60	CHAUX EN BRESSE, LA	39
101	CI 53	CHAUX LA LOTIERE	70
102	CM 53	CHAUX LES CLERVAL	25
118	CL 55	CHAUX LES PASSAVANT	25
101	CI 50	CHAUX LES PORT	70
134	CK 61	CHAUX NEUVE	25
175	BW 86	CHAUZON	07
157	BL 79	CHAVAGNAC	15
154	AZ 80	CHAVAGNAC	24
70	AC 46	CHAVAGNE	35
107	AL 55	CHAVAGNES	49
106	AF 59	CHAVAGNES EN PAILLERS	85
122	AI 61	CHAVAGNES LES REDOUX	85
91	AP 52	CHAVAIGNES	49
141	BE 74	CHAVANAC	19
141	BD 70	CHAVANAT	23
103	CQ 51	CHAVANATTE	90
160	BZ 76	CHAVANAY	42
80	BX 41	CHAVANGES	C 10
158	BQ 79	CHAVANIAC LAFAYETTE	43
148	CJ 68	CHAVANNAZ	74
102	CN 51	CHAVANNE	70
162	CK 74	CHAVANNE, LA	73
112	BH 60	CHAVANNES	18
160	CB 79	CHAVANNES	26
162	CL 75	CHAVANNES EN MAURIENNE, LES	73
102	CQ 51	CHAVANNES LES GRANDS	90
102	CQ 50	CHAVANNES SUR L'ETANG	68
132	CB 64	CHAVANNES SUR REYSSOUZE	01
133	CE 66	CHAVANNES SUR SURAN	01
148	CJ 70	CHAVANOD	74
146	CC 71	CHAVANOZ	38
143	BN 71	CHAVAROUX	63
36	BJ 28	CHAVATTE, LA	80
108	AR 58	CHAVEIGNES	37
83	CL 44	CHAVELOT	88
152	AP 75	CHAVENAT	16
54	BE 38	CHAVENAY	78
54	BE 34	CHAVENCON	60
129	BL 65	CHAVENON	03
133	CF 63	CHAVERIA	39
156	BG 74	CHAVEROCHE	19
132	CB 67	CHAVEYRIAT	01
37	BP 31	CHAVIGNON	02
36	BN 31	CHAVIGNY	02
61	CI 39	CHAVIGNY	54
53	AY 37	CHAVIGNY BAILLEUL	27
55	BF 38	CHAVILLE	C 92
126	BB 63	CHAVIN	36
37	BP 31	CHAVONNE	02
147	CH 70	CHAVORNAY	01
57	BS 36	CHAVOT COURCOURT	51
49	AG 38	CHAVOY	50
130	BQ 65	CHAVROCHES	03
136	AH 73	CHAY, LE	17
117	CH 57	CHAY	25
146	BZ 70	CHAZAY D'AZERGUES	69
173	BO 84	CHAZE DE PEYRE, LA	48
90	AH 49	CHAZE HENRY	49
90	AI 51	CHAZE SUR ARGOS	49
175	BW 85	CHAZEAUX	07
126	BA 64	CHAZELET	36
157	BO 79	CHAZELLES	15
138	AR 73	CHAZELLES	16
133	CD 64	CHAZELLES	39
158	BP 80	CHAZELLES	43
62	CN 40	CHAZELLES SUR ALBE	54
158	BU 74	CHAZELLES SUR LAVIEU	42
145	BX 73	CHAZELLES SUR LYON	C 42
128	BI 64	CHAZEMAIS	03
100	CD 52	CHAZEUIL	21
113	BO 55	CHAZEUIL	58
147	CG 71	CHAZEY BONS	01
146	CD 70	CHAZEY SUR AIN	01
115	BX 56	CHAZILLY	21
118	CM 54	CHAZOT	25
94	BE 48	CHECY	C 45
110	AW 56	CHEDIGNY	37
138	AO 68	CHEF BOUTONNE	C 79
29	AG 31	CHEF DU PONT	50
83	CI 43	CHEF HAUT	88
90	AL 51	CHEFFES	49
123	AJ 61	CHEFFOIS	85
52	AR 35	CHEFFREVILLE TONNENCOURT	14
50	AH 36	CHEFRESNE, LE	50
39	BZ 29	CHEHERY	08
147	CG 71	CHEIGNIEU LA BALME	01
109	AS 55	CHEILLE	37
115	BY 59	CHEILLY LES MARANGES	71
219	AV 102	CHEIN DESSUS	31
141	BB 71	CHEISSOUX	87
143	BN 70	CHEIX, LE	63
105	AB 55	CHEIX EN RETZ	44
199	AS 99	CHELAN	32
21	BH 21	CHELERS	62
161	CF 75	CHELIEU	38
199	AP 99	CHELLE DEBAT	65
218	AP 101	CHELLE SPOU	65
36	BM 32	CHELLES	60
55	BI 37	CHELLES	C 77
89	AG 48	CHELUN	35
117	CH 55	CHEMAUDIN	25
90	AJ 49	CHEMAZE	53
107	AM 54	CHEMELLIER	49
117	CF 59	CHEMENOT	39
105	AA 56	CHEMERE	44
73	AM 47	CHEMERE LE ROI	53
110	BA 54	CHEMERY	41
41	CK 32	CHEMERY LES DEUX	57
39	BZ 29	CHEMERY SUR BAR	08
133	CF 65	CHEMILLA	39
107	AJ 56	CHEMILLE	C 49
92	AU 51	CHEMILLE SUR DEME	37
110	AY 56	CHEMILLE SUR INDROIS	37
74	AS 43	CHEMILLI	61
129	BO 64	CHEMILLY	03
101	CI 50	CHEMILLY	70
97	BS 50	CHEMILLY SUR SEREIN	89
97	BQ 48	CHEMILLY SUR YONNE	89
117	CD 58	CHEMIN	C 39
59	CA 36	CHEMIN, LE	51
98	BX 50	CHEMIN D'AISEY	21
160	BZ 79	CHEMINAS	07
59	BZ 39	CHEMINON	51
61	CI 36	CHEMINOT	57
73	AO 46	CHEMIRE EN CHARNIE	72
91	AP 48	CHEMIRE LE GAUDIN	72
91	AM 50	CHEMIRE SUR SARTHE	49
12	BL 19	CHEMY	59
150	AI 74	CHENAC ST SEURIN D'UZET	17
155	BD 80	CHENAILLER MASCHEIX	19
119	CO 56	CHENALOTTE, LA	25
132	BZ 67	CHENAS	69
152	AP 78	CHENAUD	24
37	BS 33	CHENAY	51
74	AQ 42	CHENAY	72
124	AO 66	CHENAY	79
130	BT 67	CHENAY LE CHATEL	71
80	BU 41	CHENE, LE	10
96	BM 48	CHENE ARNOULT	89
117	CF 59	CHENE BERNARD	39
147	CI 68	CHENE EN SEMINE	74
117	CE 59	CHENE SEC	39
102	CN 50	CHENEBIER	70
117	CI 56	CHENECEY BUILLON	25
124	AR 61	CHENECHE	86
50	AK 37	CHENEDOLLE	14
51	AN 38	CHENEDOUIT	61
108	AN 55	CHENEHUTTE TREVES CUNAULT	49
145	BX 67	CHENELETTE	69
141	BF 68	CHENERAILLES	C 23
159	BU 75	CHENEREILLES	42
159	BW 79	CHENEREILLES	43
125	AU 61	CHENEVELLES	86
84	CM 41	CHENEVIERES	54
117	CG 55	CHENEVREY ET MOROGNE	70
148	CJ 68	CHENEX	74
98	BT 48	CHENEY	89
61	CJ 37	CHENICOURT	54
40	CF 30	CHENIERES	54
127	BD 66	CHENIERS	23
58	BU 37	CHENIERS	51
90	AK 50	CHENILLE CHANGE	49
84	CM 45	CHENIMENIL	88
53	AV 39	CHENNEBRUN	27
79	BS 45	CHENNEGY	10
55	BI 35	CHENNEVIERES LES LOUVRES	95
55	BI 38	CHENNEVIERES SUR MARNE	C 94
61	CL 36	CHENOIS	57
56	BN 40	CHENOISE	77
138	AQ 70	CHENOMMET	16
138	AQ 70	CHENON	16
110	AX 54	CHENONCEAUX	37
77	BJ 45	CHENOU	77
116	CB 55	CHENOVE	C 21
131	BY 62	CHENOVES	71
134	CL 65	CHENS SUR LEMAN	74
92	AR 51	CHENU	72
97	BQ 48	CHENY	89
151	AM 77	CHEPNIERS	17
35	BH 29	CHEPOIX	60
58	BW 35	CHEPPE, LA	51
58	BW 38	CHEPPES LA PRAIRIE	51
39	CA 33	CHEPPY	55
77	BG 41	CHEPTAINVILLE	91
58	BW 37	CHEPY	51
20	BC 24	CHEPY	80
137	AL 72	CHERAC	17
90	AI 49	CHERANCE	53
74	AQ 44	CHERANCE	72
197	AH 100	CHERAUTE	64
137	AM 69	CHERBONNIERES	17
29	AE 28	CHERBOURG OCTEVILLE	S 50
54	BB 35	CHERENCE	95
49	AH 38	CHERENCE LE HERON	50
50	AI 39	CHERENCE LE ROUSSEL	50
12	BN 18	CHERENG	59
146	BZ 70	CHERES, LES	69
37	BQ 30	CHERET	02
21	BE 21	CHERIENNES	62
144	BT 69	CHERIER	42
138	AN 68	CHERIGNE	79
49	AG 40	CHERIS, LES	50
74	AQ 43	CHERISAY	72
61	CJ 35	CHERISEY	57
54	BA 39	CHERISY	28
22	BK 22	CHERISY	62
131	BY 63	CHERIZET	71
137	AJ 72	CHERMIGNAC	17
82	CE 42	CHERMISEY	88
37	BR 31	CHERMIZY AILLES	02
139	AU 72	CHERONNAC	87
52	AV 38	CHERONVILLIERS	27
78	BL 45	CHEROY	C 89
90	AL 50	CHERRE	49

Page	Carreau	Commune	Adm.Dpt
74	AU 45	CHERRE	72
74	AU 45	CHERREAU	72
49	AD 40	CHERRUEIX	35
152	AR 76	CHERVAL	24
154	AX 77	CHERVEIX CUBAS	24
124	AP 61	CHERVES	86
139	AS 71	CHERVES CHATELARS	16
137	AM 72	CHERVES RICHEMONT	16
137	AJ 68	CHERVETTES	17
123	AM 64	CHERVEUX	79
80	BW 46	CHERVEY	10
58	BU 36	CHERVILLE	51
111	BE 57	CHERY	18
37	BQ 33	CHERY CHARTREUVE	02
37	BP 29	CHERY LES POUILLY	02
38	BT 28	CHERY LES ROZOY	02
98	BU 47	CHESLEY	10
55	BF 38	CHESNAY, LE	C 78
39	BY 30	CHESNE, LE	C 08
53	AW 37	CHESNE, LE	27
38	BX 29	CHESNOIS AUBONCOURT	08
61	CJ 35	CHESNY	57
148	CI 68	CHESSENAZ	74
145	BY 70	CHESSY	69
56	BK 37	CHESSY	77
79	BS 47	CHESSY LES PRES	10
97	BR 47	CHEU	89
100	CD 53	CHEUGE	21
217	AN 102	CHEUST	65
51	AM 34	CHEUX	14
130	BP 63	CHEVAGNES	C 03
132	BZ 65	CHEVAGNY LES CHEVRIERES	71
131	BX 63	CHEVAGNY SUR GUYE	71
71	AD 44	CHEVAIGNE	35
73	AM 42	CHEVAIGNE DU MAINE	53
74	AQ 42	CHEVAIN, LE	72
191	CC 94	CHEVAL BLANC	84
148	CK 71	CHEVALINE	74
89	AC 52	CHEVALLERAIS, LA	44
151	AM 77	CHEVANCEAUX	17
99	BY 54	CHEVANNAY	21
116	BZ 56	CHEVANNES	21
78	BK 46	CHEVANNES	45
97	BP 50	CHEVANNES	89
77	BH 41	CHEVANNES	91
113	BP 55	CHEVANNES CHANGY	58
23	BR 27	CHEVENNES	02
113	BN 59	CHEVENON	58
135	CO 65	CHEVENOZ	74
94	BA 53	CHEVERNY	41
39	BZ 28	CHEVEUGES	08
39	BZ 32	CHEVIERES	08
117	CF 54	CHEVIGNEY	70
118	CL 56	CHEVIGNEY LES VERCEL	25
117	CH 54	CHEVIGNEY SUR L'OGNON	25
117	CE 56	CHEVIGNY	39
116	CB 58	CHEVIGNY EN VALIERE	21
116	CC 55	CHEVIGNY ST SAUVEUR	21
147	CG 68	CHEVILLARD	01
91	AN 47	CHEVILLE	72
81	CB 41	CHEVILLON	C 52
96	BN 48	CHEVILLON	89
95	BJ 48	CHEVILLON SUR HUILLARD	45
118	CJ 55	CHEVILLOTTE, LA	25
76	BD 47	CHEVILLY	45
55	BH 39	CHEVILLY LARUE	C 94
145	BY 72	CHEVINAY	69
36	BK 30	CHEVINCOURT	60
91	AO 51	CHEVIRE LE ROUGE	49
77	BI 44	CHEVRAINVILLIERS	77
133	CE 63	CHEVREAUX	39
37	BP 31	CHEVREGNY	02
102	CP 50	CHEVREMONT	90
138	AP 69	CHEVRERIE, LA	16
37	BP 28	CHEVRESIS MONCEAU	02
54	BE 39	CHEVREUSE	C 78
50	AH 40	CHEVREVILLE	50
56	BK 35	CHEVREVILLE	60
148	CI 68	CHEVRIER	74
161	CE 78	CHEVRIERES	38
159	BX 74	CHEVRIERES	42
35	BJ 32	CHEVRIERES	60
97	BQ 53	CHEVROCHES	58
105	AD 57	CHEVROLIERE, LA	44
133	CH 61	CHEVROTAINE	39
132	CB 65	CHEVROUX	01
118	CI 54	CHEVROZ	25
56	BN 39	CHEVRU	77
134	CJ 66	CHEVRY	01
50	AH 36	CHEVRY	50
55	BJ 39	CHEVRY COSSIGNY	77
78	BL 44	CHEVRY EN SEREINE	77
78	BL 45	CHEVRY SOUS LE BIGNON	45
124	AO 66	CHEY	79
157	BN 78	CHEYLADE	15
175	BX 81	CHEYLARD, LE	C 07
174	BS 84	CHEYLARD L'EVEQUE	48
162	CJ 76	CHEYLAS, LE	38
160	CA 75	CHEYSSIEU	38
111	BF 60	CHEZAL BENOIT	18
69	W 44	CHEZE, LA	C 22
217	AN 103	CHEZE	65
129	BN 67	CHEZELLE	03
110	BB 60	CHEZELLES	36
109	AS 57	CHEZELLES	37
160	CD 74	CHEZENEUVE	38
134	CI 66	CHEZERY FORENS	01
130	BP 63	CHEZY	03
56	BN 35	CHEZY EN ORXOIS	02
57	BO 36	CHEZY SUR MARNE	02
231	DO 108	CHIATRA	2B
107	AM 60	CHICHE	79
51	AO 35	CHICHEBOVILLE	14
97	BS 49	CHICHEE	89
97	BP 48	CHICHERY	89
57	BR 39	CHICHEY	51
177	CG 82	CHICHILIANNE	38
61	CL 36	CHICOURT	57
114	BT 60	CHIDDES	58
131	BX 64	CHIDDES	71
157	BN 74	CHIDRAC	63
57	BP 36	CHIERRY	02
41	CJ 34	CHIEULLES	57
91	AP 52	CHIGNE	49
162	CJ 74	CHIGNIN	73
23	BR 26	CHIGNY	02
58	BT 34	CHIGNY LES ROSES	51
79	BP 45	CHIGY	89
158	BP 79	CHILHAC	43
152	AO 76	CHILLAC	16
133	CF 61	CHILLE	39
77	BF 46	CHILLEURS AUX BOIS	45
124	AO 61	CHILLOU, LE	79
24	BW 26	CHILLY	08
148	CI 69	CHILLY	74
36	BK 27	CHILLY	80
133	CF 61	CHILLY LE VIGNOBLE	39
55	BG 39	CHILLY MAZARIN	C 91
117	CH 59	CHILLY SUR SALINS	39
147	CG 74	CHIMILIN	38
148	CI 71	CHINDRIEUX	73
108	AR 56	CHINON	S 37
21	BJ 26	CHIPILLY	80
139	AT 70	CHIRAC	16
173	BO 86	CHIRAC	48
156	BG 75	CHIRAC BELLEVUE	19
145	BV 70	CHIRASSIMONT	42
129	BM 67	CHIRAT L'EGLISE	03
124	AP 62	CHIRE EN MONTREUIL	86
161	CG 75	CHIRENS	38
35	BH 28	CHIRMONT	80
175	BW 84	CHIROLS	07
146	BY 67	CHIROUBLES	69
36	BL 30	CHIRY OURSCAMP	60
198	AO 99	CHIS	65
231	DM 112	CHISA	2B
110	AX 54	CHISSAY EN TOURAINE	41
110	AX 55	CHISSEAUX	37
133	CF 65	CHISSERIA	39
115	BV 57	CHISSEY EN MORVAN	71
132	BZ 63	CHISSEY LES MACON	71
117	CG 57	CHISSEY SUR LOUE	39
93	AZ 53	CHITENAY	41
126	AZ 62	CHITRAY	36
97	BR 50	CHITRY	89
114	BQ 55	CHITRY LES MINES	58
138	AN 70	CHIVES	17
116	CC 58	CHIVRES	21
37	BR 29	CHIVRES EN LAONNOIS	02
37	BP 32	CHIVRES VAL	02
37	BQ 30	CHIVY LES ETOUVELLES	02
137	AM 68	CHIZE	79
11	BI 19	CHOCQUES	62
100	CD 50	CHOILLEY DARDENAY	52
55	BE 40	CHOISEL	78
82	CE 46	CHOISEUL	52
117	CE 57	CHOISEY	39
24	BT 22	CHOISIES	59
148	CJ 69	CHOISY	74
36	BK 31	CHOISY AU BAC	60
56	BN 39	CHOISY EN BRIE	77
35	BI 32	CHOISY LA VICTOIRE	60
55	BH 39	CHOISY LE ROI	C 94
106	AI 57	CHOLET	S 49
162	CI 80	CHOLONGE	38
60	CG 39	CHOLOY MENILLOT	54
158	BS 78	CHOMELIX	43
176	BZ 83	CHOMERAC	C 07
158	BQ 78	CHOMETTE, LA	43
160	CA 75	CHONAS L'AMBALLAN	38
60	CE 38	CHONVILLE MALAUMONT	55
25	BY 24	CHOOZ	08
35	BF 29	CHOQUEUSE LES BENARDS	60
161	CF 79	CHORANCHE	38
116	CA 57	CHOREY LES BEAUNE	21
178	CM 85	CHORGES	C 05
30	AL 33	CHOUAIN	14
111	BE 59	CHOUDAY	36
75	AW 47	CHOUE	41
114	BR 57	CHOUGNY	58
58	BT 36	CHOUILLY	51
108	AQ 60	CHOUPPES	86
154	AW 78	CHOURGNAC	24
110	AZ 54	CHOUSSY	41
143	BL 68	CHOUVIGNY	03
133	CH 65	CHOUX	39
96	BJ 49	CHOUX, LES	45
36	BN 34	CHOUY	02
108	AQ 55	CHOUZE SUR LOIRE	37
117	CH 56	CHOUZELOT	25
93	AY 52	CHOUZY SUR CISSE	41
100	CG 53	CHOYE	70
146	CD 72	CHOZEAU	38
96	BL 47	CHUELLES	45
39	BX 31	CHUFFILLY ROCHE	08
22	BJ 26	CHUIGNES	80
22	BJ 26	CHUIGNOLLES	80
75	AY 42	CHUISNES	28
190	BZ 90	CHUSCLAN	30
160	BZ 75	CHUYER	42
146	CA 74	CHUZELLES	38
200	AU 100	CIADOUX	31
231	DL 112	CIAMANNACCE	2A
214	AA 98	CIBOURE	64
33	AW 29	CIDEVILLE	76
116	CB 59	CIEL	71
218	AS 104	CIER DE LUCHON	31
218	AT 102	CIER DE RIVIERE	31
57	BQ 34	CIERGES	02
39	CB 32	CIERGES SOUS MONTFAUCON	55
218	AS 103	CIERP GAUD	31
53	AY 36	CIERREY	27
151	AM 74	CIERZAC	17
185	BA 88	CIEURAC	46
218	AP 101	CIEUTAT	65
140	AW 69	CIEUX	87
96	BN 53	CIEZ	58
109	AW 55	CIGOGNE	37
37	BR 28	CILLY	02
108	AQ 56	CINAIS	37
130	BQ 66	CINDRE	03
109	AS 54	CINQ MARS LA PILE	37
35	BI 33	CINQUEUX	60
201	BA 99	CINTEGABELLE	C 31
51	AN 35	CINTHEAUX	14
53	AW 38	CINTRAY	27
75	AZ 42	CINTRAY	28
70	AB 45	CINTRE	35
100	CG 49	CINTREY	70
208	CH 100	CIOTAT, LA	C 13
194	CS 93	CIPIERES	06
73	AO 41	CIRAL	61
109	AV 57	CIRAN	37
83	CK 44	CIRCOURT	88
82	CF 43	CIRCOURT SUR MOUZON	88
136	AH 68	CIRE D'AUNIS	17
218	AS 104	CIRES	31
35	BH 33	CIRES LES MELLO	60
101	CJ 53	CIREY	70
82	CC 45	CIREY LES MAREILLES	52
116	CD 55	CIREY LES PONTAILLER	21
81	CA 43	CIREY SUR BLAISE	52
62	CO 40	CIREY SUR VEZOUZE	C 54
81	BZ 46	CIRFONTAINES EN AZOIS	52
82	CD 42	CIRFONTAINES EN ORNOIS	52
107	AK 60	CIRIERE	79
126	AY 62	CIRON	36
131	BV 62	CIRY LE NOBLE	71
37	BP 32	CIRY SALSOGNE	02
52	AS 38	CISAI ST AUBIN	61
98	BU 52	CISERY	89
150	AH 78	CISSAC MEDOC	33
124	AQ 62	CISSE	86
142	BJ 72	CISTERNES LA FORET	63
158	BR 77	CISTRIERES	43
20	BD 25	CITERNE	80
101	CL 49	CITERS	70
101	CG 53	CITEY	70
203	BI 99	CITOU	11
56	BN 36	CITRY	77
125	AU 64	CIVAUX	86
145	BV 72	CIVENS	42
54	BB 34	CIVIERES	27
151	AL 79	CIVRAC DE BLAYE	33
150	AH 76	CIVRAC EN MEDOC	33
168	AN 82	CIVRAC SUR DORDOGNE	33
111	BF 59	CIVRAY	18
138	AR 68	CIVRAY	C 86
110	AX 54	CIVRAY DE TOURAINE	37
109	AU 58	CIVRAY SUR ESVES	37
146	CA 70	CIVRIEUX	01
146	BZ 71	CIVRIEUX D'AZERGUES	69
76	BA 46	CIVRY	28
115	BY 55	CIVRY EN MONTAGNE	21
54	BB 37	CIVRY LA FORET	78
22	BL 27	CIZANCOURT	80
108	AN 56	CIZAY LA MADELEINE	49
133	CF 67	CIZE	01
134	CI 61	CIZE	39
114	BP 58	CIZELY	58
199	AR 100	CIZOS	65
37	BP 30	CLACY ET THIERRET	02
170	AW 83	CLADECH	24
222	BM 105	CLAIRA	66
183	AR 87	CLAIRAC	47
141	BF 72	CLAIRAVAUX	23
54	BD 40	CLAIREFONTAINE EN YVELINES	78
50	AK 38	CLAIREFOUGERE	61
102	CN 50	CLAIREGOUTTE	70
24	BT 23	CLAIRFAYTS	59
24	BS 25	CLAIRFONTAINE	02
11	BG 16	CLAIRMARAIS	62
36	BK 31	CLAIROIX	60
172	BH 87	CLAIRVAUX D'AVEYRON	12
133	CG 62	CLAIRVAUX LES LACS	C 39
21	BF 26	CLAIRY SAULCHOIX	80
20	BA 27	CLAIS	76
152	AP 74	CLAIX	16
161	CH 79	CLAIX	38
151	AL 75	CLAM	17
58	BT 38	CLAMANGES	51
55	BG 38	CLAMART	C 92
37	BO 31	CLAMECY	02
97	BP 53	CLAMECY	S 58
193	CK 87	CLAMENSANE	04
115	BW 54	CLAMEREY	21
195	CT 91	CLANS	06
101	CI 51	CLANS	70
191	CA 87	CLANSAYES	26
59	CA 34	CLAON, LE	55
188	BN 93	CLAPIER, LE	12
205	BT 95	CLAPIERS	34
226	BH 107	CLARA	66
218	AS 102	CLARAC	31
199	AQ 100	CLARAC	65
198	AL 97	CLARACQ	64
148	CI 68	CLARAFOND	74
32	AQ 33	CLARBEC	14
218	AR 101	CLARENS	65
190	BW 93	CLARENSAC	30
178	CJ 87	CLARET	04
189	BT 93	CLARET	C 34
11	BG 18	CLARQUES	62
23	BO 24	CLARY	C 59
198	AK 94	CLASSUN	40
36	BN 28	CLASTRES	02
18	AU 27	CLASVILLE	76
221	BF 105	CLAT, LE	11
83	CI 46	CLAUDON	88
156	BJ 79	CLAUX, LE	15
162	CL 79	CLAVANS EN HAUT OISANS	38
124	AN 64	CLAVE	79
145	BX 68	CLAVEISOLLES	69
136	AG 67	CLAVETTE	17
160	CB 78	CLAVEYSON	26
173	BO 81	CLAVIERES	15
210	CP 95	CLAVIERS	83
53	AX 35	CLAVILLE	27
33	AY 29	CLAVILLE MOTTEVILLE	76
38	BX 27	CLAVY WARBY	08
55	BJ 37	CLAYE SOUILLY	C 77
70	AB 44	CLAYES	35
54	BE 38	CLAYES SOUS BOIS, LES	78
131	BW 66	CLAYETTE, LA	C 71
83	CL 41	CLAYEURES	54
51	AM 37	CLECY	14
66	H 44	CLEDEN CAP SIZUN	29
68	O 43	CLEDEN POHER	29
45	L 38	CLEDER	29
198	AL 96	CLEDES	40
64	CV 35	CLEEBOURG	67
82	CE 46	CLEFMONT	C 52
91	AO 51	CLEFS	49
148	CL 70	CLEFS, LES	74
68	Q 47	CLEGUER	56
68	S 44	CLEGUEREC	C 56
177	CH 82	CLELLES	C 38
116	CA 55	CLEMENCEY	21
157	BM 74	CLEMENSAT	63
61	CJ 37	CLEMERY	54
95	BG 52	CLEMONT	18
99	CB 53	CLENAY	21
10	BD 19	CLENLEU	62
33	AX 32	CLEON	76
176	CB 84	CLEON D'ANDRAN	26
145	BV 72	CLEPPE	42
151	AM 78	CLERAC	17
110	AX 59	CLERE DU BOIS	36
92	AS 53	CLERE LES PINS	37
107	AM 57	CLERE SUR LAYON	49
33	AY 29	CLERES	C 76
80	BU 45	CLEREY	10
82	CG 41	CLEREY LA COTE	88
83	CI 41	CLEREY SUR BRENON	54
155	BD 77	CLERGOUX	19
160	CB 79	CLERIEUX	26
79	BP 45	CLERIMOIS, LES	89
83	CK 47	CLERJUS, LE	88
143	BN 70	CLERLANDE	63
131	BY 65	CLERMAIN	71
219	AY 102	CLERMONT	09
197	AG 95	CLERMONT	40
35	BH 32	CLERMONT	S 60
148	CI 69	CLERMONT	74
91	AP 50	CLERMONT CREANS	72
169	AT 81	CLERMONT DE BEAUREGARD	24
183	AR 89	CLERMONT DESSOUS	47
154	AW 76	CLERMONT D'EXCIDEUIL	24
59	CA 34	CLERMONT EN ARGONNE	C 55
143	BM 72	CLERMONT FERRAND	P 63
201	AZ 98	CLERMONT LE FORT	31
37	BS 28	CLERMONT LES FERMES	02
204	BP 96	CLERMONT L'HERAULT	C 34
199	AS 97	CLERMONT POUYGUILLES	32
200	AW 96	CLERMONT SAVES	32
184	AU 90	CLERMONT SOUBIRAN	47
221	BH 102	CLERMONT SUR LAUQUET	11
118	CJ 57	CLERON	25
10	BE 16	CLERQUES	62
102	CM 53	CLERVAL	C 25
117	CE 55	CLERY	21
148	CL 73	CLERY	73
54	BD 35	CLERY EN VEXIN	95
39	CB 32	CLERY LE GRAND	55
39	CB 32	CLERY LE PETIT	55
94	BC 49	CLERY ST ANDRE	C 45
22	BL 25	CLERY SUR SOMME	80
79	BR 41	CLESLES	51
132	CA 65	CLESSE	71
123	AM 61	CLESSE	79
131	BU 63	CLESSY	71
11	BF 18	CLETY	62
84	CN 46	CLEURIE	88
18	AU 28	CLEUVILLE	76
51	AP 34	CLEVILLE	14
32	AU 29	CLEVILLE	76
75	AZ 41	CLEVILLIERS	28
168	AN 83	CLEYRAC	33
147	CF 70	CLEYZIEU	01
84	CL 42	CLEZENTAINE	88
55	BG 37	CLICHY	C 92
55	BI 37	CLICHY SOUS BOIS	93
64	CV 34	CLIMBACH	67
82	CE 45	CLINCHAMP	52
51	AM 35	CLINCHAMPS SUR ORNE	14
151	AK 75	CLION	17
110	AY 59	CLION	36
176	CA 83	CLIOUSCLAT	26
18	AU 28	CLIPONVILLE	76
24	BX 27	CLIRON	08
137	AI 72	CLISSE, LA	17
106	AF 57	CLISSON	C 44
29	AF 28	CLITOURPS	50
68	O 48	CLOHARS CARNOET	29
67	L 46	CLOHARS FOUESNANT	29
67	M 42	CLOITRE PLEYBEN, LE	29
45	N 40	CLOITRE ST THEGONNEC, LE	29
115	BX 56	CLOMOT	21
160	CA 76	CLONAS SUR VAREZE	38
56	BL 40	CLOS FONTAINE	77
152	AN 79	CLOTTE, LA	17
41	CI 32	CLOUANGE	57
124	AQ 64	CLOUE	86
121	AD 62	CLOUZEAUX, LES	85
93	AY 47	CLOYES SUR LE LOIR	C 28
59	BY 39	CLOYES SUR MARNE	51
117	CI 58	CLUCY	39
127	BF 66	CLUGNAT	23
127	BC 63	CLUIS	36
193	CN 91	CLUMANC	04
131	BY 64	CLUNY	C 71
148	CM 70	CLUSAZ, LA	74
178	CI 84	CLUSE, LA	05
118	CL 59	CLUSE ET MIJOUX, LA	25
227	BL 108	CLUSES, LES	66
149	CN 68	CLUSES	C 74
124	AP 67	CLUSSAIS LA POMMERAIE	79
116	CC 58	CLUX	71
46	S 40	COADOUT	22
195	CU 92	COARAZE	06
217	AM 101	COARRAZE	64
44	I 39	COAT MEAL	29
46	R 38	COATASCORN	22
46	R 37	COATREVEN	22
176	CC 83	COBONNE	26
12	BN 19	COBRIEUX	59
52	AQ 39	COCHERE, LA	61
56	BM 36	COCHEREL	77
42	CO 34	COCHEREN	57
80	BV 42	COCLOIS	10
20	BE 24	COCQUEREL	80
168	AO 86	COCUMONT	47
188	BR 88	COCURES	48
226	BH 107	CODALET	66
205	BV 94	CODOGNAN	30
190	BZ 90	CODOLET	30
89	AE 48	COESMES	35
69	W 44	COETLOGON	22
47	W 41	COETMIEUX	22
36	BN 32	COEUVRES ET VALSERY	02
121	AB 61	COEX	85
230	DI 110	COGGIA	2A
71	AF 41	COGLES	35
133	CH 62	COGNA	39
137	AM 72	COGNAC	S 16
139	AW 71	COGNAC LA FORET	87
143	BO 68	COGNAT LYONNE	03
92	AU 49	COGNERS	72
177	CI 81	COGNET	38
101	CK 52	COGNIERES	70
148	CI 74	COGNIN	C 73
161	CF 78	COGNIN LES GORGES	38
232	DJ 114	COGNOCOLI MONTICCHI	2A
112	BJ 60	COGNY	18
145	BY 69	COGNY	69
210	CO 99	COGOLIN	83
157	BP 77	COHADE	43
149	CN 71	COHENNOZ	73
47	T 41	COHINIAC	22
100	CD 49	COHONS	52
100	CF 48	COIFFY LE BAS	52
100	CG 48	COIFFY LE HAUT	52
21	BI 23	COIGNEUX	80
54	BD 39	COIGNIERES	78
29	AG 32	COIGNY	50
167	AM 86	COIMERES	33
61	CI 35	COIN LES CUVRY	57
61	CI 35	COIN SUR SEILLE	57
76	BC 47	COINCES	45
84	CP 43	COINCHES	88
62	CM 39	COINCOURT	54
57	BP 34	COINCY	02
61	CJ 34	COINCY	57
111	BC 60	COINGS	36
38	BT 27	COINGT	02
167	AM 84	COIRAC	33
145	BX 73	COISE	69
162	CK 74	COISE ST JEAN PIED GAUTHIER	73
133	CH 65	COISERETTE	39
102	CN 51	COISEVAUX	70
133	CF 65	COISIA	39
21	BG 25	COISY	80
137	AL 68	COIVERT	17
35	BI 30	COIVREL	60
57	BS 38	COIZARD JOCHES	51
183	AS 89	COLAYRAC ST CIRQ	47
10	BD 16	COLEMBERT	62
133	CE 65	COLIGNY	C 01
21	BI 24	COLINCAMPS	80
97	BS 49	COLLAN	89
114	BQ 56	COLLANCELLE, LA	58
156	BJ 78	COLLANDRES	15
53	AW 36	COLLANDRES QUINCARNON	27
157	BN 76	COLLANGES	63
158	BR 78	COLLAT	43
210	CT 94	COLLE SUR LOUP, LA	06
56	BJ 38	COLLEGIEN	77
78	BN 45	COLLEMIERS	89
24	BT 22	COLLERET	59
189	BT 89	COLLET DE DEZE, LE	48
32	AU 32	COLLETOT	27
18	AT 27	COLLEVILLE	76
31	AN 33	COLLEVILLE MONTGOMERY	14
30	AJ 32	COLLEVILLE SUR MER	14
190	BY 92	COLLIAS	30
37	BQ 31	COLLIGIS CRANDELAIN	02
61	CK 34	COLLIGNY	57
20	BC 21	COLLINE BEAUMONT	62
69	X 43	COLLINEE	C 22
227	BN 108	COLLIOURE	66
209	CM 99	COLLOBRIERES	C 83
131	BX 62	COLLONGE EN CHAROLLAIS	71
115	BX 59	COLLONGE LA MADELEINE	71
148	CI 67	COLLONGES	C 01
146	CA 71	COLLONGES AU MONT D'OR	69
155	BB 80	COLLONGES LA ROUGE	19
116	BZ 56	COLLONGES LES BEVY	21
116	CD 55	COLLONGES LES PREMIERES	21
148	CK 67	COLLONGES SOUS SALEVE	74
194	CR 92	COLLONGUES	06
199	AP 99	COLLONGUES	65
67	N 42	COLLOREC	29
190	BW 91	COLLORGUES	30
85	CS 45	COLMAR	P 68
194	CP 89	COLMARS	C 04
41	CL 31	COLMEN	57
113	BN 54	COLMERY	58
19	AX 26	COLMESNIL MANNEVILLE	76
40	CE 30	COLMEY	54
99	CA 49	COLMIER LE BAS	52
99	CA 49	COLMIER LE HAUT	52
189	BS 91	COLOGNAC	30
200	AW 95	COLOGNE	C 32
195	CU 93	COLOMARS	06
161	CF 76	COLOMBE	38
93	AZ 48	COLOMBE, LA	41
49	AH 37	COLOMBE, LA	50
81	BZ 44	COLOMBE LA FOSSE	10
81	BZ 44	COLOMBE LE SEC	10
101	CK 51	COLOMBE LES VESOUL	70
31	AN 33	COLOMBELLES	14
55	BG 37	COLOMBES	C 92
83	CH 41	COLOMBEY LES BELLES	C 54
81	BZ 44	COLOMBEY LES DEUX EGLISES	52
128	BK 66	COLOMBIER	03
115	BY 56	COLOMBIER	21
169	AS 83	COLOMBIER	24
159	BY 77	COLOMBIER	42
101	CJ 50	COLOMBIER	70
131	BW 65	COLOMBIER EN BRIONNAIS	71
102	CN 52	COLOMBIER FONTAINE	25
160	BZ 77	COLOMBIER LE CARDINAL	07
160	BZ 80	COLOMBIER LE JEUNE	07
160	BZ 79	COLOMBIER LE VIEUX	07
146	CC 72	COLOMBIER SAUGNIEU	69
30	AI 32	COLOMBIERES	14
203	BM 96	COLOMBIERES SUR ORB	34
137	AK 73	COLOMBIERS	17
128	BI 62	COLOMBIERS	18
204	BN 99	COLOMBIERS	34
73	AQ 42	COLOMBIERS	61
125	AS 61	COLOMBIERS	86
72	AJ 42	COLOMBIERS DU PLESSIS	53
31	AM 32	COLOMBIERS SUR SEULLES	14
186	BH 88	COLOMBIES	12
101	CK 50	COLOMBOTTE	70
29	AE 30	COLOMBY	50
31	AM 33	COLOMBY SUR THAON	14
201	AY 96	COLOMIERS	31
147	CG 72	COLOMIEU	01
74	AU 42	COLONARD CORUBERT	61
126	BB 66	COLONDANNES	23
23	BQ 26	COLONFAY	02
117	CF 59	COLONNE	39
176	CB 87	COLONZELLE	26
69	U 48	COLPO	56
85	CQ 42	COLROY LA GRANDE	88
85	CQ 42	COLROY LA ROCHE	67
76	BB 42	COLTAINVILLE	28
157	BL 79	COLTINES	15
154	AY 80	COLY	24
205	BS 95	COMBAILLAUX	34
189	BV 93	COMBAS	30
162	CI 77	COMBE DE LANCEY, LA	38
101	CH 50	COMBEAUFONTAINE	C 70
186	BE 91	COMBEFA	81
152	AQ 77	COMBERANCHE ET EPELUCHE	24
101	CK 50	COMBERJON	70
184	AX 93	COMBEROUGER	82
116	CA 58	COMBERTAULT	21
118	CM 57	COMBES, LES	25
203	BM 96	COMBES	34
153	AR 75	COMBIERS	16
116	CA 57	COMBLANCHIEN	21
22	BK 25	COMBLES	C 80
59	CB 38	COMBLES EN BARROIS	55
88	Z 48	COMBLESSAC	35
94	BE 48	COMBLEUX	45
74	AT 42	COMBLOT	61
149	CO 70	COMBLOUX	74
53	AW 35	COMBON	27
71	AC 42	COMBOURG	C 35
71	AG 43	COMBOURTILLE	35
176	CC 81	COMBOVIN	26
142	BJ 71	COMBRAILLES	63
107	AJ 59	COMBRAND	79
51	AM 36	COMBRAY	14
145	BV 69	COMBRE	42
90	AH 50	COMBREE	49
75	AX 43	COMBRES	28
60	CF 35	COMBRES SOUS LES COTES	55
155	BF 75	COMBRESSOL	19
187	BJ 93	COMBRET	12
95	BG 48	COMBREUX	45
84	CQ 43	COMBRIMONT	88
67	K 46	COMBRIT	29
143	BM 70	COMBRONDE	C 63
55	BI 40	COMBS LA VILLE	C 77
115	BU 59	COMELLE, LA	71
171	BE 81	COMIAC	46

Page	Carreau	Commune	Adm.	Dpt
222	BI 101	COMIGNE		11
12	BL 16	COMINES		59
45	M 41	COMMANA		29
115	BY 55	COMMARIN		21
51	AO 38	COMMEAUX		61
161	CD 75	COMMELLE		38
145	BU 69	COMMELLE VERNAY		42
117	CE 60	COMMENAILLES		39
36	BM 29	COMMENCHON		02
181	AH 89	COMMENSACQ		40
128	BK 66	COMMENTRY	C	03
54	BD 35	COMMENY		95
105	AB 60	COMMEQUIERS		85
72	AK 44	COMMER		53
60	CE 38	COMMERCY	S	55
74	AS 43	COMMERVEIL		72
30	AK 32	COMMES		14
118	CJ 60	COMMUNAILLES EN MONTAGNE		39
146	CA 73	COMMUNAY		69
157	BL 76	COMPAINS		63
34	BB 29	COMPAINVILLE		76
56	BJ 36	COMPANS		77
142	BI 69	COMPAS, LE		23
58	BV 37	COMPERTRIX		51
188	BM 90	COMPEYRE		12
36	BK 31	COMPIEGNE	S	60
78	BN 43	COMPIGNY		89
186	BF 88	COMPOLIBAT		12
148	CK 72	COMPOTE, LA		73
187	BL 91	COMPREGNAC		12
140	AY 69	COMPREIGNAC		87
176	CD 85	COMPS		26
190	BZ 93	COMPS		30
151	AJ 80	COMPS		33
187	BI 89	COMPS LA GRAND VILLE		12
209	CO 94	COMPS SUR ARTUBY	C	83
11	BH 20	COMTE, LA		62
220	BD 105	COMUS		11
93	AZ 50	CONAN		41
147	CF 70	CONAND		01
226	BH 107	CONAT		66
233	DN 114	CONCA		2A
67	L 47	CONCARNEAU	C	29
37	BR 32	CONCEVREUX		02
154	AZ 77	CONCEZE		19
53	AW 36	CONCHES EN OUCHE	C	27
56	BJ 38	CONCHES SUR GONDOIRE		77
198	AM 96	CONCHEZ DE BEARN		64
20	BB 21	CONCHIL LE TEMPLE		62
36	BJ 29	CONCHY LES POTS		60
21	BF 22	CONCHY SUR CANCHE		62
170	AZ 84	CONCORES		46
70	Z 45	CONCORET		56
185	BB 87	CONCOTS		46
189	BT 87	CONCOULES		30
107	AM 56	CONCOURSON SUR LAYON		49
126	AW 63	CONCREMIERS		36
95	BI 53	CONCRESSAULT		18
94	BA 50	CONCRIERS		41
138	AQ 69	CONDAC		16
132	CD 64	CONDAL		71
147	CF 68	CONDAMINE		01
133	CE 62	CONDAMINE		39
179	CQ 86	CONDAMINE CHATELARD, LA		04
156	BK 77	CONDAT	C	15
171	BB 81	CONDAT		46
142	BI 71	CONDAT EN COMBRAILLE		63
158	BQ 74	CONDAT LES MONTBOISSIER		63
154	BB 75	CONDAT SUR GANAVEIX		19
153	AU 76	CONDAT SUR TRINCOU		24
154	AY 79	CONDAT SUR VEZERE		24
140	AY 72	CONDAT SUR VIENNE		87
111	BE 60	CONDE		36
57	BP 36	CONDE EN BRIE	C	02
20	BE 25	CONDE FOLIE		80
39	BZ 33	CONDE LES AUTRY		08
38	BU 30	CONDE LES HERPY		08
41	CK 34	CONDE NORTHEN		57
56	BK 37	CONDE STE LIBIAIRE		77
37	BP 32	CONDE SUR AISNE		02
75	AW 43	CONDE SUR HUISNE		61
51	AP 35	CONDE SUR IFS		14
53	AW 38	CONDE SUR ITON		27
13	BP 20	CONDE SUR L'ESCAUT	C	59
58	BU 35	CONDE SUR MARNE		51
50	AL 37	CONDE SUR NOIREAU	C	14
32	AU 32	CONDE SUR RISLE		27
73	AP 42	CONDE SUR SARTHE		61
30	AL 33	CONDE SUR SEULLES		14
37	BS 31	CONDE SUR SUIPPE		02
54	BB 39	CONDE SUR VESGRE		78
50	AI 35	CONDE SUR VIRE		50
75	AV 43	CONDEAU		61
54	BD 36	CONDECOURT		95
146	CB 67	CONDEISSIAT		01
152	AN 76	CONDEON		16
133	CG 65	CONDES		39
81	CB 45	CONDES		52
10	BB 18	CONDETTE		62
169	AV 86	CONDEZAYGUES		47
176	CA 84	CONDILLAC		26
183	AR 92	CONDOM	S	32
173	BL 85	CONDOM D'AUBRAC		12
177	CD 87	CONDORCET		26
36	BN 29	CONDREN		02
160	BZ 75	CONDRIEU	C	69
101	CI 50	CONFLANDEY		70
40	CG 34	CONFLANS EN JARNISY	C	54
55	BF 36	CONFLANS STE HONORINE	C	78
92	AV 48	CONFLANS SUR ANILLE		72
101	CK 48	CONFLANS SUR LANTERNE		70
96	BK 48	CONFLANS SUR LOING		45
79	BQ 41	CONFLANS SUR SEINE		51
139	AT 69	CONFOLENS	S	16
156	BI 75	CONFOLENT PORT DIEU		19
147	CH 67	CONFORT		01
66	I 45	CONFORT MEILARS		29
101	CH 50	CONFRACOURT		70
132	CC 66	CONFRANCON		01
74	AR 45	CONGE SUR ORNE		72
205	BV 94	CONGENIES		30
76	BE 43	CONGERVILLE THIONVILLE		91
56	BL 36	CONGIS SUR THEROUANNE		77
89	AG 49	CONGRIER		53
57	BS 38	CONGY		51
76	BA 46	CONIE MOLITARD		28
222	BJ 101	CONILHAC CORBIERES		11
221	BF 103	CONILHAC DE LA MONTAGNE		11
147	CI 71	CONJUX		73
73	AP 45	CONLIE	C	72
133	CG 62	CONLIEGE	C	39
187	BJ 91	CONNAC		12
158	BR 77	CONNANGLES		43
58	BT 39	CONNANTRAY VAUREFROY		51
57	BS 39	CONNANTRE		51
190	BZ 90	CONNAUX		30
169	AS 83	CONNE DE LABARDE		24
33	AZ 33	CONNELLES		27
74	AT 46	CONNERRE		72
153	AS 75	CONNEZAC		24
57	BP 36	CONNIGIS		02
88	AC 51	CONQUEREUIL		44
172	BH 85	CONQUES	C	12
202	BH 100	CONQUES SUR ORBIEL	C	11
44	G 41	CONQUET, LE		29
189	BT 92	CONQUEYRAC		30
40	CF 30	CONS LA GRANDVILLE		54
148	CM 71	CONS STE COLOMBE		74
151	AK 76	CONSAC		17
194	CS 92	CONSEGUDES		06
40	CC 32	CONSENVOYE		55
82	CD 45	CONSIGNY		52
119	CN 56	CONSOLATION MAISONNETTES		25
22	BJ 25	CONTALMAISON		80
148	CJ 68	CONTAMINE SARZIN		74
148	CL 67	CONTAMINE SUR ARVE		74
149	CP 70	CONTAMINES MONTJOIE, LES		74
59	BZ 37	CONTAULT		51
21	BH 25	CONTAY		80
118	CI 60	CONTE		39
195	CV 92	CONTES	C	06
10	BE 20	CONTES		62
36	BN 27	CONTESCOURT		02
72	AK 44	CONTEST		53
51	AO 35	CONTEVILLE		14
32	AS 31	CONTEVILLE		27
35	BE 29	CONTEVILLE		60
34	BB 28	CONTEVILLE		76
21	BE 23	CONTEVILLE		80
11	BG 20	CONTEVILLE EN TERNOIS		62
10	BC 17	CONTEVILLE LES BOULOGNE		62
62	CM 36	CONTHIL		57
90	AL 50	CONTIGNE		49
129	BO 65	CONTIGNY		03
74	AS 43	CONTILLY		72
108	AR 54	CONTINVOIR		37
35	BI 28	CONTOIRE		80
219	AX 102	CONTRAZY		09
137	AM 69	CONTRE		17
35	BF 28	CONTRE		80
101	CI 49	CONTREGLISE		70
18	AT 28	CONTREMOULINS		76
112	BI 60	CONTRES		18
94	BA 54	CONTRES	C	41
38	BX 32	CONTREUVE		08
147	CG 71	CONTREVOZ		01
83	CH 45	CONTREXEVILLE		88
49	AF 35	CONTRIERES		50
59	CA 38	CONTRISSON		55
35	BF 28	CONTY	C	80
41	CK 30	CONTZ LES BAINS		57
147	CG 72	CONZIEU		01
58	BV 39	COOLE		51
58	BV 37	COOLUS		51
106	AE 59	COPECHAGNIERE, LA		85
148	CJ 68	COPPONEX		74
32	AR 34	COQUAINVILLIERS		14
10	BD 14	COQUELLES		62
153	AW 74	COQUILLE, LA		24
76	BA 43	CORANCEZ		28
114	BT 57	CORANCY		58
67	N 45	CORAY		29
228	DJ 105	CORBARA		2B
185	AZ 92	CORBARIEU		82
146	CA 73	CORBAS		69
22	BM 21	CORBEHEM		62
80	BW 41	CORBEIL		51
35	BF 33	CORBEIL CERF		60
55	BH 40	CORBEIL ESSONNES	C	91
77	BI 46	CORBEILLES		45
162	CI 75	CORBEL		73
147	CG 73	CORBELIN		38
101	CK 48	CORBENAY		70
37	BR 31	CORBENY		02
222	BJ 107	CORBERE		66
198	AN 97	CORBERE ABERES		64
222	BJ 107	CORBERE LES CABANES		66
116	CB 58	CORBERON		21
189	BT 91	CORBES		30
21	BI 26	CORBIE	C	80
102	CL 49	CORBIERE, LA		70
208	CI 94	CORBIERES		04
221	BE 102	CORBIERES		11
114	BR 55	CORBIGNY	C	58
51	AP 34	CORBON		14
74	AU 42	CORBON		61
147	CH 69	CORBONOD		01
76	BE 42	CORBREUSE		91
101	CJ 54	CORCELLE MIESLOT		25
147	CF 68	CORCELLES		01
146	BZ 67	CORCELLES EN BEAUJOLAIS		69
117	CH 55	CORCELLES FERRIERES		25
116	BZ 58	CORCELLES LES ARTS		21
116	CB 56	CORCELLES LES CITEAUX		21
116	CA 55	CORCELLES LES MONTS		21
84	CO 44	CORCIEUX	C	88
117	CH 55	CORCONDRAY		25
189	BT 93	CORCONNE		30
105	AD 58	CORCOUE SUR LOGNE		44
36	BN 33	CORCY		02
178	CI 82	CORDEAC		38
52	AS 35	CORDEBUGLE		14
145	BU 70	CORDELLE		42
105	AA 54	CORDEMAIS		44
186	BD 91	CORDES SUR CIEL	C	81
184	AX 92	CORDES TOLOSANNES		82
115	BW 58	CORDESSE		71
51	AO 37	CORDEY		14
149	CO 69	CORDON		74
101	CI 53	CORDONNET		70
157	BM 80	COREN		15
161	CH 77	CORENC		38
143	BN 73	CORENT		63
57	BQ 38	CORFELIX		51
116	CB 58	CORGENGOUX		21
153	AV 76	CORGNAC SUR L'ISLE		24
116	CA 57	CORGOLOIN		21
151	AL 77	CORIGNAC		17
69	T 42	CORLAY	C	22
147	CF 68	CORLIER		01
76	BB 46	CORMAINVILLE		28
147	CG 69	CORMARANCHE EN BUGEY		01
132	BZ 63	CORMATIN		71
136	AI 73	CORME ECLUSE		17
137	AI 72	CORME ROYAL		17
32	AS 33	CORMEILLES	C	27
35	BF 29	CORMEILLES		60
55	BG 36	CORMEILLES EN PARISIS	C	95
54	BE 35	CORMEILLES EN VEXIN		95
51	AN 34	CORMELLES LE ROYAL		14
93	AW 47	CORMENON		41
93	AZ 53	CORMERAY		41
109	AV 55	CORMERY		37
74	AU 45	CORMES		72
37	BS 32	CORMICY		51
53	AZ 36	CORMIER, LE		27
50	AJ 34	CORMOLAIN		14
10	BC 19	CORMONT		62
38	BT 33	CORMONTREUIL		51
132	CA 66	CORMORANCHE SUR SAONE		01
80	BU 45	CORMOST		10
115	BY 58	CORMOT LE GRAND		21
57	BS 35	CORMOYEUX		51
132	CD 64	CORMOZ		01
171	BD 85	CORN		46
171	BD 82	CORNAC		46
78	BN 46	CORNANT		89
176	CA 81	CORNAS		07
39	BZ 32	CORNAY		08
91	AM 53	CORNE		49
	AY 95	CORNEBARRIEU		31
204	BN 98	CORNEILHAN		34
226	BH 107	CORNEILLA DE CONFLENT		66
227	BL 107	CORNEILLA DEL VERCOL		66
222	BK 106	CORNEILLA LA RIVIERE		66
198	AM 95	CORNEILLAN		32
53	AY 37	CORNEUIL		27
52	AU 35	CORNEVILLE LA FOUQUETIERE		27
32	AU 32	CORNEVILLE SUR RISLE		27
148	CL 68	CORNIER		74
155	BB 78	CORNIL		19
177	CF 86	CORNILLAC		26
153	AU 78	CORNILLE		24
71	AF 46	CORNILLE		35
91	AN 52	CORNILLE LES CAVES		49
190	BY 89	CORNILLON		30
207	CD 96	CORNILLON CONFOUX		13
177	CH 82	CORNILLON EN TRIEVES		38
177	CF 86	CORNILLON SUR L'OULE		26
84	CO 47	CORNIMONT		88
133	CF 65	CORNOD		39
101	CH 50	CORNOT		70
90	AI 52	CORNUAILLE, LA		49
188	BN 93	CORNUS	C	12
112	BJ 59	CORNUSSE		18
34	BA 33	CORNY		27
38	BW 29	CORNY MACHEROMENIL		08
61	CI 35	CORNY SUR MOSELLE		57
107	AK 56	CORON		49
122	AG 63	CORPE		85
116	BZ 59	CORPEAU		21
99	BY 52	CORPOYER LA CHAPELLE		21
178	CJ 82	CORPS	C	38
71	AD 47	CORPS NUDS		35
78	BJ 47	CORQUILLEROY		45
112	BG 60	CORQUOY		18
231	DK 113	CORRANO		2A
102	CN 48	CORRAVILLERS		70
101	CI 47	CORRE		70
161	CG 80	CORRENCON EN VERCORS		38
209	CL 97	CORRENS		83
155	BD 76	CORREZE	C	19
57	BR 37	CORRIBERT		51
57	BQ 37	CORROBERT		51
98	BU 52	CORROMBLES		21
201	AZ 97	CORRONSAC		31
57	BS 39	CORROY		51
98	BU 52	CORSAINT		21
226	BJ 109	CORSAVY		66
230	DK 108	CORSCIA		2B
105	Z 54	CORSEPT		44
70	Z 41	CORSEUL		22
132	BZ 64	CORTAMBERT		71
231	DL 108	CORTE	S	2B
131	BY 63	CORTEVAIX		71
96	BK 48	CORTRAT		45
75	AY 43	CORVEES LES YYS, LES		28
133	CF 66	CORVEISSIAT		01
113	BP 55	CORVOL D'EMBERNARD		58
97	BO 54	CORVOL L'ORGUEILLEUX		58
91	AM 52	CORZE		49
220	BA 103	COS		09
133	CE 60	COSGES		39
198	AM 97	COSLEDAA LUBE BOAST		64
90	AI 48	COSMES		53
154	BA 79	COSNAC		19
96	BL 54	COSNE COURS SUR LOIRE	S	58
129	BK 64	COSNE D'ALLIER		03
40	CF 30	COSNES ET ROMAIN		54
29	AF 28	COSQUEVILLE		50
130	BP 61	COSSAYE		58
107	AJ 56	COSSE D'ANJOU		49
91	AN 47	COSSE EN CHAMPAGNE		53
90	AI 47	COSSE LE VIVIEN	C	53
51	AM 37	COSSESSEVILLE		14
63	CS 39	COSSWILLER		67
228	DJ 105	COSTA		2B
174	BS 82	COSTAROS		43
178	CK 83	COSTES, LES		05
187	BK 91	COSTES GOZON, LES		12
102	CM 50	COTE, LA		70
149	CO 73	COTE D'AIME, LA		73
135	CO 66	COTE D'ARBROZ, LA		74
144	BS 72	COTE EN COUZAN, LA		42
161	CD 76	COTE ST ANDRE, LA	C	38
145	BU 69	COTEAU, LE		42
118	CK 55	COTEBRUNE		25
160	CA 75	COTES D'AREY, LES		38
178	CJ 82	COTES DE CORPS, LES		38
232	DI 114	COTI CHIAVARI		2A
209	CL 96	COTIGNAC	C	83
145	BW 71	COTTANCE		42
21	BH 27	COTTENCHY		80
33	AY 29	COTTEVRARD		76
30	AK 32	COTTUN		14
124	AN 65	COUARDE, LA		79
121	AD 67	COUARDE SUR MER, LA		17
113	BL 55	COUARGUES		18
56	BJ 40	COUBERT		77
168	AO 83	COUBEYRAC		33
172	BK 85	COUBISOU		12
154	AY 78	COUBJOURS		24
100	CE 50	COUBLANC		52
145	BV 67	COUBLANC		71
161	CG 76	COUBLEVIE		38
198	AL 96	COUBLUCQ		64
174	BT 81	COUBON		43
55	BI 37	COUBRON		93
115	BX 59	COUCHES	C	71
116	CA 55	COUCHEY		21
176	CA 84	COUCOURDE, LA		26
174	BT 83	COUCOURON	C	07
38	BW 30	COUCY		08
37	BO 30	COUCY LA VILLE		02
37	BO 30	COUCY LE CHATEAU AUFFRIQUE	C	02
37	BR 30	COUCY LES EPPES		02
110	AZ 54	COUDDES		41
52	AQ 37	COUDEHARD		61
4	BH 14	COUDEKERQUE		59
4	BH 14	COUDEKERQUE BRANCHE	C	59
143	BN 74	COUDES		63
49	AE 37	COUDEVILLE SUR MER		50
221	BF 104	COUDONS		11
207	CE 96	COUDOUX		13
34	BA 32	COUDRAY		27
76	BA 42	COUDRAY, LE		28
77	BH 44	COUDRAY		45
90	AK 49	COUDRAY		53
75	AV 44	COUDRAY AU PERCHE		28
108	AO 56	COUDRAY MACOUARD, LE		49
77	BI 41	COUDRAY MONTCEAUX, LE		91
32	AR 33	COUDRAY RABUT		14
34	BD 32	COUDRAY ST GERMER, LE	C	60
35	BF 33	COUDRAY SUR THELLE, LE		60
107	AL 58	COUDRE, LA		79
75	AW 43	COUDRECEAU		28
92	AT 47	COUDRECIEUX		72
53	AY 38	COUDRES		27
95	BH 48	COUDROY		45
36	BK 31	COUDUN		60
197	AK 95	COUDURES		40
200	AU 99	COUEILLES		31
105	AC 55	COUERON		44
92	AR 52	COUESMES		37
72	AK 42	COUESMES VAUCE		53
89	AF 53	COUFFE		44
110	BA 55	COUFFI		41
221	BG 101	COUFFOULENS		11
142	BG 73	COUFFY SUR SARSONNE		19
219	AX 105	COUFLENS		09
201	BC 94	COUFOULEUX		81
124	AQ 66	COUHE	C	86
56	BK 37	COUILLY PONT AUX DAMES		77
21	BI 23	COUIN		62
221	BG 104	COUIZA	C	11
219	AW 101	COULADERE		31
74	AQ 47	COULAINES		72
129	BN 63	COULANDON		03
97	BP 51	COULANGERON		89
130	BS 64	COULANGES		03
93	AY 52	COULANGES		41
97	BQ 50	COULANGES LA VINEUSE	C	89
113	BN 58	COULANGES LES NEVERS		58
97	BP 52	COULANGES SUR YONNE	C	89
73	AP 47	COULANS SUR GEE		72
153	AW 77	COULAURES		24
129	BL 62	COULEUVRE		03
101	CJ 50	COULEVON		70
138	AQ 71	COULGENS		16
74	AS 42	COULIMER		61
35	BH 29	COULLEMELLE		80
21	BH 22	COULLEMONT		62
95	BI 51	COULLONS		45
52	AR 38	COULMER		61
98	BW 50	COULMIER LE SEC		21
94	BB 48	COULMIERS		45
204	BO 98	COULOBRES		34
10	BD 15	COULOGNE		62
36	BL 32	COULOISY		60
73	AQ 44	COULOMBIERS		72
124	AQ 64	COULOMBIERS		86
31	AL 33	COULOMBS		14
54	BB 40	COULOMBS		28
56	BM 35	COULOMBS EN VALOIS		77
10	BE 17	COULOMBY		62
56	BL 37	COULOMMES		77
38	BX 31	COULOMMES ET MARQUENY		08
37	BS 33	COULOMMES LA MONTAGNE		51
56	BM 38	COULOMMIERS	C	77
93	AX 49	COULOMMIERS LA TOUR		41
123	AK 65	COULON		79
50	AJ 37	COULONCES		14
51	AP 38	COULONCES		61
51	AM 40	COULONCHE, LA		61
92	AQ 50	COULONGE		72
138	AP 71	COULONGES		16
137	AL 73	COULONGES		17
126	AX 65	COULONGES		86
37	BQ 34	COULONGES COHAN		02
75	AW 42	COULONGES LES SABLONS		61
123	AK 64	COULONGES SUR L'AUTIZE	C	79
74	AS 41	COULONGES SUR SARTHE		61
107	AM 59	COULONGES THOUARSAIS		79
20	BE 23	COULONVILLERS		80
198	AO 95	COULOUME MONDEBAT		32
153	AT 78	COULOUNIEIX CHAMIERS		24
79	BQ 45	COULOURS		89
96	BN 54	COULOUTRE		58
50	AH 38	COULOUVRAY BOISBENATRE		50
50	AK 35	COULVAIN		14
168	AR 86	COULX		47
42	CL 33	COUME		57
221	BG 106	COUNOZOULS		11
11	BF 19	COUPELLE NEUVE		62
11	BF 19	COUPELLE VIEILLE		62
51	AQ 35	COUPESARTE		14
58	BV 38	COUPETZ		51
59	BX 37	COUPEVILLE		51
187	BI 92	COUPIAC		12
99	CA 47	COUPRAY		52
56	BN 36	COUPRU		02
73	AN 41	COUPTRAIN	C	53
56	BK 37	COUPVRAY		77
150	AH 76	COUQUEQUES		33
94	BA 53	COUR CHEVERNY		41
160	CB 75	COUR ET BUIS		38
99	CA 47	COUR L'EVEQUE		52
95	BJ 48	COUR MARIGNY, LA		45
119	CO 54	COUR ST MAURICE		25
93	AZ 51	COUR SUR LOIRE		41
77	BH 42	COURANCES		91
137	AK 69	COURANT		17
99	BY 48	COURBAN		21
51	AO 39	COURBE, LA		61
76	BB 45	COURBEHAYE		28
52	AT 35	COURBEPINE		27
37	BO 28	COURBES		02
61	CK 39	COURBESSEAUX		54
133	CF 62	COURBETTE		39
72	AI 47	COURBEVEILLE		53
55	BG 37	COURBEVOIE	C	92
184	AW 87	COURBIAC		47
138	AN 72	COURBILLAC		16
57	BP 36	COURBOIN		02
133	CF 62	COURBOUZON		39
94	BB 50	COURBOUZON		41
128	BH 64	COURCAIS		03
109	AV 55	COURCAY		37
74	AR 45	COURCEBOEUFS		72
22	BJ 24	COURCELETTE		80
137	AL 69	COURCELLES		17
118	CI 57	COURCELLES		25
77	BG 46	COURCELLES		45
83	CI 42	COURCELLES		54
113	BO 54	COURCELLES		58
103	CQ 52	COURCELLES		90
21	BI 24	COURCELLES AU BOIS		80
61	CK 34	COURCELLES CHAUSSY		57
92	AR 53	COURCELLES DE TOURAINE		37
60	CD 38	COURCELLES EN BARROIS		55
78	BM 43	COURCELLES EN BASSEE		77
100	CC 48	COURCELLES EN MONTAGNE		52
35	BI 30	COURCELLES EPAYELLES		60
98	BU 53	COURCELLES FREMOY		21
91	AP 49	COURCELLES LA FORET		72
22	BK 23	COURCELLES LE COMTE		62
34	BC 33	COURCELLES LES GISORS		60
12	BL 20	COURCELLES LES LENS		62
98	BW 51	COURCELLES LES MONTBARD		21
102	CO 52	COURCELLES LES MONTBELIARD		25
98	BV 53	COURCELLES LES SEMUR		21
37	BS 33	COURCELLES SAPICOURT		51
82	CG 43	COURCELLES SOUS CHATENOIS		88
21	BE 27	COURCELLES SOUS MOYENCOURT		80
35	BF 28	COURCELLES SOUS THOIX		80
60	CC 36	COURCELLES SUR AIRE		55
81	CA 42	COURCELLES SUR BLAISE		52
61	CJ 35	COURCELLES SUR NIED		57
53	AZ 34	COURCELLES SUR SEINE		27
37	BP 32	COURCELLES SUR VESLES		02
54	BE 35	COURCELLES SUR VIOSNE		95
80	BX 42	COURCELLES SUR VOIRE		10
57	BS 40	COURCEMAIN		51
74	AS 45	COURCEMONT		72
137	AL 71	COURCERAC		17
74	AU 42	COURCERAULT		61
79	BO 42	COURCEROY		10
56	BN 40	COURCHAMP		77
56	BN 35	COURCHAMPS		02
108	AO 56	COURCHAMPS		49
117	CG 55	COURCHAPON		25
102	CM 52	COURCHATON		70
22	BL 21	COURCHELETTES		59
73	AN 43	COURCITE		53
74	AS 44	COURCIVAL		72
138	AP 69	COURCOME		16
123	AI 66	COURCON	C	17
109	AS 58	COURCOUE		37
55	BH 40	COURCOURONNES		91
137	AK 72	COURCOURY		17
117	CH 54	COURCUIRE		70
51	AP 36	COURCY		14
49	AF 35	COURCY		50
38	BS 32	COURCY		51
77	BF 46	COURCY AUX LOGES		45
53	AY 38	COURDEMANCHE		27
92	AT 49	COURDEMANCHE		72
58	BW 39	COURDEMANGES		51
54	BE 36	COURDIMANCHE		95
77	BG 42	COURDIMANCHE SUR ESSONNE		91
219	AU 102	COURET		31
74	AR 44	COURGAINS		72
152	AP 76	COURGEAC		16
74	AV 45	COURGENARD		72
79	BP 44	COURGENAY		89
54	BB 37	COURGENT		78
74	AU 42	COURGEON		61
74	AT 41	COURGEOUT		61
97	BR 50	COURGIS		89
57	BP 39	COURGIVAUX		51
157	BM 75	COURGOUL		63
57	BR 38	COURJEONNET		51
152	AP 77	COURLAC		16
37	BR 32	COURLANDON		51
133	CF 61	COURLANS		39
133	CE 62	COURLAOUX		39
107	AK 60	COURLAY		79
108	AQ 54	COURLEON		49
99	CA 51	COURLON		21
78	BN 43	COURLON SUR YONNE		89
133	CE 65	COURMANGOUX		01
57	BS 34	COURMAS		51
36	BN 32	COURMELLES		02
94	BB 53	COURMEMIN		41
52	AR 38	COURMENIL		61
194	CS 93	COURMES		06
57	BQ 34	COURMONT		02
102	CN 51	COURMONT		70
221	BG 102	COURNANEL		11
55	BH 37	COURNEUVE, LA	C	93
203	BK 98	COURNIOU		34
143	BM 73	COURNOLS		63
88	Z 49	COURNON		56
143	BN 72	COURNON D'AUVERGNE	C	63
205	BR 97	COURNONSEC		34
205	BS 96	COURNONTERRAL		34
138	AP 74	COURONNE, LA	C	16
60	CD 36	COUROUVRE		55
56	BL 40	COURPALAY		77
167	AM 83	COURPIAC		33
144	BQ 72	COURPIERE	C	63
151	AK 77	COURPIGNAC		17
56	BK 40	COURQUETAINE		77
183	AQ 93	COURRENSAN		32
12	BL 20	COURRIERES	C	62
186	BH 92	COURRIS		81
189	BV 88	COURRY		30
170	BA 86	COURS		46
183	AT 88	COURS		47
87	W 49	COURS, LE		56
123	AL 63	COURS		79
168	AP 84	COURS DE MONSEGUR		33
169	AS 82	COURS DE PILE		24
145	BW 68	COURS LA VILLE		69
182	AO 87	COURS LES BAINS		33
113	BM 58	COURS LES BARRES		18
153	AT 79	COURSAC		24
203	BM 100	COURSAN	C	11
79	BS 46	COURSAN EN OTHE		10
194	CS 93	COURSEGOULES	C	06
10	BD 18	COURSET		62
31	AM 32	COURSEULLES SUR MER		14
50	AH 37	COURSON		14
97	BP 51	COURSON LES CARRIERES	C	89
77	BF 41	COURSON MONTELOUP		91
56	BO 39	COURTACON		77
58	BS 34	COURTAGNON		51
75	AY 46	COURTALAIN		28
79	BS 47	COURTAOULT		10
221	BE 102	COURTAULY		11
103	CR 52	COURTAVON		68
102	CP 54	COURTEFONTAINE		25
117	CG 56	COURTEFONTAINE		39
53	AX 39	COURTEILLES		27
142	BH 73	COURTEIX		19
103	CQ 51	COURTELEVANT		90
35	BI 29	COURTEMANCHE		80
78	BL 47	COURTEMAUX		45
59	BY 34	COURTEMONT		51
57	BP 35	COURTEMONT VARENNES		02

Page	Carreau	Commune	Adm. Dpt
77	BJ 46	COURTEMPIERRE	45
147	CE 72	COURTENAY	38
78	BM 47	COURTENAY	C 45
80	BV 45	COURTENOT	10
80	BU 44	COURTERANGES	10
80	BW 47	COURTERON	10
132	CC 64	COURTES	01
100	CF 51	COURTESOULT ET GATEY	70
118	CL 55	COURTETAIN ET SALANS	25
221	BE 101	COURTETE, LA	11
55	BI 34	COURTEUIL	60
191	CB 90	COURTHEZON	84
57	BQ 35	COURTHIEZY	51
199	AP 96	COURTIES	32
36	BM 32	COURTIEUX	60
91	AN 49	COURTILLERS	72
49	AF 40	COURTILS	50
142	BG 73	COURTINE, LA	C 23
58	BX 36	COURTISOLS	51
99	CA 52	COURTIVRON	21
78	BM 46	COURTOIN	89
78	BN 45	COURTOIS SUR YONNE	89
52	AS 40	COURTOMER	C 61
56	BL 40	COURTOMER	77
52	AS 34	COURTONNE LA MEURDRAC	14
52	AS 35	COURTONNE LES DEUX EGLISES	14
37	BR 30	COURTRIZY ET FUSSIGNY	02
55	BI 37	COURTRY	77
50	AL 35	COURVAUDON	14
118	CJ 59	COURVIERES	25
37	BQ 33	COURVILLE	51
75	AY 42	COURVILLE SUR EURE	C 28
145	BY 72	COURZIEU	69
133	CE 63	COUSANCE	39
59	CB 40	COUSANCES LES FORGES	55
60	CD 38	COUSANCES LES TRICONVILLE	55
24	BT 22	COUSOLRE	59
220	BB 102	COUSSA	09
154	AY 75	COUSSAC BONNEVAL	87
199	AP 100	COUSSAN	65
108	AQ 60	COUSSAY	86
109	AU 60	COUSSAY LES BOIS	86
98	BT 48	COUSSEGREY	10
173	BL 87	COUSSERGUES	12
82	CF 42	COUSSEY	C 88
128	BJ 62	COUST	18
221	BG 103	COUSTAUSSA	11
222	BK 102	COUSTOUGE	11
226	BJ 110	COUSTOUGES	66
49	AF 35	COUTANCES	S 50
129	BM 67	COUTANSOUZE	03
98	BS 52	COUTARNOUX	89
78	BL 42	COUTENCON	77
220	BC 102	COUTENS	09
73	AM 41	COUTERNE	61
116	CC 54	COUTERNON	21
158	BP 78	COUTEUGES	43
56	BK 38	COUTEVROULT	77
102	CN 51	COUTHENANS	70
168	AP 86	COUTHURES SUR GARONNE	47
12	BM 20	COUTICHES	59
124	AO 64	COUTIERES	79
145	BV 68	COUTOUVRE	42
152	AN 80	COUTRAS	C 33
138	AR 70	COUTURE	16
12	BJ 18	COUTURE, LA	62
122	AF 63	COUTURE, LA	85
54	BA 37	COUTURE BOUSSEY, LA	27
138	AO 69	COUTURE D'ARGENSON	79
92	AU 50	COUTURE SUR LOIR	41
21	BI 23	COUTURELLE	62
152	AR 77	COUTURES	24
168	AO 84	COUTURES	33
107	AM 54	COUTURES	49
184	AW 92	COUTURES	82
30	AI 34	COUVAINS	50
52	AT 37	COUVAINS	61
188	BO 93	COUVERTOIRADE, LA	12
60	CC 40	COUVERTPUIS	55
81	BY 45	COUVIGNON	10
29	AD 29	COUVILLE	50
59	CA 38	COUVONGES	55
37	BP 32	COUVRELLES	02
37	BP 29	COUVRON ET AUMENCOURT	02
58	BX 39	COUVROT	51
176	BZ 83	COUX	07
151	AL 77	COUX	17
169	AW 82	COUX ET BIGAROQUE	24
112	BK 57	COUY	18
89	AE 48	COUYERE, LA	35
169	AU 82	COUZE ET ST FRONT	24
140	AY 71	COUZEIX	87
108	AP 56	COUZIERS	37
129	BN 62	COUZON	03
146	CA 71	COUZON AU MONT D'OR	69
170	BB 83	COUZOU	46
200	AW 94	COX	31
55	BH 34	COYE LA FORET	60
11	BF 18	COYECQUES	62
36	BM 33	COYOLLES	02
133	CI 65	COYRIERE	39
133	CG 63	COYRON	39
61	CK 40	COYVILLER	54
136	AI 74	COZES	C 17
231	DL 112	COZZANO	2A
86	S 50	CRACH	56
160	CD 74	CRACHIER	38
97	BQ 52	CRAIN	89
61	CK 37	CRAINCOURT	57
159	BV 74	CRAINTILLEUX	42
83	CH 45	CRAINVILLIERS	88
37	BO 34	CRAMAILLE	02
117	CH 58	CRAMANS	39
58	BT 36	CRAMANT	51
123	AJ 66	CRAMCHABAN	17
51	AN 38	CRAMENIL	61
35	BH 33	CRAMOISY	60
21	BE 23	CRAMONT	80
220	BA 102	CRAMPAGNA	09
148	CK 70	CRAN GEVRIER	74
79	BQ 41	CRANCEY	10
133	CG 61	CRANCOT	39
172	BG 81	CRANDELLES	15
91	AP 47	CRANNES EN CHAMPAGNE	72
146	CD 69	CRANS	01
134	CI 61	CRANS	39
172	BG 86	CRANSAC	12
83	CJ 41	CRANTENOY	54
134	CL 67	CRANVES SALES	74
90	AI 48	CRAON	C 53
124	AP 61	CRAON	86
37	BR 31	CRAONNE	C 02
37	BR 31	CRAONNELLE	02
36	BK 29	CRAPEAUMESNIL	60
146	BZ 72	CRAPONNE	69
158	BS 77	CRAPONNE SUR ARZON	C 43
161	CF 77	CRAS	38
170	BA 85	CRAS	46
132	CC 66	CRAS SUR REYSSOUZE	01
63	CS 39	CRASTATT	67
200	AU 95	CRASTES	32
33	AX 34	CRASVILLE	27
29	AG 29	CRASVILLE	50
18	AV 27	CRASVILLE LA MALLET	76
19	AW 27	CRASVILLE LA ROCQUEFORT	76
212	CL 100	CRAU, LA	C 83
102	CO 50	CRAVANCHE	90
137	AJ 73	CRAVANS	17
94	BB 49	CRAVANT	45
97	BR 51	CRAVANT	89
109	AR 56	CRAVANT LES COTEAUX	37
198	AO 94	CRAVENCERES	32
54	BA 36	CRAVENT	78
170	AY 86	CRAYSSAC	46
11	BG 14	CRAYWICK	59
137	AJ 71	CRAZANNES	17
91	AO 51	CRE	72
29	AE 33	CREANCES	50
115	BY 55	CREANCEY	21
99	CC 52	CRECEY SUR TILLE	21
123	AM 65	CRECHE, LA	79
132	BZ 66	CRECHES SUR SAONE	71
218	AS 103	CRECHETS	65
129	BP 66	CRECHY	03
37	BO 31	CRECY AU MONT	02
53	AZ 40	CRECY COUVE	28
20	BD 22	CRECY EN PONTHIEU	C 80
56	BL 38	CRECY LA CHAPELLE	C 77
37	BQ 28	CRECY SUR SERRE	C 02
69	U 46	CREDIN	56
171	BB 87	CREGOLS	46
56	BL 36	CREGY LES MEAUX	77
62	CL 35	CREHANGE	57
48	Z 40	CREHEN	22
35	BI 33	CREIL	C 60
203	BM 99	CREISSAN	34
188	BM 91	CREISSELS	12
10	BD 17	CREMAREST	62
144	BT 70	CREMEAUX	42
36	BK 28	CREMERY	80
147	CD 72	CREMIEU	C 38
148	CI 69	CREMPIGNY BONNEGUETE	74
185	BB 87	CREMPS	46
133	CH 64	CRENANS	39
80	BU 43	CRENEY PRES TROYES	10
73	AN 43	CRENNES SUR FRAUBEE	53
167	AL 83	CREON	C 33
182	AN 91	CREON D'ARMAGNAC	40
115	BY 59	CREOT	71
98	BV 51	CREPAND	21
83	CH 41	CREPEY	54
160	CC 78	CREPOL	26
31	AM 32	CREPON	14
37	BP 29	CREPY	02
11	BG 20	CREPY	62
36	BK 33	CREPY EN VALOIS	C 60
11	BE 19	CREQUY	62
205	BT 95	CRES, LE	34
100	CG 53	CRESANCEY	70
80	BT 46	CRESANTIGNES	10
50	AH 39	CRESNAYS, LES	50
189	BV 93	CRESPIAN	30
54	BD 37	CRESPIERES	78
186	BG 90	CRESPIN	12
13	BQ 20	CRESPIN	59
186	BG 91	CRESPIN	81
186	BG 92	CRESPINET	81
81	BX 42	CRESPY LE NEUF	10
152	AO 75	CRESSAC ST GENIS	16
129	BN 64	CRESSANGES	03
141	BF 68	CRESSAT	23
188	BN 90	CRESSE, LA	12
137	AN 70	CRESSE	17
154	BA 80	CRESSENSAC	46
31	AN 32	CRESSERONS	14
31	AQ 33	CRESSEVEUILLE	14
133	CE 63	CRESSIA	39
147	CH 71	CRESSIN ROCHEFORT	01
35	BI 31	CRESSONSACQ	60
19	AY 28	CRESSY	76
36	BL 28	CRESSY OMENCOURT	80
130	BS 62	CRESSY SUR SOMME	71
176	CC 83	CREST	C 26
143	BN 73	CREST, LE	63
149	CN 71	CREST VOLAND	73
157	BM 74	CRESTE	63
160	BZ 80	CRESTET, LE	07
191	CC 89	CRESTET	84
33	AW 34	CRESTOT	27
55	BH 38	CRETEIL	P 94
29	AF 31	CRETTEVILLE	50
31	AM 32	CREULLY	C 14
101	CK 50	CREUSE, LA	70
21	BF 27	CREUSE	80
115	BX 60	CREUSOT, LE	C 71
42	CM 33	CREUTZWALD	57
143	BP 67	CREUZIER LE NEUF	03
144	BP 67	CREUZIER LE VIEUX	03
102	CN 51	CREVANS ET LA CHAPELLE LES GRANGES	70
127	BE 64	CREVANT	36
143	BP 70	CREVANT LAVEINE	63
83	CJ 41	CREVECHAMPS	54
51	AP 34	CREVECOEUR EN AUGE	14
56	BL 39	CREVECOEUR EN BRIE	77
35	BF 29	CREVECOEUR LE GRAND	C 60
35	BI 30	CREVECOEUR LE PETIT	60
22	BN 24	CREVECOEUR SUR L'ESCAUT	59
101	CK 50	CREVENEY	70
61	CK 39	CREVIC	54
71	AD 47	CREVIN	35
179	CO 85	CREVOUX	05
147	CF 72	CREYS MEPIEU	38
153	AS 77	CREYSSAC	24
169	AS 82	CREYSSE	24
170	BA 82	CREYSSE	46
175	BY 83	CREYSSEILLES	07
153	AT 80	CREYSSENSAC ET PISSOT	24
112	BG 60	CREZANCAY SUR CHER	18
57	BP 35	CREZANCY	02
112	BJ 55	CREZANCY EN SANCERRE	18
138	AN 68	CREZIERES	79
61	CG 40	CREZILLES	54
32	AQ 31	CRICQUEBOEUF	14
31	AP 33	CRICQUEVILLE EN AUGE	14
30	AI 31	CRICQUEVILLE EN BESSIN	14
19	AZ 25	CRIEL SUR MER	76
34	BE 30	CRILLON	60
191	CD 90	CRILLON LE BRAVE	84
116	CC 55	CRIMOLOIS	21
62	CL 39	CRION	54
19	AY 28	CRIQUE, LA	76
18	AS 27	CRIQUEBEUF EN CAUX	76
33	AX 34	CRIQUEBEUF LA CAMPAGNE	27
33	AX 33	CRIQUEBEUF SUR SEINE	27
18	AU 27	CRIQUETOT LE MAUCONDUIT	76
18	AS 29	CRIQUETOT L'ESNEVAL	C 76
19	AY 27	CRIQUETOT SUR LONGUEVILLE	76
19	AW 28	CRIQUETOT SUR OUVILLE	76
34	BC 28	CRIQUIERS	76
56	BK 40	CRISENOY	77
36	BL 29	CRISOLLES	60
109	AS 57	CRISSAY SUR MANSE	37
73	AP 45	CRISSE	72
117	CE 57	CRISSEY	39
116	CA 60	CRISSEY	71
230	DI 109	CRISTINACCE	2A
30	AL 34	CRISTOT	14
151	AN 74	CRITEUIL LA MAGDELEINE	16
33	AZ 29	CRITOT	76
231	DM 107	CROCE	2B
11	BH 15	CROCHTE	59
229	DM 106	CROCICCHIA	2B
142	BH 71	CROCQ	C 23
35	BF 29	CROCQ, LE	60
51	AP 37	CROCY	14
65	CW 35	CROETTWILLER	67
167	AL 82	CROIGNON	33
174	BQ 82	CROISANCES	43
21	BG 21	CROISETTE	62
87	W 54	CROISIC, LE	C 44
53	AX 36	CROISILLE, LA	27
140	BB 73	CROISILLE SUR BRIANCE, LA	87
51	AM 36	CROISILLES	14
54	BA 39	CROISILLES	28
52	AR 38	CROISILLES	61
22	BK 23	CROISILLES	C 62
62	CM 40	CROISMARE	54
51	AP 34	CROISSANVILLE	14
55	BJ 38	CROISSY BEAUBOURG	77
35	BF 28	CROISSY SUR CELLE	60
55	BF 37	CROISSY SUR SEINE	78
68	Q 45	CROISTY, LE	56
112	BK 59	CROISY	18
34	BA 31	CROISY SUR ANDELLE	76
53	AZ 36	CROISY SUR EURE	27
12	BM 17	CROIX	59
102	CP 52	CROIX	90
39	BY 31	CROIX AUX BOIS, LA	08
84	CQ 44	CROIX AUX MINES, LA	88
49	AF 40	CROIX AVRANCHIN, LA	50
184	AT 88	CROIX BLANCHE, LA	47
23	BP 23	CROIX CALUYAU	59
136	AH 68	CROIX CHAPEAU	17
137	AL 68	CROIX COMTESSE, LA	17
162	CK 75	CROIX DE LA ROCHETTE, LA	73
75	AX 44	CROIX DU PERCHE, LA	28
78	BM 41	CROIX EN BRIE, LA	77
59	BX 35	CROIX EN CHAMPAGNE, LA	51
21	BG 21	CROIX EN TERNOIS	62
110	AW 54	CROIX EN TOURAINE, LA	37
23	BO 26	CROIX FONSOMMES	02
69	X 46	CROIX HELLEAN, LA	56
33	AW 29	CROIX MARE	76
22	BL 27	CROIX MOLIGNEAUX	80
53	AZ 35	CROIX ST LEUFROY, LA	27
140	AW 68	CROIX SUR GARTEMPE, LA	87
57	BO 34	CROIX SUR OURCQ, LA	02
194	CR 91	CROIX SUR ROUDOULE, LA	06
210	CP 99	CROIX VALMER, LA	83
69	U 44	CROIXANVEC	56
19	AZ 27	CROIXDALLE	76
72	AH 44	CROIXILLE, LA	53
34	BE 27	CROIXRAULT	80
145	BV 70	CROIZET SUR GAND	42
162	CI 77	CROLLES	38
49	AF 40	CROLLON	50
126	AY 66	CROMAC	87
101	CJ 54	CROMARY	70
130	BR 61	CRONAT	71
157	BP 79	CRONCE	43
91	AL 47	CROPTE, LA	53
19	AY 28	CROPUS	76
189	BT 92	CROS	30
188	BP 93	CROS, LE	34
156	BJ 75	CROS	63
175	BV 83	CROS DE GEORAND	07
155	BF 80	CROS DE MONTVERT	15
172	BJ 82	CROS DE RONESQUE	15
102	CM 53	CROSEY LE GRAND	25
102	CM 54	CROSEY LE PETIT	25
91	AO 50	CROSMIERES	72
55	BH 39	CROSNE	91
88	Z 53	CROSSAC	44
112	BI 58	CROSSES	18
53	AW 34	CROSVILLE LA VIEILLE	27
29	AF 31	CROSVILLE SUR DOUVE	50
19	AX 27	CROSVILLE SUR SCIE	76
93	AV 52	CROTELLES	37
133	CH 60	CROTENAY	39
53	AZ 38	CROTH	27
20	BB 23	CROTOY, LE	80
179	CN 85	CROTS	05
77	BF 46	CROTTES EN PITHIVERAIS	45
132	CA 66	CROTTET	01
70	Z 44	CROUAIS, LE	35
30	AK 33	CROUAY	14
52	AR 36	CROUPTE, LA	14
198	AN 97	CROUSEILLES	64
124	AR 63	CROUTELLE	86
97	BS 47	CROUTES, LES	10
36	BL 32	CROUTOY	60
52	AQ 37	CROUTTES	61
56	BN 36	CROUTTES SUR MARNE	02
37	BO 31	CROUY	02
35	BG 34	CROUY EN THELLE	60
21	BF 25	CROUY ST PIERRE	80
94	BB 51	CROUY SUR COSSON	41
56	BM 35	CROUY SUR OURCQ	77
134	CK 61	CROUZET, LE	25
118	CI 58	CROUZET MIGETTE	25
142	BJ 67	CROUZILLE, LA	63
109	AS 57	CROUZILLES	37
127	BB 65	CROZANT	23
141	BF 71	CROZE	23
160	CA 79	CROZES HERMITAGE	26
134	CJ 66	CROZET	01
144	BS 67	CROZET, LE	42
133	CH 64	CROZETS, LES	39
44	I 42	CROZON	C 29
127	BD 64	CROZON SUR VAUVRE	36
176	CA 84	CRUAS	07
53	AX 40	CRUCEY VILLAGES	28
93	AX 50	CRUCHERAY	41
173	BK 87	CRUEJOULS	12
162	CK 74	CRUET	73
115	BY 56	CRUGEY	21
37	BR 33	CRUGNY	51
69	W 47	CRUGUEL	56
192	CI 90	CRUIS	04
52	AU 39	CRULAI	61
177	CD 85	CRUPIES	26
23	BR 26	CRUPILLY	02
222	BK 101	CRUSCADES	11
148	CK 68	CRUSEILLES	C 74
41	CG 31	CRUSNES	54
189	BW 91	CRUVIERS LASCOURS	30
114	BP 56	CRUX LA VILLE	58
132	BZ 63	CRUZILLE	71
132	CA 67	CRUZILLES LES MEPILLAT	01
203	BL 99	CRUZY	34
98	BV 49	CRUZY LE CHATEL	C 89
98	BV 50	CRY	89
158	BQ 80	CUBELLES	43
174	BS 86	CUBIERES	48
222	BI 104	CUBIERES SUR CINOBLE	11
174	BS 86	CUBIERETTES	48
153	AV 78	CUBJAC	24
154	AY 79	CUBLAC	19
145	BW 69	CUBLIZE	69
151	AL 79	CUBNEZAIS	33
101	CL 52	CUBRIAL	25
102	CL 52	CUBRY	25
101	CJ 48	CUBRY LES FAVERNEY	70
167	AK 80	CUBZAC LES PONTS	33
78	BN 41	CUCHARMOY	77
57	BR 34	CUCHERY	51
10	BB 20	CUCQ	62
222	BJ 104	CUCUGNAN	11
192	CG 94	CUCURON	84
167	AM 87	CUDOS	33
96	BN 47	CUDOT	89
194	CS 92	CUEBRIS	06
199	AR 99	CUELAS	32
209	CL 99	CUERS	C 83
36	BN 31	CUFFIES	02
113	BM 59	CUFFY	18
106	AF 57	CUGAND	85
208	CI 99	CUGES LES PINS	13
201	AY 97	CUGNAUX	31
100	CG 54	CUGNEY	70
36	BM 28	CUGNY	02
71	AD 41	CUGUEN	35
218	AS 101	CUGURON	31
124	AP 61	CUHON	86
35	BH 31	CUIGNIERES	60
34	BD 31	CUIGY EN BRAY	60
72	AH 47	CUILLE	53
12	BJ 19	CUINCHY	62
22	BM 21	CUINCY	59
218	AS 101	CUING, LE	31
145	BV 68	CUINZIER	42
37	BR 28	CUIRIEUX	02
37	BP 33	CUIRY HOUSSE	02
37	BR 32	CUIRY LES CHAUDARDES	02
38	BT 27	CUIRY LES IVIERS	02
58	BS 36	CUIS	51
36	BL 32	CUISE LA MOTTE	60
133	CE 63	CUISEAUX	C 71
100	CD 54	CUISEREY	21
132	CB 63	CUISERY	C 71
133	CE 63	CUISIA	39
73	AP 42	CUISSAI	61
37	BQ 31	CUISSY ET GENY	02
39	CB 33	CUISY	55
56	BK 36	CUISY	77
36	BN 31	CUISY EN ALMONT	02
128	BH 63	CULAN	18
115	BX 56	CULETRE	21
51	AL 36	CULEY LE PATRY	14
143	BO 71	CULHAT	63
161	CD 74	CULIN	38
131	BY 62	CULLES LES ROCHES	71
31	AL 33	CULLY	14
100	CE 49	CULMONT	52
147	CH 70	CULOZ	01
117	CG 54	CULT	70
173	BP 86	CULTURES	48
57	BS 35	CUMIERES	51
40	CC 33	CUMIERES LE MORT HOMME	55
201	BD 99	CUMIES	11
184	AV 93	CUMONT	82
186	BG 92	CUNAC	81
114	BP 54	CUNCY LES VARZY	58
168	AR 83	CUNEGES	24
39	CB 32	CUNEL	55
102	CP 50	CUNELIERES	90
81	BY 47	CUNFIN	10
144	BQ 73	CUNLHAT	C 63
91	AO 53	CUON	49
58	BW 35	CUPERLY	51
184	AT 91	CUQ	47
202	BE 96	CUQ	81
202	BD 96	CUQ TOULZA	C 81
197	AJ 99	CUQUERON	64
152	AO 77	CURAC	16
187	BL 89	CURAN	12
178	CK 86	CURBANS	04
131	BW 66	CURBIGNY	71
108	AO 58	CURCAY SUR DIVE	86
36	BK 27	CURCHY	80
132	CC 64	CURCIAT DONGALON	01
51	AM 35	CURCY SUR ORNE	14
130	BT 63	CURDIN	71
192	CH 89	CUREL	04
81	CB 41	CUREL	52
171	BC 81	CUREMONTE	19
73	AP 46	CURES	72
23	BP 21	CURGIES	59
115	BW 58	CURGY	71
148	CJ 74	CURIENNE	73
173	BL 84	CURIERES	12
146	CA 71	CURIS AU MONT D'OR	69
116	CA 56	CURLEY	21
22	BK 25	CURLU	80
81	CA 44	CURMONT	52
177	CE 87	CURNIER	26
167	AL 82	CURSAN	33
132	CC 66	CURTAFOND	01
131	BX 65	CURTIL SOUS BUFFIERES	71
131	BY 63	CURTIL SOUS BURNAND	71
99	CA 53	CURTIL ST SEINE	21
116	CA 56	CURTIL VERGY	21
187	BI 93	CURVALLE	81
124	AP 64	CURZAY SUR VONNE	86
122	AF 64	CURZON	85
118	CL 54	CUSANCE	25
101	CL 52	CUSE ET ADRISANS	25
100	CD 51	CUSEY	52
173	BL 81	CUSSAC	15
139	AV 73	CUSSAC	87
151	AI 79	CUSSAC FORT MEDOC	33
174	BT 81	CUSSAC SUR LOIRE	43
80	BU 47	CUSSANGY	10
109	AV 58	CUSSAY	37
144	BP 68	CUSSET	C 03
99	CB 51	CUSSEY LES FORGES	21
118	CI 57	CUSSEY SUR LISON	25
117	CI 54	CUSSEY SUR L'OGNON	25
30	AK 32	CUSSY	14
115	BU 57	CUSSY EN MORVAN	71
115	BY 58	CUSSY LA COLONNE	21
115	BY 56	CUSSY LE CHATEL	21
98	BT 53	CUSSY LES FORGES	89
61	CJ 38	CUSTINES	54
148	CJ 71	CUSY	74
36	BN 32	CUTRY	02
40	CF 30	CUTRY	54
36	BM 30	CUTS	60
62	CN 37	CUTTING	57
230	DJ 112	CUTTOLI CORTICCHIATO	2A
133	CH 64	CUTTURA	39
148	CK 69	CUVAT	74
101	CK 48	CUVE	70
56	BL 34	CUVERGNON	60
31	AO 34	CUVERVILLE	14
34	BA 33	CUVERVILLE	27
18	AS 28	CUVERVILLE	76
20	BA 25	CUVERVILLE SUR YERES	76
50	AH 39	CUVES	50
82	CD 46	CUVES	52
118	CJ 59	CUVIER	39
22	BN 22	CUVILLERS	59
36	BJ 30	CUVILLY	60
61	CJ 35	CUVRY	57
202	BG 99	CUXAC CABARDES	11
203	BM 100	CUXAC D'AUDE	11
36	BL 30	CUY	60
78	BN 44	CUY	89
34	BC 30	CUY ST FIACRE	76
171	BF 85	CUZAC	46
170	BA 81	CUZANCE	46
147	CH 71	CUZIEU	01
145	BV 74	CUZIEU	42
127	BB 64	CUZION	36
169	AW 85	CUZORN	47
130	BT 61	CUZY	71
37	BQ 32	CYS LA COMMUNE	02
12	BN 18	CYSOING	C 59

D

Page	Carreau	Commune	Adm. Dpt
63	CR 39	DABO	57
64	CT 40	DACHSTEIN	67
77	BG 45	DADONVILLE	45
170	AX 83	DAGLAN	24
146	CC 71	DAGNEUX	01
56	BN 39	DAGNY	77
38	BT 27	DAGNY LAMBERCY	02
60	CD 38	DAGONVILLE	55
91	AM 53	DAGUENIERE, LA	49
64	CT 39	DAHLENHEIM	67
167	AM 82	DAIGNAC	33
39	CA 28	DAIGNY	08
81	CA 44	DAILLANCOURT	52
82	CE 46	DAILLECOURT	52
22	BJ 22	DAINVILLE	C 62
82	CE 42	DAINVILLE BERTHELEVILLE	55
116	CB 54	DAIX	21
42	CL 32	DALEM	57
62	CM 36	DALHAIN	57
65	CW 37	DALHUNDEN	67
143	BN 72	DALLET	63
22	BN 27	DALLON	02
220	BB 102	DALOU	09
41	CK 32	DALSTEIN	57
194	CQ 90	DALUIS	06
83	CL 42	DAMAS AUX BOIS	88
83	CK 44	DAMAS ET BETTEGNEY	88
183	AQ 88	DAMAZAN	C 47
64	CT 35	DAMBACH	67
85	CS 42	DAMBACH LA VILLE	67
102	CN 53	DAMBELIN	25
102	CP 51	DAMBENOIS	25
101	CL 49	DAMBENOIT LES COLOMBE	70
82	CF 46	DAMBLAIN	88
51	AO 37	DAMBLAINVILLE	14
76	BD 46	DAMBRON	28
53	AX 38	DAME MARIE	27
74	AT 43	DAME MARIE	61
93	AX 52	DAME MARIE LES BOIS	37
61	CK 40	DAMELEVIERES	54
34	BE 28	DAMERAUCOURT	60
116	CB 60	DAMEREY	71
57	BS 35	DAMERY	51
36	BJ 28	DAMERY	80
87	V 51	DAMGAN	56
202	BE 95	DAMIATTE	81
73	AQ 42	DAMIGNY	61
40	CE 33	DAMLOUP	55
56	BN 34	DAMMARD	02
76	BA 43	DAMMARIE	28
96	BL 51	DAMMARIE EN PUISAYE	45
77	BI 41	DAMMARIE LES LYS	77
96	BL 50	DAMMARIE SUR LOING	45
60	CC 40	DAMMARIE SUR SAULX	55
55	BJ 35	DAMMARTIN EN GOELE	C 77
54	BB 37	DAMMARTIN EN SERVE	78
118	CK 54	DAMMARTIN LES TEMPLIERS	25
117	CF 55	DAMMARTIN MARPAIN	39
82	CF 47	DAMMARTIN SUR MEUSE	52
56	BL 38	DAMMARTIN SUR TIGEAUX	77
23	BS 22	DAMOUSIES	59
25	BX 27	DAMOUZY	08
117	CE 57	DAMPARIS	39
80	BW 41	DAMPIERRE	10
50	AJ 35	DAMPIERRE	14
117	CG 56	DAMPIERRE	C 39
100	CD 47	DAMPIERRE	52
58	BW 35	DAMPIERRE AU TEMPLE	51
34	BB 30	DAMPIERRE EN BRAY	76
116	CC 60	DAMPIERRE EN BRESSE	71
95	BI 50	DAMPIERRE EN BURLY	45
95	BI 53	DAMPIERRE EN CROT	18
111	BD 56	DAMPIERRE EN GRACAIS	18
98	BX 53	DAMPIERRE EN MONTAGNE	21
54	BE 39	DAMPIERRE EN YVELINES	78
100	CD 53	DAMPIERRE ET FLEE	21
59	BZ 36	DAMPIERRE LE CHATEAU	51
102	CP 52	DAMPIERRE LES BOIS	25
101	CJ 48	DAMPIERRE LES CONFLANS	70
96	BN 53	DAMPIERRE SOUS BOUHY	58
75	AX 45	DAMPIERRE SOUS BROU	28
19	AY 26	DAMPIERRE ST NICOLAS	76
53	AY 39	DAMPIERRE SUR AVRE	28
137	AL 68	DAMPIERRE SUR BOUTONNE	17
102	CN 52	DAMPIERRE SUR LE DOUBS	25
101	CK 52	DAMPIERRE SUR LINOTTE	70
58	BX 37	DAMPIERRE SUR MOIVRE	51
100	CG 52	DAMPIERRE SUR SALON	C 70
102	CO 54	DAMPJOUX	25
36	BN 33	DAMPLEUX	02

Page	Carreau	Commune	Adm.Dpt
56	BJ 37	DAMPMART	77
154	BB 79	DAMPNIAT	19
119	CP 54	DAMPRICHARD	25
33	AY 33	DAMPS, LES	27
54	BB 34	DAMPSMESNIL	27
101	CK 51	DAMPVALLEY LES COLOMBE	70
101	CJ 47	DAMPVALLEY ST PANCRAS	70
60	CG 35	DAMPVITOUX	54
100	CF 47	DAMREMONT	52
53	AX 37	DAMVILLE	C 27
40	CC 32	DAMVILLERS	C 55
123	AJ 65	DAMVIX	85
144	BU 70	DANCE	42
75	AV 43	DANCE	61
99	CA 48	DANCEVOIR	52
20	BB 26	DANCOURT	76
36	BJ 29	DANCOURT POPINCOURT	80
76	BA 45	DANCY	28
31	AQ 33	DANESTAL	14
109	AT 59	DANGE ST ROMAIN	C 86
75	AZ 45	DANGEAU	28
75	AZ 41	DANGERS	28
74	AR 44	DANGEUL	72
63	CS 40	DANGOLSHEIM	67
34	BC 33	DANGU	27
49	AG 35	DANGY	50
37	BO 29	DANIZY	02
102	CP 50	DANJOUTIN	C 90
63	CR 38	DANNE ET QUATRE VENTS	57
63	CQ 38	DANNELBOURG	57
102	CP 53	DANNEMARIE	25
103	CQ 50	DANNEMARIE	C 68
54	BB 39	DANNEMARIE	78
117	CH 55	DANNEMARIE SUR CRETE	25
98	BT 48	DANNEMOINE	89
77	BH 42	DANNEMOIS	91
10	BB 18	DANNES	62
39	CB 32	DANNEVOUX	55
50	AK 36	DANVOU LA FERRIERE	14
93	AX 48	DANZE	41
90	AK 49	DAON	53
45	J 41	DAOULAS	C 29
21	BH 26	DAOURS	80
155	BF 79	DARAZAC	19
117	CF 60	DARBONNAY	39
175	BY 84	DARBRES	07
99	BX 52	DARCEY	21
167	AM 83	DARDENAC	33
53	AY 35	DARDEZ	27
146	BZ 71	DARDILLY	69
145	BX 70	DAREIZE	69
34	BE 28	DARGIES	60
20	BB 24	DARGNIES	80
160	BZ 74	DARGOIRE	42
81	CC 45	DARMANNES	52
125	AW 67	DARNAC	87
33	AY 31	DARNETAL	C 76
155	BF 76	DARNETS	19
83	CI 46	DARNEY	C 88
82	CG 43	DARNEY AUX CHENES	88
83	CK 44	DARNIEULLES	88
99	CA 54	DAROIS	21
78	BK 44	DARVAULT	77
95	BF 49	DARVOY	45
102	CP 52	DASLE	25
85	CU 42	DAUBENSAND	67
33	AX 34	DAUBEUF LA CAMPAGNE	27
33	AZ 33	DAUBEUF PRES VATTEVILLE	27
18	AT 28	DAUBEUF SERVILLE	76
168	AN 83	DAUBEZE	33
64	CT 37	DAUENDORF	67
219	AY 101	DAUMAZAN SUR ARIZE	09
91	AM 50	DAUMERAY	49
192	CI 92	DAUPHIN	04
184	AV 87	DAUSSE	47
200	AY 95	DAUX	31
157	BM 75	DAUZAT SUR VODABLE	63
143	BN 70	DAVAYAT	63
132	BZ 66	DAVAYE	71
222	BJ 103	DAVEJEAN	11
35	BI 28	DAVENESCOURT	80
160	BZ 77	DAVEZIEUX	07
155	BE 75	DAVIGNAC	19
80	BT 47	DAVREY	10
54	BD 37	DAVRON	78
197	AF 94	DAX	S 40
31	AQ 32	DEAUVILLE	14
189	BV 91	DEAUX	30
144	BT 72	DEBATS RIVIERE D'ORPRA	42
172	BG 85	DECAZEVILLE	C 12
22	BM 21	DECHY	59
146	CB 72	DECINES CHARPIEU	C 69
113	BP 60	DECIZE	C 58
170	AY 84	DEGAGNAC	46
73	AQ 46	DEGRE	72
74	AT 45	DEHAULT	72
23	BO 24	DEHERIES	59
63	CQ 35	DEHLINGEN	67
84	CM 42	DEINVILLERS	88
100	CF 51	DELAIN	70
11	BG 18	DELETTES	62
34	BD 33	DELINCOURT	60
102	CP 52	DELLE	C 90
61	CK 37	DELME	C 57
60	CE 40	DELOUZE ROSIERES	55
35	BF 33	DELUGE, LE	60
40	CD 31	DELUT	55
118	CK 54	DELUZ	25
194	CP 92	DEMANDOLX	04
60	CE 40	DEMANGE AUX EAUX	55
101	CI 47	DEMANGEVELLE	70
149	CO 70	DEMI QUARTIER	74
101	CJ 51	DEMIE, LA	70
116	CA 59	DEMIGNY	71
31	AO 34	DEMOUVILLE	14
199	AP 94	DEMU	32
21	BI 27	DEMUIN	80
23	BO 21	DENAIN	C 59
186	BF 93	DENAT	81
90	AI 48	DENAZE	53
90	AK 54	DENEE	49
19	AY 27	DENESTANVILLE	76
129	BN 67	DENEUILLE LES CHANTELLE	03
128	BK 65	DENEUILLE LES MINES	03
84	CN 41	DENEUVRE	54
100	CF 51	DENEVRE	70
107	AN 55	DENEZE SOUS DOUE	49
91	AQ 52	DENEZE SOUS LE LUDE	49
133	CH 62	DENEZIERES	39
197	AJ 98	DENGUIN	64
145	BY 69	DENICE	69
21	BH 22	DENIER	62
84	CP 42	DENIPAIRE	88
11	BF 18	DENNEBROEUCQ	62
29	AD 32	DENNEVILLE	50
115	BY 59	DENNEVY	71
102	CP 50	DENNEY	90
76	BD 43	DENONVILLE	28
42	CL 33	DENTING	57
111	BB 60	DEOLS	36
83	CK 43	DERBAMONT	88
108	AQ 59	DERCE	86
19	AY 25	DERCHIGNY	76
37	BQ 28	DERCY	02
222	BI 104	DERNACUEILLETTE	11
21	BI 25	DERNANCOURT	80
89	AC 50	DERVAL	C 44
175	BX 80	DESAIGNES	07
102	CN 51	DESANDANS	25
109	AU 58	DESCARTES	C 37
117	CE 58	DESCHAUX, LE	39
50	AJ 37	DESERT, LE	14
128	BJ 65	DESERTINES	03
72	AJ 41	DESERTINES	53
148	CJ 73	DESERTS, LES	73
118	CJ 58	DESERVILLERS	25
158	BP 80	DESGES	43
148	CI 69	DESINGY	74
77	BH 45	DESMONTS	45
117	CF 60	DESNES	39
62	CO 38	DESSELING	57
85	CT 46	DESSENHEIM	68
133	CF 65	DESSIA	39
84	CM 43	DESTORD	88
208	CH 98	DESTROUSSE, LA	13
62	CM 36	DESTRY	57
10	BD 17	DESVRES	C 62
116	BZ 56	DETAIN ET BRUANT	21
162	CK 75	DETRIER	73
51	AN 37	DETROIT, LE	14
131	BV 61	DETTEY	71
63	CS 37	DETTWILLER	67
55	BG 36	DEUIL LA BARRE	95
37	BO 29	DEUILLET	02
12	BL 17	DEULEMONT	59
129	BM 65	DEUX CHAISES	03
72	AL 45	DEUX EVAILLES	53
117	CF 59	DEUX FAYS, LES	39
30	AJ 32	DEUX JUMEAUX	14
173	BM 83	DEUX VERGES	15
39	CB 29	DEUX VILLES, LES	08
61	CL 39	DEUXVILLE	54
130	BQ 60	DEVAY	58
118	CI 54	DEVECEY	25
159	BX 80	DEVESSET	07
199	AS 100	DEVEZE	65
152	AO 76	DEVIAT	16
169	AU 85	DEVILLAC	47
25	BX 26	DEVILLE	08
33	AX 31	DEVILLE LES ROUEN	76
22	BL 26	DEVISE	80
116	CC 60	DEVROUZE	71
84	CN 44	DEYCIMONT	88
201	BA 97	DEYME	31
84	CM 44	DEYVILLERS	88
30	AH 33	DEZERT, LE	50
115	BY 59	DEZIZE LES MARANGES	71
77	BG 42	D'HUISON LONGUEVILLE	91
56	BM 36	DHUISY	77
37	BQ 32	DHUIZEL	02
94	BB 52	DHUIZON	41
115	BW 56	DIANCEY	21
62	CO 38	DIANE CAPELLE	57
78	BL 44	DIANT	77
83	CJ 42	DIARVILLE	54
116	CC 60	DICONNE	71
96	BM 48	DICY	89
103	CS 49	DIDENHEIM	68
177	CE 83	DIE	S 26
62	CO 34	DIEBLING	57
85	CU 43	DIEBOLSHEIM	67
62	CP 36	DIEDENDORF	67
85	CR 43	DIEFFENBACH AU VAL	67
64	CU 35	DIEFFENBACH LES WOERTH	67
85	CS 43	DIEFFENTHAL	67
103	CQ 49	DIEFMATTEN	68
145	BX 70	DIEME	69
63	CQ 36	DIEMERINGEN	67
146	CC 74	DIEMOZ	38
99	CB 52	DIENAY	21
156	BK 79	DIENNE	15
125	AT 64	DIENNE	86
114	BQ 59	DIENNES AUBIGNY	58
80	BX 43	DIENVILLE	10
19	AX 26	DIEPPE	S 76
40	CE 33	DIEPPE SOUS DOUAUMONT	55
109	AW 54	DIERRE	37
79	BS 44	DIERREY ST JULIEN	10
79	BR 43	DIERREY ST PIERRE	10
42	CM 33	DIESEN	57
103	CS 49	DIETWILLER	68
35	BG 33	DIEUDONNE	60
60	CD 35	DIEUE SUR MEUSE	55
176	CC 85	DIEULEFIT	C 26
168	AP 84	DIEULIVOL	33
61	CI 37	DIEULOUARD	C 54
184	AY 93	DIEUPENTALE	82
62	CM 37	DIEUZE	C 57
11	BH 20	DIEVAL	62
62	CN 35	DIFFEMBACH LES HELLIMER	57
97	BO 50	DIGES	89
133	CE 63	DIGNA	39
152	AQ 74	DIGNAC	16
221	BF 102	DIGNE D'AMONT, LA	11
221	BF 102	DIGNE D'AVAL, LA	11
193	CM 90	DIGNE LES BAINS	P 04
84	CL 44	DIGNONVILLE	88
75	AY 41	DIGNY	28
130	BT 64	DIGOIN	C 71
29	AF 28	DIGOSVILLE	50
28	AC 28	DIGULLEVILLE	50
116	CB 54	DIJON	P 21
77	BH 45	DIMANCHEVILLE	45
63	CR 38	DIMBSTHAL	67
24	BT 23	DIMECHAUX	59
23	BS 23	DIMONT	59
70	AA 41	DINAN	S 22
48	AA 39	DINARD	C 35
67	K 43	DINEAULT	29
71	AC 42	DINGE	35
64	CU 39	DINGSHEIM	67
148	CI 68	DINGY EN VUACHE	74
148	CL 70	DINGY ST CLAIR	74
84	CL 45	DINOZE	88
126	AX 67	DINSAC	87
63	CS 40	DINSHEIM	67
81	BZ 47	DINTEVILLE	52
204	BN 95	DIO ET VALQUIERES	34
161	CD 78	DIONAY	38
190	BW 92	DIONS	30
111	BD 60	DIORS	36
130	BR 63	DIOU	03
111	BE 58	DIOU	36
138	AQ 74	DIRAC	16
45	J 41	DIRINON	29
114	BQ 55	DIROL	58
98	BT 52	DISSANGIS	89
125	AS 61	DISSAY	86
92	AT 51	DISSAY SOUS COURCILLON	72
74	AR 44	DISSE SOUS BALLON	72
92	AQ 51	DISSE SOUS LE LUDE	72
108	AO 56	DISTRE	49
41	CJ 32	DISTROFF	57
198	AM 96	DIUSSE	64
176	CC 84	DIVAJEU	26
36	BK 29	DIVES	60
31	AP 33	DIVES SUR MER	14
11	BI 20	DIVION	C 62
134	CK 65	DIVONNE LES BAINS	01
79	BO 46	DIXMONT	89
147	CE 72	DIZIMIEU	38
58	BT 35	DIZY	51
38	BT 29	DIZY LE GROS	02
197	AJ 95	DOAZIT	40
197	AJ 97	DOAZON	64
84	CM 45	DOCELLES	88
137	AK 67	DOEUIL SUR LE MIGNON	17
197	AH 99	DOGNEN	64
84	CL 44	DOGNEVILLE	88
11	BF 18	DOHEM	62
38	BU 27	DOHIS	02
22	BL 23	DOIGNIES	59
22	BL 26	DOINGT	80
170	AW 83	DOISSAT	24
161	CF 75	DOISSIN	38
123	AI 65	DOIX	85
159	BY 76	DOIZIEUX	42
49	AC 40	DOL DE BRETAGNE	C 35
82	CG 43	DOLAINCOURT	88
81	BX 44	DOLANCOURT	10
83	CH 41	DOLCOURT	54
117	CE 57	DOLE	S 39
38	BT 28	DOLIGNON	02
102	CP 48	DOLLEREN	68
74	AT 47	DOLLON	72
78	BM 45	DOLLOT	89
183	AS 88	DOLMAYRAC	47
70	Y 42	DOLO	22
147	CF 73	DOLOMIEU	38
136	AE 70	DOLUS D'OLERON	17
109	AW 56	DOLUS LE SEC	37
62	CP 37	DOLVING	57
39	BY 28	DOM LE MESNIL	08
71	AF 46	DOMAGNE	35
144	BQ 73	DOMAIZE	63
71	AG 47	DOMALAIN	35
149	CO 69	DOMANCY	74
147	CD 74	DOMARIN	38
21	BF 24	DOMART EN PONTHIEU	C 80
21	BI 27	DOMART SUR LA LUCE	80
78	BM 46	DOMATS	89
190	BZ 92	DOMAZAN	30
83	CI 45	DOMBASLE DEVANT DARNEY	88
59	CB 34	DOMBASLE EN ARGONNE	55
83	CI 43	DOMBASLE EN XAINTOIS	88
61	CK 39	DOMBASLE SUR MEURTHE	54
81	CA 42	DOMBLAIN	52
117	CF 60	DOMBLANS	39
40	CD 31	DOMBRAS	55
83	CH 45	DOMBROT LE SEC	88
83	CH 44	DOMBROT SUR VAIR	88
97	BR 54	DOMECY SUR CURE	89
97	BR 53	DOMECY SUR LE VAULT	89
35	BF 29	DOMELIERS	60
162	CI 78	DOMENE	C 38
128	BI 65	DOMERAT	C 03
21	BF 24	DOMESMONT	80
189	BV 92	DOMESSARGUES	30
161	CH 74	DOMESSIN	73
61	CH 37	DOMEVRE EN HAYE	C 54
83	CI 44	DOMEVRE SOUS MONTFORT	88
83	CL 44	DOMEVRE SUR AVIERE	88
84	CL 43	DOMEVRE SUR DURBION	88
62	CO 40	DOMEVRE SUR VEZOUZE	54
158	BP 78	DOMEYRAT	43
127	BF 67	DOMEYROT	23
197	AG 98	DOMEZAIN BERRAUTE	64
84	CN 44	DOMFAING	88
62	CQ 36	DOMFESSEL	67
35	BI 29	DOMFRONT	60
50	AL 40	DOMFRONT	C 61
73	AP 46	DOMFRONT EN CHAMPAGNE	72
60	CG 40	DOMGERMAIN	54
89	AC 49	DOMINELAIS, LA	35
20	BD 21	DOMINOIS	80
50	AI 36	DOMJEAN	50
62	CN 40	DOMJEVIN	54
83	CI 44	DOMJULIEN	88
21	BE 23	DOMLEGER LONGVILLERS	80
71	AE 46	DOMLOUP	35
83	CI 42	DOMMARIE EULMONT	54
100	CD 50	DOMMARIEN	52
61	CJ 38	DOMMARTEMONT	54
132	CB 65	DOMMARTIN	01
118	CL 58	DOMMARTIN	25
114	BS 57	DOMMARTIN	58
146	BZ 71	DOMMARTIN	69
35	BH 27	DOMMARTIN	80
83	CK 45	DOMMARTIN AUX BOIS	88
59	BZ 35	DOMMARTIN DAMPIERRE	51
60	CG 35	DOMMARTIN LA CHAUSSEE	54
60	CE 35	DOMMARTIN LA MONTAGNE	55
80	BV 41	DOMMARTIN LE COQ	10
81	CA 42	DOMMARTIN LE FRANC	52
81	BZ 42	DOMMARTIN LE ST PERE	52
133	CD 63	DOMMARTIN LES CUISEAUX	71
84	CN 46	DOMMARTIN LES REMIREMONT	88
61	CH 39	DOMMARTIN LES TOUL	54
83	CI 45	DOMMARTIN LES VALLOIS	88
58	BV 38	DOMMARTIN LETTREE	51
61	CJ 38	DOMMARTIN SOUS AMANCE	54
59	BY 34	DOMMARTIN SOUS HANS	51
83	CH 43	DOMMARTIN SUR VRAINE	88
59	BZ 36	DOMMARTIN VARIMONT	51
40	CF 32	DOMMARY BARONCOURT	55
170	AY 83	DOMME	C 24
38	BW 28	DOMMERY	08
36	BN 32	DOMMIERS	02
62	CN 37	DOMNON LES DIEUZE	57
55	BG 36	DOMONT	C 95
83	CJ 44	DOMPAIRE	C 88
60	CD 36	DOMPCEVRIN	55
35	BI 29	DOMPIERRE	60
50	AL 40	DOMPIERRE	61
84	CM 43	DOMPIERRE	88
60	CE 36	DOMPIERRE AUX BOIS	55
22	BK 26	DOMPIERRE BECQUINCOURT	80
72	AH 44	DOMPIERRE DU CHEMIN	35
98	BV 54	DOMPIERRE EN MORVAN	21
126	AY 67	DOMPIERRE LES EGLISES	87
131	BX 65	DOMPIERRE LES ORMES	71
118	CK 59	DOMPIERRE LES TILLEULS	25
131	BV 62	DOMPIERRE SOUS SANVIGNES	71
20	BD 22	DOMPIERRE SUR AUTHIE	80
130	BQ 64	DOMPIERRE SUR BESBRE	C 03
146	CA 68	DOMPIERRE SUR CHALARONNE	01
137	AK 72	DOMPIERRE SUR CHARENTE	17
23	BR 23	DOMPIERRE SUR HELPE	59
114	BQ 55	DOMPIERRE SUR HERY	58
122	AG 67	DOMPIERRE SUR MER	17
133	CF 63	DOMPIERRE SUR MONT	39
113	BN 56	DOMPIERRE SUR NIEVRE	58
146	CD 68	DOMPIERRE SUR VEYLE	01
121	AE 61	DOMPIERRE SUR YON	85
175	BU 85	DOMPNAC	07
118	CM 55	DOMPREL	25
59	BY 39	DOMPREMY	51
40	CF 32	DOMPRIX	54
141	BC 73	DOMPS	87
84	CM 41	DOMPTAIL	88
83	CK 41	DOMPTAIL EN L'AIR	54
56	BN 36	DOMPTIN	02
21	BE 24	DOMQUEUR	80
40	CF 32	DOMREMY LA CANNE	55
82	CF 42	DOMREMY LA PUCELLE	88
82	CC 43	DOMREMY LANDEVILLE	52
133	CD 64	DOMSURE	01
83	CI 43	DOMVALLIER	88
20	BE 23	DOMVAST	80
12	BL 19	DON	59
221	BE 102	DONAZAC	11
39	BZ 28	DONCHERY	08
84	CM 42	DONCIERES	88
60	CF 35	DONCOURT AUX TEMPLIERS	55
61	CH 34	DONCOURT LES CONFLANS	54
40	CF 31	DONCOURT LES LONGUYON	54
82	CF 45	DONCOURT SUR MEUSE	52
184	AU 89	DONDAS	47
88	Z 54	DONGES	44
81	CB 43	DONJEUX	52
61	CK 37	DONJEUX	57
130	BS 65	DONJON, LE	C 03
51	AM 36	DONNAY	14
186	BD 92	DONNAZAC	81
62	CN 38	DONNELAY	57
75	AZ 46	DONNEMAIN ST MAMES	28
78	BM 42	DONNEMARIE DONTILLY	C 77
80	BW 41	DONNEMENT	10
64	CU 38	DONNENHEIM	67
95	BF 48	DONNERY	45
201	BA 97	DONNEVILLE	31
151	AK 77	DONNEZAC	33
142	BI 70	DONTREIX	23
38	BV 33	DONTRIEN	51
49	AE 37	DONVILLE LES BAINS	50
167	AM 84	DONZAC	33
184	AU 90	DONZAC	82
197	AH 95	DONZACQ	40
141	BE 69	DONZEIL, LE	23
154	BA 78	DONZENAC	C 19
176	BZ 86	DONZERE	26
113	BM 54	DONZY	C 58
131	BY 64	DONZY LE NATIONAL	71
132	BZ 64	DONZY LE PERTUIS	71
158	BR 76	DORANGES	63
102	CO 51	DORANS	90
144	BP 71	DORAT	63
126	AX 67	DORAT, LE	C 87
75	AV 42	DORCEAU	61
78	BK 46	DORDIVES	45
158	BR 76	DORE L'EGLISE	63
72	AI 42	DOREE, LA	53
23	BQ 25	DORENGT	02
64	CS 40	DORLISHEIM	67
57	BQ 35	DORMANS	C 51
78	BL 44	DORMELLES	77
154	AZ 80	DORNAC, LA	24
175	BW 82	DORNAS	07
97	BQ 53	DORNECY	58
129	BO 61	DORNES	C 58
61	CI 35	DORNOT	57
225	BD 108	DORRES	66
133	CG 65	DORTAN	01
80	BU 43	DOSCHES	10
58	BU 40	DOSNON	10
64	CT 39	DOSSENHEIM KOCHERSBERG	67
63	CR 37	DOSSENHEIM SUR ZINSEL	67
126	AX 62	DOUADIC	36
22	BL 21	DOUAI	S 59
54	BA 35	DOUAINS	27
66	J 44	DOUARNENEZ	C 29
40	CD 33	DOUAUMONT	55
118	CL 58	DOUBS	25
74	AQ 44	DOUCELLES	72
153	AS 78	DOUCHAPT	24
36	BM 27	DOUCHY	02
96	BM 48	DOUCHY	45
22	BJ 23	DOUCHY LES AYETTE	62
23	BO 22	DOUCHY LES MINES	59
133	CH 61	DOUCIER	39
148	CK 72	DOUCY EN BAUGES	73
10	BD 18	DOUDEAUVILLE	62
34	BC 30	DOUDEAUVILLE	76
34	BB 32	DOUDEAUVILLE EN VEXIN	27
20	BC 25	DOUDELAINVILLE	80
19	AV 28	DOUDEVILLE	C 76
169	AT 84	DOUDRAC	47
56	BM 37	DOUE	77
107	AN 56	DOUE LA FONTAINE	C 49
170	AZ 86	DOUELLE	46
137	AK 71	DOUHET, LE	17
73	AP 44	DOUILLET	72
36	BM 27	DOUILLY	80
82	CC 43	DOULAINCOURT SAUCOURT	C 52
39	CB 31	DOULCON	55
81	CA 43	DOULEVANT LE CHATEAU	C 52
81	CA 42	DOULEVANT LE PETIT	52
168	AO 83	DOULEZON	33
12	BJ 17	DOULIEU, LE	59
21	BH 23	DOULLENS	C 80
38	BV 29	DOUMELY BEGNY	08
198	AL 98	DOUMY	64
83	CL 45	DOUNOUX	88
188	BP 91	DOURBIES	30
71	AF 44	DOURDAIN	35
76	BE 41	DOURDAN	C 91
12	BL 20	DOURGES	62
202	BF 97	DOURGNE	C 81
20	BD 21	DOURIEZ	62
23	BS 23	DOURLERS	59
187	BI 91	DOURN, LE	81
139	AV 74	DOURNAZAC	87
118	CI 58	DOURNON	39
199	AP 99	DOURS	65
148	CL 71	DOUSSARD	74
108	AR 60	DOUSSAY	86
134	CL 65	DOUVAINE	C 74
169	AS 80	DOUVILLE	24
31	AP 33	DOUVILLE EN AUGE	14
33	AZ 32	DOUVILLE SUR ANDELLE	27
19	AZ 26	DOUVREND	76
147	CE 69	DOUVRES	01
31	AM 32	DOUVRES LA DELIVRANDE	C 14
12	BK 19	DOUVRIN	C 62
38	BW 30	DOUX	08
124	AP 61	DOUX	79
75	AY 47	DOUY	28
56	BL 35	DOUY LA RAMEE	77
169	AS 84	DOUZAINS	47
138	AO 72	DOUZAT	16
153	AV 80	DOUZE, LA	24
222	BJ 101	DOUZENS	11
152	AR 79	DOUZILLAC	24
39	CA 28	DOUZY	08
29	AE 32	DOVILLE	50
118	CJ 60	DOYE	39
128	BK 66	DOYET	03
31	AP 33	DOZULE	C 14
146	BZ 67	DRACE	69
109	AU 58	DRACHE	37
64	CV 35	DRACHENBRONN BIRLENBACH	67
96	BN 50	DRACY	89
116	BZ 60	DRACY LE FORT	71
115	BX 59	DRACY LES COUCHES	71
115	BW 58	DRACY ST LOUP	71
49	AE 39	DRAGEY RONTHON	50
209	CO 96	DRAGUIGNAN	S 83
106	AG 54	DRAIN	49
193	CN 89	DRAIX	04
38	BV 29	DRAIZE	08
117	CD 54	DRAMBON	21
133	CF 64	DRAMELAY	39
55	BH 37	DRANCY	C 93
195	CV 93	DRAP	06
37	BQ 33	DRAVEGNY	02
55	BH 39	DRAVEIL	C 91
115	BY 54	DREE	21
88	Z 52	DREFFEAC	44
201	BB 96	DREMIL LAFAGE	31
44	J 39	DRENNEC, LE	29
21	BG 26	DREUIL LES AMIENS	80
220	BD 103	DREUILHE	09
54	BA 39	DREUX	S 28
128	BI 62	DREVANT	18
38	BW 31	DRICOURT	08
22	BL 25	DRIENCOURT	80
11	BG 15	DRINCHAM	59
22	BL 21	DROCOURT	62
54	BC 35	DROCOURT	78
53	AY 38	DROISY	27
148	CI 69	DROISY	74
130	BR 67	DROITURIER	03
37	BO 33	DROIZY	02
133	CE 67	DROM	01
20	BD 26	DROMESNIL	80
19	AV 27	DROSAY	76
81	BX 41	DROSNAY	51
75	AX 47	DROUE	C 41
54	BC 40	DROUE SUR DROUETTE	28
89	AF 48	DROUGES	35
58	BW 38	DROUILLY	51
80	BS 42	DROUPT ST BASLE	10
80	BS 42	DROUPT STE MARIE	10
61	CL 39	DROUVILLE	54
11	BI 19	DROUVIN LE MARAIS	62
140	AX 68	DROUX	87
81	BY 41	DROYES	52
32	AQ 33	DRUBEC	14
20	BD 23	DRUCAT	80
52	AT 35	DRUCOURT	27
200	AX 94	DRUDAS	31
187	BI 88	DRUELLE	12
156	BH 79	DRUGEAC	15
147	CD 68	DRUILLAT	01
171	BF 87	DRULHE	12
63	CQ 36	DRULINGEN	C 67
148	CJ 73	DRUMETTAZ CLARAFOND	C 73
64	CW 37	DRUSENHEIM	67
113	BO 60	DRUY PARIGNY	58
109	AT 55	DRUYE	37
97	BO 52	DRUYES LES BELLES FONTAINES	89
94	BC 49	DRY	45
46	Q 42	DUAULT	22
49	AG 40	DUCEY	C 50
33	AW 30	DUCLAIR	C 76
30	AL 33	DUCY STE MARGUERITE	14
145	BY 73	DUERNE	69
99	BY 51	DUESME	21
199	AR 99	DUFFORT	32
55	BH 37	DUGNY	93
60	CD 34	DUGNY SUR MEUSE	55
198	AL 94	DUHORT BACHEN	40
222	BI 104	DUILHAC SOUS PEYREPERTUSE	11
148	CK 71	DUINGT	74
22	BJ 22	DUISANS	62
161	CH 74	DULLIN	73
197	AJ 95	DUMES	40
220	BC 102	DUN	09
127	BB 66	DUN LE PALESTEL	C 23
111	BC 56	DUN LE POELIER	36
114	BT 55	DUN LES PLACES	58
112	BI 60	DUN SUR AURON	C 18
114	BS 57	DUN SUR GRANDRY	58
39	CB 31	DUN SUR MEUSE	C 55
74	AT 46	DUNEAU	72
184	AU 91	DUNES	82
126	AY 64	DUNET	36
102	CO 52	DUNG	25
176	BZ 82	DUNIERE SUR EYRIEUX	07
159	BW 78	DUNIERES	43
4	BG 13	DUNKERQUE	S 59
64	CS 38	DUNTZENHEIM	67
64	CT 40	DUPPIGHEIM	67
199	AS 95	DURAN	32
183	AP 90	DURANCE	47
195	CU 92	DURANUS	06
52	AT 34	DURANVILLE	27
168	AP 84	DURAS	C 47
170	AX 86	DURAVEL	46
199	AS 97	DURBAN	32
222	BK 103	DURBAN CORBIERES	C 11
220	AY 102	DURBAN SUR ARIZE	09
171	BC 84	DURBANS	46
51	AM 39	DURCET	61
128	BJ 67	DURDAT LAREQUILLE	03
91	AO 49	DUREIL	72
187	BJ 90	DURENQUE	12
220	AZ 100	DURFORT	09
202	BE 98	DURFORT	81
189	BU 92	DURFORT ET ST MARTIN DE SOSSENAC	30

Page	Carreau	Commune	Adm.	Dpt
184	AX 89	DURFORT LACAPELETTE		82
103	CR 52	DURLINSDORF		68
103	CS 51	DURMENACH		68
143	BL 67	DURMIGNAT		63
118	CK 56	DURNES		25
64	CT 38	DURNINGEN		67
64	CU 36	DURRENBACH		67
85	CT 45	DURRENENTZEN		68
63	CQ 36	DURSTEL		67
91	AN 51	DURTAL	C	49
143	BM 72	DURTOL		63
36	BM 28	DURY		02
22	BL 22	DURY		62
21	BG 27	DURY		80
154	AX 76	DUSSAC		24
64	CT 40	DUTTLENHEIM		67
36	BK 33	DUVY		60
40	CE 31	DUZEY		55
97	BS 48	DYE		89
131	BV 65	DYO		71
		E		
89	AG 49	EANCE		35
55	BG 36	EAUBONNE	C	95
20	BD 24	EAUCOURT SUR SOMME		80
201	AZ 98	EAUNES		31
217	AK 103	EAUX BONNES		64
79	BS 46	EAUX PUISEAUX		10
182	AO 93	EAUZE	C	32
116	BZ 59	EBATY		21
11	BH 17	EBBLINGHEM		59
65	CX 35	EBERBACH SELTZ		67
85	CT 43	EBERSHEIM		67
85	CT 42	EBERSMUNSTER		67
41	CK 32	EBERSVILLER		57
41	CL 33	EBLANGE		57
37	BS 28	EBOULEAU		02
138	AP 70	EBREON		16
143	BM 68	EBREUIL	C	03
38	BU 31	ECAILLE, L'		08
22	BN 21	ECAILLON		59
33	AV 29	ECALLES ALIX		76
32	AV 33	ECAQUELON		27
53	AV 35	ECARDENVILLE LA CAMPAGNE		27
53	AZ 35	ECARDENVILLE SUR EURE		27
29	AF 30	ECAUSSEVILLE		50
53	AX 35	ECAUVILLE		27
230	DJ 112	ECCICA SUARELLA		2A
24	BT 23	ECCLES		59
160	BZ 74	ECHALAS		69
138	AO 72	ECHALLAT		16
133	CH 67	ECHALLON		01
99	BZ 51	ECHALOT		21
51	AM 39	ECHALOU		61
158	BQ 74	ECHANDELYS		63
115	BY 55	ECHANNAY		21
77	BH 41	ECHARCON		91
143	BL 67	ECHASSIERES		03
52	AS 39	ECHAUFFOUR		61
102	CN 50	ECHAVANNE		70
118	CI 57	ECHAY		25
151	AL 74	ECHEBRUNE		17
24	BW 27	ECHELLE, L'		08
36	BJ 28	ECHELLE ST AURIN, L'		80
161	CH 75	ECHELLES, LES	C	73
79	BR 43	ECHEMINES		10
91	AN 52	ECHEMIRE		49
102	CN 51	ECHENANS		25
102	CO 51	ECHENANS SOUS MONT VAUDOIS		70
82	CC 42	ECHENAY		52
134	CJ 65	ECHENEVEX		01
116	CD 57	ECHENON		21
101	CJ 51	ECHENOZ LA MELINE		70
101	CJ 51	ECHENOZ LE SEC		70
99	CC 52	ECHEVANNES		21
118	CK 57	ECHEVANNES		25
161	CF 80	ECHEVIS		26
116	BZ 57	ECHEVRONNE		21
116	CC 56	ECHIGEY		21
136	AH 70	ECHILLAIS		17
77	BH 45	ECHILLEUSES		45
10	BC 17	ECHINGHEN		62
123	AL 65	ECHIRE		79
161	CH 78	ECHIROLLES	C	38
78	BL 42	ECHOUBOULAINS		77
152	AQ 79	ECHOURGNAC		24
63	CR 37	ECKARTSWILLER		67
64	CU 39	ECKBOLSHEIM		67
64	CU 38	ECKWERSHEIM		67
23	BS 23	ECLAIBES		59
59	CA 36	ECLAIRES		51
81	BY 44	ECLANCE		10
117	CF 56	ECLANS NENON		39
59	BZ 40	ECLARON BRAUCOURT STE LIVIERE	C	52
160	CA 78	ECLASSAN		07
117	CG 58	ECLEUX		39
11	BF 20	ECLIMEUX		62
161	CE 75	ECLOSE		38
22	BK 26	ECLUSIER VAUX		80
54	BA 39	ECLUZELLES		28
38	BV 30	ECLY		08
145	BW 67	ECOCHE		42
21	BG 21	ECOIVRES		62
148	CK 73	ECOLE		73
118	CI 55	ECOLE VALENTIN		25
59	BY 40	ECOLLEMONT		51
92	AR 49	ECOMMOY	C	72
29	AG 31	ECOQUENEAUVILLE		50
52	AU 39	ECORCEI		61
119	CO 55	ECORCES, LES		25
51	AQ 37	ECORCHES		61
38	BX 30	ECORDAL		08
92	AU 48	ECORPAIN		72
54	BB 34	ECOS	C	27
102	CO 53	ECOT		25
82	CD 44	ECOT LA COMBE		52
159	BU 74	ECOTAY L'OLME		42
51	AO 39	ECOUCHE	C	61
55	BH 36	ECOUEN	C	95
90	AL 52	ECOUFLANT		49
34	BA 32	ECOUIS		27
22	BM 22	ECOURT ST QUENTIN		62
22	BK 23	ECOUST ST MEIN		62
40	CD 30	ECOUVIEZ		55
118	CK 54	ECOUVOTTE, L'		25
137	AK 71	ECOYEUX		17
11	BH 19	ECQUEDECQUES		62
11	BG 17	ECQUES		62
53	AX 34	ECQUETOT		27
54	BD 37	ECQUEVILLY		78
18	AS 29	ECRAINVILLE		76
30	AI 32	ECRAMMEVILLE		14
78	BK 41	ECRENNES, LES		77
32	AU 29	ECRETTEVILLE LES BAONS		76
18	AT 27	ECRETTEVILLE SUR MER		76
59	BY 39	ECRIENNES		51
133	CG 63	ECRILLE		39
102	CM 49	ECROMAGNY		70
76	BC 41	ECROSNES		28
60	CG 39	ECROUVES		54
19	AW 29	ECTOT L'AUBER		76
19	AV 29	ECTOT LES BAONS		76
58	BS 34	ECUEIL		51
110	AZ 57	ECUEILLE	C	36
23	BR 23	ECUELIN		59
100	CF 52	ECUELLE		70
116	CB 58	ECUELLES		71
78	BK 43	ECUELLES		77
90	AL 51	ECUILLE		49
10	BC 20	ECUIRES		62
131	BX 61	ECUISSES		71
29	AC 28	ECULLEVILLE		50
146	BZ 72	ECULLY		69
139	AT 73	ECURAS		16
137	AJ 71	ECURAT		17
102	CO 53	ECURCEY		25
40	CC 32	ECUREY EN VERDUNOIS		55
22	BK 21	ECURIE		62
58	BT 38	ECURY LE REPOS		51
58	BV 37	ECURY SUR COOLE	C	51
115	BY 57	ECUTIGNY		21
36	BL 29	ECUVILLY		60
67	M 44	EDERN		29
152	AR 75	EDON		16
137	AN 69	EDUTS, LES		17
11	BI 16	EECKE		59
143	BO 69	EFFIAT		63
82	CC 41	EFFINCOURT		52
24	BS 26	EFFRY		02
225	BE 108	EGAT		66
97	BO 49	EGLENY		89
155	BE 76	EGLETONS	C	19
78	BM 42	EGLIGNY		77
103	CR 50	EGLINGEN		68
141	BC 73	EGLISE AUX BOIS, L'		19
153	AU 79	EGLISE NEUVE DE VERGT		24
168	AR 80	EGLISE NEUVE D'ISSAC		24
157	BK 76	EGLISENEUVE D'ENTRAIGUES		63
157	BP 74	EGLISENEUVE DES LIARDS		63
143	BP 72	EGLISENEUVE PRES BILLOM		63
137	AL 69	EGLISES D'ARGENTEUIL, LES		17
158	BT 75	EGLISOLLES		63
152	AO 79	EGLISOTTES ET CHALAURES, LES		33
77	BG 41	EGLY		91
78	BL 45	EGREVILLE		77
78	BN 46	EGRISELLES LE BOCAGE		89
77	BH 46	EGRY		45
63	CS 34	EGUELSHARDT		57
102	CP 50	EGUENIGUE		90
136	AG 72	EGUILLE, L'		17
207	CF 96	EGUILLES		13
115	BX 55	EGUILLY		21
80	BX 45	EGUILLY SOUS BOIS		10
85	CR 46	EGUISHEIM		68
126	BA 64	EGUZON CHANTOME	C	36
101	CK 49	EHUNS		70
85	CS 42	EICHHOFFEN		67
62	CM 35	EINCHEVILLE		57
83	CL 41	EINVAUX		54
61	CL 39	EINVILLE AU JARD		54
40	CE 34	EIX		55
39	BY 28	ELAN		08
54	BE 38	ELANCOURT		78
103	CQ 50	ELBACH		68
33	AX 33	ELBEUF	C	76
34	BB 31	ELBEUF EN BRAY		76
34	BA 31	ELBEUF SUR ANDELLE		76
34	BD 28	ELENCOURT		60
24	BS 21	ELESMES		59
18	AT 27	ELETOT		76
12	BK 20	ELEU DIT LEAUWETTE		62
23	BO 24	ELINCOURT		59
36	BK 30	ELINCOURT STE MARGUERITE		60
59	BZ 35	ELISE DAUCOURT		51
34	BC 27	ELLECOURT		76
67	M 45	ELLIANT		29
30	AL 33	ELLON		14
227	BM 107	ELNE	C	66
11	BF 17	ELNES		62
102	CP 50	ELOIE		90
147	CI 68	ELOISE		74
84	CM 45	ELOYES		88
85	CT 44	ELSENHEIM		67
62	CL 35	ELVANGE		57
87	V 49	ELVEN	C	56
41	CJ 31	ELZANGE		57
117	CH 54	EMAGNY		25
53	AY 35	EMALLEVILLE		27
76	BC 41	EMANCE		78
53	AW 35	EMANVILLE		27
33	AX 29	EMANVILLE		76
62	CM 39	EMBERMENIL		54
222	BK 103	EMBRES ET CASTELMAURE		11
20	BB 25	EMBREVILLE		80
179	CO 84	EMBRUN	C	05
10	BE 19	EMBRY		62
55	BJ 38	EMERAINVILLE		77
22	BN 21	EMERCHICOURT		59
131	BY 67	EMERINGES		69
36	BM 33	EMEVILLE		60
51	AO 34	EMIEVILLE		14
103	CS 50	EMLINGEN		68
12	BL 18	EMMERIN		59
29	AG 30	EMONDEVILLE		50
200	AW 97	EMPEAUX		31
159	BY 80	EMPURANY		07
138	AP 69	EMPURE		16
114	BS 54	EMPURY		58
200	AW 95	ENCAUSSE		32
219	AT 102	ENCAUSSE LES THERMES		31
179	CP 87	ENCHASTRAYES		04
63	CR 35	ENCHENBERG		57
219	AX 103	ENCOURTIECH		09
200	AW 96	ENDOUFIELLE		32
34	BD 33	ENENCOURT LE SEC		60
34	BD 33	ENENCOURT LEAGE		60
101	CH 47	ENFONVELLE		52
184	AV 89	ENGAYRAC		47
81	BY 44	ENGENTE		10
77	BG 44	ENGENVILLE		45
55	BG 36	ENGHIEN LES BAINS	C	95
161	CG 78	ENGINS		38
23	BR 26	ENGLANCOURT		02
21	BJ 24	ENGLEBELMER		80
23	BQ 23	ENGLEFONTAINE		59
32	AR 32	ENGLESQUEVILLE EN AUGE		14
30	AI 31	ENGLESQUEVILLE LA PERCEE		14
12	BL 18	ENGLOS		59
219	AW 103	ENGOMER		09
11	BG 18	ENGUINEGATTE		62
64	CT 36	ENGWILLER		67
22	BL 27	ENNEMAIN		80
41	CJ 33	ENNERY		57
55	BF 35	ENNERY		95
12	BL 18	ENNETIERES EN WEPPES		59
12	BM 19	ENNEVELIN		59
143	BN 70	ENNEZAT	C	63
95	BH 54	ENNORDRES		18
11	BG 18	ENQUIN LES MINES		62
10	BD 18	ENQUIN SUR BAILLONS		62
218	AQ 105	ENS		65
137	AN 68	ENSIGNE		79
103	CS 48	ENSISHEIM	C	68
207	CE 98	ENSUES LA REDONNE		13
193	CM 90	ENTRAGES		04
178	CJ 81	ENTRAIGUES		38
143	BO 71	ENTRAIGUES		63
191	CB 91	ENTRAIGUES SUR LA SORGUE		84
96	BN 53	ENTRAINS SUR NOHAIN		58
72	AK 47	ENTRAMMES		53
41	CI 31	ENTRANGE		57
194	CQ 89	ENTRAUNES		06
172	BI 84	ENTRAYGUES SUR TRUYERE	C	12
84	CP 44	ENTRE DEUX EAUX		88
161	CH 75	ENTRE DEUX GUIERS		38
134	CI 62	ENTRE DEUX MONTS		39
209	CM 96	ENTRECASTEAUX		83
191	CD 89	ENTRECHAUX		84
148	CM 69	ENTREMONT		74
162	CI 75	ENTREMONT LE VIEUX		73
193	CK 89	ENTREPIERRES		04
194	CR 91	ENTREVAUX	C	04
193	CK 92	ENTREVENNES		04
148	CK 71	ENTREVERNES		74
64	CU 40	ENTZHEIM		67
143	BM 70	ENVAL		63
225	BD 109	ENVEITG		66
19	AY 26	ENVERMEU	C	76
18	AU 29	ENVRONVILLE		76
192	CH 89	EOURRES		05
200	AV 100	EOUX		31
80	BW 43	EPAGNE		10
20	BD 24	EPAGNE EPAGNETTE		80
36	BN 31	EPAGNY		02
99	CB 53	EPAGNY		21
148	CJ 69	EPAGNY		74
32	AT 33	EPAIGNES		27
51	AO 36	EPANEY		14
123	AK 66	EPANNES		79
24	BT 26	EPARCY		02
60	CE 35	EPARGES, LES		55
150	AI 74	EPARGNES		17
161	CD 74	EPARRES, LES		38
20	BD 26	EPAUMESNIL		80
57	BO 35	EPAUX BEZU		02
75	AZ 44	EPEAUTROLLES		28
21	BF 24	EPECAMPS		80
53	AW 34	EPEGARD		27
22	BM 25	EPEHY		80
110	AX 55	EPEIGNE LES BOIS		37
92	AT 51	EPEIGNE SUR DEME		37
22	BL 27	EPENANCOURT		80
139	AS 69	EPENEDE		16
118	CL 55	EPENOUSE		25
118	CL 56	EPENOY		25
59	BZ 36	EPENSE		51
145	BV 72	EPERCIEUX ST PAUL		42
11	BF 16	EPERLECQUES		62
57	BS 35	EPERNAY	S	51
116	CB 56	EPERNAY SOUS GEVREY		21
54	BB 40	EPERNON		28
74	AT 42	EPERRAIS		61
148	CJ 72	EPERSY		73
115	BY 59	EPERTULLY		71
132	CA 61	EPERVANS		71
106	AI 59	EPESSES, LES		85
118	CI 56	EPEUGNEY		25
85	CT 42	EPFIG		67
93	AY 49	EPIAIS		41
55	BI 36	EPIAIS LES LOUVRES		95
55	BF 35	EPIAIS RHUS		95
57	BP 35	EPIEDS		02
53	AZ 37	EPIEDS		27
108	AO 56	EPIEDS		49
94	BB 48	EPIEDS EN BEAUCE		45
162	CM 75	EPIERRE		73
40	CD 30	EPIEZ SUR CHIERS		54
82	CF 41	EPIEZ SUR MEUSE		55
115	BX 58	EPINAC	C	71
84	CL 44	EPINAL	P	88
52	AU 36	EPINAY		27
55	BH 35	EPINAY CHAMPLATREUX		95
72	AJ 41	EPINAY LE COMTE, L'		61
55	BI 39	EPINAY SOUS SENART	C	91
33	AW 30	EPINAY SUR DUCLAIR		76
50	AL 35	EPINAY SUR ODON		14
55	BG 40	EPINAY SUR ORGE		91
55	BG 37	EPINAY SUR SEINE	C	93
177	CH 87	EPINE, L'		05
58	BW 36	EPINE, L'		51
104	X 58	EPINE, L'		85
57	BO 37	EPINE AUX BOIS, L'		02
97	BP 48	EPINEAU LES VOVES		89
73	AO 46	EPINEU LE CHEVREUIL		72
98	BT 48	EPINEUIL		89
128	BI 63	EPINEUIL LE FLEURIEL		18
35	BI 32	EPINEUSE		60
91	AM 47	EPINEUX LE SEGUIN		53
71	AD 41	EPINIAC		35
39	CA 33	EPINONVILLE		55
160	CB 77	EPINOUZE		26
22	BM 22	EPINOY		62
114	BR 56	EPIRY		58
78	BK 43	EPISY		77
82	CD 43	EPIZON		52
34	BE 27	EPLESSIER		80
61	CJ 36	EPLY		54
98	BU 53	EPOISSES		21
54	BD 37	EPONE		78
81	BY 42	EPOTHEMONT		10
32	AR 30	EPOUVILLE		76
38	BU 33	EPOYE		51
24	BU 23	EPPE SAUVAGE		59
37	BR 30	EPPES		02
36	BL 28	EPPEVILLE		80
43	CR 34	EPPING		57
32	AS 30	EPRETOT		76
18	AS 28	EPREVILLE		76
32	AT 34	EPREVILLE EN LIEUVIN		27
33	AV 32	EPREVILLE EN ROUMOIS		27
53	AW 34	EPREVILLE PRES LE NEUBOURG		27
31	AN 33	EPRON		14
11	BG 20	EPS		62
93	AW 48	EPUISAY		41
22	BL 24	EQUANCOURT		80
32	AR 31	EQUEMAUVILLE		14
34	BE 28	EQUENNES ERAMECOURT		80
29	AD 28	EQUEURDREVILLE HAINNEVILLE	C	50
101	CJ 49	EQUEVILLEY		70
118	CI 60	EQUEVILLON		39
10	BB 17	EQUIHEN PLAGE		62
49	AF 37	EQUILLY		50
11	BG 20	EQUIRRE		62
55	BF 36	ERAGNY		95
34	BC 33	ERAGNY SUR EPTE		60
51	AO 37	ERAINES		14
152	AO 74	ERAVILLE		16
231	DM 108	ERBAJOLO		2B
61	CK 38	ERBEVILLER SUR AMEZULE		54
89	AF 50	ERBRAY		44
71	AH 46	ERBREE		35
219	AY 104	ERCE		09
89	AD 48	ERCE EN LAMEE		35
71	AE 44	ERCE PRES LIFFRE		35
76	BE 44	ERCEVILLE		45
36	BJ 28	ERCHES		80
36	BL 28	ERCHEU		80
22	BM 21	ERCHIN		59
43	CQ 34	ERCHING		57
63	CR 36	ERCKARTSWILLER		67
20	BC 24	ERCOURT		80
35	BG 33	ERCUIS		60
86	R 50	ERDEVEN		56
70	Y 43	EREAC		22
64	CT 40	ERGERSHEIM		67
21	BE 24	ERGNIES		80
10	BE 18	ERGNY		62
67	L 45	ERGUE GABERIC		29
11	BG 20	ERIN		62
98	BX 51	ERINGES		21
11	BG 15	ERINGHEM		59
60	CC 37	ERIZE LA BRULEE		55
60	CC 37	ERIZE LA PETITE		55
60	CC 38	ERIZE ST DIZIER		55
37	BQ 28	ERLON		02
23	BR 26	ERLOY		02
55	BJ 35	ERMENONVILLE		60
75	AZ 43	ERMENONVILLE LA GRANDE		28
75	AZ 44	ERMENONVILLE LA PETITE		28
19	AV 27	ERMENOUVILLE		76
55	BG 36	ERMONT	C	95
72	AI 43	ERNEE	C	53
34	BD 29	ERNEMONT BOUTAVENT		60
34	BC 31	ERNEMONT LA VILLETTE		76
33	AZ 30	ERNEMONT SUR BUCHY		76
51	AO 36	ERNES		14
62	CO 34	ERNESTVILLER		57
60	CD 38	ERNEVILLE AUX BOIS		55
64	CT 40	ERNOLSHEIM BRUCHE		67
63	CR 37	ERNOLSHEIM LES SAVERNE		67
11	BG 18	ERNY ST JULIEN		62
160	CA 79	EROME		26
20	BD 24	ERONDELLE		80
231	DM 107	ERONE		2B
29	AF 30	EROUDEVILLE		50
219	AX 103	ERP		09
35	BH 31	ERQUERY		60
12	BL 18	ERQUINGHEM LE SEC		59
12	BK 17	ERQUINGHEM LYS		59
35	BI 31	ERQUINVILLERS		60
47	X 39	ERQUY		22
225	BE 109	ERR		66
22	BN 21	ERRE		59
102	CO 50	ERREVET		70
40	CG 31	ERROUVILLE		54
229	DM 100	ERSA		2B
85	CU 41	ERSTEIN	C	67
62	CN 35	ERSTROFF		57
78	BL 46	ERVAUVILLE		45
22	BK 23	ERVILLERS		62
79	BS 47	ERVY LE CHATEL	C	10
218	AS 103	ESBAREICH		65
116	CC 57	ESBARRES		21
56	BK 37	ESBLY		77
102	CL 48	ESBOZ BREST		70
218	AR 102	ESCALA		65
182	AO 92	ESCALANS		40
193	CK 90	ESCALE, L'		04
203	BJ 100	ESCALES		11
10	BC 15	ESCALLES		62
201	BA 97	ESCALQUENS		31
34	BD 30	ESCAMES		60
185	BB 88	ESCAMPS		46
97	BP 50	ESCAMPS		89
172	BG 86	ESCANDOLIERES		12
200	AU 100	ESCANECRABE		31
57	BP 39	ESCARDES		51
195	CV 92	ESCARENE, L'	C	06
23	BP 22	ESCARMAIN		59
226	BG 108	ESCARO		66
168	AQ 85	ESCASSEFORT		47
184	AX 92	ESCATALENS		82
22	BO 21	ESCAUDAIN		59
182	AM 88	ESCAUDES		33
22	BN 23	ESCAUDOEUVRES		59
198	AN 99	ESCAUNETS		65
13	BP 20	ESCAUTPONT		59
184	AW 93	ESCAZEAUX		82
64	CU 40	ESCHAU		67
64	CU 36	ESCHBACH		67
85	CQ 46	ESCHBACH AU VAL		68
63	CR 37	ESCHBOURG		67
103	CS 49	ESCHENTZWILLER		68
41	CH 31	ESCHERANGE		57
35	BF 34	ESCHES		60
62	CP 36	ESCHWILLER		67
220	BC 103	ESCLAGNE		09
35	BH 28	ESCLAINVILLERS		80
173	BP 86	ESCLANEDES		48
199	AS 98	ESCLASSAN LABASTIDE		32
170	BB 87	ESCLAUZELS		46
19	AZ 28	ESCLAVELLES		76
79	BQ 41	ESCLAVOLLES LUREY		51
83	CJ 45	ESCLES		88
34	BC 28	ESCLES ST PIERRE		60
168	AP 84	ESCLOTTES		47
12	BL 18	ESCOBECQUES		59
10	BE 17	ESCOEUILLES		62
153	AV 78	ESCOIRE		24
97	BQ 50	ESCOLIVES STE CAMILLE		89
39	CB 28	ESCOMBRES ET LE CHESNOIS		08
198	AO 99	ESCONDEAUX		65
218	AP 102	ESCONNETS		65
156	BG 79	ESCORAILLES		15
200	AV 95	ESCORNEBOEUF		32
53	AY 39	ESCORPAIN		28
197	AF 97	ESCOS		64
220	BA 101	ESCOSSE		09
216	AJ 101	ESCOT		64
218	AQ 102	ESCOTS		65
197	AJ 100	ESCOU		64
198	AL 98	ESCOUBES		64
217	AO 101	ESCOUBES POUTS		65
219	AW 101	ESCOULIS		31
221	BF 106	ESCOULOUBRE		11
181	AF 89	ESCOURCE		40
167	AM 84	ESCOUSSANS		33
202	BG 97	ESCOUSSENS		81
197	AJ 100	ESCOUT		64
144	BQ 71	ESCOUTOUX		63
31	AO 33	ESCOVILLE		14
194	CQ 94	ESCRAGNOLLES		06
77	BF 46	ESCRENNES		45
96	BK 50	ESCRIGNELLES		45
203	BJ 94	ESCROUX		81
221	BE 102	ESCUEILLENS ET ST JUST DE BELENGARD		11
198	AM 97	ESCURES		64
143	BO 68	ESCUROLLES	C	03
33	AX 30	ESLETTES		76
83	CI 45	ESLEY		88
198	AM 99	ESLOURENTIES DABAN		64
78	BL 43	ESMANS		77
36	BL 28	ESMERY HALLON		80
102	CM 48	ESMOULIERES		70
100	CF 53	ESMOULINS		70
122	AG 66	ESNANDES		17
118	CL 54	ESNANS		25
22	BN 24	ESNES		59
39	CB 33	ESNES EN ARGONNE		55
97	BQ 47	ESNON		89
82	CD 45	ESNOUVEAUX		52
155	BD 78	ESPAGNAC		19
171	BD 85	ESPAGNAC STE EULALIE		46
184	AV 91	ESPALAIS		82
157	BN 77	ESPALEM		43
172	BK 86	ESPALION	C	12
158	BS 80	ESPALY ST MARCEL		43
201	BA 98	ESPANES		31
200	AV 98	ESPAON		32
178	CJ 86	ESPARRON		05
200	AU 100	ESPARRON		31
208	CJ 96	ESPARRON		83
209	CK 94	ESPARRON DE VERDON		04
218	AQ 102	ESPARROS		65
184	AV 93	ESPARSAC		82
154	BB 76	ESPARTIGNAC		19
198	AO 94	ESPAS		32
34	BD 31	ESPAUBOURG		60
218	AQ 102	ESPECHE		65
198	AM 99	ESPECHEDE		64
171	BC 84	ESPEDAILLAC		46
214	AC 98	ESPELETTE	C	64
176	CA 86	ESPELUCHE		26
177	CD 84	ESPENEL		26
203	BI 95	ESPERAUSSES		81
221	BF 103	ESPERAZA		11
201	AZ 99	ESPERCE		31
170	AZ 86	ESPERE		46
197	AG 99	ESPES UNDUREIN		64
172	BI 85	ESPEYRAC		12
171	BD 83	ESPEYROUX		46
221	BE 105	ESPEZEL		11
218	AP 102	ESPIEILH		65
183	AR 90	ESPIENS		47
167	AM 82	ESPIET		33
185	BC 89	ESPINAS		82
173	BL 82	ESPINASSE		15
142	BJ 69	ESPINASSE		63
143	BO 68	ESPINASSE VOZELLE		03
178	CL 86	ESPINASSES		05
157	BL 76	ESPINCHAL		63
51	AM 36	ESPINS		14
226	BI 107	ESPIRA DE CONFLENT		66
222	BL 105	ESPIRA DE L'AGLY		66
143	BO 72	ESPIRAT		63
197	AG 98	ESPIUTE		64
174	BQ 81	ESPLANTAS		43
220	BA 101	ESPLAS		09
220	AY 103	ESPLAS DE SEROU		09
198	AM 100	ESPOEY		64
204	BO 98	ESPONDEILHAN		34
101	CL 52	ESPRELS		70
51	AM 34	ESQUAY NOTRE DAME		14
30	AL 33	ESQUAY SUR SEULLES		14
23	BQ 25	ESQUEHERIES		02
11	BH 15	ESQUELBECQ		59
35	BG 29	ESQUENNOY		60
22	BL 21	ESQUERCHIN		59
11	BF 17	ESQUERDES		62
66	H 45	ESQUIBIEN		29
217	AN 104	ESQUIEZE SERE		65
197	AI 100	ESQUIULE		64
152	AP 78	ESSARDS, LES		16
137	AI 71	ESSARDS, LES		17
108	AR 54	ESSARDS, LES		37
117	CE 59	ESSARDS TAIGNEVAUX, LES		39
99	BZ 50	ESSAROIS		21
12	BJ 19	ESSARS		62
53	AX 37	ESSARTS, LES		27
92	AU 50	ESSARTS, LES		41
106	AF 60	ESSARTS, LES	C	85
54	BD 39	ESSARTS LE ROI, LES		78
57	BP 40	ESSARTS LE VICOMTE, LES		51
57	BQ 39	ESSARTS LES SEZANNE, LES		51
74	AR 41	ESSAY		61
139	AU 69	ESSE		16
71	AF 47	ESSE		35
83	CK 42	ESSEGNEY		88
168	AN 85	ESSEINTES, LES		33
102	CO 50	ESSERT		90
135	CO 66	ESSERT ROMAND		74
35	BG 28	ESSERTAUX		80
115	BX 60	ESSERTENNE		71
100	CE 53	ESSERTENNE ET CECEY		70
144	BT 73	ESSERTINES EN CHATELNEUF		42
145	BW 72	ESSERTINES EN DONZY		42
148	CM 73	ESSERTS BLAY		73
118	CJ 60	ESSERVAL COMBE		39
118	CJ 60	ESSERVAL TARTRE		39
115	BX 56	ESSEY		21
60	CG 36	ESSEY ET MAIZERAIS		54
84	CL 42	ESSEY LA COTE		54
61	CJ 39	ESSEY LES NANCY		54
133	CF 62	ESSIA		39
36	BN 27	ESSIGNY LE GRAND		02
23	BO 26	ESSIGNY LE PETIT		02
57	BO 36	ESSISES		02
57	BO 36	ESSOMES SUR MARNE		02
51	AM 36	ESSON		14
80	BX 46	ESSOYES	C	10
35	BG 31	ESSUILES		60
175	BV 81	ESTABLES, LES		43
174	BQ 84	ESTABLES		48
177	CF 86	ESTABLET		26
219	AU 102	ESTADENS		31
222	BK 105	ESTAGEL		66
172	BJ 85	ESTAING	C	12
217	AM 103	ESTAING		65
12	BJ 18	ESTAIRES		59
171	BD 81	ESTAL		46

Page	Carreau	Commune	Adm.	Dpt
199	AQ 98	ESTAMPES		32
199	AQ 98	ESTAMPURES		65
219	AU 101	ESTANCARBON		31
144	BP 73	ESTANDEUIL		63
182	AN 93	ESTANG		32
218	AR 105	ESTARVIELLE		65
225	BE 109	ESTAVAR		66
157	BO 75	ESTEIL		63
218	AS 103	ESTENOS		31
218	AQ 105	ESTENSAN		65
215	AE 101	ESTERENCUBY		64
57	BP 39	ESTERNAY	C	51
217	AN 104	ESTERRE		65
12	BK 20	ESTEVELLES		62
33	AY 29	ESTEVILLE		76
190	BZ 92	ESTEZARGUES		30
197	AJ 100	ESTIALESCQ		64
197	AG 96	ESTIBEAUX		40
182	AN 91	ESTIGARDE		40
183	AS 90	ESTILLAC		47
199	AR 96	ESTIPOUY		32
198	AO 97	ESTIRAC		65
79	BR 44	ESTISSAC	C	10
154	BA 80	ESTIVALS		19
128	BJ 65	ESTIVAREILLES		03
159	BU 76	ESTIVAREILLES		42
154	BA 77	ESTIVAUX		19
226	BI 107	ESTOHER		66
197	AJ 100	ESTOS		64
193	CL 92	ESTOUBLON		04
77	BF 44	ESTOUCHES		91
22	BN 23	ESTOURMEL		59
33	AZ 29	ESTOUTEVILLE ECALLES		76
77	BG 45	ESTOUY		45
160	CB 74	ESTRABLIN		38
184	AV 93	ESTRAMIAC		32
24	BV 27	ESTREBAY		08
20	BB 23	ESTREBOEUF		80
189	BS 90	ESTRECHURE, L'		30
10	BD 19	ESTREE		62
11	BG 18	ESTREE BLANCHE		62
11	BI 20	ESTREE CAUCHY		62
21	BH 22	ESTREE WAMIN		62
10	BC 19	ESTREELLES		62
22	BN 25	ESTREES		02
22	BM 22	ESTREES		59
22	BK 26	ESTREES DENIECOURT		80
51	AO 36	ESTREES LA CAMPAGNE		14
20	BD 22	ESTREES LES CRECY		80
22	BL 26	ESTREES MONS		80
35	BI 31	ESTREES ST DENIS	C	60
35	BG 27	ESTREES SUR NOYE		80
83	CI 44	ESTRENNES		88
23	BP 21	ESTREUX		59
22	BN 22	ESTRUN		59
50	AK 37	ESTRY		14
109	AW 58	ESVES LE MOUTIER		37
109	AV 55	ESVRES		37
22	BN 22	ESWARS		59
162	CK 75	ETABLE		73
160	BZ 79	ETABLES		07
47	U 39	ETABLES SUR MER	C	22
139	AU 70	ETAGNAC		16
19	AY 29	ETAIMPUIS		76
40	CF 33	ETAIN	C	55
22	BL 22	ETAING		62
32	AS 30	ETAINHUS		76
98	BW 50	ETAIS		21
97	BO 53	ETAIS LA SAUVIN		89
118	CK 56	ETALANS		25
99	BZ 51	ETALANTE		21
24	BW 26	ETALLE		08
19	AV 28	ETALLEVILLE		76
36	BK 28	ETALON		80
20	BA 25	ETALONDES		76
77	BF 42	ETAMPES	S	91
57	BO 36	ETAMPES SUR MARNE		02
29	AE 30	ETANG BERTRAND, L'		50
55	BE 37	ETANG LA VILLE, L'		78
115	BU 60	ETANG SUR ARROUX		71
116	CA 56	ETANG VERGY, L'		21
41	CK 34	ETANGS, LES		57
10	BC 19	ETAPLES	C	62
98	BS 52	ETAULE		89
136	AG 72	ETAULES		17
99	CA 53	ETAULES		21
151	AJ 78	ETAULIERS		33
148	CL 68	ETAUX		74
23	BP 26	ETAVES ET BOCQUIAUX		02
56	BL 35	ETAVIGNY		60
197	AG 99	ETCHARRY		64
215	AG 101	ETCHEBAR		64
24	BV 26	ETEIGNIERES		08
103	CQ 49	ETEIMBES		68
86	R 49	ETEL		56
35	BI 29	ETELFAY		80
148	CJ 70	ETERCY		74
118	CI 58	ETERNOZ		25
22	BL 22	ETERPIGNY		62
22	BL 26	ETERPIGNY		80
51	AM 34	ETERVILLE		14
116	CD 54	ETEVAUX		21
23	BQ 21	ETH		59
29	AF 31	ETIENVILLE		50
78	BN 46	ETIGNY		89
75	AV 44	ETILLEUX, LES		28
22	BJ 26	ETINEHEM		80
55	BH 40	ETIOLLES		91
133	CH 63	ETIVAL		39
84	CO 42	ETIVAL CLAIREFONTAINE		88
91	AQ 48	ETIVAL LES LE MANS		72
98	BU 51	ETIVEY		89
102	CN 50	ETOBON		70
57	BR 37	ETOGES		51
133	CF 61	ETOILE, L'		39
20	BE 25	ETOILE, L'		80
192	CH 88	ETOILE ST CYRICE		05
176	CB 82	ETOILE SUR RHONE		26
40	CF 33	ETON		55
99	BX 51	ETORMAY		21
153	AT 74	ETOUARS		24
98	BU 47	ETOURVY		10
19	AV 28	ETOUTTEVILLE		76
102	CO 52	ETOUVANS		25
37	BQ 30	ETOUVELLES		02
50	AJ 37	ETOUVY		14
35	BH 31	ETOUY		60
117	CG 55	ETRABONNE		25
102	CN 52	ETRAPPE		25
159	BW 75	ETRAT, L'		42
118	CL 56	ETRAY		25
40	CC 32	ETRAYE		55
23	BS 26	ETREAUPONT		02
127	BC 61	ETRECHET		36
112	BJ 56	ETRECHY		18
58	BS 37	ETRECHY		51
77	BF 42	ETRECHY	C	91
30	AK 32	ETREHAM		14
22	BM 27	ETREILLERS		02
20	BD 26	ETREJUST		80
71	AG 46	ETRELLES		35
101	CH 53	ETRELLES ET LA MONTBLEUSE		70
79	BS 41	ETRELLES SUR AUBE		10
134	CK 67	ETREMBIERES		74
34	BB 33	ETREPAGNY	C	27
117	CG 56	ETREPIGNEY		39
39	BY 28	ETREPIGNY		08
57	BO 35	ETREPILLY		02
56	BL 36	ETREPILLY		77
59	BZ 38	ETREPY		51
18	AR 28	ETRETAT		76
23	BQ 25	ETREUX		02
83	CI 41	ETREVAL		54
32	AU 32	ETREVILLE		27
132	CD 65	ETREZ		01
152	AO 74	ETRIAC		16
91	AM 51	ETRICHE		49
22	BL 25	ETRICOURT MANANCOURT		80
132	BZ 62	ETRIGNY		71
98	BX 48	ETROCHEY		21
23	BS 24	ETROEUNGT		59
129	BN 67	ETROUSSAT		03
22	BJ 21	ETRUN		62
216	AJ 103	ETSAUT		64
64	CT 37	ETTENDORF		67
63	CQ 35	ETTING		57
102	CP 49	ETUEFFONT		90
102	CP 52	ETUPES	C	25
32	AU 32	ETURQUERAYE		27
107	AL 58	ETUSSON		79
101	CI 54	ETUZ		70
42	CO 33	ETZLING		57
20	BA 24	EU	C	76
81	CA 45	EUFFIGNEIX		52
198	AK 95	EUGENIE LES BAINS		40
39	CB 29	EUILLY ET LOMBUT		08
61	CJ 38	EULMONT		54
218	AT 103	EUP		31
176	CB 83	EURRE		26
59	CA 40	EURVILLE BIENVILLE		52
222	BI 107	EUS		66
60	CG 36	EUVEZIN		54
60	CF 38	EUVILLE		55
58	BT 39	EUVY		51
190	BW 91	EUZET		30
92	AU 48	EVAILLE		72
117	CG 56	EVANS		39
83	CK 43	EVAUX ET MENIL		88
142	BI 68	EVAUX LES BAINS	C	23
56	BJ 35	EVE		60
54	BE 36	EVECQUEMONT		78
212	CJ 100	EVENOS		83
38	BT 31	EVERGNICOURT		02
78	BN 42	EVERLY		77
102	CO 50	EVETTE SALBERT		90
145	BY 71	EVEUX		69
135	CN 64	EVIAN LES BAINS	C	74
39	BX 28	EVIGNY		08
118	CK 57	EVILLERS		25
12	BM 20	EVIN MALMAISON		62
148	CL 68	EVIRES		74
230	DI 109	EVISA		2A
147	CF 69	EVOSGES		01
70	AA 42	EVRAN	C	22
41	CJ 30	EVRANGE		57
51	AM 35	EVRECY	C	14
59	CB 36	EVRES		55
53	AX 35	EVREUX	P	27
36	BL 30	EVRICOURT		60
69	X 45	EVRIGUET		56
73	AM 45	EVRON	C	53
78	BN 44	EVRY		89
55	BH 40	EVRY	P	91
55	BJ 40	EVRY GREGY SUR YERRE		77
134	CL 65	EXCENEVEX		74
154	AW 77	EXCIDEUIL	C	24
39	CA 32	EXERMONT		08
139	AU 70	EXIDEUIL		16
102	CO 52	EXINCOURT		25
124	AN 64	EXIREUIL		79
52	AR 38	EXMES	C	61
124	AO 65	EXOUDUN		79
151	AL 77	EXPIREMONT		17
161	CH 78	EYBENS	C	38
140	BA 72	EYBOULEUF		87
155	BB 75	EYBURIE		19
219	AX 103	EYCHEIL		09
161	CE 75	EYDOCHE		38
192	CG 88	EYGALAYES		26
207	CC 94	EYGALIERES		13
191	CE 89	EYGALIERS		26
179	CP 83	EYGLIERS		05
177	CD 82	EYGLUY ESCOULIN		26
192	CI 87	EYGUIANS		05
207	CC 95	EYGUIERES	C	13
142	BH 73	EYGURANDE	C	19
152	AP 80	EYGURANDE ET GARDEDEUIL		24
140	AZ 72	EYJEAUX		87
153	AV 79	EYLIAC		24
168	AR 84	EYMET	C	24
160	CD 79	EYMEUX		26
139	AT 73	EYMOUTHIERS		16
141	BC 72	EYMOUTIERS	C	87
225	BE 109	EYNE		66
168	AP 82	EYNESSE		33
191	CB 93	EYRAGUES		13
151	AJ 78	EYRANS		33
155	BE 77	EYREIN		19
197	AJ 94	EYRES MONCUBE		40
177	CD 87	EYROLES		26
167	AJ 81	EYSINES		33
118	CL 55	EYSSON		25
216	AJ 101	EYSUS		64
153	AU 77	EYVIRAT		24
62	CQ 36	EYWILLER		67
176	CC 85	EYZAHUT		26
153	AV 76	EYZERAC		24
169	AW 81	EYZIES DE TAYAC SIREUIL, LES		24
160	CB 75	EYZIN PINET		38
55	BH 36	EZANVILLE		95
195	CV 93	EZE		06
54	BA 37	EZY SUR EURE		27

F

Page	Carreau	Commune	Adm.	Dpt
221	BF 104	FA		11
219	AW 101	FABAS		09
200	AV 99	FABAS		31
185	AZ 93	FABAS		82
175	BW 84	FABRAS		07
205	BS 97	FABREGUES		34
222	BJ 101	FABREZAN		11
12	BM 18	FACHES THUMESNIL		59
114	BT 58	FACHIN		58
173	BN 83	FAGE MONTIVERNOUX, LA		48
173	BN 83	FAGE ST JULIEN, LA		48
201	BC 96	FAGET, LE		31
199	AT 97	FAGET ABBATIAL		32
58	BV 36	FAGNIERES		51
38	BX 28	FAGNON		08
100	CE 52	FAHY LES AUTREY		70
41	CJ 34	FAILLY		57
102	CN 52	FAIMBE		25
98	BW 51	FAIN LES MONTBARD		21
98	BV 52	FAIN LES MOUTIERS		21
54	BA 36	FAINS		27
76	BB 45	FAINS LA FOLIE		28
59	CB 38	FAINS VEEL		55
38	BW 29	FAISSAULT		08
221	BH 101	FAJAC EN VAL		11
201	BC 100	FAJAC LA RELENQUE		11
170	AZ 83	FAJOLES		46
221	BE 105	FAJOLLE, LA		11
184	AW 92	FAJOLLES		82
39	BY 32	FALAISE		08
51	AO 37	FALAISE	C	14
54	BD 37	FALAISE, LA		78
42	CM 33	FALCK		57
167	AM 83	FALEYRAS		33
201	BC 97	FALGA		31
156	BJ 79	FALGOUX, LE		15
195	CU 93	FALICON		06
103	CR 50	FALKWILLER		68
20	BB 26	FALLENCOURT		76
118	CL 56	FALLERANS		25
105	AC 59	FALLERON		85
117	CF 57	FALLETANS		39
102	CM 52	FALLON		70
35	BH 28	FALOISE, LA		80
183	AT 91	FALS		47
22	BL 27	FALVY		80
23	BP 21	FAMARS		59
21	BI 23	FAMECHON		62
34	BE 28	FAMECHON		80
41	CI 32	FAMECK	C	57
52	AS 36	FAMILLY		14
22	BK 21	FAMPOUX		62
221	BE 101	FANJEAUX	C	11
154	AX 80	FANLAC		24
45	K 42	FAOU, LE	C	29
47	T 38	FAOUET, LE		22
68	P 45	FAOUET, LE	C	56
146	CC 70	FARAMANS		01
160	CC 76	FARAMANS		38
22	BK 21	FARBUS		62
34	BB 33	FARCEAUX		27
178	CK 84	FARE EN CHAMPSAUR, LA		05
207	CE 96	FARE LES OLIVIERS, LA		13
62	CO 34	FAREBERSVILLER		57
146	BZ 69	FAREINS		01
56	BL 38	FAREMOUTIERS		77
134	CI 67	FARGES		01
154	AX 79	FARGES, LES		24
128	BH 61	FARGES ALLICHAMPS		18
112	BJ 57	FARGES EN SEPTAINE		18
116	BZ 60	FARGES LES CHALON		71
132	CA 63	FARGES LES MACON		71
167	AL 85	FARGUES		33
198	AK 94	FARGUES		40
184	AX 87	FARGUES		46
167	AL 82	FARGUES ST HILAIRE		33
183	AP 89	FARGUES SUR OURBISE		47
100	CG 50	FARINCOURT		52
229	DM 103	FARINOLE		2B
209	CK 100	FARLEDE, LA		83
159	BY 75	FARNAY		42
62	CO 34	FARSCHVILLER		57
74	AS 47	FATINES		72
32	AS 31	FATOUVILLE GRESTAIN		27
156	BI 79	FAU, LE		15
173	BO 83	FAU DE PEYRE		48
186	BG 94	FAUCH		81
148	CM 67	FAUCIGNY		74
102	CM 48	FAUCOGNEY ET LA MER	C	70
84	CN 45	FAUCOMPIERRE		88
191	CD 88	FAUCON		84
179	CP 86	FAUCON DE BARCELONNETTE		04
178	CK 87	FAUCON DU CAIRE		04
84	CM 42	FAUCONCOURT		88
37	BO 30	FAUCOUCOURT		02
184	AV 93	FAUDOAS		82
201	AY 98	FAUGA, LE		31
175	BV 86	FAUGERES		07
204	BN 96	FAUGERES		34
32	AR 34	FAUGUERNON		14
168	AQ 87	FAUGUEROLLES		47
168	AQ 87	FAUILLET		47
32	AS 33	FAULQ, LE		14
62	CM 35	FAULQUEMONT	C	57
61	CJ 38	FAULX		54
12	BM 20	FAUMONT		59
11	BF 18	FAUQUEMBERGUES	C	62
177	CI 85	FAURIE, LA		05
169	AU 84	FAURILLES		24
184	AW 89	FAUROUX		82
186	BH 91	FAUSSERGUES		81
121	AE 65	FAUTE SUR MER, LA		85
116	CC 55	FAUVERNEY		21
53	AY 36	FAUVILLE		27
18	AU 29	FAUVILLE EN CAUX	C	76
58	BS 40	FAUX FRESNAY		51
141	BD 72	FAUX LA MONTAGNE		23
141	BC 70	FAUX MAZURAS		23
58	BW 38	FAUX VESIGNEUL		51
79	BR 43	FAUX VILLECERF		10
231	DM 108	FAVALELLO		2B
155	BB 78	FAVARS		19
107	AL 55	FAVERAYE MACHELLES		49
128	BH 62	FAVERDINES		18
96	BL 52	FAVERELLES		45
148	CL 71	FAVERGES	C	74
147	CF 73	FAVERGES DE LA TOUR		38
101	CJ 49	FAVERNEY		70
103	CQ 51	FAVEROIS		90
36	BM 34	FAVEROLLES		02
173	BN 81	FAVEROLLES		15
54	BB 40	FAVEROLLES		28
110	AZ 56	FAVEROLLES		36
100	CC 47	FAVEROLLES		52
51	AN 39	FAVEROLLES		61
35	BI 29	FAVEROLLES		80
37	BR 33	FAVEROLLES ET COEMY		51
53	AW 36	FAVEROLLES LA CAMPAGNE		27
99	BZ 49	FAVEROLLES LES LUCEY		21
110	AY 55	FAVEROLLES SUR CHER		41
118	CJ 60	FAVIERE, LA		39
75	AY 41	FAVIERES		28
83	CH 41	FAVIERES		54
56	BK 39	FAVIERES		77
20	BC 22	FAVIERES		80
59	BY 39	FAVRESSE		51
22	BK 23	FAVREUIL		62
54	BB 37	FAVRIEUX		78
52	AT 34	FAVRIL, LE		27
75	AY 42	FAVRIL, LE		28
23	BQ 24	FAVRIL, LE		59
52	AS 40	FAY		61
133	CD 61	FAY, LE		71
73	AQ 47	FAY		72
22	BK 26	FAY		80
95	BF 48	FAY AUX LOGES		45
88	AB 53	FAY DE BRETAGNE		44
133	CG 61	FAY EN MONTAGNE		39
160	CB 78	FAY LE CLOS		26
34	BE 33	FAY LES ETANGS		60
79	BQ 42	FAY LES MARCILLY		10
78	BJ 45	FAY LES NEMOURS		77
35	BG 31	FAY ST QUENTIN, LE		60
175	BV 80	FAY SUR LIGNON	C	43
171	BD 85	FAYCELLES		46
138	AQ 69	FAYE, LA		16
93	AY 49	FAYE		41
107	AL 55	FAYE D'ANJOU		49
108	AR 59	FAYE LA VINEUSE		37
107	AM 60	FAYE L'ABBESSE		79
123	AL 64	FAYE SUR ARDIN		79
36	BJ 32	FAYEL, LE		60
210	CQ 95	FAYENCE	C	83
22	BN 26	FAYET		02
203	BL 94	FAYET		12
143	BP 73	FAYET LE CHATEAU		63
158	BQ 76	FAYET RONAYE		63
100	CF 49	FAYL BILLOT	C	52
102	CN 51	FAYMONT		70
123	AK 63	FAYMOREAU		85
81	CB 42	FAYS		52
84	CN 44	FAYS		88
80	BT 46	FAYS LA CHAPELLE		10
186	BE 92	FAYSSAC		81
216	AI 101	FEAS		64
11	BG 19	FEBVIN PALFART		62
18	AS 27	FECAMP	C	76
22	BN 22	FECHAIN		59
102	CP 52	FECHE L'EGLISE		90
83	CH 42	FECOCOURT		54
101	CH 51	FEDRY		70
85	CU 41	FEGERSHEIM		67
88	Z 51	FEGREAC		44
148	CJ 67	FEIGERES		74
36	BL 33	FEIGNEUX		60
23	BR 22	FEIGNIES		59
132	CA 65	FEILLENS		01
93	AZ 53	FEINGS		41
74	AU 41	FEINGS		61
71	AD 43	FEINS		35
96	BK 50	FEINS EN GATINAIS		45
149	CN 73	FEISSONS SUR ISERE		73
163	CO 74	FEISSONS SUR SALINS		73
172	BI 84	FEL, LE		12
52	AQ 38	FEL		61
231	DN 107	FELCE		2B
103	CR 51	FELDBACH		68
103	CR 48	FELDKIRCH		68
228	DJ 106	FELICETO		2B
160	BZ 77	FELINES		07
158	BS 77	FELINES		43
203	BJ 99	FELINES MINERVOIS		34
176	CC 85	FELINES SUR RIMANDOULE		26
222	BJ 103	FELINES TERMENES		11
23	BS 23	FELLERIES		59
102	CP 47	FELLERING		68
141	BF 71	FELLETIN	C	23
222	BI 105	FELLUNS		66
102	CP 49	FELON		90
171	BF 85	FELZINS		46
22	BN 21	FENAIN		59
116	CB 55	FENAY		21
202	BD 100	FENDEILLE		11
123	AM 61	FENERY		79
62	CP 37	FENETRANGE	C	57
90	AL 52	FENEU		49
185	BC 90	FENEYROLS		82
141	BF 72	FENIERS		23
137	AK 70	FENIOUX		17
123	AL 63	FENIOUX		79
84	CO 41	FENNEVILLER		54
186	BE 93	FENOLS		81
120	AA 61	FENOUILLER, LE		85
201	AZ 95	FENOUILLET		31
221	BH 105	FENOUILLET		66
221	BE 101	FENOUILLET DU RAZES		11
25	BY 24	FEPIN		08
89	AE 49	FERCE		44
91	AP 48	FERCE SUR SARTHE		72
102	CN 47	FERDRUPT		88
37	BO 29	FERE, LA	C	02
58	BS 39	FERE CHAMPENOISE	C	51
37	BP 34	FERE EN TARDENOIS	C	02
57	BS 37	FEREBRIANGES		51
38	BV 27	FEREE, LA		08
88	X 52	FEREL		56
11	BH 19	FERFAY		62
78	BK 42	FERICY		77
22	BM 21	FERIN		59
29	AF 28	FERMANVILLE		50
113	BO 59	FERMETE, LA		58
134	CJ 66	FERNEY VOLTAIRE	C	01
142	BH 71	FERNOEL		63
95	BF 49	FEROLLES		45
55	BJ 39	FEROLLES ATTILLY		77
24	BS 24	FERON		59
10	BD 16	FERQUES		62
222	BK 101	FERRALS LES CORBIERES		11
203	BJ 98	FERRALS LES MONTAGNES		34
221	BE 101	FERRAN		11
192	CG 90	FERRASSIERES		26
71	AG 41	FERRE, LE		35
169	AT 84	FERRENSAC		47
218	AS 103	FERRERE		65
194	CT 92	FERRES, LES		06
103	CS 52	FERRETTE	C	68
79	BQ 42	FERREUX QUINCEY		10
69	W 44	FERRIERE, LA		22
92	AU 51	FERRIERE, LA		37
162	CK 76	FERRIERE, LA		38
121	AE 61	FERRIERE, LA		85
124	AR 66	FERRIERE AIROUX, LA		86
52	AT 40	FERRIERE AU DOYEN, LA		61
51	AM 39	FERRIERE AUX ETANGS, LA		61
51	AQ 40	FERRIERE BECHET, LA		61
73	AP 42	FERRIERE BOCHARD, LA		61
90	AJ 50	FERRIERE DE FLEE, LA		49
124	AO 62	FERRIERE EN PARTHENAY, LA		79
81	CB 42	FERRIERE ET LAFOLIE		52
50	AJ 36	FERRIERE HARANG, LA		14
23	BS 22	FERRIERE LA GRANDE		59
24	BS 22	FERRIERE LA PETITE		59
109	AV 58	FERRIERE LARCON		37
110	AX 57	FERRIERE SUR BEAULIEU		37
53	AV 36	FERRIERE SUR RISLE, LA		27
122	AI 66	FERRIERES		17
72	AI 41	FERRIERES		50
61	CJ 40	FERRIERES		54
35	BI 29	FERRIERES		60
217	AL 102	FERRIERES		65
21	BF 26	FERRIERES		80
202	BH 95	FERRIERES		81
34	BC 31	FERRIERES EN BRAY		76
56	BJ 38	FERRIERES EN BRIE		77
78	BK 46	FERRIERES EN GATINAIS	C	45
53	AX 36	FERRIERES HAUT CLOCHER		27
52	AS 40	FERRIERES LA VERRERIE		61
119	CP 54	FERRIERES LE LAC		25
117	CH 55	FERRIERES LES BOIS		25
101	CG 51	FERRIERES LES RAY		70
101	CI 50	FERRIERES LES SCEY		70
189	BS 93	FERRIERES LES VERRERIES		34
203	BL 97	FERRIERES POUSSAROU		34
52	AU 36	FERRIERES ST HILAIRE		27
157	BM 78	FERRIERES ST MARY		15
220	BA 103	FERRIERES SUR ARIEGE		09
144	BQ 69	FERRIERES SUR SICHON		03
157	BP 79	FERRUSSAC		43
118	CJ 57	FERTANS		25
117	CG 58	FERTE, LA		39
77	BH 42	FERTE ALAIS, LA	C	91
94	BD 52	FERTE BEAUHARNAIS, LA		41
74	AU 45	FERTE BERNARD, LA	C	72
37	BP 28	FERTE CHEVRESIS, LA		02
52	AT 38	FERTE FRENEL, LA	C	61
57	BO 38	FERTE GAUCHER, LA	C	77
129	BO 65	FERTE HAUTERIVE, LA		03
111	BE 54	FERTE IMBAULT, LA		41
96	BN 48	FERTE LOUPIERE, LA		89
51	AN 40	FERTE MACE, LA	C	61
56	BM 34	FERTE MILON, LA		02
56	BM 37	FERTE SOUS JOUARRE, LA	C	77
94	BE 50	FERTE ST AUBIN, LA	C	45
94	BB 51	FERTE ST CYR, LA		41
34	BB 29	FERTE ST SAMSON, LA		76
39	CB 29	FERTE SUR CHIERS, LA		08
53	AW 40	FERTE VIDAME, LA	C	28
93	AZ 47	FERTE VILLENEUIL, LA		28
114	BQ 59	FERTREVE		58
50	AH 36	FERVACHES		50
52	AR 35	FERVAQUES		14
35	BJ 29	FESCAMPS		80
102	CP 52	FESCHES LE CHATEL		25
23	BQ 24	FESMY LE SART		02
34	BA 27	FESQUES		76
53	AX 39	FESSANVILLIERS MATTANVILLIERS		28
85	CT 47	FESSENHEIM		68
64	CT 39	FESSENHEIM LE BAS		67
119	CP 54	FESSEVILLERS		25
102	CM 48	FESSEY, LES		70
134	CM 66	FESSY		74
152	AQ 78	FESTALEMPS		24
221	BF 103	FESTES ET ST ANDRE		11
37	BR 30	FESTIEUX		02
57	BR 35	FESTIGNY		51
97	BQ 52	FESTIGNY		89
12	BJ 19	FESTUBERT		62
115	BX 56	FETE, LE		21
135	CN 65	FETERNES		74
133	CG 64	FETIGNY		39
54	BE 37	FEUCHEROLLES		78
22	BK 22	FEUCHY		62
183	AR 89	FEUGAROLLES		47
29	AG 34	FEUGERES		50
80	BT 43	FEUGES		10
53	AX 35	FEUGUEROLLES		27
51	AM 34	FEUGUEROLLES BULLY		14
222	BL 103	FEUILLA		11
139	AS 74	FEUILLADE		16
154	AZ 79	FEUILLADE, LA		24
45	N 41	FEUILLEE, LA		29
22	BK 25	FEUILLERES		80
29	AF 33	FEUILLIE, LA		50
34	BB 31	FEUILLIE, LA		76
102	CO 53	FEULE		25
34	BD 29	FEUQUIERES		60
20	BB 24	FEUQUIERES EN VIMEU		80
145	BV 72	FEURS	C	42
127	BF 64	FEUSINES		36
113	BK 56	FEUX		18
41	CI 33	FEVES		57
61	CI 35	FEY		57
61	CH 36	FEY EN HAYE		54
142	BI 73	FEYT		19
140	AZ 72	FEYTIAT		87
146	CA 73	FEYZIN		69
202	BD 95	FIAC		81
231	DN 107	FICAJA		2B
22	BJ 22	FICHEUX		62
198	AK 97	FICHOUS RIUMAYOU		64
53	AV 36	FIDELAIRE, LE		27
117	CG 60	FIED, LE		39
106	AH 55	FIEF SAUVIN, LE		49
21	BF 24	FIEFFES MONTRELET		80
11	BG 19	FIEFS		62
10	BD 16	FIENNES		62
21	BG 24	FIENVILLERS		80
51	AO 35	FIERVILLE BRAY		14
29	AD 31	FIERVILLE LES MINES		50
32	AR 33	FIERVILLE LES PARCS		14
152	AO 80	FIEU, LE		33
23	BO 26	FIEULAINE		02
183	AR 90	FIEUX		47
209	CO 96	FIGANIERES		83
233	DL 117	FIGARI	C	2A
219	AV 102	FIGAROL		31
171	BE 85	FIGEAC	S	46
83	CH 47	FIGNEVELLE		88
35	BI 28	FIGNIERES		80
37	BP 31	FILAIN		02
101	CJ 52	FILAIN		70
91	AQ 48	FILLE		72
40	CG 31	FILLIERES		54
21	BF 21	FILLIEVRES		62
134	CL 67	FILLINGES		74
226	BH 108	FILLOLS		66
41	CL 32	FILSTROFF		57
84	CN 44	FIMENIL		88
226	BI 107	FINESTRET		66
184	AX 93	FINHAN		82
119	CN 56	FINS, LES		25
22	BM 24	FINS		80
32	AS 31	FIQUEFLEUR EQUAINVILLE		27
153	AW 74	FIRBEIX		24
52	AS 34	FIRFOL		14
172	BG 86	FIRMI		12

Page	Carreau	Commune	Adm.	Dpt
159	BW 76	FIRMINY	C	42
103	CS 52	FISLIS		68
37	BQ 32	FISMES	C	51
161	CF 74	FITILIEU		38
222	BM 104	FITOU		11
35	BH 32	FITZ JAMES		60
158	BR 79	FIX ST GENEYS		43
41	CJ 30	FIXEM		57
116	CA 55	FIXIN		21
100	CC 53	FLACEY		21
75	AZ 45	FLACEY		28
133	CE 62	FLACEY EN BRESSE		71
162	CJ 76	FLACHERE, LA		38
161	CE 75	FLACHERES		38
54	BB 37	FLACOURT		78
79	BQ 45	FLACY		89
118	CJ 57	FLAGEY		25
100	CC 49	FLAGEY		52
116	CB 56	FLAGEY ECHEZEAUX		21
117	CE 56	FLAGEY LES AUXONNE		21
101	CK 53	FLAGEY RIGNEY		25
172	BG 85	FLAGNAC		12
101	CJ 50	FLAGY		70
131	BY 63	FLAGY		71
78	BL 44	FLAGY		77
24	BV 27	FLAIGNES HAVYS		08
61	CK 40	FLAINVAL		54
29	AC 29	FLAMANVILLE		50
33	AW 29	FLAMANVILLE		76
184	AU 91	FLAMARENS		32
23	BS 25	FLAMENGRIE, LA		02
23	BQ 21	FLAMENGRIE, LA		59
34	BB 28	FLAMETS FRETILS		76
117	CE 55	FLAMMERANS		21
81	CB 43	FLAMMERECOURT		52
33	AV 32	FLANCOURT CATELON		27
118	CM 56	FLANGEBOUCHE		25
191	CE 90	FLASSAN		84
209	CM 98	FLASSANS SUR ISSOLE		83
40	CD 30	FLASSIGNY		55
41	CL 31	FLASTROFF		57
157	BO 74	FLAT		63
22	BK 26	FLAUCOURT		80
169	AS 83	FLAUGEAC		24
185	AZ 88	FLAUGNAC		46
171	BC 84	FLAUJAC GARE		46
185	BA 87	FLAUJAC POUJOLS		46
168	AO 82	FLAUJAGUES		33
23	BS 23	FLAUMONT WAUDRECHIES		59
190	BY 91	FLAUX		30
34	BD 32	FLAVACOURT		60
176	BZ 83	FLAVIAC		07
140	AX 73	FLAVIGNAC		87
116	CA 55	FLAVIGNEROT		21
112	BK 59	FLAVIGNY		18
58	BT 36	FLAVIGNY		51
23	BQ 26	FLAVIGNY LE GRAND ET BEAURAIN		02
61	CJ 40	FLAVIGNY SUR MOSELLE		54
99	BX 52	FLAVIGNY SUR OZERAIN		21
187	BJ 88	FLAVIN		12
36	BN 28	FLAVY LE MARTEL		02
36	BL 28	FLAVY LE MELDEUX		60
147	CH 71	FLAXIEU		01
103	CS 49	FLAXLANDEN		68
142	BH 72	FLAYAT		23
209	CN 96	FLAYOSC		83
138	AP 73	FLEAC		16
151	AK 74	FLEAC SUR SEUGNE		17
91	AO 50	FLECHE, LA	S	72
11	BG 19	FLECHIN		62
35	BG 29	FLECHY		60
98	BW 53	FLEE		21
92	AS 50	FLEE		72
39	BZ 27	FLEIGNEUX		08
62	CQ 37	FLEISHEIM		57
168	AQ 82	FLEIX, LE		24
125	AU 63	FLEIX		86
110	AX 58	FLERE LA RIVIERE		36
50	AL 38	FLERS	C	61
21	BG 21	FLERS		62
22	BK 24	FLERS		80
12	BM 20	FLERS EN ESCREBIEUX		59
35	BG 28	FLERS SUR NOYE		80
22	BM 23	FLESQUIERES		59
21	BG 25	FLESSELLES		80
62	CL 34	FLETRANGE		57
11	BJ 17	FLETRE		59
130	BT 61	FLETY		58
138	AO 72	FLEURAC		16
169	AW 80	FLEURAC		24
183	AT 93	FLEURANCE	C	32
127	BB 67	FLEURAT		23
12	BK 18	FLEURBAIX		62
51	AP 39	FLEURE		61
125	AT 64	FLEURE		86
119	CO 54	FLEUREY		25
101	CJ 49	FLEUREY LES FAVERNEY		70
101	CG 50	FLEUREY LES LAVONCOURT		70
101	CK 47	FLEUREY LES ST LOUP		70
116	CA 54	FLEUREY SUR OUCHE		21
132	BZ 67	FLEURIE		69
129	BN 66	FLEURIEL		03
146	CA 71	FLEURIEU SUR SAONE		69
145	BY 71	FLEURIEUX SUR L'ARBRESLE		69
72	AH 43	FLEURIGNE		35
35	BI 33	FLEURINES		60
132	CA 64	FLEURVILLE		71
36	BN 33	FLEURY		02
204	BN 100	FLEURY		11
49	AG 37	FLEURY		50
61	CJ 35	FLEURY		57
34	BE 33	FLEURY		60
11	BG 20	FLEURY		62
35	BF 28	FLEURY		80
40	CD 33	FLEURY DEVANT DOUAUMONT		55
77	BI 42	FLEURY EN BIERE		77
34	BB 31	FLEURY LA FORET		27
131	BU 67	FLEURY LA MONTAGNE		71
57	BS 35	FLEURY LA RIVIERE		51
97	BP 49	FLEURY LA VALLEE		89
94	BD 48	FLEURY LES AUBRAIS	C	45
55	BH 40	FLEURY MEROGIS		91
33	AZ 32	FLEURY SUR ANDELLE	C	27
113	BO 60	FLEURY SUR LOIRE		58
51	AN 34	FLEURY SUR ORNE		14
39	CA 32	FLEVILLE		08
61	CJ 39	FLEVILLE DEVANT NANCY		54
40	CG 33	FLEVILLE LIXIERES		54
41	CJ 33	FLEVY		57
54	BC 38	FLEXANVILLE		78
63	CS 40	FLEXBOURG		67
131	BY 62	FLEY		71
97	BS 49	FLEYS		89
114	BQ 54	FLEZ CUZY		58
24	BU 26	FLIGNY		08
84	CM 41	FLIN		54
13	BP 19	FLINES LES MORTAGNE		59
12	BM 20	FLINES LEZ RACHES		59
54	BB 37	FLINS NEUVE EGLISE		78
54	BD 36	FLINS SUR SEINE		78
33	AZ 33	FLIPOU		27
60	CG 37	FLIREY		54
21	BF 25	FLIXECOURT		80
39	BY 28	FLIZE	C	08
107	AI 60	FLOCELLIERE, LA		85
61	CK 36	FLOCOURT		57
19	AZ 24	FLOCQUES		76
97	BS 47	FLOGNY LA CHAPELLE	C	89
39	BZ 28	FLOING		08
151	AI 75	FLOIRAC		17
167	AK 82	FLOIRAC	C	33
171	BB 81	FLOIRAC		46
188	BR 88	FLORAC	S	48
41	CI 32	FLORANGE	C	57
83	CJ 42	FLOREMONT		88
204	BQ 98	FLORENSAC	C	34
59	BZ 34	FLORENT EN ARGONNE		51
133	CE 65	FLORENTIA		39
186	BE 93	FLORENTIN		81
172	BJ 85	FLORENTIN LA CAPELLE		12
170	AX 87	FLORESSAS		46
103	CQ 52	FLORIMONT		90
170	AY 84	FLORIMONT GAUMIER		24
11	BH 19	FLORINGHEM		62
121	AE 67	FLOTTE, LA		17
29	AF 30	FLOTTEMANVILLE		50
29	AD 28	FLOTTEMANVILLE HAGUE		50
168	AN 85	FLOUDES		33
222	BI 101	FLOURE		11
201	BA 96	FLOURENS		31
23	BS 23	FLOURSIES		59
23	BS 24	FLOYON		59
149	CN 71	FLUMET		73
22	BM 27	FLUQUIERES		02
21	BF 26	FLUY		80
40	CE 33	FOAMEIX ORNEL		55
233	DL 115	FOCE		2A
231	DM 109	FOCICCHIA		2B
111	BF 56	FOECY		18
47	U 41	FOEIL, LE		22
25	BY 23	FOISCHES		08
171	BE 86	FOISSAC		12
190	BW 91	FOISSAC		30
132	CC 65	FOISSIAT		01
115	BX 57	FOISSY		21
97	BR 53	FOISSY LES VEZELAY		89
79	BP 45	FOISSY SUR VANNE		89
220	BA 103	FOIX	P	09
201	BC 98	FOLCARDE		31
36	BN 30	FOLEMBRAY		02
103	CT 51	FOLGENSBOURG		68
44	J 39	FOLGOET, LE		29
30	AI 33	FOLIE, LA		14
35	BJ 28	FOLIES		80
42	CO 33	FOLKLING		57
54	BC 36	FOLLAINVILLE DENNEMONT		78
140	BA 68	FOLLES		87
33	AV 30	FOLLETIERE, LA		76
52	AS 36	FOLLETIERE ABENON, LA		14
52	AT 34	FOLLEVILLE		27
35	BH 29	FOLLEVILLE		80
49	AF 37	FOLLIGNY		50
62	CM 34	FOLSCHVILLER		57
83	CK 44	FOMEREY		88
124	AO 64	FOMPERRON		79
201	AZ 95	FONBEAUZARD		31
99	CB 51	FONCEGRIVE		21
36	BK 27	FONCHES FONCHETTE		80
134	CJ 62	FONCINE LE BAS		39
134	CJ 61	FONCINE LE HAUT		39
21	BJ 23	FONCQUEVILLERS		62
188	BN 93	FONDAMENTE		12
92	AT 54	FONDETTES		37
101	CI 52	FONDREMAND		70
183	AS 87	FONGRAVE		47
18	AS 28	FONGUEUSEMARE		76
168	AR 84	FONROQUE		24
175	BW 85	FONS		07
189	BV 92	FONS		30
171	BD 84	FONS		46
190	BW 89	FONS SUR LUSSAN		30
23	BO 26	FONSOMMES		02
200	AX 97	FONSORBES		31
225	BE 108	FONT ROMEU ODEILLO VIA		66
118	CI 55	FONTAIN		25
81	BY 45	FONTAINE		10
161	CG 78	FONTAINE	C	38
102	CP 50	FONTAINE	C	90
23	BQ 23	FONTAINE AU BOIS		59
23	BO 23	FONTAINE AU PIRE		59
53	AZ 34	FONTAINE BELLENGER		27
35	BF 29	FONTAINE BONNELEAU		60
56	BJ 34	FONTAINE CHAALIS		60
138	AN 70	FONTAINE CHALENDRAY		17
89	AG 48	FONTAINE COUVERTE		53
191	CD 92	FONTAINE DE VAUCLUSE		84
57	BR 40	FONTAINE DENIS NUISY		51
34	BA 28	FONTAINE EN BRAY		76
39	BY 33	FONTAINE EN DORMOIS		51
51	AM 34	FONTAINE ETOUPEFOUR		14
79	BO 43	FONTAINE FOURCHES		77
100	CD 52	FONTAINE FRANCAISE	C	21
91	AO 53	FONTAINE GUERIN		49
31	AM 33	FONTAINE HENRY		14
53	AY 34	FONTAINE HEUDEBOURG		27
79	BO 45	FONTAINE LA GAILLARDE		89
75	AZ 42	FONTAINE LA GUYON		28
52	AS 34	FONTAINE LA LOUVET		27
32	AQ 30	FONTAINE LA MALLET		76
77	BF 43	FONTAINE LA RIVIERE		91
52	AU 34	FONTAINE LA SORET		27
52	AV 35	FONTAINE L'ABBE		27
34	BE 29	FONTAINE LAVAGANNE		60
33	AY 30	FONTAINE LE BOURG		76
124	AQ 63	FONTAINE LE COMTE		86
19	AW 27	FONTAINE LE DUN	C	76
51	AN 36	FONTAINE LE PIN		14
78	BK 42	FONTAINE LE PORT		77
163	CN 75	FONTAINE LE PUITS		73
20	BD 25	FONTAINE LE SEC		80
51	AP 37	FONTAINE LES BASSETS		61
11	BG 19	FONTAINE LES BOULANS		62
22	BJ 26	FONTAINE LES CAPPY		80
22	BN 27	FONTAINE LES CLERCS		02
102	CM 53	FONTAINE LES CLERVAL		25
93	AV 49	FONTAINE LES COTEAUX		41
22	BK 22	FONTAINE LES CROISILLES		62
116	CB 54	FONTAINE LES DIJON	C	21
79	BS 42	FONTAINE LES GRES		10
11	BG 19	FONTAINE LES HERMANS		62
101	CK 48	FONTAINE LES LUXEUIL		70
53	AY 40	FONTAINE LES RIBOUTS		28
23	BS 26	FONTAINE LES VERVINS		02
21	BF 21	FONTAINE L'ETALON		62
79	BP 42	FONTAINE MACON		10
91	AN 52	FONTAINE MILON		49
23	BO 26	FONTAINE NOTRE DAME		02
22	BM 23	FONTAINE NOTRE DAME		59
93	AX 47	FONTAINE RAOUL		41
75	AX 41	FONTAINE SIMON		28
53	AZ 35	FONTAINE SOUS JOUY		27
35	BI 29	FONTAINE SOUS MONTDIDIER		80
33	AY 31	FONTAINE SOUS PREAUX		76
35	BF 30	FONTAINE ST LUCIEN		60
91	AP 49	FONTAINE ST MARTIN, LA		72
58	BT 35	FONTAINE SUR AY		51
20	BE 22	FONTAINE SUR MAYE		80
20	BD 25	FONTAINE SUR SOMME		80
23	BO 26	FONTAINE UTERTE		02
78	BJ 43	FONTAINEBLEAU	S	77
133	CE 61	FONTAINEBRUX		39
116	BZ 60	FONTAINES		71
123	AI 64	FONTAINES		85
96	BN 51	FONTAINES		89
151	AL 76	FONTAINES D'OZILLAC		17
98	BX 51	FONTAINES EN DUESMOIS		21
94	BA 53	FONTAINES EN SOLOGNE		41
98	BW 49	FONTAINES LES SECHES		21
39	CC 31	FONTAINES ST CLAIR		55
146	CA 71	FONTAINES ST MARTIN		69
81	CB 41	FONTAINES SUR MARNE		52
146	CA 71	FONTAINES SUR SAONE		69
78	BL 41	FONTAINS		77
195	CW 90	FONTAN		06
189	BU 93	FONTANES		30
205	BT 94	FONTANES		34
159	BX 74	FONTANES		42
185	BA 88	FONTANES		46
174	BS 83	FONTANES		48
221	BE 105	FONTANES DE SAULT		11
171	BB 84	FONTANES DU CAUSSE		46
156	BI 79	FONTANGES		15
115	BW 54	FONTANGY		21
142	BI 68	FONTANIERES		23
161	CH 77	FONTANIL CORNILLON		38
157	BP 77	FONTANNES		43
173	BP 83	FONTANS		48
190	BX 90	FONTARECHES		30
138	AQ 70	FONTCLAIREAU		16
222	BJ 101	FONTCOUVERTE		11
137	AK 72	FONTCOUVERTE		17
162	CM 77	FONTCOUVERTE LA TOUSSUIRE		73
19	AW 28	FONTELAYE, LA		76
73	AP 41	FONTENAI LES LOUVETS		61
51	AP 39	FONTENAI SUR ORNE		61
78	BL 41	FONTENAILLES		77
97	BP 51	FONTENAILLES		89
34	BB 34	FONTENAY		27
111	BC 58	FONTENAY		36
50	AI 40	FONTENAY		50
131	BW 64	FONTENAY		71
32	AR 30	FONTENAY		76
84	CM 44	FONTENAY		88
55	BG 38	FONTENAY AUX ROSES	C	92
79	BP 42	FONTENAY DE BOSSERY		10
55	BH 35	FONTENAY EN PARISIS		95
123	AJ 64	FONTENAY LE COMTE	S	85
55	BE 38	FONTENAY LE FLEURY		78
51	AN 35	FONTENAY LE MARMION		14
30	AL 34	FONTENAY LE PESNEL		14
77	BH 41	FONTENAY LE VICOMTE		91
55	BF 40	FONTENAY LES BRIIS		91
54	BB 36	FONTENAY MAUVOISIN		78
97	BR 49	FONTENAY PRES CHABLIS		89
97	BR 54	FONTENAY PRES VEZELAY		89
55	BH 38	FONTENAY SOUS BOIS	C	94
97	BQ 51	FONTENAY SOUS FOURONNES		89
54	BC 36	FONTENAY ST PERE		78
76	BC 45	FONTENAY SUR CONIE		28
76	BA 43	FONTENAY SUR EURE		28
78	BK 46	FONTENAY SUR LOING		45
29	AG 30	FONTENAY SUR MER		50
91	AN 48	FONTENAY SUR VEGRE		72
34	BC 30	FONTENAY TORCY		60
56	BK 39	FONTENAY TRESIGNY		77
23	BR 25	FONTENELLE		02
100	CD 52	FONTENELLE		21
71	AE 41	FONTENELLE, LA		35
75	AW 46	FONTENELLE, LA		41
102	CP 50	FONTENELLE		90
57	BP 37	FONTENELLE EN BRIE		02
102	CL 52	FONTENELLE MONTBY		25
119	CO 55	FONTENELLES, LES		25
50	AH 37	FONTENERMONT		14
137	AL 70	FONTENET		17
138	AQ 70	FONTENILLE		16
138	AN 68	FONTENILLE ST MARTIN D'ENTRAIGUES		79
200	AX 96	FONTENILLES		31
101	CJ 47	FONTENOIS LA VILLE		70
101	CK 52	FONTENOIS LES MONTBOZON		70
101	CK 53	FONTENOTTE		25
96	BM 48	FONTENOUILLES		89
36	BN 32	FONTENOY		02
97	BO 51	FONTENOY		89
84	CN 41	FONTENOY LA JOUTE		54
83	CJ 47	FONTENOY LE CHATEAU		88
61	CH 39	FONTENOY SUR MOSELLE		54
133	CH 61	FONTENU		39
61	CL 37	FONTENY		57
202	BD 100	FONTERS DU RAZES		11
204	BP 97	FONTES		34
168	AO 85	FONTET		33
81	BX 46	FONTETTE		10
108	AP 56	FONTEVRAUD L'ABBAYE		49
125	AW 62	FONTGOMBAULT		36
110	BA 56	FONTGUENAND		36
192	CI 91	FONTIENNE		04
202	BG 99	FONTIERS CABARDES		11
221	BH 101	FONTIES D'AUDE		11
222	BK 102	FONTJONCOUSE		11
41	CH 31	FONTOY	C	57
225	BF 108	FONTPEDROUSE		66
221	BE 107	FONTRABIOUSE		66
199	AQ 99	FONTRAILLES		65
79	BS 44	FONTVANNES		10
206	BZ 94	FONTVIEILLE		13
42	CO 33	FORBACH	S	57
209	CL 98	FORCALQUEIRET		83
192	CI 91	FORCALQUIER	S	04
221	BF 101	FORCE, LA		11
168	AR 82	FORCE, LA	C	24
72	AK 46	FORCE		53
83	CI 42	FORCELLES SOUS GUGNEY		54
83	CI 41	FORCELLES ST GORGON		54
21	BI 24	FORCEVILLE		80
20	BD 25	FORCEVILLE EN VIMEU		80
82	CD 45	FORCEY		52
233	DK 113	FORCIOLO		2A
135	CN 65	FORCLAZ, LA		74
23	BP 23	FOREST EN CAMBRESIS		59
20	BD 23	FOREST L'ABBAYE		80
45	J 40	FOREST LANDERNEAU, LA		29
20	BC 22	FOREST MONTIERS		80
178	CL 84	FOREST ST JULIEN		05
12	BN 18	FOREST SUR MARQUE		59
22	BM 27	FORESTE		02
57	BQ 40	FORESTIERE, LA		51
51	AN 38	FORET AUVRAY, LA		61
138	AP 68	FORET DE TESSE, LA		16
53	AY 37	FORET DU PARC, LA		27
127	BD 65	FORET DU TEMPLE, LA		23
67	L 46	FORET FOUESNANT, LA		29
34	BB 33	FORET LA FOLIE		27
77	BE 42	FORET LE ROI, LA		91
77	BG 43	FORET STE CROIX, LA		91
123	AK 60	FORET SUR SEVRE, LA		79
56	BK 35	FORFRY		77
84	CN 46	FORGE, LA		88
136	AI 68	FORGES		17
155	BD 79	FORGES		19
108	AN 56	FORGES		49
69	V 46	FORGES, LES		56
73	AQ 41	FORGES		61
78	BL 42	FORGES		77
124	AO 63	FORGES, LES		79
83	CL 44	FORGES, LES		88
89	AG 48	FORGES LA FORET		35
55	BF 40	FORGES LES BAINS		91
34	BB 29	FORGES LES EAUX	C	76
40	CC 33	FORGES SUR MEUSE		55
200	AW 98	FORGUES		31
158	BR 74	FORIE, LA		63
98	BV 53	FORLEANS		21
32	AQ 34	FORMENTIN		14
34	BC 29	FORMERIE	C	60
30	AJ 32	FORMIGNY		14
225	BE 107	FORMIGUERES		66
219	AX 101	FORNEX		09
123	AL 66	FORS		79
65	CW 36	FORSTFELD		67
64	CU 36	FORSTHEIM		67
134	CI 62	FORT DU PLASNE		39
65	CX 37	FORT LOUIS		67
20	BB 21	FORT MAHON PLAGE		80
4	BG 13	FORT MARDYCK		59
32	AS 32	FORT MOVILLE		27
93	AW 49	FORTAN		41
21	BG 22	FORTEL EN ARTOIS		62
161	CF 77	FORTERESSE, LA		38
85	CT 45	FORTSCHWIHR		68
219	AT 104	FOS		31
204	BO 96	FOS		34
207	CB 97	FOS SUR MER		13
220	AZ 101	FOSSAT, LE	C	09
39	CA 31	FOSSE		08
93	AY 51	FOSSE		41
221	BH 105	FOSSE		66
34	BB 29	FOSSE, LE		76
79	BQ 42	FOSSE CORDUAN, LA		10
107	AL 56	FOSSE DE TIGNE, LA		49
153	AW 79	FOSSEMAGNE		24
21	BF 27	FOSSEMANANT		80
137	AM 67	FOSSES, LES		79
55	BI 35	FOSSES		95
168	AO 85	FOSSES ET BALEYSSAC		33
35	BG 34	FOSSEUSE		60
21	BI 22	FOSSEUX		62
61	CK 37	FOSSIEUX		57
57	BP 35	FOSSOY		02
20	BB 27	FOUCARMONT		76
32	AU 29	FOUCART		76
29	AG 30	FOUCARVILLE		50
22	BJ 26	FOUCAUCOURT EN SANTERRE		80
20	BC 26	FOUCAUCOURT HORS NESLE		80
59	CB 36	FOUCAUCOURT SUR THABAS		55
101	CI 49	FOUCHECOURT		70
83	CH 46	FOUCHECOURT		88
118	CJ 56	FOUCHERANS		25
117	CE 57	FOUCHERANS		39
80	BV 45	FOUCHERES		10
78	BM 45	FOUCHERES		89
60	CC 40	FOUCHERES AUX BOIS		55
78	BL 46	FOUCHEROLLES		45
85	CR 42	FOUCHY		67
53	AZ 37	FOUCRAINVILLE		27
85	CQ 41	FOUDAY		67
21	BH 27	FOUENCAMPS		80
67	L 47	FOUESNANT	C	29
21	BH 21	FOUFFLIN RICAMETZ		62
60	CG 39	FOUG		54
219	AV 103	FOUGARON		31
221	BD 104	FOUGAX ET BARRINEUF		09
91	AO 51	FOUGERE		49
122	AF 61	FOUGERE		85
71	AG 43	FOUGERES	S	35
93	AZ 53	FOUGERES SUR BIEVRE		41
88	Z 49	FOUGERETS, LES		56
127	BD 63	FOUGEROLLES		36
101	CL 48	FOUGEROLLES		70
72	AI 41	FOUGEROLLES DU PLESSIS		53
168	AQ 82	FOUGUEYROLLES		24
186	BE 89	FOUILLADE, LA		12
35	BI 31	FOUILLEUSE		60
178	CK 86	FOUILLOUSE		05
159	BW 75	FOUILLOUSE, LA		42
152	AN 78	FOUILLOUX, LE		17
34	BD 28	FOUILLOY		60
21	BI 26	FOUILLOY		80
56	BJ 40	FOUJU		77
82	CC 46	FOULAIN		52
35	BG 33	FOULANGUES		60
183	AT 89	FOULAYRONNES		47
32	AS 31	FOULBEC		27
62	CO 39	FOULCREY		57
169	AT 81	FOULEIX		24
117	CF 59	FOULENAY		39
61	CL 34	FOULIGNY		57
50	AJ 34	FOULOGNES		14
152	AQ 74	FOUQUEBRUNE		16
35	BE 31	FOUQUENIES		60
11	BI 19	FOUQUEREUIL		62
35	BG 31	FOUQUEROLLES		60
36	BJ 27	FOUQUESCOURT		80
138	AP 70	FOUQUEURE		16
33	AW 34	FOUQUEVILLE		27
11	BI 19	FOUQUIERES LES BETHUNE		62
12	BK 20	FOUQUIERES LES LENS		62
146	CD 74	FOUR		38
136	AG 69	FOURAS		17
118	CK 54	FOURBANNE		25
118	CL 60	FOURCATIER ET MAISON NEUVE		25
183	AQ 92	FOURCES		32
113	BM 58	FOURCHAMBAULT		58
51	AP 37	FOURCHES		14
34	BD 28	FOURCIGNY		80
37	BO 29	FOURDRAIN		02
21	BF 26	FOURDRINOY		80
117	CH 57	FOURG		25
54	BB 35	FOURGES		27
118	CM 59	FOURGS, LES		25
129	BN 67	FOURILLES		03
171	BE 84	FOURMAGNAC		46
32	AU 32	FOURMETOT		27
24	BT 25	FOURMIES		59
79	BQ 45	FOURNAUDIN		89
145	BW 70	FOURNEAUX		42
50	AI 36	FOURNEAUX		50
163	CO 78	FOURNEAUX		73
51	AN 37	FOURNEAUX LE VAL		14
173	BN 82	FOURNELS	C	48
190	BZ 92	FOURNES		30
202	BH 99	FOURNES CABARDES		11
12	BK 18	FOURNES EN WEPPES		59
32	AQ 34	FOURNET, LE		14
119	CO 55	FOURNET BLANCHEROCHE		25
118	CM 56	FOURNETS LUISANS		25
32	AR 32	FOURNEVILLE		14
35	BH 31	FOURNIVAL		60
158	BQ 75	FOURNOLS		63
172	BG 84	FOURNOULES		15
97	BQ 51	FOURONNES		89
206	BZ 95	FOURQUES		30
226	BK 107	FOURQUES		66
168	AP 86	FOURQUES SUR GARONNE		47
55	BE 37	FOURQUEUX		78
201	BB 97	FOURQUEVAUX		31
151	AJ 78	FOURS		33
114	BR 60	FOURS	C	58
54	BB 34	FOURS EN VEXIN		27
221	BH 104	FOURTOU		11
123	AJ 63	FOUSSAIS PAYRE		85
102	CP 50	FOUSSEMAGNE		90
200	AW 99	FOUSSERET, LE	C	31
138	AN 72	FOUSSIGNAC		16
100	CF 51	FOUVENT ST ANDOCHE		70
204	BO 97	FOUZILHON		34
61	CK 36	FOVILLE		57
209	CL 96	FOX AMPHOUX		83
123	AK 67	FOYE MONJAULT, LA		79
204	BP 94	FOZIERES		34
232	DK 115	FOZZANO		2A
116	CA 60	FRAGNES		71
102	CO 50	FRAHIER ET CHATEBIER		70
99	CA 51	FRAIGNOT ET VESVROTTE		21
38	BU 29	FRAILLICOURT		08
84	CL 40	FRAIMBOIS		54
83	CH 46	FRAIN		88
102	CP 50	FRAIS		90
117	CH 56	FRAISANS		39
83	CI 42	FRAISNES EN SAINTOIS		54
168	AQ 81	FRAISSE		24
202	BG 99	FRAISSE CABARDES		11
222	BL 103	FRAISSE DES CORBIERES		11
203	BK 96	FRAISSE SUR AGOUT		34
159	BV 76	FRAISSES		42
187	BI 92	FRAISSINES		81
188	BQ 89	FRAISSINET DE FOURQUES		48
189	BR 87	FRAISSINET DE LOZERE		48
84	CP 44	FRAIZE	C	88
80	BW 45	FRALIGNES		10
53	AX 40	FRAMBOISIERE, LA		28
119	CO 55	FRAMBOUHANS		25
21	BG 21	FRAMECOURT		62
22	BJ 26	FRAMERVILLE RAINECOURT		80
20	BC 25	FRAMICOURT		80
100	CF 51	FRAMONT		70
81	BZ 41	FRAMPAS		52
101	CK 48	FRANCALMONT		70
62	CN 36	FRANCALTROFF		57
201	BC 96	FRANCARVILLE		31
35	BF 29	FRANCASTEL		60
93	AX 51	FRANCAY		41
219	AV 103	FRANCAZAL		31
183	AR 91	FRANCESCAS	C	47
146	CA 68	FRANCHELEINS		01
129	BM 62	FRANCHESSE		03
39	CA 28	FRANCHEVAL		08
102	CL 49	FRANCHEVELLE		70
39	BX 28	FRANCHEVILLE, LA		08
99	CA 53	FRANCHEVILLE		21
53	AW 38	FRANCHEVILLE		27
117	CE 60	FRANCHEVILLE		39
58	BW 37	FRANCHEVILLE		51
61	CH 38	FRANCHEVILLE		54
51	AP 40	FRANCHEVILLE		61
146	BZ 72	FRANCHEVILLE		69
35	BJ 31	FRANCIERES		60
20	BE 24	FRANCIERES		80
110	BB 59	FRANCILLON		36
176	CC 84	FRANCILLON SUR ROUBION		26
22	BN 27	FRANCILLY SELENCY		02
162	CJ 74	FRANCIN		73
147	CH 68	FRANCLENS		74
123	AM 65	FRANCOIS		79
200	AV 100	FRANCON		31
83	CL 41	FRANCONVILLE		54
55	BG 36	FRANCONVILLE	C	95
170	BA 86	FRANCOULES		46
100	CG 50	FRANCOURT		70
76	BC 43	FRANCOURVILLE		28
168	AO 81	FRANCS		33
110	AX 55	FRANCUEIL		37
117	CH 55	FRANEY		25
148	CI 68	FRANGY	C	74
133	CE 61	FRANGY EN BRESSE		71
103	CS 50	FRANKEN		68
20	BB 24	FRANLEU		80
117	CI 55	FRANOIS		25
218	AS 101	FRANQUEVIELLE		31
23	BR 27	FRANQUEVILLE		02
52	AU 34	FRANQUEVILLE		27
21	BF 24	FRANQUEVILLE		80
33	AY 31	FRANQUEVILLE ST PIERRE		76
146	BZ 69	FRANS		01
36	BK 28	FRANSART		80
141	BE 69	FRANSECHES		23
21	BF 24	FRANSU		80
35	BG 28	FRANSURES		80
21	BH 25	FRANVILLERS		80
116	CD 57	FRANXAULT		21
84	CP 43	FRAPELLE		88
62	CP 39	FRAQUELFING		57
134	CJ 61	FRAROZ		39
114	BP 58	FRASNAY REUGNY		58
118	CK 59	FRASNE		25
101	CH 53	FRASNE LE CHATEAU		70
117	CF 55	FRASNE LES MEULIERES		39
133	CH 63	FRASNEE, LA		39
133	CI 62	FRASNOIS, LE		39
23	BQ 22	FRASNOY		59

Page	Carreau	Commune	Adm.	Dpt
231	DK 113	FRASSETO		2A
42	CQ 33	FRAUENBERG		57
186	BD 91	FRAUSSEILLES		81
81	BY 44	FRAVAUX		10
186	BH 93	FRAYSSE, LE		81
170	BA 84	FRAYSSINET		46
170	AX 85	FRAYSSINET LE GELAT		46
171	BD 82	FRAYSSINHES		46
75	AX 44	FRAZE		28
20	BA 27	FREAUVILLE		76
82	CF 42	FREBECOURT		88
133	CF 62	FREBUANS		39
182	AM 92	FRECHE, LE		40
199	AQ 99	FRECHEDE		65
21	BH 25	FRECHENCOURT		80
218	AP 102	FRECHENDETS		65
219	AV 101	FRECHET, LE		31
218	AQ 103	FRECHET AURE		65
183	AQ 90	FRECHOU		47
218	AP 101	FRECHOU FRECHET		65
100	CE 47	FRECOURT		52
102	CN 50	FREDERIC FONTAINE		70
137	AK 70	FREDIERE, LA		17
110	BA 58	FREDILLE		36
183	AR 88	FREGIMONT		47
200	AV 96	FREGOUVILLE		32
48	Y 39	FREHEL		22
89	AG 52	FREIGNE		49
179	CN 82	FREISSINIERES		05
178	CK 85	FREISSINOUSE, LA		05
41	CL 32	FREISTROFF		57
156	BH 80	FREIX ANGLARDS		15
186	BF 93	FREJAIROLLES		81
202	BF 96	FREJEVILLE		81
210	CQ 97	FREJUS	C	83
85	CR 44	FRELAND		68
12	BL 17	FRELINGHIEN		59
54	BD 35	FREMAINVILLE		95
54	BE 35	FREMECOURT		95
62	CN 40	FREMENIL		54
60	CF 38	FREMEREVILLE SOUS LES COTES		55
61	CL 36	FREMERY		57
62	CN 35	FREMESTROFF		57
22	BL 24	FREMICOURT		62
84	CN 43	FREMIFONTAINE		88
35	BE 28	FREMONTIERS		80
62	CO 40	FREMONVILLE		54
32	AU 30	FRENAYE, LA		76
10	BC 19	FRENCQ		62
83	CI 42	FRENELLE LA GRANDE		88
83	CI 43	FRENELLE LA PETITE		88
50	AK 38	FRENES		61
33	AX 33	FRENEUSE		76
54	BB 36	FRENEUSE		78
32	AU 33	FRENEUSE SUR RISLE		27
163	CO 77	FRENEY		73
162	CK 79	FRENEY D'OISANS, LE		38
36	BL 28	FRENICHES		60
99	CA 52	FRENOIS		21
83	CI 44	FRENOIS		88
51	AO 34	FRENOUVILLE		14
55	BG 35	FREPILLON		95
19	AZ 28	FRESLES		76
52	AR 38	FRESNAIE FAYEL, LA		61
48	AC 40	FRESNAIS, LA		35
81	BY 43	FRESNAY		10
105	AB 57	FRESNAY EN RETZ		44
76	BA 44	FRESNAY LE COMTE		28
76	BA 41	FRESNAY LE GILMERT		28
19	AX 29	FRESNAY LE LONG		76
52	AR 37	FRESNAY LE SAMSON		61
76	BC 44	FRESNAY L'EVEQUE		28
73	AP 44	FRESNAY SUR SARTHE	C	72
51	AN 39	FRESNAYE AU SAUVAGE, LA		61
74	AR 42	FRESNAYE SUR CHEDOUET, LA	C	72
53	AX 36	FRESNE, LE		27
59	BX 37	FRESNE, LE		51
31	AM 33	FRESNE CAMILLY, LE		14
32	AT 34	FRESNE CAUVERVILLE		27
51	AO 37	FRESNE LA MERE		14
34	BA 33	FRESNE L'ARCHEVEQUE		27
33	AZ 31	FRESNE LE PLAN		76
34	BE 33	FRESNE LEGUILLON		60
38	BT 32	FRESNE LES REIMS		51
50	AJ 39	FRESNE PORET, LE		50
101	CH 52	FRESNE ST MAMES	C	70
90	AI 53	FRESNE SUR LOIRE, LE		44
34	BE 33	FRESNEAUX MONTCHEVREUIL		60
37	BO 30	FRESNES		02
98	BW 51	FRESNES		21
93	AZ 53	FRESNES		41
98	BT 50	FRESNES		89
55	BG 39	FRESNES	C	94
60	CD 37	FRESNES AU MONT		55
61	CL 37	FRESNES EN SAULNOIS		57
57	BP 34	FRESNES EN TARDENOIS		02
60	CF 35	FRESNES EN WOEVRE	C	55
22	BL 21	FRESNES LES MONTAUBAN		62
22	BK 26	FRESNES MAZANCOURT		80
101	CH 47	FRESNES SUR APANCE		52
13	BP 20	FRESNES SUR ESCAUT		59
56	BJ 37	FRESNES SUR MARNE		77
20	BC 25	FRESNES TILLOLOY		80
20	BD 26	FRESNEVILLE		80
53	AZ 37	FRESNEY		27
51	AN 35	FRESNEY LE PUCEUX		14
51	AN 36	FRESNEY LE VIEUX		14
11	BI 20	FRESNICOURT LE DOLMEN		62
36	BK 29	FRESNIERES		60
40	CF 30	FRESNOIS LA MONTAGNE		54
21	BF 21	FRESNOY		62
20	BD 26	FRESNOY ANDAINVILLE		80
21	BE 27	FRESNOY AU VAL		80
35	BI 27	FRESNOY EN CHAUSSEE		80
22	BL 21	FRESNOY EN GOHELLE		62
55	BG 34	FRESNOY EN THELLE		60
20	BA 26	FRESNOY FOLNY		76
36	BL 33	FRESNOY LA RIVIERE		60
80	BV 45	FRESNOY LE CHATEAU		10
23	BO 25	FRESNOY LE GRAND		02
36	BK 34	FRESNOY LE LUAT		60
36	BK 28	FRESNOY LES ROYE		80
184	AU 88	FRESPECH		47
33	AX 30	FRESQUIENNES		76
189	BT 92	FRESSAC		30
22	BN 22	FRESSAIN		59
37	BO 29	FRESSANCOURT		02
102	CN 49	FRESSE		70
102	CO 48	FRESSE SUR MOSELLE		88
127	BB 65	FRESSELINES		23
20	BB 24	FRESSENNEVILLE		80
22	BN 22	FRESSIES		59
11	BE 20	FRESSIN		62
123	AM 66	FRESSINES		79
35	BJ 29	FRESTOY VAUX, LE		60
29	AG 31	FRESVILLE		50
148	CL 73	FRETERIVE		73
93	AY 48	FRETEVAL		41
10	BD 15	FRETHUN		62
101	CI 52	FRETIGNEY ET VELLOREILLE		70
75	AW 43	FRETIGNY		28
12	BM 19	FRETIN		59
56	BN 39	FRETOY		77
36	BL 29	FRETOY LE CHATEAU		60
161	CE 76	FRETTE, LA		38
132	CB 62	FRETTE, LA		71
55	BF 36	FRETTE SUR SEINE, LA		95
20	BD 26	FRETTECUISSE		80
20	BB 25	FRETTEMEULE		80
116	CD 59	FRETTERANS		71
38	BV 28	FRETY, LE		08
19	AZ 27	FREULLEVILLE		76
21	BG 22	FREVENT		62
33	AW 30	FREVILLE		76
82	CF 43	FREVILLE		88
77	BH 47	FREVILLE DU GATINAIS		45
11	BI 20	FREVILLERS		62
21	BJ 21	FREVIN CAPELLE		62
62	CN 35	FREYBOUSE		57
175	BU 82	FREYCENET LA CUCHE		43
175	BU 81	FREYCENET LA TOUR		43
220	BC 104	FREYCHENET		09
42	CN 34	FREYMING MERLEBACH	C	57
175	BY 84	FREYSSENET		07
75	AX 42	FRIAIZE		28
52	AS 36	FRIARDEL		14
20	BA 24	FRIAUCOURT		80
60	CG 34	FRIAUVILLE		54
62	CO 38	FRIBOURG		57
20	BE 27	FRICAMPS		80
33	AY 29	FRICHEMESNIL		76
22	BJ 25	FRICOURT		80
173	BM 82	FRIDEFONT		15
63	CS 38	FRIEDOLSHEIM		67
36	BN 28	FRIERES FAILLOUEL		02
103	CR 51	FRIESEN		68
85	CU 42	FRIESENHEIM		67
59	BX 39	FRIGNICOURT		51
22	BK 26	FRISE		80
20	BB 24	FRIVILLE ESCARBOTIN	C	80
83	CK 43	FRIZON		88
18	AS 28	FROBERVILLE		76
35	BF 32	FROCOURT		60
103	CR 49	FROENINGEN		68
64	CU 35	FROESCHWILLER		67
162	CJ 77	FROGES		38
21	BG 23	FROHEN LE GRAND		80
21	BG 23	FROHEN LE PETIT		80
63	CR 36	FROHMUHL		67
101	CL 48	FROIDECONCHE		70
102	CP 51	FROIDEFONTAINE		90
23	BS 26	FROIDESTREES		02
102	CM 50	FROIDETERRE		70
119	CN 54	FROIDEVAUX		25
117	CF 60	FROIDEVILLE		39
105	AB 59	FROIDFOND		85
37	BQ 28	FROIDMONT COHARTILLE		02
59	CB 35	FROIDOS		55
35	BG 30	FROISSY	C	60
99	BY 52	FROLOIS		21
61	CJ 40	FROLOIS		54
25	BZ 23	FROMELENNES		08
12	BK 18	FROMELLES		59
140	AZ 68	FROMENTAL		87
57	BR 37	FROMENTIERES		51
90	AK 48	FROMENTIERES		53
40	CC 34	FROMEREVILLE LES VALLONS		55
60	CE 33	FROMEZEY		55
77	BI 44	FROMONT		77
60	CC 29	FROMY		08
81	CB 43	FRONCLES		52
218	AT 103	FRONSAC		31
167	AM 81	FRONSAC	C	33
171	AN 83	FRONTENAC		33
171	BD 86	FRONTENAC		46
116	CC 59	FRONTENARD		71
145	BY 70	FRONTENAS		69
132	CD 63	FRONTENAUD		71
117	CG 60	FRONTENAY		39
123	AK 66	FRONTENAY ROHAN ROHAN	C	79
148	CL 73	FRONTENEX		73
205	BS 98	FRONTIGNAN	C	34
218	AT 103	FRONTIGNAN DE COMMINGES		31
200	AV 98	FRONTIGNAN SAVES		31
185	AZ 93	FRONTON	C	31
126	CD 73	FRONTONAS		38
81	CB 42	FRONVILLE		52
105	AA 55	FROSSAY		44
102	CM 50	FROTEY LES LURE		70
101	CJ 51	FROTEY LES VESOUL		70
61	CI 38	FROUARD		54
55	BF 34	FROUVILLE		95
201	AY 97	FROUZINS		31
83	CK 41	FROVILLE		54
20	BD 22	FROYELLES		80
124	AQ 62	FROZES		86
20	BD 25	FRUCOURT		80
157	BO 76	FRUGERES LES MINES		43
11	BF 19	FRUGES	C	62
158	BP 77	FRUGIERES LE PIN		43
75	AY 43	FRUNCE		28
34	BB 30	FRY		76
119	CN 56	FUANS		25
56	BL 37	FUBLAINES		77
194	CP 91	FUGERET, LE		04
106	AG 55	FUILET, LE		49
226	BH 108	FUILLA		66
132	BZ 66	FUISSE		71
81	BY 43	FULIGNY		10
103	CR 51	FULLEREN		68
19	AV 28	FULTOT		76
98	BU 50	FULVY		89
25	BY 25	FUMAY	C	08
169	AW 86	FUMEL	C	47
52	AS 34	FUMICHON		14
63	CS 38	FURCHHAUSEN		67
64	CT 39	FURDENHEIM		67
229	DN 104	FURIANI		2B
178	CJ 85	FURMEYER		05
116	BZ 57	FUSSEY		21
118	BH 57	FUSSY		18
198	AO 95	FUSTEROUAU		32
200	AW 99	FUSTIGNAC		31
59	CA 35	FUTEAU		55
208	CH 97	FUVEAU		13
73	AQ 43	FYE		72

G

Page	Carreau	Commune	Adm.	Dpt
197	AF 95	GAAS		40
167	AM 84	GABARNAC		33
182	AO 92	GABARRET	C	40
198	AM 99	GABASTON		64
196	AF 98	GABAT		64
204	BO 97	GABIAN		34
154	AW 78	GABILLOU		24
220	AZ 102	GABRE		09
172	BK 87	GABRIAC		12
189	BS 90	GABRIAC		48
173	BP 85	GABRIAS		48
52	AS 38	GACE	C	61
88	Z 49	GACILLY, LA	C	56
114	BS 56	GACOGNE		58
54	BD 35	GADANCOURT		95
54	BA 36	GADENCOURT		27
70	Z 45	GAEL		35
168	AR 83	GAGEAC ET ROUILLAC		24
171	BD 81	GAGNAC SUR CERE		46
201	AZ 95	GAGNAC SUR GARONNE		31
189	BV 88	GAGNIERES		30
55	BI 37	GAGNY	C	93
71	AE 43	GAHARD		35
189	BU 93	GAILHAN		30
186	BD 93	GAILLAC	C	81
187	BL 88	GAILLAC D'AVEYRON		12
201	AZ 100	GAILLAC TOULZA		31
217	AM 103	GAILLAGOS		65
150	AH 76	GAILLAN EN MEDOC		33
134	CK 67	GAILLARD		74
53	BA 32	GAILLARDBOIS CRESSENVILLE		27
19	AW 27	GAILLARDE, LA		76
20	BA 29	GAILLEFONTAINE		76
182	AL 92	GAILLERES		40
53	AZ 34	GAILLON	C	27
54	BD 36	GAILLON SUR MONTCIENT		78
32	AR 30	GAINNEVILLE		76
221	BF 102	GAJA ET VILLEDIEU		11
221	BD 101	GAJA LA SELVE		11
168	AN 87	GAJAC		33
219	AX 102	GAJAN		09
190	BW 93	GAJAN		30
139	AV 68	GAJOUBERT		87
21	BF 21	GALAMETZ		62
199	AR 100	GALAN	C	65
183	AR 88	GALAPIAN		47
205	BU 94	GALARGUES		34
230	DH 107	GALERIA		2B
219	AV 103	GALEY		09
218	AR 101	GALEZ		65
103	CR 49	GALFINGUE		68
171	BF 86	GALGAN		12
151	AM 80	GALGON		33
198	AO 96	GALIAX		32
218	AT 103	GALIE		31
221	BE 105	GALINAGUES		11
76	BC 41	GALLARDON		28
205	BV 95	GALLARGUES LE MONTUEUX		30
35	BF 29	GALLET, LE		60
54	BD 38	GALLUIS		78
20	BB 25	GAMACHES	C	80
34	BB 33	GAMACHES EN VEXIN		27
197	AH 94	GAMARDE LES BAINS		40
215	AE 100	GAMARTHE		64
54	BC 38	GAMBAIS		78
54	BC 39	GAMBAISEUIL		78
64	CV 38	GAMBSHEIM		67
198	AK 100	GAN		64
220	BA 103	GANAC		09
192	CJ 91	GANAGOBIE		04
34	BC 30	GANCOURT ST ETIENNE		76
73	AP 41	GANDELAIN		61
56	BN 35	GANDELU		02
41	CI 32	GANDRANGE		57
189	BS 92	GANGES	C	34
143	BN 68	GANNAT	C	03
130	BQ 61	GANNAY SUR LOIRE		03
35	BH 30	GANNES		60
168	AN 86	GANS		33
219	AU 102	GANTIES		31
18	AS 28	GANZEVILLE		76
178	CK 85	GAP	P	05
20	BE 23	GAPENNES		80
52	AR 40	GAPREE		61
200	AW 95	GARAC		31
54	BC 38	GARANCIERES		78
76	BD 42	GARANCIERES EN BEAUCE		28
53	AY 39	GARANCIERES EN DROUAIS		28
220	BC 105	GARANOU		09
138	AQ 73	GARAT		16
31	AN 35	GARCELLES SECQUEVILLE		14
55	BF 38	GARCHES	C	92
113	BM 58	GARCHIZY		58
113	BM 55	GARCHY		58
208	CG 97	GARDANNE	C	13
194	CP 93	GARDE, LA		04
162	CK 79	GARDE, LA		38
212	CL 101	GARDE, LA	C	83
176	CA 87	GARDE ADHEMAR, LA		26
213	CO 98	GARDE FREINET, LA		83
112	BK 55	GARDEFORT		18
168	AO 81	GARDEGAN ET TOURTIRAC		33
198	AN 99	GARDERES		65
152	AR 75	GARDES LE PONTAROUX		16
221	BG 102	GARDIE		11
168	AQ 82	GARDONNE		24
201	BB 98	GARDOUCH		31
181	AJ 91	GAREIN		40
53	AY 36	GARENCIERES		27
55	BG 37	GARENNE COLOMBES, LA	C	92
54	BA 37	GARENNES SUR EURE		27
77	BI 45	GARENTREVILLE		77
209	CL 98	GAREOULT		83
184	AW 92	GARGANVILLAR		82
201	AZ 94	GARGAS		31
192	CF 92	GARGAS		84
54	BD 36	GARGENVILLE		78
55	BH 36	GARGES LES GONESSE	C	95
126	BH 64	GARGILESSE DAMPIERRE		36
201	BA 95	GARIDECH		31
200	AW 94	GARIES		82
41	BL 57	GARIGNY		18
218	AS 105	GARIN		31
197	AG 100	GARINDEIN		64
45	O 39	GARLAN		29
198	AL 97	GARLEDE MONDEBAT		64
198	AL 96	GARLIN	C	64
190	BY 88	GARN, LE		30
105	AB 59	GARNACHE, LA		85
186	BF 82	GARNAT SUR ENGIEVRE		03
53	AZ 39	GARNAY		28
132	CA 67	GARNERANS		01
206	BX 94	GARONS		30
197	AK 97	GAROS		64
200	AV 98	GARRAVET		32
63	CR 38	GARREBOURG		57
202	BD 97	GARREVAQUES		81
197	AG 95	GARREY		40
186	BF 91	GARRIC, LE		81
205	BU 94	GARRIGUES		34
201	BB 95	GARRIGUES		81
190	BW 92	GARRIGUES STE EULALIE		30
215	AF 98	GARRIS		64
181	AG 91	GARROSSE		40
194	CQ 92	GARS		06
141	BC 68	GARTEMPE		23
76	BC 41	GAS		28
54	BB 35	GASNY		27
184	AV 90	GASQUES		82
210	CP 99	GASSIN		83
50	AH 38	GAST, LE		14
180	AF 87	GASTES		40
90	AH 47	GASTINES		53
56	BM 40	GASTINS		77
76	BB 42	GASVILLE OISEME		28
117	CE 58	GATEY		39
50	AI 38	GATHEMO		50
29	AG 28	GATTEVILLE LE PHARE		50
195	CT 93	GATTIERES		06
188	BQ 89	GATUZIERES		48
77	BH 46	GAUBERTIN		45
106	AH 58	GAUBRETIERE, LA		85
11	BI 20	GAUCHIN LEGAL		62
21	BG 21	GAUCHIN VERLOINGT		62
22	BN 27	GAUCHY		02
53	AY 36	GAUCIEL		27
75	AW 44	GAUDAINE, LA		28
195	CT 93	GAUDE, LA		06
34	BE 29	GAUDECHART		60
218	AS 103	GAUDENT		65
21	BI 23	GAUDIEMPRE		62
220	BB 101	GAUDIES		09
184	AU 93	GAUDONVILLE		32
53	AX 36	GAUDREVILLE LA RIVIERE		27
169	AV 84	GAUGEAC		24
190	BY 90	GAUJAC		30
200	AU 97	GAUJAC		32
168	AP 86	GAUJAC		47
197	AI 95	GAUJACQ		40
217	AT 98	GAUJAN		32
75	AW 46	GAULT PERCHE, LE		41
57	BQ 38	GAULT SOIGNY, LE		51
76	BA 44	GAULT ST DENIS, LE		28
201	BB 96	GAURE		31
151	AJ 79	GAURIAC		33
151	AL 80	GAURIAGUET		33
217	AR 100	GAUSSAN		65
69	V 43	GAUSSON		22
52	AT 38	GAUVILLE		61
34	BC 27	GAUVILLE		80
53	AX 35	GAUVILLE LA CAMPAGNE		27
217	AN 105	GAVARNIE		65
199	AT 94	GAVARRET SUR AULOUSTE		32
169	AV 85	GAVAUDUN		47
231	DM 107	GAVIGNANO		2B
41	CJ 30	GAVISSE		57
49	AG 36	GAVRAY	C	50
88	AC 52	GAVRE, LE		44
22	BK 21	GAVRELLE		62
86	Q 49	GAVRES		56
51	AM 34	GAVRUS		14
198	AO 99	GAYAN		65
57	BR 39	GAYE		51
198	AM 97	GAYON		64
183	AR 91	GAZAUPOUY		32
218	AR 102	GAZAVE		65
199	AP 96	GAZAX ET BACCARISSE		32
54	BC 40	GAZERAN		78
217	AO 102	GAZOST		65
116	CA 58	GEANGES		71
198	AL 95	GEAUNE	C	40
137	AI 70	GEAY		17
107	AM 59	GEAY		79
217	AO 105	GEDRE		65
91	AN 53	GEE		49
198	AM 95	GEE RIVIERE		32
49	AE 34	GEFFOSSES		50
30	AH 31	GEFOSSE FONTENAY		14
110	BA 58	GEHEE		36
102	CQ 47	GEISHOUSE		68
103	CS 50	GEISPITZEN		68
64	CT 40	GEISPOLSHEIM	C	67
85	CU 46	GEISWASSER		68
64	CS 37	GEISWILLER		67
84	CN 41	GELACOURT		54
79	BQ 42	GELANNES		10
83	CH 41	GELAUCOURT		54
76	BA 43	GELLAINVILLE		28
61	CK 39	GELLENONCOURT		54
142	BK 72	GELLES		63
134	CK 60	GELLIN		25
198	AK 99	GELOS		64
181	AJ 91	GELOUX		40
62	CN 38	GELUCOURT		57
83	CJ 44	GELVECOURT ET ADOMPT		88
74	AU 44	GEMAGES		61
84	CQ 43	GEMAINGOUTTE		88
218	AS 103	GEMBRIE		65
99	CC 53	GEMEAUX		21
208	CH 99	GEMENOS		13
94	BC 48	GEMIGNY		45
201	BA 95	GEMIL		31
83	CH 44	GEMMELAINCOURT		88
102	CN 51	GEMONVAL		25
83	CH 42	GEMONVILLE		54
151	AJ 74	GEMOZAC	C	17
138	AO 71	GENAC		16
54	BC 35	GENAINVILLE		95
146	CB 72	GENAS		69
220	BA 105	GENAT		09
98	BV 52	GENAY		21
146	CA 70	GENAY		69
125	AR 65	GENCAY	C	86
82	CF 44	GENDREVILLE		88
117	CG 55	GENDREY	C	39
90	AJ 51	GENE		49
185	BA 92	GENEBRIERES		82
12	BN 19	GENECH		59
131	BV 63	GENELARD		71
206	BX 94	GENERAC		30
151	AK 78	GENERAC		33
189	BU 91	GENERARGUES		30
218	AR 102	GENEREST		65
221	BD 100	GENERVILLE		11
73	AM 41	GENESLAY		61
72	AI 46	GENEST ST ISLE, LE		53
175	BX 83	GENESTELLE		07
105	AD 57	GENESTON		44
132	CB 63	GENETE, LA		71
152	AO 78	GENETOUZE, LA		17
121	AD 61	GENETOUZE, LA		85
49	AE 39	GENETS		50
52	AT 40	GENETTES, LES		61
118	CI 54	GENEUILLE		25
52	AS 39	GENEVRAIE, LA		61
78	BK 44	GENEVRAYE, LA		77
101	CL 50	GENEVREUILLE		70
101	CK 49	GENEVREY		70
100	CF 50	GENEVRIERES		52
81	CB 44	GENEVROYE, LA		52
102	CM 52	GENEY		25
140	AZ 72	GENEYTOUSE, LA		87
55	BF 35	GENICOURT		95
60	CD 35	GENICOURT SUR MEUSE		55
159	BY 74	GENILAC		42
110	AX 56	GENILLE		37
154	AX 77	GENIS		24
167	AM 82	GENISSAC		33
160	CC 79	GENISSIEUX		26
116	CC 55	GENLIS	C	21
118	CJ 55	GENNES		25
108	AN 54	GENNES	C	49
22	BE 22	GENNES IVERGNY		62
90	AK 48	GENNES SUR GLAIZE		53
72	AH 47	GENNES SUR SEICHE		35
91	AP 51	GENNETEIL		49
129	BP 62	GENNETINES		03
107	AL 57	GENNETON		79
32	AS 32	GENNEVILLE		14
55	BG 37	GENNEVILLIERS	C	92
133	CF 65	GENOD		39
189	BT 88	GENOLHAC	C	30
218	AT 103	GENOS		31
218	AQ 105	GENOS		65
139	AT 71	GENOUILLAC		16
127	BE 66	GENOUILLAC		23
137	AI 69	GENOUILLE		17
138	AR 68	GENOUILLE		86
146	BZ 68	GENOUILLEUX		01
111	BD 56	GENOUILLY		18
131	BX 62	GENOUILLY		71
168	AP 82	GENSAC		33
198	AO 98	GENSAC		65
184	AV 92	GENSAC		82
199	AS 100	GENSAC DE BOULOGNE		31
137	AM 73	GENSAC LA PALLUE		16
200	AX 100	GENSAC SUR GARONNE		31
137	AM 73	GENTE		16
21	BH 27	GENTELLES		80
55	BH 38	GENTILLY		94
141	BE 72	GENTIOUX PIGEROLLES	C	23
36	BL 29	GENVRY		60
102	CM 52	GEORFANS		70
133	CG 66	GEOVREISSET		01
133	CF 67	GEOVREISSIAT		01
50	AK 39	GER		50
198	AN 100	GER		64
217	AN 102	GER		65
118	CI 58	GERAISE		39
84	CO 45	GERARDMER	C	88
80	BV 44	GERAUDOT		10
147	CH 73	GERBAIX		73
84	CN 46	GERBAMONT		88
61	CL 37	GERBECOURT		57
83	CJ 41	GERBECOURT ET HAPLEMONT		54
84	CP 44	GERBEPAL		88
34	BD 30	GERBEROY		60
61	CL 41	GERBEVILLER	C	54
39	CC 32	GERCOURT ET DRILLANCOURT		55
23	BS 27	GERCY		02
218	AP 102	GERDE		65
198	AM 98	GERDEREST		64
216	AK 102	GERE BELESTEN		64
23	BS 26	GERGNY		02
116	BZ 55	GERGUEIL		21
116	CB 59	GERGY		71
116	CB 57	GERLAND		21
218	AR 105	GERM		65
133	CE 65	GERMAGNAT		01
131	BY 62	GERMAGNY		71
22	BM 27	GERMAINE		02
58	BT 35	GERMAINE		51
99	CA 49	GERMAINES		52
54	BA 39	GERMAINVILLE		28
82	CF 45	GERMAINVILLIERS		52
82	CD 42	GERMAY		52
118	CM 55	GERMEFONTAINE		25
114	BQ 55	GERMENAY		58
151	AL 74	GERMIGNAC		17
117	CG 57	GERMIGNEY		39
100	CE 54	GERMIGNEY		70
76	BC 45	GERMIGNONVILLE		28
37	BR 33	GERMIGNY		51
97	BR 47	GERMIGNY		89
95	BQ 49	GERMIGNY DES PRES		45
56	BL 36	GERMIGNY L'EVEQUE		77
113	BL 59	GERMIGNY L'EXEMPT		18
56	BN 35	GERMIGNY SOUS COULOMBS		77
113	BM 57	GERMIGNY SUR LOIRE		58
58	BU 37	GERMINON		51
83	CI 41	GERMINY		54
82	CD 42	GERMISAY		52
131	BY 66	GERMOLLES SUR GROSNE		71
123	AL 64	GERMOND ROUVRE		79
101	CK 53	GERMONDANS		25
39	BZ 31	GERMONT		08
83	CJ 42	GERMONVILLE		54
217	AO 102	GERMS SUR L'OUSSOUET		65
39	BY 27	GERNELLE		08
37	BR 32	GERNICOURT		02
197	AI 100	GERONCE		64
18	AT 28	GERPONVILLE		76
31	AP 34	GERROTS		14
85	CU 42	GERSTHEIM		67
85	CT 41	GERTWILLER		67
133	CF 62	GERUGE		39
160	CA 79	GERVANS		26
18	AS 28	GERVILLE		76
60	CC 38	GERY		55
143	BN 71	GERZAT	C	63
72	AL 45	GESNES		53
39	CA 32	GESNES EN ARGONNE		55
73	AP 43	GESNES LE GANDELIN		72
25	BY 27	GESPUNSART		08
197	AG 98	GESTAS		64
106	AG 56	GESTE		49
68	P 48	GESTEL		56
220	BA 105	GESTIES		09
73	AO 43	GESVRES		53
56	BK 35	GESVRES LE CHAPITRE		77
106	AF 57	GETIGNE		44
135	CO 67	GETS, LES		74
217	AN 102	GEU		65
64	CU 35	GEUDERTHEIM		67
197	AJ 97	GEUS D'ARZACQ		64
197	AI 99	GEUS D'OLORON		64
70	AC 44	GEVEZE		35
101	CH 49	GEVIGNEY ET MERCEY		70
60	CF 38	GEVILLE		55
133	CF 62	GEVINGEY		39
118	CJ 58	GEVRESIN		25
116	CA 55	GEVREY CHAMBERTIN	C	21

Page	Carreau	Commune	Adm.Dpt
81	BY 47	GEVROLLES	.21
117	CE 57	GEVRY	.39
134	CJ 65	GEX	S .01
160	CC 79	GEYSSANS	.26
217	AN 102	GEZ	.65
217	AO 102	GEZ EZ ANGLES	.65
21	BG 23	GEZAINCOURT	.80
101	CH 54	GEZIER ET FONTENELAY	.70
61	CH 37	GEZONCOURT	.54
231	DN 111	GHISONACCIA	.2B
231	DL 110	GHISONI	C .2B
23	BP 22	GHISSIGNIES	.59
4	BI 13	GHYVELDE	.59
142	BH 72	GIAT	.63
60	CG 40	GIBEAUMEIX	.54
201	BB 100	GIBEL	.31
36	BN 28	GIBERCOURT	.02
31	AN 34	GIBERVILLE	.14
131	BW 66	GIBLES	.71
137	AM 70	GIBOURNE	.17
197	AH 95	GIBRET	.40
137	AN 70	GICQ, LE	.17
94	BD 47	GIDY	.45
51	AO 38	GIEL COURTEILLES	.61
95	BI 51	GIEN	C .45
115	BU 57	GIEN SUR CURE	.58
161	CI 78	GIERES	.38
149	CN 70	GIETTAZ, LA	.73
50	AI 35	GIEVILLE	.50
111	BC 55	GIEVRES	.41
99	CB 48	GIEY SUR AUJON	.52
148	CL 71	GIEZ	.74
55	BF 39	GIF SUR YVETTE	C .91
81	BY 41	GIFFAUMONT CHAMPAUBERT	.51
205	BR 97	GIGEAN	.34
204	BQ 95	GIGNAC	C .34
170	BA 80	GIGNAC	.46
192	CG 92	GIGNAC	.84
207	CE 98	GIGNAC LA NERTHE	.13
157	BN 75	GIGNAT	.63
83	CH 45	GIGNEVILLE	.88
83	CK 44	GIGNEY	.88
133	CF 64	GIGNY	.39
98	BV 49	GIGNY	.89
59	BX 40	GIGNY BUSSY	.51
132	CB 61	GIGNY SUR SAONE	.71
191	CC 89	GIGONDAS	.84
178	CL 86	GIGORS	.04
176	CC 82	GIGORS ET LOZERON	.26
170	AZ 85	GIGOUZAC	.46
203	BJ 95	GIJOUNET	.81
103	CQ 50	GILDWILLER	.68
195	CT 92	GILETTE	.06
176	BZ 81	GILHAC ET BRUZAC	.07
176	BZ 80	GILHOC SUR ORMEZE	.07
81	CA 45	GILLANCOURT	.52
82	CC 41	GILLAUME	.52
54	BB 37	GILLES	.28
118	CM 57	GILLEY	.25
100	CF 50	GILLEY	.52
134	CJ 61	GILLOIS	.39
161	CE 76	GILLONNAY	.38
116	CB 56	GILLY LES CITEAUX	.21
148	CM 72	GILLY SUR ISERE	.73
130	BR 63	GILLY SUR LOIRE	.71
36	BL 33	GILOCOURT	.60
184	AV 93	GIMAT	.82
183	AT 91	GIMBREDE	.32
143	BM 70	GIMEAUX	.63
60	CD 37	GIMECOURT	.55
155	BD 77	GIMEL LES CASCADES	.19
137	AL 73	GIMEUX	.16
159	BX 74	GIMOND, LA	.42
200	AV 96	GIMONT	C .32
113	BM 59	GIMOUILLE	.58
52	AR 39	GINAI	.61
185	BD 89	GINALS	.82
208	CJ 95	GINASSERVIS	.83
22	BK 25	GINCHY	.80
221	BG 105	GINCLA	.11
40	CE 33	GINCREY	.55
170	AY 85	GINDOU	.46
203	BL 100	GINESTAS	C .11
168	AR 81	GINESTET	.24
64	CT 38	GINGSHEIM	.67
221	BF 104	GINOLES	.11
170	BA 83	GINOUILLAC	.46
171	BC 82	GINTRAC	.46
229	DM 106	GIOCATOJO	.2B
58	BS 37	GIONGES	.51
172	BI 81	GIOU DE MAMOU	.15
141	BF 71	GIOUX	.23
129	BM 64	GIPCY	.03
171	BC 82	GIRAC	.46
83	CK 45	GIRANCOURT	.88
41	CH 34	GIRAUMONT	.54
36	BK 31	GIRAUMONT	.60
60	CE 38	GIRAUVOISIN	.55
83	CJ 43	GIRCOURT LES VIEVILLE	.88
84	CM 44	GIRECOURT SUR DURBION	.88
101	CJ 48	GIREFONTAINE	.70
56	BM 38	GIREMOUTIERS	.77
156	BI 80	GIRGOLS	.15
84	CL 41	GIRIVILLER	.54
83	CL 44	GIRMONT	.88
84	CM 47	GIRMONT VAL D'AJOL	.88
78	BJ 46	GIROLLES	.45
97	BS 52	GIROLLES	.89
102	CO 49	GIROMAGNY	C .90
133	CH 66	GIRON	.01
83	CH 43	GIRONCOURT SUR VRAINE	.88
168	AN 85	GIRONDE SUR DROPT	.33
24	BV 26	GIRONDELLE	.08
77	BI 45	GIRONVILLE	.77
77	BH 43	GIRONVILLE SUR ESSONNE	.91
121	AC 62	GIROUARD, LE	.85
201	BC 94	GIROUSSENS	.81
111	BD 58	GIROUX	.36
113	BO 56	GIRY	.58
52	AU 36	GISAY LA COUDRE	.27
200	AV 96	GISCARO	.32
182	AM 88	GISCOS	.33
34	BD 33	GISORS	C .27
187	BL 93	GISSAC	.12
115	BX 55	GISSEY LE VIEIL	.21
99	BY 52	GISSEY SOUS FLAVIGNY	.21
116	BZ 55	GISSEY SUR OUCHE	.21
78	BN 44	GISY LES NOBLES	.89
231	DM 109	GIUNCAGGIO	.2B
232	DK 116	GIUNCHETO	.2A
112	BK 60	GIVARDON	.18
128	BJ 64	GIVARLAIS	.03
12	BK 20	GIVENCHY EN GOHELLE	.62
21	BH 22	GIVENCHY LE NOBLE	.62
12	BJ 19	GIVENCHY LES LA BASSEE	.62
54	BB 35	GIVERNY	.27
32	AT 34	GIVERVILLE	.27
25	BY 23	GIVET	C .08
39	BZ 28	GIVONNE	.08
146	BZ 74	GIVORS	C .69
77	BH 46	GIVRAINES	.45
120	AA 61	GIVRAND	.85
60	CC 39	GIVRAUVAL	.55
121	AE 64	GIVRE, LE	.85
151	AJ 74	GIVREZAC	.17
38	BV 29	GIVRON	.08
38	BW 30	GIVRY	.08
132	BZ 60	GIVRY	C .71
97	BR 52	GIVRY	.89
59	BZ 36	GIVRY EN ARGONNE	C .51
57	BS 37	GIVRY LES LOISY	.51
62	CO 36	GIVRYCOURT	.57
59	BY 35	GIZAUCOURT	.51
125	AS 64	GIZAY	.86
92	AQ 54	GIZEUX	.37
133	CE 63	GIZIA	.39
37	BR 29	GIZY	.02
29	AE 29	GLACERIE, LA	.50
24	BT 24	GLAGEON	.59
36	BK 33	GLAIGNES	.60
143	BP 72	GLAINE MONTAIGUT	.63
39	BZ 28	GLAIRE	.08
178	CJ 83	GLAIZIL, LE	.05
118	CK 55	GLAMONDANS	.25
57	BP 35	GLAND	.02
98	BV 49	GLAND	.89
177	CG 83	GLANDAGE	.26
154	AY 75	GLANDON	.87
171	BD 81	GLANES	.46
140	BA 73	GLANGES	.87
58	BX 39	GLANNES	.51
116	CC 57	GLANON	.21
31	AQ 33	GLANVILLE	.14
184	AV 93	GLATENS	.82
29	AE 32	GLATIGNY	.50
41	CK 34	GLATIGNY	.57
34	BD 31	GLATIGNY	.60
102	CP 53	GLAY	.25
146	BZ 69	GLEIZE	.69
88	Z 49	GLENAC	.56
171	BF 82	GLENAT	.15
107	AN 59	GLENAY	.79
127	BD 67	GLENIC	.23
37	BR 32	GLENNES	.02
108	AP 58	GLENOUZE	.86
102	CQ 53	GLERE	.25
19	AY 26	GLICOURT	.76
53	AX 36	GLISOLLES	.27
21	BH 26	GLISY	.80
68	Q 43	GLOMEL	.22
84	CN 41	GLONVILLE	.54
226	BI 107	GLORIANES	.66
52	AR 34	GLOS	.14
52	AU 38	GLOS LA FERRIERE	.61
32	AU 33	GLOS SUR RISLE	.27
175	BY 82	GLUIRAS	.07
160	CA 80	GLUN	.07
114	BT 59	GLUX EN GLENNE	.58
184	AV 94	GOAS	.82
49	AG 39	GODEFROY, LA	.50
35	BI 30	GODENVILLERS	.60
18	AS 29	GODERVILLE	C .76
11	BJ 16	GODEWAERSVELDE	.59
52	AR 39	GODISSON	.61
157	BL 76	GODIVELLE, LA	.63
83	CH 47	GODONCOURT	.88
62	CP 37	GOERLINGEN	.67
64	CU 35	GOERSDORF	.67
197	AJ 100	GOES	.64
63	CR 35	GOETZENBRUCK	.57
22	BM 21	GOEULZIN	.59
62	CO 39	GOGNEY	.54
23	BS 21	GOGNIES CHAUSSEE	.59
49	AG 39	GOHANNIERE, LA	.50
75	AY 45	GOHORY	.28
61	CJ 35	GOIN	.57
35	BE 31	GOINCOURT	.60
36	BM 28	GOLANCOURT	.60
83	CL 44	GOLBEY	.88
103	CQ 48	GOLDBACH ALTENBACH	.68
184	AV 90	GOLFECH	.82
172	BI 85	GOLINHAC	.12
29	AE 30	GOLLEVILLE	.50
93	AX 51	GOMBERGEAN	.41
41	CL 32	GOMELANGE	.57
69	W 44	GOMENE	.22
198	AM 100	GOMER	.64
55	BF 40	GOMETZ LA VILLE	.91
55	BF 40	GOMETZ LE CHATEL	.91
22	BK 23	GOMIECOURT	.62
21	BJ 23	GOMMECOURT	.62
54	BB 35	GOMMECOURT	.78
23	BQ 22	GOMMEGNIES	.59
47	T 39	GOMMENEC'H	.22
103	CR 50	GOMMERSDORF	.68
76	BE 43	GOMMERVILLE	.28
32	AS 30	GOMMERVILLE	.76
98	BW 47	GOMMEVILLE	.21
38	BU 30	GOMONT	.08
162	CJ 76	GONCELIN	C .38
82	CF 44	GONCOURT	.52
138	AQ 73	GOND PONTOUVRE, LE	C .16
12	BL 19	GONDECOURT	.59
101	CL 52	GONDENANS LES MOULINS	.25
102	CL 53	GONDENANS MONTBY	.25
138	AN 73	GONDEVILLE	.16
40	CG 33	GONDRECOURT AIX	.54
82	CE 41	GONDRECOURT LE CHATEAU	C .55
77	BJ 47	GONDREVILLE	.45
61	CH 39	GONDREVILLE	.54
36	BL 34	GONDREVILLE	.60
62	CO 39	GONDREXANGE	.57
62	CN 40	GONDREXON	.54
183	AQ 93	GONDRIN	.32
137	AK 72	GONDS, LES	.17
55	BH 36	GONESSE	C .95
199	AP 100	GONEZ	.65
209	CM 98	GONFARON	.83
29	AF 33	GONFREVILLE	.50
18	AT 29	GONFREVILLE CAILLOT	.76
32	AR 30	GONFREVILLE L'ORCHER	C .76
52	AT 38	GONFRIERE, LA	.61
11	BI 19	GONNEHEM	.62
22	BM 24	GONNELIEU	.59
19	AW 27	GONNETOT	.76
29	AF 28	GONNEVILLE	.50
31	AO 33	GONNEVILLE EN AUGE	.14
18	AR 29	GONNEVILLE LA MALLET	.76
32	AR 31	GONNEVILLE SUR HONFLEUR	.14
31	AP 33	GONNEVILLE SUR MER	.14
19	AX 27	GONNEVILLE SUR SCIE	.76
118	CK 55	GONSANS	.25
168	AQ 86	GONTAUD DE NOGARET	.47
153	AT 76	GONTERIE BOULOUNEIX, LA	.24
19	AV 27	GONZEVILLE	.76
197	AG 94	GOOS	.40
195	CW 93	GORBIO	.06
40	CF 30	GORCY	.54
191	CE 92	GORDES	C .84
21	BE 24	GORENFLOS	.80
106	AF 57	GORGES	.44
29	AF 33	GORGES	.50
21	BF 24	GORGES	.80
12	BJ 18	GORGUE, LA	.59
83	CK 44	GORHEY	.88
167	AN 84	GORNAC	.33
189	BR 93	GORNIES	.34
139	AW 72	GORRE	.87
132	CB 64	GORREVOD	.01
72	AJ 42	GORRON	C .53
171	BE 83	GORSES	.46
61	CH 35	GORZE	.57
11	BI 19	GOSNAY	.62
71	AE 44	GOSNE	.35
62	CO 37	GOSSELMING	.57
197	AG 100	GOTEIN LIBARRENX	.64
63	CR 38	GOTTENHOUSE	.67
63	CS 37	GOTTESHEIM	.67
79	BO 42	GOUAIX	.77
182	AM 88	GOUALADE	.33
68	R 43	GOUAREC	C .22
218	AQ 104	GOUAUX	.65
218	AR 105	GOUAUX DE LARBOUST	.31
218	AS 104	GOUAUX DE LUCHON	.31
29	AG 28	GOUBERVILLE	.50
19	AZ 26	GOUCHAUPRE	.76
190	BX 89	GOUDARGUES	.30
37	BS 30	GOUDELANCOURT LES BERRIEUX	.02
37	BS 29	GOUDELANCOURT LES PIERREPONT	.02
47	T 39	GOUDELIN	.22
174	BT 82	GOUDET	.43
200	AV 98	GOUDEX	.31
199	AP 100	GOUDON	.65
184	AV 90	GOUDOURVILLE	.82
67	K 46	GOUESNACH	.29
48	AB 40	GOUESNIERE, LA	.35
44	I 40	GOUESNOU	.29
125	AU 65	GOUEX	.86
67	L 43	GOUEZEC	.29
64	CT 38	GOUGENHEIM	.67
101	CL 52	GOUHELANS	.25
102	CL 51	GOUHENANS	.70
76	BD 43	GOUILLONS	.28
129	BP 65	GOUISE	.03
170	AX 85	GOUJOUNAC	.46
52	AT 36	GOULAFRIERE, LA	.27
51	AP 39	GOULET	.61
66	H 44	GOULIEN	.29
220	BA 106	GOULIER	.09
155	BE 80	GOULLES	.19
99	CA 48	GOULLES, LES	.21
114	BT 56	GOULOUX	.58
191	CE 93	GOULT	.84
45	K 38	GOULVEN	.29
119	CP 54	GOUMOIS	.25
51	AM 35	GOUPILLIERES	.14
53	AV 34	GOUPILLIERES	.27
33	AX 29	GOUPILLIERES	.76
54	BC 37	GOUPILLIERES	.78
40	CE 32	GOURAINCOURT	.55
69	X 42	GOURAY, LE	.22
181	AF 93	GOURBERA	.40
29	AF 31	GOURBESVILLE	.50
220	BA 105	GOURBIT	.09
34	BC 28	GOURCHELLES	.60
218	AS 102	GOURDAN POLIGNAN	.31
173	BL 81	GOURDIEGES	.15
210	CS 94	GOURDON	.06
175	BX 83	GOURDON	.07
170	AZ 83	GOURDON	S .46
131	BW 62	GOURDON	.71
155	BD 75	GOURDON MURAT	.19
50	AH 35	GOURFALEUR	.50
58	BT 39	GOURGANCON	.51
124	AN 61	GOURGE	.79
101	CH 50	GOURGEON	.70
218	AQ 101	GOURGUE	.65
70	Y 47	GOURHEL	.56
68	O 44	GOURIN	C .56
67	J 45	GOURLIZON	.29
127	BC 63	GOURNAY	.36
34	BC 31	GOURNAY EN BRAY	C .76
53	AV 39	GOURNAY LE GUERIN	.27
138	AO 67	GOURNAY LOIZE	.79
36	BJ 31	GOURNAY SUR ARONDE	.60
55	BI 38	GOURNAY SUR MARNE	.93
138	AO 70	GOURS, LES	.16
168	AO 80	GOURS	.33
201	BC 99	GOURVIEILLE	.11
138	AO 71	GOURVILLE	.16
137	AM 70	GOURVILLETTE	.17
82	CF 41	GOUSSAINCOURT	.55
54	BA 38	GOUSSAINVILLE	.28
55	BH 36	GOUSSAINVILLE	C .95
57	BQ 34	GOUSSANCOURT	.02
197	AH 94	GOUSSE	.40
54	BC 37	GOUSSONVILLE	.78
31	AP 33	GOUSTRANVILLE	.14
152	AR 76	GOUT ROSSIGNOL	.24
142	BK 71	GOUTELLE, LA	.63
219	AX 100	GOUTEVERNISSE	.31
172	BH 87	GOUTRENS	.12
181	AH 94	GOUTS	.40
53	AV 36	GOUTTIERES	.27
142	BK 69	GOUTTIERES	.63
200	AT 94	GOUTZ	.32
56	BJ 38	GOUVERNES	.77
21	BJ 22	GOUVES	.62
50	AH 36	GOUVETS	.50
55	BH 34	GOUVIEUX	.60
53	AW 38	GOUVILLE	.27
49	AE 34	GOUVILLE SUR MER	.50
51	AN 35	GOUVIX	.14
198	AN 96	GOUX	.32
102	CN 53	GOUX LES DAMBELIN	.25
118	CK 58	GOUX LES USIERS	.25
118	CI 57	GOUX SOUS LANDET	.25
22	BN 25	GOUY	.02
33	AY 32	GOUY	.76
21	BI 22	GOUY EN ARTOIS	.62
21	BH 21	GOUY EN TERNOIS	.62
35	BF 28	GOUY LES GROSEILLERS	.60
11	BJ 20	GOUY SERVINS	.62
22	BM 21	GOUY SOUS BELLONNE	.62
20	BD 21	GOUY ST ANDRE	.62
54	BD 35	GOUZANGREZ	.95
22	BM 24	GOUZEAUCOURT	.59
219	AX 101	GOUZENS	.31
142	BG 67	GOUZON	.23
70	AB 46	GOVEN	.35
83	CH 41	GOVILLER	.54
85	CS 41	GOXWILLER	.67
36	BJ 28	GOYENCOURT	.80
201	AZ 97	GOYRANS	.31
205	BS 95	GRABELS	.34
111	BD 57	GRACAY	C .18
69	U 43	GRACE UZEL	.22
46	S 40	GRACES	.22
167	AJ 83	GRADIGNAN	C .33
82	CF 45	GRAFFIGNY CHEMIN	.52
201	BA 95	GRAGNAGUE	.31
30	AH 33	GRAIGNES	.50
218	AQ 104	GRAILHEN	.65
32	AS 29	GRAIMBOUVILLE	.76
22	BM 23	GRAINCOURT LES HAVRINCOURT	.62
34	BA 32	GRAINVILLE	.27
18	AU 27	GRAINVILLE LA TEINTURIERE	.76
51	AN 36	GRAINVILLE LANGANNERIE	.14
50	AL 34	GRAINVILLE SUR ODON	.14
33	AZ 31	GRAINVILLE SUR RY	.76
18	AT 28	GRAINVILLE YMAUVILLE	.76
51	AN 40	GRAIS, LE	.61
172	BK 83	GRAISSAC	.12
204	BN 95	GRAISSESSAC	.34
159	BY 76	GRAIX	.42
171	BC 83	GRAMAT	C .46
221	BE 101	GRAMAZIE	.11
208	CH 94	GRAMBOIS	.84
159	BX 74	GRAMMOND	.42
102	CM 52	GRAMMONT	.70
186	BH 89	GRAMOND	.12
184	AU 92	GRAMONT	.82
233	DK 115	GRANACE	.2A
99	CB 50	GRANCEY LE CHATEAU NEUVELLE	C .21
81	BX 47	GRANCEY SUR OURCE	.21
82	CE 42	GRAND	.88
147	CG 68	GRAND ABERGEMENT, LE	.01
89	AF 51	GRAND AUVERNE	.44
148	CM 69	GRAND BORNAND, LE	.74
141	BB 68	GRAND BOURG, LE	C .23
153	AS 77	GRAND BRASSAC	.24
52	AT 35	GRAND CAMP	.27
32	AU 30	GRAND CAMP	.76
50	AH 39	GRAND CELLAND, LE	.50
69	T 49	GRAND CHAMP	C .56
102	CO 51	GRAND CHARMONT	.25
189	BU 89	GRAND COMBE, LA	C .30
133	CE 67	GRAND CORENT	.01
33	AX 32	GRAND COURONNE	C .76
159	BY 75	GRAND CROIX, LA	C .42
40	CE 31	GRAND FAILLY	.54
23	BR 24	GRAND FAYT	.59
4	BF 14	GRAND FORT PHILIPPE	.59
88	AC 49	GRAND FOUGERAY	C .35
20	BC 23	GRAND LAVIERS	.80
161	CF 76	GRAND LEMPS, LE	C .38
92	AS 49	GRAND LUCE, LE	C .72
139	AS 70	GRAND MADIEU, LE	.16
109	AV 59	GRAND PRESSIGNY, LE	C .37
33	AX 31	GRAND QUEVILLY, LE	C .76
37	BO 33	GRAND ROZOY	.02
21	BH 22	GRAND RULLECOURT	.62
160	CC 77	GRAND SERRE, LE	C .26
172	BH 85	GRAND VABRE	.12
23	BP 25	GRAND VERLY	.02
136	AF 70	GRAND VILLAGE PLAGE, LE	.17
30	AI 31	GRANDCAMP MAISY	.14
52	AU 35	GRANDCHAIN	.27
38	BV 29	GRANDCHAMP	.08
100	CE 50	GRANDCHAMP	.52
74	AR 44	GRANDCHAMP	.72
54	BB 39	GRANDCHAMP	.78
96	BM 49	GRANDCHAMP	.89
51	AQ 35	GRANDCHAMP LE CHATEAU	.14
89	AD 53	GRANDCHAMPS DES FONTAINES	.44
118	CM 57	GRAND'COMBE CHATELEU	.25
119	CO 56	GRAND'COMBE DES BOIS	.25
20	BA 26	GRANDCOURT	.76
22	BJ 24	GRANDCOURT	.80
84	CQ 42	GRANDE FOSSE, LA	.88
205	BU 96	GRANDE MOTTE, LA	.34
78	BL 43	GRANDE PAROISSE, LA	.77
117	CF 54	GRANDE RESIE, LA	.70
133	CI 63	GRANDE RIVIERE	.39
4	BG 14	GRANDE SYNTHE	C .59
115	BU 59	GRANDE VERRIERE, LA	.71
101	CH 51	GRANDECOURT	.70
39	BZ 30	GRANDES ARMOISES, LES	.08
80	BT 42	GRANDES CHAPELLES, LES	.10
58	BV 35	GRANDES LOGES, LES	.51
19	AY 27	GRANDES VENTES, LES	.76
157	BM 74	GRANDEYROLLES	.63
117	CH 55	GRANDFONTAINE	.25
85	CQ 41	GRANDFONTAINE	.67
118	CM 55	GRANDFONTAINE SUR CREUSE	.25
35	BJ 32	GRANDFRESNOY	.60
39	BZ 32	GRANDHAM	.08
137	AK 70	GRANDJEAN	.17
105	AC 59	GRAND'LANDES	.85
37	BR 29	GRANDLUP ET FAY	.02
39	BZ 32	GRANDPRE	C .08
78	BL 41	GRANDPUITS BAILLY CARROIS	.77
174	BQ 83	GRANDRIEU	C .48
38	BU 28	GRANDRIEUX	.02
158	BS 75	GRANDRIF	.63
145	BX 69	GRANDRIS	.69
36	BM 29	GRANDRU	.60
84	CP 42	GRANDRUPT	.88
83	CJ 46	GRANDRUPT DE BAINS	.88
126	AZ 65	GRANDS CHEZEAUX, LES	.87
155	BD 75	GRANDSAIGNE	.19
158	BR 74	GRANDVAL	.63
173	BM 83	GRANDVALS	.48
131	BV 64	GRANDVAUX	.71
101	CI 52	GRANDVELLE ET LE PERRENOT	.70
102	CP 51	GRANDVILLARS	C .90
25	BY 27	GRANDVILLE, LA	.08
58	BV 40	GRANDVILLE	.10
84	CN 44	GRANDVILLERS	.88
35	BI 31	GRANDVILLERS AUX BOIS	.60
53	AX 38	GRANDVILLIERS	.27
34	BE 29	GRANDVILLIERS	C .60
176	CB 83	GRANE	.26
221	BG 104	GRANES	.11
119	CN 54	GRANGE, LA	.25
117	CH 58	GRANGE DE VAIVRE	.39
77	BH 45	GRANGERMONT	.45
80	BT 46	GRANGES, LES	.10
132	BZ 61	GRANGES	.71
154	AX 78	GRANGES D'ANS	.24
176	CA 87	GRANGES GONTARDES, LES	.26
102	CM 51	GRANGES LA VILLE	.70
102	CN 51	GRANGES LE BOURG	.70
77	BE 41	GRANGES LE ROI, LES	.91
160	CB 80	GRANGES LES BEAUMONT	.26
118	CL 59	GRANGES NARBOZ	.25
79	BS 40	GRANGES SUR AUBE	.51
133	CG 61	GRANGES SUR BAUME	.39
183	AS 87	GRANGES SUR LOT	.47
84	CN 45	GRANGES SUR VOLOGNE	.88
118	CL 59	GRANGETTES, LES	.25
31	AP 33	GRANGUES	.14
149	CO 73	GRANIER	.73
147	CG 73	GRANIEU	.38
207	CD 96	GRANS	.13
49	AD 37	GRANVILLE	C .50
123	AL 67	GRANZAY GRIPT	.79
175	BY 86	GRAS	.07
118	CM 57	GRAS, LES	.25
153	AR 74	GRASSAC	.16
210	CS 94	GRASSE	S .06
64	CT 37	GRASSENDORF	.67
168	AR 87	GRATELOUP	.47
200	AW 99	GRATENS	.31
201	AZ 95	GRATENTOUR	.31
35	BI 28	GRATIBUS	.80
49	AE 35	GRATOT	.50
39	BY 33	GRATREUIL	.51
35	BG 27	GRATTEPANCHE	.80
118	CJ 56	GRATTERIS, LE	.25
101	CI 50	GRATTERY	.70
205	BV 97	GRAU DU ROI, LE	.30
153	AS 75	GRAULGES, LES	.24
202	BD 94	GRAULHET	C .81
58	BS 36	GRAUVES	.51
34	BB 28	GRAVAL	.76
162	CM 79	GRAVE, LA	C .05
11	BF 14	GRAVELINES	C .59
72	AI 46	GRAVELLE, LA	.53
61	CH 34	GRAVELOTTE	.57
50	AJ 37	GRAVERIE, LA	.14
53	AX 35	GRAVERON SEMERVILLE	.27
138	AN 73	GRAVES SAINT AMANT	.16
190	CA 93	GRAVESON	.13
175	BU 87	GRAVIERES	.07
53	AY 35	GRAVIGNY	.27
78	BM 43	GRAVON	.77
100	CF 53	GRAY	C .70
100	CF 53	GRAY LA VILLE	.70
150	AG 75	GRAYAN ET L'HOPITAL	.33
133	CE 64	GRAYE ET CHARNAY	.39
31	AM 32	GRAYE SUR MER	.14
184	AU 90	GRAYSSAS	.47
201	AZ 99	GRAZAC	.31
159	BV 78	GRAZAC	.43
185	BB 93	GRAZAC	.81
73	AM 43	GRAZAY	.53
171	BD 86	GREALOU	.46
208	CG 97	GREASQUE	.13
20	BC 24	GREBAULT MESNIL	.80
36	BL 28	GRECOURT	.80
117	CF 56	GREDISANS	.39
69	X 46	GREE ST LAURENT, LA	.56
75	AV 45	GREEZ SUR ROC	.72
221	BH 102	GREFFEIL	.11
19	AY 26	GREGES	.76
61	CK 38	GREMECEY	.57
34	BD 30	GREMEVILLERS	.60
40	CD 33	GREMILLY	.55
19	AV 28	GREMONVILLE	.76
201	AY 94	GRENADE	C .31
198	AK 94	GRENADE SUR L'ADOUR	C .40
115	BY 55	GRENAND LES SOMBERNON	.21
100	CE 50	GRENANT	.52
146	CC 73	GRENAY	.38
12	BJ 20	GRENAY	.62
85	CR 41	GRENDELBRUCH	.67
77	BF 45	GRENEVILLE EN BEAUCE	.45
157	BN 77	GRENIER MONTGON	.43
62	CO 35	GRENING	.57
161	CG 78	GRENOBLE	P .38
114	BP 55	GRENOIS	.58
51	AN 34	GRENTHEVILLE	.14
103	CS 51	GRENTZINGEN	.68
19	AZ 25	GRENY	.76
194	CS 93	GREOLIERES	.06
192	CJ 94	GREOUX LES BAINS	.04
201	AZ 98	GREPIAC	.31
200	AW 95	GRES, LE	.31
98	BX 52	GRESIGNY STE REINE	.21
147	CG 73	GRESIN	.73
145	BW 68	GRESLE, LA	.42
177	CG 81	GRESSE EN VERCORS	.38
54	BB 38	GRESSEY	.78
63	CS 40	GRESSWILLER	.67
56	BJ 36	GRESSY	.77
148	CJ 72	GRESY SUR AIX	C .73
148	CL 73	GRESY SUR ISERE	C .73
56	BJ 39	GRETZ ARMAINVILLIERS	.77
101	CH 52	GREUCOURT	.70
19	AW 27	GREUVILLE	.76
82	CF 42	GREUX	.88
123	AJ 66	GREVE SUR MIGNON, LA	.17
29	AC 28	GREVILLE HAGUE	.50
22	BK 24	GREVILLERS	.62
132	CA 63	GREVILLY	.71
34	BE 29	GREZ	.60
73	AO 45	GREZ, LE	.72
90	AL 48	GREZ EN BOUERE	C .53
90	AK 51	GREZ NEUVILLE	.49
78	BJ 44	GREZ SUR LOING	.77
136	AI 73	GREZAC	.17
170	AX 86	GREZELS	.46
154	AZ 79	GREZES	.24
174	BQ 81	GREZES	.43
171	BC 85	GREZES	.46
173	BO 86	GREZES	.48
183	AP 87	GREZET CAVAGNAN	.47
218	AQ 104	GREZIAN	.65
146	BZ 72	GREZIEU LA VARENNE	.69
145	BX 73	GREZIEU LE MARCHE	.69
145	BV 74	GREZIEUX LE FROMENTAL	.42
167	AM 82	GREZILLAC	.33
107	AM 54	GREZILLE	.49
144	BT 71	GREZOLLES	.42
22	BN 26	GRICOURT	.02
132	CA 66	GRIEGES	.01
64	CV 37	GRIES	.67
85	CR 46	GRIESBACH AU VAL	.68
64	CT 40	GRIESHEIM PRES MOLSHEIM	.67
64	CU 39	GRIESHEIM SUR SOUFFEL	.67
176	CB 87	GRIGNAN	C .26
19	AY 29	GRIGNEUSEVILLE	.76
153	AS 79	GRIGNOLS	.24
182	AO 87	GRIGNOLS	C .33
98	BW 52	GRIGNON	.21
148	CM 72	GRIGNON	.73
83	CH 47	GRIGNONCOURT	.88
21	BF 21	GRIGNY	.62
146	CA 73	GRIGNY	.69

Page	Carreau	Commune	Adm.	Dpt
55	BH 40	GRIGNY	C	91
89	AC 52	GRIGONNAIS, LA		44
176	CB 87	GRILLON		84
134	CK 65	GRILLY		01
40	CE 34	GRIMAUCOURT EN WOEVRE		55
60	CD 38	GRIMAUCOURT PRES SAMPIGNY		55
210	CO 99	GRIMAUD	C	83
108	AP 60	GRIMAUDIERE, LA		86
98	BT 51	GRIMAULT		89
51	AM 35	GRIMBOSQ		14
49	AF 36	GRIMESNIL		50
83	CI 42	GRIMONVILLER		54
21	BI 23	GRINCOURT LES PAS		62
41	CL 31	GRINDORFF		57
136	AH 71	GRIPPERIE ST SYMPHORIEN, LA		17
83	CK 42	GRIPPORT		54
61	CH 37	GRISCOURT		54
98	BW 48	GRISELLES		21
78	BK 46	GRISELLES		45
57	BO 34	GRISOLLES		02
184	AY 94	GRISOLLES	C	82
55	BE 35	GRISY LES PLATRES		95
55	BJ 39	GRISY SUISNES		77
79	BO 42	GRISY SUR SEINE		77
170	AX 83	GRIVES		24
35	BH 28	GRIVESNES		80
36	BJ 29	GRIVILLERS		80
39	BX 31	GRIVY LOISY		08
20	BB 21	GROFFLIERS		62
23	BQ 24	GROISE, LA		59
112	BK 56	GROISES		18
133	CG 66	GROISSIAT		01
148	CK 68	GROISY		74
86	P 50	GROIX	C	56
170	AY 83	GROLEJAC		24
112	BJ 57	GRON		18
78	BN 45	GRON		89
23	BR 27	GRONARD		02
155	BE 78	GROS CHASTANG		19
63	CQ 34	GROS REDERCHING		57
33	AV 33	GROS THEIL, LE		27
42	CO 33	GROSBLIEDERSTROFF		57
101	CL 54	GROSBOIS		25
115	BY 54	GROSBOIS EN MONTAGNE		21
116	CD 58	GROSBOIS LES TICHEY		21
121	AC 63	GROSBREUIL		85
123	AL 63	GROSEILLERS, LES		79
55	BH 36	GROSLAY		95
147	CF 72	GROSLEE		01
53	AV 35	GROSLEY SUR RISLE		27
102	CO 49	GROSMAGNY		90
102	CQ 51	GROSNE		90
175	BW 87	GROSPIERRES		07
54	BC 38	GROSROUVRE		78
60	CG 37	GROSROUVRES		54
232	DJ 116	GROSSA		2A
230	DJ 113	GROSSETO PRUGNA		2A
53	AY 37	GROSSOEUVRE		27
113	BL 60	GROSSOUVRE		18
62	CN 35	GROSTENQUIN	C	57
29	AD 30	GROSVILLE		50
21	BH 23	GROUCHES LUCHUEL		80
23	BP 25	GROUGIS		02
128	BI 62	GROUTTE, LA		18
117	CG 59	GROZON		39
32	AT 30	GRUCHET LE VALASSE		76
19	AW 27	GRUCHET ST SIMEON		76
122	AE 64	GRUES		85
83	CJ 46	GRUEY LES SURANCE		88
148	CJ 71	GRUFFY		74
90	AH 49	GRUGE L'HOPITAL		49
22	BN 27	GRUGIES		02
33	AX 29	GRUGNY		76
223	BM 102	GRUISSAN		11
34	BC 29	GRUMESNIL		76
153	AT 80	GRUN BORDAS		24
62	CO 35	GRUNDVILLER		57
36	BK 28	GRUNY		80
130	BT 62	GRURY		71
12	BN 18	GRUSON		59
133	CF 62	GRUSSE		39
85	CT 44	GRUSSENHEIM		68
217	AN 104	GRUST		65
38	BX 28	GRUYERES		08
136	AH 72	GUA, LE		17
161	CG 80	GUA, LE		38
230	DJ 110	GUAGNO		2A
54	BA 37	GUAINVILLE		28
11	BI 18	GUARBECQUE		62
232	DJ 113	GUARGUALE		2A
218	AQ 104	GUCHAN		65
218	AQ 104	GUCHEN		65
220	BB 103	GUDAS		09
81	CB 43	GUDMONT VILLIERS		52
122	AI 67	GUE D'ALLERE, LE		17
74	AT 43	GUE DE LA CHAINE, LE		61
76	BC 42	GUE DE LONGROI, LE		28
122	AH 65	GUE DE VELLUIRE, LE		85
24	BW 25	GUE D'HOSSUS		08
62	CO 34	GUEBENHOUSE		57
85	CR 46	GUEBERSCHWIHR		68
62	CN 37	GUEBESTROFF		57
62	CM 38	GUEBLANGE LES DIEUZE		57
62	CN 37	GUEBLING		57
103	CR 47	GUEBWILLER	S	68
91	AQ 48	GUECELARD		72
91	AP 53	GUEDENIAU, LE		49
69	W 47	GUEGON		56
49	AF 36	GUEHEBERT		50
69	V 47	GUEHENNO		56
69	U 45	GUELTAS		56
22	BK 22	GUEMAPPE		62
85	CS 44	GUEMAR		68
88	AB 50	GUEMENE PENFAO	C	44
68	R 45	GUEMENE SUR SCORFF	C	56
10	BE 15	GUEMPS		62
41	CJ 32	GUENANGE		57
67	K 45	GUENGAT		29
69	T 47	GUENIN		56
70	AA 43	GUENROC		22
88	AA 52	GUENROUET		44
62	CN 34	GUENVILLER		57
51	AP 38	GUEPREI		61
88	Z 47	GUER	C	56
87	X 54	GUERANDE	C	44
56	BL 38	GUERARD		77
36	BJ 28	GUERBIGNY		80
109	AU 59	GUERCHE, LA		37
71	AG 47	GUERCHE DE BRETAGNE, LA	C	35
113	BL 59	GUERCHE SUR L'AUBOIS, LA	C	18
77	BI 44	GUERCHEVILLE		77
97	BP 48	GUERCHY		89
146	BZ 68	GUEREINS		01
141	BC 68	GUERET	P	23
116	CB 60	GUERFAND		71
113	BN 57	GUERIGNY	C	58
168	AO 87	GUERIN		47
104	Y 58	GUERINIERE, LA		85
46	O 40	GUERLESQUIN		29
62	CN 37	GUERMANGE		57
55	BJ 38	GUERMANTES		77
68	S 45	GUERN		56
53	AW 37	GUERNANVILLE		27
54	BB 36	GUERNES		78
87	X 51	GUERNO, LE		56
34	BC 34	GUERNY		27
30	AK 33	GUERON		14
53	AW 38	GUEROULDE, LA		27
60	CC 39	GUERPONT		55
52	AR 37	GUERQUESALLES		61
130	BT 63	GUERREAUX, LES		71
42	CL 32	GUERSTLING		57
42	CM 33	GUERTING		57
20	BB 25	GUERVILLE		76
54	BC 37	GUERVILLE	C	78
20	BE 22	GUESCHART		80
22	BM 21	GUESNAIN		59
108	AQ 59	GUESNES		86
62	CM 35	GUESSLING HEMERING		57
214	AA 97	GUETHARY		64
22	BK 24	GUEUDECOURT		80
130	BU 63	GUEUGNON	C	71
19	AX 26	GUEURES		76
19	AX 29	GUEUTTEVILLE		76
19	AV 27	GUEUTTEVILLE LES GRES		76
37	BS 33	GUEUX		51
103	CQ 50	GUEVENATTEN		68
103	CQ 49	GUEWENHEIM		68
221	BE 102	GUEYTES ET LABASTIDE		11
84	CM 44	GUGNECOURT		88
83	CI 42	GUGNEY		54
83	CK 43	GUGNEY AUX AULX		88
77	BG 41	GUIBEVILLE		91
53	AY 36	GUICHAINVILLE		27
196	AE 96	GUICHE		64
131	BX 63	GUICHE, LA	C	71
70	AC 47	GUICHEN	C	35
45	M 39	GUICLAN		29
68	P 48	GUIDEL		56
74	AR 46	GUIERCHE, LA		72
35	BF 31	GUIGNECOURT		60
21	BF 26	GUIGNEMICOURT		80
88	AB 47	GUIGNEN		35
56	BK 40	GUIGNES		77
77	BF 45	GUIGNEVILLE		45
77	BH 42	GUIGNEVILLE SUR ESSONNE		91
38	BS 31	GUIGNICOURT		02
38	BX 28	GUIGNICOURT SUR VENCE		08
20	BE 21	GUIGNY		62
50	AI 36	GUILBERVILLE		50
66	I 45	GUILER SUR GOYEN		29
44	I 40	GUILERS		29
176	CA 81	GUILHERAND GRANGES		07
167	AM 82	GUILLAC		33
69	W 47	GUILLAC		56
21	BJ 27	GUILLAUCOURT		80
194	CR 90	GUILLAUMES	C	06
22	BK 25	GUILLEMONT		80
144	BR 69	GUILLERMIE, LA		03
77	BF 43	GUILLERVAL		91
179	CP 83	GUILLESTRE	C	05
76	BD 45	GUILLEVILLE		28
69	X 46	GUILLIERS		56
68	Q 46	GUILLIGOMARC'H		29
98	BU 52	GUILLON	C	89
118	CL 54	GUILLON LES BAINS		25
76	BB 46	GUILLONVILLE		28
167	AK 85	GUILLOS		33
111	BC 57	GUILLY		36
95	BG 49	GUILLY		45
19	AZ 25	GUILMECOURT		76
66	J 47	GUILVINEC	C	29
45	O 38	GUIMAEC		29
45	M 40	GUIMILIAU		29
151	AM 75	GUIMPS		16
197	AF 98	GUINARTHE PARENTIES		64
39	BX 30	GUINCOURT		08
81	CB 42	GUINDRECOURT AUX ORMES		52
81	CA 44	GUINDRECOURT SUR BLAISE		52
21	BG 21	GUINECOURT		62
10	BD 15	GUINES	C	62
46	S 39	GUINGAMP	S	22
61	CL 34	GUINGLANGE		57
41	CK 33	GUINKIRCHEN		57
62	CO 36	GUINZELING		57
44	J 40	GUIPAVAS	C	29
71	AC 43	GUIPEL		35
44	H 39	GUIPRONVEL		29
88	AB 48	GUIPRY		35
114	BQ 56	GUIPY		58
54	BD 35	GUIRY EN VEXIN		95
36	BM 29	GUISCARD	C	60
68	O 45	GUISCRIFF		56
23	BQ 26	GUISE	C	02
34	BA 34	GUISENIERS		27
49	AG 36	GUISLAIN, LE		50
44	J 38	GUISSENY		29
20	BE 21	GUISY		62
202	BE 96	GUITALENS		81
231	DK 112	GUITERA LES BAINS		2A
151	AK 75	GUITINIERES		17
54	BC 36	GUITRANCOURT		78
151	AM 80	GUITRES	C	33
34	BB 34	GUITRY		27
70	Z 43	GUITTE		22
36	BM 29	GUIVRY		02
34	BE 28	GUIZANCOURT		80
152	AN 77	GUIZENGEARD		16
199	AR 99	GUIZERIX		65
166	AF 84	GUJAN MESTRAS		33
64	CT 36	GUMBRECHTSHOFFEN		67
79	BO 42	GUMERY		10
177	CE 85	GUMIANE		26
158	BT 74	GUMIERES		42
155	BE 78	GUMOND		19
64	CU 36	GUNDERSHOFFEN		67
85	CS 47	GUNDOLSHEIM		68
63	CQ 36	GUNGWILLER		67
85	CQ 45	GUNSBACH		68
64	CU 36	GUNSTETT		67
62	CQ 38	GUNTZVILLER		57
36	BN 30	GUNY		02
218	AS 104	GURAN		31
152	AQ 76	GURAT		16
78	BM 42	GURCY LE CHATEL		77
97	BQ 49	GURGY		89
99	CA 49	GURGY LA VILLE		21
99	CA 49	GURGY LE CHATEAU		21
216	AJ 101	GURMENCON		64
197	AH 99	GURS		64
46	R 40	GURUNHUEL		22
36	BK 30	GURY		60
40	CF 34	GUSSAINVILLE		55
23	BQ 21	GUSSIGNIES		59
55	BF 39	GUYANCOURT		78
118	CK 56	GUYANS DURNES		25
119	CN 56	GUYANS VENNES		25
37	BR 32	GUYENCOURT		02
22	BM 25	GUYENCOURT SAULCOURT		80
35	BG 27	GUYENCOURT SUR NOYE		80
106	AF 58	GUYONNIERE, LA		85
100	CF 48	GUYONVELLE		52
205	BT 95	GUZARGUES		34
101	CH 53	GY	C	70
110	BB 54	GY EN SOLOGNE		41
96	BK 48	GY LES NONAINS		45
97	BQ 50	GY L'EVEQUE		89
61	CG 40	GYE		54
80	BW 47	GYE SUR SEINE		10

H

Page	Carreau	Commune	Adm.	Dpt
21	BI 21	HABARCQ		62
197	AG 96	HABAS		40
134	CM 66	HABERE LULLIN		74
134	CM 66	HABERE POCHE		74
53	AZ 37	HABIT, L'		27
84	CN 41	HABLAINVILLE		54
51	AO 38	HABLOVILLE		61
62	CM 36	HABOUDANGE		57
103	CS 49	HABSHEIM	C	68
199	AR 99	HACHAN		65
82	CE 45	HACOURT		52
34	BB 33	HACQUEVILLE		27
54	BD 34	HADANCOURT LE HAUT CLOCHER		60
84	CL 43	HADIGNY LES VERRIERES		88
84	CL 45	HADOL		88
63	CR 38	HAEGEN		67
83	CJ 44	HAGECOURT		88
198	AN 97	HAGEDET		65
41	CI 30	HAGEN		57
103	CR 50	HAGENBACH		68
103	CT 51	HAGENTHAL LE BAS		68
103	CT 51	HAGENTHAL LE HAUT		68
199	AP 98	HAGET		32
197	AI 97	HAGETAUBIN		64
197	AJ 95	HAGETMAU	C	40
60	CG 35	HAGEVILLE		54
82	CG 44	HAGNEVILLE ET RONCOURT		88
38	BX 29	HAGNICOURT		08
41	CI 33	HAGONDANGE		57
64	CV 37	HAGUENAU	S	67
106	AE 56	HAIE FOUASSIERE, LA		44
72	AL 43	HAIE TRAVERSAINE, LA		53
160	BZ 75	HAIES, LES		69
83	CK 41	HAIGNEVILLE		54
84	CL 42	HAILLAINVILLE		88
167	AJ 82	HAILLAN, LE		33
21	BH 27	HAILLES		80
11	BI 20	HAILLICOURT		62
137	AM 71	HAIMPS		17
125	AW 64	HAIMS		86
36	BJ 29	HAINVILLERS		60
59	CB 39	HAIRONVILLE		55
12	BK 19	HAISNES		62
73	AM 41	HALEINE		61
10	BC 18	HALINGHEN		62
20	BD 25	HALLENCOURT	C	80
12	BL 18	HALLENNES LEZ HAUBOURDIN		59
62	CL 34	HALLERING		57
145	BX 72	HALLES, LES		69
39	CB 31	HALLES SOUS LES COTES		55
59	BZ 40	HALLIGNICOURT		52
11	BG 17	HALLINES		62
35	BG 28	HALLIVILLERS		80
34	BA 30	HALLOTIERE, LA		76
62	CO 40	HALLOVILLE		54
34	BE 29	HALLOY		60
21	BH 23	HALLOY		62
21	BG 24	HALLOY LES PERNOIS		80
36	BK 27	HALLU		80
12	BM 16	HALLUIN		59
196	AC 98	HALSOU		64
41	CK 31	HALSTROFF		57
29	AF 30	HAM, LE		50
73	AM 43	HAM, LE		53
36	BM 28	HAM	C	80
11	BH 18	HAM EN ARTOIS		62
24	BX 27	HAM LES MOINES		08
42	CM 33	HAM SOUS VARSBERG		57
25	BY 23	HAM SUR MEUSE		08
51	AL 36	HAMARS		14
62	CP 34	HAMBACH		57
73	AM 44	HAMBERS		53
22	BL 22	HAMBLAIN LES PRES		62
49	AG 36	HAMBYE		50
22	BM 22	HAMEL		59
34	BE 29	HAMEL, LE		60
21	BI 26	HAMEL, LE		80
21	BI 26	HAMELET		80
71	AG 41	HAMELIN		50
22	BK 23	HAMELINCOURT		62
10	BD 15	HAMES BOUCRES		62
83	CI 41	HAMMEVILLE		54
60	CG 37	HAMONVILLE		54
81	BX 42	HAMPIGNY		10
62	CM 37	HAMPONT		57
40	CF 31	HAN DEVANT PIERREPONT		54
40	CC 30	HAN LES JUVIGNY		55
60	CE 37	HAN SUR MEUSE		55
61	CL 35	HAN SUR NIED		57
138	AO 68	HANC		79
54	BB 40	HANCHES		28
22	BM 26	HANCOURT		80
64	CT 39	HANDSCHUHEIM		67
21	BI 27	HANGARD		80
64	CT 40	HANGENBIETEN		67
35	BI 28	HANGEST EN SANTERRE		80
21	BE 25	HANGEST SUR SOMME		80
63	CQ 37	HANGVILLER		57
34	BD 31	HANNACHES		60
23	BP 25	HANNAPES		02
24	BU 27	HANNAPPES		08
21	BJ 23	HANNESCAMPS		62
39	BY 28	HANNOGNE ST MARTIN		08
38	BU 29	HANNOGNE ST REMY		08
61	CL 36	HANNONCOURT		57
60	CF 35	HANNONVILLE SOUS LES COTES		55
60	CG 34	HANNONVILLE SUZEMONT		54
18	AU 28	HANOUARD, LE		76
59	BY 35	HANS		51
12	BK 19	HANTAY		59
45	K 42	HANVEC		29
43	CS 34	HANVILLER		57
34	BD 30	HANVOILE		60
22	BL 24	HAPLINCOURT		62
36	BM 27	HAPPENCOURT		02
75	AX 43	HAPPONVILLIERS		28
36	BM 33	HARAMONT		02
39	BZ 29	HARAUCOURT		08
61	CK 39	HARAUCOURT		54
62	CM 37	HARAUCOURT SUR SEILLE		57
21	BF 22	HARAVESNES		62
55	BF 34	HARAVILLIERS		95
21	BJ 27	HARBONNIERES		80
62	CO 40	HARBOUEY		54
19	AV 28	HARCANVILLE		76
82	CG 42	HARCHECHAMP		88
24	BS 27	HARCIGNY		02
53	AV 34	HARCOURT		27
24	BX 26	HARCY		08
84	CM 42	HARDANCOURT		88
73	AM 43	HARDANGES		53
22	BK 25	HARDECOURT AUX BOIS		80
53	AZ 36	HARDENCOURT COCHEREL		27
11	BI 16	HARDIFORT		59
10	BD 16	HARDINGHEN		62
29	AE 29	HARDINVAST		50
35	BG 29	HARDIVILLERS		60
34	BE 33	HARDIVILLERS EN VEXIN		60
54	BD 36	HARDRICOURT		78
33	AX 33	HARENGERE, LA		27
83	CI 44	HAREVILLE		88
32	AR 30	HARFLEUR		76
42	CM 33	HARGARTEN AUX MINES		57
54	BC 37	HARGEVILLE		78
22	BM 25	HARGICOURT		02
35	BI 28	HARGICOURT		80
25	BY 24	HARGNIES		08
23	BR 22	HARGNIES		59
23	BO 27	HARLY		02
83	CH 41	HARMONVILLE		88
47	T 42	HARMOYE, LA		22
12	BK 20	HARNES	C	62
83	CK 45	HAROL		88
83	CJ 41	HAROUE	C	54
21	BI 24	HARPONVILLE		80
62	CM 36	HARPRICH		57
34	BA 33	HARQUENCY		27
63	CQ 39	HARREBERG		57
82	CF 44	HARREVILLE LES CHANTEURS		52
39	BZ 31	HARRICOURT		08
83	CK 46	HARSAULT		88
62	CP 36	HARSKIRCHEN		67
37	BO 33	HARTENNES ET TAUX		02
103	CR 48	HARTMANNSWILLER		68
62	CP 39	HARTZVILLER		57
60	CF 34	HARVILLE		55
37	BS 27	HARY		02
63	CQ 38	HASELBOURG		57
13	BO 20	HASNON		59
196	AD 98	HASPARREN	C	64
63	CS 34	HASPELSCHIEDT		57
23	BO 22	HASPRES		59
196	AE 96	HASTINGUES		40
41	CH 33	HATRIZE		54
65	CW 36	HATTEN		67
36	BK 27	HATTENCOURT		80
18	AT 29	HATTENVILLE		76
62	CO 39	HATTIGNY		57
63	CS 37	HATTMATT		67
85	CR 46	HATTSTATT		68
217	AP 101	HAUBAN		65
12	BL 18	HAUBOURDIN	C	59
41	CJ 33	HAUCONCOURT		57
34	BE 30	HAUCOURT		60
22	BL 22	HAUCOURT		62
34	BC 29	HAUCOURT		76
23	BO 24	HAUCOURT EN CAMBRESIS		59
40	CG 30	HAUCOURT MOULAINE		54
60	CD 34	HAUDAINVILLE		55
60	CE 34	HAUDIOMONT		55
35	BG 31	HAUDIVILLERS		60
84	CL 41	HAUDONVILLE		54
24	BX 27	HAUDRECY		08
34	BC 28	HAUDRICOURT		76
23	BO 21	HAULCHIN		59
199	AT 96	HAULIES		32
25	BY 26	HAULME		08
40	CC 32	HAUMONT PRES SAMOGNEUX, VILLAGE RUINE		55
197	AI 94	HAURIET		40
103	CS 50	HAUSGAUEN		68
34	BC 29	HAUSSEZ		76
59	BY 39	HAUSSIGNEMONT		51
58	BU 39	HAUSSIMONT		51
83	CK 41	HAUSSONVILLE		54
23	BO 22	HAUSSY		59
62	CP 38	HAUT CLOCHER		57
47	T 42	HAUT CORLAY, LE		22
217	AL 101	HAUT DE BOSDARROS		64
102	CN 48	HAUT DU THEM CHATEAU LAMBERT, LE		70
23	BS 24	HAUT LIEU		59
10	BE 17	HAUT LOQUIN		62
181	AJ 93	HAUT MAUCO		40
218	AR 102	HAUTAGET		65
34	BD 29	HAUTBOS		60
100	CE 48	HAUTE AMANCE		52
21	BJ 21	HAUTE AVESNES		62
177	CG 85	HAUTE BEAUME, LA		05
50	AK 40	HAUTE CHAPELLE, LA		61
35	BE 30	HAUTE EPINE		60
106	AE 55	HAUTE GOULAINE		44
54	BB 35	HAUTE ISLE		95
41	CJ 30	HAUTE KONTZ		57
56	BL 37	HAUTE MAISON, LA		77
145	BX 72	HAUTE RIVOIRE		69
62	CL 34	HAUTE VIGNEULLES		57
21	BG 21	HAUTECLOQUE		62
133	CH 63	HAUTECOUR		39
163	CN 74	HAUTECOUR		73
147	CE 67	HAUTECOURT ROMANECHE		01
155	BE 80	HAUTEFAGE		19
184	AU 88	HAUTEFAGE LA TOUR		47
153	AS 74	HAUTEFAYE		24
56	BL 39	HAUTEFEUILLE		77
131	BU 65	HAUTEFOND		71
36	BM 32	HAUTEFONTAINE		60
154	AX 77	HAUTEFORT	C	24
149	CN 71	HAUTELUCE		73
118	CL 57	HAUTEPIERRE LE CHATELET		25
144	BP 68	HAUTERIVE		03
74	AR 42	HAUTERIVE		61
97	BQ 48	HAUTERIVE		89
118	CM 58	HAUTERIVE LA FRESSE		25
160	CB 77	HAUTERIVES		26
99	BX 53	HAUTEROCHE		21
193	CL 89	HAUTES DUYES		04
25	BZ 26	HAUTES RIVIERES, LES		08
168	AR 86	HAUTESVIGNES		47
101	CK 48	HAUTEVELLE		70
56	BN 35	HAUTEVESNES		02
23	BP 26	HAUTEVILLE		02
38	BV 29	HAUTEVILLE		08
59	BY 40	HAUTEVILLE		51
21	BI 22	HAUTEVILLE		62
162	CK 74	HAUTEVILLE		73
54	BB 39	HAUTEVILLE, LA		78
49	AG 34	HAUTEVILLE LA GUICHARD		50
116	CA 54	HAUTEVILLE LES DIJON		21
147	CF 69	HAUTEVILLE LOMPNES	C	01
148	CJ 70	HAUTEVILLE SUR FIER		74
49	AE 36	HAUTEVILLE SUR MER		50
23	BR 26	HAUTION		02
23	BS 22	HAUTMONT	C	59
83	CK 46	HAUTMOUGEY		88
19	AV 27	HAUTOT L'AUVRAY		76
18	AU 29	HAUTOT LE VATOIS		76
19	AV 28	HAUTOT ST SULPICE		76
19	AX 26	HAUTOT SUR MER		76
33	AX 32	HAUTOT SUR SEINE		76
59	CB 37	HAUTS DE CHEE, LES		55
29	AF 30	HAUTTEVILLE BOCAGE		50
57	BS 35	HAUTVILLERS		51
20	BD 23	HAUTVILLERS OUVILLE		80
33	AV 31	HAUVILLE		27
38	BV 32	HAUVINE		08
167	AL 83	HAUX		33
215	AH 101	HAUX		64
41	CH 31	HAVANGE		57
54	BB 38	HAVELU		28
23	BO 21	HAVELUY		59
21	BG 25	HAVERNAS		80
11	BI 18	HAVERSKERQUE		59
32	AQ 31	HAVRE, LE	S	76
22	BM 24	HAVRINCOURT		62
55	BH 38	HAY LES ROSES, L'	S	94
41	CH 32	HAYANGE	C	57
25	BY 25	HAYBES		08
34	BA 31	HAYE, LA		76
83	CK 46	HAYE, LA		88
32	AU 31	HAYE AUBREE, LA		27
49	AH 36	HAYE BELLEFOND, LA		50
53	AV 34	HAYE DE CALLEVILLE, LA		27
33	AV 31	HAYE DE ROUTOT, LA		27
29	AD 31	HAYE D'ECTOT, LA		50
29	AE 32	HAYE DU PUITS, LA	C	50
33	AW 33	HAYE DU THEIL, LA		27
53	AY 34	HAYE LE COMTE, LA		27
33	AX 33	HAYE MALHERBE, LA		27
49	AF 38	HAYE PESNEL, LA	C	50
52	AU 37	HAYE ST SYLVESTRE, LA		27
93	AV 50	HAYES, LES		41
41	CK 33	HAYES		57
22	BM 23	HAYNECOURT		59
117	CE 59	HAYS, LES		39
11	BI 17	HAZEBROUCK	C	59
62	CO 35	HAZEMBOURG		57
55	BE 34	HEAULME, LE		95
29	AC 29	HEAUVILLE		50
34	BC 32	HEBECOURT		27
21	BG 27	HEBECOURT		80
50	AH 34	HEBECREVON		50
19	AV 27	HEBERVILLE		76
21	BJ 24	HEBUTERNE		62
218	AQ 102	HECHES		65
103	CQ 50	HECKEN		68
52	AU 34	HECMANVILLE		27
54	BA 36	HECOURT		27
34	BC 30	HECOURT		60
23	BQ 23	HECQ		59
53	AW 34	HECTOMARE		27
21	BI 24	HEDAUVILLE		80
70	AC 43	HEDE	C	35
55	BF 34	HEDOUVILLE		95
64	CU 36	HEGENEY		67
103	CT 51	HEGENHEIM		68
85	CT 44	HEIDOLSHEIM		67
103	CR 50	HEIDWILLER		68
63	CS 40	HEILIGENBERG		67
85	CS 41	HEILIGENSTEIN		67
61	CJ 39	HEILLECOURT		54
35	BG 32	HEILLES		60
21	BI 25	HEILLY		80
59	BY 39	HEILTZ LE HUTIER		51
59	BZ 38	HEILTZ LE MAURUPT	C	51
59	BY 38	HEILTZ L'EVEQUE		51
103	CR 51	HEIMERSDORF		68
103	CR 49	HEIMSBRUNN		68
42	CL 32	HEINING LES BOUZONVILLE		57
60	CC 36	HEIPPES		55
85	CT 46	HEITEREN		68
103	CS 50	HEIWILLER		68
23	BO 21	HELESMES		59
215	AD 99	HELETTE		64
11	BG 17	HELFAUT		62
103	CS 50	HELFRANTZKIRCH		68
69	W 46	HELLEAN		56
62	CP 37	HELLERING LES FENETRANGE		57
29	AD 29	HELLEVILLE		50
62	CN 35	HELLIMER		57
73	AQ 42	HELOUP		61
41	CK 32	HELSTROFF		57
12	BN 18	HEM		59
21	BG 23	HEM HARDINVAL		80
22	BN 22	HEM LENGLET		59
22	BK 25	HEM MONACU		80
29	AF 30	HEMEVEZ		50
35	BJ 31	HEMEVILLERS		60
61	CL 35	HEMILLY		57
62	CP 38	HEMING		57
69	U 44	HEMONSTOIR		22
62	CM 39	HENAMENIL		54
48	X 40	HENANBIHEN		22
48	X 40	HENANSAL		22
214	Z 98	HENDAYE	C	64
22	BL 23	HENDECOURT LES CAGNICOURT		62
22	BJ 23	HENDECOURT LES RANSART		62
21	BI 25	HENENCOURT		80
103	CR 51	HENFLINGEN		68
46	S 37	HENGOAT		22
63	CR 39	HENGWILLER		67
12	BL 20	HENIN BEAUMONT	C	62
22	BK 22	HENIN SUR COJEUL		62
22	BK 22	HENINEL		62
68	Q 48	HENNEBONT	C	56
83	CK 44	HENNECOURT		88
60	CF 34	HENNEMONT		55
10	BD 17	HENNEVEUX		62
83	CI 46	HENNEZEL		88
54	BA 34	HENNEZIS		27
47	V 42	HENON		22
35	BF 34	HENONVILLE		60
33	AW 31	HENOUVILLE		76
112	BI 55	HENRICHEMONT	C	18
63	CQ 38	HENRIDORFF		57
62	CN 34	HENRIVILLE		57
21	BI 23	HENU		62
45	M 38	HENVIC		29
63	CQ 37	HERANGE		57
93	AY 52	HERBAULT	C	41

Page	Carreau	Commune	Adm.	Dpt
22	BK 26	HERBECOURT		80
11	BG 18	HERBELLES		62
106	AE 59	HERBERGEMENT, L'		85
40	CC 29	HERBEUVAL		08
60	CF 35	HERBEUVILLE		55
54	BD 37	HERBEVILLE		78
62	CN 40	HERBEVILLER		54
161	CI 78	HERBEYS		38
106	AH 59	HERBIERS, LES	C	85
88	X 52	HERBIGNAC	C	44
10	BD 16	HERBINGHEN		62
58	BU 40	HERBISSE		10
62	CP 35	HERBITZHEIM		67
55	BF 36	HERBLAY	C	95
85	CU 42	HERBSHEIM		67
72	AJ 42	HERCE		53
34	BE 31	HERCHIES		60
35	BH 29	HERELLE, LA		60
49	AE 36	HERENGUERVILLE		50
204	BN 96	HEREPIAN		34
198	AO 96	HERES		65
13	BP 20	HERGNIES		59
83	CJ 42	HERGUGNEY		88
89	AC 53	HERIC		44
21	BG 21	HERICOURT		62
102	CO 51	HERICOURT	C	70
18	AV 28	HERICOURT EN CAUX		76
34	BC 30	HERICOURT SUR THERAIN		60
78	BK 42	HERICY		77
24	BT 26	HERIE, LA		02
23	BQ 27	HERIE LA VIEVILLE, LE		02
62	CL 40	HERIMENIL		54
102	CP 52	HERIMONCOURT	C	25
23	BO 21	HERIN		59
21	BH 25	HERISSART		80
128	BJ 64	HERISSON	C	03
22	BJ 26	HERLEVILLE		80
21	BI 23	HERLIERE, LA		62
12	BK 18	HERLIES		59
21	BH 21	HERLIN LE SEC		62
21	BG 21	HERLINCOURT		62
10	BE 19	HERLY		62
36	BK 28	HERLY		80
220	BB 103	HERM, L'		09
180	AE 93	HERM		40
19	AX 27	HERMANVILLE		76
31	AN 32	HERMANVILLE SUR MER		14
173	BN 86	HERMAUX, LES		48
21	BI 21	HERMAVILLE		62
79	BO 42	HERME		77
62	CP 39	HERMELANGE		57
10	BD 16	HERMELINGHEN		62
122	AI 63	HERMENAULT, L'	C	85
142	BI 72	HERMENT	C	63
54	BB 40	HERMERAY		78
35	BG 32	HERMES		60
32	AR 29	HERMEVILLE		76
40	CE 34	HERMEVILLE EN WOEVRE		55
22	BM 24	HERMIES		62
162	CM 76	HERMILLON		73
11	BI 20	HERMIN		62
70	AC 45	HERMITAGE, L'		35
47	U 42	HERMITAGE LORGE, L'		22
92	AV 51	HERMITES, LES		37
74	AU 44	HERMITIERE, L'		61
52	AS 34	HERMIVAL LES VAUX		14
37	BS 32	HERMONVILLE		51
11	BG 20	HERNICOURT		62
61	CL 35	HERNY		57
34	BA 31	HERON, LE		76
34	BA 30	HERONCHELLES		76
55	BF 35	HEROUVILLE		95
31	AN 33	HEROUVILLE ST CLAIR	C	14
31	AN 33	HEROUVILLETTE		14
84	CN 44	HERPELMONT		88
59	BY 36	HERPONT		51
38	BU 30	HERPY L'ARLESIENNE		08
33	AZ 33	HERQUEVILLE		27
28	AC 28	HERQUEVILLE		50
219	AV 103	HERRAN		31
182	AN 91	HERRE		40
216	AJ 101	HERRERE		64
12	BL 19	HERRIN		59
64	CV 38	HERRLISHEIM		67
85	CS 46	HERRLISHEIM PRES COLMAR		68
113	BL 56	HERRY		18
40	CF 30	HERSERANGE	C	54
11	BJ 20	HERSIN COUPIGNY		62
62	CO 38	HERTZING		57
10	BC 15	HERVELINGHEN		62
22	BM 26	HERVILLY		80
114	BQ 55	HERY		58
97	BQ 48	HERY		89
148	CJ 71	HERY SUR ALBY		74
11	BI 15	HERZEELE		59
22	BM 25	HESBECOURT		80
34	BD 28	HESCAMPS		80
11	BI 19	HESDIGNEUL LES BETHUNE		62
10	BC 17	HESDIGNEUL LES BOULOGNE		62
21	BE 21	HESDIN	C	62
10	BC 17	HESDIN L'ABBE		62
103	CT 51	HESINGUE		68
10	BE 20	HESMOND		62
62	CP 38	HESSE		57
85	CT 44	HESSENHEIM		67
41	CL 34	HESTROFF		57
24	BT 23	HESTRUD		59
11	BH 20	HESTRUS		62
34	BE 29	HETOMESNIL		60
41	CI 31	HETTANGE GRANDE		57
85	CS 46	HETTENSCHLAG		68
54	BB 34	HEUBECOURT HARICOURT		27
11	BG 20	HEUCHIN	C	62
20	BD 26	HEUCOURT CROQUOISON		80
33	AY 34	HEUDEBOUVILLE		27
34	BC 32	HEUDICOURT		27
22	BM 25	HEUDICOURT		80
60	CF 36	HEUDICOURT SOUS LES COTES		55
32	AT 34	HEUDREVILLE EN LIEUVIN		27
53	AY 34	HEUDREVILLE SUR EURE		27
196	AF 95	HEUGAS		40
19	AX 28	HEUGLEVILLE SUR SCIE		76
110	AZ 58	HEUGNES		36
52	AS 37	HEUGON		61
49	AE 35	HEUGUEVILLE SUR SIENNE		50
100	CD 49	HEUILLEY COTTON		52
100	CD 49	HEUILLEY LE GRAND		52
117	CE 54	HEUILLEY SUR SAONE		21
31	AQ 33	HEULAND		14
142	BK 73	HEUME L'EGLISE		63
54	BA 35	HEUNIERE, LA		27
33	AZ 33	HEUQUEVILLE		27
32	AQ 29	HEUQUEVILLE		76
11	BG 17	HEURINGHEM		62
33	AV 31	HEURTEAUVILLE		76
52	AQ 36	HEURTEVENT		14
72	AJ 41	HEUSSE		50
38	BV 32	HEUTREGIVILLE		51
21	BF 23	HEUZECOURT		80
60	CD 40	HEVILLIERS		55
146	CC 73	HEYRIEUX	C	38
11	BF 19	HEZECQUES		62
87	V 51	HEZO, LE		56
217	AO 101	HIBARETTE		65
147	CD 71	HIERES SUR AMBY		38
25	BY 23	HIERGES		08
21	BE 23	HIERMONT		80
136	AG 70	HIERS BROUAGE		17
138	AO 73	HIERSAC	C	16
139	AT 69	HIESSE		16
29	AG 31	HIESVILLE		50
51	AP 36	HIEVILLE		14
198	AL 98	HIGUERES SOUYE		64
217	AO 101	HIIS		65
62	CP 38	HILBESHEIM		57
47	W 40	HILLION		22
85	CT 43	HILSENHEIM		67
62	CO 35	HILSPRICH		57
36	BN 28	HINACOURT		02
41	CK 33	HINCKANGE		57
85	CT 41	HINDISHEIM		67
103	CR 51	HINDLINGEN		68
11	BJ 19	HINGES		62
70	AA 42	HINGLE, LE		22
63	CR 36	HINSBOURG		67
62	CP 36	HINSINGEN		67
197	AG 94	HINX		40
85	CU 41	HIPSHEIM		67
49	AC 40	HIREL		35
62	CQ 37	HIRSCHLAND		67
103	CR 51	HIRSINGUE	C	68
24	BT 25	HIRSON	C	02
103	CR 51	HIRTZBACH		68
85	CT 47	HIRTZFELDEN		68
219	AV 102	HIS		31
218	AP 101	HITTE		65
64	CT 38	HOCHFELDEN	C	67
103	CR 49	HOCHSTATT		68
64	CU 37	HOCHSTETT		67
49	AF 37	HOCQUIGNY		50
10	BE 16	HOCQUINGHEN		62
34	BD 31	HODENC EN BRAY		60
35	BF 32	HODENC L'EVEQUE		60
20	BC 26	HODENG AU BOSC		76
34	BB 30	HODENG HODENGER		76
54	BC 34	HODENT		95
87	T 53	HOEDIC		56
64	CU 39	HOENHEIM		67
64	CV 38	HOERDT		67
61	CL 39	HOEVILLE		54
64	CW 35	HOFFEN		67
34	BA 31	HOGUES, LES		27
51	AO 37	HOGUETTE, LA		14
64	CT 38	HOHATZENHEIM		67
63	CS 39	HOHENGOEFT		67
64	CT 38	HOHFRANKENHEIM		67
85	CQ 45	HOHROD		68
85	CR 41	HOHWALD, LE		67
61	CL 36	HOLACOURT		57
41	CL 32	HOLLING		57
22	BN 26	HOLNON		02
11	BG 15	HOLQUE		59
64	CU 40	HOLTZHEIM		67
85	CS 45	HOLTZWIHR		68
62	CO 35	HOLVING		57
36	BL 28	HOMBLEUX		80
23	BO 26	HOMBLIERES		02
103	CT 49	HOMBOURG		68
41	CK 32	HOMBOURG BUDANGE		57
62	CN 34	HOMBOURG HAUT		57
74	AV 40	HOME CHAMONDOT, L'		61
41	CH 33	HOMECOURT	C	54
63	CQ 38	HOMMARTING		57
63	CQ 39	HOMMERT		57
92	AR 53	HOMMES		37
30	AH 33	HOMMET D'ARTHENAY, LE		50
203	BJ 100	HOMPS		11
184	AU 94	HOMPS		32
23	BR 21	HON HERGIES		59
35	BG 32	HONDAINVILLE		60
11	BI 16	HONDEGHEM		59
56	BN 37	HONDEVILLIERS		77
53	AX 34	HONDOUVILLE		27
11	BI 14	HONDSCHOOTE	C	59
32	AR 31	HONFLEUR	C	14
33	AV 32	HONGUEMARE GUENOUVILLE		27
23	BP 24	HONNECHY		59
22	BN 24	HONNECOURT SUR ESCAUT		59
185	AZ 90	HONOR DE COS, L'		82
62	CO 36	HONSKIRCH		57
182	AM 93	HONTANX		40
42	CM 33	HOPITAL, L'		57
45	K 42	HOPITAL CAMFROUT		29
197	AH 97	HOPITAL D'ORION, L'		64
118	CK 56	HOPITAL DU GROSBOIS, L'		25
145	BV 74	HOPITAL LE GRAND, L'		42
130	BT 65	HOPITAL LE MERCIER, L'		71
144	BT 72	HOPITAL SOUS ROCHEFORT, L'		42
197	AH 99	HOPITAL ST BLAISE, L'		64
102	CM 53	HOPITAL ST LIEFFROY, L'		25
118	CL 60	HOPITAUX NEUFS, LES		25
118	CL 60	HOPITAUX VIEUX, LES		25
85	CS 45	HORBOURG WIHR		68
22	BN 22	HORDAIN		59
39	BX 29	HORGNE, LA		08
217	AO 100	HORGUES		65
159	BY 75	HORME, L'		42
22	BO 21	HORNAING		59
20	BD 27	HORNOY LE BOURG	C	80
73	AM 42	HORPS, LE	C	53
197	AJ 95	HORSARRIEU		40
82	CE 41	HORVILLE EN ORNOIS		55
53	AX 38	HOSMES, L'		27
192	CI 90	HOSPITALET, L'		04
188	BN 92	HOSPITALET DU LARZAC, L'		12
225	BC 107	HOSPITALET PRES L'ANDORRE, L'		09
215	AE 100	HOSTA		64
62	CO 34	HOSTE		57
167	AJ 86	HOSTENS		33
147	CF 70	HOSTIAS		01
161	CD 80	HOSTUN		26
52	AS 34	HOTELLERIE, L'		14
90	AI 49	HOTELLERIE DE FLEE, L'		49
147	CH 69	HOTONNES		01
51	AP 34	HOTOT EN AUGE		14
50	AL 34	HOTTOT LES BAGUES		14
63	CR 34	HOTTVILLER		57
52	AQ 34	HOUBLONNIERE, LA		14
149	CP 70	HOUCHES, LES		74
11	BJ 20	HOUCHIN		62
11	BI 20	HOUDAIN	C	62
23	BR 21	HOUDAIN LEZ BAVAY		59
54	BB 38	HOUDAN	C	78
35	BJ 32	HOUDANCOURT		60
82	CD 41	HOUDELAINCOURT		55
83	CI 41	HOUDELMONT		54
61	CJ 39	HOUDEMONT		54
19	AV 27	HOUDETOT		76
38	BT 31	HOUDILCOURT		08
83	CI 41	HOUDREVILLE		54
83	CH 43	HOUECOURT		88
182	AO 89	HOUEILLES	C	47
29	AG 31	HOUESVILLE		50
53	AY 35	HOUETTEVILLE		27
82	CG 42	HOUEVILLE		88
218	AQ 101	HOUEYDETS		65
198	AM 94	HOUGA, LE		32
55	BF 37	HOUILLES	C	78
53	AZ 35	HOULBEC COCHEREL		27
33	AV 33	HOULBEC PRES LE GROS THEIL		27
25	BX 27	HOULDIZY		08
137	AN 72	HOULETTE		16
31	AP 32	HOULGATE		14
11	BF 16	HOULLE		62
33	AX 30	HOULME, LE		76
122	AF 67	HOUMEAU, L'		17
221	BE 101	HOUNOUX		11
12	BL 19	HOUPLIN ANCOISNE		59
12	BL 17	HOUPLINES		59
33	AX 30	HOUPPEVILLE		76
32	AS 29	HOUQUETOT		76
199	AP 100	HOURC		65
37	BR 33	HOURGES		51
198	AM 100	HOURS		64
150	AG 78	HOURTIN		33
37	BR 27	HOURY		02
93	AW 50	HOUSSAY		41
90	AJ 48	HOUSSAY		53
53	AV 36	HOUSSAYE, LA		27
33	AX 29	HOUSSAYE BERANGER, LA		76
56	BK 39	HOUSSAYE EN BRIE, LA		77
73	AL 41	HOUSSEAU BRETIGNOLLES, LE		53
85	CS 44	HOUSSEN		68
84	CN 43	HOUSSERAS		88
23	BQ 27	HOUSSET		02
83	CI 42	HOUSSEVILLE		54
84	CO 44	HOUSSIERE, LA		88
34	BE 32	HOUSSOYE, LA		60
118	CL 58	HOUTAUD		25
11	BI 15	HOUTKERQUE		59
29	AG 32	HOUTTEVILLE		50
33	AZ 33	HOUVILLE EN VEXIN		27
76	BB 42	HOUVILLE LA BRANCHE		28
21	BH 22	HOUVIN HOUVIGNEUL		62
76	BB 41	HOUX		28
11	BH 14	HOYMILLE		59
101	CL 53	HUANNE MONTMARTIN		25
10	BC 18	HUBERSENT		62
51	AN 34	HUBERT FOLIE		14
29	AF 30	HUBERVILLE		50
21	BE 21	HUBY ST LEU		62
20	BD 24	HUCHENNEVILLE		80
11	BH 20	HUCLIER		62
10	BD 19	HUCQUELIERS	C	62
49	AE 37	HUDIMESNIL		50
61	CK 40	HUDIVILLER		54
45	N 41	HUELGOAT	C	29
53	AY 36	HUEST		27
76	BC 47	HUETRE		45
162	CK 79	HUEZ		38
117	CG 54	HUGIER		70
19	AW 29	HUGLEVILLE EN CAUX		76
91	AM 51	HUILLE		49
82	CE 45	HUILLIECOURT		52
132	CB 62	HUILLY SUR SEILLE		71
58	BX 39	HUIRON		51
108	AR 56	HUISMES		37
49	AE 40	HUISNES SUR MER		50
93	AW 50	HUISSEAU EN BEAUCE		41
94	BA 52	HUISSEAU SUR COSSON		41
94	BC 48	HUISSEAU SUR MAUVES		45
72	AJ 46	HUISSERIE, L'		53
12	BK 20	HULLUCH		62
63	CR 38	HULTEHOUSE		57
58	BW 40	HUMBAUVILLE		51
59	BZ 40	HUMBECOURT		52
21	BI 23	HUMBERCAMPS		62
21	BH 23	HUMBERCOURT		80
10	BE 19	HUMBERT		62
82	CD 44	HUMBERVILLE		52
112	BJ 55	HUMBLIGNY		18
11	BF 20	HUMEROEUILLE		62
100	CC 48	HUMES JORQUENAY		52
21	BG 21	HUMIERES		62
85	CR 44	HUNAWIHR		68
62	CO 34	HUNDLING		57
103	CS 50	HUNDSBACH		68
103	CU 50	HUNINGUE	C	68
64	CW 35	HUNSPACH		67
41	CK 31	HUNTING		57
218	AS 102	HUOS		31
172	BK 84	HUPARLAC		12
20	BC 25	HUPPY		80
84	CP 42	HURBACHE		88
168	AO 85	HURE		33
101	CI 48	HURECOURT		70
188	BP 89	HURES LA PARADE		48
128	BH 65	HURIEL	C	03
132	BZ 65	HURIGNY		71
162	CJ 77	HURTIERES		38
64	CT 39	HURTIGHEIM		67
85	CR 46	HUSSEREN LES CHATEAUX		68
102	CP 48	HUSSEREN WESSERLING		68
40	CG 30	HUSSIGNY GODBRANGE		54
50	AJ 40	HUSSON		50
64	CT 37	HUTTENDORF		67
85	CT 42	HUTTENHEIM		67
129	BK 66	HYDS		03
102	CN 53	HYEMONDANS		25
22	BK 27	HYENCOURT LE GRAND		80
49	AE 35	HYENVILLE		50
213	CL 101	HYERES	C	83
101	CJ 52	HYET		70
102	CL 53	HYEVRE MAGNY		25
102	CL 53	HYEVRE PAROISSE		25
83	CJ 44	HYMONT		88
		I		
215	AE 100	IBARROLLE		64
62	CO 39	IBIGNY		57
198	AN 100	IBOS		65
85	CU 41	ICHTRATZHEIM		67
77	BI 45	ICHY		77
197	AG 100	IDAUX MENDY		64
199	AR 97	IDRAC RESPAILLES		32
198	AL 99	IDRON		64
128	BG 61	IDS ST ROCH		18
70	AA 45	IFFENDIC		35
70	AB 43	IFFS, LES		35
51	AN 34	IFS		14
20	BA 26	IFS, LES		76
74	AT 43	IGE		61
132	BZ 65	IGE		71
21	BI 27	IGNAUCOURT		80
220	BC 106	IGNAUX		09
62	CO 39	IGNEY		54
83	CL 43	IGNEY		88
112	BK 59	IGNOL		18
100	CG 52	IGNY		70
55	BG 39	IGNY		91
57	BR 36	IGNY COMBLIZY		51
217	AL 101	IGON		64
115	BW 58	IGORNAY		71
33	AY 32	IGOVILLE		27
131	BU 67	IGUERANDE		71
215	AE 99	IHOLDY	C	64
87	U 51	ILE AUX MOINES		56
109	AS 57	ILE BOUCHARD, L'	C	37
136	AF 69	ILE D'AIX		17
87	U 50	ILE D'ARZ		56
45	M 37	ILE DE BATZ		29
47	T 36	ILE DE BREHAT		22
66	F 44	ILE DE SEIN		29
122	AH 65	ILE D'ELLE, L'		85
86	S 53	ILE D'HOUAT		56
121	AB 62	ILE D'OLONNE, L'		85
104	X 60	ILE D'YEU, L'	C	85
44	G 37	ILE MOLENE		29
228	DJ 104	ILE ROUSSE, L'	C	2B
55	BH 37	ILE ST DENIS, L'		93
67	K 47	ILE TUDY		29
196	AF 98	ILHARRE		64
220	BC 103	ILHAT		09
202	BH 99	ILHES, LES		11
218	AR 103	ILHET		65
218	AS 103	ILHEU		65
41	CI 32	ILLANGE		57
219	AV 103	ILLARTEIN		09
167	AL 85	ILLATS		33
222	BJ 106	ILLE-SUR-TET		66
32	AV 32	ILLEVILLE SUR MONTFORT		27
103	CS 50	ILLFURTH		68
85	CS 44	ILLHAEUSERN		68
132	CA 67	ILLIAT		01
220	BA 105	ILLIER ET LARAMADE		09
75	AY 44	ILLIERS COMBRAY	C	28
53	AZ 38	ILLIERS L'EVEQUE		27
12	BK 19	ILLIES		59
70	Y 44	ILLIFAUT		22
64	CU 40	ILLKIRCH GRAFFENSTADEN	C	67
34	BC 28	ILLOIS		76
82	CE 44	ILLOUD		52
39	BZ 28	ILLY		08
103	CS 48	ILLZACH	C	68
194	CT 90	ILONSE		06
19	AW 28	IMBLEVILLE		76
39	CA 32	IMECOURT		08
62	CP 38	IMLING		57
113	BO 59	IMPHY	C	58
38	BV 30	INAUMONT		08
33	AY 33	INCARVILLE		27
20	BA 25	INCHEVILLE		76
23	BP 24	INCHY		59
22	BM 23	INCHY EN ARTOIS		62
21	BF 21	INCOURT		62
102	CP 54	INDEVILLERS		25
105	AC 55	INDRE		44
128	BG 61	INEUIL		18
178	CK 83	INFOURNAS, LES		05
64	CT 38	INGENHEIM		67
85	CR 45	INGERSHEIM		68
11	BG 17	INGHEM		62
41	CJ 31	INGLANGE		57
64	CW 35	INGOLSHEIM		67
18	AV 26	INGOUVILLE		76
125	AW 63	INGRANDES		36
90	AI 53	INGRANDES		49
109	AT 59	INGRANDES		86
108	AR 55	INGRANDES DE TOURAINE		37
95	BG 47	INGRANNES		45
94	BD 48	INGRE	C	45
68	R 46	INGUINIEL		56
63	CS 36	INGWILLER		67
147	CH 68	INJOUX GENISSIAT		01
64	CT 40	INNENHEIM		67
147	CG 71	INNIMOND		01
39	CB 30	INOR		55
62	CO 36	INSMING		57
62	CO 36	INSVILLER		57
19	AZ 26	INTRAVILLE		76
175	BX 81	INTRES		07
76	BE 44	INTREVILLE		28
77	BG 44	INTVILLE LA GUETARD		45
20	BC 26	INVAL BOIRON		80
10	BD 19	INXENT		62
68	Q 47	INZINZAC LOCHRIST		56
59	CC 35	IPPECOURT		55
42	CP 34	IPPLING		57
52	AU 40	IRAI		61
108	AO 59	IRAIS		79
97	BQ 50	IRANCY		89
40	CD 30	IRE LE SEC		55
146	CA 73	IRIGNY	C	69
215	AD 99	IRISSARRY		64
22	BK 24	IRLES		80
70	AB 43	IRODOUER		35
23	BQ 25	IRON		02
214	AD 100	IROULEGUY		64
53	AY 35	IRREVILLE		27
45	K 41	IRVILLAC		29
82	CE 46	IS EN BASSIGNY		52
99	CB 52	IS SUR TILLE	C	21
11	BH 18	ISBERGUES		62
83	CH 46	ISCHES		88
95	BG 51	ISDES		45
114	BR 59	ISENAY		58
50	AH 40	ISIGNY LE BUAT	C	50
30	AI 32	ISIGNY SUR MER	C	14
97	BS 53	ISLAND		89
140	AY 72	ISLE		87
55	BG 35	ISLE ADAM, L'	C	95
200	AU 96	ISLE ARNE, L'		32
80	BV 41	ISLE AUBIGNY		10
80	BU 45	ISLE AUMONT		10
184	AT 92	ISLE BOUZON, L'		32
147	CD 73	ISLE D'ABEAU, L'		38
199	AR 96	ISLE DE NOE, L'		32
138	AQ 73	ISLE D'ESPAGNAC, L'		16
200	AU 98	ISLE EN DODON, L'	C	31
128	BK 62	ISLE ET BARDAIS		03
200	AW 96	ISLE JOURDAIN, L'	C	32
125	AT 67	ISLE JOURDAIN, L'	C	86
167	AK 83	ISLE ST GEORGES		33
191	CC 92	ISLE SUR LA SORGUE, L'	C	84
102	CN 53	ISLE SUR LE DOUBS, L'	C	25
59	BY 40	ISLE SUR MARNE		51
98	BT 52	ISLE SUR SEREIN, L'	C	89
51	AN 37	ISLES BARDEL, LES		14
56	BL 36	ISLES LES MELDEUSES		77
56	BK 37	ISLES LES VILLENOY		77
38	BU 32	ISLES SUR SUIPPE		51
59	CA 35	ISLETTES, LES		55
33	AY 31	ISNEAUVILLE		76
194	CS 88	ISOLA		06
231	DM 111	ISOLACCIO DI FIUMORBO		2B
100	CD 51	ISOMES		52
188	BQ 87	ISPAGNAC		48
215	AD 100	ISPOURE		64
10	BC 17	ISQUES		62
153	AS 80	ISSAC		24
175	BX 83	ISSAMOULENC		07
39	BY 27	ISSANCOURT ET RUMEL		08
174	BU 83	ISSANLAS		07
102	CO 51	ISSANS		25
220	BB 102	ISSARDS, LES		09
175	BU 82	ISSARLES		07
89	AE 51	ISSE		44
58	BU 35	ISSE		51
202	BE 99	ISSEL		11
171	BC 83	ISSENDOLUS		46
64	CT 37	ISSENHAUSEN		67
103	CR 47	ISSENHEIM		68
171	BD 84	ISSEPTS		46
144	BQ 67	ISSERPENT		03
143	BO 73	ISSERTEAUX		63
169	AT 83	ISSIGEAC	C	24
190	BY 88	ISSIRAC		30
157	BO 74	ISSOIRE	S	63
216	AI 101	ISSOR		64
54	BC 36	ISSOU		78
111	BE 59	ISSOUDUN	S	36
141	BF 69	ISSOUDUN LETRIEIX		23
201	BA 98	ISSUS		31
55	BG 38	ISSY LES MOULINEAUX	C	92
130	BT 61	ISSY L'EVEQUE	C	71
207	CC 97	ISTRES	S	13
58	BT 36	ISTRES ET BURY, LES		51
215	AE 98	ISTURITS		64
23	BO 27	ITANCOURT		02
124	AR 64	ITEUIL		86
64	CT 39	ITTENHEIM		67
85	CS 42	ITTERSWILLER		67
77	BH 41	ITTEVILLE		91
214	AC 98	ITXASSOU		64
185	BD 91	ITZAC		81
21	BH 22	IVERGNY		62
56	BK 36	IVERNY		77
24	BU 27	IVIERS		02
53	AW 34	IVILLE		27
36	BM 34	IVORS		60
117	CH 59	IVORY		39
112	BI 55	IVOY LE PRE		18
117	CI 58	IVREY		39
115	BY 58	IVRY EN MONTAGNE		21
54	BA 37	IVRY LA BATAILLE		27
35	BE 34	IVRY LE TEMPLE		60
55	BH 38	IVRY SUR SEINE	C	94
22	BO 22	IWUY		59
218	AS 102	IZAOURT		65
219	AU 103	IZAUT DE L'HOTEL		31
218	AR 102	IZAUX		65
73	AN 44	IZE		53
161	CF 76	IZEAUX		38
22	BL 21	IZEL LES EQUERCHIN		62
21	BI 21	IZEL LES HAMEAUX		62
147	CF 68	IZENAVE		01
133	CF 66	IZERNORE	C	01
161	CE 78	IZERON		38
216	AK 101	IZESTE		64
116	CC 56	IZEURE		21
116	CC 55	IZIER		21
147	CG 73	IZIEU		01
167	AL 81	IZON		33
192	CG 88	IZON LA BRUISSE		26
198	AN 95	IZOTGES		32
		J		
56	BK 37	JABLINES		77
140	BA 69	JABREILLES LES BORDES		87
173	BL 83	JABRUN		15
162	CI 74	JACOB BELLECOMBETTE		73
205	BT 95	JACOU		34
199	AP 99	JACQUE		65
55	BH 35	JAGNY SOUS BOIS		95
56	BM 36	JAIGNES		77
160	CD 80	JAILLANS		26
90	AK 50	JAILLE YVON, LA		49
61	CH 38	JAILLON		54
114	BP 57	JAILLY		58
99	BY 53	JAILLY LES MOULINS		21
82	CF 44	JAINVILLOTTE		88
127	BF 66	JALESCHES		23
156	BH 78	JALEYRAC		15
130	BQ 65	JALIGNY SUR BESBRE	C	03
106	AI 56	JALLAIS		49
116	CC 58	JALLANGES		21
75	AZ 46	JALLANS		28
61	CK 37	JALLAUCOURT		57
117	CG 55	JALLERANGE		25
112	BK 56	JALOGNES		18
131	BY 65	JALOGNY		71
58	BU 36	JALONS		51
132	BY 60	JAMBLES		71
54	BD 35	JAMBVILLE		78
34	BD 33	JAMERICOURT		60
40	CD 31	JAMETZ		55
140	AY 73	JANAILHAC		87
141	BC 69	JANAILLAT		23
100	CE 53	JANCIGNY		21
38	BW 28	JANDUN		08
146	CC 72	JANNEYRIAS		38
89	AD 51	JANS		44
51	AO 34	JANVILLE		14
76	BD 45	JANVILLE	C	28
36	BK 31	JANVILLE		60
77	BG 41	JANVILLE SUR JUINE		91
57	BQ 37	JANVILLIERS		51
37	BS 33	JANVRY		51
55	BF 40	JANVRY		91
71	AE 47	JANZE	C	35
160	CB 76	JARCIEU		38
137	AK 73	JARD, LA		17
121	AC 64	JARD SUR MER		85
155	BE 77	JARDIN, LE		19
160	CB 75	JARDIN		38
125	AT 63	JARDRES		86
95	BF 49	JARGEAU	C	45
178	CL 85	JARJAYES		05
84	CM 45	JARMENIL		88
137	AN 73	JARNAC	C	16

Page	Carreau	Commune	Adm.Dpt
151	AL 74	JARNAC CHAMPAGNE	17
141	BF 67	JARNAGES	C 23
136	AG 67	JARNE, LA	17
145	BY 69	JARNIOUX	69
145	BV 68	JARNOSSE	42
41	CG 34	JARNY	54
217	AN 102	JARRET	65
136	AH 68	JARRIE, LA	C 17
161	CH 79	JARRIE	38
137	AL 69	JARRIE AUDOUIN, LA	17
162	CM 77	JARRIER	73
112	BJ 54	JARS	18
148	CK 73	JARSY	73
61	CJ 39	JARVILLE LA MALGRANGE	C 54
91	AN 52	JARZE	49
145	BW 72	JAS	42
101	CJ 48	JASNEY	70
146	BZ 69	JASSANS RIOTTIER	01
80	BW 41	JASSEINES	10
133	CD 67	JASSERON	01
197	AH 99	JASSES	64
196	AC 98	JATXOU	64
150	AG 75	JAU DIGNAC ET LOIRAC	33
81	BY 44	JAUCOURT	10
122	AH 62	JAUDONNIERE, LA	85
75	AY 41	JAUDRAIS	28
175	BW 84	JAUJAC	07
138	AQ 72	JAULDES	16
97	BR 48	JAULGES	89
57	BP 35	JAULGONNE	02
109	AS 59	JAULNAY	37
78	BN 42	JAULNES	77
61	CH 36	JAULNY	54
36	BM 32	JAULZY	60
175	BX 81	JAUNAC	07
124	AR 62	JAUNAY CLAN	86
153	AS 80	JAURE	24
179	CP 86	JAUSIERS	04
36	BK 32	JAUX	60
74	AS 45	JAUZE	72
158	BP 77	JAVAUGUES	43
71	AG 43	JAVENE	35
139	AW 70	JAVERDAT	87
153	AT 74	JAVERLHAC ET LA CHAPELLE ST ROBERT	24
80	BT 45	JAVERNANT	10
193	CN 89	JAVIE, LA	C 04
173	BO 84	JAVOLS	48
137	AM 72	JAVREZAC	16
73	AN 42	JAVRON LES CHAPELLES	53
158	BQ 79	JAX	43
215	AE 100	JAXU	64
154	AZ 80	JAYAC	24
132	CC 65	JAYAT	01
124	AP 64	JAZENEUIL	86
137	AJ 74	JAZENNES	17
22	BM 26	JEANCOURT	02
61	CJ 37	JEANDELAINCOURT	54
40	CG 34	JEANDELIZE	54
84	CN 42	JEANMENIL	88
144	BS 72	JEANSAGNIERE	42
24	BT 27	JEANTES	02
85	CT 44	JEBSHEIM	68
199	AR 94	JEGUN	C 32
152	AQ 78	JEMAYE, LA	24
23	BQ 21	JENLAIN	59
143	BN 67	JENZAT	03
83	CJ 45	JESONVILLE	88
80	BX 44	JESSAINS	10
63	CS 39	JETTERSWILLER	67
103	CS 51	JETTINGEN	68
127	BC 62	JEU LES BOIS	36
110	BA 58	JEU MALOCHES	36
54	BA 36	JEUFOSSE	78
80	BT 46	JEUGNY	10
24	BT 22	JEUMONT	59
133	CG 65	JEURRE	39
98	BV 52	JEUX LES BARD	21
84	CL 44	JEUXEY	88
83	CJ 42	JEVONCOURT	54
61	CH 37	JEZAINVILLE	54
218	AQ 104	JEZEAU	65
175	BW 85	JOANNAS	07
144	BR 74	JOB	63
28	AC 28	JOBOURG	50
226	BI 107	JOCH	66
41	CH 33	JOEUF	54
29	AG 30	JOGANVILLE	50
97	BP 47	JOIGNY	C 89
25	BY 26	JOIGNY SUR MEUSE	08
81	CB 42	JOINVILLE	C 52
55	BI 38	JOINVILLE LE PONT	C 94
57	BP 38	JOISELLE	51
23	BQ 22	JOLIMETZ	59
62	CL 40	JOLIVET	54
146	CB 71	JONAGE	69
204	BN 95	JONCELS	34
121	AE 64	JONCHERE, LA	85
140	BA 69	JONCHERE ST MAURICE, LA	87
177	CF 85	JONCHERES	26
102	CQ 51	JONCHEREY	90
81	CB 45	JONCHERY	52
58	BW 34	JONCHERY SUR SUIPPE	51
37	BR 33	JONCHERY SUR VESLE	51
22	BN 25	JONCOURT	02
81	BX 41	JONCREUIL	10
131	BX 62	JONCY	71
147	CH 72	JONGIEUX	73
52	AU 36	JONQUERETS DE LIVET	27
191	CB 92	JONQUERETTES	84
57	BR 34	JONQUERY	51
222	BK 102	JONQUIERES	11
204	BQ 95	JONQUIERES	34
36	BJ 32	JONQUIERES	60
202	BF 96	JONQUIERES	81
191	CB 90	JONQUIERES	84
190	BY 93	JONQUIERES ST VINCENT	30
146	CC 71	JONS	69
39	BX 29	JONVAL	08
101	CH 47	JONVELLE	70
60	CG 35	JONVILLE EN WOEVRE	55
151	AL 75	JONZAC	S 17
148	CJ 68	JONZIER EPAGNY	74
159	BW 77	JONZIEUX	42
40	CG 31	JOPPECOURT	54
51	AP 36	JORT	14
83	CJ 43	JORXEY	88
158	BQ 78	JOSAT	43
143	BM 69	JOSERAND	63
94	BA 49	JOSNES	41
196	AE 95	JOSSE	40
69	W 46	JOSSELIN	C 56
56	BK 38	JOSSIGNY	77
172	BJ 81	JOU SOUS MONJOU	15
126	AY 65	JOUAC	87
37	BP 33	JOUAIGNES	02
98	BT 51	JOUANCY	89
56	BM 37	JOUARRE	77
54	BD 38	JOUARS PONTCHARTRAIN	78
41	CH 34	JOUAVILLE	54
191	CE 92	JOUCAS	84
221	BE 105	JOUCOU	11
133	CE 64	JOUDES	71
40	CG 32	JOUDREVILLE	54
51	AO 40	JOUE DU BOIS	61
51	AO 39	JOUE DU PLAIN	61
73	AO 47	JOUE EN CHARNIE	72
74	AR 46	JOUE L'ABBE	72
109	AU 54	JOUE LES TOURS	C 37
89	AE 52	JOUE SUR ERDRE	44
113	BL 58	JOUET SUR L'AUBOIS	18
115	BX 56	JOUEY	21
118	CL 60	JOUGNE	25
117	CE 56	JOUHE	39
125	AV 64	JOUHET	86
127	BD 67	JOUILLAT	23
208	CH 95	JOUQUES	13
186	BF 90	JOUQUEVIEL	81
140	AY 72	JOURGNAC	87
147	CE 67	JOURNANS	01
125	AW 64	JOURNET	86
169	AV 81	JOURNIAC	24
10	BE 16	JOURNY	62
115	BY 57	JOURS EN VAUX	21
99	BX 51	JOURS LES BAIGNEUX	21
157	BM 79	JOURSAC	15
125	AS 67	JOUSSE	86
132	CB 63	JOUVENCON	71
145	BW 70	JOUX	69
97	BS 51	JOUX LA VILLE	89
76	BB 41	JOUY	28
78	BL 45	JOUY	89
61	CI 35	JOUY AUX ARCHES	57
59	CC 34	JOUY EN ARGONNE	55
55	BF 39	JOUY EN JOSAS	78
77	BF 46	JOUY EN PITHIVERAIS	45
56	BM 40	JOUY LE CHATEL	77
55	BE 36	JOUY LE MOUTIER	C 95
94	BC 50	JOUY LE POTIER	45
37	BS 34	JOUY LES REIMS	51
54	BB 36	JOUY MAUVOISIN	78
34	BE 32	JOUY SOUS THELLE	60
53	AZ 35	JOUY SUR EURE	27
56	BN 38	JOUY SUR MORIN	77
175	BW 86	JOYEUSE	C 07
146	CC 69	JOYEUX	01
143	BO 71	JOZE	63
198	AO 96	JU BELLOC	32
30	AK 33	JUAYE MONDAYE	14
82	CG 42	JUBAINVILLE	88
107	AI 56	JUBAUDIERE, LA	49
73	AM 44	JUBLAINS	53
67	K 44	JUCH, LE	29
167	AN 83	JUGAZAN	33
154	BA 80	JUGEALS NAZARETH	19
70	Y 42	JUGON LES LACS	C 22
132	CA 62	JUGY	71
137	AK 71	JUICQ	17
132	CC 61	JUIF	71
152	AQ 76	JUIGNAC	16
89	AG 50	JUIGNE DES MOUTIERS	44
91	AL 53	JUIGNE SUR LOIRE	49
91	AN 48	JUIGNE SUR SARTHE	72
52	AU 38	JUIGNETTES	27
154	AZ 77	JUILLAC	C 19
198	AO 97	JUILLAC	32
168	AO 82	JUILLAC	33
137	AM 74	JUILLAC LE COQ	16
152	AQ 75	JUILLAGUET	16
198	AO 100	JUILLAN	65
138	AQ 70	JUILLE	16
73	AQ 44	JUILLE	72
137	AN 68	JUILLE	79
115	BV 54	JUILLENAY	21
200	AU 96	JUILLES	32
49	AF 40	JUILLEY	50
98	BW 53	JUILLY	21
56	BJ 36	JUILLY	77
226	BG 107	JUJOLS	66
147	CE 68	JUJURIEUX	01
173	BO 81	JULIANGES	48
132	BZ 67	JULIENAS	69
137	AM 72	JULIENNE	16
158	BS 77	JULLIANGES	43
132	BZ 66	JULLIE	69
49	AE 38	JULLOUVILLE	50
98	BV 49	JULLY	89
132	BZ 61	JULLY LES BUXY	71
80	BV 46	JULLY SUR SARCE	10
217	AN 101	JULOS	65
59	CB 35	JULVECOURT	55
54	BD 37	JUMEAUVILLE	78
157	BO 76	JUMEAUX	C 63
35	BH 28	JUMEL	80
53	AY 37	JUMELLES	27
107	AJ 55	JUMELLIERE, LA	49
37	BO 30	JUMENCOURT	02
33	AW 31	JUMIEGES	76
37	BR 31	JUMIGNY	02
154	AX 75	JUMILHAC LE GRAND	C 24
205	BV 94	JUNAS	30
98	BS 48	JUNAY	89
217	AN 102	JUNCALAS	65
103	CR 47	JUNGHOLTZ	68
172	BH 84	JUNHAC	15
170	AY 86	JUNIES, LES	46
38	BV 32	JUNIVILLE	C 08
92	AS 49	JUPILLES	72
198	AK 99	JURANCON	64
77	BI 47	JURANVILLE	45
144	BT 70	JURE	42
152	AO 74	JURIGNAC	16
50	AK 35	JURQUES	14
218	AR 105	JURVIELLE	31
61	CJ 35	JURY	57
123	AL 67	JUSCORPS	79
168	AO 85	JUSIX	47
172	BH 81	JUSSAC	C 15
84	CN 44	JUSSARUPT	88
151	AM 77	JUSSAS	17
59	BY 38	JUSSECOURT MINECOURT	51
101	CH 49	JUSSEY	C 70
36	BN 28	JUSSY	02
61	CI 34	JUSSY	57
97	BQ 50	JUSSY	89
112	BJ 58	JUSSY CHAMPAGNE	18
113	BL 57	JUSSY LE CHAUDRIER	18
183	AQ 93	JUSTIAN	32
38	BV 29	JUSTINE HERBIGNY	08
220	BA 100	JUSTINIAC	09
78	BN 42	JUTIGNY	77
83	CI 43	JUVAINCOURT	88
81	BZ 46	JUVANCOURT	10
80	BX 43	JUVANZE	10
90	AL 51	JUVARDEIL	49
62	CM 38	JUVELIZE	57
205	BS 96	JUVIGNAC	34
72	AI 44	JUVIGNE	53
35	BF 30	JUVIGNIES	60
37	BO 31	JUVIGNY	02
58	BV 36	JUVIGNY	51
134	CL 66	JUVIGNY	74
59	CB 40	JUVIGNY EN PERTHOIS	55
50	AI 39	JUVIGNY LE TERTRE	C 50
73	AM 41	JUVIGNY SOUS ANDAINE	C 61
40	CC 30	JUVIGNY SUR LOISON	55
51	AP 39	JUVIGNY SUR ORNE	61
50	AL 34	JUVIGNY SUR SEULLES	14
61	CK 36	JUVILLE	57
175	BW 84	JUVINAS	07
37	BS 31	JUVINCOURT ET DAMARY	02
55	BH 39	JUVISY SUR ORGE	C 91
62	CM 38	JUVRECOURT	54
215	AF 99	JUXUE	64
81	BX 42	JUZANVIGNY	10
81	CA 45	JUZENNECOURT	C 52
201	BC 98	JUZES	31
218	AS 105	JUZET DE LUCHON	31
219	AU 103	JUZET D'IZAUT	31
54	BD 36	JUZIERS	78

K

Page	Carreau	Commune	Adm.Dpt
63	CQ 35	KALHAUSEN	57
64	CV 37	KALTENHOUSE	67
41	CI 30	KANFEN	57
103	CT 50	KAPPELEN	68
62	CO 35	KAPPELKINGER	57
85	CR 45	KATZENTHAL	68
65	CW 36	KAUFFENHEIM	67
85	CR 44	KAYSERSBERG	C 68
41	CK 32	KEDANGE SUR CANNER	57
64	CV 35	KEFFENACH	67
103	CT 49	KEMBS	68
41	CK 32	KEMPLICH	57
42	CO 33	KERBACH	57
46	S 37	KERBORS	22
47	T 38	KERFOT	22
69	U 45	KERFOURN	56
68	O 43	KERGLOFF	29
69	T 44	KERGRIST	56
68	R 42	KERGRIST MOELOU	22
46	R 41	KERIEN	22
67	J 44	KERLAZ	29
41	CK 31	KERLING LES SIERCK	57
45	J 38	KERLOUAN	29
46	Q 37	KERMARIA SULARD	22
46	S 39	KERMOROC'H	22
68	Q 46	KERNASCLEDEN	56
44	J 39	KERNILIS	29
44	J 39	KERNOUES	29
46	S 42	KERPERT	22
62	CP 38	KERPRICH AUX BOIS	57
44	J 40	KERSAINT PLABENNEC	29
85	CT 42	KERTZFELD	67
68	R 48	KERVIGNAC	56
62	CP 35	KESKASTEL	67
65	CW 36	KESSELDORF	67
64	CT 38	KIENHEIM	67
85	CR 44	KIENTZHEIM	68
11	BI 14	KILLEM	59
64	CV 38	KILSTETT	67
64	CT 36	KINDWILLER	67
103	CS 48	KINGERSHEIM	68
85	CS 43	KINTZHEIM	67
102	CP 48	KIRCHBERG	68
64	CT 39	KIRCHHEIM	67
62	CP 37	KIRRBERG	67
64	CS 37	KIRRWILLER BOSSELSHAUSEN	67
41	CK 30	KIRSCH LES SIERCK	57
41	CK 31	KIRSCHNAUMEN	57
62	CO 36	KIRVILLER	57
41	CK 32	KLANG	57
63	CS 38	KLEINGOEFT	67
103	CS 51	KNOERINGUE	68
63	CS 38	KNOERSHEIM	67
41	CI 32	KNUTANGE	57
41	CJ 31	KOENIGSMACKER	57
103	CS 51	KOESTLACH	68
103	CS 50	KOETZINGUE	68
60	CD 37	KOEUR LA GRANDE	55
60	CE 37	KOEUR LA PETITE	55
85	CT 42	KOGENHEIM	67
64	CT 40	KOLBSHEIM	67
85	CT 41	KRAUTERGERSHEIM	67
64	CU 38	KRAUTWILLER	67
55	BH 38	KREMLIN BICETRE, LE	C 94
64	CU 37	KRIEGSHEIM	67
84	CP 47	KRUTH	68
85	CT 45	KUNHEIM	68
41	CJ 31	KUNTZIG	57
64	CU 38	KURTZENHOUSE	67
64	CS 39	KUTTOLSHEIM	67
64	CV 35	KUTZENHAUSEN	67

L

Page	Carreau	Commune	Adm.Dpt
197	AH 97	LAA MONDRANS	64
199	AQ 97	LAAS	32
77	BG 46	LAAS	45
197	AH 98	LAAS	64
147	CF 68	LABALME	01
151	AJ 80	LABARDE	33
85	CR 45	LABAROCHE	68
183	AP 92	LABARRERE	32
199	AS 97	LABARTHE	32
185	AY 89	LABARTHE	82
186	BD 91	LABARTHE BLEYS	81
219	AU 102	LABARTHE INARD	31
218	AT 102	LABARTHE RIVIERE	31
201	AZ 98	LABARTHE SUR LEZE	31
198	AM 95	LABARTHETE	32
217	AO 102	LABASSERE	65
218	AQ 102	LABASTIDE	65
201	BB 97	LABASTIDE BEAUVOIR	31
183	AP 87	LABASTIDE CASTEL AMOUROUX	47
197	AJ 98	LABASTIDE CEZERACQ	64
197	AJ 95	LABASTIDE CHALOSSE	40
200	AW 99	LABASTIDE CLERMONT	31
201	BC 99	LABASTIDE D'ANJOU	11
182	AM 92	LABASTIDE D'ARMAGNAC	40
186	BE 92	LABASTIDE DE LEVIS	81
185	BA 88	LABASTIDE DE PENNE	82
190	BX 88	LABASTIDE DE VIRAC	07
186	BF 93	LABASTIDE DENAT	81
171	BF 82	LABASTIDE DU HAUT MONT	46
184	AX 91	LABASTIDE DU TEMPLE	82
170	AY 86	LABASTIDE DU VERT	46
222	BI 102	LABASTIDE EN VAL	11
202	BH 98	LABASTIDE ESPARBAIRENQUE	11
186	BF 91	LABASTIDE GABAUSSE	81
185	AZ 87	LABASTIDE MARNHAC	46
197	AJ 98	LABASTIDE MONREJEAU	64
170	BA 84	LABASTIDE MURAT	C 46
200	AV 99	LABASTIDE PAUMES	31
203	BJ 98	LABASTIDE ROUAIROUX	81
200	AW 97	LABASTIDE SAVES	32
201	BD 95	LABASTIDE ST GEORGES	81
185	AY 92	LABASTIDE ST PIERRE	82
201	AZ 94	LABASTIDE ST SERNIN	31
175	BW 83	LABASTIDE SUR BESORGUES	07
196	AF 97	LABASTIDE VILLEFRANCHE	64
200	AY 98	LABASTIDETTE	31
171	BE 83	LABATHUDE	46
159	BY 80	LABATIE D'ANDAURE	07
217	AM 100	LABATMALE	64
201	BA 100	LABATUT	09
197	AG 96	LABATUT	40
198	AN 98	LABATUT	64
198	AO 97	LABATUT RIVIERE	65
55	BF 35	LABBEVILLE	95
175	BW 86	LABEAUME	07
202	BE 98	LABECEDE LAURAGAIS	11
201	BA 97	LABEGE	31
175	BW 84	LABEGUDE	07
199	AS 97	LABEJAN	32
196	AC 95	LABENNE	40
118	CJ 58	LABERGEMENT DU NAVOIS	25
116	CD 55	LABERGEMENT FOIGNEY	21
117	CE 56	LABERGEMENT LES AUXONNE	21
116	CC 58	LABERGEMENT LES SEURRE	21
118	CL 60	LABERGEMENT STE MARIE	25
36	BK 30	LABERLIERE	60
168	AN 86	LABESCAU	33
172	BH 83	LABESSERETTE	15
156	BI 75	LABESSETTE	63
202	BE 94	LABESSIERE CANDEIL	81
196	AF 98	LABETS BISCAY	64
60	CG 34	LABEUVILLE	55
11	BI 19	LABEUVRIERE	62
197	AI 96	LABEYRIE	64
175	BV 86	LABLACHERE	07
35	BJ 29	LABOISSIERE EN SANTERRE	80
35	BF 33	LABOISSIERE EN THELLE	60
218	AQ 102	LABORDE	65
192	CH 88	LABOREL	26
34	BD 32	LABOSSE	60
181	AH 89	LABOUHEYRE	40
202	BF 95	LABOULBENE	81
175	BV 85	LABOULE	07
169	AU 83	LABOUQUERIE	24
184	AW 92	LABOURGADE	82
12	BJ 19	LABOURSE	62
202	BE 94	LABOUTARIE	81
168	AR 86	LABRETONIE	47
200	AV 94	LABRIHE	32
181	AJ 90	LABRIT	C 40
218	AS 102	LABROQUERE	31
77	BH 45	LABROSSE	45
172	BI 82	LABROUSSE	15
20	BE 22	LABROYE	62
202	BG 97	LABRUGUIERE	C 81
116	CC 57	LABRUYERE	21
35	BI 32	LABRUYERE	60
201	AZ 98	LABRUYERE DORSA	31
40	CG 33	LABRY	54
185	BA 87	LABURGADE	46
134	CJ 62	LAC DES ROUGES TRUITES	39
175	BU 82	LAC D'ISSARLES, LE	07
203	BJ 98	LACABAREDE	81
197	AI 96	LACADEE	64
198	AK 96	LACAJUNTE	40
173	BL 83	LACALM	12
171	BE 82	LACAM D'OURCET	46
150	AG 80	LACANAU	33
115	BX 57	LACANCHE	21
172	BJ 81	LACAPELLE BARRES	15
169	AV 85	LACAPELLE BIRON	47
170	AW 86	LACAPELLE CABANAC	46
172	BH 83	LACAPELLE DEL FRAISSE	15
185	BC 89	LACAPELLE LIVRON	82
171	BD 84	LACAPELLE MARIVAL	C 46
186	BH 91	LACAPELLE PINET	81
186	BE 90	LACAPELLE SEGALAR	81
172	BG 81	LACAPELLE VIESCAMP	15
215	AE 100	LACARRE	64
215	AG 101	LACARRY ARHAN CHARRITTE DE HAUT	64
199	AP 99	LACASSAGNE	65
200	AY 100	LACAUGNE	31
203	BJ 95	LACAUNE	C 81
169	AU 86	LACAUSSADE	47
219	AW 102	LACAVE	09
170	BA 82	LACAVE	46
203	BI 95	LACAZE	81
141	BD 73	LACELLE	19
145	BY 69	LACENAS	69
183	AR 88	LACEPEDE	47
151	AM 74	LACHAISE	16
59	CA 34	LACHALADE	55
62	CN 34	LACHAMBRE	57
173	BP 85	LACHAMP	48
175	BW 82	LACHAMP RAPHAEL	07
168	AQ 85	LACHAPELLE	47
84	CN 42	LACHAPELLE	54
34	BE 27	LACHAPELLE	80
184	AU 92	LACHAPELLE	82
34	BD 31	LACHAPELLE AUX POTS	60
170	BA 81	LACHAPELLE AUZAC	46
81	CA 45	LACHAPELLE EN BLAISY	52
174	BU 82	LACHAPELLE GRAILLOUSE	07
175	BX 85	LACHAPELLE SOUS AUBENAS	07
175	BW 81	LACHAPELLE SOUS CHANEAC	07
102	CO 49	LACHAPELLE SOUS CHAUX	90
34	BD 30	LACHAPELLE SOUS GERBEROY	60
102	CQ 49	LACHAPELLE SOUS ROUGEMONT	90
35	BG 33	LACHAPELLE ST PIERRE	60
146	BZ 70	LACHASSAGNE	69
192	CH 88	LACHAU	26
60	CG 35	LACHAUSSEE	55
35	BF 30	LACHAUSSEE DU BOIS D'ECU	60
144	BQ 69	LACHAUX	63
36	BJ 31	LACHELLE	60
57	BQ 39	LACHY	51
102	CP 50	LACOLLONGE	90
202	BG 98	LACOMBE	11
197	AJ 99	LACOMMANDE	64
204	BP 96	LACOSTE	34
191	CE 93	LACOSTE	84
201	BC 96	LACOUGOTTE CADOUL	81
184	AV 88	LACOUR	82
115	BV 54	LACOUR D'ARCENAY	21
219	AX 103	LACOURT	09
184	AY 92	LACOURT ST PIERRE	82
197	AJ 98	LACQ	64
182	AM 92	LACQUY	40
197	AJ 96	LACRABE	40
10	BC 18	LACRES	62
202	BD 96	LACROISILLE	81
172	BJ 83	LACROIX BARREZ	12
201	AZ 97	LACROIX FALGARDE	31
36	BK 32	LACROIX ST OUEN	60
60	CE 36	LACROIX SUR MEUSE	55
153	AU 80	LACROPTE	24
132	CA 63	LACROST	71
202	BG 95	LACROUZETTE	81
127	BE 63	LACS	36
127	BE 67	LADAPEYRE	23
167	AM 84	LADAUX	33
221	BH 102	LADERN SUR LAUQUET	11
198	AO 96	LADEVEZE RIVIERE	32
198	AO 97	LADEVEZE VILLE	32
154	AX 74	LADIGNAC LE LONG	87
155	BC 78	LADIGNAC SUR RONDELLES	19
172	BI 83	LADINHAC	15
171	BE 83	LADIRAT	46
152	AO 75	LADIVILLE	16
116	CA 57	LADOIX SERRIGNY	21
77	BI 47	LADON	45
167	AN 86	LADOS	33
133	CG 60	LADOYE SUR SEILLE	39
97	BO 48	LADUZ	89
220	BD 101	LAFAGE	11
155	BE 77	LAFAGE SUR SOMBRE	19
191	CC 90	LAFARE	84
159	BX 79	LAFARRE	07
174	BU 82	LAFARRE	43
126	BB 66	LAFAT	23
82	CE 43	LAFAUCHE	52
129	BN 66	LAFELINE	03
100	CG 49	LAFERTE SUR AMANCE	C 52
81	BZ 46	LAFERTE SUR AUBE	52
172	BI 83	LAFEUILLADE EN VEZIE	15
37	BO 31	LAFFAUX	02
219	AV 101	LAFFITE TOUPIERE	31
161	CI 80	LAFFREY	38
198	AO 98	LAFITOLE	65
184	AX 92	LAFITTE	82
183	AR 88	LAFITTE SUR LOT	47
200	AX 99	LAFITTE VIGORDANE	31
184	AT 90	LAFOX	47
184	AY 90	LAFRANCAISE	C 82
35	BG 31	LAFRAYE	60
20	BD 27	LAFRESGUIMONT ST MARTIN	80
62	CP 40	LAFRIMBOLLE	57
204	BQ 95	LAGAMAS	34
221	BD 102	LAGARDE	09
201	BB 99	LAGARDE	31
183	AS 92	LAGARDE	32
62	CN 39	LAGARDE	57
198	AO 99	LAGARDE	65
192	CG 91	LAGARDE D'APT	84
155	BC 78	LAGARDE ENVAL	19
199	AR 98	LAGARDE HACHAN	32
191	CB 89	LAGARDE PAREOL	84
151	AN 75	LAGARDE SUR LE NE	16
170	AX 86	LAGARDELLE	46
201	AZ 98	LAGARDELLE SUR LEZE	31
183	AQ 93	LAGARDERE	32
202	BE 97	LAGARDIOLLE	81
183	AR 88	LAGARRIGUE	47
202	BG 96	LAGARRIGUE	81
123	AN 61	LAGEON	79
37	BR 34	LAGERY	51
80	BU 47	LAGESSE	10
155	BB 80	LAGLEYGEOLLE	19
182	AL 93	LAGLORIEUSE	40
191	CD 92	LAGNES	84
60	CG 38	LAGNEY	54
22	BL 23	LAGNICOURT MARCEL	62
147	CE 70	LAGNIEU	C 01
36	BL 29	LAGNY	60
56	BJ 35	LAGNY LE SEC	60
56	BJ 37	LAGNY SUR MARNE	C 77
197	AI 98	LAGOR	C 64
175	BX 86	LAGORCE	07
152	AN 79	LAGORCE	33
122	AF 67	LAGORD	17
198	AM 100	LAGOS	64
201	AZ 99	LAGRACE DIEU	31
192	CI 87	LAGRAND	05
182	AN 92	LAGRANGE	40
218	AQ 101	LAGRANGE	65
102	CP 50	LAGRANGE	90
222	BJ 102	LAGRASSE	C 11
183	AP 92	LAGRAULET DU GERS	32
200	AW 94	LAGRAULET ST NICOLAS	31
155	BB 77	LAGRAULIERE	19
186	BE 93	LAGRAVE	81
183	AQ 87	LAGRUERE	47
155	BC 78	LAGUENNE	C 19
186	BE 90	LAGUEPIE	82
199	AQ 98	LAGUIAN MAZOUS	32
215	AG 101	LAGUINGE RESTOUE	64
173	BL 84	LAGUIOLE	C 12
168	AP 85	LAGUPIE	47
200	AW 98	LAHAGE	31
200	AV 96	LAHAS	32
60	CD 36	LAHAYMEIX	55
60	CG 37	LAHAYVILLE	55
59	CA 37	LAHEYCOURT	55
219	AX 101	LAHITERE	31
199	AT 95	LAHITTE	32
198	AN 97	LAHITTE TOUPIERE	65
196	AC 97	LAHONCE	64
197	AG 96	LAHONTAN	64
197	AH 94	LAHOSSE	40
197	AI 98	LAHOURCADE	64
21	BH 26	LAHOUSSOYE	80
25	BY 26	LAIFOUR	08
123	AJ 67	LAIGNE, LA	17
90	AJ 48	LAIGNE	53
92	AR 48	LAIGNE EN BELIN	72
72	AH 42	LAIGNELET	35
98	BW 49	LAIGNES	C 21
35	BH 33	LAIGNEVILLE	60
23	BR 26	LAIGNY	02
71	AC 47	LAILLE	35
79	BP 44	LAILLY	89
94	BB 50	LAILLY EN VAL	45
59	CA 38	LAIMONT	55
97	BO 51	LAIN	89
80	BT 45	LAINES AUX BOIS	10
133	CF 65	LAINS	39
96	BN 52	LAINSECQ	89
54	BD 35	LAINVILLE EN VEXIN	78
102	CO 51	LAIRE	25
11	BG 19	LAIRES	62
222	BI 103	LAIRIERE	11
122	AF 64	LAIROUX	85
187	BK 87	LAISSAC	C 12
162	CJ 75	LAISSAUD	73
118	CK 54	LAISSEY	25
61	CK 38	LAITRE SOUS AMANCE	54

Page	Carreau	Commune	Adm.Dpt
61	CJ 38	LAY ST CHRISTOPHE	54
60	CG 39	LAY ST REMY	54
178	CK 84	LAYE	05
200	AV 98	LAYMONT	32
183	AT 90	LAYRAC	47
185	BA 93	LAYRAC SUR TARN	31
217	AO 101	LAYRISSE	65
116	CD 59	LAYS SUR LE DOUBS	71
67	N 44	LAZ	29
111	BE 57	LAZENAY	18
192	CI 87	LAZER	05
21	BH 24	LEALVILLERS	80
31	AQ 34	LEAUPARTIE	14
148	CI 68	LEAZ	01
102	CP 52	LEBETAIN	90
83	CJ 42	LEBEUVILLE	54
10	BE 20	LEBIEZ	62
199	AT 95	LEBOULIN	32
184	AX 88	LEBREIL	46
22	BL 24	LEBUCQUIERE	62
51	AQ 35	LECAUDE	14
233	DN 115	LECCI	2A
13	BO 20	LECELLES	59
100	CE 48	LECEY	52
116	CC 57	LECHATELET	21
22	BL 24	LECHELLE	62
79	BO 41	LECHELLE	77
163	CN 74	LECHERE, LA	73
168	AR 80	LECHES, LES	24
22	BM 22	LECLUSE	59
71	AG 42	LECOUSSE	35
189	BU 93	LECQUES	30
133	CG 65	LECT	39
183	AT 92	LECTOURE	C 32
215	AE 101	LECUMBERRY	64
218	AS 101	LECUSSAN	31
186	BH 91	LEDAS ET PENTHIES	81
169	AT 87	LEDAT	47
190	BY 92	LEDENON	30
186	BH 91	LEDERGUES	12
11	BG 16	LEDERZEELE	59
197	AI 100	LEDEUIX	64
189	BU 92	LEDIGNAN	C 30
10	BE 18	LEDINGHEM	62
11	BH 15	LEDRINGHEM	59
198	AL 99	LEE	64
12	BN 17	LEERS	59
216	AI 103	LEES ATHAS	64
10	BC 19	LEFAUX	62
51	AN 37	LEFFARD	14
38	BX 32	LEFFINCOURT	08
99	CC 47	LEFFONDS	52
4	BH 13	LEFFRINCKOUCKE	59
12	BM 20	LEFOREST	C 62
218	AS 104	LEGE	31
105	AD 59	LEGE	C 44
166	AF 82	LEGE CAP FERRET	33
83	CJ 44	LEGEVILLE ET BONFAYS	88
35	BI 30	LEGLANTIERS	60
133	CF 64	LEGNA	39
145	BY 70	LEGNY	69
200	AX 96	LEGUEVIN	C 31
153	AS 76	LEGUILLAC DE CERCLES	24
153	AS 78	LEGUILLAC DE L'AUCHE	24
22	BN 26	LEHAUCOURT	02
70	AA 41	LEHON	22
125	AU 61	LEIGNE LES BOIS	86
109	AS 59	LEIGNE SUR USSEAU	86
125	AV 64	LEIGNES SUR FONTAINE	86
144	BT 72	LEIGNEUX	42
103	CQ 48	LEIMBACH	68
62	CN 39	LEINTREY	54
134	CI 65	LELEX	01
198	AN 95	LELIN LAPUJOLLE	32
62	CM 35	LELLING	57
83	CJ 41	LEMAINVILLE	54
64	CU 35	LEMBACH	67
63	CR 35	LEMBERG	57
198	AM 97	LEMBEYE	C 64
169	AS 82	LEMBRAS	24
23	BR 27	LEME	02
198	AL 97	LEME	64
83	CJ 41	LEMENIL MITRY	54
108	AR 57	LEMERE	37
82	CG 44	LEMMECOURT	88
60	CC 35	LEMMES	55
61	CK 37	LEMONCOURT	57
202	BE 97	LEMPAUT	81
143	BN 72	LEMPDES	63
157	BO 76	LEMPDES SUR ALLAGNON	43
22	BM 25	LEMPIRE	02
160	CA 79	LEMPS	07
192	CF 87	LEMPS	26
143	BO 71	LEMPTY	63
153	AV 76	LEMPZOURS	24
61	CK 35	LEMUD	57
118	CI 59	LEMUY	39
50	AL 36	LENAULT	14
130	BS 66	LENAX	03
108	AR 60	LENCLOITRE	C 86
182	AL 90	LENCOUACQ	40
43	CS 34	LENGELSHEIM	57
49	AF 36	LENGRONNE	50
58	BU 38	LENHARREE	51
62	CN 36	LENING	57
67	M 43	LENNON	29
61	CK 39	LENONCOURT	54
12	BK 20	LENS	S 62
160	CC 77	LENS LESTANG	26
146	CC 68	LENT	01
134	CI 61	LENT	39
144	BT 69	LENTIGNY	42
170	BB 85	LENTILLAC DU CAUSSE	46
171	BF 85	LENTILLAC ST BLAISE	46
175	BW 85	LENTILLERES	07
81	BX 42	LENTILLES	10
146	BY 71	LENTILLY	69
160	CC 77	LENTIOL	38
229	DM 106	LENTO	2B
170	AY 84	LEOBARD	46
167	AL 86	LEOGEATS	33
167	AJ 83	LEOGNAN	33
185	AZ 92	LEOJAC	82
180	AD 92	LEON	40
177	CD 81	LEONCEL	26
157	BN 76	LEOTOING	43
77	BF 45	LEOUVILLE	45
151	AM 76	LEOVILLE	17
84	CM 44	LEPANGES SUR VOLOGNE	88
128	BH 67	LEPAUD	23
161	CH 74	LEPIN LE LAC	73
141	BD 68	LEPINAS	23
20	BC 21	LEPINE	62
38	BW 27	LEPRON LES VALLEES	08
102	CO 49	LEPUIX	90
103	CQ 51	LEPUIX NEUF	90
221	BD 103	LERAN	09
220	BA 105	LERCOUL	09
96	BK 53	LERE	C 18
196	AF 97	LEREN	64
144	BT 74	LERIGNEUX	42
182	AN 88	LERM ET MUSSET	33
108	AQ 57	LERNE	37
60	CE 38	LEROUVILLE	55
83	CJ 45	LERRAIN	88
99	BZ 52	LERY	21
33	AY 33	LERY	27
23	BR 25	LERZY	02
22	BK 24	LESBOEUFS	80
72	AJ 42	LESBOIS	53
197	AK 99	LESCAR	C 64
148	CK 71	LESCHAUX	74
23	BR 25	LESCHELLES	02
148	CK 72	LESCHERAINES	73
133	CH 64	LESCHERES	39
81	CA 43	LESCHERES SUR LE BLAISERON	52
57	BO 39	LESCHEROLLES	77
132	CC 64	LESCHEROUX	01
56	BK 37	LESCHES	77
177	CG 84	LESCHES EN DIOIS	26
68	R 44	LESCOUET GOUAREC	22
220	BA 101	LESCOUSSE	09
202	BE 97	LESCOUT	81
216	AI 103	LESCUN	64
200	AW 100	LESCUNS	31
219	AY 103	LESCURE	09
186	BF 92	LESCURE D'ALBIGEOIS	81
186	BF 89	LESCURE JAOUL	12
199	AP 99	LESCURRY	65
22	BN 24	LESDAIN	59
22	BN 26	LESDINS	02
37	BP 33	LESGES	02
181	AH 93	LESGOR	40
139	AT 71	LESIGNAC DURAND	16
55	BJ 39	LESIGNY	77
109	AV 60	LESIGNY	86
47	T 41	LESLAY, LE	22
130	BR 62	LESME	71
61	CI 36	LESMENILS	54
80	BW 42	LESMONT	10
45	K 39	LESNEVEN	C 29
150	AG 77	LESPARRE MEDOC	S 33
221	BD 104	LESPARROU	09
174	BT 83	LESPERON	07
180	AF 91	LESPERON	40
11	BH 19	LESPESSES	62
198	AM 97	LESPIELLE	64
204	BN 100	LESPIGNAN	34
201	AZ 95	LESPINASSE	31
203	BI 98	LESPINASSIERE	11
10	BD 20	LESPINOY	62
219	AU 102	LESPITEAU	31
198	AP 100	LESPOUEY	65
198	AM 98	LESPOURCY	64
199	AT 100	LESPUGUE	31
222	BI 105	LESQUERDE	66
23	BQ 26	LESQUIELLES ST GERMAIN	02
12	BM 18	LESQUIN	59
139	AT 68	LESSAC	16
132	CC 61	LESSARD EN BRESSE	71
52	AQ 35	LESSARD ET LE CHENE	14
116	CA 59	LESSARD LE NATIONAL	71
29	AE 33	LESSAY	C 50
62	CL 36	LESSE	57
84	CQ 43	LESSEUX	88
61	CI 34	LESSY	57
19	AX 28	LESTANVILLE	76
155	BD 75	LESTARDS	19
217	AM 101	LESTELLE BETHARRAM	64
219	AV 101	LESTELLE DE ST MARTORY	31
139	AV 69	LESTERPS	16
167	AL 84	LESTIAC SUR GARONNE	33
94	BB 50	LESTIOU	41
187	BJ 91	LESTRADE ET THOUELS	12
29	AG 29	LESTRE	50
12	BJ 18	LESTREM	62
39	CA 30	LETANNE	08
128	BI 62	LETELON	03
76	BD 43	LETHUIN	28
230	DI 110	LETIA	2A
145	BY 70	LETRA	69
61	CJ 37	LETRICOURT	54
33	AZ 31	LETTEGUIVES	27
178	CK 86	LETTRET	05
10	BC 15	LEUBRINGHEN	62
221	BG 101	LEUC	11
172	BI 83	LEUCAMP	15
223	BM 104	LEUCATE	11
100	CC 50	LEUCHEY	52
77	BG 41	LEUDEVILLE	91
56	BN 39	LEUDON EN BRIE	77
99	BZ 49	LEUGLAY	21
109	AU 59	LEUGNY	86
97	BO 51	LEUGNY	89
67	N 44	LEUHAN	29
37	BO 31	LEUILLY SOUS COUCY	02
11	BF 17	LEULINGHEM	62
10	BC 16	LEULINGHEN BERNES	62
82	CD 43	LEURVILLE	52
37	BO 31	LEURY	02
65	CW 36	LEUTENHEIM	67
55	BG 40	LEUVILLE SUR ORGE	91
57	BR 35	LEUVRIGNY	51
181	AI 93	LEUY, LE	40
24	BU 26	LEUZE	02
76	BC 42	LEVAINVILLE	28
23	BR 23	LEVAL	59
102	CP 49	LEVAL	90
55	BG 37	LEVALLOIS PERRET	C 92
72	AI 42	LEVARE	53
82	CF 45	LEVECOURT	52
195	CU 92	LEVENS	C 06
22	BN 26	LEVERGIES	02
116	CA 58	LEVERNOIS	21
76	BA 42	LEVES	28
168	AP 83	LEVES ET THOUMEYRAGUES, LES	33
76	BC 44	LEVESVILLE LA CHENARD	28
112	BH 59	LEVET	C 18
233	DL 115	LEVIE	C 2A
118	CJ 58	LEVIER	C 25
200	AX 95	LEVIGNAC	31
168	AQ 84	LEVIGNAC DE GUYENNE	47
180	AE 91	LEVIGNACQ	40
56	BL 34	LEVIGNEN	60
81	BY 44	LEVIGNY	10
97	BO 51	LEVIS	89
54	BE 39	LEVIS ST NOM	78
60	CD 38	LEVONCOURT	55
103	CR 52	LEVONCOURT	68
110	BB 59	LEVROUX	C 36
22	BM 21	LEWARDE	59
40	CF 30	LEXY	54
62	CM 38	LEY	57
220	BC 103	LEYCHERT	09
171	BD 83	LEYME	46
103	CT 51	LEYMEN	68
147	CD 70	LEYMENT	01
132	BZ 66	LEYNES	71
172	BG 83	LEYNHAC	15
61	CJ 38	LEYR	54
128	BG 65	LEYRAT	23
147	CD 72	LEYRIEU	38
183	AP 88	LEYRITZ MONCASSIN	47
147	CF 67	LEYSSARD	01
157	BM 77	LEYVAUX	15
62	CN 35	LEYVILLER	57
218	AT 104	LEZ	31
24	BT 23	LEZ FONTAINE	59
189	BU 91	LEZAN	30
46	S 37	LEZARDRIEUX	C 22
134	CI 63	LEZAT	39
201	AY 100	LEZAT SUR LEZE	09
124	AO 66	LEZAY	C 79
12	BM 18	LEZENNES	59
82	CD 42	LEZEVILLE	52
62	CM 38	LEZEY	57
217	AN 101	LEZIGNAN	65
222	BK 100	LEZIGNAN CORBIERES	C 11
204	BP 97	LEZIGNAN LA CEBE	34
91	AN 51	LEZIGNE	49
159	BU 74	LEZIGNEUX	42
98	BT 49	LEZINNES	89
143	BP 71	LEZOUX	C 63
34	BE 31	LHERAULE	60
200	AY 98	LHERM	31
170	AY 85	LHERM	46
37	BR 34	LHERY	51
218	AP 100	LHEZ	65
125	AT 64	LHOMMAIZE	86
92	AT 50	LHOMME	72
147	CH 69	LHOPITAL	01
62	CO 36	LHOR	57
185	AZ 88	LHOSPITALET	46
124	AO 61	LHOUMOIS	79
147	CF 72	LHUIS	C 01
80	BU 41	LHUITRE	10
37	BP 33	LHUYS	02
198	AO 98	LIAC	65
35	BH 32	LIANCOURT	C 60
36	BK 28	LIANCOURT FOSSE	80
34	BD 33	LIANCOURT ST PIERRE	60
38	BV 27	LIART	08
200	AX 96	LIAS	32
182	AN 93	LIAS D'ARMAGNAC	32
204	BP 96	LIAUSSON	34
199	AQ 100	LIBAROS	65
12	BL 19	LIBERCOURT	62
36	BL 28	LIBERMONT	60
167	AM 81	LIBOURNE	S 33
100	CD 52	LICEY SUR VINGEANNE	21
215	AG 101	LICHANS SUNHAR	64
138	AQ 70	LICHERES	16
97	BS 50	LICHERES PRES AIGREMONT	89
97	BQ 53	LICHERES SUR YONNE	89
197	AG 99	LICHOS	64
63	CS 36	LICHTENBERG	67
22	BL 27	LICOURT	80
215	AG 101	LICQ ATHEREY	64
10	BE 16	LICQUES	62
56	BN 35	LICY CLIGNON	02
62	CN 36	LIDREZING	57
103	CT 52	LIEBENSWILLER	68
103	CR 52	LIEBSDORF	68
102	CO 53	LIEBVILLERS	25
43	CS 34	LIEDERSCHIEDT	57
101	CI 52	LIEFFRANS	70
110	AX 56	LIEGE, LE	37
61	CJ 35	LIEHON	57
21	BH 22	LIENCOURT	62
85	CR 43	LIEPVRE	68
22	BM 25	LIERAMONT	80
20	BD 24	LIERCOURT	80
11	BH 19	LIERES	62
146	BY 69	LIERGUES	69
115	BV 56	LIERNAIS	C 21
130	BR 65	LIERNOLLES	03
37	BQ 31	LIERVAL	02
54	BD 34	LIERVILLE	60
218	AP 102	LIES	65
117	CH 57	LIESLE	25
37	BR 29	LIESSE NOTRE DAME	02
24	BT 23	LIESSIES	59
29	AG 31	LIESVILLE SUR DOUVE	50
11	BG 18	LIETTRES	62
23	BO 22	LIEU ST AMAND	59
194	CS 91	LIEUCHE	06
117	CF 54	LIEUCOURT	70
160	CD 75	LIEUDIEU	38
220	BC 103	LIEURAC	09
204	BP 96	LIEURAN CABRIERES	34
204	BO 98	LIEURAN LES BEZIERS	34
32	AT 33	LIEUREY	27
88	AA 48	LIEURON	35
29	AF 30	LIEUSAINT	50
55	BI 40	LIEUSAINT	77
173	BL 82	LIEUTADES	15
35	BI 31	LIEUVILLERS	60
101	CL 50	LIEVANS	70
12	BK 20	LIEVIN	C 62
36	BN 28	LIEZ	02
123	AJ 65	LIEZ	85
84	CO 45	LIEZEY	88
82	CE 43	LIFFOL LE GRAND	88
82	CE 43	LIFFOL LE PETIT	52
71	AE 44	LIFFRE	C 35
183	AR 91	LIGARDES	32
20	BD 22	LIGESCOURT	80
156	BG 76	LIGINIAC	19
126	AX 64	LIGLET	86
126	AY 64	LIGNAC	36
221	BE 102	LIGNAIROLLES	11
167	AL 86	LIGNAN DE BAZAS	33
167	AL 82	LIGNAN DE BORDEAUX	33
204	BN 98	LIGNAN SUR ORB	34
142	BG 73	LIGNAREIX	19
138	AP 70	LIGNE	16
89	AE 53	LIGNE	C 44
52	AS 39	LIGNERES	61
21	BI 22	LIGNEREUIL	62
128	BI 66	LIGNEROLLES	03
99	CA 48	LIGNEROLLES	21
53	AZ 38	LIGNEROLLES	27
127	BF 64	LIGNEROLLES	36
52	AU 40	LIGNEROLLES	61
83	CH 45	LIGNEVILLE	88
154	BB 80	LIGNEYRAC	19
98	BT 48	LIGNIERES	10
127	BF 61	LIGNIERES	C 18
93	AY 49	LIGNIERES	41
35	BJ 29	LIGNIERES	80
34	BD 27	LIGNIERES CHATELAIN	80
109	AS 55	LIGNIERES DE TOURAINE	37
20	BC 26	LIGNIERES EN VIMEU	80
74	AR 42	LIGNIERES LA CARELLE	72
73	AO 41	LIGNIERES ORGERES	53
151	AN 74	LIGNIERES SONNEVILLE	16
60	CD 38	LIGNIERES SUR AIRE	55
68	R 45	LIGNOL	56
81	BZ 44	LIGNOL LE CHATEAU	10
80	BX 40	LIGNON	51
97	BR 49	LIGNORELLES	89
51	AN 39	LIGNOU	61
60	CC 39	LIGNY EN BARROIS	C 55
131	BV 67	LIGNY EN BRIONNAIS	71
23	BO 24	LIGNY EN CAMBRESIS	59
97	BR 48	LIGNY LE CHATEL	C 89
94	BC 51	LIGNY LE RIBAULT	45
11	BG 19	LIGNY LES AIRE	62
21	BH 21	LIGNY ST FLOCHEL	62
21	BG 22	LIGNY SUR CANCHE	62
22	BK 24	LIGNY THILLOY	62
108	AR 57	LIGRE	37
91	AP 50	LIGRON	72
103	CS 52	LIGSDORF	68
109	AV 58	LIGUEIL	C 37
153	AU 77	LIGUEUX	24
168	AQ 83	LIGUEUX	33
124	AR 63	LIGUGE	86
22	BJ 27	LIHONS	80
35	BE 29	LIHUS	60
55	BH 37	LILAS, LES	C 93
200	AU 99	LILHAC	31
12	BL 18	LILLE	P 59
32	AU 30	LILLEBONNE	C 76
48	AC 40	LILLEMER	35
11	BI 19	LILLERS	C 62
34	BB 31	LILLY	27
138	AQ 68	LIMALONGES	79
192	CI 91	LIMANS	04
114	BR 58	LIMANTON	58
146	BZ 69	LIMAS	69
54	BC 36	LIMAY	C 78
220	BC 103	LIMBRASSAC	09
37	BP 32	LIME	02
55	BH 39	LIMEIL BREVANNES	94
198	AM 99	LIMENDOUS	64
93	AX 53	LIMERAY	37
85	CU 41	LIMERSHEIM	67
87	X 50	LIMERZEL	56
33	AW 29	LIMESY	76
54	BB 35	LIMETZ VILLEZ	78
169	AV 82	LIMEUIL	24
111	BF 57	LIMEUX	18
20	BD 25	LIMEUX	80
61	CH 37	LIMEY REMENAUVILLE	54
153	AW 79	LIMEYRAT	24
140	AY 71	LIMOGES	P 87
55	BJ 40	LIMOGES FOURCHES	77
185	BC 87	LIMOGNE EN QUERCY	C 46
129	BM 62	LIMOISE	03
113	BO 59	LIMON	58
146	BZ 71	LIMONEST	C 69
143	BP 70	LIMONS	63
23	BS 23	LIMONT FONTAINE	59
160	BZ 76	LIMONY	07
55	BF 40	LIMOURS	C 91
202	BH 99	LIMOUSIS	11
221	BG 102	LIMOUX	S 11
105	AC 58	LIMOUZINIERE, LA	44
18	AT 28	LIMPIVILLE	76
171	BF 84	LINAC	46
127	BD 65	LINARD	23
140	BA 73	LINARDS	87
138	AP 73	LINARS	16
55	BG 40	LINAS	91
39	CB 29	LINAY	08
138	AQ 67	LINAZAY	86
19	AW 28	LINDEBEUF	76
139	AT 72	LINDOIS, LE	16
62	CN 37	LINDRE BASSE	57
62	CN 37	LINDRE HAUTE	57
97	BP 49	LINDRY	89
102	CL 49	LINEXERT	70
126	AX 61	LINGE	36
50	AI 38	LINGEARD	50
30	AK 34	LINGEVRES	14
11	BH 18	LINGHEM	62
64	CU 40	LINGOLSHEIM	67
49	AE 36	LINGREVILLE	50
231	DO 108	LINGUIZZETTA	2B
91	AP 53	LINIERES BOUTON	49
125	AT 62	LINIERS	86
111	BC 58	LINIEZ	36
103	CS 51	LINSDORF	68
12	BM 17	LINSELLES	59
85	CQ 47	LINTHAL	68
57	BR 39	LINTHELLES	51
57	BS 39	LINTHES	51
32	AU 30	LINTOT	76
19	AX 27	LINTOT LES BOIS	76
180	AE 92	LINXE	40
39	CB 32	LINY DEVANT DUN	55
21	BF 21	LINZEUX	62
61	CK 36	LIOCOURT	57
20	BD 26	LIOMER	80
90	AJ 51	LION D'ANGERS, LE	C 49
39	CB 31	LION DEVANT DUN	55
76	BE 46	LION EN BEAUCE	45
95	BI 50	LION EN SULLIAS	45
31	AN 32	LION SUR MER	14
169	AT 82	LIORAC SUR LOUYRE	24
189	BU 93	LIOUC	30
171	BC 81	LIOURDRES	19
191	CE 92	LIOUX	84
142	BH 70	LIOUX LES MONGES	23
181	AH 88	LIPOSTHEY	40
64	CU 40	LIPSHEIM	67
190	BZ 91	LIRAC	30
106	AG 54	LIRE	49
80	BT 45	LIREY	10
83	CH 47	LIRONCOURT	88
61	CH 37	LIRONVILLE	54
39	BX 32	LIRY	08
11	BG 19	LISBOURG	62
52	AR 34	LISIEUX	S 14
153	AT 77	LISLE	24
93	AX 49	LISLE	41
59	CB 37	LISLE EN BARROIS	55
59	CA 39	LISLE EN RIGAULT	55
185	BC 93	LISLE SUR TARN	C 81
38	BT 28	LISLET	02
30	AI 33	LISON	14
52	AR 36	LISORES	14
34	BA 32	LISORS	27
201	BA 100	LISSAC	09
158	BS 79	LISSAC	43
171	BE 85	LISSAC ET MOURET	46
154	BA 79	LISSAC SUR COUZE	19
112	BH 59	LISSAY LOCHY	18
59	BY 38	LISSE EN CHAMPAGNE	51
55	BH 40	LISSES	91
143	BL 69	LISSEUIL	63
40	CC 31	LISSEY	55
146	BZ 71	LISSIEU	69
56	BJ 40	LISSY	77
168	AO 83	LISTRAC DE DUREZE	33
150	AI 79	LISTRAC MEDOC	33
180	AD 91	LIT ET MIXE	40
29	AF 32	LITHAIRE	50
30	AJ 34	LITTEAU	14
63	CS 38	LITTENHEIM	67
35	BG 31	LITZ	60
73	AP 41	LIVAIE	61
52	AQ 36	LIVAROT	C 14
61	CI 38	LIVERDUN	54
56	BK 39	LIVERDY EN BRIE	77
171	BC 84	LIVERNON	C 46
186	BE 91	LIVERS CAZELLES	81
73	AM 46	LIVET	53
74	AR 43	LIVET EN SAOSNOIS	72
162	CJ 79	LIVET ET GAVET	38
32	AU 33	LIVET SUR AUTHOU	27
55	BF 35	LIVILLIERS	95
172	BG 85	LIVINHAC LE HAUT	12
203	BJ 99	LIVINIERE, LA	34
90	AI 48	LIVRE	53
71	AF 44	LIVRE SUR CHANGEON	35
198	AM 100	LIVRON	64
176	CA 83	LIVRON SUR DROME	26
50	AK 34	LIVRY	14
129	BM 61	LIVRY	58
55	BI 37	LIVRY GARGAN	C 93
58	BV 35	LIVRY LOUVERCY	51
78	BJ 41	LIVRY SUR SEINE	77
64	CT 37	LIXHAUSEN	67
62	CQ 37	LIXHEIM	57
42	CP 33	LIXING LES ROUHLING	57
62	CN 35	LIXING LES ST AVOLD	57
78	BM 45	LIXY	89
184	AX 90	LIZAC	82
138	AR 68	LIZANT	86
111	BD 58	LIZERAY	36
140	BB 67	LIZIERES	23
118	CI 57	LIZINE	25
78	BN 41	LIZINES	77
69	W 48	LIZIO	56
199	AP 100	LIZOS	65
37	BP 30	LIZY	02
56	BL 36	LIZY SUR OURCQ	C 77
225	BF 108	LLAGONNE, LA	66
226	BK 108	LLAURO	66
225	BE 109	LLO	66
226	BK 107	LLUPIA	66
64	CV 35	LOBSANN	67
44	J 39	LOC BREVALAIRE	29
45	L 40	LOC EGUINER	29
45	M 40	LOC EGUINER ST THEGONNEC	29
46	Q 40	LOC ENVEL	22
46	Q 42	LOCARN	22
110	AY 57	LOCHE SUR INDROIS	37
109	AW 57	LOCHES	S 37
80	BX 46	LOCHES SUR OURCE	10
50	AL 34	LOCHEUR, LE	14
147	CH 70	LOCHIEU	01
63	CS 38	LOCHWILLER	67
68	R 45	LOCMALO	56
86	S 54	LOCMARIA	56
45	O 42	LOCMARIA BERRIEN	29
69	U 49	LOCMARIA GRAND CHAMP	56
44	H 41	LOCMARIA PLOUZANE	29
86	S 51	LOCMARIAQUER	56
45	L 40	LOCMELAR	29
69	U 47	LOCMINE	C 56
68	Q 49	LOCMIQUELIC	56
68	S 49	LOCOAL MENDON	56
12	BJ 19	LOCON	62
34	BE 33	LOCONVILLE	60
69	U 49	LOCQUELTAS	56
45	N 38	LOCQUENOLE	29
23	BQ 23	LOCQUIGNOL	59
46	P 38	LOCQUIREC	29
67	K 44	LOCRONAN	29
67	K 47	LOCTUDY	29
68	P 46	LOCUNOLE	29
130	BR 66	LODDES	03
218	AT 101	LODES	31
204	BO 94	LODEVE	S 34
118	CK 57	LODS	25
100	CE 53	LOEUILLEY	70
35	BF 27	LOEUILLY	80
22	BM 21	LOFFRE	59
11	BE 20	LOGE, LA	62
80	BW 44	LOGE AUX CHEVRES, LA	10
123	AJ 62	LOGE FOUGEREUSE	85
80	BT 46	LOGE POMBLIN, LA	10
85	CS 46	LOGELHEIM	68
50	AK 35	LOGES, LES	14
100	CE 49	LOGES, LES	52
18	AS 28	LOGES, LES	76
55	BF 39	LOGES EN JOSAS, LES	78
72	AH 41	LOGES MARCHIS, LES	50
80	BU 46	LOGES MARGUERON, LES	10
51	AN 37	LOGES SAULCES, LES	14
50	AH 38	LOGES SUR BRECEY, LES	50
55	BJ 38	LOGNES	77
24	BV 27	LOGNY BOGNY	08
24	BU 27	LOGNY LES AUBENTON	02
44	J 41	LOGONNA DAOULAS	29
189	BU 92	LOGRIAN FLORIAN	30
75	AY 45	LOGRON	28
46	Q 40	LOGUIVY PLOUGRAS	22
88	AB 48	LOHEAC	35
197	AF 99	LOHITZUN OYHERCQ	64
63	CR 37	LOHR	67
46	P 40	LOHUEC	22
90	AJ 48	LOIGNE SUR MAYENNE	53
76	BC 46	LOIGNY LA BATAILLE	28
90	AI 51	LOIRE	49
136	AH 69	LOIRE LES MARAIS	17
137	AM 70	LOIRE SUR NIE	17
160	CA 74	LOIRE SUR RHONE	69
72	AI 46	LOIRON	C 53
74	AU 41	LOISAIL	61
60	CC 38	LOISEY CULEY	55
133	CE 64	LOISIA	39
147	CH 73	LOISIEUX	73
134	CL 65	LOISIN	74
40	CE 32	LOISON	55
12	BK 20	LOISON SOUS LENS	62
10	BD 20	LOISON SUR CREQUOISE	62

Page	Carreau	Commune	Adm.	Dpt
61	CI 37	LOISY		54
132	CB 62	LOISY		71
57	BS 37	LOISY EN BRIE		51
58	BX 38	LOISY SUR MARNE		51
38	BS 32	LOIVRE		51
121	AD 66	LOIX		17
49	AF 38	LOLIF		50
169	AV 84	LOLME		24
117	CH 57	LOMBARD		25
117	CF 60	LOMBARD		39
202	BF 94	LOMBERS		81
200	AV 97	LOMBEZ	C	32
198	AM 99	LOMBIA		64
218	AR 102	LOMBRES		65
95	BJ 48	LOMBREUIL		45
74	AS 46	LOMBRON		72
41	CH 32	LOMMERANGE		57
54	BA 36	LOMMOYE		78
218	AQ 102	LOMNE		65
102	CN 50	LOMONT		70
102	CM 54	LOMONT SUR CRETE		25
147	CF 71	LOMPNAS		01
147	CG 69	LOMPNIEU		01
12	BL 17	LOMPRET		59
198	AK 97	LONCON		64
33	AW 33	LONDE, LA		76
213	CM 100	LONDE LES MAURES, LA		83
138	AQ 68	LONDIGNY		16
20	BA 27	LONDINIERES	C	76
20	BE 24	LONG		80
200	AX 99	LONGAGES		31
70	AB 43	LONGAULNAY		35
22	BM 25	LONGAVESNES		80
116	CD 55	LONGCHAMP		21
82	CE 45	LONGCHAMP		52
84	CM 44	LONGCHAMP		88
82	CG 43	LONGCHAMP SOUS CHATENOIS		88
81	BZ 45	LONGCHAMP SUR AUJON		10
34	BB 32	LONGCHAMPS		27
60	CC 37	LONGCHAMPS SUR AIRE		55
134	CI 64	LONGCHAUMOIS		39
118	CJ 60	LONGCOCHON		39
100	CD 49	LONGEAU PERCEY	C	52
116	CC 55	LONGEAULT		21
60	CC 40	LONGEAUX		55
118	CM 56	LONGECHAUX		25
161	CE 75	LONGECHENAL		38
116	CC 56	LONGECOURT EN PLAINE		21
115	BX 56	LONGECOURT LES CULETRE		21
118	CM 57	LONGEMAISON		25
116	CC 58	LONGEPIERRE		71
106	AH 58	LONGERON, LE		49
160	BZ 75	LONGES		69
145	BW 71	LONGESSAIGNE		69
102	CL 51	LONGEVELLE		70
119	CN 55	LONGEVELLE LES RUSSEY		25
102	CN 52	LONGEVELLE SUR DOUBS		25
122	AH 66	LONGEVES		17
122	AI 64	LONGEVES		85
118	CK 57	LONGEVILLE		25
118	CM 57	LONGEVILLE, LA		25
59	CB 39	LONGEVILLE EN BARROIS		55
61	CI 34	LONGEVILLE LES METZ		57
42	CM 34	LONGEVILLE LES ST AVOLD		57
81	BY 42	LONGEVILLE SUR LA LAINES		52
121	AD 64	LONGEVILLE SUR MER		85
80	BT 45	LONGEVILLE SUR MOGNE		10
118	CL 60	LONGEVILLES MONT D'OR		25
10	BD 18	LONGFOSSE		62
102	CM 48	LONGINE, LA		70
55	BG 39	LONGJUMEAU	C	91
40	CG 30	LONGLAVILLE		54
34	BB 29	LONGMESNIL		76
73	AP 47	LONGNES		72
54	BB 37	LONGNES		78
75	AV 41	LONGNY AU PERCHE	C	61
55	BJ 36	LONGPERRIER		77
36	BN 33	LONGPONT		02
55	BG 40	LONGPONT SUR ORGE		91
80	BX 45	LONGPRE LE SEC		10
20	BE 25	LONGPRE LES CORPS SAINTS		80
30	AK 34	LONGRAYE		14
138	AO 69	LONGRE		16
20	BB 25	LONGROY		76
80	BV 42	LONGSOLS		10
108	AO 54	LONGUE JUMELLES	C	49
21	BG 26	LONGUEAU		80
90	AK 48	LONGUEFUYE		53
19	AX 26	LONGUEIL		76
36	BK 31	LONGUEIL ANNEL		60
36	BJ 32	LONGUEIL STE MARIE		60
11	BG 17	LONGUENESSE		62
73	AP 41	LONGUENOE		61
33	AZ 30	LONGUERUE		76
30	AK 32	LONGUES SUR MER		14
54	BE 35	LONGUESSE		95
22	BK 25	LONGUEVAL		80
37	BQ 32	LONGUEVAL BARBONVAL		02
30	AI 32	LONGUEVILLE		14
168	AP 86	LONGUEVILLE		47
49	AE 37	LONGUEVILLE		50
23	BR 22	LONGUEVILLE, LA		59
10	BD 17	LONGUEVILLE		62
78	BN 41	LONGUEVILLE		77
79	BS 41	LONGUEVILLE SUR AUBE		10
19	AY 27	LONGUEVILLE SUR SCIE	C	76
21	BG 23	LONGUEVILLETTE		80
40	CE 31	LONGUYON	C	54
116	CB 55	LONGVIC		21
50	AL 35	LONGVILLERS		14
10	BC 19	LONGVILLIERS		62
76	BE 41	LONGVILLIERS		78
39	BY 31	LONGWE		08
40	CF 30	LONGWY	C	54
117	CD 58	LONGWY SUR LE DOUBS		39
50	AK 39	LONLAY L'ABBAYE		61
51	AN 40	LONLAY LE TESSON		61
138	AQ 70	LONNES		16
24	BX 27	LONNY		08
73	AP 42	LONRAI		61
198	AK 99	LONS		64
133	CF 61	LONS LE SAUNIER	P	39
137	AL 74	LONZAC		17
155	BC 75	LONZAC, LE		19
11	BG 15	LOOBERGHE		59
4	BG 14	LOON PLAGE		59
12	BL 18	LOOS		59
12	BK 20	LOOS EN GOHELLE		62
97	BP 47	LOOZE		89
45	L 42	LOPEREC		29
45	J 41	LOPERHET		29
230	DJ 111	LOPIGNA		2A
45	M 42	LOQUEFFRET		29
38	BT 30	LOR		02
118	CM 56	LORAY		25
173	BO 81	LORCIERES		15
77	BI 47	LORCY		45
220	BC 105	LORDAT		09
72	AL 41	LORE		61
63	CQ 35	LORENTZEN		67
229	DN 106	LORETO DI CASINCA		2B
233	DK 115	LORETO DI TALLANO		2A
159	BY 75	LORETTE		42
49	AF 37	LOREUR, LE		50
111	BD 54	LOREUX		41
49	AG 34	LOREY, LE		50
83	CK 41	LOREY		54
94	BA 49	LORGES		41
12	BK 18	LORGIES		62
209	CN 96	LORGUES	C	83
68	Q 49	LORIENT	S	56
129	BO 66	LORIGES		03
151	AJ 75	LORIGNAC		17
138	AP 68	LORIGNE		79
191	CC 90	LORIOL DU COMTAT		84
176	CA 83	LORIOL SUR DROME	C	26
157	BO 77	LORLANGES		43
34	BA 31	LORLEAU		27
35	BF 33	LORMAISON		60
54	BB 40	LORMAYE		28
114	BS 55	LORMES	C	58
167	AK 82	LORMONT	C	33
148	CI 70	LORNAY		74
83	CK 42	LOROMONTZEY		54
72	AH 42	LOROUX, LE		35
106	AF 55	LOROUX BOTTEREAU, LE	C	44
219	AW 102	LORP SENTARAILLE		09
62	CP 39	LORQUIN	C	57
78	BL 44	LORREZ LE BOCAGE PREAUX	C	77
95	BI 48	LORRIS	C	45
41	CI 34	LORRY LES METZ		57
61	CI 36	LORRY MARDIGNY		57
218	AR 102	LORTET		65
70	Z 44	LOSCOUET SUR MEU		22
116	CD 57	LOSNE		21
182	AN 90	LOSSE		40
155	BC 80	LOSTANGES		19
62	CO 37	LOSTROFF		57
67	L 43	LOTHEY		29
10	BE 17	LOTTINGHEN		62
70	AA 44	LOU DU LAC, LE		35
91	AN 49	LOUAILLES		72
57	BP 40	LOUAN VILLEGRUIS FONTAINE		77
46	Q 37	LOUANNEC		22
109	AU 56	LOUANS		37
46	Q 39	LOUARGAT		22
36	BN 33	LOUATRE		02
217	AN 101	LOUBAJAC		65
175	BU 85	LOUBARESSE		07
173	BN 81	LOUBARESSE		15
219	AY 101	LOUBAUT		09
198	AO 94	LOUBEDAT		32
170	AX 85	LOUBEJAC		24
220	BA 102	LOUBENS		09
168	AO 84	LOUBENS		33
201	BC 96	LOUBENS LAURAGAIS		31
186	BD 91	LOUBERS		81
199	AS 97	LOUBERSAN		32
168	AQ 83	LOUBES BERNAC		47
143	BM 70	LOUBEYRAT		63
197	AH 97	LOUBIENG		64
187	BJ 87	LOUBIERE, LA		12
220	BA 103	LOUBIERES		09
138	AO 68	LOUBIGNE		79
138	AO 69	LOUBILLE		79
171	BC 82	LOUBRESSAC		46
51	AP 39	LOUCE		61
30	AL 33	LOUCELLES		14
167	AJ 86	LOUCHATS		33
10	BE 16	LOUCHES		62
129	BN 66	LOUCHY MONTFAND		03
217	AO 101	LOUCRUP		65
69	U 44	LOUDEAC	C	22
218	AQ 105	LOUDENVIELLE		65
218	AR 105	LOUDERVIELLE		65
158	BR 80	LOUDES	C	43
218	AS 101	LOUDET		31
62	CO 37	LOUDREFING		57
108	AP 58	LOUDUN	C	86
73	AO 47	LOUE	C	72
197	AH 94	LOUER		40
107	AM 55	LOUERRE		49
99	BZ 48	LOUESME		21
92	AU 51	LOUESTAULT		37
34	BD 29	LOUEUSE		60
217	AO 101	LOUEY		65
51	AO 39	LOUGE SUR MAIRE		61
169	AT 85	LOUGRATTE		47
102	CN 52	LOUGRES		25
132	CD 62	LOUHANS	S	71
214	AD 99	LOUHOSSOA		64
154	AY 78	LOUIGNAC		19
108	AN 60	LOUIN		79
89	AE 50	LOUISFERT		44
199	AP 99	LOUIT		65
101	CK 53	LOULANS VERCHAMP		70
137	AL 68	LOULAY	C	17
133	CI 61	LOULLE		39
75	AX 42	LOUPE, LA	C	28
37	BP 33	LOUPEIGNE		02
62	CO 34	LOUPERSHOUSE		57
167	AL 82	LOUPES		33
73	AM 43	LOUPFOUGERES		53
221	BF 102	LOUPIA		11
167	AM 84	LOUPIAC		33
170	AZ 83	LOUPIAC		46
185	BC 94	LOUPIAC		81
168	AO 85	LOUPIAC DE LA REOLE		33
205	BR 98	LOUPIAN		34
91	AP 48	LOUPLANDE		72
60	CF 37	LOUPMONT		55
59	CA 37	LOUPPY LE CHATEAU		55
40	CC 31	LOUPPY SUR LOISON		55
79	BO 43	LOUPTIERE THENARD, LA		10
23	BO 21	LOURCHES		59
218	AT 103	LOURDE		31
217	AN 101	LOURDES	C	65
216	AI 102	LOURDIOS ICHERE		64
127	BC 65	LOURDOUEIX ST MICHEL		36
127	BD 65	LOURDOUEIX ST PIERRE		23
198	AM 99	LOURENTIES		64
218	AS 102	LOURES BAROUSSE		65
107	AM 55	LOURESSE ROCHEMENIER		49
71	AC 41	LOURMAIS		35
208	CF 94	LOURMARIN		84
131	BY 64	LOURNAND		71
127	BE 62	LOUROUER ST LAURENT		36
109	AV 56	LOUROUX, LE		37
90	AI 52	LOUROUX BECONNAIS, LE	C	49
129	BK 63	LOUROUX BOURBONNAIS		03
129	BL 66	LOUROUX DE BEAUNE		03
129	BL 67	LOUROUX DE BOUBLE		03
128	BJ 64	LOUROUX HODEMENT		03
197	AH 94	LOURQUEN		40
199	AS 98	LOURTIES MONBRUN		32
95	BF 47	LOURY		45
199	AP 96	LOUSLITGES		32
198	AO 95	LOUSSOUS DEBAT		32
70	AA 47	LOUTEHEL		35
43	CR 33	LOUTZVILLER		57
51	AP 36	LOUVAGNY		14
90	AJ 50	LOUVAINES		49
117	CG 56	LOUVATANGE		39
55	BF 38	LOUVECIENNES		78
81	BZ 41	LOUVEMONT		52
40	CD 33	LOUVEMONT COTE DU POIVRE, VILLAGE RUINE		55
21	BI 24	LOUVENCOURT		80
133	CE 64	LOUVENNE		39
39	BY 30	LOUVERGNY		08
72	AK 45	LOUVERNE		53
133	CF 61	LOUVEROT, LE		39
53	AW 36	LOUVERSEY		27
32	AV 30	LOUVETOT		76
217	AK 101	LOUVIE JUZON		64
217	AK 102	LOUVIE SOUBIRON		64
201	BB 100	LOUVIERE LAURAGAIS, LA		11
30	AJ 32	LOUVIERES		14
82	CD 46	LOUVIERES		52
51	AQ 37	LOUVIERES EN AUGE		61
33	AY 34	LOUVIERS	C	27
72	AK 46	LOUVIGNE		53
71	AF 46	LOUVIGNE DE BAIS		35
72	AH 41	LOUVIGNE DU DESERT	C	35
23	BQ 22	LOUVIGNIES QUESNOY		59
51	AN 34	LOUVIGNY		14
61	CI 36	LOUVIGNY		57
197	AK 97	LOUVIGNY		64
74	AR 43	LOUVIGNY		72
12	BM 19	LOUVIL		59
76	BC 44	LOUVILLE LA CHENARD		28
53	AZ 39	LOUVILLIERS EN DROUAIS		28
53	AX 40	LOUVILLIERS LES PERCHE		28
58	BT 35	LOUVOIS		51
35	BH 28	LOUVRECHY		80
55	BI 36	LOUVRES		95
23	BS 22	LOUVROIL		59
53	AZ 38	LOUYE		27
137	AL 72	LOUZAC ST ANDRE		16
81	BY 42	LOUZE		52
74	AR 42	LOUZES		72
137	AM 71	LOUZIGNAC		17
78	BL 47	LOUZOUER		45
108	AN 58	LOUZY		79
148	CJ 70	LOVAGNY		74
69	X 46	LOYAT		56
117	CF 57	LOYE, LA		39
128	BH 62	LOYE SUR ARNON		18
116	CA 60	LOYERE, LA		71
146	CD 72	LOYETTES		01
146	BZ 71	LOZANNE		69
137	AK 68	LOZAY		17
185	BC 88	LOZE		82
11	BH 19	LOZINGHEM		62
29	AG 34	LOZON		50
230	DJ 108	LOZZI		2B
126	BA 61	LUANT		36
74	AU 46	LUART, LE		72
182	AN 90	LUBBON		40
62	CL 37	LUBECOURT		57
154	AZ 75	LUBERSAC	C	19
40	CG 33	LUBEY		54
157	BO 78	LUBILHAC		43
85	CQ 43	LUBINE		88
92	AR 52	LUBLE		37
199	AQ 99	LUBRET ST LUC		65
199	AQ 99	LUBY BETMONT		65
187	BI 88	LUC		12
174	BT 84	LUC		48
218	AP 101	LUC		65
209	CN 98	LUC, LE	C	83
198	AN 98	LUC ARMAU		64
177	CF 84	LUC EN DIOIS	C	26
221	BG 103	LUC SUR AUDE		11
31	AN 32	LUC SUR MER		14
222	BK 101	LUC SUR ORBIEU		11
198	AN 98	LUCARRE		64
111	BD 57	LUCAY LE LIBRE		36
110	AZ 57	LUCAY LE MALE		36
182	AK 92	LUCBARDEZ ET BARGUES		40
229	DN 105	LUCCIANA		2B
76	BA 42	LUCE	C	28
72	AL 41	LUCE		61
74	AR 45	LUCE SOUS BALLON		72
92	AS 50	LUCEAU		72
103	CS 52	LUCELLE		68
146	BZ 70	LUCENAY		69
98	BX 51	LUCENAY LE DUC		21
130	BP 62	LUCENAY LES AIX		58
115	BV 57	LUCENAY L'EVEQUE	C	71
195	CV 92	LUCERAM		06
49	AF 38	LUCERNE D'OUTREMER, LA		50
99	BZ 49	LUCEY		21
60	CG 39	LUCEY		54
147	CH 72	LUCEY		73
198	AM 100	LUCGARIER		64
139	AV 67	LUCHAPT		86
137	AI 72	LUCHAT		17
91	AP 50	LUCHE PRINGE		72
138	AN 68	LUCHE SUR BRIOUX		79
107	AM 59	LUCHE THOUARSAIS		79
21	BH 23	LUCHEUX		80
35	BF 30	LUCHY		60
134	CL 66	LUCINGES		74
182	AL 87	LUCMAU		33
122	AF 64	LUCON	C	85
197	AI 99	LUCQ DE BEARN		64
38	BW 30	LUCQUY		08
106	AD 59	LUCS SUR BOULOGNE, LES		85
61	CL 36	LUCY		57
34	BA 27	LUCY		76
56	BN 35	LUCY LE BOCAGE		02
97	BS 52	LUCY LE BOIS		89
97	BR 51	LUCY SUR CURE		89
97	BQ 52	LUCY SUR YONNE		89
91	AQ 51	LUDE, LE	C	72
58	BT 34	LUDES		51
143	BM 74	LUDESSE		63
220	BB 101	LUDIES		09
167	AJ 80	LUDON MEDOC		33
61	CJ 40	LUDRES		54
181	AG 89	LUE		40
91	AN 52	LUE EN BAUGEOIS		49
103	CS 50	LUEMSCHWILLER		68
185	BB 87	LUGAGNAC		46
217	AN 102	LUGAGNAN		65
167	AM 82	LUGAIGNAC		33
172	BG 86	LUGAN		12
201	BC 95	LUGAN		81
156	BK 77	LUGARDE		15
167	AN 83	LUGASSON		33
181	AI 90	LUGLON		40
37	BR 27	LUGNY		02
132	BZ 64	LUGNY	C	71
112	BJ 59	LUGNY BOURBONNAIS		18
112	BK 56	LUGNY CHAMPAGNE		18
131	BV 65	LUGNY LES CHAROLLES		71
231	DM 110	LUGO DI NAZZA		2B
167	AL 81	LUGON ET L'ILE DU CARNAY		33
166	AH 86	LUGOS		33
135	CO 64	LUGRIN		74
11	BF 19	LUGY		62
119	CN 55	LUHIER, LE		25
107	AM 55	LUIGNE		49
75	AX 44	LUIGNY		28
76	BA 42	LUISANT		28
78	BN 42	LUISETAINES		77
72	AH 43	LUITRE		35
135	CN 65	LULLIN		74
134	CM 65	LULLY		74
162	CJ 76	LUMBIN		38
11	BF 17	LUMBRES	C	62
76	BC 46	LUMEAU		28
39	BY 28	LUMES		08
56	BL 39	LUMIGNY NESLES ORMEAUX		77
228	DI 105	LUMIO		2B
186	BF 89	LUNAC		12
171	BE 85	LUNAN		46
168	AR 81	LUNAS		24
204	BN 95	LUNAS	C	34
199	AT 99	LUNAX		31
93	AW 49	LUNAY		41
130	BT 65	LUNEAU		03
171	BB 84	LUNEGARDE		46
205	BV 95	LUNEL	C	34
205	BV 95	LUNEL VIEL		34
19	AW 27	LUNERAY		76
112	BG 59	LUNERY		18
62	CL 40	LUNEVILLE	S	54
49	AG 38	LUOT, LE		50
61	CJ 40	LUPCOURT		54
160	BZ 76	LUPE		42
142	BH 70	LUPERSAT		23
199	AP 95	LUPIAC		32
76	AZ 44	LUPLANTE		28
198	AM 94	LUPPE VIOLLES		32
61	CK 36	LUPPY		57
138	AO 70	LUPSAULT		16
63	CS 38	LUPSTEIN		67
198	AM 99	LUQUET		65
125	AW 61	LURAIS		36
54	BA 39	LURAY		28
216	AJ 101	LURBE ST CHRISTAU		64
146	BZ 68	LURCY		01
113	BO 56	LURCY LE BOURG		58
129	BL 61	LURCY LEVIS	C	03
144	BT 71	LURE		42
102	CM 50	LURE	S	70
126	AW 61	LUREUIL		36
229	DM 101	LURI		2B
159	BU 75	LURIECQ		42
192	CJ 91	LURS		04
111	BE 57	LURY SUR ARNON	C	18
177	CH 84	LUS LA CROIX HAUTE		26
89	AD 50	LUSANGER		44
218	AT 102	LUSCAN		31
152	AR 77	LUSIGNAC		24
124	AP 64	LUSIGNAN	C	86
183	AS 89	LUSIGNAN PETIT		47
130	BP 63	LUSIGNY		03
80	BV 44	LUSIGNY SUR BARSE	C	10
115	BY 57	LUSIGNY SUR OUCHE		21
139	AS 71	LUSSAC		16
151	AL 75	LUSSAC		17
168	AN 81	LUSSAC	C	33
125	AU 65	LUSSAC LES CHATEAUX	C	86
126	AY 65	LUSSAC LES EGLISES		87
198	AM 94	LUSSAGNET		40
198	AM 97	LUSSAGNET LUSSON		64
190	BX 90	LUSSAN	C	30
200	AU 96	LUSSAN		32
200	AV 99	LUSSAN ADEILHAC		31
136	AI 69	LUSSANT		17
175	BX 85	LUSSAS		07
153	AT 75	LUSSAS ET NONTRONNEAU		24
142	BG 67	LUSSAT		23
143	BN 71	LUSSAT		63
109	AW 54	LUSSAULT SUR LOIRE		37
85	CQ 43	LUSSE		88
138	AN 67	LUSSERAY		79
199	AQ 100	LUSTAR		65
113	BN 60	LUTHENAY UXELOUP		58
218	AQ 101	LUTILHOUS		65
41	CJ 32	LUTTANGE		57
85	CQ 46	LUTTENBACH PRES MUNSTER		68
103	CS 52	LUTTER		68
103	CR 49	LUTTERBACH		68
76	BA 46	LUTZ EN DUNOIS		28
63	CR 38	LUTZELBOURG		57
63	CR 40	LUTZELHOUSE		67
84	CQ 41	LUVIGNY		88
100	CC 52	LUX		21
201	BC 98	LUX		31
132	CA 61	LUX		71
138	AP 70	LUXE		16
215	AF 98	LUXE SUMBERRAUTE		64
59	BX 39	LUXEMONT ET VILLOTTE		51
101	CK 48	LUXEUIL LES BAINS	C	70
181	AK 88	LUXEY		40
101	CL 53	LUXIOL		25
80	BU 43	LUYERES		10
109	AT 54	LUYNES	C	37
217	AN 104	LUZ ST SAUVEUR	C	65
56	BN 36	LUZANCY		77
55	BH 35	LUZARCHES	C	95
108	AN 59	LUZAY		79
109	AS 58	LUZE		37
102	CO 51	LUZE		70
170	AY 86	LUZECH	C	46
220	BC 105	LUZENAC		09
126	AZ 63	LUZERET		36
50	AI 34	LUZERNE, LA		50
143	BP 70	LUZILLAT		63
110	AX 55	LUZILLE		37
146	CB 74	LUZINAY		38
23	BS 26	LUZOIR		02
130	BT 61	LUZY	C	58
39	CB 30	LUZY ST MARTIN		55
82	CC 46	LUZY SUR MARNE		52
36	BO 28	LY FONTAINE		02
176	BY 83	LYAS		07
135	CN 65	LYAUD		74
110	BA 56	LYE		36
11	BH 17	LYNDE		59
102	CM 50	LYOFFANS		70
146	CA 72	LYON	P	69
34	BA 32	LYONS LA FORET	C	27
114	BQ 54	LYS		58
217	AL 101	LYS		64
12	BN 17	LYS LEZ LANNOY		59
127	BC 62	LYS ST GEORGES		36

M

Page	Carreau	Commune	Adm.	Dpt
37	BP 33	MAAST ET VIOLAINE		02
100	CE 50	MAATZ		52
145	BU 68	MABLY		42
151	AJ 80	MACAU		33
214	AD 98	MACAYE		64
52	AQ 40	MACE		61
79	BS 44	MACEY		10
49	AF 40	MACEY		50
38	BW 32	MACHAULT	C	08
78	BK 42	MACHAULT		77
105	AC 60	MACHE		85
105	AB 57	MACHECOUL	C	44
37	BR 29	MACHECOURT		02
36	BK 30	MACHEMONT		60
62	CN 34	MACHEREN		57
145	BW 70	MACHEZAL		42
20	BD 22	MACHIEL		80
134	CL 66	MACHILLY		74
114	BP 59	MACHINE, LA	C	58
80	BT 45	MACHY		10
20	BD 22	MACHY		80
85	CT 44	MACKENHEIM		67
62	CQ 36	MACKWILLER		67
160	BZ 76	MACLAS		42
56	BN 34	MACOGNY		02
132	CA 66	MACON	P	71
83	CH 42	MACONCOURT		88
115	BX 56	MACONGE		21
133	CF 62	MACORNAY		39
149	CO 73	MACOT LA PLAGNE		73
137	AN 71	MACQUEVILLE		17
23	BP 26	MACQUIGNY		02
183	AS 88	MADAILLAN		47
83	CJ 44	MADECOURT		88
83	CK 43	MADEGNEY		88
10	BC 20	MADELAINE SOUS MONTREUIL, LA		62
12	BM 18	MADELEINE, LA		59
75	AW 42	MADELEINE BOUVET, LA		61
53	AY 38	MADELEINE DE NONANCOURT, LA		27
78	BJ 45	MADELEINE SUR LOING, LA		77
93	AZ 50	MADELEINE VILLEFROUIN, LA		41
156	BH 76	MADIC		15
220	BA 102	MADIERE		09
167	AL 83	MADIRAC		33
198	AN 96	MADIRAN		65
83	CJ 44	MADONNE ET LAMEREY		88
155	BC 75	MADRANGES		19
73	AM 42	MADRE		53
157	BN 76	MADRIAT		63
68	Q 42	MAEL CARHAIX	C	22
46	R 41	MAEL PESTIVIEN		22
64	CS 38	MAENNOLSHEIM		67
55	BG 35	MAFFLIERS		95
59	BZ 34	MAFFRECOURT		51
204	BO 98	MAGALAS		34
138	AP 69	MAGDELEINE, LA		16
201	BA 94	MAGDELEINE SUR TARN, LA		31
75	AV 41	MAGE, LE		61
58	BT 35	MAGENTA		51
189	BV 89	MAGES, LES		30
180	AE 93	MAGESCQ		40
149	CO 68	MAGLAND		74
140	AZ 74	MAGNAC BOURG		87
126	AX 67	MAGNAC LAVAL	C	87
152	AQ 75	MAGNAC LAVALETTE VILLARS		16
138	AQ 73	MAGNAC SUR TOUVRE		16
198	AN 94	MAGNAN		32
80	BW 45	MAGNANT		10
54	BC 36	MAGNANVILLE		78
183	AT 93	MAGNAS		32
142	BG 72	MAGNAT L'ETRANGE		23
123	AK 66	MAGNE		79
124	AR 65	MAGNE		86
130	BP 67	MAGNET		03
37	BR 33	MAGNEUX		51
81	CA 41	MAGNEUX		52
145	BV 73	MAGNEUX HAUTE RIVE		42
29	AE 30	MAGNEVILLE		50
80	BW 42	MAGNICOURT		10
11	BI 20	MAGNICOURT EN COMTE		62
21	BH 22	MAGNICOURT SUR CANCHE		62
115	BX 57	MAGNIEN		21
84	CM 41	MAGNIERES		54
147	CH 71	MAGNIEU		01
122	AF 63	MAGNILS REIGNIERS, LES		85
102	CM 49	MAGNIVRAY		70
101	CK 48	MAGNONCOURT		70
101	CJ 52	MAGNORAY, LE		70
75	AZ 43	MAGNY		28
127	BE 63	MAGNY, LE		36
103	CQ 51	MAGNY		68
102	CL 52	MAGNY, LES		70
83	CJ 47	MAGNY, LE		88
98	BT 53	MAGNY		89
118	CL 55	MAGNY CHATELARD		25
113	BN 60	MAGNY COURS		58
102	CN 50	MAGNY DANIGON		70
30	AL 32	MAGNY EN BESSIN		14
54	BC 34	MAGNY EN VEXIN	C	95
80	BX 44	MAGNY FOUCHARD		10
102	CN 50	MAGNY JOBERT		70
51	AP 35	MAGNY LA CAMPAGNE		14
22	BN 26	MAGNY LA FOSSE		02
98	BW 53	MAGNY LA VILLE		21
99	BX 50	MAGNY LAMBERT		21
73	AN 40	MAGNY LE DESERT		61
51	AP 35	MAGNY LE FREULE		14
56	BK 37	MAGNY LE HONGRE		77
116	CC 57	MAGNY LES AUBIGNY		21
55	BE 39	MAGNY LES HAMEAUX		78
101	CI 48	MAGNY LES JUSSEY		70
116	CA 57	MAGNY LES VILLERS		21
114	BR 55	MAGNY LORMES		58
117	CD 55	MAGNY MONTARLOT		21
100	CC 54	MAGNY ST MEDARD		21
116	CC 55	MAGNY SUR TILLE		21
102	CL 50	MAGNY VERNOIS		70
46	R 41	MAGOAR		22
221	BF 102	MAGRIE		11
202	BD 96	MAGRIN		81
103	CT 50	MAGSTATT LE BAS		68
103	CS 50	MAGSTATT LE HAUT		68
66	I 45	MAHALON		29
52	AT 40	MAHERU		61
119	CO 54	MAICHE	C	25
61	CH 37	MAIDIERES		54
183	AR 93	MAIGNAUT TAUZIA		32

Page	Carreau	Commune	Adm.	Dpt
91	AP 48	MAIGNE		72
35	BI 30	MAIGNELAY MONTIGNY	C	60
203	BL 99	MAILHAC		11
126	AZ 66	MAILHAC SUR BENAIZE		87
186	BE 92	MAILHOC		81
200	AX 100	MAILHOLAS		31
190	CA 93	MAILLANE		13
182	AM 89	MAILLAS		40
147	CF 67	MAILLAT		01
109	AT 58	MAILLE		37
123	AI 65	MAILLE		85
124	AP 62	MAILLE		86
53	AY 40	MAILLEBOIS		28
33	AV 31	MAILLERAYE SUR SEINE, LA		76
182	AK 91	MAILLERES		40
101	CK 49	MAILLERONCOURT CHARETTE		70
101	CJ 47	MAILLERONCOURT ST PANCRAS		70
128	BJ 64	MAILLET		03
127	BB 63	MAILLET		36
101	CI 52	MAILLEY ET CHAZELOT		70
123	AJ 65	MAILLEZAIS	C	85
79	BO 45	MAILLOT		89
131	BU 67	MAILLY		71
58	BT 34	MAILLY CHAMPAGNE		51
97	BR 51	MAILLY LA VILLE		89
58	BU 40	MAILLY LE CAMP		10
97	BQ 51	MAILLY LE CHATEAU		89
21	BI 24	MAILLY MAILLET		80
35	BH 28	MAILLY RAINEVAL		80
61	CJ 36	MAILLY SUR SEILLE		54
117	CD 56	MAILLYS, LES		21
35	BI 31	MAIMBEVILLE		60
78	BJ 41	MAINCY		77
138	AQ 71	MAINE DE BOIXE		16
152	AO 75	MAINFONDS		16
23	BP 22	MAING		59
34	BB 32	MAINNEVILLE		27
142	BH 69	MAINSAT		23
20	BD 21	MAINTENAY		62
76	BB 41	MAINTENON	C	28
62	CL 35	MAINVILLERS		57
76	BA 42	MAINVILLIERS	C	28
77	BG 44	MAINVILLIERS		45
138	AN 73	MAINXE		16
153	AS 74	MAINZAC		16
109	AU 60	MAIRE		86
138	AP 67	MAIRE LEVESCAULT		79
23	BS 21	MAIRIEUX		59
39	CA 28	MAIRY		08
40	CG 32	MAIRY MAINVILLE		54
58	BW 37	MAIRY SUR MARNE		51
106	AE 57	MAISDON SUR SEVRE		44
99	BY 49	MAISEY LE DUC		21
20	BB 25	MAISNIERES		80
12	BK 18	MAISNIL, LE		59
21	BH 21	MAISNIL		62
11	BI 20	MAISNIL LES RUITZ		62
133	CG 63	MAISOD		39
81	BX 44	MAISON DES CHAMPS		10
97	BR 54	MAISON DIEU, LA		58
127	BB 66	MAISON FEYNE		23
74	AU 42	MAISON MAUGIS		61
21	BE 23	MAISON PONTHIEU		80
20	BE 24	MAISON ROLAND		80
78	BN 41	MAISON ROUGE		77
11	BF 20	MAISONCELLE		62
39	BZ 29	MAISONCELLE ET VILLERS		08
35	BF 30	MAISONCELLE ST PIERRE		60
35	BG 30	MAISONCELLE TUILERIE		60
82	CE 45	MAISONCELLES		52
92	AT 48	MAISONCELLES		72
90	AK 47	MAISONCELLES DU MAINE		53
56	BL 38	MAISONCELLES EN BRIE		77
77	BI 45	MAISONCELLES EN GATINAIS		77
50	AJ 38	MAISONCELLES LA JOURDAN		14
50	AK 35	MAISONCELLES PELVEY		14
50	AL 35	MAISONCELLES SUR AJON		14
127	BF 62	MAISONNAIS		18
139	AU 73	MAISONNAIS SUR TARDOIRE		87
124	AO 67	MAISONNAY		79
124	AP 61	MAISONNEUVE		86
141	BD 69	MAISONNISSES		23
222	BJ 104	MAISONS		11
30	AK 32	MAISONS		14
76	BD 43	MAISONS		28
55	BH 38	MAISONS ALFORT	C	94
118	CL 58	MAISONS DU BOIS LIEVREMONT		25
58	BW 38	MAISONS EN CHAMPAGNE		51
55	BF 37	MAISONS LAFFITTE	C	78
80	BU 47	MAISONS LES CHAOURCE		10
81	BY 44	MAISONS LES SOULAINES		10
85	CR 42	MAISONSGOUTTE		67
107	AN 60	MAISONTIERS		79
77	BH 43	MAISSE		91
22	BN 26	MAISSEMY		02
61	CL 39	MAIXE		54
60	CF 34	MAIZERAY		55
61	CK 34	MAIZEROY		57
61	CK 34	MAIZERY		57
51	AM 35	MAIZET		14
60	CE 36	MAIZEY		55
21	BF 23	MAIZICOURT		80
51	AO 36	MAIZIERES		14
81	CA 41	MAIZIERES		52
61	CI 40	MAIZIERES		54
21	BH 21	MAIZIERES		62
101	CI 52	MAIZIERES		70
79	BR 41	MAIZIERES LA GRANDE PAROISSE		10
80	BX 42	MAIZIERES LES BRIENNE		10
41	CI 33	MAIZIERES LES METZ	C	57
62	CN 38	MAIZIERES LES VIC		57
100	CF 48	MAIZIERES SUR AMANCE		52
145	BV 67	MAIZILLY		42
37	BR 32	MAIZY		02
193	CM 92	MAJASTRES		04
199	AP 98	MALABAT		32
101	CI 53	MALACHERE, LA		70
132	CC 65	MALAFRETAZ		01
116	BZ 54	MALAIN		21
82	CG 44	MALAINCOURT		88
82	CF 45	MALAINCOURT SUR MEUSE		52
55	BG 38	MALAKOFF	C	92
39	CB 33	MALANCOURT		55
39	CB 29	MALANDRY		08
117	CF 56	MALANGE		39
118	CJ 57	MALANS		25
117	CF 55	MALANS		70
88	Y 50	MALANSAC		56
175	BU 86	MALARCE SUR LA THINES		07
176	CA 86	MALATAVERNE		26
191	CD 89	MALAUCENE	C	84
61	CK 37	MALAUCOURT SUR SEILLE		57
33	AX 30	MALAUNAY		76
184	AW 91	MALAUSE		82
197	AK 96	MALAUSSANNE		64
194	CT 91	MALAUSSENE		06
143	BM 71	MALAUZAT		63
152	AN 74	MALAVILLE		16
40	CG 31	MALAVILLERS		54
132	BY 63	MALAY		71
79	BO 45	MALAY LE GRAND		89
79	BO 45	MALAY LE PETIT		89
172	BK 81	MALBO		15
189	BU 88	MALBOSC		07
102	CM 50	MALBOUHANS		70
173	BN 84	MALBOUZON		48
118	CJ 56	MALBRANS		25
118	CL 60	MALBUISSON		25
74	AU 44	MALE		61
221	BD 101	MALEGOUDE		09
191	CD 91	MALEMORT DU COMTAT		84
154	BA 78	MALEMORT SUR CORREZE	C	19
188	BO 88	MALENE, LA		48
77	BH 44	MALESHERBES	C	45
69	X 48	MALESTROIT	C	56
74	AU 41	MALETABLE		61
186	BF 87	MALEVILLE		12
68	S 45	MALGUENAC		56
47	X 42	MALHOURE, LA		22
127	BB 63	MALICORNAY		36
128	BK 66	MALICORNE		03
96	BM 49	MALICORNE		89
91	AO 49	MALICORNE SUR SARTHE	C	72
115	BX 57	MALIGNY		21
97	BR 49	MALIGNY		89
193	CK 90	MALIJAI		04
22	BN 24	MALINCOURT		59
143	BN 71	MALINTRAT		63
176	CB 81	MALISSARD		26
192	CJ 90	MALLEFOUGASSE AUGES		04
61	CJ 38	MALLELOY		54
193	CL 90	MALLEMOISSON		04
207	CE 94	MALLEMORT		13
220	BB 103	MALLEON		09
142	BG 72	MALLERET		23
127	BF 66	MALLERET BOUSSAC		23
133	CE 62	MALLEREY		39
161	CF 78	MALLEVAL		38
160	BZ 76	MALLEVAL		42
18	AU 27	MALLEVILLE LES GRES		76
33	AV 33	MALLEVILLE SUR LE BEC		27
106	AI 59	MALLIEVRE		85
41	CJ 31	MALLING		57
50	AI 36	MALLOUE		14
38	BT 30	MALMAISON, LA		02
102	CP 48	MALMERSPACH		68
59	BZ 34	MALMY		51
175	BU 87	MALONS ET ELZE		30
52	AT 34	MALOUY		27
35	BI 28	MALPART		80
118	CK 59	MALPAS		25
221	BF 102	MALRAS		11
158	BT 79	MALREVERS		43
41	CJ 33	MALROY		57
130	BS 62	MALTAT		71
51	AM 34	MALTOT		14
127	BD 66	MALVAL		23
159	BV 76	MALVALETTE		43
202	BH 100	MALVES EN MINERVOIS		11
218	AT 103	MALVEZIE		31
158	BR 77	MALVIERES		43
221	BF 101	MALVIES		11
88	AB 53	MALVILLE		44
100	CG 50	MALVILLERS		70
61	CJ 38	MALZEVILLE	C	54
173	BP 82	MALZIEU FORAIN, LE		48
173	BO 82	MALZIEU VILLE, LE	C	48
23	BQ 26	MALZY		02
74	AS 43	MAMERS	S	72
11	BG 18	MAMETZ		62
22	BJ 25	MAMETZ		80
61	CH 37	MAMEY		54
118	CK 55	MAMIROLLE		25
176	CB 85	MANAS		26
199	AQ 99	MANAS BASTANOUS		32
169	AW 81	MANAURIE		24
41	CH 32	MANCE		54
53	AW 40	MANCELIERE, LA		28
50	AH 35	MANCELLIERE SUR VIRE, LA		50
102	CM 52	MANCENANS		25
119	CO 54	MANCENANS LIZERNE		25
132	CA 63	MANCEY		71
77	BH 44	MANCHECOURT		45
182	AO 94	MANCIET		32
40	CG 32	MANCIEULLES		54
219	AV 101	MANCIOUX		31
57	BS 36	MANCY		51
189	BR 91	MANDAGOUT		30
156	BJ 80	MANDAILLES ST JULIEN		15
210	CR 95	MANDELIEU LA NAPOULE	C	06
41	CK 30	MANDEREN		57
102	CO 52	MANDEURE		25
33	AX 33	MANDEVILLE		27
30	AJ 32	MANDEVILLE EN BESSIN		14
84	CP 44	MANDRAY		88
53	AW 39	MANDRES		27
60	CG 37	MANDRES AUX QUATRE TOURS		54
82	CD 41	MANDRES EN BARROIS		55
82	CD 46	MANDRES LA COTE		52
55	BI 39	MANDRES LES ROSES		94
83	CH 44	MANDRES SUR VAIR		88
102	CO 51	MANDREVILLARS		70
190	BX 93	MANDUEL		30
192	CI 92	MANE		04
219	AV 102	MANE		31
32	AR 29	MANEGLISE		76
19	AY 27	MANEHOUVILLE		76
199	AS 99	MANENT MONTANE		32
52	AR 34	MANERBE		14
40	CE 32	MANGIENNES		55
143	BO 74	MANGLIEU		63
83	CK 41	MANGONVILLE		54
186	BH 89	MANHAC		12
60	CE 34	MANHEULLES		55
61	CK 37	MANHOUE		57
36	BN 30	MANICAMP		02
148	CM 70	MANIGOD		74
21	BI 22	MANIN		62
10	BE 19	MANINGHEM		62
10	BC 16	MANINGHEN HENNE		62
18	AS 28	MANIQUERVILLE		76
115	BW 57	MANLAY		21
19	AV 26	MANNEVILLE ES PLAINS		76
32	AS 29	MANNEVILLE LA GOUPIL		76
32	AR 33	MANNEVILLE LA PIPARD		14
32	AS 32	MANNEVILLE LA RAOULT		27
32	AU 32	MANNEVILLE SUR RISLE		27
32	AR 29	MANNEVILLETTE		76
167	AJ 87	MANO		40
30	AL 32	MANOIR, LE		14
33	AY 33	MANOIR, LE		27
82	CD 44	MANOIS		52
41	CJ 31	MANOM		57
61	CK 40	MANONCOURT EN VERMOIS		54
61	CH 38	MANONCOURT EN WOEVRE		54
61	CH 37	MANONVILLE		54
62	CM 40	MANONVILLER		54
192	CI 93	MANOSQUE	C	04
139	AT 70	MANOT		16
75	AX 41	MANOU		28
39	BX 33	MANRE		08
74	AR 47	MANS, LE	P	72
154	AZ 79	MANSAC		19
199	AP 99	MANSAN		65
141	BC 70	MANSAT LA COURRIERE		23
200	AU 94	MANSEMPUY		32
183	AQ 93	MANSENCOME		32
220	BC 102	MANSES		09
91	AQ 50	MANSIGNE		72
138	AQ 71	MANSLE	C	16
230	DI 107	MANSO		2B
184	AV 91	MANSONVILLE		82
103	CQ 50	MANSPACH		68
197	AJ 96	MANT		40
46	R 38	MANTALLOT		22
132	CC 64	MANTENAY MONTLIN		01
54	BC 36	MANTES LA JOLIE	S	78
54	BC 36	MANTES LA VILLE	C	78
226	BG 108	MANTET		66
178	CJ 85	MANTEYER		05
109	AV 57	MANTHELAN		37
53	AX 37	MANTHELON		27
160	CB 77	MANTHES		26
72	AJ 41	MANTILLY		61
100	CF 53	MANTOCHE		70
117	CF 60	MANTRY		39
30	AL 32	MANVIEUX		14
62	CL 35	MANY		57
153	AT 79	MANZAC SUR VERN		24
143	BL 70	MANZAT	C	63
132	CA 65	MANZIAT		01
100	CC 48	MARAC		52
83	CJ 42	MARAINVILLE SUR MADON		88
62	CM 40	MARAINVILLER		54
35	BE 31	MARAIS, AUX		60
51	AP 37	MARAIS LA CHAPELLE, LE		14
32	AT 31	MARAIS VERNIER		27
199	AQ 94	MARAMBAT		32
117	CD 54	MARANDEUIL		21
41	CI 33	MARANGE SILVANGE	C	57
62	CL 34	MARANGE ZONDRANGE		57
122	AH 65	MARANS	C	17
90	AI 51	MARANS		49
151	AM 79	MARANSIN		33
10	BD 20	MARANT		62
81	BZ 45	MARANVILLE		52
38	BV 28	MARANWEZ		08
101	CL 51	MARAST		70
144	BR 73	MARAT		63
204	BN 99	MARAUSSAN		34
200	AU 94	MARAVAT		32
111	BD 55	MARAY		41
79	BS 45	MARAYE EN OTHE		10
61	CI 38	MARBACHE		54
23	BR 23	MARBAIX		59
53	AX 34	MARBEUF		27
81	CA 44	MARBEVILLE		52
75	AZ 46	MARBOUE		28
132	CD 65	MARBOZ		01
24	BV 27	MARBY		08
155	BD 78	MARC LA TOUR		19
128	BH 62	MARCAIS		18
108	AQ 57	MARCAY		37
124	AQ 64	MARCAY		86
91	AN 52	MARCE		49
109	AU 58	MARCE SUR ESVES		37
51	AQ 40	MARCEI		61
21	BI 27	MARCELCAVE		80
148	CM 67	MARCELLAZ		74
148	CJ 70	MARCELLAZ ALBANAIS		74
115	BY 54	MARCELLOIS		21
168	AO 86	MARCELLUS		47
151	AL 80	MARCENAIS		33
129	BP 67	MARCENAT		03
157	BK 77	MARCENAT		15
98	BW 48	MARCENAY		21
159	BX 74	MARCENOD		42
49	AF 39	MARCEY LES GREVES		50
75	AV 40	MARCHAINVILLE		61
37	BR 29	MARCHAIS		02
96	BM 49	MARCHAIS BETON		89
57	BP 37	MARCHAIS EN BRIE		02
147	CF 71	MARCHAMP		01
145	BX 68	MARCHAMPT		69
156	BJ 77	MARCHASTEL		15
173	BN 84	MARCHASTEL		48
118	CJ 54	MARCHAUX	C	25
113	BM 57	MARCHE, LA		58
36	BK 28	MARCHE ALLOUARDE		80
22	BK 27	MARCHELEPOT		80
74	AR 41	MARCHEMAISONS		61
56	BK 35	MARCHEMORET		77
94	BA 49	MARCHENOIR	C	41
166	AH 84	MARCHEPRIME		33
176	CC 80	MARCHES		26
162	CJ 74	MARCHES, LES		73
115	BW 56	MARCHESEUIL		21
29	AG 33	MARCHESIEUX		50
75	AZ 43	MARCHEVILLE		28
60	CF 34	MARCHEVILLE EN WOEVRE		55
54	BA 38	MARCHEZAIS		28
12	BN 20	MARCHIENNES	C	59
198	AP 97	MARCIAC	C	32
177	CH 81	MARCIEU		38
147	CH 73	MARCIEUX		73
131	BU 66	MARCIGNY	C	71
98	BW 54	MARCIGNY SOUS THIL		21
171	BC 85	MARCILHAC SUR CELE		46
151	AK 77	MARCILLAC		33
155	BE 77	MARCILLAC LA CROISILLE		19
155	BC 80	MARCILLAC LA CROZE		19
138	AP 71	MARCILLAC LANVILLE		16
170	AX 81	MARCILLAC ST QUENTIN		24
172	BI 86	MARCILLAC VALLON	C	12
143	BM 68	MARCILLAT		63
142	BJ 67	MARCILLAT EN COMBRAILLE	C	03
72	AL 43	MARCILLE LA VILLE		53
71	AD 42	MARCILLE RAOUL		35
89	AF 47	MARCILLE ROBERT		35
160	CD 76	MARCILLOLES		38
49	AG 39	MARCILLY		50
56	BK 36	MARCILLY		77
146	BZ 70	MARCILLY D'AZERGUES		69
100	CE 48	MARCILLY EN BASSIGNY		52
93	AW 50	MARCILLY EN BEAUCE		41
94	BD 53	MARCILLY EN GAULT		41
94	BE 50	MARCILLY EN VILLETTE		45
98	BX 54	MARCILLY ET DRACY		21
53	AY 38	MARCILLY LA CAMPAGNE		27
131	BW 65	MARCILLY LA GUEURCE		71
144	BU 73	MARCILLY LE CHATEL		42
79	BQ 43	MARCILLY LE HAYER	C	10
131	BY 61	MARCILLY LES BUXY		71
115	BW 55	MARCILLY OGNY		21
53	AZ 38	MARCILLY SUR EURE		27
92	AR 52	MARCILLY SUR MAULNE		37
79	BQ 41	MARCILLY SUR SEINE		51
99	CC 52	MARCILLY SUR TILLE		21
109	AT 58	MARCILLY SUR VIENNE		37
10	BE 14	MARCK		62
85	CT 44	MARCKOLSHEIM	C	67
145	BV 73	MARCLOPT		42
22	BM 24	MARCOING	C	59
172	BH 83	MARCOLES		15
160	CC 77	MARCOLLIN		38
175	BX 82	MARCOLS LES EAUX		07
92	AT 50	MARCON		72
21	BF 21	MARCONNE		62
20	BE 21	MARCONNELLE		62
203	BL 100	MARCORIGNAN		11
55	BG 40	MARCOUSSIS		91
193	CM 89	MARCOUX		04
144	BT 72	MARCOUX		42
39	BZ 32	MARCQ		08
54	BD 38	MARCQ		78
12	BM 17	MARCQ EN BAROEUL	C	59
22	BN 22	MARCQ EN OSTREVENT		59
23	BO 27	MARCY		02
113	BP 55	MARCY		58
146	BZ 70	MARCY		69
146	BZ 71	MARCY L'ETOILE		69
37	BQ 28	MARCY SOUS MARLE		02
57	BS 35	MARDEUIL		51
95	BE 48	MARDIE		45
52	AR 38	MARDILLY		61
100	CC 48	MARDOR		52
145	BW 68	MARDORE		69
77	BF 46	MAREAU AUX BOIS		45
94	BC 49	MAREAU AUX PRES		45
73	AO 47	MAREIL EN CHAMPAGNE		72
55	BH 35	MAREIL EN FRANCE		95
54	BD 38	MAREIL LE GUYON		78
55	BE 37	MAREIL MARLY		78
91	AP 50	MAREIL SUR LOIR		72
54	BD 37	MAREIL SUR MAULDRE		78
82	CC 45	MAREILLES		52
10	BD 20	MARENLA		62
136	AF 71	MARENNES	C	17
146	CA 73	MARENNES		69
74	AQ 45	MARESCHE		72
23	BP 22	MARESCHES		59
10	BD 20	MARESQUEL ECQUEMICOURT		62
11	BH 20	MAREST		62
36	BM 29	MAREST DAMPCOURT		02
36	BK 30	MAREST SUR MATZ		60
200	AW 96	MARESTAING		32
35	BI 28	MARESTMONTIERS		80
10	BC 19	MARESVILLE		62
57	BO 40	MARETS, LES		77
23	BO 24	MARETZ		59
157	BN 75	MAREUGHEOL		63
138	AN 72	MAREUIL		16
153	AS 75	MAREUIL	C	24
20	BD 24	MAREUIL CAUBERT		80
57	BR 36	MAREUIL EN BRIE		51
37	BP 33	MAREUIL EN DOLE		02
36	BK 30	MAREUIL LA MOTTE		60
57	BR 35	MAREUIL LE PORT		51
56	BK 37	MAREUIL LES MEAUX		77
111	BF 60	MAREUIL SUR ARNON		18
58	BT 35	MAREUIL SUR AY		51
110	AZ 55	MAREUIL SUR CHER		41
122	AF 63	MAREUIL SUR LAY DISSAIS	C	85
56	BM 34	MAREUIL SUR OURCQ		60
83	CH 45	MAREY		88
116	CA 57	MAREY LES FUSSEY		21
99	CB 51	MAREY SUR TILLE		21
57	BS 34	MARFAUX		51
23	BR 27	MARFONTAINE		02
151	AJ 80	MARGAUX		33
134	CM 65	MARGENCEL		74
55	BG 36	MARGENCY		95
156	BH 75	MARGERIDES		19
159	BU 74	MARGERIE CHANTAGRET		42
80	BX 41	MARGERIE HANCOURT		51
160	CC 78	MARGES		26
37	BO 31	MARGIVAL		02
203	BJ 95	MARGNES, LE		81
40	CC 29	MARGNY		08
57	BQ 37	MARGNY		51
36	BK 28	MARGNY AUX CERISES		60
36	BK 31	MARGNY LES COMPIEGNE		60
36	BK 30	MARGNY SUR MATZ		60
75	AV 43	MARGON		28
204	BO 97	MARGON		34
198	AO 94	MARGOUET MEYMES		32
50	AH 37	MARGUERAY		50
190	BY 93	MARGUERITTES	C	30
168	AQ 83	MARGUERON		33
182	AN 93	MARGUESTAU		32
40	CC 29	MARGUT		08
175	BW 81	MARIAC		07
22	BK 25	MARICOURT		80
195	CT 90	MARIE		06
61	CI 35	MARIEULLES		57
21	BH 24	MARIEUX		80
133	CF 64	MARIGNA SUR VALOUSE		39
151	AL 74	MARIGNAC		17
218	AT 104	MARIGNAC		31
184	AV 93	MARIGNAC		82
177	CE 82	MARIGNAC EN DIOIS		26
200	AW 99	MARIGNAC LASCLARES		31
200	AV 100	MARIGNAC LASPEYRES		31
230	DI 109	MARIGNANA		2A
207	CE 98	MARIGNANE	C	13
90	AK 50	MARIGNE		49
92	AR 49	MARIGNE LAILLE		72
90	AJ 48	MARIGNE PEUTON		53
149	CN 67	MARIGNIER		74
147	CH 71	MARIGNIEU		01
129	BN 63	MARIGNY		03
133	CH 61	MARIGNY		39
49	AG 34	MARIGNY	C	50
57	BS 40	MARIGNY		51
131	BX 62	MARIGNY		71
123	AL 67	MARIGNY		79
125	AS 61	MARIGNY BRIZAY		86
124	AQ 64	MARIGNY CHEMEREAU		86
56	BN 35	MARIGNY EN ORXOIS		02
98	BX 53	MARIGNY LE CAHOUET		21
79	BR 43	MARIGNY LE CHATEL		10
114	BT 54	MARIGNY L'EGLISE		58
116	CB 58	MARIGNY LES REULLEE		21
94	BE 48	MARIGNY LES USAGES		45
109	AS 58	MARIGNY MARMANDE		37
148	CJ 71	MARIGNY ST MARCEL		74
114	BQ 55	MARIGNY SUR YONNE		58
139	AS 72	MARILLAC LE FRANC		16
106	AH 54	MARILLAIS, LE		49
123	AK 63	MARILLET		85
167	AM 87	MARIMBAULT		33
62	CN 36	MARIMONT LES BENESTROFF		57
135	CN 64	MARIN		74
54	BE 34	MARINES	C	95
145	BW 73	MARINGES		42
143	BO 70	MARINGUES	C	63
144	BP 69	MARIOL		03
182	AN 87	MARIONS		33
131	BW 63	MARIZY		71
56	BN 34	MARIZY ST MARD		02
56	BN 34	MARIZY STE GENEVIEVE		02
37	BR 28	MARLE	C	02
38	BV 28	MARLEMONT		08
64	CS 39	MARLENHEIM		67
148	CM 71	MARLENS		74
34	BD 28	MARLERS		80
56	BL 39	MARLES EN BRIE		77
11	BI 19	MARLES LES MINES		62
10	BD 20	MARLES SUR CANCHE		62
159	BX 77	MARLHES		42
201	AZ 100	MARLIAC		31
116	CC 55	MARLIENS		21
146	CB 68	MARLIEUX		01
148	CJ 68	MARLIOZ		74
61	CI 35	MARLY		57
23	BP 21	MARLY		59
23	BR 26	MARLY GOMONT		02
55	BI 35	MARLY LA VILLE		95
55	BF 38	MARLY LE ROI	C	78
130	BT 61	MARLY SOUS ISSY		71
131	BU 62	MARLY SUR ARROUX		71
112	BG 57	MARMAGNE		18
98	BW 51	MARMAGNE		21
115	BW 60	MARMAGNE		71
168	AP 86	MARMANDE	S	47
172	BH 80	MARMANHAC		15
98	BU 52	MARMEAUX		89
170	AX 84	MARMINIAC		46
183	AS 90	MARMONT PACHAS		47
52	AR 39	MARMOUILLE		61
63	CR 38	MARMOUTIER	C	67
169	AW 82	MARNAC		24
145	BW 69	MARNAND		69
161	CD 77	MARNANS		38
186	BD 90	MARNAVES		81
117	CG 54	MARNAY	C	70
132	CA 61	MARNAY		71
124	AR 65	MARNAY		86
82	CC 47	MARNAY SUR MARNE		52
79	BP 41	MARNAY SUR SEINE		10
149	CN 68	MARNAZ		74
105	AB 58	MARNE, LA		44
52	AU 37	MARNEFER		61
108	AP 60	MARNES		79
55	BF 38	MARNES LA COQUETTE		92
133	CG 62	MARNEZIA		39
187	BM 93	MARNHAGUES ET LATOUR		12
117	CH 58	MARNOZ		39
22	BJ 21	MAROEUIL		62
23	BR 23	MAROILLES		59
94	BC 52	MAROLLE EN SOLOGNE, LA		41
52	AS 34	MAROLLES		14
93	AZ 51	MAROLLES		41
59	BX 39	MAROLLES		51
56	BM 34	MAROLLES		60
77	BF 43	MAROLLES EN BEAUCE		91
56	BM 38	MAROLLES EN BRIE		77
55	BI 39	MAROLLES EN BRIE		94
77	BG 41	MAROLLES EN HUREPOIX		91
80	BW 45	MAROLLES LES BAILLY		10
74	AS 44	MAROLLES LES BRAULTS	C	72
75	AW 43	MAROLLES LES BUIS		28
93	AV 48	MAROLLES LES ST CALAIS		72
98	BS 48	MAROLLES SOUS LIGNIERES		10
78	BM 43	MAROLLES SUR SEINE		77
74	AS 43	MAROLLETTE		72
159	BU 75	MAROLS		42
33	AX 31	MAROMME	C	76
127	BD 60	MARON		36
61	CI 39	MARON		54
83	CJ 44	MARONCOURT		88
197	AI 96	MARPAPS		40
24	BT 22	MARPENT		59
71	AF 45	MARPIRE		35
22	BM 25	MARQUAIX		80
170	AX 81	MARQUAY		24
21	BH 21	MARQUAY		62
200	AY 99	MARQUEFAVE		31
36	BJ 30	MARQUEGLISE		60
201	BC 99	MARQUEIN		11
199	AP 100	MARQUERIE		65
34	BC 27	MARQUES		76
22	BN 22	MARQUETTE EN OSTREVANT		59
12	BM 17	MARQUETTE LEZ LILLE		59
39	BY 30	MARQUIGNY		08
12	BK 19	MARQUILLIES		59
22	BM 23	MARQUION	C	62
10	BC 16	MARQUISE	C	62
35	BJ 28	MARQUIVILLERS		80
222	BI 107	MARQUIXANES		66
92	AU 51	MARRAY		37
133	CG 61	MARRE, LA		39
40	CC 33	MARRE		55
159	BW 80	MARS		07
142	BI 70	MARS, LES		23
188	BQ 92	MARS		30
145	BV 67	MARS		42
61	CG 34	MARS LA TOUR		54
39	BX 31	MARS SOUS BOURCQ		08
113	BM 60	MARS SUR ALLIER		58
221	BF 105	MARSA		11
138	AP 72	MARSAC		16
140	BB 68	MARSAC		23
198	AO 99	MARSAC		65
184	AU 92	MARSAC		82
158	BR 75	MARSAC EN LIVRADOIS		63
89	AC 51	MARSAC SUR DON		44
153	AT 78	MARSAC SUR L'ISLE		24
77	BG 45	MARSAINVILLIERS		45
137	AK 68	MARSAIS		17
122	AI 63	MARSAIS STE RADEGONDE		85
62	CM 38	MARSAL		57
186	BG 92	MARSAL		81
169	AV 84	MARSALES		24
199	AT 95	MARSAN		32
153	AU 79	MARSANEIX		24
57	BS 40	MARSANGIS		51
78	BN 46	MARSANGY		89
116	CA 55	MARSANNAY LA COTE		21
99	CB 53	MARSANNAY LE BOIS		21

Page	Carreau	Commune	Adm. Dpt
176	CA 84	MARSANNE	C .26
151	AL 80	MARSAS	.33
218	AP 102	MARSAS	.65
143	BM 71	MARSAT	.63
160	CB 79	MARSAZ	.26
199	AQ 97	MARSEILLAN	.32
204	BQ 99	MARSEILLAN	.34
199	AP 99	MARSEILLAN	.65
207	CE 99	MARSEILLE	P .13
34	BD 30	MARSEILLE EN BEAUVAISIS	C .60
113	BL 58	MARSEILLES LES AUBIGNY	.18
222	BI 101	MARSEILLETTE	.11
205	BV 95	MARSILLARGUES	.34
122	AG 66	MARSILLY	.17
61	CJ 34	MARSILLY	.57
183	AS 92	MARSOLAN	.32
58	BW 37	MARSON	C .51
60	CD 40	MARSON SUR BARBOURE	.55
132	CC 65	MARSONNAS	.01
219	AW 102	MARSOULAS	.31
186	BE 93	MARSSAC SUR TARN	.81
34	BC 32	MARTAGNY	.27
132	BZ 63	MARTAILLY LES BRANCION	.71
20	BC 25	MARTAINNEVILLE	.80
51	AN 36	MARTAINVILLE	.14
32	AS 32	MARTAINVILLE	.27
33	AZ 31	MARTAINVILLE EPREVILLE	.76
108	AP 59	MARTAIZE	.86
170	BB 81	MARTEL	C .46
61	CI 40	MARTHEMONT	.54
62	CL 36	MARTHILLE	.57
148	CM 72	MARTHOD	.73
139	AS 74	MARTHON	.16
186	BD 88	MARTIEL	.12
133	CG 65	MARTIGNA	.39
189	BV 91	MARTIGNARGUES	.30
166	AI 82	MARTIGNAS SUR JALLE	.33
133	CG 67	MARTIGNAT	.01
107	AM 55	MARTIGNE BRIAND	.49
89	AF 48	MARTIGNE FERCHAUD	.35
72	AK 45	MARTIGNE SUR MAYENNE	.53
24	BU 26	MARTIGNY	.02
50	AH 40	MARTIGNY	.50
19	AY 26	MARTIGNY	.76
37	BQ 30	MARTIGNY COURPIERRE	.02
131	BW 63	MARTIGNY LE COMTE	.71
83	CH 45	MARTIGNY LES BAINS	.88
82	CG 42	MARTIGNY LES GERBONVAUX	.88
51	AN 37	MARTIGNY SUR L'ANTE	.14
207	CD 98	MARTIGUES	C .13
167	AK 83	MARTILLAC	.33
19	AY 26	MARTIN EGLISE	.76
61	CH 37	MARTINCOURT	.54
34	BD 30	MARTINCOURT	.60
39	CB 30	MARTINCOURT SUR MEUSE	.55
189	BV 89	MARTINET, LE	.30
121	AC 61	MARTINET	.85
22	BK 24	MARTINPUICH	.62
29	AE 29	MARTINVAST	.50
83	CI 47	MARTINVELLE	.88
200	AU 98	MARTISSERRE	.31
110	AW 60	MARTIZAY	.36
33	AX 33	MARTOT	.27
30	AL 33	MARTRAGNY	.14
194	CP 93	MARTRE, LA	.83
167	AN 83	MARTRES	.33
143	BO 71	MARTRES D'ARTIERE, LES	.63
218	AT 102	MARTRES DE RIVIERE	.31
143	BN 73	MARTRES DE VEYRE, LES	.63
143	BN 70	MARTRES SUR MORGE	.63
219	AW 100	MARTRES TOLOSANE	.31
187	BJ 92	MARTRIN	.12
115	BX 55	MARTROIS	.21
45	K 40	MARTYRE, LA	.29
202	BG 98	MARTYS, LES	.11
189	BV 91	MARUEJOLS LES GARDON	.30
139	AU 73	MARVAL	.87
39	BY 32	MARVAUX VIEUX	.08
173	BO 86	MARVEJOLS	C .48
102	CN 52	MARVELISE	.25
40	CD 31	MARVILLE	.55
54	BA 40	MARVILLE MOUTIERS BRULE	.28
131	BX 62	MARY	.71
56	BM 36	MARY SUR MARNE	.77
88	Y 51	MARZAN	.56
201	BC 95	MARZENS	.81
113	BM 59	MARZY	.58
194	CR 92	MAS, LE	.06
206	CA 94	MAS BLANC DES ALPILLES	.13
202	BH 99	MAS CABARDES	C .11
168	AQ 87	MAS D'AGENAIS, LE	C .47
141	BF 72	MAS D'ARTIGE, LE	.23
183	AS 93	MAS D'AUVIGNON	.32
220	AZ 102	MAS D'AZIL, LE	C .09
205	BS 94	MAS DE LONDRES	.34
159	BX 79	MAS DE TENCE, LE	.43
221	BH 101	MAS DES COURS	.11
174	BR 86	MAS D'ORCIERES	.48
184	AX 93	MAS GRENIER	.82
188	BP 88	MAS ST CHELY	.48
202	BD 99	MAS STES PUELLES	.11
141	BC 70	MASBARAUD MERIGNAT	.23
198	AM 96	MASCARAAS HARON	.64
199	AP 97	MASCARAS	.32
218	AP 101	MASCARAS	.65
201	BC 97	MASCARVILLE	.31
170	AZ 82	MASCLAT	.46
102	CP 49	MASEVAUX	C .68
197	AI 97	MASLACQ	.64
140	BB 72	MASLEON	.87
94	BA 51	MASLIVES	.41
203	BI 94	MASNAU MASSUGUIES, LE	.81
22	BN 24	MASNIERES	.59
22	BN 21	MASNY	.59
226	BH 107	MASOS, LOS	.66
196	AE 98	MASPARRAUTE	.64
198	AM 98	MASPIE LALONQUERE JUILLACQ	.64
184	AW 87	MASQUIERES	.47
201	AZ 100	MASSABRAC	.31
222	BI 104	MASSAC	.11
137	AN 71	MASSAC	.17
201	BD 95	MASSAC SERAN	.81
202	BF 97	MASSAGUEL	.81
107	AM 58	MASSAIS	.79
187	BI 93	MASSALS	.81
189	BV 91	MASSANES	.30
98	BT 51	MASSANGIS	.89
220	AY 104	MASSAT	C .09
111	BE 57	MASSAY	.18
188	BN 88	MASSEGROS, LE	C .48
168	AN 87	MASSEILLES	.33
184	AU 88	MASSELS	.47
88	AB 50	MASSERAC	.44
154	BA 74	MASSERET	.19
199	AS 98	MASSEUBE	C .32
157	BN 78	MASSIAC	C .15
161	CG 75	MASSIEU	.38
146	CA 70	MASSIEUX	.01
39	BY 34	MASSIGES	.51
139	AT 72	MASSIGNAC	.16
147	CH 72	MASSIGNIEU DE RIVES	.01
189	BU 91	MASSILARGUES ATTUECH	.30
131	BY 64	MASSILLY	.71
99	BX 48	MASSINGY	.21
148	CI 71	MASSINGY	.74
98	BW 52	MASSINGY LES SEMUR	.21
99	BY 54	MASSINGY LES VITTEAUX	.21
124	AP 61	MASSOGNES	.86
195	CT 91	MASSOINS	.06
134	CL 65	MASSONGY	.74
184	AV 88	MASSOULES	.47
168	AP 83	MASSUGAS	.33
131	BY 64	MASSY	.71
34	BA 28	MASSY	.76
55	BG 39	MASSY	C .91
22	BN 21	MASTAING	.59
133	CF 66	MATAFELON GRANGES	.01
205	BT 95	MATELLES, LES	C .34
225	BF 107	MATEMALE	.66
137	AM 71	MATHA	C .17
80	BW 43	MATHAUX	.10
102	CO 52	MATHAY	.25
117	CG 59	MATHENAY	.39
136	AF 72	MATHES, LES	.17
31	AN 33	MATHIEU	.14
81	CA 42	MATHONS	.52
34	AZ 29	MATHONVILLE	.76
59	BY 39	MATIGNICOURT GONCOURT	.51
48	Y 39	MATIGNON	C .22
36	BL 27	MATIGNY	.80
58	BU 36	MATOUGUES	.51
131	BX 66	MATOUR	C .71
231	DN 108	MATRA	.2B
11	BF 19	MATRINGHEM	.62
83	CI 43	MATTAINCOURT	.88
84	CL 41	MATTEXEY	.54
39	CB 28	MATTON ET CLEMENCY	.08
85	CU 41	MATZENHEIM	.67
161	CD 74	MAUBEC	.38
184	AV 94	MAUBEC	.82
191	CD 93	MAUBEC	.84
24	BW 26	MAUBERT FONTAINE	.08
23	BS 22	MAUBEUGE	C .59
198	AO 97	MAUBOURGUET	C .65
77	BF 41	MAUCHAMPS	.91
19	AZ 28	MAUCOMBLE	.76
198	AL 99	MAUCOR	.64
36	BM 29	MAUCOURT	.60
36	BJ 27	MAUCOURT	.80
40	CE 33	MAUCOURT SUR ORNE	.55
54	BC 35	MAUDETOUR EN VEXIN	.95
205	BU 96	MAUGUIO	C .34
60	CC 39	MAULAN	.55
108	AQ 58	MAULAY	.86
13	BO 19	MAULDE	.59
54	BD 37	MAULE	.78
107	AJ 59	MAULEON	C .79
218	AS 103	MAULEON BAROUSSE	C .65
182	AM 92	MAULEON D'ARMAGNAC	.32
197	AG 100	MAULEON LICHARRE	C .64
35	BF 30	MAULERS	.60
54	BB 38	MAULETTE	.78
107	AJ 58	MAULEVRIER	.49
32	AV 30	MAULEVRIER STE GERTRUDE	.76
198	AN 95	MAULICHERES	.32
89	AH 52	MAUMUSSON	.44
184	AV 92	MAUMUSSON	.82
198	AN 96	MAUMUSSON LAGUIAN	.32
33	AW 32	MAUNY	.76
80	BU 46	MAUPAS	.10
182	AM 93	MAUPAS	.32
56	BM 39	MAUPERTHUIS	.77
49	AG 36	MAUPERTUIS	.50
29	AF 28	MAUPERTUS SUR MER	.50
139	AS 67	MAUPREVOIR	.86
34	BA 29	MAUQUENCHY	.76
219	AW 101	MAURAN	.31
198	AN 98	MAURE	.64
88	AA 48	MAURE DE BRETAGNE	C .35
55	BE 36	MAURECOURT	.78
55	BI 36	MAUREGARD	.77
37	BR 30	MAUREGNY EN HAYE	.02
204	BN 99	MAUREILHAN	.34
226	BK 108	MAUREILLAS LAS ILLAS	.66
201	BB 98	MAUREMONT	.31
169	AS 81	MAURENS	.24
201	BC 98	MAURENS	.31
200	AV 96	MAURENS	.32
201	BC 96	MAURENS SCOPONT	.81
54	BD 39	MAUREPAS	C .78
22	BK 25	MAUREPAS	.80
201	AZ 99	MAURESSAC	.31
189	BV 92	MAURESSARGUES	.30
201	BB 97	MAUREVILLE	.31
156	BG 78	MAURIAC	S .15
168	AO 83	MAURIAC	.33
198	AL 96	MAURIES	.40
173	BM 82	MAURINES	.15
23	BP 24	MAUROIS	.59
70	Y 45	MAURON	C .56
184	AU 92	MAUROUX	.32
169	AW 87	MAUROUX	.46
182	AL 93	MAURRIN	.40
171	BF 84	MAURS	C .15
59	BZ 38	MAURUPT LE MONTOIS	.51
222	BI 105	MAURY	.66
228	DK 106	MAUSOLEO	.2B
155	BF 75	MAUSSAC	.19
207	CA 95	MAUSSANE LES ALPILLES	.13
101	CK 53	MAUSSANS	.70
142	BH 70	MAUTES	.23
60	CE 40	MAUVAGES	.55
201	BA 99	MAUVAISIN	.31
160	CA 80	MAUVES	.07
74	AU 42	MAUVES SUR HUISNE	.61
106	AE 54	MAUVES SUR LOIRE	.44
200	AV 98	MAUVEZIN	.31
200	AV 94	MAUVEZIN	C .32
218	AQ 101	MAUVEZIN	.65
182	AN 92	MAUVEZIN D'ARMAGNAC	.40
219	AV 102	MAUVEZIN DE PRAT	.09
219	AY 102	MAUVEZIN DE STE CROIX	.09
126	AX 63	MAUVIERES	.36
99	BY 50	MAUVILLY	.21
114	BS 58	MAUX	.58
201	AY 98	MAUZAC	.31
169	AU 82	MAUZAC ET GRAND CASTANG	.24
123	AJ 67	MAUZE SUR LE MIGNON	C .79
107	AM 58	MAUZE THOUARSAIS	.79
169	AV 80	MAUZENS ET MIREMONT	.24
144	BP 73	MAUZUN	.63
93	AZ 50	MAVES	.41
116	BZ 57	MAVILLY MANDELOT	.21
41	CJ 33	MAXE, LA	.57
70	AA 46	MAXENT	.35
61	CI 39	MAXEVILLE	.54
82	CF 42	MAXEY SUR MEUSE	.88
82	CF 41	MAXEY SUR VAISE	.55
135	CO 64	MAXILLY SUR LEMAN	.74
117	CE 54	MAXILLY SUR SAONE	.21
170	AZ 86	MAXOU	.46
62	CN 35	MAXSTADT	.57
56	BL 35	MAY EN MULTIEN	.77
107	AI 56	MAY SUR EVRE, LE	.49
51	AN 35	MAY SUR ORNE	.14
153	AW 77	MAYAC	.24
72	AK 43	MAYENNE	S .53
92	AR 50	MAYET	C .72
144	BR 68	MAYET DE MONTAGNE, LE	C .03
143	BN 68	MAYET D'ECOLE, LE	.03
197	AI 95	MAYLIS	.40
133	CE 63	MAYNAL	.39
209	CN 99	MAYONS, LES	.83
37	BO 28	MAYOT	.02
170	BA 82	MAYRAC	.46
186	BH 87	MAYRAN	.12
218	AS 104	MAYREGNE	.31
175	BV 84	MAYRES	.07
158	BR 76	MAYRES	.63
177	CH 81	MAYRES SAVEL	.38
201	BC 100	MAYREVILLE	.11
171	BC 83	MAYRINHAC LENTOUR	.46
222	BI 102	MAYRONNES	.11
35	BH 33	MAYSEL	.60
202	BH 97	MAZAMET	C .81
191	CD 91	MAZAN	.84
175	BU 83	MAZAN L'ABBAYE	.07
93	AW 49	MAZANGE	.41
208	CJ 98	MAZAUGUES	.83
143	BL 72	MAZAYE	.63
91	AN 53	MAZE	.49
123	AJ 65	MAZEAU, LE	.85
141	BE 68	MAZEIRAT	.23
83	CK 44	MAZELEY	.88
158	BQ 78	MAZERAT AUROUZE	.43
137	AK 70	MAZERAY	.17
201	BB 100	MAZERES	.09
167	AM 86	MAZERES	.33
218	AS 102	MAZERES DE NESTE	.65
198	AK 99	MAZERES LEZONS	.64
219	AV 101	MAZERES SUR SALAT	.31
143	BN 68	MAZERIER	.03
38	BX 29	MAZERNY	.08
139	AS 72	MAZEROLLES	.16
151	AK 74	MAZEROLLES	.17
182	AK 93	MAZEROLLES	.40
197	AK 97	MAZEROLLES	.64
199	AQ 99	MAZEROLLES	.65
125	AU 65	MAZEROLLES	.86
221	BE 101	MAZEROLLES DU RAZES	.11
117	CH 55	MAZEROLLES LE SALIN	.25
61	CK 38	MAZERULLES	.54
159	BW 80	MAZET ST VOY	.43
108	AP 60	MAZEUIL	.86
158	BQ 79	MAZEYRAT D'ALLIER	.43
169	AW 84	MAZEYROLLES	.24
142	BH 71	MAZIERE AUX BONS HOMMES, LA	.23
139	AT 71	MAZIERES	.16
109	AS 54	MAZIERES DE TOURAINE	.37
123	AM 63	MAZIERES EN GATINE	C .79
107	AJ 57	MAZIERES EN MAUGES	.49
169	AU 84	MAZIERES NARESSE	.47
124	AN 67	MAZIERES SUR BERONNE	.79
131	BY 65	MAZILLE	.71
12	BJ 20	MAZINGARBE	.62
11	BH 18	MAZINGHEM	.62
23	BQ 24	MAZINGHIEN	.59
151	AJ 78	MAZION	.33
128	BI 67	MAZIRAT	.03
83	CJ 43	MAZIROT	.88
20	BD 26	MAZIS, LE	.80
157	BM 76	MAZOIRES	.63
218	AR 102	MAZOUAU	.65
221	BE 105	MAZUBY	.11
24	BX 26	MAZURES, LES	.08
231	DM 108	MAZZOLA	.2B
194	CP 90	MEAILLES	.04
156	BH 78	MEALLET	.15
127	BC 65	MEASNES	.23
75	AW 42	MEAUCE	.28
161	CF 79	MEAUDRE	.38
30	AH 33	MEAUFFE, LA	.50
47	U 40	MEAUGON, LA	.22
128	BJ 63	MEAULNE	.03
21	BJ 25	MEAULTE	.80
29	AG 32	MEAUTIS	.50
56	BL 37	MEAUX	S .77
145	BX 69	MEAUX LA MONTAGNE	.69
184	AY 91	MEAUZAC	.82
71	AG 44	MECE	.35
170	AZ 85	MECHMONT	.46
61	CJ 35	MECLEUVES	.57
23	BR 22	MECQUIGNIES	.59
60	CE 38	MECRIN	.55
57	BP 37	MECRINGES	.51
54	BE 37	MEDAN	.78
51	AQ 39	MEDAVY	.61
158	BS 76	MEDEYROLLES	.63
102	CN 52	MEDIERE	.25
152	AO 78	MEDILLAC	.16
136	AH 73	MEDIS	.17
82	CF 44	MEDONVILLE	.88
70	AA 43	MEDREAC	.35
94	BA 47	MEE, LE	.28
90	AJ 49	MEE	.53
77	BI 41	MEE SUR SEINE, LE	.77
193	CK 91	MEES, LES	C .04
196	AF 94	MEES	.40
74	AR 43	MEES, LES	.72
41	CK 33	MEGANGE	.57
149	CN 70	MEGEVE	.74
134	CM 66	MEGEVETTE	.74
70	Z 42	MEGRIT	.22
22	BJ 27	MEHARICOURT	.80
215	AE 98	MEHARIN	.64
110	BA 55	MEHERS	.41
83	CK 41	MEHONCOURT	.54
73	AN 41	MEHOUDIN	.61
112	BG 57	MEHUN SUR YEVRE	C .18
90	AK 52	MEIGNANNE, LA	.49
108	AN 55	MEIGNE	.49
92	AQ 52	MEIGNE LE VICOMTE	.49
78	BM 41	MEIGNEUX	.77
34	BD 27	MEIGNEUX	.80
140	AX 73	MEILHAC	.87
199	AT 98	MEILHAN	.32
181	AI 93	MEILHAN	.40
168	AO 86	MEILHAN SUR GARONNE	C .47
155	BB 74	MEILHARDS	.19
157	BN 74	MEILHAUD	.63
70	AC 42	MEILLAC	.35
128	BI 61	MEILLANT	.18
129	BN 65	MEILLARD	.03
21	BG 23	MEILLARD, LE	.80
123	AI 61	MEILLERAIE TILLAY, LA	.85
57	BP 38	MEILLERAY	.77
89	AE 51	MEILLERAYE DE BRETAGNE, LA	.44
135	CO 64	MEILLERIE	.74
129	BM 64	MEILLERS	.03
198	AL 99	MEILLON	.64
133	CE 66	MEILLONNAS	.01
115	BX 56	MEILLY SUR ROUVRES	.21
63	CR 35	MEISENTHAL	.57
85	CT 41	MEISTRATZHEIM	.67
99	CA 51	MEIX, LE	.21
57	BQ 39	MEIX ST EPOING, LE	.51
58	BW 40	MEIX TIERCELIN, LE	.51
190	BX 89	MEJANNES LE CLAP	.30
189	BV 90	MEJANNES LES ALES	.30
233	DL 115	MELA	.2A
203	BM 94	MELAGUES	.12
32	AT 30	MELAMARE	.76
107	AK 56	MELAY	.49
101	CG 48	MELAY	.52
130	BT 67	MELAY	.71
74	AS 41	MELE SUR SARTHE, LE	C .61
102	CM 52	MELECEY	.70
71	AD 44	MELESSE	.35
67	M 46	MELGVEN	.29
36	BK 31	MELICOCQ	.60
52	AT 37	MELICOURT	.27
60	CE 39	MELIGNY LE GRAND	.55
60	CE 39	MELIGNY LE PETIT	.55
101	CG 49	MELIN	.70
101	CJ 48	MELINCOURT	.70
102	CM 49	MELISEY	C .70
98	BU 48	MELISEY	.89
186	BH 90	MELJAC	.12
68	O 47	MELLAC	.29
71	AH 41	MELLE	.35
124	AN 67	MELLE	C .79
116	BZ 60	MELLECEY	.71
138	AO 68	MELLERAN	.79
75	AV 46	MELLERAY	.72
96	BL 48	MELLEROY	.45
219	AU 104	MELLES	.31
20	BA 25	MELLEVILLE	.76
68	R 44	MELLIONNEC	.22
35	BH 33	MELLO	.60
116	BZ 58	MELOISEY	.21
68	S 46	MELRAND	.56
64	CS 37	MELSHEIM	.67
78	BJ 41	MELUN	P .77
178	CK 87	MELVE	.04
79	BO 42	MELZ SUR SEINE	.77
100	CG 51	MEMBREY	.70
92	AT 53	MEMBROLLE SUR CHOISILLE, LA	.37
90	AK 52	MEMBROLLE SUR LONGUENEE, LE	.49
94	BA 47	MEMBROLLES	.41
84	CM 44	MEMENIL	.88
64	CV 35	MEMMELSHOFFEN	.67
119	CN 56	MEMONT, LE	.25
97	BS 53	MENADES	.89
84	CM 42	MENARMONT	.88
94	BA 51	MENARS	.41
143	BL 68	MENAT	C .63
60	CD 40	MENAUCOURT	.55
11	BF 19	MENCAS	.62
64	CS 36	MENCHHOFFEN	.67
174	BQ 86	MENDE	P .48
214	AD 98	MENDIONDE	.64
215	AG 100	MENDITTE	.64
215	AE 101	MENDIVE	.64
69	X 45	MENEAC	.56
191	CE 93	MENERBES	.84
34	BB 30	MENERVAL	.76
54	BB 36	MENERVILLE	.78
99	CA 49	MENESBLE	.21
20	BA 24	MENESLIES	.80
152	AP 80	MENESPLET	.24
34	BA 32	MENESQUEVILLE	.27
115	BU 57	MENESSAIRE	.21
96	BN 54	MENESTREAU	.58
95	BE 50	MENESTREAU EN VILLETTE	.45
156	BI 77	MENET	.15
113	BL 58	MENETOU COUTURE	.18
112	BK 54	MENETOU RATEL	.18
112	BH 56	MENETOU SALON	.18
111	BB 56	MENETOU SUR NAHON	.36
112	BK 55	MENETREOL SOUS SANCERRE	.18
95	BG 53	MENETREOL SUR SAULDRE	.18
111	BC 58	MENETREOLS SOUS VATAN	.36
132	CC 62	MENETREUIL	.71
98	BX 52	MENETREUX LE PITOIS	.21
143	BN 71	MENETROL	.63
117	CG 60	MENETRU LE VIGNOBLE	.39
133	CH 62	MENETRUX EN JOUX	.39
35	BJ 30	MENEVILLERS	.60
177	CF 84	MENGLON	.26
124	AO 64	MENIGOUTE	C .79
90	AK 49	MENIL	.53
102	CO 47	MENIL, LE	.88
38	BV 31	MENIL ANNELLES	.08
60	CD 38	MENIL AUX BOIS	.55
52	AT 39	MENIL BERARD, LE	.61
74	AR 41	MENIL BROUT, LE	.61
50	AK 38	MENIL CIBOULT, LE	.61
51	AM 39	MENIL DE BRIOUZE, LE	.61
84	CP 42	MENIL DE SENONES	.88
83	CH 43	MENIL EN XAINTOIS	.88
74	AR 41	MENIL ERREUX	.61
52	AR 39	MENIL FROGER	.61
51	AN 38	MENIL GONDOUIN	.61
52	AS 40	MENIL GUYON, LE	.61
51	AN 38	MENIL HERMEI	.61
52	AR 38	MENIL HUBERT EN EXMES	.61
51	AM 37	MENIL HUBERT SUR ORNE	.61
51	AO 39	MENIL JEAN	.61
60	CE 39	MENIL LA HORGNE	.55
60	CG 38	MENIL LA TOUR	.54
38	BV 32	MENIL LEPINOIS	.08
51	AP 40	MENIL SCELLEUR, LE	.61
84	CN 42	MENIL SUR BELVITTE	.88
60	CC 40	MENIL SUR SAULX	.55
52	AS 38	MENIL VICOMTE, LE	.61
51	AN 37	MENIL VIN	.61
53	AZ 36	MENILLES	.27
91	AN 54	MENITRE, LA	.49
77	BH 41	MENNECY	C .91
36	BN 28	MENNESSIS	.02
111	BD 55	MENNETOU SUR CHER	C .41
52	AU 35	MENNEVAL	.27
38	BT 31	MENNEVILLE	.02
10	BD 17	MENNEVILLE	.62
23	BP 25	MENNEVRET	.02
82	CD 46	MENNOUVEAUX	.52
155	BC 79	MENOIRE	.19
123	AJ 61	MENOMBLET	.85
102	CP 50	MENONCOURT	.90
34	BA 27	MENONVAL	.76
117	CF 56	MENOTEY	.39
113	BO 54	MENOU	.58
55	BF 34	MENOUVILLE	.95
126	BB 63	MENOUX, LE	.36
101	CJ 49	MENOUX	.70
177	CI 82	MENS	C .38
153	AS 78	MENSIGNAC	.24
41	CK 32	MENSKIRCH	.57
18	AT 28	MENTHEVILLE	.76
148	CK 70	MENTHON ST BERNARD	.74
148	CK 68	MENTHONNEX EN BORNES	.74
148	CI 69	MENTHONNEX SOUS CLERMONT	.74
157	BN 80	MENTIERES	.15
195	CW 93	MENTON	C .06
11	BF 16	MENTQUE NORTBECOURT	.62
54	BE 36	MENUCOURT	.95
75	AW 41	MENUS, LES	.61
200	AX 95	MENVILLE	.31
126	AZ 61	MEOBECQ	.36
179	CO 86	MEOLANS REVEL	.04
91	AQ 53	MEON	.49
209	CK 99	MEOUNES LES MONTRIEUX	.83
94	BA 50	MER	C .41
198	AL 97	MERACQ	.64
72	AI 47	MERAL	.53
220	AY 101	MERAS	.09
22	BK 22	MERCATEL	.62
219	AW 102	MERCENAC	.09
116	CA 59	MERCEUIL	.21
54	BA 35	MERCEY	.27
117	CG 55	MERCEY LE GRAND	.25
100	CG 52	MERCEY SUR SAONE	.70
36	BN 32	MERCIN ET VAUX	.02
11	BF 18	MERCK ST LIEVIN	.62
11	BG 15	MERCKEGHEM	.59
155	BD 80	MERCOEUR	C .19
157	BO 78	MERCOEUR	.43
175	BW 84	MERCUER	.07
170	AZ 86	MERCUES	.46
116	BZ 60	MERCUREY	.71
160	CB 79	MERCUROL	.26
148	CM 72	MERCURY	.73
220	BB 104	MERCUS GARRABET	.09
130	BQ 64	MERCY	.03
79	BQ 47	MERCY	.89
40	CF 31	MERCY LE BAS	.54
40	CG 31	MERCY LE HAUT	.54
69	X 44	MERDRIGNAC	C .22
54	BD 38	MERE	.78
97	BS 48	MERE	.89
111	BE 56	MEREAU	.18
34	BD 28	MEREAUCOURT	.80
75	AY 44	MEREGLISE	.28
20	BD 25	MERELESSART	.80
199	AS 94	MERENS	.32
220	BD 106	MERENS LES VALS	.09
200	AX 96	MERENVIELLE	.31
177	CH 87	MEREUIL	.05
61	CJ 40	MEREVILLE	.54
77	BE 44	MEREVILLE	C .91
54	BA 36	MEREY	.27
118	CJ 56	MEREY SOUS MONTROND	.25
118	CJ 54	MEREY VIEILLEY	.25
37	BS 33	MERFY	.51
80	BT 43	MERGEY	.10
229	DN 101	MERIA	.2B
221	BE 105	MERIAL	.11
12	BK 20	MERICOURT	.62
54	BB 36	MERICOURT	.78
20	BE 26	MERICOURT EN VIMEU	.80
21	BI 25	MERICOURT L'ABBE	.80
22	BJ 26	MERICOURT SUR SOMME	.80
55	BG 35	MERIEL	.95
204	BO 96	MERIFONS	.34
138	AO 72	MERIGNAC	.16
151	AM 77	MERIGNAC	.17
167	AJ 82	MERIGNAC	C .33
168	AN 83	MERIGNAS	.33
147	CF 68	MERIGNAT	.01
12	BM 19	MERIGNIES	.59
125	AW 62	MERIGNY	.36
219	AX 102	MERIGON	.09
218	AP 101	MERILHEU	.65
70	X 43	MERILLAC	.22
142	BI 70	MERINCHAL	.23
207	CE 94	MERINDOL	.84
191	CD 88	MERINDOL LES OLIVIERS	.26
78	BL 46	MERINVILLE	.45
79	BP 41	MERIOT, LE	.10
197	AH 98	MERITEIN	.64
64	CV 35	MERKWILLER PECHELBRONN	.67
161	CH 75	MERLAS	.38
106	AF 60	MERLATIERE, LA	.85
59	BX 38	MERLAUT	.51
159	BU 76	MERLE LEIGNECQ	.42
69	T 43	MERLEAC	.22
52	AR 39	MERLERAULT, LE	C .61
184	AV 91	MERLES	.82
40	CD 31	MERLES SUR LOISON	.55
68	R 49	MERLEVENEZ	.56
37	BP 30	MERLIEUX ET FOUQUEROLLES	.02
10	BB 20	MERLIMONT	.62
142	BH 73	MERLINES	.19
88	AA 47	MERNEL	.35
76	BE 43	MEROBERT	.91
133	CG 63	MERONA	.39
76	BD 44	MEROUVILLE	.28
102	CP 51	MEROUX	.90
137	AL 73	MERPINS	.16
82	CF 46	MERREY	.52
80	BW 46	MERREY SUR ARCE	.10
51	AP 37	MERRI	.61
11	BJ 17	MERRIS	.59
97	BO 49	MERRY LA VALLEE	.89
97	BP 51	MERRY SEC	.89
97	BQ 52	MERRY SUR YONNE	.89
20	BA 24	MERS LES BAINS	.80
127	BD 62	MERS SUR INDRE	.36
41	CK 30	MERSCHWEILLER	.57
101	CJ 49	MERSUAY	.70
42	CM 32	MERTEN	.57
81	BZ 42	MERTRUD	.52
103	CR 51	MERTZEN	.68
64	CT 36	MERTZWILLER	.67
35	BF 33	MERU	C .60
37	BQ 32	MERVAL	.02
116	CC 60	MERVANS	.71
123	AJ 63	MERVENT	.85
201	AZ 97	MERVILLA	.31
200	AY 95	MERVILLE	.31

Page	Carreau	Commune	Adm. Dpt
11	BJ 18	MERVILLE	C 59
31	AO 33	MERVILLE FRANCEVILLE PLAGE	14
84	CN 41	MERVILLER	54
85	CR 47	MERXHEIM	68
148	CJ 73	MERY	73
51	AP 34	MERY CORBON	14
112	BH 55	MERY ES BOIS	18
35	BJ 30	MERY LA BATAILLE	60
37	BS 33	MERY PREMECY	51
111	BE 56	MERY SUR CHER	18
56	BN 36	MERY SUR MARNE	77
55	BG 35	MERY SUR OISE	95
79	BS 41	MERY SUR SEINE	C 10
47	T 39	MERZER, LE	22
101	CL 53	MESANDANS	25
89	AG 53	MESANGER	44
34	BB 30	MESANGUEVILLE	76
37	BP 28	MESBRECOURT RICHECOURT	02
150	AH 74	MESCHERS SUR GIRONDE	17
168	AR 83	MESCOULES	24
21	BE 26	MESGE, LE	80
79	BS 42	MESGRIGNY	10
148	CJ 69	MESIGNY	74
68	Q 46	MESLAN	56
93	AX 53	MESLAND	41
51	AM 36	MESLAY	14
93	AX 49	MESLAY	41
90	AL 47	MESLAY DU MAINE	C 53
75	AZ 43	MESLAY LE GRENET	28
76	BA 44	MESLAY LE VIDAME	28
102	CP 53	MESLIERES	25
47	W 41	MESLIN	22
117	CH 57	MESMAY	25
38	BV 29	MESMONT	08
116	BZ 54	MESMONT	21
137	AM 72	MESNAC	16
106	AG 59	MESNARD LA BAROTIERE	85
117	CH 59	MESNAY	39
38	BS 34	MESNEUX, LES	51
74	AS 41	MESNIERE, LA	61
34	BA 27	MESNIERES EN BRAY	76
29	AD 31	MESNIL, LE	50
50	AH 39	MESNIL ADELEE, LE	50
49	AF 37	MESNIL AMAND, LE	50
55	BJ 36	MESNIL AMELOT, LE	77
49	AG 36	MESNIL AMEY, LE	50
30	AH 33	MESNIL ANGOT, LE	50
50	AL 35	MESNIL AU GRAIN, LE	14
29	AF 29	MESNIL AU VAL, LE	50
49	AF 36	MESNIL AUBERT, LE	50
55	BH 36	MESNIL AUBRY, LE	95
50	AK 36	MESNIL AUZOUF, LE	14
52	AQ 36	MESNIL BACLEY, LE	14
50	AI 37	MESNIL BENOIST, LE	14
22	BL 26	MESNIL BRUNTEL	80
50	AI 37	MESNIL CAUSSOIS, LE	14
50	AI 37	MESNIL CLINCHAMPS	14
35	BF 29	MESNIL CONTEVILLE, LE	60
21	BE 23	MESNIL DOMQUEUR	80
52	AQ 35	MESNIL DURAND, LE	14
19	AV 27	MESNIL DURDENT, LE	76
22	BL 24	MESNIL EN ARROUAISE	80
55	BG 34	MESNIL EN THELLE, LE	60
90	AI 54	MESNIL EN VALLEE, LE	49
33	AY 31	MESNIL ESNARD, LE	76
52	AR 35	MESNIL EUDES, LE	14
29	AH 34	MESNIL EURY, LE	50
19	AZ 27	MESNIL FOLLEMPRISE	76
53	AY 35	MESNIL FUGUET, LE	27
49	AG 37	MESNIL GARNIER, LE	50
52	AR 35	MESNIL GERMAIN, LE	14
50	AI 39	MESNIL GILBERT, LE	50
52	AR 35	MESNIL GUILLAUME, LE	14
53	AX 37	MESNIL HARDRAY, LE	27
50	AH 35	MESNIL HERMAN, LE	50
53	AX 34	MESNIL JOURDAIN, LE	27
80	BU 41	MESNIL LA COMTESSE	10
55	BF 37	MESNIL LE ROI, LE	78
80	BV 42	MESNIL LETTRE	10
34	BB 30	MESNIL LIEUBRAY, LE	76
21	BJ 24	MESNIL MARTINSART	80
51	AP 35	MESNIL MAUGER, LE	14
34	BA 28	MESNIL MAUGER	76
50	AH 35	MESNIL OPAC, LE	50
49	AG 39	MESNIL OZENNE, LE	50
33	AW 29	MESNIL PANNEVILLE	76
31	AM 34	MESNIL PATRY, LE	14
50	AH 39	MESNIL RAINFRAY, LE	50
33	AZ 31	MESNIL RAOUL	76
50	AI 35	MESNIL RAOULT, LE	50
20	BA 25	MESNIL REAUME, LE	76
50	AI 37	MESNIL ROBERT, LE	14
49	AF 37	MESNIL ROGUES, LE	50
52	AT 37	MESNIL ROUSSET	27
30	AH 34	MESNIL ROUXELIN, LE	50
80	BV 43	MESNIL SELLIERES	10
51	AQ 35	MESNIL SIMON, LE	14
54	BB 37	MESNIL SIMON, LE	28
33	AW 31	MESNIL SOUS JUMIEGES, LE	76
34	BC 32	MESNIL SOUS VIENNE	27
54	BE 39	MESNIL ST DENIS, LE	78
35	BH 29	MESNIL ST FIRMIN, LE	60
35	BI 29	MESNIL ST GEORGES	80
23	BO 27	MESNIL ST LAURENT	02
79	BR 44	MESNIL ST LOUP	10
36	BL 27	MESNIL ST NICAISE	80
80	BV 44	MESNIL ST PERE	10
32	AS 33	MESNIL SUR BLANGY, LE	14
35	BH 31	MESNIL SUR BULLES, LE	60
53	AZ 38	MESNIL SUR L'ESTREE	27
58	BT 37	MESNIL SUR OGER, LE	51
34	BE 33	MESNIL THERIBUS, LE	60
53	AX 40	MESNIL THOMAS, LE	28
50	AI 39	MESNIL TOVE, LE	50
30	AH 33	MESNIL VENERON, LE	50
34	BA 32	MESNIL VERCLIVES	27
29	AG 34	MESNIL VIGOT, LE	50
49	AF 37	MESNIL VILLEMAN, LE	50
51	AN 37	MESNIL VILLEMENT, LE	14
49	AG 34	MESNILBUS, LE	50
50	AH 40	MESNILLARD, LE	50
133	CG 62	MESNOIS	39
54	BD 39	MESNULS, LES	78
45	M 38	MESPAUL	29
197	AI 97	MESPLEDE	64
128	BH 65	MESPLES	03
77	BG 43	MESPUITS	91
87	W 53	MESQUER	44
151	AM 76	MESSAC	17
88	AC 48	MESSAC	35
116	CA 56	MESSANGES	21
180	AD 93	MESSANGES	40
94	BB 49	MESSAS	45
124	AP 66	MESSE	79
51	AL 39	MESSEI	C 61
61	CI 40	MESSEIN	54

Page	Carreau	Commune	Adm. Dpt
142	BI 74	MESSEIX	63
108	AQ 58	MESSEME	86
134	CL 65	MESSERY	74
97	BZ 62	MESSEY SUR GROSNE	71
133	CF 61	MESSIA SUR SORNE	39
99	CB 53	MESSIGNY ET VANTOUX	21
146	BY 72	MESSIMY	69
146	BZ 69	MESSIMY SUR SAONE	01
39	CB 28	MESSINCOURT	08
79	BS 44	MESSON	10
92	BJ 36	MESSY	77
168	AO 84	MESTERRIEUX	33
156	BG 75	MESTES	19
113	BL 56	MESVES SUR LOIRE	58
115	BV 60	MESVRES	C 71
118	CL 60	METABIEF	25
138	AN 72	METAIRIES, LES	16
62	CP 39	METAIRIES ST QUIRIN	57
12	BJ 17	METEREN	59
191	CE 40	METHAMIS	84
20	BD 25	METIGNY	80
63	CQ 37	METTING	57
92	AU 53	METTRAY	37
61	CJ 34	METZ	P 57
22	BM 24	METZ EN COUTURE	62
114	BQ 54	METZ LE COMTE	58
80	BZ 43	METZ ROBERT	10
148	CK 69	METZ TESSY	74
85	CQ 46	METZERAL	68
41	CJ 32	METZERESCHE	57
41	CJ 32	METZERVISSE	C 57
62	CO 34	METZING	57
87	U 49	MEUCON	56
55	BG 38	MEUDON	C 92
116	CA 56	MEUILLEY	21
54	BD 36	MEULAN	C 78
19	AZ 27	MEULERS	76
52	AS 36	MEULLES	14
99	BY 50	MEULSON	21
111	BE 60	MEUNET PLANCHES	36
111	BD 57	MEUNET SUR VATAN	36
94	BC 49	MEUNG SUR LOIRE	C 45
74	AR 44	MEURCE	72
12	BL 19	MEURCHIN	62
101	CK 49	MEURCOURT	70
49	AF 37	MEURDRAQUIERE, LA	50
60	CB 45	MEURES	52
37	BR 32	MEURIVAL	02
136	AI 73	MEURSAC	17
116	CA 58	MEURSANGES	21
116	BZ 58	MEURSAULT	21
81	BX 45	MEURVILLE	10
110	BA 55	MEUSNES	41
133	CH 63	MEUSSIA	39
30	AL 32	MEUVAINES	14
151	AL 75	MEUX	17
36	BJ 32	MEUX, LE	60
154	BA 74	MEUZAC	87
76	BB 41	MEVOISINS	28
192	CG 88	MEVOUILLON	26
146	CD 70	MEXIMIEUX	C 01
40	CF 30	MEXY	54
61	CJ 34	MEY	57
85	CS 47	MEYENHEIM	68
161	CI 78	MEYLAN	C 38
155	BF 74	MEYMAC	C 19
193	BY 93	MEYNES	30
170	AW 82	MEYRALS	24
189	BV 88	MEYRANNES	30
208	CG 95	MEYRARGUES	13
175	BW 84	MEYRAS	07
208	CG 97	MEYREUIL	13
161	CD 74	MEYRIE	38
160	CD 74	MEYRIEU LES ETANGS	38
147	CH 73	MEYRIEUX TROUET	73
155	BD 76	MEYRIGNAC L'EGLISE	19
170	BA 82	MEYRONNE	46
179	CQ 85	MEYRONNES	04
176	BP 90	MEYRUEIS	C 48
145	BX 73	MEYS	69
155	BB 80	MEYSSAC	C 19
176	BZ 85	MEYSSE	07
160	CC 75	MEYSSIES	38
160	CJ 70	MEYTHET	74
140	AY 74	MEYZE, LA	87
146	CB 72	MEYZIEU	C 69
73	AM 45	MEZANGERS	53
204	BR 98	MEZE	C 34
193	CL 91	MEZEL	C 04
143	BN 72	MEZEL	63
201	BB 94	MEZENS	81
91	AP 49	MEZERAY	72
158	BU 79	MEZERES	43
132	CB 76	MEZERIAT	01
21	BG 23	MEZEROLLES	80
201	BC 100	MEZERVILLE	11
51	AP 35	MEZIDON CANON	C 14
71	AC 44	MEZIERE, LA	35
75	AZ 44	MEZIERES AU PERCHE	28
110	AY 60	MEZIERES EN BRENNE	C 36
54	BA 39	MEZIERES EN DROUAIS	28
77	BI 47	MEZIERES EN GATINAIS	45
35	BI 27	MEZIERES EN SANTERRE	80
54	BA 34	MEZIERES EN VEXIN	27
94	BD 49	MEZIERES LEZ CLERY	45
73	AP 45	MEZIERES SOUS LAVARDIN	72
71	AF 43	MEZIERES SUR COUESNON	35
139	AW 68	MEZIERES SUR ISSOIRE	C 87
35	BO 27	MEZIERES SUR OISE	02
74	AR 45	MEZIERES SUR PONTHOUIN	72
54	BC 36	MEZIERES SUR SEINE	78
175	BW 82	MEZILHAC	07
96	BN 50	MEZILLES	89
183	AQ 91	MEZIN	C 47
102	CP 51	MEZIRE	90
72	AF 90	MEZOS	40
57	BP 35	MEZY MOULINS	02
54	BD 36	MEZY SUR SEINE	78
114	BS 56	MHERE	58
153	AV 74	MIALET	24
189	BT 90	MIALET	30
198	AK 97	MIALOS	64
170	BC 24	MIANNAY	80
114	BP 55	MICHAUGUES	58
103	CQ 49	MICHELBACH	68
103	CT 50	MICHELBACH LE BAS	68
103	CT 51	MICHELBACH LE HAUT	68
78	BN 44	MICHERY	89
82	CF 42	MIDREVAUX	88
118	CJ 60	MIEGES	39
199	AQ 98	MIELAN	C 32
100	CN 48	MIELLIN	70
75	AW 44	MIERMAIGNE	28
171	BC 82	MIERS	46
192	CG 60	MIERY	39
64	CT 36	MIETESHEIM	67

Page	Carreau	Commune	Adm. Dpt
135	CN 67	MIEUSSY	74
73	AP 42	MIEUXCE	61
97	BQ 51	MIGE	89
97	BP 48	MIGENNES	C 89
220	BB 105	MIGLOS	09
125	AS 63	MIGNALOUX BEAUVOIR	86
102	CM 51	MIGNAVILLERS	70
126	AZ 61	MIGNE	36
124	AR 62	MIGNE AUXANCES	86
77	BJ 47	MIGNERES	45
77	BI 46	MIGNERETTE	45
62	CN 40	MIGNEVILLE	54
76	BA 43	MIGNIERES	28
118	CJ 60	MIGNOVILLARD	39
111	BE 58	MIGNY	36
137	AK 68	MIGRE	17
137	AL 71	MIGRON	17
221	BE 106	MIJANES	09
134	CJ 65	MIJOUX	01
73	AQ 46	MILESSE, LA	72
170	AZ 83	MILHAC	46
153	AV 79	MILHAC D'AUBEROCHE	24
153	AU 75	MILHAC DE NONTRON	24
185	BD 90	MILHARS	81
219	AU 103	MILHAS	31
206	BW 94	MILHAUD	30
186	BE 91	MILHAVET	81
44	I 40	MILIZAC	29
139	AU 67	MILLAC	86
11	BG 15	MILLAM	59
94	BC 53	MILLANCAY	41
222	BJ 106	MILLAS	C 66
188	BM 90	MILLAU	S 12
114	BT 60	MILLAY	58
20	BA 25	MILLEBOSC	76
55	BD 38	MILLEMONT	78
21	BI 25	MILLENCOURT	80
20	BD 23	MILLENCOURT EN PONTHIEU	80
98	BV 52	MILLERY	21
61	CI 37	MILLERY	54
146	CA 73	MILLERY	69
141	BF 73	MILLEVACHES	19
29	AF 32	MILLIERES	50
82	CD 45	MILLIERES	52
13	BO 20	MILLONFOSSE	59
50	AI 40	MILLY	50
77	BH 43	MILLY LA FORET	C 91
132	BZ 65	MILLY LAMARTINE	71
39	CB 31	MILLY SUR BRADON	55
34	BE 30	MILLY SUR THERAIN	60
55	BE 39	MILON LA CHAPELLE	78
197	AG 95	MIMBASTE	40
208	CG 98	MIMET	13
115	BX 56	MIMEURE	21
180	AE 89	MIMIZAN	C 40
59	BY 34	MINAUCOURT LE MESNIL LES HURLUS	51
203	BK 99	MINERVE	34
199	AP 98	MINGOT	65
21	BI 21	MINGOVAL	62
70	AB 41	MINIAC MORVAN	35
70	AB 43	MINIAC SOUS BECHEREL	35
48	AA 40	MINIHIC SUR RANCE, LE	35
46	S 37	MINIHY TREGUIER	22
61	CH 37	MINORVILLE	54
99	CA 51	MINOT	21
64	CT 37	MINVERSHEIM	67
168	AO 81	MINZAC	24
148	CJ 68	MINZIER	74
187	BI 93	MIOLLES	81
146	CB 70	MIONNAY	01
146	CB 73	MIONS	69
166	AG 84	MIOS	33
198	AL 97	MIOSSENS LANUSSE	64
193	CK 90	MIRABEAU	04
208	CH 94	MIRABEAU	84
175	BY 85	MIRABEL	07
185	AZ 90	MIRABEL	82
191	CD 88	MIRABEL AUX BARONNIES	26
176	CC 83	MIRABEL ET BLACONS	26
184	AU 92	MIRADOUX	C 32
207	CC 96	MIRAMAS	13
151	AK 76	MIRAMBEAU	C 17
200	AV 98	MIRAMBEAU	31
199	AR 97	MIRAMONT D'ASTARAC	32
219	AT 102	MIRAMONT DE COMMINGES	31
168	AR 85	MIRAMONT DE GUYENNE	47
184	AW 89	MIRAMONT DE QUERCY	82
199	AT 94	MIRAMONT LATOUR	32
198	AL 96	MIRAMONT SENSACQ	40
199	AR 97	MIRANDE	S 32
186	BF 90	MIRANDOL BOURGNOUNAC	81
199	AR 96	MIRANNES	32
22	BJ 24	MIRAUMONT	80
202	BH 98	MIRAVAL CABARDES	11
81	CB 44	MIRBEL	52
91	AL 49	MIRE	49
124	AQ 60	MIREBEAU	C 86
100	CD 53	MIREBEAU SUR BEZE	C 21
133	CG 61	MIREBEL	39
83	CI 43	MIRECOURT	C 88
143	BN 73	MIREFLEURS	63
201	AZ 99	MIREMONT	31
142	BJ 71	MIREMONT	63
203	BL 100	MIREPEISSET	11
198	AL 100	MIREPEIX	64
221	BD 102	MIREPOIX	C 09
199	AT 94	MIREPOIX	32
185	BA 94	MIREPOIX SUR TARN	31
205	BS 97	MIREVAL	34
202	BD 100	MIREVAL LAURAGAIS	11
146	CB 71	MIRIBEL	C 01
160	CC 78	MIRIBEL	26
160	CG 80	MIRIBEL LANCHATRE	38
161	CH 75	MIRIBEL LES ECHELLES	38
176	CA 84	MIRMANDE	26
133	CE 63	MIROIR, LE	71
21	BH 25	MIRVAUX	80
33	AT 29	MIRVILLE	76
177	CG 84	MISCON	26
53	AZ 36	MISEREY	27
118	CI 54	MISEREY SALINES	25
146	CA 69	MISERIEUX	01
22	BL 27	MISERY	80
192	CJ 88	MISON	04
108	AN 59	MISSE	79
202	BE 95	MISSECLE	81
221	BH 103	MISSEGRE	11
115	BW 55	MISSERY	21
88	Z 52	MISSILLAC	44
88	Y 48	MISSIRIAC	56
197	AG 96	MISSON	40
50	AL 34	MISSY	14
36	BN 32	MISSY AUX BOIS	02
37	BR 29	MISSY LES PIERREPONT	02
37	BP 32	MISSY SUR AISNE	02
78	BM 43	MISY SUR YONNE	77

Page	Carreau	Commune	Adm. Dpt
55	BJ 36	MITRY MORY	C 77
54	BB 40	MITTAINVILLE	78
75	AZ 42	MITTAINVILLIERS	28
85	CS 41	MITTELBERGHEIM	67
63	CQ 38	MITTELBRONN	57
64	CU 39	MITTELHAUSBERGEN	67
64	CT 38	MITTELHAUSEN	67
64	CU 38	MITTELSCHAEFFOLSHEIM	67
85	CR 44	MITTELWIHR	68
62	CO 37	MITTERSHEIM	57
84	CP 46	MITTLACH	68
51	AQ 36	MITTOIS	14
102	CP 48	MITZACH	68
145	BV 71	MIZERIEUX	42
162	CL 79	MIZOEN	38
29	AF 32	MOBECQ	50
232	DK 114	MOCA CROCE	2A
163	CP 77	MODANE	C 73
191	CD 90	MODENE	84
68	O 48	MOELAN SUR MER	29
4	BI 14	MOERES, LES	59
103	CR 52	MOERNACH	68
59	BZ 40	MOESLAINS	52
57	BQ 39	MOEURS VERDEY	51
22	BM 23	MOEUVRES	59
136	AG 70	MOEZE	17
102	CM 50	MOFFANS ET VACHERESSE	70
40	CE 33	MOGEVILLE	55
148	CJ 72	MOGNARD	73
146	CA 68	MOGNENEINS	01
59	CA 38	MOGNEVILLE	55
35	BH 33	MOGNEVILLE	60
40	CC 28	MOGUES	08
69	W 45	MOHON	56
160	CC 74	MOIDIEU DETOURBE	38
77	BH 42	MOIGNY SUR ECOLE	91
101	CL 51	MOIMAY	70
41	CH 33	MOINEVILLE	54
151	AL 75	MOINGS	17
76	BC 43	MOINVILLE LA JEULIN	28
162	CG 76	MOIRANS	38
133	CH 64	MOIRANS EN MONTAGNE	C 39
183	AT 90	MOIRAX	47
145	BY 70	MOIRE	69
59	BZ 34	MOIREMONT	51
40	CD 32	MOIREY FLABAS CREPION	55
133	CF 62	MOIRON	39
40	CC 29	MOIRY	08
89	AF 51	MOISDON LA RIVIERE	C 44
78	BJ 41	MOISENAY	77
22	BL 25	MOISLAINS	80
184	AW 90	MOISSAC	C 82
209	CL 95	MOISSAC BELLEVUE	83
189	BS 90	MOISSAC VALLEE FRANCAISE	48
140	BA 71	MOISSANNES	87
143	BO 72	MOISSAT	63
55	BH 38	MOISSELLES	95
117	CF 56	MOISSEY	39
160	CB 76	MOISSIEU SUR DOLON	38
54	BC 35	MOISSON	78
55	BI 40	MOISSY CRAMAYEL	77
114	BR 55	MOISSY MOULINOT	58
53	AY 38	MOISVILLE	27
93	AZ 48	MOISY	41
231	DN 108	MOÏTA	C 2B
29	AC 31	MOITIERS D'ALLONNE, LES	50
29	AF 31	MOITIERS EN BAUPTOIS, LES	50
99	BZ 50	MOITRON	21
73	AP 44	MOITRON SUR SARTHE	72
59	BY 37	MOIVRE	51
61	CJ 37	MOIVRONS	54
87	X 49	MOLAC	56
34	BC 30	MOLAGNIES	76
22	BP 25	MOLAIN	02
117	CH 60	MOLAIN	39
117	CG 58	MOLAMBOZ	39
201	BB 100	MOLANDIER	11
200	AU 98	MOLAS	31
117	CE 58	MOLAY	39
100	CG 50	MOLAY	70
98	BS 50	MOLAY	89
30	AJ 33	MOLAY LITTRY, LE	14
209	CO 100	MOLE, LA	83
75	AZ 46	MOLEANS	28
157	BM 77	MOLEDES	15
218	AQ 102	MOLERE	65
98	BW 48	MOLESME	21
97	BP 51	MOLESMES	89
189	BR 89	MOLEZON	48
35	BD 29	MOLIENS	60
169	AU 83	MOLIERES	24
171	BD 83	MOLIERES	46
185	AZ 90	MOLIERES	C 82
55	BE 40	MOLIERES, LES	91
188	BQ 92	MOLIERES CAVAILLAC	30
177	CF 83	MOLIERES GLANDAZ	26
175	BV 89	MOLIERES SUR CEZE	30
180	AD 93	MOLIETS ET MAA	40
110	BP 30	MOLINCHART	02
179	CQ 83	MOLINES EN QUEYRAS	05
130	BT 64	MOLINET	03
93	AY 52	MOLINEUF	41
133	CH 65	MOLINGES	39
79	BP 45	MOLINONS	89
115	BY 58	MOLINOT	21
80	BW 42	MOLINS SUR AUBE	10
221	BH 107	MOLITG LES BAINS	66
101	CL 50	MOLLANS	70
191	CD 89	MOLLANS SUR OUVEZE	26
102	CP 48	MOLLAU	68
191	CB 93	MOLLEGES	13
144	BQ 68	MOLLES	03
162	CJ 75	MOLLETTES, LES	73
201	BC 99	MOLLEVILLE	11
21	BH 25	MOLLIENS AU BOIS	80
20	BE 26	MOLLIENS DREUIL	C 80
63	CS 40	MOLLKIRCH	67
157	BM 78	MOLOMPIZE	15
98	BT 48	MOLOSMES	89
99	CA 52	MOLOY	21
115	BV 54	MOLPHEY	21
117	CH 60	MOLPRE	39
62	CN 36	MOLRING	57
64	CT 40	MOLSHEIM	S 67
229	DK 106	MOLTIFAO	2B
134	CI 65	MOLUNES, LES	39
198	AK 97	MOMAS	64
151	AK 79	MOMBRIER	33
217	AO 101	MOMERES	65
41	CL 33	MOMERSTROFF	57
64	CT 37	MOMMENHEIM	67
197	AI 95	MOMUY	40
198	AN 98	MOMY	64
233	DK 117	MONACIA D'AULLENE	2A
231	DN 107	MONACIA D'OREZZA	2B
37	BP 31	MONAMPTEUIL	02

Page	Carreau	Commune	Adm. Dpt
198	AM 98	MONASSUT AUDIRACQ	64
187	BJ 88	MONASTERE, LE	12
173	BO 86	MONASTIER PIN MORIES, LE	48
175	BU 81	MONASTIER SUR GAZEILLE, LE	C 43
117	CF 60	MONAY	39
169	AS 85	MONBAHUS	47
184	AU 88	MONBALEN	47
199	AT 98	MONBARDON	32
169	AS 83	MONBAZILLAC	24
184	AY 93	MONBEQUI	82
200	AW 97	MONBLANC	32
200	AW 95	MONBRUN	32
228	DI 106	MONCALE	2B
199	AR 98	MONCASSIN	32
218	AT 103	MONCAUP	31
198	AN 97	MONCAUP	64
183	AS 90	MONCAUT	47
197	AH 99	MONCAYOLLE LARRORY MENDIBIEU	64
92	AR 48	MONCE EN BELIN	72
74	AS 44	MONCE EN SAOSNOIS	72
37	BQ 27	MONCEAU LE NEUF ET FAUCOUZY	02
37	BQ 29	MONCEAU LE WAAST	02
37	BP 29	MONCEAU LES LEUPS	02
23	BR 23	MONCEAU ST WAAST	59
23	BP 26	MONCEAU SUR OISE	02
52	AQ 35	MONCEAUX, LES	14
35	BI 32	MONCEAUX	60
74	AU 42	MONCEAUX AU PERCHE	61
30	AK 33	MONCEAUX EN BESSIN	14
34	BD 29	MONCEAUX L'ABBAYE	60
114	BR 55	MONCEAUX LE COMTE	58
155	BD 79	MONCEAUX SUR DORDOGNE	19
62	CL 40	MONCEL LES LUNEVILLE	54
61	CK 38	MONCEL SUR SEILLE	54
82	CF 42	MONCEL SUR VAIR	88
39	CA 28	MONCELLE, LA	08
59	BY 40	MONCETZ L'ABBAYE	51
58	BW 37	MONCETZ LONGEVAS	51
101	CJ 54	MONCEY	25
20	BB 25	MONCHAUX SORENG	76
23	BO 22	MONCHAUX SUR ECAILLON	59
12	BM 20	MONCHEAUX	59
21	BH 21	MONCHEAUX LES FREVENT	62
22	BN 22	MONCHECOURT	59
21	BG 21	MONCHEL SUR CANCHE	62
61	CK 36	MONCHEUX	57
21	BI 22	MONCHIET	62
21	BJ 23	MONCHY AU BOIS	62
11	BH 20	MONCHY BRETON	62
11	BG 20	MONCHY CAYEUX	62
36	BJ 31	MONCHY HUMIERES	60
22	BM 27	MONCHY LAGACHE	80
22	BK 22	MONCHY LE PREUX	62
35	BH 33	MONCHY ST ELOI	60
20	BA 25	MONCHY SUR EU	76
198	AM 96	MONCLA	64
182	AN 92	MONCLAR	32
169	AS 87	MONCLAR	C 47
185	BA 92	MONCLAR DE QUERCY	C 82
199	AQ 97	MONCLAR SUR LOSSE	32
117	CH 54	MONCLEY	25
47	V 42	MONCONTOUR	C 22
108	AP 59	MONCONTOUR	C 86
199	AT 98	MONCORNEIL GRAZAN	32
62	CM 38	MONCOURT	57
123	AK 61	MONCOUTANT	C 79
183	AR 91	MONCRABEAU	47
50	AK 38	MONCY	61
200	AW 100	MONDAVEZAN	31
41	CI 33	MONDELANGE	57
57	BR 38	MONDEMENT MONTGIVROUX	51
36	BM 29	MONDESCOURT	60
72	AH 46	MONDEVERT	35
31	AN 34	MONDEVILLE	14
77	BH 42	MONDEVILLE	91
21	BH 23	MONDICOURT	62
39	BX 28	MONDIGNY	08
199	AT 99	MONDILHAN	31
19	AS 59	MONDION	86
101	CK 53	MONDON	25
200	AY 95	MONDONVILLE	31
76	BD 43	MONDONVILLE ST JEAN	28
41	CJ 30	MONDORFF	57
93	AW 47	MONDOUBLEAU	C 41
201	BA 96	MONDOUZIL	31
190	CA 89	MONDRAGON	84
51	AM 34	MONDRAINVILLE	14
24	BT 25	MONDREPUIS	02
77	BJ 46	MONDREVILLE	77
54	BB 37	MONDREVILLE	78
197	AJ 99	MONEIN	C 64
200	AW 98	MONES	31
220	BA 102	MONESPLE	09
129	BM 66	MONESTIER	03
159	BY 78	MONESTIER	07
168	AR 83	MONESTIER	24
158	BR 74	MONESTIER, LE	63
178	CJ 82	MONESTIER D'AMBEL	38
177	CG 81	MONESTIER DE CLERMONT	C 38
177	CH 82	MONESTIER DU PERCY, LE	38
142	BI 73	MONESTIER MERLINES	19
156	BI 75	MONESTIER PORT DIEU	19
186	BE 91	MONESTIES	C 81
201	BB 99	MONESTROL	31
129	BO 65	MONETAY SUR ALLIER	03
130	BS 64	MONETAY SUR LOIRE	03
97	BQ 49	MONETEAU	89
178	CJ 87	MONETIER ALLEMONT	05
163	CN 80	MONETIER LES BAINS, LE	C 05
168	AQ 81	MONFAUCON	24
198	AO 98	MONFAUCON	65
199	AT 97	MONFERRAN PLAVES	32
200	AW 96	MONFERRAN SAVES	32
169	AU 86	MONFLANQUIN	C 47
200	AU 94	MONFORT	32
30	AI 32	MONFREVILLE	14
183	AQ 89	MONGAILLARD	47
200	AU 97	MONGAUSY	32
168	AO 85	MONGAUZY	33
197	AJ 96	MONGET	40
182	AM 93	MONGUILHEM	32
183	AQ 88	MONHEURT	47
74	AS 44	MONHOUDOU	72
191	CF 90	MONIEUX	84
174	BR 81	MONISTROL D'ALLIER	43
159	BV 77	MONISTROL SUR LOIRE	C 43
199	AS 99	MONLAUR BERNET	32
199	AS 100	MONLEON MAGNOAC	65
158	BR 78	MONLET	43
199	AP 97	MONLEZUN	32
182	AN 93	MONLEZUN D'ARMAGNAC	32
218	AR 100	MONLONG	65
169	AT 83	MONMADALES	24
169	AT 84	MONMARVES	24
52	AS 37	MONNAI	61
92	AV 53	MONNAIE	37

Page	Carreau	Commune	Adm.Dpt
41	CK 31	MONNEREN	57
144	BQ 71	MONNERIE LE MONTEL, LA	63
77	BE 43	MONNERVILLE	91
56	BN 34	MONNES	02
133	CH 61	MONNET LA VILLE	39
133	CF 64	MONNETAY	39
134	CK 67	MONNETIER MORNEX	74
34	BE 34	MONNEVILLE	60
117	CE 57	MONNIERES	39
106	AE 56	MONNIERES	44
189	BT 92	MONOBLET	30
199	AQ 98	MONPARDIAC	32
169	AV 84	MONPAZIER	C 24
198	AN 97	MONPEZAT	64
169	AW 83	MONPLAISANT	24
167	AM 84	MONPRIMBLANC	33
138	AO 71	MONS	16
137	AM 71	MONS	17
189	BV 90	MONS	30
201	BA 96	MONS	31
203	BM 96	MONS	34
143	BP 69	MONS	63
210	CQ 94	MONS	83
20	BC 23	MONS BOUBERT	80
12	BM 18	MONS EN BAROEUL	59
37	BP 30	MONS EN LAONNOIS	02
78	BM 42	MONS EN MONTOIS	77
12	BM 19	MONS EN PEVELE	59
169	AT 83	MONSAC	24
169	AT 83	MONSAGUEL	24
153	AS 76	MONSEC	24
168	AO 84	MONSEGUR	C 33
197	AJ 96	MONSEGUR	40
169	AV 86	MONSEGUR	47
198	AN 98	MONSEGUR	64
156	BI 77	MONSELIE, LA	15
169	AV 86	MONSEMPRON LIBOS	47
122	AH 61	MONSIREIGNE	85
131	BX 67	MONSOLS	C 69
160	CB 75	MONSTEROUX MILIEU	38
35	BF 28	MONSURES	80
63	CS 38	MONSWILLER	67
197	AI 98	MONT	64
218	AR 105	MONT	65
130	BS 62	MONT	71
84	CP 42	MONT, LE	88
11	BI 18	MONT BERNANCHON	62
50	AJ 36	MONT BERTRAND	14
40	CG 32	MONT BONVILLERS	54
33	AY 30	MONT CAUVAIRE	76
199	AS 99	MONT D'ASTARAC	32
179	CP 83	MONT DAUPHIN	05
218	AT 103	MONT DE GALIE	31
162	CK 79	MONT DE LANS	38
119	CN 55	MONT DE LAVAL	25
33	AW 29	MONT DE L'IF	76
199	AQ 98	MONT DE MARRAST	32
181	AJ 92	MONT DE MARSAN	P 40
119	CO 55	MONT DE VOUGNEY	25
39	CB 31	MONT DEVANT SASSEY	55
37	BP 30	MONT DIEU, LE	08
198	AM 96	MONT DISSE	64
49	AC 40	MONT DOL	35
156	BK 74	MONT DORE	63
23	BP 27	MONT D'ORIGNY	02
114	BQ 57	MONT ET MARRE	58
38	BW 31	MONT LAURENT	08
101	CI 51	MONT LE VERNOIS	70
60	CG 40	MONT LE VIGNOBLE	54
82	CG 46	MONT LES LAMARCHE	88
82	CF 43	MONT LES NEUFCHATEAU	88
116	CC 58	MONT LES SEURRE	71
82	CG 41	MONT L'ETROIT	54
82	BJ 34	MONT L'EVEQUE	60
225	BF 108	MONT LOUIS	C 66
37	BQ 33	MONT NOTRE DAME	02
52	AR 38	MONT ORMEL	61
94	BA 52	MONT PRES CHAMBORD	41
202	BH 94	MONT ROC	81
149	CM 68	MONT SAXONNEX	74
117	CF 58	MONT SOUS VAUDREY	39
35	BE 31	MONT ST ADRIEN, LE	60
33	AX 31	MONT ST AIGNAN	C 76
22	BJ 21	MONT ST ELOI	62
24	BU 27	MONT ST JEAN	02
115	BW 55	MONT ST JEAN	21
73	AO 44	MONT ST JEAN	72
101	CG 51	MONT ST LEGER	70
37	BQ 33	MONT ST MARTIN	02
39	BX 32	MONT ST MARTIN	08
161	CH 77	MONT ST MARTIN	38
57	CF 29	MONT ST MARTIN	C 54
49	AE 39	MONT ST MICHEL, LE	50
57	BP 35	MONT ST PERE	02
38	BW 32	MONT ST REMY	08
97	BQ 48	MONT ST SULPICE	89
131	BX 62	MONT ST VINCENT	C 71
37	BQ 33	MONT SUR COURVILLE	51
61	CL 40	MONT SUR MEURTHE	54
133	CH 61	MONT SUR MONNET	39
120	AP 38	MONTABARD	61
92	AS 51	MONTABON	72
50	AH 36	MONTABOT	50
78	BM 45	MONTACHER VILLEGARDIN	89
200	AV 98	MONTADET	32
204	BN 99	MONTADY	34
220	AZ 103	MONTAGAGNE	09
118	CE 64	MONTAGNA LE RECONDUIT	39
133	CF 65	MONTAGNA LE TEMPLIER	39
189	BV 92	MONTAGNAC	30
204	BQ 97	MONTAGNAC	C 34
153	AW 78	MONTAGNAC D'AUBEROCHE	24
169	AS 81	MONTAGNAC LA CREMPSE	24
193	CL 93	MONTAGNAC MONTPEZAT	04
191	AR 90	MONTAGNAC SUR AUVIGNON	47
169	AV 86	MONTAGNAC SUR LEDE	47
147	CD 67	MONTAGNAT	01
168	AN 81	MONTAGNE	33
160	CD 79	MONTAGNE	38
105	AC 56	MONTAGNE, LA	44
102	CM 47	MONTAGNE, LA	70
20	BE 26	MONTAGNE FAYEL	80
117	CG 55	MONTAGNEY	70
101	CK 52	MONTAGNEY SERVIGNEY	25
147	CF 71	MONTAGNIEU	01
161	CH 75	MONTAGNIEU	38
187	BM 93	MONTAGNOL	12
162	CI 74	MONTAGNOLE	73
145	BY 69	MONTAGNY	42
146	BZ 73	MONTAGNY	69
163	CO 75	MONTAGNY	73
34	BC 34	MONTAGNY EN VEXIN	60
116	BZ 58	MONTAGNY LES BEAUNE	21
131	BY 61	MONTAGNY LES BUXY	71
148	CJ 70	MONTAGNY LES LANCHES	74
116	CC 58	MONTAGNY LES SEURRE	21
132	CD 62	MONTAGNY PRES LOUHANS	71
56	BK 35	MONTAGNY STE FELICITE	60
131	BX 65	MONTAGNY SUR GROSNE	71
168	AO 85	MONTAGOUDIN	33
153	AS 77	MONTAGRIER	C 24
184	AX 89	MONTAGUDET	82
197	AK 96	MONTAGUT	64
155	BE 76	MONTAIGNAC ST HIPPOLYTE	19
37	BR 30	MONTAIGU	02
133	CF 62	MONTAIGU	39
106	AF 58	MONTAIGU	C 85
184	AW 88	MONTAIGU DE QUERCY	C 82
29	AF 29	MONTAIGU LA BRISETTE	50
130	BP 66	MONTAIGU LE BLIN	03
49	AG 37	MONTAIGU LES BOIS	50
130	BS 66	MONTAIGUET EN FOREZ	03
142	BK 67	MONTAIGUT	C 63
141	BC 68	MONTAIGUT LE BLANC	23
157	BM 74	MONTAIGUT LE BLANC	63
200	AY 95	MONTAIGUT SUR SAVE	31
92	AU 48	MONTAILLE	72
148	CL 73	MONTAILLEUR	73
221	BD 105	MONTAILLOU	09
162	CM 76	MONTAIMONT	73
133	CF 61	MONTAIN	39
184	AX 92	MONTAIN	82
76	BB 44	MONTAINVILLE	28
54	BD 37	MONTAINVILLE	78
222	BI 106	MONTALBA LE CHATEAU	66
138	AP 68	MONTALEMBERT	79
54	BD 35	MONTALET LE BOIS	78
147	CE 71	MONTALIEU VERCIEU	38
185	BA 89	MONTALZAT	82
200	AU 97	MONTAMAT	32
130	BR 61	MONTAMBERT	58
170	AZ 85	MONTAMEL	46
125	AS 62	MONTAMISE	86
50	AK 36	MONTAMY	14
146	CA 70	MONTANAY	69
103	CQ 53	MONTANCY	25
119	CP 54	MONTANDON	25
71	AF 41	MONTANEL	50
198	AN 99	MONTANER	C 64
133	CH 67	MONTANGES	01
185	BD 93	MONTANS	81
114	BQ 57	MONTAPAS	58
158	BU 75	MONTARCHER	42
219	AX 102	MONTARDIT	09
198	AL 98	MONTARDON	64
190	BX 91	MONTAREN ET ST MEDIERS	30
96	BJ 47	MONTARGIS	S 45
78	BK 43	MONTARLOT	77
101	CI 53	MONTARLOT LES RIOZ	70
205	BS 95	MONTARNAUD	34
114	BR 59	MONTARON	58
169	AS 86	MONTASTRUC	47
199	AQ 100	MONTASTRUC	65
184	AY 91	MONTASTRUC	82
219	AV 102	MONTASTRUC DE SALIES	31
201	BB 95	MONTASTRUC LA CONSEILLERE	C 31
200	AW 99	MONTASTRUC SAVES	31
185	AZ 87	MONTAT, LE	46
35	BH 33	MONTATAIRE	C 60
184	AY 91	MONTAUBAN	P 82
70	AA 44	MONTAUBAN DE BRETAGNE	C 35
218	AS 105	MONTAUBAN DE LUCHON	31
22	BK 25	MONTAUBAN DE PICARDIE	80
192	CG 88	MONTAUBAN SUR L'OUVEZE	26
205	BT 94	MONTAUD	34
161	CG 77	MONTAUD	38
72	AI 42	MONTAUDIN	53
191	CE 87	MONTAULIEU	26
80	BU 44	MONTAULIN	10
33	AX 33	MONTAURE	27
201	BC 100	MONTAURIOL	11
169	AS 85	MONTAURIOL	47
226	BJ 108	MONTAURIOL	66
186	BG 91	MONTAURIOL	81
210	CQ 95	MONTAUROUX	83
220	BB 101	MONTAUT	09
169	AT 83	MONTAUT	24
201	AY 99	MONTAUT	31
199	AR 98	MONTAUT	32
197	AI 94	MONTAUT	40
169	AT 85	MONTAUT	47
217	AM 101	MONTAUT	64
199	AT 95	MONTAUT LES CRENEAUX	32
72	AH 44	MONTAUTOUR	35
61	CH 37	MONTAUVILLE	54
23	BP 24	MONTAY	59
169	AW 86	MONTAYRAL	47
168	AP 82	MONTAZEAU	24
221	BF 103	MONTAZELS	11
98	BW 51	MONTBARD	S 21
184	AW 89	MONTBARLA	82
117	CG 58	MONTBARREY	C 39
77	BH 47	MONTBARROIS	45
184	AY 93	MONTBARTIER	82
37	BP 30	MONTBAVIN	02
172	BG 86	MONTBAZENS	C 12
205	BR 97	MONTBAZIN	34
109	AU 55	MONTBAZON	C 37
221	BD 103	MONTBEL	09
174	BR 85	MONTBEL	48
102	CO 52	MONTBELIARD	S 25
119	CN 55	MONTBELIARDOT	25
132	CA 64	MONTBELLET	71
118	CM 58	MONTBENOIT	C 25
219	AX 101	MONTBERAUD	31
200	AU 99	MONTBERNARD	31
201	BA 95	MONTBERON	31
106	AD 57	MONTBERT	44
98	BU 53	MONTBERTHAULT	21
184	AY 91	MONTBETON	82
130	BP 64	MONTBEUGNY	03
74	AR 45	MONTBIZOT	72
39	CA 33	MONTBLAINVILLE	55
204	BP 98	MONTBLANC	34
101	CH 53	MONTBOILLON	70
75	AZ 45	MONTBOISSIER	28
226	BJ 109	MONTBOLO	66
161	CH 77	MONTBONNOT ST MARTIN	38
141	BB 70	MONTBOUCHER	23
176	CA 85	MONTBOUCHER SUR JABRON	26
156	BK 76	MONTBOUDIF	15
102	CP 52	MONTBOUTON	90
96	BK 49	MONTBOUY	45
152	AP 77	MONTBOYER	16
101	CK 52	MONTBOZON	C 70
177	CH 85	MONTBRAND	05
82	CF 41	MONTBRAS	55
50	AH 37	MONTBRAY	50
58	BT 34	MONTBRE	51
23	BO 25	MONTBREHAIN	02
176	CC 86	MONTBRISON	26
145	BU 74	MONTBRISON	S 42
139	AS 73	MONTBRON	C 16
63	CR 35	MONTBRONN	57
171	BD 86	MONTBRUN	46
188	BQ 88	MONTBRUN	48
219	AY 101	MONTBRUN BOCAGE	31
222	BJ 100	MONTBRUN DES CORBIERES	11
201	BA 98	MONTBRUN LAURAGAIS	31
192	CF 89	MONTBRUN LES BAINS	26
170	AX 86	MONTCABRIER	46
201	BC 96	MONTCABRIER	81
168	AP 82	MONTCARET	24
147	CE 73	MONTCARRA	38
10	BD 19	MONTCAVREL	62
115	BY 57	MONTCEAU ET ECHARNANT	21
131	BW 62	MONTCEAU LES MINES	C 71
146	CA 68	MONTCEAUX	01
56	BL 37	MONTCEAUX LES MEAUX	77
57	BP 39	MONTCEAUX LES PROVINS	77
80	BU 45	MONTCEAUX LES VAUDES	10
131	BU 65	MONTCEAUX L'ETOILE	71
132	CA 62	MONTCEAUX RAGNY	71
143	BM 69	MONTCEL	63
148	CJ 72	MONTCEL	73
115	BW 60	MONTCENIS	C 71
132	CC 67	MONTCET	01
101	CK 50	MONTCEY	70
161	CH 79	MONTCHABOUD	38
145	BW 71	MONTCHAL	42
37	BR 30	MONTCHALONS	02
50	AK 36	MONTCHAMP	14
157	BN 80	MONTCHAMP	15
131	BW 61	MONTCHANIN	C 71
100	CG 48	MONTCHARVOT	52
49	AE 35	MONTCHATON	50
151	AN 75	MONTCHAUDE	16
50	AK 36	MONTCHAUVET	14
54	BB 37	MONTCHAUVET	78
160	CC 78	MONTCHENU	26
39	BZ 33	MONTCHEUTIN	08
74	AS 40	MONTCHEVREL	61
127	BC 64	MONTCHEVRIER	36
178	CM 86	MONTCLAR	04
221	BG 101	MONTCLAR	11
187	BJ 92	MONTCLAR	12
219	AW 101	MONTCLAR DE COMMINGES	31
201	BB 99	MONTCLAR LAURAGAIS	31
176	CD 83	MONTCLAR SUR GERVANNE	26
158	BQ 77	MONTCLARD	43
170	AX 85	MONTCLERA	46
177	CH 86	MONTCLUS	05
190	BX 88	MONTCLUS	30
130	BR 65	MONTCOMBROUX LES MINES	03
132	CD 61	MONTCONY	71
96	BM 47	MONTCORBON	45
38	BT 28	MONTCORNET	02
25	BX 27	MONTCORNET	08
101	CI 47	MONTCOURT	70
78	BJ 44	MONTCOURT FROMONVILLE	77
116	CB 60	MONTCOY	71
96	BK 48	MONTCRESSON	45
49	AG 34	MONTCUIT	50
184	AY 88	MONTCUQ	C 46
133	CG 65	MONTCUSEL	39
25	BY 27	MONTCY NOTRE DAME	08
188	BQ 92	MONTDARDIER	30
57	BO 38	MONTDAUPHIN	77
62	CN 36	MONTDIDIER	57
35	BI 29	MONTDIDIER	S 80
101	CI 47	MONTDORE	70
185	BA 88	MONTDOUMERC	46
202	BF 94	MONTDRAGON	81
185	BA 92	MONTDURAUSSE	81
229	DN 106	MONTE	2B
93	AX 53	MONTEAUX	41
29	AG 30	MONTEBOURG	C 50
184	AY 92	MONTECH	C 82
102	CO 53	MONTECHEROUX	25
228	DI 106	MONTEGROSSO	2B
199	AT 95	MONTEGUT	32
182	AM 93	MONTEGUT	40
218	AS 102	MONTEGUT	65
199	AP 98	MONTEGUT ARROS	32
200	AV 99	MONTEGUT BOURJAC	31
219	AW 103	MONTEGUT EN COUSERANS	09
202	BD 97	MONTEGUT LAURAGAIS	31
220	BA 102	MONTEGUT PLANTAUREL	09
200	AV 98	MONTEGUT SAVES	32
143	BN 68	MONTEIGNET SUR L'ANDELOT	03
156	BI 77	MONTEIL, LE	15
158	BT 80	MONTEIL, LE	43
141	BD 70	MONTEIL AU VICOMTE, LE	23
51	AQ 35	MONTEILLE	14
186	BE 89	MONTEILS	12
189	BV 91	MONTEILS	30
185	BA 90	MONTEILS	82
142	BI 70	MONTEL DE GELAT	63
176	CB 82	MONTELEGER	26
176	CC 81	MONTELIER	26
176	CA 85	MONTELIMAR	C 26
146	CC 70	MONTELLIER, LE	01
220	AZ 103	MONTELS	09
203	BM 99	MONTELS	34
186	BD 92	MONTELS	81
139	AT 72	MONTEMBOEUF	C 16
41	CK 31	MONTENACH	57
72	AJ 43	MONTENAY	53
151	AL 77	MONTENDRE	C 17
162	CL 74	MONTENDRY	73
21	BJ 22	MONTENESCOURT	62
88	Y 48	MONTENEUF	56
57	BP 38	MONTENILS	77
102	CN 52	MONTENOIS	25
113	BP 56	MONTENOISON	58
61	CJ 38	MONTENOY	54
36	BJ 34	MONTEPILLOY	60
117	CG 56	MONTEPLAIN	39
58	BT 39	MONTEPREUX	51
87	V 49	MONTERBLANC	56
95	BI 49	MONTEREAU	45
78	BL 43	MONTEREAU FAULT YONNE	C 77
55	BJ 40	MONTEREAU SUR LE JARD	77
70	AA 45	MONTERFIL	35
33	AZ 29	MONTEROLIER	76
69	X 47	MONTERREIN	56
69	X 47	MONTERTELOT	56
227	BL 107	MONTESCOT	66
36	BN 28	MONTESCOURT LIZEROLLES	02
219	AU 102	MONTESPAN	31
204	BO 97	MONTESQUIEU	34
183	AR 89	MONTESQUIEU	47
184	AW 90	MONTESQUIEU	82
219	AX 102	MONTESQUIEU AVANTES	09
227	BL 108	MONTESQUIEU DES ALBERES	66
200	AT 99	MONTESQUIEU GUITTAUT	31
201	BA 98	MONTESQUIEU LAURAGAIS	31
219	AY 100	MONTESQUIEU VOLVESTRE	C 31
199	AQ 96	MONTESQUIOU	C 32
102	CM 49	MONTESSAUX	70
55	BF 37	MONTESSON	78
199	AT 94	MONTESTRUC SUR GERS	32
129	BM 65	MONTET, LE	C 03
171	BE 83	MONTET ET BOUXAL	46
168	AQ 85	MONTETON	47
191	CC 91	MONTEUX	84
56	BK 37	MONTEVRAIN	77
161	CH 80	MONTEYNARD	38
172	BJ 84	MONTEZIC	12
219	AY 102	MONTFA	09
202	BG 95	MONTFA	81
160	CD 77	MONTFALCON	38
29	AG 28	MONTFARVILLE	50
57	BO 37	MONTFAUCON	02
118	CJ 55	MONTFAUCON	25
190	CA 90	MONTFAUCON	30
170	BA 84	MONTFAUCON	46
106	AG 57	MONTFAUCON	C 49
39	CB 33	MONTFAUCON D'ARGONNE	C 55
159	BW 78	MONTFAUCON EN VELAY	C 43
55	BI 37	MONTFERMEIL	C 93
185	AZ 89	MONTFERMIER	82
142	BK 71	MONTFERMY	63
201	BC 99	MONTFERRAND	11
169	AV 83	MONTFERRAND DU PERIGORD	24
192	CF 87	MONTFERRAND LA FARE	26
117	CI 56	MONTFERRAND LE CHATEAU	25
161	CG 75	MONTFERRAT	38
209	CO 95	MONTFERRAT	83
226	BI 109	MONTFERRER	66
220	BC 104	MONTFERRIER	09
205	BT 95	MONTFERRIER SUR LEZ	34
79	BS 46	MONTFEY	10
30	AJ 34	MONTFIQUET	14
133	CE 65	MONTFLEUR	39
72	AK 45	MONTFLOURS	53
118	CM 58	MONTFLOVIN	25
192	CK 90	MONTFORT	04
117	CI 57	MONTFORT	25
108	AN 56	MONTFORT	49
197	AH 98	MONTFORT	64
197	AH 94	MONTFORT EN CHALOSSE	C 40
54	BD 39	MONTFORT L'AMAURY	C 78
74	AS 46	MONTFORT LE GESNOIS	C 72
209	CL 97	MONTFORT SUR ARGENS	83
221	BG 106	MONTFORT SUR BOULZANE	11
70	AB 45	MONTFORT SUR MEU	C 35
32	AU 33	MONTFORT SUR RISLE	C 27
187	BI 93	MONTFRANC	12
190	BZ 93	MONTFRIN	30
192	CH 89	MONTFROC	26
192	CH 93	MONTFURON	04
220	BB 104	MONTGAILLARD	C 09
222	BJ 104	MONTGAILLARD	11
197	AK 94	MONTGAILLARD	40
217	AO 101	MONTGAILLARD	65
185	BB 93	MONTGAILLARD	81
184	AV 92	MONTGAILLARD	82
219	AV 102	MONTGAILLARD DE SALIES	31
201	BB 98	MONTGAILLARD LAURAGAIS	31
199	AT 100	MONTGAILLARD SUR SAVE	31
178	CL 85	MONTGARDIN	05
29	AE 32	MONTGARDON	50
51	AO 39	MONTGAROULT	61
219	AW 103	MONTGAUCH	09
74	AS 42	MONTGAUDRY	61
201	AY 99	MONTGAZIN	31
56	BJ 36	MONTGE EN GOELE	77
201	BB 99	MONTGEARD	31
162	CM 75	MONTGELLAFREY	73
163	CP 80	MONTGENEVRE	05
57	BQ 40	MONTGENOST	51
35	BI 30	MONTGERAIN	60
71	AC 45	MONTGERMONT	35
55	BH 39	MONTGERON	C 91
55	BE 35	MONTGEROULT	95
118	CK 57	MONTGESOYE	25
170	AY 85	MONTGESTY	46
202	BD 97	MONTGEY	81
154	AZ 75	MONTGIBAUD	19
148	CL 74	MONTGILBERT	73
163	CN 74	MONTGIROD	73
201	BA 98	MONTGISCARD	C 31
127	BE 63	MONTGIVRAY	36
36	BM 33	MONTGOBERT	02
39	BY 30	MONTGON	08
221	BE 101	MONTGRADAIL	11
200	AW 98	MONTGRAS	31
157	BL 77	MONTGRELEIX	15
57	BO 34	MONTGRU ST HILAIRE	02
192	CF 88	MONTGUERS	26
80	BS 44	MONTGUEUX	10
90	AJ 50	MONTGUILLON	49
151	AM 78	MONTGUYON	C 17
60	CD 35	MONTHAIRONS, LES	55
75	AZ 45	MONTHARVILLE	28
71	AH 41	MONTHAULT	35
221	BE 102	MONTHAUT	11
116	BZ 58	MONTHELIE	21
57	BS 36	MONTHELON	51
115	BV 59	MONTHELON	71
37	BQ 31	MONTHENAULT	02
81	CA 45	MONTHERIES	52
35	BF 33	MONTHERLANT	60
25	BX 26	MONTHERME	C 08
57	BO 35	MONTHIERS	02
146	CB 70	MONTHIEUX	01
148	CM 73	MONTHION	73
93	AV 51	MONTHODON	37
125	AT 61	MONTHOIRON	86
39	BY 32	MONTHOIS	C 08
117	CG 59	MONTHOLIER	39
93	AY 53	MONTHOU SUR BIEVRE	41
110	AZ 54	MONTHOU SUR CHER	41
49	AF 34	MONTHUCHON	50
57	BP 36	MONTHUREL	02
83	CI 45	MONTHUREUX LE SEC	88
83	CH 46	MONTHUREUX SUR SAONE	C 88
56	BK 36	MONTHYON	77
228	DJ 105	MONTICELLO	2B
81	BZ 41	MONTIER EN DER	C 52
81	BY 44	MONTIER EN L'ISLE	10
80	BV 44	MONTIERAMEY	10
111	BC 60	MONTIERCHAUME	36
35	BI 30	MONTIERS	60
82	CC 41	MONTIERS SUR SAULX	C 55
199	AT 98	MONTIES	32
154	AX 80	MONTIGNAC	C 24
167	AM 83	MONTIGNAC	33
217	AO 101	MONTIGNAC	65
138	AP 71	MONTIGNAC CHARENTE	16
169	AS 85	MONTIGNAC DE LAUZUN	47
152	AQ 77	MONTIGNAC LE COQ	16
168	AR 85	MONTIGNAC TOUPINERIE	47
189	BV 92	MONTIGNARGUES	30
138	AO 71	MONTIGNE	16
72	AJ 47	MONTIGNE LE BRILLANT	53
91	AO 51	MONTIGNE LES RAIRIES	49
106	AG 57	MONTIGNE SUR MOINE	49
50	AL 35	MONTIGNY	14
112	BJ 56	MONTIGNY	18
77	BF 46	MONTIGNY	45
84	CO 40	MONTIGNY	54
74	AR 42	MONTIGNY	72
33	AX 31	MONTIGNY	76
113	BO 58	MONTIGNY AUX AMOGNES	58
39	CB 31	MONTIGNY DEVANT SASSEY	55
23	BP 26	MONTIGNY EN ARROUAISE	02
23	BO 24	MONTIGNY EN CAMBRESIS	59
12	BL 20	MONTIGNY EN GOHELLE	C 62
114	BS 57	MONTIGNY EN MORVAN	58
22	BN 21	MONTIGNY EN OSTREVENT	59
97	BR 49	MONTIGNY LA RESLE	89
56	BM 35	MONTIGNY L'ALLIER	02
54	BE 39	MONTIGNY LE BRETONNEUX	C 78
75	AX 44	MONTIGNY LE CHARTIF	28
37	BS 28	MONTIGNY LE FRANC	02
75	AY 47	MONTIGNY LE GANNELON	28
78	BN 43	MONTIGNY LE GUESDIER	77
78	BM 42	MONTIGNY LENCOUP	77
36	BM 32	MONTIGNY LENGRAIN	02
117	CH 58	MONTIGNY LES ARSURES	39
100	CG 49	MONTIGNY LES CHERLIEU	70
57	BQ 36	MONTIGNY LES CONDE	02
55	BF 36	MONTIGNY LES CORMEILLES	95
21	BF 23	MONTIGNY LES JONGLEURS	80
61	CI 34	MONTIGNY LES METZ	C 57
80	BT 46	MONTIGNY LES MONTS	10
60	CF 40	MONTIGNY LES VAUCOULEURS	55
101	CI 50	MONTIGNY LES VESOUL	70
98	BW 52	MONTIGNY MONTFORT	21
100	CE 51	MONTIGNY MORNAY VILLENEUVE SUR VINGEANNE	21
37	BR 28	MONTIGNY SOUS MARLE	02
98	BV 53	MONTIGNY ST BARTHELEMY	21
98	BW 53	MONTIGNY SUR ARMANCON	21
99	BY 47	MONTIGNY SUR AUBE	C 21
53	AX 39	MONTIGNY SUR AVRE	28
114	BQ 59	MONTIGNY SUR CANNE	58
40	CE 30	MONTIGNY SUR CHIERS	54
37	BP 28	MONTIGNY SUR CRECY	02
133	CH 61	MONTIGNY SUR L'AIN	39
21	BH 25	MONTIGNY SUR L'HALLUE	80
78	BJ 43	MONTIGNY SUR LOING	77
25	BY 24	MONTIGNY SUR MEUSE	08
38	BX 28	MONTIGNY SUR VENCE	08
37	BR 32	MONTIGNY SUR VESLE	51
107	AL 56	MONTILLIERS	49
97	BR 52	MONTILLOT	89
129	BN 63	MONTILLY	03
50	AL 38	MONTILLY SUR NOIREAU	61
137	AK 73	MONTILS	17
93	AZ 53	MONTILS, LES	41
127	BD 62	MONTIPOURET	36
221	BH 101	MONTIRAT	11
186	BF 90	MONTIRAT	81
75	AX 43	MONTIREAU	28
200	AU 96	MONTIRON	32
118	CL 54	MONTIVERNAGE	25
32	AR 30	MONTIVILLIERS	C 76
221	BE 103	MONTJARDIN	11
187	BL 90	MONTJAUX	12
34	BC 34	MONTJAVOULT	60
192	CH 87	MONTJAY	05
117	CD 60	MONTJAY	71
138	AP 68	MONTJEAN	16
72	AI 47	MONTJEAN	53
90	AI 53	MONTJEAN SUR LOIRE	49
222	BI 103	MONTJOI	11
184	AV 89	MONTJOI	82
219	AX 103	MONTJOIE EN COUSERANS	09
102	CP 53	MONTJOIE LE CHATEAU	25
71	AG 41	MONTJOIE ST MARTIN	50
201	BA 94	MONTJOIRE	31
176	CC 86	MONTJOUX	26
176	CA 86	MONTJOYER	26
192	CH 93	MONTJUSTIN	04
101	CL 51	MONTJUSTIN ET VELOTTE	70
75	AX 43	MONTLANDON	28
222	BI 101	MONTLAUR	11
187	BL 93	MONTLAUR	12
201	BA 97	MONTLAUR	31
177	CF 84	MONTLAUR EN DIOIS	26
192	CJ 91	MONTLAUX	04
184	AX 88	MONTLAUZUN	46
115	BV 54	MONTLAY EN AUXOIS	21
119	CN 57	MONTLEBON	25
127	BE 63	MONTLEVICQ	36
57	BP 36	MONTLEVON	02
55	BG 40	MONTLHERY	C 91
77	BH 47	MONTLIARD	45
151	AM 77	MONTLIEU LA GARDE	C 17
55	BG 36	MONTLIGNON	95
99	BX 48	MONTLIOT ET COURCELLES	21
94	BA 51	MONTLIVAULT	41
56	BJ 34	MONTLOGNON	60
38	BT 28	MONTLOUE	02
112	BG 60	MONTLOUIS	18
109	AV 54	MONTLOUIS SUR LOIRE	C 37
128	BJ 66	MONTLUCON	S 03
146	CB 71	MONTLUEL	C 01
78	BL 44	MONTMACHOUX	77
36	BL 31	MONTMACQ	60
55	BG 36	MONTMAGNY	95
118	CJ 58	MONTMAHOUX	25
116	CB 58	MONTMAIN	21
33	AZ 31	MONTMAIN	76
117	CE 54	MONTMANCON	21
129	BL 66	MONTMARAULT	C 03
118	CI 59	MONTMARLON	39
36	BJ 31	MONTMARTIN	60
30	AH 32	MONTMARTIN EN GRAIGNES	50
81	BX 45	MONTMARTIN LE HAUT	10
49	AE 35	MONTMARTIN SUR MER	C 50
178	CJ 85	MONTMAUR	05
201	BC 98	MONTMAUR	11
177	CE 84	MONTMAUR EN DIOIS	26
199	AT 100	MONTMAURIN	31
40	CD 30	MONTMEDY	C 55
38	BV 28	MONTMEILLANT	08
131	BW 65	MONTMELARD	71
145	BY 69	MONTMELAS ST SORLIN	69
162	CJ 74	MONTMELIAN	C 73
146	BZ 68	MONTMERLE SUR SAONE	01
51	AP 40	MONTMERREI	61
209	CL 95	MONTMEYAN	83
176	CB 82	MONTMEYRAN	26
148	CL 71	MONTMIN	74
57	BP 37	MONTMIRAIL	C 51
75	AV 46	MONTMIRAIL	C 72

Page	Carreau	Commune	Adm.	Dpt
160	CC 78	MONTMIRAL		26
189	BV 93	MONTMIRAT		30
117	CE 55	MONTMIREY LA VILLE		39
117	CF 55	MONTMIREY LE CHATEAU	C	39
152	AP 76	MONTMOREAU ST CYBARD	C	16
55	BG 36	MONTMORENCY	C	95
80	BX 41	MONTMORENCY BEAUFORT		10
125	AV 65	MONTMORILLON	S	86
177	CG 86	MONTMORIN		05
143	BO 73	MONTMORIN		63
133	CF 61	MONTMOROT		39
131	BU 61	MONTMORT		71
57	BR 37	MONTMORT LUCY	C	51
83	CJ 47	MONTMOTIER		88
99	BZ 50	MONTMOYEN		21
171	BF 85	MONTMURAT		15
222	BJ 106	MONTNER		66
115	BY 55	MONTOILLOT		21
88	Z 54	MONTOIR DE BRETAGNE	C	44
93	AV 50	MONTOIRE SUR LE LOIR	C	41
41	CH 33	MONTOIS LA MONTAGNE		57
176	CB 82	MONTOISON		26
130	BP 66	MONTOLDRE		03
202	BG 99	MONTOLIEU		11
57	BP 38	MONTOLIVET		77
21	BG 25	MONTONVILLERS		80
129	BN 66	MONTORD		03
215	AH 101	MONTORY		64
116	CD 56	MONTOT		21
100	CF 52	MONTOT		70
82	CC 44	MONTOT SUR ROGNON		52
203	BL 99	MONTOULIERS		34
220	BA 104	MONTOULIEU		09
189	BS 92	MONTOULIEU		34
200	AV 100	MONTOULIEU ST BERNARD		31
123	AJ 61	MONTOURNAIS		85
71	AG 42	MONTOURS		35
72	AL 44	MONTOURTIER		53
218	AR 102	MONTOUSSE		65
200	AW 100	MONTOUSSIN		31
61	CJ 34	MONTOY FLANVILLE		57
205	BT 96	MONTPELLIER	P	34
137	AI 73	MONTPELLIER DE MEDILLAN		17
143	BN 69	MONTPENSIER		63
118	CL 59	MONTPERREUX		25
173	BK 84	MONTPEYROUX		12
168	AO 81	MONTPEYROUX		24
204	BQ 95	MONTPEYROUX		34
143	BN 74	MONTPEYROUX		63
189	BV 93	MONTPEZAT		30
200	AV 98	MONTPEZAT		32
183	AS 88	MONTPEZAT		47
185	AZ 89	MONTPEZAT DE QUERCY	C	82
175	BV 83	MONTPEZAT SOUS BAUZON	C	07
49	AG 35	MONTPINCHON		50
202	BF 95	MONTPINIER		81
201	BB 95	MONTPITOL		31
59	CB 39	MONTPLONNE		55
91	AO 52	MONTPOLLIN		49
152	AP 80	MONTPON MENESTEROL	C	24
132	CC 63	MONTPONT EN BRESSE	C	71
79	BP 41	MONTPOTHIER		10
168	AO 86	MONTPOUILLAN		47
201	BA 96	MONTRABE		31
50	AJ 34	MONTRABOT		50
132	CC 67	MONTRACOL		01
107	AJ 60	MONTRAVERS		79
175	BW 86	MONTREAL		07
221	BF 101	MONTREAL	C	11
183	AP 92	MONTREAL	C	32
98	BT 52	MONTREAL		89
133	CG 67	MONTREAL LA CLUSE		01
177	CE 87	MONTREAL LES SOURCES		26
23	BO 22	MONTRECOURT		59
171	BF 85	MONTREDON		46
222	BL 101	MONTREDON DES CORBIERES		11
202	BG 95	MONTREDON LABESSONNIE	C	81
159	BW 79	MONTREGARD		43
218	AS 102	MONTREJEAU	C	31
90	AH 53	MONTRELAIS		44
153	AT 79	MONTREM		24
110	AY 56	MONTRESOR	C	37
132	CC 61	MONTRET	C	71
53	AZ 38	MONTREUIL		28
10	BD 20	MONTREUIL	S	62
123	AI 64	MONTREUIL		85
55	BH 38	MONTREUIL	C	93
51	AN 39	MONTREUIL AU HOULME		61
56	BN 36	MONTREUIL AUX LIONS		02
108	AO 57	MONTREUIL BELLAY	C	49
124	AQ 63	MONTREUIL BONNIN		86
71	AG 44	MONTREUIL DES LANDES		35
51	AQ 34	MONTREUIL EN AUGE		14
19	AY 28	MONTREUIL EN CAUX		76
93	AW 53	MONTREUIL EN TOURAINE		37
90	AK 52	MONTREUIL JUIGNE		49
51	AP 37	MONTREUIL LA CAMBE		61
52	AT 37	MONTREUIL L'ARGILLE		27
73	AP 44	MONTREUIL LE CHETIF		72
71	AC 44	MONTREUIL LE GAST		35
92	AT 48	MONTREUIL LE HENRI		72
72	AL 42	MONTREUIL POULAY		53
71	AG 45	MONTREUIL SOUS PEROUSE		35
80	BV 44	MONTREUIL SUR BARSE		10
81	CA 42	MONTREUIL SUR BLAISE		52
35	BG 30	MONTREUIL SUR BRECHE		60
54	BC 34	MONTREUIL SUR EPTE		95
71	AD 43	MONTREUIL SUR ILLE		35
91	AM 51	MONTREUIL SUR LOIR		49
49	AG 34	MONTREUIL SUR LOZON		50
90	AK 51	MONTREUIL SUR MAINE		49
35	BF 32	MONTREUIL SUR THERAIN		60
82	CC 42	MONTREUIL SUR THONNANCE		52
114	BS 56	MONTREUILLON		58
62	CO 40	MONTREUX		54
102	CQ 51	MONTREUX CHATEAU		90
103	CQ 50	MONTREUX JEUNE		68
102	CQ 50	MONTREUX VIEUX		68
106	AG 55	MONTREVAULT	C	49
161	CE 75	MONTREVEL		38
133	CF 64	MONTREVEL		39
132	CC 65	MONTREVEL EN BRESSE	C	01
110	AY 54	MONTRICHARD	C	41
162	CM 77	MONTRICHER ALBANNE		73
185	BB 91	MONTRICOUX		82
94	BC 52	MONTRIEUX EN SOLOGNE		41
160	CC 78	MONTRIGAUD		26
135	CO 66	MONTRIOND		74
173	BO 85	MONTRODAT		48
139	AW 69	MONTROL SENARD		87
139	AV 70	MONTROLLET		16
145	BX 72	MONTROMANT		69
177	CI 87	MONTROND		05
117	CH 60	MONTROND		39
118	CI 56	MONTROND LE CHATEAU		25
145	BV 73	MONTROND LES BAINS		42
185	BD 90	MONTROSIER		81
145	BX 72	MONTROTTIER		69
34	BC 31	MONTROTY		76
55	BG 38	MONTROUGE	C	92
92	AU 50	MONTROUVEAU		41
136	AH 67	MONTROY		17
187	BK 87	MONTROZIER		12
56	BK 37	MONTRY		77
109	AU 55	MONTS		37
34	BE 34	MONTS		60
50	AL 34	MONTS EN BESSIN		14
21	BH 21	MONTS EN TERNOIS		62
108	AQ 59	MONTS SUR GUESNES	C	86
173	BN 82	MONTS VERTS, LES		48
171	BD 86	MONTSALES		12
192	CH 91	MONTSALIER		04
172	BI 84	MONTSALVY	C	15
162	CM 74	MONTSAPEY		73
114	BT 56	MONTSAUCHE LES SETTONS	C	58
100	CD 50	MONTSAUGEON		52
219	AV 101	MONTSAUNES		31
60	CF 37	MONTSEC		55
50	AK 38	MONTSECRET		61
220	BC 104	MONTSEGUR		09
191	CB 87	MONTSEGUR SUR LAUZON		26
174	BU 86	MONTSELGUES		07
222	BK 102	MONTSERET		11
218	AR 102	MONTSERIE		65
219	AY 103	MONTSERON		09
160	CB 75	MONTSEVEROUX		38
108	AP 56	MONTSOREAU		49
197	AJ 94	MONTSOUE		40
55	BG 35	MONTSOULT		95
72	AL 45	MONTSURS	C	53
49	AE 34	MONTSURVENT		50
80	BU 42	MONTSUZAIN		10
100	CF 52	MONTUREUX ET PRANTIGNY		70
101	CI 49	MONTUREUX LES BAULAY		70
159	BU 80	MONTUSCLAT		43
101	CK 53	MONTUSSAINT		25
167	AL 81	MONTUSSAN		33
185	BB 93	MONTVALEN		81
171	BB 82	MONTVALENT		46
149	CQ 73	MONTVALEZAN		73
176	CC 81	MONTVENDRE		26
145	BU 72	MONTVERDUN		42
162	CM 76	MONTVERNIER		73
171	BF 81	MONTVERT		15
128	BK 66	MONTVICQ		03
51	AQ 36	MONTVIETTE		14
33	AX 30	MONTVILLE		76
49	AF 38	MONTVIRON		50
39	CC 34	MONTZEVILLE		55
169	AS 85	MONVIEL		47
221	BH 101	MONZE		11
30	AI 33	MOON SUR ELLE		50
103	CQ 48	MOOSCH		68
103	CR 51	MOOSLARGUE		68
114	BQ 55	MORACHES		58
137	AI 69	MORAGNE		17
76	BD 43	MORAINVILLE		28
32	AT 33	MORAINVILLE JOUVEAUX		27
54	BD 37	MORAINVILLIERS		78
146	BZ 70	MORANCE		69
76	BA 43	MORANCEZ		28
81	CA 42	MORANCOURT		52
93	AW 52	MORAND		37
57	BS 36	MORANGIS		51
55	BG 39	MORANGIS		91
55	BG 34	MORANGLES		60
91	AM 50	MORANNES		49
40	CE 34	MORANVILLE		55
147	CD 72	MORAS		38
160	CB 77	MORAS EN VALLOIRE		26
11	BI 17	MORBECQUE		59
134	CJ 63	MORBIER		39
181	AH 91	MORCENX	C	40
22	BL 27	MORCHAIN		80
22	BL 23	MORCHIES		62
23	BO 26	MORCOURT		02
21	BJ 26	MORCOURT		80
70	AB 45	MORDELLES	C	35
69	U 47	MOREAC		56
93	AY 48	MOREE	C	41
122	AG 64	MOREILLES		85
83	CH 43	MORELMAISON		88
80	BV 41	MOREMBERT		10
147	CF 73	MORESTEL	C	38
78	BK 43	MORET SUR LOING	C	77
162	CJ 76	MORETEL DE MAILLES		38
161	CF 77	MORETTE		38
35	BI 27	MOREUIL	C	80
115	BY 60	MOREY		71
116	CA 56	MOREY ST DENIS		21
134	CJ 63	MOREZ	C	39
40	CG 31	MORFONTAINE		54
197	AJ 96	MORGANX		40
40	CE 33	MORGEMOULIN		55
34	BB 32	MORGNY		27
38	BT 27	MORGNY EN THIERACHE		02
33	AZ 30	MORGNY LA POMMERAYE		76
62	CM 36	MORHANGE		57
157	BO 76	MORIAT		63
34	BC 27	MORIENNE		76
36	BL 33	MORIENVAL		60
191	CB 92	MORIERES LES AVIGNON		84
76	BA 45	MORIERS		28
47	W 40	MORIEUX		22
193	CO 91	MORIEZ		04
50	AI 37	MORIGNY		50
77	BF 42	MORIGNY CHAMPIGNY		91
149	CO 68	MORILLON		74
11	BF 16	MORINGHEM		62
82	CD 43	MORIONVILLIERS		52
35	BH 27	MORISEL		80
83	CL 42	MORIVILLE		88
83	CL 41	MORIVILLER		54
83	CH 46	MORIZECOURT		88
168	AN 85	MORIZES		33
198	AM 99	MORLAAS	C	64
128	BG 61	MORLAC		18
45	N 39	MORLAIX	S	29
21	BJ 25	MORLANCOURT		80
197	AJ 97	MORLANNE		64
115	BX 59	MORLET		71
60	CC 40	MORLEY		55
186	BE 88	MORLHON LE HAUT		12
36	BM 30	MORLINCOURT		60
106	AE 59	MORMAISON		85
56	BK 40	MORMANT	C	77
96	BK 48	MORMANT SUR VERNISSON		45
182	AM 94	MORMES		32
191	CD 90	MORMOIRON	C	84
138	AQ 73	MORNAC		16
136	AG 72	MORNAC SUR SEUDRE		17
145	BU 73	MORNAND		42
176	CD 84	MORNANS		26
146	BZ 73	MORNANT	C	69
190	CA 89	MORNAS		84
131	BW 64	MORNAY		71
113	BK 58	MORNAY BERRY		18
113	BM 60	MORNAY SUR ALLIER		18
132	BY 61	MOROGES		71
112	BJ 56	MOROGUES		18
231	DM 107	MOROSAGLIA	C	2B
118	CJ 55	MORRE		25
36	BN 31	MORSAIN		02
57	BP 38	MORSAINS		51
29	AG 29	MORSALINES		50
32	AU 34	MORSAN		27
55	BG 40	MORSANG SUR ORGE	C	91
77	BI 41	MORSANG SUR SEINE		91
42	CN 33	MORSBACH		57
64	CU 36	MORSBRONN LES BAINS		67
64	CT 37	MORSCHWILLER		67
103	CR 49	MORSCHWILLER LE BAS		68
229	DM 101	MORSIGLIA		2B
84	CN 43	MORTAGNE		88
74	AT 41	MORTAGNE AU PERCHE	S	61
13	BO 19	MORTAGNE DU NORD		59
150	AI 75	MORTAGNE SUR GIRONDE		17
106	AH 58	MORTAGNE SUR SEVRE	C	85
50	AI 39	MORTAIN	C	50
56	BL 38	MORTCERF		77
162	CJ 80	MORTE, LA		38
119	CN 57	MORTEAU	C	25
51	AP 37	MORTEAUX COULIBOEUF	C	14
36	BM 32	MORTEFONTAINE		02
55	BI 35	MORTEFONTAINE		60
35	BF 33	MORTEFONTAINE EN THELLE		60
139	AW 69	MORTEMART		87
36	BJ 30	MORTEMER		60
34	BB 28	MORTEMER		76
56	BN 40	MORTERY		77
112	BG 58	MORTHOMIERS		18
37	BQ 28	MORTIERS		02
151	AM 76	MORTIERS		17
108	AO 57	MORTON		86
51	AQ 40	MORTREE	C	61
127	BD 65	MORTROUX		23
102	CQ 49	MORTZWILLER		68
22	BK 25	MORVAL		62
102	CP 51	MORVILLARS		90
29	AF 30	MORVILLE		50
82	CG 44	MORVILLE		88
77	BF 44	MORVILLE EN BEAUCE		45
62	CL 37	MORVILLE LES VIC		57
34	BA 31	MORVILLE SUR ANDELLE		76
61	CL 36	MORVILLE SUR NIED		57
61	CJ 36	MORVILLE SUR SEILLE		54
34	BD 30	MORVILLERS		60
34	BD 27	MORVILLERS ST SATURNIN		80
81	BX 43	MORVILLIERS		10
53	AW 40	MORVILLIERS		28
22	BK 23	MORY		62
35	BH 29	MORY MONTCRUX		60
135	CO 67	MORZINE		74
30	AK 32	MOSLES		14
57	BS 36	MOSLINS		51
138	AO 73	MOSNAC		16
151	AK 75	MOSNAC		17
127	BB 62	MOSNAY		36
93	AX 53	MOSNES		37
221	BH 106	MOSSET		66
99	BY 48	MOSSON		21
188	BN 89	MOSTUEJOULS		12
117	CG 54	MOTEY BESUCHE		70
100	CG 52	MOTEY SUR SAONE		70
121	AC 62	MOTHE ACHARD, LA	C	85
124	AN 65	MOTHE ST HERAY, LA	C	79
65	CX 35	MOTHERN		67
68	P 43	MOTREFF		29
69	V 43	MOTTE, LA		22
210	CP 96	MOTTE, LA		83
177	CF 86	MOTTE CHALANCON, LA	C	26
192	CG 94	MOTTE D'AIGUES, LA		84
161	CH 80	MOTTE D'AVEILLANS, LA		38
160	CB 78	MOTTE DE GALAURE, LA		26
193	CK 87	MOTTE DU CAIRE, LA	C	04
148	CK 72	MOTTE EN BAUGES, LA		73
178	CK 83	MOTTE EN CHAMPSAUR, LA		05
161	CE 80	MOTTE FANJAS, LA		26
127	BE 63	MOTTE FEUILLY, LA		36
51	AN 40	MOTTE FOUQUET, LA		61
148	CI 73	MOTTE SERVOLEX, LA	C	73
130	BT 64	MOTTE ST JEAN, LA		71
177	CH 81	MOTTE ST MARTIN, LA		38
115	BW 54	MOTTE TERNANT, LA		21
79	BP 42	MOTTE TILLY, LA		10
75	AY 44	MOTTEREAU		28
33	AW 29	MOTTEVILLE		76
161	CE 75	MOTTIER		38
148	CI 70	MOTZ		73
62	CM 39	MOUACOURT		54
89	AC 50	MOUAIS		44
210	CS 95	MOUANS SARTOUX		06
40	CF 33	MOUAVILLE		54
71	AD 44	MOUAZE		35
106	AG 60	MOUCHAMPS		85
183	AQ 92	MOUCHAN		32
117	CH 58	MOUCHARD		39
49	AF 38	MOUCHE, LA		50
199	AR 96	MOUCHES		32
12	BN 19	MOUCHIN		59
35	BG 32	MOUCHY LE CHATEL		60
175	BU 81	MOUDEYRES		43
51	AM 34	MOUEN		14
53	AZ 37	MOUETTES		27
97	BP 51	MOUFFY		89
34	BB 33	MOUFLAINES		27
21	BE 24	MOUFLERS		80
20	BC 26	MOUFLIERES		80
210	CS 95	MOUGINS	C	06
123	AM 66	MOUGON		79
196	AC 97	MOUGUERRE		64
127	BC 63	MOUHERS		36
126	AZ 65	MOUHET		36
198	AM 97	MOUHOUS		64
151	AL 80	MOUILLAC		33
185	BB 89	MOUILLAC		82
134	CJ 63	MOUILLE, LA		39
99	CB 50	MOUILLERON		52
122	AI 61	MOUILLERON EN PAREDS		85
121	AD 61	MOUILLERON LE CAPTIF		85
60	CE 35	MOUILLY		55
60	CE 34	MOULAINVILLE		55
186	BG 91	MOULARES		81
72	AL 44	MOULAY		53
202	BE 95	MOULAYRES		81
199	AP 100	MOULEDOUS		65
189	BS 92	MOULES ET BAUCELS		34
169	AT 82	MOULEYDIER		24
189	BV 92	MOULEZAN		30
75	AX 45	MOULHARD		28
75	AV 41	MOULICENT		61
138	AO 73	MOULIDARS		16
168	AO 82	MOULIETS ET VILLEMARTIN		33
91	AP 53	MOULIHERNE		49
203	BK 95	MOULIN MAGE		81
221	BD 102	MOULIN NEUF		09
152	AP 80	MOULIN NEUF		24
36	BM 31	MOULIN SOUS TOUVENT		60
33	AW 32	MOULINEAUX		76
51	AN 36	MOULINES		14
72	AI 41	MOULINES		50
195	CV 91	MOULINET		06
169	AS 86	MOULINET		47
95	BJ 49	MOULINET SUR SOLIN, LE		45
37	BQ 31	MOULINS		02
129	BO 63	MOULINS	P	03
71	AF 46	MOULINS		35
98	BT 50	MOULINS EN TONNERROIS		89
114	BS 58	MOULINS ENGILBERT	C	58
52	AT 40	MOULINS LA MARCHE	C	61
73	AP 43	MOULINS LE CARBONNEL		72
61	CI 34	MOULINS LES METZ		57
39	CB 29	MOULINS ST HUBERT		55
110	BB 58	MOULINS SUR CEPHONS		36
51	AP 38	MOULINS SUR ORNE		61
97	BO 50	MOULINS SUR OUANNE		89
112	BI 57	MOULINS SUR YEVRE		18
219	AW 103	MOULIS		09
151	AI 79	MOULIS EN MEDOC		33
125	AV 66	MOULISMES		86
11	BF 16	MOULLE		62
167	AM 82	MOULON		33
77	BI 47	MOULON		45
60	CF 34	MOULOTTE		55
51	AO 35	MOULT		14
199	AQ 99	MOUMOULOUS		65
197	AI 100	MOUMOUR		64
203	BK 94	MOUNES PROHENCOUX		12
183	AQ 94	MOUREDE		32
167	AM 84	MOURENS		33
197	AI 98	MOURENX		64
172	BI 86	MOURET		12
143	BL 67	MOUREUILLE		63
204	BP 96	MOUREZE		34
207	CB 95	MOURIES		13
20	BE 21	MOURIEZ		62
141	BB 69	MOURIOUX VIEILLEVILLE		23
172	BG 84	MOURJOU		15
58	BV 34	MOURMELON LE GRAND		51
58	BV 34	MOURMELON LE PETIT		51
118	CI 60	MOURNANS CHARBONNY		39
39	BY 32	MOURON		08
114	BR 56	MOURON SUR YONNE		58
56	BM 38	MOUROUX		77
55	BG 35	MOURS		95
160	CC 79	MOURS ST EUSEBE		26
201	BB 97	MOURVILLES BASSES		31
201	BC 98	MOURVILLES HAUTES		31
197	AG 96	MOUSCARDES		40
190	BW 92	MOUSSAC		30
125	AU 66	MOUSSAC		86
156	BH 78	MOUSSAGES		15
203	BL 100	MOUSSAN		11
89	AG 47	MOUSSE		35
78	BN 43	MOUSSEAUX LES BRAY		77
53	AZ 37	MOUSSEAUX NEUVILLE		27
54	BB 35	MOUSSEAUX SUR SEINE		78
80	BT 45	MOUSSEY		10
62	CN 39	MOUSSEY		57
84	CP 41	MOUSSEY		88
133	CI 65	MOUSSIERES, LES		39
61	CI 36	MOUSSON		54
53	AV 40	MOUSSONVILLIERS		61
202	BG 100	MOUSSOULENS		11
57	BS 36	MOUSSY		51
113	BP 56	MOUSSY		58
54	BD 35	MOUSSY		95
55	BJ 35	MOUSSY LE NEUF		77
55	BI 36	MOUSSY LE VIEUX		77
37	BQ 31	MOUSSY VERNEUIL		02
218	AS 105	MOUSTAJON		31
46	R 40	MOUSTERU		22
181	AI 87	MOUSTEY		40
168	AQ 84	MOUSTIER		47
24	BU 24	MOUSTIER EN FAGNE		59
155	BF 76	MOUSTIER VENTADOUR		19
193	CM 92	MOUSTIERS STE MARIE	C	04
68	P 43	MOUSTOIR, LE		22
69	U 47	MOUSTOIR AC		56
69	T 46	MOUSTOIR REMUNGOL		56
143	BN 70	MOUTADE, LA		63
162	CK 75	MOUTARET, LE		38
63	CS 35	MOUTERHOUSE		57
108	AP 58	MOUTERRE SILLY		86
125	AU 67	MOUTERRE SUR BLOURDE		86
134	CK 61	MOUTHE	C	25
117	CG 55	MOUTHEROT, LE		25
117	CE 59	MOUTHIER EN BRESSE		71
118	CK 57	MOUTHIER HAUTE PIERRE		25
152	AP 74	MOUTHIERS SUR BOEME		16
222	BI 103	MOUTHOUMET	C	11
141	BE 68	MOUTIER D'AHUN		23
127	BE 65	MOUTIER MALCARD		23
141	BF 70	MOUTIER ROZEILLE		23
76	BC 44	MOUTIERS		28
71	AG 47	MOUTIERS		35
41	CH 33	MOUTIERS		54
163	CN 74	MOUTIERS	C	73
75	AV 42	MOUTIERS AU PERCHE		61
51	AP 37	MOUTIERS EN AUGE, LES		14
51	AM 35	MOUTIERS EN CINGLAIS, LES		14
96	BN 51	MOUTIERS EN PUISAYE		89
105	Z 57	MOUTIERS EN RETZ, LES		44
52	AR 36	MOUTIERS HUBERT, LES		14
121	AD 63	MOUTIERS LES MAUXFAITS	C	85
107	AM 58	MOUTIERS SOUS ARGENTON		79
123	AK 61	MOUTIERS SOUS CHANTEMERLE		79
98	BV 52	MOUTIERS ST JEAN		21
122	AF 63	MOUTIERS SUR LE LAY		85
138	AQ 70	MOUTON		16
133	CF 63	MOUTONNE		39
138	AQ 70	MOUTONNEAU		16
118	CI 60	MOUTOUX		39
61	CH 40	MOUTROT		54
12	BM 17	MOUVAUX		59
222	BJ 101	MOUX		11
115	BU 56	MOUX EN MORVAN		58
148	CJ 72	MOUXY		73
35	BG 33	MOUY	C	60
78	BN 42	MOUY SUR SEINE		77
109	AV 57	MOUZAY		37
39	CB 30	MOUZAY		55
89	AE 53	MOUZEIL		44
169	AW 82	MOUZENS		24
202	BD 97	MOUZENS		81
122	AH 64	MOUZEUIL ST MARTIN		85
186	BD 91	MOUZIEYS PANENS		81
186	BG 93	MOUZIEYS TEULET		81
106	AF 56	MOUZILLON		44
39	CA 29	MOUZON	C	08
139	AT 71	MOUZON		16
102	CP 51	MOVAL		90
37	BO 28	MOY DE L'AISNE	C	02
32	AS 34	MOYAUX		14
177	CG 87	MOYDANS		05
148	CI 70	MOYE		74
84	CM 42	MOYEMONT		88
84	CM 41	MOYEN		54
36	BL 28	MOYENCOURT		80
20	BE 27	MOYENCOURT LES POIX		80
84	CO 42	MOYENMOUTIER		88
35	BJ 31	MOYENNEVILLE		60
22	BJ 23	MOYENNEVILLE		62
20	BC 24	MOYENNEVILLE	C	80
62	CL 38	MOYENVIC		57
41	CH 33	MOYEUVRE GRANDE	C	57
41	CH 32	MOYEUVRE PETITE		57
50	AH 36	MOYON		50
186	BH 88	MOYRAZES		12
35	BJ 31	MOYVILLERS		60
143	BM 70	MOZAC		63
107	AL 54	MOZE SUR LOUET		49
19	AY 27	MUCHEDENT		76
205	BU 95	MUDAISON		34
70	Z 45	MUEL		35
103	CS 51	MUESPACH		68
103	CT 51	MUESPACH LE HAUT		68
197	AI 94	MUGRON	C	40
63	CR 40	MUHLBACH SUR BRUCHE		67
84	CQ 46	MUHLBACH SUR MUNSTER		68
94	BA 51	MUIDES SUR LOIRE		41
35	BF 30	MUIDORGE		60
33	AZ 34	MUIDS		27
36	BM 28	MUILLE VILLETTE		80
36	BL 29	MUIRANCOURT		60
37	BS 33	MUIZON		51
194	CR 92	MUJOULS, LES		06
146	CA 72	MULATIERE, LA		69
54	BB 37	MULCENT		78
62	CM 37	MULCEY		57
64	CT 36	MULHAUSEN		67
103	CS 49	MULHOUSE	S	68
92	AR 48	MULSANNE		72
93	AZ 51	MULSANS		41
199	AQ 99	MUN		65
65	CX 35	MUNCHHAUSEN		67
103	CT 47	MUNCHHOUSE		68
11	BF 15	MUNCQ NIEURLET		62
64	CU 39	MUNDOLSHEIM	C	67
49	AF 34	MUNEVILLE LE BINGARD		50
49	AE 36	MUNEVILLE SUR MER		50
137	AJ 70	MUNG, LE		17
62	CO 36	MUNSTER		57
85	CQ 46	MUNSTER	C	68
85	CT 45	MUNTZENHEIM		68
85	CS 47	MUNWILLER		68
172	BJ 82	MUR DE BARREZ	C	12
69	T 44	MUR DE BRETAGNE	C	22
94	BB 54	MUR DE SOLOGNE		41
231	DL 110	MURACCIOLE		2B
203	BK 94	MURASSON		12
129	BL 65	MURAT		03
157	BL 79	MURAT	C	15
156	BK 74	MURAT LE QUAIRE		63
203	BL 95	MURAT SUR VEBRE	C	81
229	DM 105	MURATO	C	2B
148	CL 67	MURAZ, LA		74
85	CQ 47	MURBACH		68
177	CI 81	MURE, LA	C	38
193	CO 91	MURE ARGENS, LA		04
34	BC 29	MUREAUMONT		60
54	BE 36	MUREAUX, LES		78
160	CB 78	MUREILS		26
148	CJ 71	MURES		74
201	AY 98	MURET	S	31
37	BO 33	MURET ET CROUTTES		02
172	BI 86	MURET LE CHATEAU		12
161	CG 76	MURETTE, LA		38
162	CI 78	MURIANETTE		38
161	CE 78	MURINAIS		38
205	BS 95	MURLES		34
113	BN 56	MURLIN		58
228	DI 106	MURO		2B
157	BL 74	MUROL		63
172	BI 83	MUROLS		12
136	AI 68	MURON		17
110	AY 59	MURS		36
191	CE 92	MURS		84
90	AL 53	MURS ERIGNE		49
147	CG 73	MURS ET GELIGNIEUX		01
24	BW 27	MURTIN ET BOGNY		08
39	CC 31	MURVAUX		55
204	BN 98	MURVIEL LES BEZIERS	C	34
205	BS 96	MURVIEL LES MONTPELLIER		34
40	CG 32	MURVILLE		54
230	DI 110	MURZO		2A
206	BW 94	MUS		30
37	BR 32	MUSCOURT		02
197	AG 100	MUSCULDY		64
148	CJ 69	MUSIEGES		74
115	BX 56	MUSIGNY		21
81	CB 43	MUSSEY SUR MARNE		52
152	AR 80	MUSSIDAN	C	24
85	CT 43	MUSSIG		67
98	BW 52	MUSSY LA FOSSE		21
131	BW 66	MUSSY SOUS DUN		71
98	BX 47	MUSSY SUR SEINE	C	10
117	CF 55	MUTIGNEY		39
58	BT 35	MUTIGNY		51
51	AM 35	MUTRECY		14
85	CT 43	MUTTERSHOLTZ		67
64	CT 38	MUTZENHOUSE		67
64	CS 40	MUTZIG		67
210	CP 96	MUY, LE	C	83
40	CE 32	MUZERAY		55
87	W 51	MUZILLAC	C	56
53	AZ 38	MUZY		27
162	CJ 74	MYANS		73
96	BL 53	MYENNES		58
118	CI 57	MYON		25
		N		
197	AG 99	NABAS		64
152	AQ 77	NABINAUD		16
170	AY 83	NABIRAT		24
10	BD 17	NABRINGHEN		62
137	AJ 69	NACHAMPS		17
154	AZ 80	NADAILLAC		24
170	AZ 82	NADAILLAC DE ROUGE		46
143	BL 68	NADES		03

Page	Carreau	Commune	Adm.	Dpt
170	BA 85	NADILLAC		46
53	AW 37	NAGEL SEEZ MESNIL		27
203	BK 95	NAGES		81
206	BW 94	NAGES ET SOLORGUES		30
225	BE 109	NAHUJA		66
154	AX 78	NAILHAC		24
127	BB 66	NAILLAT		23
201	BB 99	NAILLOUX	C	31
78	BN 45	NAILLY		89
125	AS 61	NAINTRE		86
77	BH 42	NAINVILLE LES ROCHES		91
118	CK 55	NAISEY LES GRANGES		25
60	CE 39	NAIVES EN BLOIS		55
60	CC 38	NAIVES ROSIERES		55
60	CD 40	NAIX AUX FORGES		55
69	U 46	NAIZIN		56
186	BD 89	NAJAC	C	12
122	AH 64	NALLIERS		85
125	AV 63	NALLIERS		86
220	BC 104	NALZEN		09
85	CT 47	NAMBSHEIM		68
36	BM 31	NAMPCEL		60
38	BS 27	NAMPCELLES LA COUR		02
20	BC 21	NAMPONT		80
21	BF 27	NAMPS MAISNIL		80
37	BO 33	NAMPTEUIL SOUS MURET		02
35	BG 27	NAMPTY		80
115	BW 54	NAN SOUS THIL		21
133	CE 64	NANC LES ST AMOUR		39
111	BF 54	NANCAY		18
133	CE 61	NANCE		39
147	CH 73	NANCES		73
138	AQ 71	NANCLARS		16
60	CD 39	NANCOIS LE GRAND		55
60	CC 39	NANCOIS SUR ORNAIN		55
136	AI 72	NANCRAS		17
118	CK 55	NANCRAY		25
77	BG 46	NANCRAY SUR RIMARDE		45
133	CF 64	NANCUISE		39
61	CI 39	NANCY	P	54
149	CN 68	NANCY SUR CLUSES		74
145	BV 68	NANDAX		42
77	BI 41	NANDY		77
77	BG 44	NANGEVILLE		45
78	BL 41	NANGIS	C	77
134	CL 67	NANGY		74
113	BN 55	NANNAY		58
102	CL 52	NANS		25
118	CI 60	NANS, LES		39
208	CJ 98	NANS LES PINS		83
118	CI 58	NANS SOUS STE ANNE		25
188	BO 91	NANT	C	12
60	CC 39	NANT LE GRAND		55
60	CC 39	NANT LE PETIT		55
77	BH 44	NANTEAU SUR ESSONNE		77
78	BK 44	NANTEAU SUR LUNAIN		77
55	BF 37	NANTERRE	P	92
106	AD 55	NANTES	P	44
178	CI 81	NANTES EN RATIER		38
124	AN 64	NANTEUIL		79
152	AQ 76	NANTEUIL AURIAC DE BOURZAC		24
138	AR 69	NANTEUIL EN VALLEE		16
57	BS 34	NANTEUIL LA FORET		51
37	BO 31	NANTEUIL LA FOSSE		02
56	BK 34	NANTEUIL LE HAUDOUIN	C	60
56	BL 37	NANTEUIL LES MEAUX		77
57	BO 34	NANTEUIL NOTRE DAME		02
38	BV 30	NANTEUIL SUR AISNE		08
56	BN 36	NANTEUIL SUR MARNE		77
133	CE 64	NANTEY		39
153	AW 76	NANTHEUIL		24
153	AW 76	NANTHIAT		24
140	AY 69	NANTIAT	C	87
137	AK 70	NANTILLE		17
39	CB 32	NANTILLOIS		55
100	CF 53	NANTILLY		70
161	CD 75	NANTOIN		38
60	CD 40	NANTOIS		55
132	BZ 62	NANTON		71
56	BJ 36	NANTOUILLET		77
116	BZ 59	NANTOUX		21
147	CG 67	NANTUA	S	01
21	BG 24	NAOURS		80
41	CL 34	NARBEFONTAINE		57
119	CO 56	NARBIEF		25
222	BM 101	NARBONNE	S	11
198	AL 100	NARCASTET		64
59	CB 40	NARCY		52
113	BM 56	NARCY		58
78	BJ 46	NARGIS		45
172	BK 81	NARNHAC		15
197	AH 98	NARP		64
197	AG 94	NARROSSE		40
173	BM 84	NASBINALS	C	48
53	AV 35	NASSANDRES		27
197	AI 96	NASSIET		40
128	BI 64	NASSIGNY		03
168	AP 82	NASTRINGUES		24
147	CH 72	NATTAGES		01
85	CR 41	NATZWILLER		67
186	BH 89	NAUCELLE	C	12
172	BH 81	NAUCELLES		15
150	AG 77	NAUJAC SUR MER		33
167	AN 83	NAUJAN ET POSTIAC		33
22	BN 25	NAUROY		02
171	BE 86	NAUSSAC		12
174	BS 83	NAUSSAC		48
169	AU 83	NAUSSANNES		24
74	AS 44	NAUVAY		72
172	BH 86	NAUVIALE		12
190	BW 90	NAVACELLES		30
198	AL 98	NAVAILLES ANGOS		64
197	AH 99	NAVARRENX	C	64
93	AX 49	NAVEIL		41
101	CJ 51	NAVENNE		70
143	BM 67	NAVES		03
155	BC 77	NAVES	C	19
22	BN 23	NAVES		59
202	BF 96	NAVES		81
148	CK 69	NAVES PARMELAN		74
116	CC 58	NAVILLY		71
29	AG 33	NAY		50
217	AL 100	NAY	C	64
84	CP 43	NAYEMONT LES FOSSES		88
172	BJ 85	NAYRAC, LE		12
93	AW 53	NAZELLES NEGRON		37
167	AN 81	NEAC		33
70	Y 46	NEANT SUR YVEL		56
73	AM 45	NEAU		53
53	AV 37	NEAUFLES AUVERGNY		27
34	BC 33	NEAUFLES ST MARTIN		27
74	AR 41	NEAUPHE SOUS ESSAI		61
51	AQ 38	NEAUPHE SUR DIVE		61
54	BD 38	NEAUPHLE LE CHATEAU		78
54	BD 38	NEAUPHLE LE VIEUX		78
54	BB 37	NEAUPHLETTE		78
145	BV 70	NEAUX		42
204	BP 96	NEBIAN		34
221	BF 104	NEBIAS		11
62	CN 36	NEBING		57
143	BL 73	NEBOUZAT		63
51	AO 38	NECY		61
141	BD 72	NEDDE		87
11	BH 19	NEDON		62
11	BH 19	NEDONCHEL		62
65	CX 35	NEEWILLER PRES LAUTERBOURG		67
178	CK 85	NEFFES		05
204	BO 97	NEFFIES		34
222	BJ 106	NEFIACH		66
185	BA 91	NEGREPELISSE	C	82
29	AE 30	NEGREVILLE		50
153	AV 77	NEGRONDES		24
29	AE 31	NEHOU		50
62	CN 35	NELLING		57
78	BJ 44	NEMOURS	C	77
20	BC 21	NEMPONT ST FIRMIN		62
199	AT 99	NENIGAN		31
125	AW 61	NEONS SUR CREUSE		36
209	CK 99	NEOULES		83
142	BG 70	NEOUX		23
39	CB 30	NEPVANT		55
183	AR 90	NERAC	S	47
197	AI 94	NERBIS		40
137	AM 72	NERCILLAC		16
137	AN 69	NERE		17
127	BF 63	NERET		36
167	AM 82	NERIGEAN		33
125	AU 66	NERIGNAC		86
128	BJ 66	NERIS LES BAINS		03
134	CL 65	NERNIER		74
76	BA 40	NERON		28
145	BV 71	NERONDE	C	42
144	BP 72	NERONDE SUR DORE		63
112	BK 58	NERONDES	C	18
161	CE 77	NERPOL ET SERRES		38
189	BV 91	NERS		30
138	AP 73	NERSAC		16
145	BV 71	NERVIEUX		42
55	BG 35	NERVILLE LA FORET		95
36	BK 33	NERY		60
157	BN 74	NESCHERS		63
220	AZ 103	NESCUS		09
36	BL 28	NESLE	C	80
98	BW 49	NESLE ET MASSOULT		21
34	BB 28	NESLE HODENG		76
57	BP 40	NESLE LA REPOSTE		51
57	BQ 35	NESLE LE REPONS		51
20	BC 26	NESLE L'HOPITAL		80
20	BC 26	NESLE NORMANDEUSE		76
10	BC 18	NESLES		62
57	BP 36	NESLES LA MONTAGNE		02
55	BF 35	NESLES LA VALLEE		95
20	BC 26	NESLETTE		80
121	AE 62	NESMY		85
95	BH 47	NESPLOY		45
154	BA 80	NESPOULS		19
228	DJ 106	NESSA		2B
218	AR 102	NESTIER		65
59	BZ 37	NETTANCOURT		55
117	CD 59	NEUBLANS ABERGEMENT		39
85	CS 43	NEUBOIS		67
53	AW 34	NEUBOURG, LE	C	27
102	CO 53	NEUCHATEL URTIERE		25
12	BJ 17	NEUF BERQUIN		59
85	CT 46	NEUF BRISACH	C	68
143	BL 68	NEUF EGLISE		63
34	BC 31	NEUF MARCHE		76
23	BR 22	NEUF MESNIL		59
34	BA 29	NEUFBOSC		76
50	AI 39	NEUFBOURG, LE		50
82	CF 43	NEUFCHATEAU	S	88
34	BA 28	NEUFCHATEL EN BRAY	C	76
74	AR 43	NEUFCHATEL EN SAOSNOIS		72
10	BB 18	NEUFCHATEL HARDELOT		62
38	BS 31	NEUFCHATEL SUR AISNE	C	02
41	CH 32	NEUFCHEF		57
56	BM 35	NEUFCHELLES		60
168	AO 84	NEUFFONS		33
114	BR 54	NEUFFONTAINES		58
62	CP 34	NEUFGRANGE		57
36	BM 29	NEUFLIEUX		02
38	BV 31	NEUFLIZE		08
38	BW 27	NEUFMAISON		08
84	CO 41	NEUFMAISONS		54
25	BY 27	NEUFMANIL		08
29	AE 32	NEUFMESNIL		50
20	BD 23	NEUFMOULIN		80
62	CP 39	NEUFMOULINS		57
56	BK 39	NEUFMOUTIERS EN BRIE		77
59	CA 34	NEUFOUR, LE		55
62	CN 36	NEUFVILLAGE		57
35	BJ 30	NEUFVY SUR ARONDE		60
64	CT 39	NEUGARTHEIM ITTLENHEIM		67
65	CX 37	NEUHAEUSEL		67
109	AT 56	NEUIL		37
217	AO 102	NEUILH		65
151	AL 74	NEUILLAC		17
126	BA 61	NEUILLAY LES BOIS		36
108	AP 54	NEUILLE		49
93	AW 52	NEUILLE LE LIERRE		37
92	AT 52	NEUILLE PONT PIERRE	C	37
54	BA 37	NEUILLY		27
114	BP 56	NEUILLY		58
97	BP 48	NEUILLY		89
130	BS 65	NEUILLY EN DONJON		03
128	BK 61	NEUILLY EN DUN		18
112	BJ 55	NEUILLY EN SANCERRE		18
35	BG 34	NEUILLY EN THELLE	C	60
54	BE 34	NEUILLY EN VEXIN		95
30	AI 33	NEUILLY LA FORET		14
74	AR 41	NEUILLY LE BISSON		61
109	AV 58	NEUILLY LE BRIGNON		37
21	BE 22	NEUILLY LE DIEN		80
129	BP 64	NEUILLY LE REAL	C	03
73	AN 41	NEUILLY LE VENDIN		53
116	CB 55	NEUILLY LES DIJON		21
100	CE 47	NEUILLY L'EVEQUE	C	52
20	BD 23	NEUILLY L'HOPITAL		80
55	BI 38	NEUILLY PLAISANCE	C	93
35	BH 32	NEUILLY SOUS CLERMONT		60
56	BN 34	NEUILLY ST FRONT	C	02
75	AW 41	NEUILLY SUR EURE		61
55	BI 38	NEUILLY SUR MARNE	C	93
55	BG 37	NEUILLY SUR SEINE	C	92
81	CB 46	NEUILLY SUR SUIZE		52
21	BF 21	NEULETTE		62
145	BV 70	NEULISE		42
151	AL 75	NEULLES		17
69	T 44	NEULLIAC		56
94	BC 52	NEUNG SUR BEUVRON	C	41
42	CL 31	NEUNKIRCHEN LES BOUZONVILLE		57
129	BM 61	NEURE		03
101	CK 49	NEUREY EN VAUX		70
101	CK 51	NEUREY LES LA DEMIE		70
157	BL 79	NEUSSARGUES MOISSAC		15
12	BK 18	NEUVE CHAPELLE		62
85	CR 42	NEUVE EGLISE		67
34	BB 32	NEUVE GRANGE, LA		27
53	AV 37	NEUVE LYRE, LA		27
24	BT 25	NEUVE MAISON		02
135	CN 64	NEUVECELLE		74
173	BL 81	NEUVEGLISE		15
101	CJ 53	NEUVELLE LES CROMARY		70
101	CI 52	NEUVELLE LES LA CHARITE		70
102	CM 49	NEUVELLE LES LURE, LA		70
101	CH 50	NEUVELLE LES SCEY, LA		70
100	CG 48	NEUVELLE LES VOISEY		52
61	CI 40	NEUVES MAISONS	C	54
84	CN 45	NEUVEVILLE DEVANT LEPANGES, LA		88
83	CH 43	NEUVEVILLE SOUS CHATENOIS, LA		88
83	CI 44	NEUVEVILLE SOUS MONTFORT, LA		88
156	BG 76	NEUVIC	C	19
153	AS 79	NEUVIC	C	24
141	BB 72	NEUVIC ENTIER		87
152	AN 78	NEUVICQ		17
138	AN 71	NEUVICQ LE CHATEAU		17
73	AP 45	NEUVILLALAIS		72
155	BD 79	NEUVILLE		19
12	BM 19	NEUVILLE, LA		59
144	BP 72	NEUVILLE		63
39	BZ 29	NEUVILLE A MAIRE, LA		08
20	BD 25	NEUVILLE AU BOIS		80
21	BH 21	NEUVILLE AU CORNET		62
29	AG 31	NEUVILLE AU PLAIN		50
59	BZ 34	NEUVILLE AU PONT, LA		51
77	BE 46	NEUVILLE AUX BOIS	C	45
59	BZ 36	NEUVILLE AUX BOIS, LA		51
24	BU 26	NEUVILLE AUX JOUTES, LA		08
57	BS 34	NEUVILLE AUX LARRIS, LA		51
55	BE 34	NEUVILLE BOSC		60
37	BR 28	NEUVILLE BOSMONT, LA		02
22	BL 24	NEUVILLE BOURJONVAL		62
33	AZ 32	NEUVILLE CHANT D'OISEL, LA		76
20	BC 26	NEUVILLE COPPEGUEULE		80
35	BF 33	NEUVILLE D'AUMONT, LA		60
39	BY 30	NEUVILLE DAY		08
124	AQ 61	NEUVILLE DE POITOU	C	86
33	AV 34	NEUVILLE DU BOSC, LA		27
23	BP 23	NEUVILLE EN AVESNOIS		59
29	AE 31	NEUVILLE EN BEAUMONT		50
36	BM 28	NEUVILLE EN BEINE, LA		02
12	BM 16	NEUVILLE EN FERRAIN		59
35	BG 32	NEUVILLE EN HEZ, LA		60
38	BV 32	NEUVILLE EN TOURNE A FUY, LA		08
60	CC 36	NEUVILLE EN VERDUNOIS		55
34	BA 28	NEUVILLE FERRIERES		76
35	BE 32	NEUVILLE GARNIER, LA		60
37	BR 27	NEUVILLE HOUSSET, LA		02
22	BJ 26	NEUVILLE LES BRAY, LA		80
146	CB 67	NEUVILLE LES DAMES		01
129	BO 61	NEUVILLE LES DECIZE		58
23	BQ 25	NEUVILLE LES DORENGT, LA		02
35	BF 27	NEUVILLE LES LOEUILLY		80
38	BX 28	NEUVILLE LES THIS		08
60	CF 40	NEUVILLE LES VAUCOULEURS		55
38	BV 29	NEUVILLE LES WASIGNY, LA		08
24	BV 26	NEUVILLE LEZ BEAULIEU		08
52	AR 40	NEUVILLE PRES SEES		61
35	BI 28	NEUVILLE SIRE BERNARD, LA		80
10	BD 20	NEUVILLE SOUS MONTREUIL		62
23	BO 27	NEUVILLE ST AMAND		02
35	BG 30	NEUVILLE ST PIERRE, LA		60
22	BN 23	NEUVILLE ST REMY		59
22	BJ 21	NEUVILLE ST VAAST		62
37	BQ 31	NEUVILLE SUR AILETTE		02
147	CE 68	NEUVILLE SUR AIN		01
32	AU 33	NEUVILLE SUR AUTHOU		27
93	AW 51	NEUVILLE SUR BRENNE		37
22	BO 22	NEUVILLE SUR ESCAUT		59
77	BH 45	NEUVILLE SUR ESSONNE, LA		45
37	BO 31	NEUVILLE SUR MARGIVAL		02
55	BE 36	NEUVILLE SUR OISE		95
59	CA 38	NEUVILLE SUR ORNAIN		55
34	BE 30	NEUVILLE SUR OUDEUIL, LA		60
36	BK 30	NEUVILLE SUR RESSONS, LA		60
146	CA 71	NEUVILLE SUR SAONE	C	69
74	AQ 46	NEUVILLE SUR SARTHE		72
80	BW 46	NEUVILLE SUR SEINE		10
52	AR 37	NEUVILLE SUR TOUQUES		61
79	BR 44	NEUVILLE SUR VANNES		10
34	BE 31	NEUVILLE VAULT, LA		60
22	BK 22	NEUVILLE VITASSE		62
85	CQ 41	NEUVILLER LA ROCHE		67
62	CO 40	NEUVILLER LES BADONVILLER		54
83	CJ 41	NEUVILLER SUR MOSELLE		54
84	CP 43	NEUVILLERS SUR FAVE		88
23	BO 26	NEUVILLETTE		02
21	BG 23	NEUVILLETTE		80
73	AO 46	NEUVILLETTE EN CHARNIE		72
117	CF 59	NEUVILLEY		39
23	BP 23	NEUVILLY		59
59	CA 34	NEUVILLY EN ARGONNE		55
22	BK 21	NEUVIREUIL		62
38	BW 29	NEUVIZY		08
129	BO 63	NEUVY		03
94	BB 52	NEUVY		41
57	BP 39	NEUVY		51
51	AO 38	NEUVY AU HOULME		61
123	AL 61	NEUVY BOUIN		79
112	BJ 55	NEUVY DEUX CLOCHERS		18
76	BD 44	NEUVY EN BEAUCE		28
73	AP 46	NEUVY EN CHAMPAGNE		72
76	BB 45	NEUVY EN DUNOIS		28
107	AJ 55	NEUVY EN MAUGES		49
95	BG 49	NEUVY EN SULLIAS		45
130	BT 63	NEUVY GRANDCHAMP		71
113	BM 60	NEUVY LE BARROIS		18
92	AT 51	NEUVY LE ROI	C	37
111	BD 60	NEUVY PAILLOUX		36
79	BR 47	NEUVY SAUTOUR		89
127	BC 63	NEUVY ST SEPULCHRE	C	36
112	BG 55	NEUVY SUR BARANGEON		18
96	BL 52	NEUVY SUR LOIRE		58
103	CT 51	NEUWILLER		68
63	CS 37	NEUWILLER LES SAVERNE		67
163	CO 79	NEVACHE		05
113	BM 58	NEVERS	P	58
67	N 47	NEVEZ		29
222	BL 100	NEVIAN		11
18	AV 27	NEVILLE		76
29	AG 28	NEVILLE SUR MER		50
95	BI 50	NEVOY		45
117	CF 58	NEVY LES DOLE		39
133	CG 61	NEVY SUR SEILLE		39
140	AY 73	NEXON	C	87
133	CI 61	NEY		39
148	CK 67	NEYDENS		74
147	CG 67	NEYROLLES, LES		01
146	CB 71	NEYRON		01
54	BD 37	NEZEL		78
204	BP 98	NEZIGNAN L'EVEQUE		34
90	AH 48	NIAFLES		53
220	BA 105	NIAUX		09
20	BB 24	NIBAS		80
77	BH 47	NIBELLE		45
193	CK 88	NIBLES		04
211	CU 94	NICE	P	06
98	BV 48	NICEY		21
60	CD 37	NICEY SUR AIRE		55
183	AQ 88	NICOLE		47
49	AF 35	NICORPS		50
62	CP 39	NIDERHOFF		57
62	CQ 38	NIDERVILLER		57
64	CT 35	NIEDERBRONN LES BAINS	C	67
102	CP 49	NIEDERBRUCK		68
85	CS 47	NIEDERENTZEN		68
63	CR 40	NIEDERHASLACH		67
64	CU 39	NIEDERHAUSBERGEN		67
85	CS 46	NIEDERHERGHEIM		68
65	CW 35	NIEDERLAUTERBACH		67
64	CT 37	NIEDERMODERN		67
85	CR 45	NIEDERMORSCHWIHR		68
85	CT 41	NIEDERNAI		67
65	CW 36	NIEDERROEDERN		67
64	CU 37	NIEDERSCHAEFFOLSHEIM		67
63	CS 37	NIEDERSOULTZBACH		67
64	CU 34	NIEDERSTEINBACH		67
62	CP 37	NIEDERSTINZEL		57
42	CL 33	NIEDERVISSE		57
11	BE 15	NIELLES LES ARDRES		62
10	BE 17	NIELLES LES BLEQUIN		62
10	BD 15	NIELLES LES CALAIS		62
12	BK 17	NIEPPE		59
22	BN 23	NIERGNIES		59
172	BG 81	NIEUDAN		15
139	AS 71	NIEUIL		16
125	AS 64	NIEUIL L'ESPOIR		86
140	AX 70	NIEUL	C	87
121	AD 62	NIEUL LE DOLENT		85
151	AK 76	NIEUL LE VIROUIL		17
137	AJ 71	NIEUL LES SAINTES		17
123	AJ 64	NIEUL SUR L'AUTISE		85
122	AG 67	NIEUL SUR MER		17
136	AG 72	NIEULLE SUR SEUDRE		17
11	BG 16	NIEURLET		59
146	CC 71	NIEVROZ		01
103	CT 49	NIFFER		68
110	BB 60	NIHERNE		36
82	CF 45	NIJON		52
41	CI 32	NILVANGE		57
190	BX 93	NIMES	P	30
82	CE 46	NINVILLE		52
123	AL 66	NIORT	P	79
221	BE 105	NIORT DE SAULT		11
192	CJ 92	NIOZELLES		04
204	BN 99	NISSAN LEZ ENSERUNE		34
218	AR 103	NISTOS		65
97	BS 51	NITRY		89
62	CP 39	NITTING		57
13	BO 20	NIVELLE		59
88	Y 51	NIVILLAC		56
35	BF 31	NIVILLERS	C	60
161	CE 74	NIVOLAS VERMELLE		38
147	CE 69	NIVOLLET MONTGRIFFON		01
60	CC 34	NIXEVILLE BLERCOURT		55
167	AM 86	NIZAN, LE		33
199	AS 100	NIZAN GESSE		31
200	AW 97	NIZAS		32
204	BP 97	NIZAS		34
144	BQ 68	NIZEROLLES		03
38	BT 30	NIZY LE COMTE		02
172	BH 85	NOAILHAC		12
154	BB 80	NOAILHAC		19
202	BH 96	NOAILHAC		81
168	AO 86	NOAILLAC		33
167	AL 86	NOAILLAN		33
154	BA 79	NOAILLES		19
35	BG 33	NOAILLES	C	60
186	BE 91	NOAILLES		81
144	BT 68	NOAILLY		42
173	BM 82	NOALHAC		48
144	BP 70	NOALHAT		63
32	AT 33	NOARDS		27
231	DM 107	NOCARIO		2B
74	AU 43	NOCE	C	61
231	DL 109	NOCETA		2B
131	BV 65	NOCHIZE		71
130	BS 61	NOCLE MAULAIX, LA		58
99	BX 50	NOD SUR SEINE		21
118	CL 56	NODS		25
200	AY 99	NOE		31
79	BO 45	NOE		89
89	AC 48	NOE BLANCHE, LA		35
81	BX 46	NOE LES MALLETS		10
32	AT 33	NOE POULAIN, LA		27
119	CN 56	NOEL CERNEUX		25
89	AH 50	NOELLET		49
144	BS 69	NOES, LES		42
80	BT 44	NOES PRES TROYES, LES		10
21	BF 22	NOEUX LES AUXI		62
11	BJ 20	NOEUX LES MINES	C	62
202	BD 97	NOGARET		31
198	AN 94	NOGARO	C	32
82	CD 47	NOGENT	C	52
79	BR 45	NOGENT EN OTHE		10
38	BU 33	NOGENT L'ABBESSE		51
57	BO 36	NOGENT L'ARTAUD		02
74	AT 44	NOGENT LE BERNARD		72
76	BB 42	NOGENT LE PHAYE		28
54	BA 40	NOGENT LE ROI	C	28
75	AV 43	NOGENT LE ROTROU	S	28
53	AX 37	NOGENT LE SEC		27
98	BW 51	NOGENT LES MONTBARD		21
80	BV 42	NOGENT SUR AUBE		10
75	AZ 43	NOGENT SUR EURE		28
92	AS 51	NOGENT SUR LOIR		72
55	BH 38	NOGENT SUR MARNE	S	94
35	BH 33	NOGENT SUR OISE	C	60
79	BP 42	NOGENT SUR SEINE	S	10
96	BK 49	NOGENT SUR VERNISSON		45
57	BO 36	NOGENTEL		02
133	CG 62	NOGNA		39
197	AJ 98	NOGUERES		64
143	BM 72	NOHANENT		63
112	BI 57	NOHANT EN GOUT		18
111	BD 57	NOHANT EN GRACAY		18
127	BE 62	NOHANT VIC		36
221	BG 107	NOHEDES		66
185	AZ 93	NOHIC		82
115	BW 54	NOIDAN		21
101	CH 51	NOIDANS LE FERROUX		70
101	CJ 51	NOIDANS LES VESOUL		70
100	CD 49	NOIDANT CHATENOY		52
100	CC 49	NOIDANT LE ROCHEUX		52
200	AV 97	NOILHAN		32
35	BH 32	NOINTEL		60
55	BG 35	NOINTEL		95
32	AT 29	NOINTOT		76
38	BT 29	NOIRCOURT		02
102	CO 53	NOIREFONTAINE		25
35	BG 30	NOIREMONT		60
144	BR 71	NOIRETABLE	C	42
59	BY 36	NOIRLIEU		51
104	Y 57	NOIRMOUTIER EN L'ILE	C	85
100	CF 53	NOIRON		70
116	CB 56	NOIRON SOUS GEVREY		21
100	CD 53	NOIRON SUR BEZE		21
98	BW 48	NOIRON SUR SEINE		21
117	CH 55	NOIRONTE		25
39	BY 31	NOIRVAL		08
55	BI 39	NOISEAU		94
55	BJ 38	NOISIEL	C	77
61	CJ 34	NOISSEVILLE		57
55	BI 38	NOISY LE GRAND	C	93
55	BE 38	NOISY LE ROI		78
55	BH 37	NOISY LE SEC	C	93
78	BL 43	NOISY RUDIGNON		77
77	BI 43	NOISY SUR ECOLE		77
55	BG 35	NOISY SUR OISE		95
93	AW 53	NOIZAY		37
169	AU 83	NOJALS ET CLOTTE		24
34	BB 32	NOJEON EN VEXIN		27
115	BY 58	NOLAY	C	21
113	BO 57	NOLAY		58
34	BA 30	NOLLEVAL		76
144	BT 71	NOLLIEUX		42
12	BN 19	NOMAIN		59
183	AS 90	NOMDIEU		47
81	CB 42	NOMECOURT		52
61	CJ 37	NOMENY	C	54
83	CK 43	NOMEXY		88
102	CO 51	NOMMAY		25
84	CO 43	NOMPATELIZE		88
152	AP 76	NONAC		16
53	AY 39	NONANCOURT	C	27
30	AL 33	NONANT		14
52	AR 39	NONANT LE PIN		61
155	BC 80	NONARDS		19
152	AN 74	NONAVILLE		16
82	CC 42	NONCOURT SUR LE RONGEANT		52
157	BO 75	NONETTE		63
148	CJ 70	NONGLARD		74
62	CO 40	NONHIGNY		54
175	BX 81	NONIERES		07
60	CG 36	NONSARD LAMARCHE		55
153	AT 74	NONTRON	S	24
78	BK 44	NONVILLE		77
83	CI 46	NONVILLE		88
75	AY 43	NONVILLIERS GRANDHOUX		28
229	DM 103	NONZA		2B
84	CM 43	NONZEVILLE		88
11	BH 16	NOORDPEENE		59
11	BF 16	NORDAUSQUES		62
64	CS 39	NORDHEIM		67
85	CU 41	NORDHOUSE		67
22	BL 23	NOREUIL		62
99	CB 53	NORGES LA VILLE		21
52	AU 40	NORMANDEL		61
53	AY 35	NORMANVILLE		27
18	AU 28	NORMANVILLE		76
115	BW 54	NORMIER		21
32	AR 34	NOROLLES		14
30	AK 33	NORON LA POTERIE		14
51	AN 37	NORON L'ABBAYE		14
35	BI 31	NOROY		60
101	CK 51	NOROY LE BOURG	C	70
36	BN 34	NOROY SUR OURCQ		02
11	BH 18	NORRENT FONTES	C	62
51	AP 37	NORREY EN AUGE		14
59	BX 39	NORROIS		51
83	CH 44	NORROY		88
40	CG 32	NORROY LE SEC		54
41	CI 33	NORROY LE VENEUR		57
61	CH 36	NORROY LES PONT A MOUSSON		54
11	BF 16	NORT LEULINGHEM		62
89	AE 53	NORT SUR ERDRE	C	44
10	BE 15	NORTKERQUE		62
32	AU 31	NORVILLE		76
77	BG 41	NORVILLE, LA		91
192	CI 88	NOSSAGE ET BENEVENT		05
84	CM 42	NOSSONCOURT		88
68	R 48	NOSTANG		56
126	BB 67	NOTH		23
85	CS 42	NOTHALTEN		67
19	AZ 26	NOTRE DAME D'ALIERMONT		76
107	AL 55	NOTRE DAME D'ALLENCON		49
149	CN 71	NOTRE DAME DE BELLECOMBE		73
33	AV 30	NOTRE DAME DE BLIQUETUIT		76
145	BU 69	NOTRE DAME DE BOISSET		42
33	AX 31	NOTRE DAME DE BONDEVILLE	C	76
49	AG 35	NOTRE DAME DE CENILLY		50
161	CH 80	NOTRE DAME DE COMMIERS		38
52	AR 36	NOTRE DAME DE COURSON		14
32	AU 30	NOTRE DAME DE GRAVENCHON		76
189	BS 91	NOTRE DAME DE LA ROUVIERE		30
54	BA 34	NOTRE DAME DE L'ISLE		27
51	AQ 34	NOTRE DAME DE LIVAYE		14
49	AG 38	NOTRE DAME DE LIVOYE		50
189	BS 93	NOTRE DAME DE LONDRES		34
161	CF 77	NOTRE DAME DE L'OSIER		38
161	CH 79	NOTRE DAME DE MESAGE		38
104	Y 59	NOTRE DAME DE MONTS		85
105	AA 60	NOTRE DAME DE RIEZ		85
153	AU 79	NOTRE DAME DE SANILHAC		24
161	CH 80	NOTRE DAME DE VAULX		38
50	AI 34	NOTRE DAME D'ELLE		50
32	AU 34	NOTRE DAME D'EPINE		27
89	AC 53	NOTRE DAME DES LANDES		44
148	CM 73	NOTRE DAME DES MILLIERES		73
51	AP 34	NOTRE DAME D'ESTREES		14
92	AU 53	NOTRE DAME D'OE		37
32	AR 29	NOTRE DAME DU BEC		76
162	CL 76	NOTRE DAME DU CRUET		73
52	AT 37	NOTRE DAME DU HAMEL		27
19	AY 28	NOTRE DAME DU PARC		76
91	AN 50	NOTRE DAME DU PE		72
163	CO 74	NOTRE DAME DU PRE		73
51	AM 38	NOTRE DAME DU ROCHER		61
50	AI 40	NOTRE DAME DU TOUCHET		50
76	BA 46	NOTTONVILLE		28
141	BE 71	NOUAILLE, LA		23
125	AS 63	NOUAILLE MAUPERTUIS		86
29	AD 28	NOUAINVILLE		50
95	BE 52	NOUAN LE FUZELIER		41
74	AR 44	NOUANS		72
110	AZ 57	NOUANS LES FONTAINES		37
39	CA 31	NOUART		08
109	AT 58	NOUATRE		37
70	AA 44	NOUAYE, LA		35
57	BQ 39	NOUE, LA		51

Page	Carreau	Commune	Adm.	Dpt
201	BA 98	NOUEILLES		31
200	AU 95	NOUGAROULET		32
128	BH 66	NOUHANT		23
139	AW 69	NOUIC		87
198	AO 98	NOUILHAN		65
137	AJ 70	NOUILLERS, LES		17
40	CF 32	NOUILLONPONT		55
41	CJ 34	NOUILLY		57
183	AP 94	NOULENS		32
35	BH 31	NOURARD LE FRANC		60
93	AX 50	NOURRAY		41
197	AH 94	NOUSSE		40
43	CR 34	NOUSSEVILLER LES BITCHE		57
42	CO 34	NOUSSEVILLER ST NABOR		57
198	AM 100	NOUSTY		64
11	BE 15	NOUVELLE EGLISE		62
20	BD 22	NOUVION	C	80
23	BR 25	NOUVION EN THIERACHE, LE	C	02
37	BP 28	NOUVION ET CATILLON		02
37	BP 28	NOUVION LE COMTE		02
37	BQ 30	NOUVION LE VINEUX		02
39	BY 28	NOUVION SUR MEUSE		08
71	AD 46	NOUVOITOU		35
36	BN 31	NOUVRON VINGRE		02
127	BF 65	NOUZERINES		23
127	BC 65	NOUZEROLLES		23
127	BD 65	NOUZIERS		23
92	AU 52	NOUZILLY		37
25	BY 27	NOUZONVILLE	C	08
158	BQ 76	NOVACELLES		63
147	CH 73	NOVALAISE		73
231	DN 108	NOVALE		2B
61	CH 35	NOVEANT SUR MOSELLE		57
135	CP 64	NOVEL		74
229	DK 105	NOVELLA		2B
191	CB 93	NOVES		13
61	CG 37	NOVIANT AUX PRES		54
102	CP 51	NOVILLARD		90
118	CJ 54	NOVILLARS		25
35	BG 33	NOVILLERS		60
38	BW 29	NOVION PORCIEN	C	08
38	BW 30	NOVY CHEVRIERES		08
47	X 41	NOYAL		22
71	AD 46	NOYAL CHATILLON SUR SEICHE		35
87	W 51	NOYAL MUZILLAC		56
69	U 45	NOYAL PONTIVY		56
71	AD 42	NOYAL SOUS BAZOUGES		35
89	AF 49	NOYAL SUR BRUTZ		44
71	AE 45	NOYAL SUR VILAINE		35
23	BP 26	NOYALES		02
87	V 50	NOYALO		56
91	AQ 52	NOYANT	C	49
129	BM 64	NOYANT D'ALLIER		03
109	AT 57	NOYANT DE TOURAINE		37
37	BO 32	NOYANT ET ACONIN		02
90	AI 50	NOYANT LA GRAVOYERE		49
107	AM 55	NOYANT LA PLAINE		49
161	CG 77	NOYAREY		38
21	BI 22	NOYELLE VION		62
20	BE 23	NOYELLES EN CHAUSSEE		80
12	BL 20	NOYELLES GODAULT		62
21	BF 21	NOYELLES LES HUMIERES		62
12	BL 18	NOYELLES LES SECLIN		59
12	BJ 19	NOYELLES LES VERMELLES		62
22	BL 21	NOYELLES SOUS BELLONNE		62
12	BK 20	NOYELLES SOUS LENS	C	62
22	BM 23	NOYELLES SUR ESCAUT		59
20	BC 23	NOYELLES SUR MER		80
23	BR 23	NOYELLES SUR SAMBRE		59
23	BO 22	NOYELLES SUR SELLE		59
21	BI 21	NOYELLETTE		62
91	AO 48	NOYEN SUR SARTHE		72
79	BO 42	NOYEN SUR SEINE		77
178	CK 83	NOYER, LE		05
112	BJ 54	NOYER, LE		18
148	CK 72	NOYER, LE		73
53	AV 36	NOYER EN OUCHE, LE		27
34	BC 33	NOYERS		27
95	BI 48	NOYERS		45
82	CE 46	NOYERS		52
98	BT 50	NOYERS	C	89
59	CA 37	NOYERS AUZECOURT		55
50	AL 34	NOYERS BOCAGE		14
39	BZ 28	NOYERS PONT MAUGIS		08
35	BG 30	NOYERS ST MARTIN		60
110	BA 55	NOYERS SUR CHER		41
192	CI 89	NOYERS SUR JABRON	C	04
36	BL 29	NOYON	C	60
80	BT 41	NOZAY		10
89	AD 51	NOZAY	C	44
55	BG 40	NOZAY		91
118	CJ 60	NOZEROY	C	39
159	BY 80	NOZIERES		07
128	BH 61	NOZIERES		18
107	AJ 57	NUAILLE		49
122	AH 66	NUAILLE D'AUNIS		17
137	AL 69	NUAILLE SUR BOUTONNE		17
114	BR 54	NUARS		58
59	CB 36	NUBECOURT		55
54	BD 34	NUCOURT		95
107	AK 59	NUEIL LES AUBIERS		79
108	AR 58	NUEIL SOUS FAYE		86
107	AM 57	NUEIL SUR LAYON		49
145	BY 71	NUELLES		69
74	AT 47	NUILLE LE JALAIS		72
72	AJ 47	NUILLE SUR VICOIN		53
58	BV 37	NUISEMENT SUR COOLE		51
98	BU 50	NUITS		89
116	CA 56	NUITS ST GEORGES	C	21
34	BC 27	NULLEMONT		76
81	BZ 43	NULLY TREMILLY		52
21	BG 21	NUNCQ HAUTECOTE		62
126	AZ 62	NURET LE FERRON		36
133	CF 67	NURIEUX VOLOGNAT		01
22	BL 25	NURLU		80
170	AZ 86	NUZEJOULS		46
226	BG 108	NYER		66
90	AI 50	NYOISEAU		49
191	CD 87	NYONS	S	26

O

Page	Carreau	Commune	Adm.	Dpt
85	CU 42	OBENHEIM		67
64	CT 35	OBERBRONN		67
102	CP 48	OBERBRUCK		68
103	CS 51	OBERDORF		68
64	CU 35	OBERDORF SPACHBACH		67
42	CM 32	OBERDORFF		57
85	CS 47	OBERENTZEN		68
43	CQ 34	OBERGAILBACH		57
63	CR 40	OBERHASLACH		67
64	CU 39	OBERHAUSBERGEN		67
85	CS 46	OBERHERGHEIM		68
64	CV 34	OBERHOFFEN LES WISSEMBOURG		67
64	CV 37	OBERHOFFEN SUR MODER		67
103	CR 52	OBERLARG		68
65	CW 35	OBERLAUTERBACH		67
64	CT 37	OBERMODERN ZUTZENDORF		67
85	CR 46	OBERMORSCHWIHR		68
103	CS 50	OBERMORSCHWILLER		68
85	CT 41	OBERNAI	C	67
64	CW 35	OBERROEDERN		67
85	CT 46	OBERSAASHEIM		68
64	CT 39	OBERSCHAEFFOLSHEIM		67
63	CS 36	OBERSOULTZBACH		67
64	CT 34	OBERSTEINBACH		67
62	CP 37	OBERSTINZEL		57
42	CM 33	OBERVISSE		57
23	BR 22	OBIES		59
154	AZ 78	OBJAT		19
11	BI 19	OBLINGHEM		62
24	BT 22	OBRECHIES		59
62	CM 37	OBRECK		57
77	BI 45	OBSONVILLE		77
110	AX 59	OBTERRE		36
99	BX 48	OBTREE		21
230	DJ 112	OCANA		2A
51	AP 38	OCCAGNES		61
100	CD 51	OCCEY		52
228	DJ 105	OCCHIATANA		2B
21	BG 23	OCCOCHES		80
20	BB 24	OCHANCOURT		80
39	BZ 30	OCHES		08
61	CH 40	OCHEY		54
11	BH 16	OCHTEZEELE		59
56	BM 36	OCQUERRE		77
18	AU 27	OCQUEVILLE		76
29	AF 29	OCTEVILLE L'AVENEL		50
32	AQ 30	OCTEVILLE SUR MER		76
204	BO 95	OCTON		34
201	BB 97	ODARS		31
145	BY 68	ODENAS		69
102	CP 47	ODEREN		68
13	BP 20	ODOMEZ		59
217	AO 100	ODOS		65
64	CT 39	ODRATZHEIM		67
83	CI 43	OELLEVILLE		88
62	CP 35	OERMINGEN		67
42	CO 33	OETING		57
21	BF 21	OEUF EN TERNOIS		62
37	BQ 32	OEUILLY		02
57	BR 35	OEUILLY		51
196	AF 96	OEYREGAVE		40
196	AF 95	OEYRELUY		40
10	BE 14	OFFEKERQUE		62
102	CO 50	OFFEMONT	C	90
64	CW 38	OFFENDORF		67
34	BD 27	OFFIGNIES		80
10	BE 20	OFFIN		62
117	CF 55	OFFLANGES		39
35	BE 28	OFFOY		60
36	BL 28	OFFOY		80
19	AX 26	OFFRANVILLE	C	76
10	BC 16	OFFRETHUN		62
83	CI 43	OFFROICOURT		88
64	CT 36	OFFWILLER		67
197	AI 99	OGENNE CAMPTORT		64
58	BT 36	OGER		51
216	AJ 101	OGEU LES BAINS		64
62	CN 40	OGEVILLER		54
229	DM 102	OGLIASTRO		2B
36	BN 29	OGNES		02
57	BS 39	OGNES		51
56	BK 35	OGNES		60
83	CI 41	OGNEVILLE		54
36	BL 28	OGNOLLES		60
35	BJ 33	OGNON		60
61	CJ 34	OGY		57
24	BT 24	OHAIN		59
18	AU 28	OHERVILLE		76
24	BT 26	OHIS		02
64	CU 37	OHLUNGEN		67
85	CT 44	OHNENHEIM		67
106	AG 60	OIE, L'		85
101	CH 49	OIGNEY		70
12	BL 20	OIGNIES		62
99	BY 52	OIGNY		21
75	AW 46	OIGNY		41
36	BM 34	OIGNY EN VALOIS		02
145	BY 70	OINGT		69
76	BC 42	OINVILLE SOUS AUNEAU		28
76	BD 45	OINVILLE ST LIPHARD		28
54	BD 36	OINVILLE SUR MONTCIENT		78
108	AO 59	OIRON		79
58	BT 36	OIRY		51
101	CI 53	OISELAY ET GRACHAUX		70
20	BC 25	OISEMONT	C	80
100	CD 53	OISILLY		21
110	AZ 54	OISLY		41
76	BE 46	OISON		45
72	AK 43	OISSEAU		53
73	AQ 43	OISSEAU LE PETIT		72
33	AX 32	OISSEL		76
56	BK 35	OISSERY		77
21	BE 26	OISSY		80
23	BQ 25	OISY		02
97	BP 53	OISY		58
23	BO 21	OISY		59
22	BM 22	OISY LE VERGER		62
91	AQ 49	OIZE		72
95	BI 53	OIZON		18
203	BL 97	OLARGUES	C	34
143	BL 72	OLBY		63
229	DM 102	OLCANI		2B
198	AO 100	OLEAC DEBAT		65
218	AP 101	OLEAC DESSUS		65
187	BI 88	OLEMPS		12
51	AO 36	OLENDON		14
229	DM 104	OLETTA	C	2B
226	BG 108	OLETTE	C	66
233	DK 113	OLIVESE		2A
94	BD 49	OLIVET	C	45
72	AI 45	OLIVET		53
57	BR 34	OLIZY		51
39	BY 32	OLIZY PRIMAT		08
39	CB 29	OLIZY SUR CHIERS		55
82	CG 44	OLLAINVILLE		88
77	BF 41	OLLAINVILLE		91
101	CK 53	OLLANS		25
75	AZ 43	OLLE		28
40	CG 34	OLLEY		54
36	BM 28	OLLEZY		02
148	CK 69	OLLIERES, LES		74
208	CJ 97	OLLIERES		83
176	BZ 82	OLLIERES SUR EYRIEUX, LES		07
144	BR 73	OLLIERGUES	C	63
212	CJ 101	OLLIOULES	C	83
143	BM 74	OLLOIX		63
145	BY 70	OLMES, LES		69
144	BR 73	OLMET		63
204	BO 95	OLMET ET VILLECUN		34
229	DM 103	OLMETA DI CAPOCORSO		2B
229	DM 105	OLMETA DI TUDA		2B
232	DK 115	OLMETO	C	2A
228	DK 106	OLMI CAPPELLA		2B
233	DK 115	OLMICCIA		2A
229	DN 106	OLMO		2B
121	AB 63	OLONNE SUR MER		85
203	BJ 100	OLONZAC	C	34
197	AJ 100	OLORON STE MARIE	S	64
171	BE 86	OLS ET RINHODES		12
103	CS 52	OLTINGUE		68
64	CU 38	OLWISHEIM		67
177	CD 82	OMBLEZE		26
34	BD 29	OMECOURT		60
83	CI 41	OMELMONT		54
192	CH 89	OMERGUES, LES		04
54	BC 34	OMERVILLE		95
231	DL 107	OMESSA		2B
167	AM 84	OMET		33
217	AN 102	OMEX		65
58	BW 38	OMEY		51
39	BY 29	OMICOURT		08
22	BK 27	OMIECOURT		80
22	BN 26	OMISSY		02
52	AQ 38	OMMEEL		61
62	CM 38	OMMERAY		57
51	AP 37	OMMOY		61
39	BY 29	OMONT	C	08
19	AX 27	OMONVILLE		76
28	AC 27	OMONVILLE LA PETITE		50
29	AC 27	OMONVILLE LA ROGUE		50
172	BG 82	OMPS		15
226	BJ 108	OMS		66
102	CN 52	ONANS		25
181	AH 94	ONARD		40
100	CG 53	ONAY		70
147	CF 69	ONCIEU		01
83	CK 44	ONCOURT		88
77	BH 43	ONCY SUR ECOLE		91
50	AK 36	ONDEFONTAINE		14
200	AY 94	ONDES		31
196	AC 96	ONDRES		40
77	BH 45	ONDREVILLE SUR ESSONNE		45
180	AF 90	ONESSE ET LAHARIE		40
187	BI 87	ONET LE CHATEAU		12
20	BE 23	ONEUX		80
192	CI 91	ONGLES		04
118	CI 60	ONGLIERES		39
80	BV 43	ONJON		10
114	BS 59	ONLAY		58
23	BP 21	ONNAING		59
135	CN 67	ONNION		74
133	CG 64	ONOZ		39
34	BD 31	ONS EN BRAY		60
147	CI 72	ONTEX		73
61	CH 35	ONVILLE		54
93	AY 53	ONZAIN		41
218	AS 105	OO		31
11	BI 15	OOST CAPPEL		59
210	CS 94	OPIO		06
222	BL 104	OPOUL PERILLOS		66
191	CD 93	OPPEDE		84
192	CH 92	OPPEDETTE		04
101	CL 51	OPPENANS		70
22	BL 21	OPPY		62
147	CE 72	OPTEVOZ		38
197	AG 97	ORAAS		64
173	BL 81	ORADOUR		15
138	AO 70	ORADOUR		16
139	AU 68	ORADOUR FANAIS		16
126	AW 67	ORADOUR ST GENEST		87
140	AW 70	ORADOUR SUR GLANE		87
139	AV 72	ORADOUR SUR VAYRES	C	87
100	CE 51	ORAIN		21
38	BT 32	ORAINVILLE		02
192	CJ 92	ORAISON		04
191	CA 90	ORANGE	C	84
133	CE 62	ORBAGNA		39
57	BQ 36	ORBAIS L'ABBAYE		51
186	BF 93	ORBAN		81
52	AS 36	ORBEC	C	14
157	BO 74	ORBEIL		63
199	AS 97	ORBESSAN		32
85	CQ 45	ORBEY		68
110	AY 56	ORBIGNY		37
100	CE 48	ORBIGNY AU MONT		52
100	CD 48	ORBIGNY AU VAL		52
123	AI 64	ORBRIE, L'		85
111	BF 55	ORCAY		41
76	BD 41	ORCEMONT		78
128	BH 61	ORCENAIS		18
143	BN 73	ORCET		63
100	CC 49	ORCEVAUX		52
93	AY 52	ORCHAISE		41
117	CG 56	ORCHAMPS		39
118	CM 56	ORCHAMPS VENNES		25
108	AR 59	ORCHES		86
12	BN 20	ORCHIES	C	59
135	CM 65	ORCIER		74
178	CM 83	ORCIERES	C	05
176	CD 85	ORCINAS		26
143	BM 72	ORCINES		63
143	BL 73	ORCIVAL		63
59	BY 40	ORCONTE		51
199	AR 95	ORDAN LARROQUE		32
197	AG 100	ORDIARP		64
217	AP 101	ORDIZAN		65
150	AI 77	ORDONNAC		33
147	CF 71	ORDONNAZ		01
218	AT 103	ORE		31
196	AE 98	OREGUE		64
225	BG 108	OREILLA		66
163	CN 77	ORELLE		73
35	BG 27	ORESMAUX		80
199	AR 100	ORGAN		65
119	CO 54	ORGEANS BLANCHEFONTAINE		25
139	AS 73	ORGEDEUIL		16
220	BD 106	ORGEIX		09
133	CF 63	ORGELET	C	39
71	AD 46	ORGERES		35
52	AS 38	ORGERES		61
76	BC 46	ORGERES EN BEAUCE	C	28
54	BC 38	ORGERUS		78
81	CA 46	ORGES		52
116	CC 54	ORGEUX		21
37	BQ 30	ORGEVAL		02
54	BE 37	ORGEVAL		78
219	AV 103	ORGIBET		09
29	AF 31	ORGLANDES		50
190	BX 88	ORGNAC L'AVEN		07
154	BA 77	ORGNAC SUR VEZERE		19
207	CC 94	ORGON	C	13
185	AZ 93	ORGUEIL		82
101	CL 51	ORICOURT		70
199	AQ 100	ORIEUX		65
218	AP 101	ORIGNAC		65
167	AK 86	ORIGNE		33
90	AK 47	ORIGNE		53
151	AM 78	ORIGNOLLES		17
99	BY 50	ORIGNY		21
24	BS 26	ORIGNY EN THIERACHE		02
74	AT 43	ORIGNY LE BUTIN		61
74	AS 43	ORIGNY LE ROUX		61
79	BR 42	ORIGNY LE SEC		10
23	BP 27	ORIGNY STE BENOITE		02
197	AI 100	ORIN		64
217	AO 101	ORINCLES		65
61	CK 37	ORIOCOURT		57
161	CE 80	ORIOL EN ROYANS		26
152	AN 76	ORIOLLES		16
197	AH 98	ORION		64
178	CI 81	ORIS EN RATTIER		38
196	AE 95	ORIST		40
152	AP 77	ORIVAL		16
33	AX 32	ORIVAL		76
94	BD 48	ORLEANS	P	45
143	BP 71	ORLEAT		63
198	AO 100	ORLEIX		65
170	AW 84	ORLIAC		24
155	BC 76	ORLIAC DE BAR		19
170	AZ 81	ORLIAGUET		24
146	BZ 73	ORLIENAS		69
221	BD 106	ORLU		09
76	BD 43	ORLU		28
55	BH 39	ORLY	C	94
56	BN 37	ORLY SUR MORIN		77
100	CC 48	ORMANCEY		52
101	CK 52	ORMENANS		70
43	CR 33	ORMERSVILLER		57
80	BT 41	ORMES		10
53	AW 35	ORMES		27
94	BD 48	ORMES		45
38	BS 33	ORMES		51
132	CB 62	ORMES		71
109	AT 58	ORMES, LES		86
97	BO 49	ORMES, LES		89
83	CJ 41	ORMES ET VILLE		54
78	BN 42	ORMES SUR VOULZIE, LES		77
78	BJ 44	ORMESSON		77
55	BI 38	ORMESSON SUR MARNE	C	94
101	CK 49	ORMOICHE		70
54	BA 40	ORMOY		28
101	CI 48	ORMOY		70
97	BQ 48	ORMOY		89
77	BH 41	ORMOY		91
77	BF 43	ORMOY LA RIVIERE		91
36	BL 34	ORMOY LE DAVIEN		60
81	CB 44	ORMOY LES SEXFONTAINES		52
56	BK 34	ORMOY VILLERS		60
160	CD 76	ORNACIEUX		38
222	BL 101	ORNAISONS		11
118	CJ 56	ORNANS	C	25
40	CD 33	ORNES		55
134	CJ 66	ORNEX		01
199	AS 97	ORNEZAN		32
171	BB 86	ORNIAC		46
220	BB 105	ORNOLAC USSAT LES BAINS		09
162	CJ 79	ORNON		38
61	CJ 35	ORNY		57
35	BF 31	OROER		60
198	AN 99	OROIX		65
61	CL 36	ORON		57
124	AO 61	OROUX		79
76	BC 41	ORPHIN		78
192	CH 88	ORPIERRE	C	05
82	CD 43	ORQUEVAUX		52
179	CO 85	ORRES, LES		05
99	BY 51	ORRET		21
197	AH 98	ORRIULE		64
75	AZ 43	ORROUER		28
36	BK 33	ORROUY		60
55	BI 34	ORRY LA VILLE		60
23	BQ 24	ORS		59
190	BZ 90	ORSAN		30
215	AF 99	ORSANCO		64
221	BE 101	ORSANS		11
118	CL 55	ORSANS		25
55	BF 39	ORSAY	C	91
85	CR 47	ORSCHWIHR		68
85	CS 43	ORSCHWILLER		67
127	BC 64	ORSENNES		36
23	BP 22	ORSINVAL		59
157	BO 75	ORSONNETTE		63
76	BD 42	ORSONVILLE		78
227	BL 107	ORTAFFA		66
231	DN 108	ORTALE		2B
196	AE 96	ORTHEVIELLE		40
197	AH 97	ORTHEZ	C	64
189	BU 93	ORTHOUX SERIGNAC QUILHAN		30
80	BV 41	ORTILLON		10
229	DM 106	ORTIPORIO		2B
230	DJ 110	ORTO		2A
84	CL 42	ORTONCOURT		88
220	BA 105	ORUS		09
128	BH 61	ORVAL		18
49	AF 35	ORVAL		50
105	AC 55	ORVAULT	C	44
53	AX 37	ORVAUX		27
102	CM 54	ORVE		25
77	BG 42	ORVEAU		91
77	BG 44	ORVEAU BELLESAUVE		45
100	CC 52	ORVILLE		21
111	BC 57	ORVILLE		36
77	BH 44	ORVILLE		45
52	AR 37	ORVILLE		61
21	BH 23	ORVILLE		62
36	BJ 30	ORVILLERS SOREL		60
54	BB 38	ORVILLIERS		78
79	BS 42	ORVILLIERS ST JULIEN		10
196	AC 95	ORX		40
197	AJ 98	OS MARSILLON		64
230	DG 108	OSANI		2A
60	CC 35	OSCHES		55
85	CR 46	OSENBACH		68
116	CA 60	OSLON		71
36	BN 31	OSLY COURTIL		02
30	AH 32	OSMANVILLE		14
112	BJ 59	OSMERY		18
199	AQ 99	OSMETS		65
112	BI 58	OSMOY		18
54	BC 37	OSMOY		78
19	AZ 27	OSMOY ST VALERY		76
82	CC 41	OSNE LE VAL		52
39	CB 28	OSNES		08
55	BF 35	OSNY		95
197	AH 96	OSSAGES		40
215	AG 101	OSSAS SUHARE		64
118	CK 55	OSSE		25
71	AE 46	OSSE		35
216	AI 102	OSSE EN ASPE		64
225	BE 109	OSSEJA		66
117	CH 56	OSSELLE		25
217	AN 102	OSSEN		65
197	AH 98	OSSENX		64
197	AG 98	OSSERAIN RIVAREYTE		64
215	AD 99	OSSES		64
79	BR 42	OSSEY LES TROIS MAISONS		10
217	AN 101	OSSUN	C	65
217	AO 102	OSSUN EZ ANGLES		65
215	AF 99	OSTABAT ASME		64
37	BP 31	OSTEL		02
85	CS 44	OSTHEIM		68
64	CT 39	OSTHOFFEN		67
85	CU 41	OSTHOUSE		67
11	BH 20	OSTREVILLE		62
12	BM 20	OSTRICOURT		59
64	CU 40	OSTWALD		67
230	DI 109	OTA		2A
40	CD 30	OTHE		54
55	BJ 35	OTHIS		77
41	CH 31	OTTANGE		57
63	CR 38	OTTERSTHAL		67
63	CS 38	OTTERSWILLER		67
103	CT 48	OTTMARSHEIM		68
41	CL 33	OTTONVILLE		57
85	CS 41	OTTROTT		67
63	CQ 36	OTTWILLER		67
114	BP 54	OUAGNE		58
18	AU 27	OUAINVILLE		76
97	BP 51	OUANNE		89
76	BC 43	OUARVILLE		28
30	AI 32	OUBEAUX, LES		14
93	AZ 53	OUCHAMPS		41
144	BT 69	OUCHES		42
93	AZ 49	OUCQUES		41
32	AS 30	OUDALLE		76
113	BO 54	OUDAN		58
35	BE 30	OUDEUIL		60
11	BI 16	OUDEZEELE		59
81	CB 44	OUDINCOURT		52
51	AP 36	OUDON, L'		14
106	AF 54	OUDON		44
41	CK 31	OUDRENNE		57
131	BU 63	OUDRY		71
218	AP 101	OUEILLOUX		65
54	BA 39	OUERRE		28
44	F 36	OUESSANT	C	29
51	AM 35	OUFFIERES		14
100	CG 49	OUGE		70
116	CB 55	OUGES		21
117	CG 55	OUGNEY		39
118	CK 54	OUGNEY DOUVOT		25
114	BR 57	OUGNY		58
118	CL 58	OUHANS		25
174	BS 82	OUIDES		43
198	AM 99	OUILLON		64
52	AS 34	OUILLY DU HOULEY		14
51	AO 36	OUILLY LE TESSON		14
52	AR 34	OUILLY LE VICOMTE		14
31	AO 33	OUISTREHAM	C	14
126	AZ 63	OULCHES		36
37	BQ 31	OULCHES LA VALLEE FOULON		02
37	BO 34	OULCHY LA VILLE		02
37	BO 34	OULCHY LE CHATEAU	C	02
54	BA 38	OULINS		28
162	CJ 79	OULLES		38
146	CA 72	OULLINS	C	69
123	AJ 64	OULMES		85
113	BP 56	OULON		58
117	CG 58	OUNANS		39
203	BK 100	OUPIA		34
117	CG 56	OUR		39
35	BF 29	OURCEL MAISON		60
176	CC 82	OURCHES		26
60	CF 39	OURCHES SUR MEUSE		55
218	AS 103	OURDE		65
217	AO 102	OURDIS COTDOUSSAN		65
217	AN 102	OURDON		65
113	BO 58	OUROUER		58
112	BK 59	OUROUER LES BOURDELINS		18
131	BY 67	OUROUX		69
114	BT 56	OUROUX EN MORVAN		58
131	BW 65	OUROUX SOUS LE BOIS STE MARIE		71
132	CA 61	OUROUX SUR SAONE		71
198	AO 99	OURSBELILLE		65
11	BI 20	OURTON		62
18	AU 28	OURVILLE EN CAUX	C	76
198	AL 99	OUSSE		64
181	AH 92	OUSSE SUZAN		40
117	CF 59	OUSSIERES		39
96	BK 52	OUSSON SUR LOIRE		45
95	BJ 48	OUSSOY EN GATINAIS		45
219	AX 104	OUST	C	09
20	BA 24	OUST MAREST		80
217	AN 102	OUSTE		65
76	BE 45	OUTARVILLE	C	45
81	BX 41	OUTINES		51
10	BB 17	OUTREAU	C	62
21	BG 23	OUTREBOIS		80
82	CF 44	OUTREMECOURT		52
59	BY 38	OUTREPONT		51
147	CF 68	OUTRIAZ		01
118	CM 54	OUVANS		25
11	BF 18	OUVE WIRQUIN		62
203	BL 100	OUVEILLAN		11
49	AF 35	OUVILLE		50
51	AP 35	OUVILLE LA BIEN TOURNEE		14
19	AX 26	OUVILLE LA RIVIERE		76
19	AW 28	OUVILLE L'ABBAYE		76
95	BF 49	OUVROUER LES CHAMPS		45
125	AR 61	OUZILLY		86
96	BJ 48	OUZOUER DES CHAMPS		45
93	AZ 48	OUZOUER LE DOYEN		41
94	BA 48	OUZOUER LE MARCHE	C	41
95	BI 47	OUZOUER SOUS BELLEGARDE		45
95	BI 50	OUZOUER SUR LOIRE	C	45
96	BK 51	OUZOUER SUR TREZEE		45
217	AN 102	OUZOUS		65
101	CI 51	OVANCHES		70
22	BJ 24	OVILLERS LA BOISSELLE		80
11	BH 16	OXELAERE		59
131	BV 66	OYE		71
118	CL 59	OYE ET PALLET		25
11	BE 14	OYE PLAGE		62
57	BR 38	OYES		51
161	CF 75	OYEU		38
133	CG 66	OYONNAX	C	01
109	AU 60	OYRE		86
100	CF 52	OYRIERES		70
76	BE 43	OYSONVILLE		28
160	CC 74	OYTIER ST OBLAS		38
162	CK 78	OZ		38
132	CA 65	OZAN		01
178	CI 85	OZE		05
132	CA 63	OZENAY		71
197	AH 97	OZENX MONTESTRUCQ		64
40	CG 33	OZERAILLES		54
29	AG 30	OZEVILLE		50
82	CE 45	OZIERES		52
151	AL 76	OZILLAC		17

Page	Carreau	Commune	Adm.Dpt
56	BJ 39	OZOIR LA FERRIERE	77
76	BA 47	OZOIR LE BREUIL	28
131	BW 65	OZOLLES	71
160	CA 78	OZON	07
218	AQ 101	OZON	65
56	BJ 40	OZOUER LE VOULGIS	77
197	AG 95	OZOURT	40
		P	
37	BQ 32	PAARS	02
46	S 39	PABU	22
144	BS 67	PACAUDIERE, LA	C 42
71	AC 45	PACE	35
73	AP 42	PACE	61
160	CB 76	PACT	38
98	BU 50	PACY SUR ARMANCON	89
54	BA 36	PACY SUR EURE	C 27
222	BJ 104	PADERN	11
186	BH 91	PADIES	81
171	BC 82	PADIRAC	46
84	CM 43	PADOUX	88
139	AW 73	PAGEAS	87
117	CG 55	PAGNEY	39
60	CG 39	PAGNEY DERRIERE BARINE	54
117	CH 58	PAGNOZ	39
82	CG 41	PAGNY LA BLANCHE COTE	55
116	CC 57	PAGNY LA VILLE	21
116	CC 57	PAGNY LE CHATEAU	21
61	CJ 36	PAGNY LES GOIN	57
60	CF 39	PAGNY SUR MEUSE	55
61	CH 35	PAGNY SUR MOSELLE	54
197	AF 100	PAGOLLE	64
218	AQ 104	PAILHAC	65
159	BY 79	PAILHARES	07
172	BJ 81	PAILHEROLS	15
220	AZ 102	PAILHES	09
204	BN 98	PAILHES	34
35	BG 29	PAILLART	60
137	AL 69	PAILLE	17
22	BN 22	PAILLENCOURT	59
167	AL 84	PAILLET	33
169	AT 86	PAILLOLES	47
100	CE 49	PAILLY, LE	52
79	BO 43	PAILLY	89
105	AA 54	PAIMBOEUF	C 44
47	T 37	PAIMPOL	C 22
70	Z 46	PAIMPONT	35
115	BY 56	PAINBLANC	21
84	CP 43	PAIR ET GRANDRUPT	88
37	BQ 31	PAISSY	02
79	BR 44	PAISY COSDON	10
138	AN 68	PAIZAY LE CHAPT	79
125	AU 63	PAIZAY LE SEC	86
138	AN 67	PAIZAY LE TORT	79
138	AO 69	PAIZAY NADOUIN EMBOURIE	16
160	CC 76	PAJAY	38
161	CF 75	PALADRU	38
222	BJ 103	PALAIRAC	11
86	R 53	PALAIS, LE	C 56
140	AY 71	PALAIS SUR VIENNE, LE	87
55	BF 39	PALAISEAU	S 91
100	CE 49	PALAISEUL	52
221	BH 101	PALAJA	11
219	AW 100	PALAMINY	31
102	CM 50	PALANTE	70
117	CI 57	PALANTINE	25
228	DK 105	PALASCA	2B
225	BD 109	PALAU DE CERDAGNE	66
227	BL 108	PALAU DEL VIDRE	66
205	BT 97	PALAVAS LES FLOTS	34
155	BC 79	PALAZINGES	19
78	BK 44	PALEY	77
173	BO 86	PALHERS	48
131	BV 63	PALINGES	C 71
79	BR 44	PALIS	10
101	CJ 54	PALISE	25
155	BG 76	PALISSE	19
144	BQ 70	PALLADUC	63
199	AQ 97	PALLANNE	32
116	CB 58	PALLEAU	71
83	CL 43	PALLEGNEY	88
106	AF 56	PALLET, LE	44
202	BE 97	PALLEVILLE	81
73	AN 41	PALLU, LA	53
105	AC 60	PALLUAU	C 85
110	AZ 59	PALLUAU SUR INDRE	36
152	AQ 76	PALLUAUD	16
148	CM 72	PALLUD	73
22	BM 22	PALLUEL	62
187	BL 87	PALMAS	12
222	BM 103	PALME, LA	11
231	DL 112	PALNECA	2A
144	BT 72	PALOGNEUX	42
193	CN 93	PALUD SUR VERDON, LA	04
18	AU 27	PALUEL	76
78	BK 42	PAMFOU	77
220	BA 101	PAMIERS	S 09
186	BG 90	PAMPELONNE	C 81
123	AL 63	PAMPLIE	79
124	AO 65	PAMPROUX	79
199	AS 98	PANASSAC	32
140	AY 71	PANAZOL	87
89	AD 48	PANCE	35
82	CC 41	PANCEY	52
231	DN 109	PANCHERACCIA	2B
37	BQ 31	PANCY COURTECON	02
155	BC 78	PANDRIGNES	19
61	CK 34	PANGE	C 57
116	BZ 54	PANGES	21
54	BA 34	PANILLEUSE	27
161	CF 75	PANISSAGE	38
145	BW 72	PANISSIERES	42
182	AN 93	PANJAS	32
89	AG 52	PANNECE	44
77	BF 44	PANNECIERES	45
77	BJ 47	PANNES	45
60	CG 36	PANNES	54
133	CF 61	PANNESSIERES	39
74	AR 43	PANON	72
146	CD 73	PANOSSAS	38
174	BQ 83	PANOUSE, LA	48
55	BH 37	PANTIN	C 93
109	AS 56	PANZOULT	37
23	BS 25	PAPLEUX	02
206	CA 94	PARADOU	13
112	BI 56	PARASSY	18
231	DN 107	PARATA	2B
76	BD 42	PARAY DOUAVILLE	78
130	BQ 62	PARAY LE FRESIL	03
131	BU 64	PARAY LE MONIAL	C 71
129	BO 66	PARAY SOUS BRIAILLES	03
55	BH 39	PARAY VIEILLE POSTE	91
203	BK 100	PARAZA	11
197	AJ 99	PARBAYSE	64
32	AS 29	PARC D'ANXTOT	76
92	AQ 53	PARCAY LES PINS	49
92	AV 53	PARCAY MESLAY	37
109	AS 57	PARCAY SUR VIENNE	37
71	AG 44	PARCE	35
91	AN 49	PARCE SUR SARTHE	72
117	CE 58	PARCEY	39
146	CA 70	PARCIEUX	01
152	AP 78	PARCOUL	24
21	BF 21	PARCQ, LE	C 62
37	BO 33	PARCY ET TIGNY	02
203	BK 98	PARDAILHAN	34
168	AQ 84	PARDAILLAN	47
197	AJ 98	PARDIES	64
198	AL 100	PARDIES PIETAT	64
157	BN 74	PARDINES	63
217	AO 101	PAREAC	65
60	CF 34	PAREID	55
167	AJ 81	PAREMPUYRE	33
73	AO 46	PARENNES	72
143	BN 73	PARENT	63
157	BO 75	PARENTIGNAT	63
181	AF 87	PARENTIS EN BORN	C 40
10	BD 18	PARENTY	62
83	CH 44	PAREY SOUS MONTFORT	88
83	CI 41	PAREY ST CESAIRE	54
38	BU 28	PARFONDEVAL	02
74	AT 42	PARFONDEVAL	61
37	BQ 30	PARFONDRU	02
40	CF 34	PARFONDRUPT	55
50	AL 35	PARFOURU SUR ODON	14
37	BQ 31	PARGNAN	02
22	BL 27	PARGNY	80
37	BP 31	PARGNY FILAIN	02
57	BP 36	PARGNY LA DHUYS	02
37	BQ 28	PARGNY LES BOIS	02
37	BS 33	PARGNY LES REIMS	51
82	CF 43	PARGNY SOUS MUREAU	88
59	BZ 38	PARGNY SUR SAULX	51
80	BU 47	PARGUES	10
190	BW 93	PARIGNARGUES	30
71	AG 42	PARIGNE	35
91	AQ 49	PARIGNE LE POLIN	72
92	AS 48	PARIGNE L'EVEQUE	72
72	AK 43	PARIGNE SUR BRAYE	53
145	BU 69	PARIGNY	42
50	AH 40	PARIGNY	50
113	BP 55	PARIGNY LA ROSE	58
113	BN 57	PARIGNY LES VAUX	58
55	BH 38	PARIS	P 75
115	BY 59	PARIS L'HOPITAL	71
201	BC 94	PARISOT	81
185	BC 89	PARISOT	82
171	BF 82	PARLAN	15
182	AO 92	PARLEBOSCQ	40
97	BO 50	PARLY	89
55	BF 35	PARMAIN	95
147	CE 71	PARMILIEU	38
126	AZ 64	PARNAC	36
170	AY 86	PARNAC	46
160	CD 79	PARNANS	26
112	BI 60	PARNAY	18
108	AP 55	PARNAY	49
72	AK 47	PARNE SUR ROC	53
34	BC 34	PARNES	60
82	CF 47	PARNOY EN BASSIGNY	52
60	CE 37	PAROCHES, LES	55
78	BN 45	PARON	89
117	CH 57	PAROY	25
78	BN 42	PAROY	77
82	CC 41	PAROY SUR SAULX	52
97	BO 48	PAROY SUR THOLON	89
111	BB 56	PARPECAY	36
37	BP 27	PARPEVILLE	02
169	AU 84	PARRANQUET	47
62	CM 39	PARROY	54
80	BW 41	PARS LES CHAVANGES	10
79	BR 42	PARS LES ROMILLY	10
141	BF 67	PARSAC	23
123	AM 62	PARTHENAY	S 79
70	AB 44	PARTHENAY DE BRETAGNE	35
230	DH 108	PARTINELLO	2A
62	CO 40	PARUX	54
147	CH 72	PARVES	01
53	AX 36	PARVILLE	27
36	BJ 28	PARVILLERS LE QUESNOY	80
139	AS 70	PARZAC	16
72	AK 42	PAS, LE	53
108	AO 58	PAS DE JEU	79
21	BH 23	PAS EN ARTOIS	C 62
75	AW 42	PAS ST L'HOMER, LE	61
98	BU 50	PASILLY	89
144	BP 70	PASLIERES	63
36	BN 32	PASLY	02
116	BZ 54	PASQUES	21
118	CI 60	PASQUIER, LE	39
226	BK 107	PASSA	66
161	CF 74	PASSAGE, LE	38
183	AS 89	PASSAGE, LE	47
72	AK 41	PASSAIS	C 61
118	CL 54	PASSAVANT	25
59	CA 35	PASSAVANT EN ARGONNE	51
83	CI 47	PASSAVANT LA ROCHERE	70
107	AM 57	PASSAVANT SUR LAYON	49
36	BL 30	PASSEL	60
117	CG 60	PASSENANS	39
147	CF 73	PASSINS	38
152	AO 76	PASSIRAC	16
118	CL 56	PASSONFONTAINE	25
131	BX 63	PASSY	71
149	CO 69	PASSY	74
79	BO 46	PASSY	89
56	BN 34	PASSY EN VALOIS	02
57	BQ 35	PASSY GRIGNY	51
57	BQ 35	PASSY SUR MARNE	02
79	BO 42	PASSY SUR SEINE	77
230	DJ 110	PASTRICCIOLA	2A
76	BC 47	PATAY	C 45
133	CG 62	PATORNAY	39
229	DM 103	PATRIMONIO	2B
198	AL 99	PAU	P 64
78	BK 47	PAUCOURT	45
111	BD 58	PAUDY	36
183	AT 93	PAUILHAC	32
151	AI 78	PAUILLAC	C 33
68	Q 43	PAULE	22
173	BL 80	PAULHAC	15
201	BA 94	PAULHAC	31
157	BO 77	PAULHAC	43
173	BP 81	PAULHAC EN MARGERIDE	48
158	BQ 78	PAULHAGUET	C 43
204	BQ 97	PAULHAN	34
188	BN 90	PAULHE	12
172	BK 82	PAULHENC	15
169	AU 85	PAULHIAC	47
221	BF 102	PAULIGNE	11
170	AZ 80	PAULIN	24
186	BH 93	PAULINET	81
109	AV 58	PAULMY	37
110	AX 60	PAULNAY	36
105	AB 58	PAULX	44
169	AV 81	PAUNAT	24
153	AS 77	PAUSSAC ET ST VIVIEN	24
82	CD 43	PAUTAINES AUGEVILLE	52
38	BW 31	PAUVRES	08
56	BO 37	PAVANT	02
160	BZ 75	PAVEZIN	42
199	AS 96	PAVIE	32
79	BS 43	PAVILLON STE JULIE, LE	10
55	BI 37	PAVILLONS SOUS BOIS, LES	C 93
33	AX 30	PAVILLY	C 76
80	BT 43	PAYNS	10
201	BD 100	PAYRA SUR L'HERS	11
170	BA 83	PAYRAC	C 46
124	AQ 65	PAYRE	86
170	AY 83	PAYRIGNAC	46
202	BG 97	PAYRIN AUGMONTEL	81
198	AK 95	PAYROS CAZAUTETS	40
125	AS 67	PAYROUX	86
218	AT 102	PAYSSOUS	31
175	BV 86	PAYZAC	07
154	AY 76	PAYZAC	24
154	AZ 79	PAZAYAC	24
222	BJ 104	PAZIOLS	11
114	BQ 56	PAZY	58
160	BZ 76	PEAGE DE ROUSSILLON, LE	38
57	BR 39	PEAS	51
160	BZ 77	PEAUGRES	07
87	X 51	PEAULE	56
122	AF 63	PEAULT	85
200	AW 98	PEBEES	32
158	BQ 80	PEBRAC	43
220	BB 105	PECH	09
220	BC 100	PECH LUNA	11
201	BA 97	PECHABOU	31
220	BC 101	PECHARIC ET LE PY	11
202	BD 97	PECHAUDIER	81
201	BA 95	PECHBONNIEU	31
201	AZ 97	PECHBUSQUE	31
126	BB 63	PECHEREAU, LE	36
198	AK 95	PECORADE	40
55	BF 37	PECQ, LE	C 78
22	BN 21	PECQUENCOURT	59
54	BE 40	PECQUEUSE	91
56	BM 40	PECY	77
46	R 39	PEDERNEC	22
204	BQ 94	PEGAIROLLES DE BUEGES	34
204	BO 94	PEGAIROLLES DE L'ESCALETTE	34
210	CS 95	PEGOMAS	06
176	CC 86	PEGUE, LE	26
199	AT 99	PEGUILHAN	31
100	CD 48	PEIGNEY	52
88	Y 49	PEILLAC	56
195	CV 93	PEILLE	06
195	CV 93	PEILLON	06
148	CL 67	PEILLONNEX	74
117	CE 56	PEINTRE	39
152	AN 80	PEINTURES, LES	33
192	CJ 89	PEIPIN	04
149	CP 74	PEISEY NANCROIX	73
80	BW 43	PEL ET DER	10
207	CD 95	PELISSANNE	C 13
178	CJ 82	PELLAFOL	38
178	CK 85	PELLEAUTIER	05
200	AU 97	PELLEFIGUE	32
168	AP 83	PELLEGRUE	C 33
200	AW 94	PELLEPORT	31
99	BZ 52	PELLEREY	21
105	AB 55	PELLERIN, LE	C 44
91	AQ 53	PELLERINE, LA	49
72	AH 43	PELLERINE, LA	53
110	AZ 58	PELLEVOISIN	36
91	AL 52	PELLOUAILLES LES VIGNES	49
177	CF 87	PELONNE	26
174	BQ 85	PELOUSE	48
117	CI 55	PELOUSEY	25
61	CJ 34	PELTRE	57
160	BZ 76	PELUSSIN	C 42
22	BL 22	PELVES	62
179	CN 81	PELVOUX	05
56	BK 36	PENCHARD	77
45	K 40	PENCRAN	29
20	BB 23	PENDE	80
87	W 52	PENESTIN	56
47	X 42	PENGUILY	22
21	BH 21	PENIN	62
19	AZ 25	PENLY	76
66	J 47	PENMARCH	29
202	BG 100	PENNAUTIER	11
194	CS 91	PENNE, LA	06
185	BC 91	PENNE	81
184	AU 87	PENNE D'AGENAIS	C 47
208	CG 99	PENNE SUR HUVEAUNE, LA	13
191	CE 88	PENNE SUR L'OUVEZE, LA	26
32	AR 31	PENNEDEPIE	14
177	CE 84	PENNES LE SEC	26
207	CF 98	PENNES MIRABEAU, LES	C 13
101	CJ 52	PENNESIERES	70
160	CD 76	PENOL	38
139	AV 74	PENSOL	87
229	DM 106	PENTA ACQUATELLA	2B
229	DN 106	PENTA DI CASINCA	2B
46	R 37	PENVENAN	22
194	CR 89	PEONE	06
203	BJ 99	PEPIEUX	11
127	BF 64	PERASSAY	36
74	AS 44	PERAY	72
79	BO 43	PERCENEIGE	89
97	BR 48	PERCEY	89
100	CE 51	PERCEY LE GRAND	70
54	BD 35	PERCHAY, LE	95
128	BI 62	PERCHE, LA	18
198	AN 94	PERCHEDE	32
177	CH 82	PERCY	38
50	AH 36	PERCY	C 50
51	AP 35	PERCY EN AUGE	14
54	BB 36	PERDREAUVILLE	78
137	AI 68	PERE	17
218	AQ 101	PERE	65
220	BC 104	PEREILLE	09
231	DN 108	PERELLI	2B
12	BL 17	PERENCHIES	59
204	BP 96	PERET	34
155	BE 75	PERET BEL AIR	19
152	AO 75	PEREUIL	16
175	BW 83	PEREYRES	07
183	AS 91	PERGAIN TAILLAC	32
230	DJ 112	PERI	2A
178	CJ 81	PERIER, LE	38
29	AF 33	PERIERS	C 50
31	AP 33	PERIERS EN AUGE	14
31	AN 33	PERIERS SUR LE DAN	14
152	AP 75	PERIGNAC	16
137	AL 73	PERIGNAC	17
143	BN 72	PERIGNAT LES SARLIEVE	63
143	BN 72	PERIGNAT SUR ALLIER	63
123	AM 67	PERIGNE	79
159	BV 75	PERIGNEUX	42
130	BQ 66	PERIGNY	03
50	AL 36	PERIGNY	14
136	AG 67	PERIGNY	17
93	AY 50	PERIGNY	41
55	BI 39	PERIGNY	94
79	BQ 41	PERIGNY LA ROSE	10
153	AU 78	PERIGUEUX	P 24
151	AM 80	PERISSAC	33
37	BQ 32	PERLES	02
220	BC 106	PERLES ET CASTELET	09
185	AZ 88	PERN	46
116	BZ 57	PERNAND VERGELESSES	21
36	BN 32	PERNANT	02
92	AT 53	PERNAY	37
29	AG 29	PERNELLE, LA	50
11	BH 19	PERNES	62
10	BC 16	PERNES LES BOULOGNE	62
191	CC 91	PERNES LES FONTAINES	C 84
21	BF 24	PERNOIS	80
231	DN 107	PERO CASEVECCHIE	2B
205	BT 96	PEROLS	34
155	BE 74	PEROLS SUR VEZERE	19
134	CI 67	PERON	01
132	CC 67	PERONNAS	C 01
132	CA 64	PERONNE	71
22	BL 26	PERONNE	S 80
12	BM 19	PERONNE EN MELANTOIS	59
76	BB 46	PERONVILLE	28
146	CC 70	PEROUGES	01
126	BA 62	PEROUILLE, LA	36
102	CP 50	PEROUSE	90
56	BK 34	PEROY LES GOMBRIES	60
154	AZ 78	PERPEZAC LE BLANC	19
154	BA 77	PERPEZAC LE NOIR	19
142	BK 73	PERPEZAT	63
222	BL 106	PERPIGNAN	P 66
29	AD 30	PERQUES, LES	50
182	AL 93	PERQUIE	40
100	CC 48	PERRANCEY LES VIEUX MOULINS	52
54	BD 39	PERRAY EN YVELINES, LE	78
131	BV 62	PERRECY LES FORGES	71
145	BY 68	PERREON, LE	69
68	S 44	PERRET	22
115	BX 60	PERREUIL	71
145	BU 69	PERREUX	C 42
96	BM 49	PERREUX	89
55	BI 38	PERREUX SUR MARNE, LE	C 94
132	CB 66	PERREX	01
157	BN 74	PERRIER	63
105	AA 59	PERRIER, LE	85
74	AT 43	PERRIERE, LA	61
163	CO 75	PERRIERE, LA	73
51	AO 36	PERRIERES	14
50	AI 38	PERRIERS EN BEAUFICEL	50
53	AV 34	PERRIERS LA CAMPAGNE	27
34	BA 31	PERRIERS SUR ANDELLE	27
134	CM 65	PERRIGNIER	74
133	CF 61	PERRIGNY	39
97	BP 49	PERRIGNY	89
116	CB 55	PERRIGNY LES DIJON	21
98	BV 50	PERRIGNY SUR ARMANCON	89
117	CE 54	PERRIGNY SUR L'OGNON	21
130	BS 63	PERRIGNY SUR LOIRE	71
100	CC 49	PERROGNEY LES FONTAINES	52
50	AJ 35	PERRON, LE	50
46	Q 37	PERROS GUIREC	C 22
50	AL 40	PERROU	61
101	CJ 54	PERROUSE	70
113	BN 54	PERROY	58
33	AZ 31	PERRUEL	27
82	CE 46	PERRUSSE	52
110	AW 57	PERRUSSON	37
172	BG 82	PERS	15
124	AP 67	PERS	79
78	BL 46	PERS EN GATINAIS	45
148	CL 67	PERS JUSSY	74
125	AU 65	PERSAC	86
55	BG 34	PERSAN	95
68	R 45	PERSQUEN	56
22	BK 27	PERTAIN	80
38	BV 31	PERTHES	08
59	BZ 39	PERTHES	52
77	BI 42	PERTHES	C 77
80	BX 42	PERTHES LES BRIENNE	10
51	AP 37	PERTHEVILLE NERS	14
227	BL 109	PERTHUS, LE	66
72	AH 46	PERTRE, LE	35
159	BU 79	PERTUIS, LE	43
208	CG 95	PERTUIS	C 84
139	AT 71	PERUSE, LA	16
74	AS 42	PERVENCHERES	C 61
184	AV 90	PERVILLE	82
170	AX 86	PESCADOIRES	46
144	BP 71	PESCHADOIRES	63
155	BC 80	PESCHER, LE	19
119	CN 54	PESEUX	25
117	CE 58	PESEUX	39
158	BP 75	PESLIERES	63
117	CF 55	PESMES	C 70
167	AJ 82	PESSAC	C 33
168	AP 82	PESSAC SUR DORDOGNE	33
199	AT 96	PESSAN	32
117	CH 57	PESSANS	25
143	BN 70	PESSAT VILLENEUVE	63
133	CI 66	PESSE, LA	39
137	AJ 72	PESSINES	17
184	AU 93	PESSOULENS	32
63	CR 36	PETERSBACH	67
147	CG 68	PETIT ABERGEMENT, LE	01
89	AF 51	PETIT AUVERNE	44
152	AQ 77	PETIT BERSAC	24
148	CM 69	PETIT BORNAND LES GLIERES, LE	74
49	AG 39	PETIT CELLAND, LE	50
33	AX 32	PETIT COURONNE	76
102	CP 50	PETIT CROIX	90
40	CD 31	PETIT FAILLY	54
23	BR 24	PETIT FAYT	59
89	AD 47	PETIT FOUGERAY, LE	35
103	CT 49	PETIT LANDAU	68
89	AE 53	PETIT MARS	44
117	CG 56	PETIT MERCEY, 39	39
80	BX 43	PETIT MESNIL	10
117	CD 59	PETIT NOIR	39
168	AN 81	PETIT PALAIS ET CORNEMPS	33
109	AW 59	PETIT PRESSIGNY, LE	37
33	AX 31	PETIT QUEVILLY, LE	C 76
63	CR 34	PETIT REDERCHING	57
62	CO 35	PETIT TENQUIN	57
23	BP 25	PETIT VERLY	02
107	AJ 59	PETITE BOISSIERE, LA	79
134	CK 61	PETITE CHAUX	25
23	BO 21	PETITE FORET	59
84	CQ 42	PETITE FOSSE, LA	88
142	BI 67	PETITE MARCHE, LA	03
63	CR 36	PETITE PIERRE, LA	C 67
84	CP 42	PETITE RAON, LA	88
42	CN 33	PETITE ROSSELLE	57
115	BU 58	PETITE VERRIERE, LA	71
102	CQ 49	PETITEFONTAINE	90
25	BY 30	PETITES ARMOISES, LES	08
58	BU 34	PETITES LOGES, LES	51
102	CP 49	PETITMAGNY	90
62	CO 40	PETITMONT	54
31	AO 33	PETIVILLE	14
32	AU 31	PETIVILLE	76
122	AH 64	PETOSSE	85
232	DK 114	PETRETO BICCHISANO	C 2A
61	CK 38	PETTONCOURT	57
62	CN 40	PETTONVILLE	54
151	AL 80	PEUJARD	33
66	J 46	PEUMERIT	29
46	R 42	PEUMERIT QUINTIN	22
10	BC 15	PEUPLINGUES	62
90	AJ 48	PEUTON	53
40	CD 32	PEUVILLERS	55
203	BL 94	PEUX ET COUFFOULEUX	12
62	CM 36	PEVANGE	57
37	BS 32	PEVY	51
202	BE 100	PEXIORA	11
84	CO 41	PEXONNE	54
196	AE 95	PEY	40
210	CR 94	PEYMEINADE	06
208	CH 97	PEYNIER	13
208	CH 98	PEYPIN	13
192	CG 93	PEYPIN D'AIGUES	84
141	BD 68	PEYRABOUT	23
221	BD 103	PEYRAT, LE	09
140	AX 68	PEYRAT DE BELLAC	87
142	BG 68	PEYRAT LA NONIERE	23
141	BC 71	PEYRAT LE CHATEAU	87
124	AO 62	PEYRATTE, LA	79
218	AQ 100	PEYRAUBE	65
160	CA 77	PEYRAUD	07
197	AJ 96	PEYRE	40
184	AU 92	PEYRECAVE	32
221	BE 102	PEYREFITTE DU RAZES	11
201	BC 100	PEYREFITTE SUR L'HERS	11
202	BF 95	PEYREGOUX	81
196	AF 96	PEYREHORADE	C 40
188	BN 90	PEYRELEAU	C 12
141	BE 73	PEYRELEVADE	19
198	AN 98	PEYRELONGUE ABOS	64
189	BU 88	PEYREMALE	30
202	BD 99	PEYRENS	11
222	BL 106	PEYRESTORTES	66
199	AR 99	PEYRET ST ANDRE	65
222	BM 102	PEYRIAC DE MER	11
203	BI 99	PEYRIAC MINERVOIS	C 11
147	CF 67	PEYRIAT	01
168	AQ 85	PEYRIERE	47
147	CH 72	PEYRIEU	01
154	AX 79	PEYRIGNAC	24
199	AP 100	PEYRIGUERE	65
140	AX 70	PEYRILHAC	87
170	AZ 82	PEYRILLAC ET MILLAC	24
170	AZ 85	PEYRILLES	46
160	CC 79	PEYRINS	26
155	BB 75	PEYRISSAC	19
200	AV 99	PEYRISSAS	31
202	BD 94	PEYROLE	81
189	BS 90	PEYROLES	30
221	BG 103	PEYROLLES	11
208	CH 95	PEYROLLES EN PROVENCE	C 13
194	CP 93	PEYROULES	04
217	AM 101	PEYROUSE	65
219	AU 100	PEYROUZET	31
192	CJ 91	PEYRUIS	C 04
199	AP 99	PEYRUN	65
176	CC 81	PEYRUS	26
157	BM 78	PEYRUSSE	15
199	AP 95	PEYRUSSE GRANDE	32
171	BF 86	PEYRUSSE LE ROC	12
199	AS 94	PEYRUSSE MASSAS	32
199	AP 95	PEYRUSSE VIEILLE	32
200	AX 99	PEYSSIES	31
170	AX 81	PEYZAC LE MOUSTIER	24
146	CA 68	PEYZIEUX SUR SAONE	01
56	BL 39	PEZARCHES	77
73	AP 45	PEZE LE ROBERT	72
204	BP 98	PEZENAS	C 34
204	BO 96	PEZENES LES MINES	34
202	BG 100	PEZENS	11
222	BI 106	PEZILLA DE CONFLENT	66
222	BK 106	PEZILLA LA RIVIERE	66
93	AY 49	PEZOU	41
169	AU 81	PEZULS	24
76	BB 44	PEZY	28
85	CR 46	PFAFFENHEIM	68
64	CT 37	PFAFFENHOFFEN	67
63	CR 37	PFALZWEYER	67
103	CR 49	PFASTATT	68
103	CR 52	PFETTERHOUSE	68
64	CT 39	PFETTISHEIM	67
64	CU 39	PFULGRIESHEIM	67
102	CP 50	PHAFFANS	90
12	BL 19	PHALEMPIN	59
63	CQ 38	PHALSBOURG	C 57
64	CT 35	PHILIPPSBOURG	57
198	AK 96	PHILONDENX	40
61	CJ 36	PHLIN	54
222	BL 106	PIA	66
73	AQ 44	PIACE	72
167	AJ 80	PIAN MEDOC, LE	33
167	AM 85	PIAN SUR GARONNE, LE	33
230	DH 109	PIANA	C 2A
231	DN 108	PIANELLO	2B
229	DN 106	PIANO	2B
233	DL 117	PIANOTTOLI CALDARELLO	2A
133	CH 63	PIARDS, LES	39
177	CH 86	PIARRE, LA	05
231	DN 108	PIAZZALI	2B
231	DN 107	PIAZZOLE	2B
41	CK 32	PIBLANGE	57
200	AY 96	PIBRAC	31
133	CH 60	PICARREAU	39
29	AF 31	PICAUVILLE	50
100	CC 53	PICHANGES	21
156	BK 75	PICHERANDE	63
21	BF 26	PICQUIGNY	C 80
231	DM 107	PIE D'OREZZA	2B
174	BT 86	PIED DE BORNE	48
231	DM 109	PIEDICORTE DI GAGGIO	2B
231	DM 107	PIEDICROCE	C 2B
231	DL 106	PIEDIGRIGGIO	2B
231	DM 107	PIEDIPARTINO	2B
191	CD 88	PIEGON	26
176	CC 84	PIEGROS LA CLASTRE	26
178	CL 86	PIEGUT	04

Page	Carreau	Commune	Adm.	Dpt
139	AT 73	PIEGUT PLUVIERS		24
52	AS 34	PIENCOURT		27
40	CG 32	PIENNES		54
35	BJ 29	PIENNES ONVILLERS		80
194	CS 90	PIERLAS		06
162	CJ 77	PIERRE, LA		38
146	CA 72	PIERRE BENITE		69
140	AZ 73	PIERRE BUFFIERE	C	87
177	CI 80	PIERRE CHATEL		38
116	CD 59	PIERRE DE BRESSE	C	71
61	CH 40	PIERRE LA TREICHE		54
56	BM 37	PIERRE LEVEE		77
58	BT 38	PIERRE MORAINS		51
84	CP 41	PIERRE PERCEE		54
97	BR 53	PIERRE PERTHUIS		89
132	BY 65	PIERRECLOS		71
100	CF 51	PIERRECOURT		70
20	BB 26	PIERRECOURT		76
194	CT 92	PIERREFEU		06
209	CM 100	PIERREFEU DU VAR		83
173	BL 87	PIERREFICHE		12
174	BS 84	PIERREFICHE		48
18	AR 28	PIERREFIQUES		76
155	BB 76	PIERREFITTE		19
142	BG 68	PIERREFITTE		23
107	AM 59	PIERREFITTE		79
83	CJ 45	PIERREFITTE		88
32	AR 33	PIERREFITTE EN AUGE		14
34	BE 31	PIERREFITTE EN BEAUVAISIS		60
51	AN 37	PIERREFITTE EN CINGLAIS		14
96	BJ 53	PIERREFITTE ES BOIS		45
217	AN 103	PIERREFITTE NESTALAS		65
60	CD 37	PIERREFITTE SUR AIRE	C	55
130	BS 64	PIERREFITTE SUR LOIRE		03
95	BF 53	PIERREFITTE SUR SAULDRE		41
55	BH 36	PIERREFITTE SUR SEINE	C	93
36	BL 32	PIERREFONDS		60
102	CO 53	PIERREFONTAINE LES BLAMONT		25
118	CM 55	PIERREFONTAINE LES VARANS	C	25
173	BL 81	PIERREFORT	C	15
21	BH 25	PIERREGOT		80
190	BZ 87	PIERRELATTE	C	26
55	BF 36	PIERRELAYE		95
191	CD 88	PIERRELONGUE		26
36	BN 30	PIERREMANDE		02
11	BG 20	PIERREMONT		62
100	CF 49	PIERREMONT SUR AMANCE		52
37	BR 29	PIERREPONT		02
51	AN 37	PIERREPONT		14
40	CF 31	PIERREPONT		54
35	BI 28	PIERREPONT SUR AVRE		80
84	CM 43	PIERREPONT SUR L'ARENTELE		88
192	CJ 91	PIERRERUE		04
203	BM 98	PIERRERUE		34
50	AK 37	PIERRES		14
76	BB 41	PIERRES		28
33	AZ 30	PIERREVAL		76
192	CI 93	PIERREVERT		04
29	AD 30	PIERREVILLE		50
61	CI 40	PIERREVILLE		54
41	CI 33	PIERREVILLERS		57
88	AC 50	PIERRIC		44
57	BS 36	PIERRY		51
231	DN 108	PIETRA DI VERDE		2B
229	DN 102	PIETRACORBARA		2B
229	DL 105	PIETRALBA		2B
231	DN 109	PIETRASERENA		2B
231	DM 108	PIETRICAGGIO		2B
232	DI 114	PIETROSELLA		2A
231	DM 110	PIETROSO		2B
197	AK 96	PIETS PLASENCE MOUSTROU		64
221	BG 102	PIEUSSE		11
29	AD 30	PIEUX, LES	C	50
229	DM 105	PIEVE		2B
78	BN 46	PIFFONDS		89
228	DI 105	PIGNA		2B
205	BS 96	PIGNAN	C	34
209	CM 99	PIGNANS		83
38	BT 31	PIGNICOURT		02
143	BO 73	PIGNOLS		63
112	BH 56	PIGNY		18
11	BG 17	PIHEM		62
10	BD 15	PIHEN LES GUINES		62
232	DJ 114	PILA CANALE		2A
152	AQ 77	PILLAC		16
133	CI 61	PILLEMOINE		39
191	CD 87	PILLES, LES		26
40	CE 31	PILLON		55
198	AL 96	PIMBO		40
98	BU 49	PIMELLES		89
133	CF 63	PIMORIN		39
36	BL 30	PIMPREZ		60
130	BS 65	PIN, LE		03
32	AS 33	PIN, LE		14
151	AM 77	PIN, LE		17
190	BY 90	PIN, LE		30
161	CF 75	PIN, LE		38
133	CF 61	PIN, LE		39
89	AG 51	PIN, LE		44
117	CH 54	PIN		70
55	BJ 37	PIN, LE		77
107	AK 59	PIN, LE		79
184	AV 91	PIN, LE		82
52	AR 39	PIN AU HARAS, LE		61
201	BA 96	PIN BALMA		31
107	AI 55	PIN EN MAUGES, LE		49
74	AT 42	PIN LA GARENNE, LE		61
200	AW 98	PIN MURELET, LE		31
218	AR 101	PINAS		65
145	BV 71	PINAY		42
91	AM 49	PINCE		72
182	AO 88	PINDERES		47
125	AV 64	PINDRAY		86
122	AF 62	PINEAUX, LES		85
169	AS 87	PINEL HAUTERIVE		47
204	BQ 98	PINET		34
168	AQ 82	PINEUILH		33
80	BV 43	PINEY	C	10
229	DM 101	PINO		2B
157	BP 80	PINOLS	C	43
37	BP 31	PINON		02
138	AR 71	PINS, LES		16
201	AZ 97	PINS JUSTARET		31
170	BA 82	PINSAC		46
201	AZ 97	PINSAGUEL		31
162	CK 76	PINSOT		38
198	AN 99	PINTAC		65
53	AY 34	PINTERVILLE		27
60	CF 34	PINTHEVILLE		55
54	BB 39	PINTHIERES, LES		28
231	DN 107	PIOBETTA		2B
228	DJ 106	PIOGGIOLA		2B
190	CA 89	PIOLENC		84
141	BE 68	PIONNAT		23
142	BJ 68	PIONSAT	C	63
138	AP 68	PIOUSSAY		79
88	AA 48	PIPRIAC	C	35
185	AY 90	PIQUECOS		82
133	CD 65	PIRAJOUX		01
71	AE 46	PIRE SUR SEICHE		35
118	CI 55	PIREY		25
87	V 53	PIRIAC SUR MER		44
91	AO 48	PIRMIL		72
29	AE 33	PIROU		50
200	AT 94	PIS		32
137	AI 72	PISANY		17
55	BH 36	PISCOP		95
53	AX 38	PISEUX		27
160	CC 76	PISIEU		38
35	BF 30	PISSELEU		60
100	CG 49	PISSELOUP		52
101	CK 48	PISSEURE, LA		70
181	AI 88	PISSOS	C	40
123	AI 63	PISSOTTE		85
21	BF 27	PISSY		80
33	AX 30	PISSY POVILLE		76
98	BU 52	PISY		89
11	BG 15	PITGAM		59
77	BG 45	PITHIVIERS	S	45
77	BF 45	PITHIVIERS LE VIEIL		45
36	BM 28	PITHON		02
33	AY 32	PITRES		27
10	BC 16	PITTEFAUX		62
146	CC 70	PIZAY		01
74	AS 43	PIZIEUX		72
152	AO 80	PIZOU, LE		24
221	BE 106	PLA, LE		09
44	J 39	PLABENNEC	C	29
72	AJ 44	PLACE		53
52	AT 34	PLACES, LES		27
117	CH 55	PLACEY		25
21	BG 27	PLACHY BUYON		80
51	AM 36	PLACY		14
50	AJ 35	PLACY MONTAIGU		50
174	BT 84	PLAGNAL, LE		07
133	CH 67	PLAGNE		01
219	AW 101	PLAGNE		31
200	AW 98	PLAGNOLE		31
220	BC 101	PLAIGNE		11
55	BI 35	PLAILLY		60
119	CN 55	PLAIMBOIS DU MIROIR		25
119	CM 55	PLAIMBOIS VENNES		25
112	BH 58	PLAIMPIED GIVAUDINS		18
107	AK 57	PLAINE, LA		49
85	CQ 42	PLAINE		67
62	CQ 38	PLAINE DE WALSCH		57
47	U 41	PLAINE HAUTE		22
104	Y 56	PLAINE SUR MER, LA		44
101	CJ 48	PLAINEMONT		70
80	BW 47	PLAINES ST LANGE		10
84	CP 44	PLAINFAING		88
133	CF 61	PLAINOISEAU		39
119	CP 54	PLAINS ET GRANDS ESSARTS, LES		25
47	U 41	PLAINTEL		22
35	BH 30	PLAINVAL		60
52	AT 35	PLAINVILLE		27
35	BH 29	PLAINVILLE		60
187	BI 92	PLAISANCE		12
169	AT 84	PLAISANCE		24
198	AO 96	PLAISANCE	C	32
125	AV 66	PLAISANCE		86
201	AY 96	PLAISANCE DU TOUCH		31
133	CG 63	PLAISIA		39
191	CE 89	PLAISIANS		26
54	BE 38	PLAISIR	C	78
204	BQ 97	PLAISSAN		34
138	AN 72	PLAIZAC		16
219	AW 101	PLAN, LE		31
161	CE 76	PLAN		38
208	CI 99	PLAN D' AUPS STE BAUME		83
176	CD 82	PLAN DE BAIX		26
208	CG 98	PLAN DE CUQUES		13
210	CP 98	PLAN DE LA TOUR		83
191	CC 93	PLAN D'ORGON		13
162	CK 74	PLANAISE		73
98	BW 50	PLANAY		21
163	CO 75	PLANAY		73
106	AE 57	PLANCHE, LA		44
102	CN 49	PLANCHER BAS		70
102	CO 49	PLANCHER LES MINES		70
148	CL 72	PLANCHERINE		73
52	AS 39	PLANCHES		61
134	CJ 61	PLANCHES EN MONTAGNE, LES	C	39
117	CH 59	PLANCHES PRES ARBOIS, LES		39
114	BT 57	PLANCHEZ		58
48	Y 40	PLANCOET	C	22
80	BT 41	PLANCY L'ABBAYE		10
118	CK 59	PLANEE, LA		25
225	BF 108	PLANES		66
222	BJ 105	PLANEZES		66
159	BX 76	PLANFOY		42
47	W 40	PLANGUENOUAL		22
171	BE 85	PLANIOLES		46
117	CD 60	PLANOIS, LE		71
52	AT 35	PLANQUAY, LE		27
50	AJ 34	PLANQUERY		14
11	BE 20	PLANQUES		62
81	BZ 41	PLANRUPT		52
190	BW 90	PLANS, LES		30
204	BO 94	PLANS, LES		34
146	CC 69	PLANTAY, LE		01
189	BS 90	PLANTIERS, LES		30
52	AS 40	PLANTIS, LE		61
79	BQ 44	PLANTY		10
175	BV 86	PLANZOLLES		07
61	CI 34	PLAPPEVILLE		57
117	CG 60	PLASNE		39
52	AU 34	PLASNES		27
151	AK 75	PLASSAC		17
151	AJ 79	PLASSAC		33
152	AP 75	PLASSAC ROUFFIAC		16
137	AJ 71	PLASSAY		17
160	CA 80	PLATS		07
69	V 48	PLAUDREN		56
143	BN 74	PLAUZAT		63
221	BD 101	PLAVILLA		11
153	AW 80	PLAZAC		24
155	BF 79	PLEAUX	C	15
48	Y 39	PLEBOULLE		22
88	AC 48	PLECHATEL		35
70	Y 41	PLEDELIAC		22
47	V 41	PLEDRAN		22
47	U 39	PLEGUIEN		22
47	T 38	PLEHEDEL		22
71	AD 40	PLEINE FOUGERES	C	35
23	BP 27	PLEINE SELVE		02
151	AK 76	PLEINE SELVE		33
19	AV 27	PLEINE SEVE		76
70	Z 46	PLELAN LE GRAND	C	35
70	Z 41	PLELAN LE PETIT	C	22
68	R 43	PLELAUFF		22
47	U 40	PLELO		22
69	W 44	PLEMET		22
47	V 42	PLEMY		22
70	X 42	PLENEE JUGON		22
47	W 40	PLENEUF VAL ANDRE	C	22
118	CI 60	PLENISE		39
118	CI 60	PLENISETTE		39
48	AB 40	PLERGUER		35
47	V 40	PLERIN	C	22
47	U 40	PLERNEUF		22
87	U 49	PLESCOP		56
70	AB 42	PLESDER		35
46	S 41	PLESIDY		22
48	AA 40	PLESLIN TRIGAVOU		22
41	CI 34	PLESNOIS		57
100	CE 48	PLESNOY		52
69	W 43	PLESSALA		22
88	AB 51	PLESSE		44
37	BO 33	PLESSIER HULEU, LE		02
35	BI 28	PLESSIER ROZAINVILLERS, LE		80
35	BG 31	PLESSIER SUR BULLES, LE		60
35	BH 30	PLESSIER SUR ST JUST, LE		60
56	BK 36	PLESSIS AUX BOIS, LE		77
79	BQ 41	PLESSIS BARBUISE		10
56	BK 35	PLESSIS BELLEVILLE, LE		60
55	BG 36	PLESSIS BOUCHARD, LE		95
36	BL 31	PLESSIS BRION, LE		60
36	BK 30	PLESSIS DE ROYE		60
75	AW 46	PLESSIS DORIN, LE		41
56	BM 39	PLESSIS FEU AUSSOUX, LE		77
55	BH 36	PLESSIS GASSOT, LE		95
91	AL 52	PLESSIS GRAMMOIRE, LE		49
50	AL 36	PLESSIS GRIMOULT, LE		14
53	AY 37	PLESSIS GROHAN, LE		27
53	AZ 36	PLESSIS HEBERT, LE		27
29	AF 32	PLESSIS LASTELLE, LE		50
94	BA 49	PLESSIS L'ECHELLE, LE		41
56	BK 36	PLESSIS L'EVEQUE, LE		77
55	BH 35	PLESSIS LUZARCHES, LE		95
90	AK 52	PLESSIS MACE, LE		49
55	BG 40	PLESSIS PATE, LE		91
36	BM 28	PLESSIS PATTE D'OIE, LE		60
56	BL 35	PLESSIS PLACY, LE		77
55	BG 38	PLESSIS ROBINSON, LE	C	92
76	BE 42	PLESSIS ST BENOIST		91
79	BO 43	PLESSIS ST JEAN		89
53	AW 35	PLESSIS STE OPPORTUNE, LE		27
55	BI 38	PLESSIS TREVISE, LE		94
48	Z 40	PLESSIX BALISSON		22
47	X 41	PLESTAN		22
46	P 38	PLESTIN LES GREVES	C	22
46	S 36	PLEUBIAN		22
69	X 49	PLEUCADEUC		56
46	S 37	PLEUDANIEL		22
70	AB 41	PLEUDIHEN SUR RANCE		22
69	V 46	PLEUGRIFFET		56
70	AB 42	PLEUGUENEUC		35
125	AU 61	PLEUMARTIN	C	86
70	AB 44	PLEUMELEUC		35
46	P 37	PLEUMEUR BODOU		22
46	S 37	PLEUMEUR GAUTIER		22
117	CE 59	PLEURE		39
57	BS 39	PLEURS		51
48	AA 40	PLEURTUIT		35
67	L 46	PLEUVEN		29
83	CH 42	PLEUVEZAIN		88
139	AS 68	PLEUVILLE		16
70	Y 41	PLEVEN		22
68	P 43	PLEVIN		22
67	M 43	PLEYBEN	C	29
45	N 40	PLEYBER CHRIST		29
138	AP 67	PLIBOUX		79
59	BY 39	PLICHANCOURT		51
184	AU 92	PLIEUX		32
58	BT 36	PLIVOT		51
67	J 47	PLOBANNALEC LESCONIL		29
85	CU 41	PLOBSHEIM		67
86	S 50	PLOEMEL		56
68	P 49	PLOEMEUR	C	56
68	R 45	PLOERDUT		56
87	T 50	PLOEREN		56
69	X 47	PLOERMEL	C	56
47	V 42	PLOEUC SUR LIE	C	22
67	K 43	PLOEVEN		29
46	S 38	PLOEZAL		22
66	J 45	PLOGASTEL ST GERMAIN	C	29
66	G 44	PLOGOFF		29
67	K 44	PLOGONNEC		29
36	BN 32	PLOISY		02
49	AG 38	PLOMB		50
84	CL 47	PLOMBIERES LES BAINS	C	88
116	CA 54	PLOMBIERES LES DIJON		21
67	K 46	PLOMELIN		29
66	J 47	PLOMEUR		29
24	BS 27	PLOMION		02
67	K 43	PLOMODIERN		29
67	K 45	PLONEIS		29
66	J 46	PLONEOUR LANVERN		29
67	N 42	PLONEVEZ DU FAOU		29
67	K 44	PLONEVEZ PORZAY		29
70	Y 41	PLOREC SUR ARGUENON		22
111	BF 58	PLOU		18
47	T 40	PLOUAGAT	C	22
46	P 39	PLOUARET	C	22
44	G 40	PLOUARZEL		29
70	AA 43	PLOUASNE		22
68	Q 47	PLOUAY	C	56
48	AA 40	PLOUBALAY	C	22
47	T 37	PLOUBAZLANEC		22
46	Q 38	PLOUBEZRE		22
44	H 39	PLOUDALMEZEAU	C	29
45	K 39	PLOUDANIEL		29
45	L 40	PLOUDIRY	C	29
46	S 38	PLOUEC DU TRIEUX		22
45	K 40	PLOUEDERN		29
46	O 39	PLOUEGAT GUERAND		29
46	O 39	PLOUEGAT MOYSAN		29
45	M 38	PLOUENAN		29
48	AA 40	PLOUER SUR RANCE		22
45	L 38	PLOUESCAT	C	29
47	T 38	PLOUEZEC		22
45	N 38	PLOUEZOCH		29
47	U 41	PLOUFRAGAN	C	22
45	L 39	PLOUGAR		29
45	N 38	PLOUGASNOU		29
44	J 41	PLOUGASTEL DAOULAS		29
44	G 41	PLOUGONVELIN		29
45	O 40	PLOUGONVEN		29
46	Q 40	PLOUGONVER		22
45	L 38	PLOUGOULM		29
87	T 50	PLOUGOUMELEN		56
45	L 39	PLOUGOURVEST		29
46	P 40	PLOUGRAS		22
46	S 36	PLOUGRESCANT		22
69	V 43	PLOUGUENAST	C	22
44	I 38	PLOUGUERNEAU		29
68	R 43	PLOUGUERNEVEL		22
46	S 37	PLOUGUIEL		22
44	H 39	PLOUGUIN		29
47	U 38	PLOUHA	C	22
86	R 50	PLOUHARNEL		56
66	I 45	PLOUHINEC		29
86	Q 49	PLOUHINEC		56
45	J 38	PLOUIDER		29
45	O 39	PLOUIGNEAU	C	29
46	S 39	PLOUISY		22
46	P 38	PLOULEC'H		22
46	S 40	PLOUMAGOAR		22
46	P 38	PLOUMILLIAU		22
44	G 40	PLOUMOGUER		29
45	M 40	PLOUNEOUR MENEZ		29
45	K 38	PLOUNEOUR TREZ		29
46	P 39	PLOUNERIN		22
45	K 39	PLOUNEVENTER		29
45	K 38	PLOUNEVEZ LOCHRIST		29
46	Q 39	PLOUNEVEZ MOEDEC		22
68	R 42	PLOUNEVEZ QUINTIN		22
46	O 42	PLOUNEVEZEL		29
46	P 41	PLOURAC'H		22
68	Q 44	PLOURAY		56
47	U 39	PLOURHAN		22
44	H 39	PLOURIN		29
45	N 39	PLOURIN LES MORLAIX		29
47	T 37	PLOURIVO		22
22	BL 21	PLOUVAIN		62
47	U 40	PLOUVARA		22
44	I 39	PLOUVIEN		29
45	M 39	PLOUVORN		29
45	N 42	PLOUYE		29
44	H 41	PLOUZANE		29
46	P 38	PLOUZELAMBRE		22
45	L 39	PLOUZEVEDE	C	29
66	I 46	PLOVAN		29
37	BR 31	PLOYART ET VAURSEINE		02
35	BI 30	PLOYRON, LE		60
66	I 45	PLOZEVET		29
47	T 38	PLUDUAL		22
48	Y 40	PLUDUNO		22
46	P 39	PLUFUR		22
67	K 45	PLUGUFFAN		29
87	X 50	PLUHERLIN		56
70	Z 42	PLUMAUDAN		22
70	Z 43	PLUMAUGAT		22
69	V 48	PLUMELEC		56
69	T 46	PLUMELIAU		56
69	T 47	PLUMELIN		56
69	T 49	PLUMERGAT		56
31	AN 33	PLUMETOT		14
69	W 45	PLUMIEUX		22
117	CG 56	PLUMONT		39
87	T 49	PLUNERET		56
48	Y 39	PLURIEN		22
46	P 41	PLUSQUELLEC		22
68	S 43	PLUSSULIEN		22
116	CC 56	PLUVAULT		21
116	CD 56	PLUVET		21
68	S 48	PLUVIGNER	C	56
46	Q 38	PLUZUNET		22
58	BU 36	POCANCY		51
71	AG 45	POCE LES BOIS		35
93	AW 53	POCE SUR CISSE		37
167	AL 84	PODENSAC	C	33
192	CJ 88	POET, LE		05
176	CC 84	POET CELARD, LE		26
192	CF 88	POET EN PERCIP, LE		26
176	CC 85	POET LAVAL, LE		26
191	CE 87	POET SIGILLAT, LE		26
22	BM 26	POEUILLY		80
197	AK 98	POEY DE LESCAR		64
197	AI 99	POEY D'OLORON		64
143	BN 69	POEZAT		03
231	DM 111	POGGIO DI NAZZA		2B
231	DL 109	POGGIO DI VENACO		2B
229	DM 104	POGGIO D'OLETTA		2B
231	DM 106	POGGIO MARINACCIO		2B
231	DO 107	POGGIO MEZZANA		2B
230	DJ 110	POGGIOLO		2A
58	BW 37	POGNY		51
133	CG 62	POIDS DE FIOLE		39
78	BO 41	POIGNY		77
54	BC 40	POIGNY LA FORET		78
115	BU 60	POIL		58
38	BT 31	POILCOURT SYDNEY		08
204	BN 99	POILHES		34
91	AN 48	POILLE SUR VEGRE		72
71	AG 41	POILLEY		35
49	AF 40	POILLEY		50
37	BR 34	POILLY		51
95	BI 51	POILLY LEZ GIEN		45
97	BS 50	POILLY SUR SEREIN		89
97	BO 49	POILLY SUR THOLON		89
98	BW 48	POINCON LES LARREY		21
127	BC 61	POINCONNET, LE		36
56	BL 36	POINCY		77
99	CA 50	POINSENOT		52
100	CF 49	POINSON LES FAYL		52
99	CA 50	POINSON LES GRANCEY		52
82	CD 47	POINSON LES NOGENT		52
51	AN 39	POINTEL		61
218	AS 102	POINTIS DE RIVIERE		31
219	AU 102	POINTIS INARD		31
117	CE 55	POINTRE		39
117	CI 57	POINTVILLERS		25
76	BD 45	POINVILLE		28
122	AI 64	POIRE SUR VELLUIRE, LE		85
105	AD 60	POIRE SUR VIE, LE	C	85
121	AD 63	POIROUX		85
161	CH 78	POISAT		38
100	CE 48	POISEUL		52
99	BZ 52	POISEUL LA GRANGE		21
99	BY 52	POISEUL LA VILLE ET LAPERRIERE		21
99	CB 51	POISEUL LES SAULX		21
113	BN 57	POISEUX		58
111	BE 58	POISIEUX		18
75	AX 46	POISLAY, LE		41
131	BU 65	POISSON		71
81	CC 42	POISSONS	C	52
55	BF 37	POISSY	C	78
76	BA 41	POISVILLIERS		28
148	CJ 70	POISY		74
107	AI 55	POITEVINIERE, LA		49
125	AS 63	POITIERS	P	86
58	BV 39	POIVRES		10
59	BX 36	POIX		51
34	BE 27	POIX DE PICARDIE	C	80
23	BQ 23	POIX DU NORD		59
39	BX 29	POIX TERRON		08
147	CH 67	POIZAT, LE		01
101	CI 48	POLAINCOURT ET CLAIREFONTAINE		70
200	AV 99	POLASTRON		31
200	AU 97	POLASTRON		32
146	BZ 71	POLEYMIEUX AU MONT D'OR		69
161	CF 77	POLIENAS		38
151	AM 77	POLIGNAC		17
158	BS 80	POLIGNAC		43
89	AD 48	POLIGNE		35
178	CK 83	POLIGNY		05
80	BV 45	POLIGNY		10
117	CG 59	POLIGNY	C	39
78	BJ 45	POLIGNY		77
11	BF 15	POLINCOVE		62
80	BV 46	POLISOT		10
80	BW 46	POLISY		10
222	BL 107	POLLESTRES		66
132	CC 66	POLLIAT		01
147	CH 71	POLLIEU		01
146	BZ 72	POLLIONNAY		69
172	BI 81	POLMINHAC		15
231	DM 107	POLVEROSO		2B
38	BU 32	POMACLE		51
202	BD 98	POMAREDE, LA		11
170	AX 85	POMAREDE		46
197	AH 95	POMAREZ		40
221	BG 102	POMAS		11
173	BM 86	POMAYROLS		12
167	AM 81	POMEROL		33
204	BQ 98	POMEROLS		34
145	BX 73	POMEYS		69
116	BZ 58	POMMARD		21
21	BH 23	POMMERA		62
107	AI 60	POMMERAIE SUR SEVRE, LA		85
51	AM 37	POMMERAYE, LA		14
106	AI 54	POMMERAYE, LA		49
47	W 41	POMMERET		22
23	BP 24	POMMEREUIL		59
34	BB 29	POMMEREUX		76
19	AZ 28	POMMEREVAL		76
90	AI 49	POMMERIEUX		53
61	CI 35	POMMERIEUX		57
46	S 38	POMMERIT JAUDY		22
46	S 39	POMMERIT LE VICOMTE		22
177	CF 86	POMMEROL		26
56	BM 38	POMMEUSE		77
184	AV 90	POMMEVIC		82
21	BI 23	POMMIER		62
160	CC 76	POMMIER DE BEAUREPAIRE		38
36	BN 32	POMMIERS		02
188	BR 92	POMMIERS		30
127	BB 64	POMMIERS		36
145	BU 71	POMMIERS		42
146	BZ 70	POMMIERS		69
161	CH 76	POMMIERS LA PLACETTE		38
151	AL 77	POMMIERS MOULONS		17
101	CL 50	POMOY		70
123	AN 62	POMPAIRE		79
167	AM 87	POMPEJAC		33
201	BA 97	POMPERTUZAT		31
61	CI 38	POMPEY	C	54
200	AW 97	POMPIAC		32
189	BR 89	POMPIDOU, LE		48
82	CF 44	POMPIERRE		88
102	CM 53	POMPIERRE SUR DOUBS		25
183	AQ 89	POMPIEY		47
167	AL 82	POMPIGNAC		33
189	BS 93	POMPIGNAN		30
185	AY 94	POMPIGNAN		82
182	AO 89	POMPOGNE		47
55	BJ 37	POMPONNE		77
168	AR 83	POMPORT		24
197	AJ 97	POMPS		64
221	BE 102	POMY		11
92	AU 50	PONCE SUR LE LOIR		72
117	CE 55	PONCEY LES ATHEE		21
99	BZ 52	PONCEY SUR L'IGNON		21
21	BF 22	PONCHEL, LE		62
20	BD 21	PONCHES ESTRUVAL		80
35	BF 32	PONCHON		60
147	CE 68	PONCIN	C	01
145	BV 72	PONCINS		42
168	AN 85	PONDAURAT		33
128	BJ 60	PONDY, LE		18
177	CE 82	PONET ET ST AUBAN		26
218	AS 101	PONLAT TAILLEBOURG		31
137	AK 74	PONS	C	17
199	AQ 98	PONSAMPERE		32
199	AR 99	PONSAN SOUBIRAN		32
160	CA 78	PONSAS		26
198	AN 99	PONSON DEBAT POUTS		64
198	AN 99	PONSON DESSUS		64
177	CI 81	PONSONNAS		38
117	CD 56	PONT		21
12	BM 19	PONT A MARCQ	C	59
61	CI 36	PONT A MOUSSON	C	54
12	BK 20	PONT A VENDIN		62
37	BQ 32	PONT ARCY		02
32	AT 32	PONT AUDEMER	C	27
32	AV 33	PONT AUTHOU		27
67	N 47	PONT AVEN	C	29
50	AI 36	PONT BELLANGER		14
126	BA 62	PONT CHRETIEN CHABENET, LE		36
66	I 44	PONT CROIX	C	29
147	CE 68	PONT D'AIN	C	01
176	CC 84	PONT DE BARRET		26
161	CG 74	PONT DE BEAUVOISIN, LE	C	38
161	CH 74	PONT DE BEAUVOISIN, LE	C	73
67	L 42	PONT DE BUIS LES QUIMERCH		29
146	CD 72	PONT DE CHERUY	C	38
161	CH 79	PONT DE CLAIX, LE		38
175	BW 84	PONT DE LABEAUME		07
33	AY 33	PONT DE L'ARCHE	C	27
202	BH 97	PONT DE LARN		81
160	CA 80	PONT DE L'ISERE		26
21	BG 26	PONT DE METZ		80
189	BS 88	PONT DE MONTVERT, LE	C	48
101	CH 52	PONT DE PLANCHES, LE		70
133	CG 62	PONT DE POITTE		39
102	CO 53	PONT DE ROIDE	C	25
109	AT 55	PONT DE RUAN		37
187	BK 88	PONT DE SALARS	C	12
132	CB 64	PONT DE VAUX	C	01
132	CA 66	PONT DE VEYLE	C	01
117	CI 59	PONT D'HERY		39
51	AM 37	PONT D'OUILLY		14
83	CJ 47	PONT DU BOIS		70
183	AT 89	PONT DU CASSE		47
143	BN 71	PONT DU CHATEAU	C	63
133	CH 61	PONT DU NAVOY		39
161	CE 79	PONT EN ROYANS	C	38
98	BW 53	PONT ET MASSENE		21
160	CB 74	PONT EVEQUE		38
50	AI 36	PONT FARCY		14
30	AH 34	PONT HEBERT		50
81	CA 46	PONT LA VILLE		52
67	J 46	PONT L'ABBE	C	29
136	AI 71	PONT L'ABBE D'ARNOULT		17
83	CJ 45	PONT LES BONFAYS		88
118	CL 54	PONT LES MOULINS		25
32	AR 33	PONT L'EVEQUE	C	14
36	BL 30	PONT L'EVEQUE		60

Page	Carreau	Commune	Adm.	Dpt
46	R 41	PONT MELVEZ		22
21	BH 26	PONT NOYELLES		80
71	AC 46	PONT PEAN		35
20	BD 24	PONT REMY		80
159	BW 77	PONT SALOMON		43
68	Q 47	PONT SCORFF	C	56
190	BZ 89	PONT ST ESPRIT	C	30
36	BN 30	PONT ST MARD		02
105	AD 56	PONT ST MARTIN		44
33	AZ 32	PONT ST PIERRE		27
61	CI 40	PONT ST VINCENT		54
80	BT 44	PONT STE MARIE		10
35	BJ 33	PONT STE MAXENCE	C	60
101	CL 52	PONT SUR L'OGNON		70
83	CJ 42	PONT SUR MADON		88
60	CE 38	PONT SUR MEUSE		55
23	BR 22	PONT SUR SAMBRE		59
79	BQ 41	PONT SUR SEINE		10
79	BP 45	PONT SUR VANNE		89
78	BN 44	PONT SUR YONNE	C	89
145	BW 68	PONT TRAMBOUZE		69
217	AM 100	PONTACQ	C	64
117	CE 55	PONTAILLER SUR SAONE	C	21
177	CE 83	PONTAIX		26
162	CM 76	PONTAMAFREY MONTPASCAL		73
141	BD 70	PONTARION	C	23
118	CL 59	PONTARLIER	S	25
55	BI 34	PONTARME		60
49	AF 39	PONTAUBAULT		50
97	BS 53	PONTAUBERT		89
55	BI 39	PONTAULT COMBAULT	C	77
142	BJ 71	PONTAUMUR	C	63
37	BR 31	PONTAVERT		02
56	BJ 38	PONTCARRE		77
101	CI 51	PONTCEY		70
52	AR 37	PONTCHARDON		61
162	CJ 75	PONTCHARRA		38
145	BX 70	PONTCHARRA SUR TURDINE		69
142	BG 71	PONTCHARRAUD		23
88	Z 53	PONTCHATEAU	C	44
170	AY 85	PONTCIRQ		46
50	AL 37	PONTECOULANT		14
222	BK 107	PONTEILLA		66
174	BU 87	PONTEILS ET BRESIS		30
180	AF 88	PONTENX LES FORGES		40
162	CL 74	PONTET, LE		73
191	CB 92	PONTET, LE		84
134	CK 61	PONTETS, LES		25
209	CK 96	PONTEVES		83
152	AQ 78	PONTEYRAUD		24
38	BV 33	PONTFAVERGER MORONVILLIERS		51
142	BK 71	PONTGIBAUD	C	63
75	AY 42	PONTGOUIN		28
76	BD 41	PONTHEVRARD		78
59	BY 38	PONTHION		51
20	BC 22	PONTHOILE		80
46	P 39	PONTHOU, LE		29
133	CH 65	PONTHOUX		39
198	AN 99	PONTIACQ VIELLEPINTE		64
91	AP 52	PONTIGNE		49
97	BR 48	PONTIGNY		89
179	CN 85	PONTIS		04
69	T 45	PONTIVY	S	56
110	AY 54	PONTLEVOY		41
72	AH 42	PONTMAIN		53
54	BE 36	PONTOISE	P	95
36	BM 30	PONTOISE LES NOYON		60
181	AG 94	PONTONX SUR L'ADOUR		40
49	AE 40	PONTORSON	C	50
169	AU 82	PONTOURS		24
116	CC 59	PONTOUX		71
61	CJ 35	PONTOY		57
62	CM 35	PONTPIERRE		57
35	BJ 33	PONTPOINT		60
46	S 38	PONTRIEUX	C	22
22	BN 26	PONTRU		02
22	BN 26	PONTRUET		02
49	AF 39	PONTS		50
90	AL 53	PONTS DE CE, LES	C	49
20	BA 24	PONTS ET MARAIS		76
92	AQ 50	PONTVALLAIN	C	72
204	BQ 96	POPIAN		34
231	DK 107	POPOLASCA		2B
88	Z 47	PORCARO		56
42	CM 33	PORCELETTE		57
152	AO 80	PORCHERES		33
154	BA 74	PORCHERIE, LA		87
34	BE 32	PORCHEUX		60
54	BC 36	PORCHEVILLE		78
147	CE 71	PORCIEU AMBLAGNIEU		38
47	V 40	PORDIC		22
166	AF 81	PORGE, LE		33
105	Z 56	PORNIC	C	44
87	X 54	PORNICHET		44
36	BL 29	PORQUERICOURT		60
229	DN 106	PORRI		2B
44	G 39	PORSPODER		29
147	CG 67	PORT		01
220	AZ 104	PORT, LE		09
72	AI 45	PORT BRILLET		53
207	CC 98	PORT DE BOUC		13
196	AE 96	PORT DE LANNE		40
109	AT 58	PORT DE PILES		86
137	AJ 71	PORT D'ENVAUX		17
136	AG 69	PORT DES BARQUES		17
30	AK 32	PORT EN BESSIN HUPPAIN		14
223	BM 102	PORT LA NOUVELLE		11
67	L 43	PORT LAUNAY		29
20	BC 23	PORT LE GRAND		80
117	CH 58	PORT LESNEY		39
86	Q 49	PORT LOUIS	C	56
55	BF 37	PORT MARLY, LE		78
54	BA 34	PORT MORT		27
206	CA 98	PORT ST LOUIS DU RHONE	C	13
105	AB 56	PORT ST PERE		44
168	AQ 82	PORT STE FOY ET PONCHAPT		24
183	AR 89	PORT STE MARIE	C	47
101	CI 50	PORT SUR SAONE	C	70
61	CJ 36	PORT SUR SEILLE		54
227	BN 108	PORT VENDRES	C	66
54	BA 35	PORT VILLEZ		78
225	BC 108	PORTA		66
231	DM 107	PORTA, LA	C	2B
29	AD 31	PORTBAIL		50
33	AZ 33	PORTE JOIE		27
225	BC 108	PORTE PUYMORENS		66
10	BB 17	PORTEL, LE	C	62
222	BL 102	PORTEL DES CORBIERES		11
53	AW 36	PORTES		27
189	BU 89	PORTES		30
121	AD 66	PORTES EN RE, LES		17
176	CB 85	PORTES EN VALDAINE		26
176	CB 81	PORTES LES VALENCE	C	26
198	AM 96	PORTET		64
219	AU 103	PORTET D'ASPET		31
218	AR 105	PORTET DE LUCHON		31
201	AZ 97	PORTET SUR GARONNE	C	31
167	AL 83	PORTETS		33
83	CK 43	PORTIEUX		88
204	BO 99	PORTIRAGNES		34
233	DM 116	PORTO VECCHIO	C	2A
109	AT 58	PORTS		37
99	BX 53	POSANGES		21
33	AY 33	POSES		27
59	BY 37	POSSESSE		51
90	AK 54	POSSONNIERE, LA		49
79	BP 44	POSTOLLE, LA		89
62	CP 37	POSTROFF		57
79	BQ 41	POTANGIS		51
189	BV 89	POTELIERES		30
23	BQ 22	POTELLE		59
52	AV 40	POTERIE AU PERCHE, LA		61
18	AR 28	POTERIE CAP D'ANTIFER, LA		76
32	AT 33	POTERIE MATHIEU, LA		27
98	BX 48	POTHIERES		21
51	AN 36	POTIGNY		14
36	BL 27	POTTE		80
80	BT 41	POUAN LES VALLEES		10
108	AO 57	POUANCAY		86
89	AG 50	POUANCE	C	49
108	AR 58	POUANT		86
218	AR 105	POUBEAU		31
200	AX 98	POUCHARRAMET		31
183	AP 91	POUDENAS		47
197	AJ 96	POUDENX		40
202	BE 97	POUDIS		81
217	AN 101	POUEYFERRE		65
90	AJ 52	POUEZE, LA		49
124	AN 67	POUFFONDS		79
141	BD 70	POUGE, LA		23
204	BQ 96	POUGET, LE		34
190	BY 90	POUGNADORESSE		30
123	AM 62	POUGNE HERISSON		79
148	CI 67	POUGNY		01
113	BM 54	POUGNY		58
113	BM 57	POUGUES LES EAUX	C	58
80	BV 42	POUGY		10
151	AM 77	POUILLAC		17
133	CE 65	POUILLAT		01
110	AY 55	POUILLE		41
122	AH 63	POUILLE		85
125	AT 63	POUILLE		86
89	AG 53	POUILLE LES COTEAUX		44
98	BW 52	POUILLENAY		21
117	CH 55	POUILLEY FRANCAIS		25
117	CI 55	POUILLEY LES VIGNES		25
197	AG 95	POUILLON	C	40
37	BS 32	POUILLON		51
131	BW 62	POUILLOUX		71
61	CJ 35	POUILLY		57
35	BE 33	POUILLY		60
115	BX 55	POUILLY EN AUXOIS	C	21
146	BY 70	POUILLY LE MONIAL		69
145	BV 72	POUILLY LES FEURS		42
144	BT 69	POUILLY LES NONAINS		42
145	BU 68	POUILLY SOUS CHARLIEU		42
113	BL 55	POUILLY SUR LOIRE	C	58
39	CB 30	POUILLY SUR MEUSE		55
116	CC 58	POUILLY SUR SAONE		21
37	BQ 28	POUILLY SUR SERRE		02
100	CE 52	POUILLY SUR VINGEANNE		21
204	BM 96	POUJOL SUR ORB, LE		34
204	BO 94	POUJOLS		34
111	BB 57	POULAINES		36
21	BG 26	POULAINVILLE		80
186	BF 93	POULAN POUZOLS		81
82	CC 46	POULANGY		52
66	J 45	POULDERGAT		29
46	S 37	POULDOURAN		22
66	J 46	POULDREUZIC		29
145	BX 68	POULE LES ECHARMEAUX		69
198	AL 97	POULIACQ		64
84	CN 44	POULIERES, LES		88
118	CK 54	POULIGNEY LUSANS		25
127	BE 64	POULIGNY NOTRE DAME		36
127	BE 64	POULIGNY ST MARTIN		36
126	AX 62	POULIGNY ST PIERRE		36
87	X 54	POULIGUEN, LE		44
66	I 44	POULLAN SUR MER		29
46	O 42	POULLAOUEN		29
152	AO 76	POULLIGNAC		16
190	BX 92	POULX		30
218	AP 101	POUMAROUS		65
184	AU 92	POUPAS		82
76	BD 46	POUPRY		28
114	BR 55	POUQUES LORMES		58
174	BT 86	POURCHARESSES		48
175	BY 83	POURCHERES		07
208	CI 97	POURCIEUX		83
57	BS 34	POURCY		51
116	CD 58	POURLANS		71
61	CI 35	POURNOY LA CHETIVE		57
61	CJ 35	POURNOY LA GRASSE		57
97	BP 50	POURRAIN		89
208	CI 97	POURRIERES		83
138	AQ 70	POURSAC		16
137	AL 70	POURSAY GARNAUD		17
198	AL 96	POURSIUGUES BOUCOUE		64
39	CA 28	POURU AUX BOIS		08
39	CA 28	POURU ST REMY		08
205	BR 97	POUSSAN		34
141	BF 71	POUSSANGES		23
83	CI 43	POUSSAY		88
97	BQ 53	POUSSEAUX		58
182	AO 87	POUSSIGNAC		47
51	AO 35	POUSSY LA CAMPAGNE		14
187	BJ 93	POUSTHOMY		12
167	AL 82	POUT, LE		33
74	AT 44	POUVRAI		61
84	CM 45	POUXEUX		88
199	AS 100	POUY		65
200	AW 99	POUY DE TOUGES		31
199	AT 97	POUY LOUBRIN		32
183	AS 91	POUY ROQUELAURE		32
79	BQ 44	POUY SUR VANNES		10
199	AP 100	POUYASTRUC	C	65
182	AL 92	POUYDESSEAUX		40
198	AO 95	POUYDRAGUIN		32
199	AQ 97	POUYLEBON		32
217	AO 102	POUZAC		65
107	AI 60	POUZAUGES	C	85
109	AT 57	POUZAY		37
201	BA 98	POUZE		31
190	BZ 91	POUZILHAC		30
176	BZ 83	POUZIN, LE		07
143	BL 68	POUZOL		63
204	BO 97	POUZOLLES		34
204	BQ 96	POUZOLS		34
203	BK 100	POUZOLS MINERVOIS		11
129	BM 62	POUZY MESANGY		03
197	AH 94	POYANNE		40
100	CE 53	POYANS		70
197	AH 95	POYARTIN		40
177	CF 84	POYOLS		26
22	BJ 24	POZIERES		80
204	BN 96	PRADAL, LE		34
157	BO 75	PRADEAUX, LES		63
177	CE 84	PRADELLE		26
174	BT 83	PRADELLES	C	43
11	BI 17	PRADELLES		59
202	BH 98	PRADELLES CABARDES		11
222	BI 101	PRADELLES EN VAL		11
200	AX 95	PRADERE LES BOURGUETS		31
175	BW 84	PRADES		07
220	BD 105	PRADES		09
158	BQ 80	PRADES		43
226	BH 107	PRADES	S	66
202	BD 96	PRADES		81
173	BL 86	PRADES D'AUBRAC		12
205	BT 95	PRADES LE LEZ		34
187	BK 89	PRADES SALARS		12
203	BM 98	PRADES SUR VERNAZOBRE		34
212	CL 101	PRADET, LE		83
220	BC 103	PRADETTES		09
220	BB 103	PRADIERES		09
157	BL 77	PRADIERS		15
186	BG 89	PRADINAS		12
155	BD 75	PRADINES		19
145	BV 69	PRADINES		42
170	AZ 86	PRADINES		46
175	BX 86	PRADONS		07
193	CN 88	PRADS HAUTE BLEONE		04
123	AM 66	PRAHECQ	C	79
123	AN 66	PRAILLES		79
163	CO 75	PRALOGNAN LA VANOISE		73
116	BZ 55	PRALON		21
145	BU 73	PRALONG		42
175	BY 83	PRANLES		07
138	AR 73	PRANZAC		16
99	CB 50	PRASLAY		52
80	BU 46	PRASLIN		10
76	BC 44	PRASVILLE		28
46	R 38	PRAT		22
219	AW 102	PRAT BONREPAUX		09
231	DL 107	PRATO DI GIOVELLINA		2B
170	AY 81	PRATS DE CARLUX		24
226	BI 109	PRATS DE MOLLO LA PRESTE	C	66
221	BH 106	PRATS DE SOURNIA		66
170	AW 84	PRATS DU PERIGORD		24
202	BD 96	PRATVIEL		81
133	CH 65	PRATZ		39
100	CC 50	PRAUTHOY	C	52
93	AX 51	PRAY		41
83	CI 42	PRAYE		54
220	BA 104	PRAYOLS		09
170	AX 86	PRAYSSAC		46
183	AS 88	PRAYSSAS	C	47
149	CN 70	PRAZ SUR ARLY		74
52	AR 34	PRE D'AUGE, LE		14
73	AO 42	PRE EN PAIL	C	53
76	BA 45	PRE ST EVROULT		28
55	BH 37	PRE ST GERVAIS, LE		93
76	BA 45	PRE ST MARTIN		28
160	BZ 79	PREAUX		07
32	AT 32	PREAUX, LES		27
110	AY 58	PREAUX		36
91	AM 47	PREAUX		53
33	AY 31	PREAUX		76
51	AM 35	PREAUX BOCAGE		14
74	AU 43	PREAUX DU PERCHE		61
52	AS 36	PREAUX ST SEBASTIEN		14
177	CH 82	PREBOIS		38
49	AF 40	PRECEY		50
199	AS 94	PRECHAC		32
167	AL 87	PRECHAC		33
217	AN 103	PRECHAC		65
198	AO 96	PRECHAC SUR ADOUR		32
197	AH 99	PRECHACQ JOSBAIG		64
197	AG 94	PRECHACQ LES BAINS		40
197	AI 99	PRECHACQ NAVARRENX		64
159	BV 74	PRECIEUX		42
91	AN 49	PRECIGNE		72
197	AJ 100	PRECILHON		64
50	AI 35	PRECORBIN		50
113	BL 57	PRECY		18
97	BS 52	PRECY LE SEC		89
80	BW 42	PRECY NOTRE DAME		10
98	BV 54	PRECY SOUS THIL	C	21
80	BW 42	PRECY ST MARTIN		10
56	BK 37	PRECY SUR MARNE		77
35	BH 34	PRECY SUR OISE		60
96	BN 47	PRECY SUR VRIN		89
11	BG 19	PREDEFIN		62
104	Y 56	PREFAILLES		44
77	BJ 46	PREFONTAINES		45
97	BR 51	PREGILBERT		89
137	AJ 73	PREGUILLAC		17
97	BR 50	PREHY		89
167	AM 85	PREIGNAC		33
199	AT 95	PREIGNAN		32
100	CG 49	PREIGNEY		70
221	BG 101	PREIXAN		11
134	CJ 64	PREMANON		39
116	CA 57	PREMEAUX PRISSEY		21
113	BO 56	PREMERY	C	58
12	BL 18	PREMESQUES		59
147	CG 73	PREMEYZEL		01
203	BK 97	PREMIAN		34
116	CD 55	PREMIERES		21
80	BT 41	PREMIERFAIT		10
128	BI 66	PREMILHAT		03
147	CG 70	PREMILLIEU		01
23	BO 25	PREMONT		02
37	BO 30	PREMONTRE		02
171	BE 84	PRENDEIGNES		46
199	AQ 94	PRENERON		32
69	W 44	PRENESSAYE, LA		22
116	CA 54	PRENOIS		21
94	BA 47	PRENOUVELLON		41
133	CH 63	PRENOVEL		39
61	CH 36	PRENY		54
114	BS 59	PREPORCHE		58
52	AT 40	PREPOTIN		61
177	CG 85	PRES, LES		26
174	BU 82	PRESAILLES		43
23	BP 21	PRESEAU		59
102	CN 52	PRESENTEVILLERS		25
201	BB 97	PRESERVILLE		31
133	CF 63	PRESILLY		39
148	CJ 68	PRESILLY		74
162	CK 75	PRESLE		73
50	AK 37	PRESLES		14
161	CF 79	PRESLES		38
55	BG 35	PRESLES		95
56	BJ 39	PRESLES EN BRIE		77
37	BP 32	PRESLES ET BOVES		02
37	BQ 30	PRESLES ET THIERNY		02
112	BH 54	PRESLY		18
95	BI 48	PRESNOY		45
139	AT 68	PRESSAC		86
54	BA 34	PRESSAGNY L'ORGUEILLEUX		27
133	CE 65	PRESSIAT		01
139	AU 71	PRESSIGNAC		16
169	AU 81	PRESSIGNAC VICQ		24
100	CG 49	PRESSIGNY		52
124	AO 61	PRESSIGNY		79
96	BK 48	PRESSIGNY LES PINS		45
161	CG 74	PRESSINS		38
11	BH 20	PRESSY		62
131	BX 64	PRESSY SOUS DONDIN		71
102	CN 52	PRETIERE, LA		25
117	CH 58	PRETIN		39
29	AF 32	PRETOT STE SUZANNE		50
19	AW 28	PRETOT VICQUEMARE		76
52	AR 35	PRETREVILLE		14
132	CB 63	PRETY		71
59	CB 36	PRETZ EN ARGONNE		55
111	BF 57	PREUILLY		18
125	AW 62	PREUILLY LA VILLE		36
109	AW 60	PREUILLY SUR CLAISE	C	37
10	BD 18	PREURES		62
64	CU 35	PREUSCHDORF		67
20	BB 26	PREUSEVILLE		76
40	CG 32	PREUTIN HIGNY		54
23	BQ 23	PREUX AU BOIS		59
23	BQ 22	PREUX AU SART		59
74	AU 44	PREVAL		72
74	AS 45	PREVELLES		72
174	BT 86	PREVENCHERES		48
128	BG 65	PREVERANGES		18
134	CJ 66	PREVESSIN MOENS		01
89	AG 50	PREVIERE, LA		49
34	BE 29	PREVILLERS		60
186	BG 88	PREVINQUIERES		12
61	CK 36	PREVOCOURT		57
53	AY 36	PREY		27
84	CN 44	PREY		88
154	AX 77	PREYSSAC D'EXCIDEUIL		24
24	BV 27	PREZ		08
82	CE 44	PREZ SOUS LAFAUCHE		52
137	AK 67	PRIAIRES		79
147	CD 69	PRIAY		01
56	BN 34	PRIEZ		02
137	AL 71	PRIGNAC		17
150	AH 76	PRIGNAC EN MEDOC		33
151	AK 80	PRIGNAC ET MARCAMPS		33
168	AR 82	PRIGONRIEUX		24
160	CC 76	PRIMARETTE		38
66	H 45	PRIMELIN		29
112	BG 59	PRIMELLES		18
123	AJ 66	PRIN DEYRANCON		79
108	AQ 59	PRINCAY		86
72	AH 44	PRINCE		35
58	BW 38	PRINGY		51
148	CK 69	PRINGY		74
77	BI 41	PRINGY		77
88	Z 53	PRINQUIAU		44
173	BN 84	PRINSUEJOLS		48
63	CS 37	PRINTZHEIM		67
37	BS 27	PRISCES		02
23	BR 24	PRISCHES		59
126	AY 64	PRISSAC		36
132	BZ 66	PRISSE		71
137	AL 67	PRISSE LA CHARRIERE		79
176	BY 83	PRIVAS	P	07
186	BF 87	PRIVEZAC		12
39	BX 27	PRIX LES MEZIERES		08
68	Q 45	PRIZIAC		56
131	BV 65	PRIZY		71
102	CL 48	PROISELIERE ET LANGLE, LA		70
170	AY 81	PROISSANS		24
23	BR 26	PROISY		02
23	BP 26	PROIX		02
198	AM 96	PROJAN		32
185	BC 87	PROMILHANES		46
143	BM 70	PROMPSAT		63
142	BJ 72	PRONDINES		63
35	BI 31	PRONLEROY		60
22	BL 23	PRONVILLE		62
191	CD 88	PROPIAC		26
145	BX 67	PROPIERES		69
232	DJ 115	PROPRIANO		2A
38	BV 34	PROSNES		51
37	BS 33	PROUILLY		51
219	AV 101	PROUPIARY		31
50	AL 37	PROUSSY		14
37	BS 31	PROUVAIS		02
21	BF 23	PROUVILLE		80
23	BO 21	PROUVY		59
21	BF 27	PROUZEL		80
119	CN 54	PROVENCHERE		25
101	CJ 50	PROVENCHERE		70
83	CH 45	PROVENCHERES LES DARNEY		88
84	CQ 43	PROVENCHERES SUR FAVE	C	88
98	BS 52	PROVENCY		89
81	BY 44	PROVERVILLE		10
161	CH 77	PROVEYSIEUX		38
22	BN 23	PROVILLE		59
12	BL 19	PROVIN		59
78	BN 41	PROVINS	S	77
38	BT 31	PROVISEUX ET PLESNOY		02
22	BJ 26	PROYART		80
53	AY 39	PRUDEMANCHE		28
171	BC 82	PRUDHOMAT		46
221	BH 105	PRUGNANES		66
80	BS 44	PRUGNY		10
90	AK 51	PRUILLE		49
73	AQ 47	PRUILLE LE CHETIF		72
92	AS 49	PRUILLE L'EGUILLE		72
172	BI 86	PRUINES		12
38	BU 34	PRUNAY		51
79	BR 43	PRUNAY BELLEVILLE		10
93	AW 50	PRUNAY CASSEREAU		41
76	BD 41	PRUNAY EN YVELINES		78
76	BB 43	PRUNAY LE GILLON		28
54	BC 37	PRUNAY LE TEMPLE		78
77	BH 43	PRUNAY SUR ESSONNE		91
229	DN 106	PRUNELLI DI CASACCONI		2B
231	DN 111	PRUNELLI DI FIUMORBO	C	2B
175	BW 85	PRUNET		07
172	BI 82	PRUNET		15
201	BB 96	PRUNET		31
226	BJ 107	PRUNET ET BELPUIG		66
178	CM 85	PRUNIERES		05
177	CH 81	PRUNIERES		38
173	BO 82	PRUNIERES		48
127	BE 61	PRUNIERS		36
111	BB 55	PRUNIERS EN SOLOGNE		41
231	DN 107	PRUNO		2B
96	BM 48	PRUNOY		89
99	BY 48	PRUSLY SUR OURCE		21
98	BT 47	PRUSY		10
132	BZ 66	PRUZILLY		71
63	CR 36	PUBERG		67
135	CN 64	PUBLIER		74
133	CG 62	PUBLY		39
89	AD 52	PUCEUL		44
221	BE 106	PUCH, LE		09
183	AQ 88	PUCH D'AGENAIS		47
34	BB 32	PUCHAY		27
21	BH 24	PUCHEVILLERS		80
204	BO 95	PUECH, LE		34
204	BR 95	PUECHABON		34
202	BD 97	PUECHOURSI		81
189	BU 92	PUECHREDON		30
81	BY 41	PUELLEMONTIER		52
101	CK 53	PUESSANS		25
207	CE 94	PUGET		84
194	CR 91	PUGET ROSTANG		06
210	CQ 97	PUGET SUR ARGENS		83
194	CR 91	PUGET THENIERS	C	06
209	CL 99	PUGET VILLE		83
118	CI 56	PUGEY		25
147	CG 71	PUGIEU		01
202	BD 99	PUGINIER		11
151	AK 79	PUGNAC		33
123	AL 61	PUGNY		79
148	CJ 72	PUGNY CHATENOD		73
203	BJ 100	PUICHERIC		11
84	CP 42	PUID, LE		88
123	AK 63	PUIHARDY		79
204	BQ 96	PUILACHER		34
221	BG 105	PUILAURENS		11
122	AG 67	PUILBOREAU		17
39	CC 29	PUILLY ET CHARBEAUX		08
193	CK 91	PUIMICHEL		04
204	BN 98	PUIMISSON		34
193	CL 92	PUIMOISSON		04
53	AW 40	PUISAYE, LA		28
77	BI 45	PUISEAUX	C	45
77	BG 43	PUISELET LE MARAIS		91
20	BA 26	PUISENVAL		76
76	BD 45	PUISET, LE		28
106	AG 55	PUISET DORE, LE		49
38	BX 29	PUISEUX		08
53	AZ 40	PUISEUX		28
34	BD 31	PUISEUX EN BRAY		60
55	BI 35	PUISEUX EN FRANCE		95
36	BM 33	PUISEUX EN RETZ		02
35	BG 34	PUISEUX LE HAUBERGER		60
55	BE 35	PUISEUX PONTOISE		95
38	BT 34	PUISIEULX		51
22	BJ 24	PUISIEUX		62
56	BL 35	PUISIEUX		77
23	BQ 26	PUISIEUX ET CLANLIEU		02
204	BO 98	PUISSALICON		34
168	AN 81	PUISSEGUIN		33
204	BM 99	PUISSERGUIER		34
98	BW 50	PUITS		21
80	BW 45	PUITS ET NUISEMENT		10
35	BF 30	PUITS LA VALLEE		60
221	BE 104	PUIVERT		11
200	AX 96	PUJAUDRAN		32
190	CA 91	PUJAUT		30
198	AO 99	PUJO		65
182	AL 93	PUJO LE PLAN		40
220	BB 102	PUJOLS, LES		09
168	AO 82	PUJOLS	C	33
183	AT 87	PUJOLS		47
167	AL 85	PUJOLS SUR CIRON		33
131	BY 62	PULEY, LE		71
116	BZ 58	PULIGNY MONTRACHET		21
53	AW 39	PULLAY		27
83	CJ 40	PULLIGNY		54
83	CI 42	PULNEY		54
61	CJ 39	PULNOY		54
143	BL 71	PULVERIERES		63
103	CR 48	PULVERSHEIM		68
36	BK 27	PUNCHY		80
82	CG 41	PUNEROT		88
199	AR 99	PUNTOUS		65
117	CH 59	PUPILLIN		39
39	CB 28	PURE		08
101	CI 49	PURGEROT		70
101	CJ 50	PUSEY		70
146	CC 72	PUSIGNAN		69
76	BE 43	PUSSAY		91
109	AT 58	PUSSIGNY		37
101	CJ 50	PUSY ET EPENOUX		70
51	AN 38	PUTANGES PONT ECREPIN	C	61
55	BG 37	PUTEAUX	C	92
31	AP 33	PUTOT EN AUGE		14
31	AL 33	PUTOT EN BESSIN		14
62	CO 34	PUTTELANGE AUX LACS		57
41	CJ 30	PUTTELANGE LES THIONVILLE		57
62	CL 37	PUTTIGNY		57
40	CG 34	PUXE		54
61	CG 35	PUXIEUX		54
101	CK 54	PUY, LE		25
168	AO 84	PUY, LE		33
155	BC 80	PUY D'ARNAC		19
123	AJ 63	PUY DE SERRE		85
137	AJ 69	PUY DU LAC		17
158	BS 80	PUY EN VELAY, LE	P	43
144	BP 70	PUY GUILLAUME		63
170	AX 86	PUY L'EVEQUE	C	46
142	BG 69	PUY MALSIGNAT		23
108	AN 56	PUY NOTRE DAME, LE		49
179	CN 85	PUY SANIERES		05
179	CO 81	PUY ST ANDRE		05
179	CN 84	PUY ST EUSEBE		05
142	BJ 72	PUY ST GULMIER		63
176	CB 84	PUY ST MARTIN		26
179	CO 81	PUY ST PIERRE		05
179	CN 82	PUY ST VINCENT		05
208	CG 95	PUY STE REPARADE, LE		13
168	AN 85	PUYBARBAN		33
202	BD 94	PUYBEGON		81
171	BC 81	PUYBRUN		46
202	BE 95	PUYCALVEL		81
200	AT 94	PUYCASQUIER		32
185	BC 92	PUYCELCI		81
185	AY 90	PUYCORNET		82
201	AZ 99	PUYDANIEL		31
199	AQ 99	PUYDARRIEUX		65
125	AV 62	PUYE, LA		86
184	AV 92	PUYGAILLARD DE LOMAGNE		82
185	BB 91	PUYGAILLARD DE QUERCY		82
176	CA 85	PUYGIRON		26
186	BF 93	PUYGOUZON		81
148	CJ 74	PUYGROS		73
186	BD 87	PUYJOURDES		46
185	BC 88	PUYLAGARDE		82
185	BB 89	PUYLAROQUE		82
202	BE 96	PUYLAURENS	C	81
200	AV 98	PUYLAUSIC		32
208	CH 96	PUYLOUBIER		13
152	AP 78	PUYMANGOU		24
200	AU 99	PUYMAURIN		31
191	CD 88	PUYMERAS		84

Page	Carreau	Commune	Adm. Dpt
168	AQ 86	PUYMICLAN	.47
184	AU 90	PUYMIROL	C .47
138	AQ 74	PUYMOYEN	.16
168	AO 81	PUYNORMAND	.33
198	AK 96	PUYOL CAZALET	.40
197	AG 96	PUYOO	.64
137	AI 68	PUYRAVAULT	.17
122	AG 65	PUYRAVAULT	.85
138	AQ 71	PUYREAUX	.16
153	AS 75	PUYRENIER	.24
137	AJ 69	PUYROLLAND	.17
199	AS 94	PUYSEGUR	.32
200	AW 94	PUYSSEGUR	.31
168	AQ 85	PUYSSERAMPION	.47
221	BF 107	PUYVALADOR	.66
207	CF 94	PUYVERT	.84
22	BK 27	PUZEAUX	.80
61	CK 36	PUZIEUX	.57
83	CI 43	PUZIEUX	.88
226	BG 108	PY	.66
33	AW 34	PYLE, LA	.27
22	BJ 24	PYS	.80

Q

Page	Carreau	Commune	Adm. Dpt
11	BH 15	QUAEDYPRE	.59
161	CH 77	QUAIX EN CHARTREUSE	.38
112	BH 56	QUANTILLY	.18
203	BM 99	QUARANTE	.34
23	BQ 21	QUAROUBLE	.59
114	BT 54	QUARRE LES TOMBES	C .89
100	CG 49	QUARTE, LA	.70
142	BK 68	QUARTIER, LE	.63
230	DK 113	QUASQUARA	.2A
39	BY 31	QUATRE CHAMPS	.08
171	BB 81	QUATRE ROUTES DU LOT, LES	.46
53	AX 34	QUATREMARE	.27
64	CT 39	QUATZENHEIM	.67
22	BL 23	QUEANT	.62
125	AT 66	QUEAUX	.86
70	AC 42	QUEBRIAC	.35
70	Z 43	QUEDILLAC	.35
149	CN 72	QUEIGE	.73
90	AJ 48	QUELAINES ST GAULT	.53
11	BF 17	QUELMES	.62
88	AA 48	QUELNEUC	.56
67	K 44	QUEMENEVEN	.29
116	BZ 55	QUEMIGNY POISOT	.21
99	BY 51	QUEMIGNY SUR SEINE	.21
46	S 38	QUEMPER GUEZENNEC	.22
46	R 38	QUEMPERVEN	.22
20	BC 21	QUEND	.80
97	BQ 50	QUENNE	.89
101	CJ 52	QUENOCHE	.70
233	DL 114	QUENZA	.2A
11	BE 17	QUERCAMPS	.62
231	DM 107	QUERCITELLO	.2B
23	BP 22	QUERENAING	.59
221	BE 106	QUERIGUT	C .09
11	BH 18	QUERNES	.62
29	AD 28	QUERQUEVILLE	.50
90	AK 50	QUERRE	.49
68	O 46	QUERRIEN	.29
21	BH 26	QUERRIEU	.80
101	CL 49	QUERS	.70
36	BM 29	QUESMY	.60
20	BD 26	QUESNE, LE	.80
35	BJ 27	QUESNEL, LE	.80
35	BG 30	QUESNEL AUBRY, LE	.60
23	BP 22	QUESNOY, LE	C .59
21	BF 21	QUESNOY EN ARTOIS, LE	.62
20	BC 24	QUESNOY LE MONTANT	.80
20	BE 25	QUESNOY SUR AIRAINES	.80
12	BL 17	QUESNOY SUR DEULE	C .59
10	BE 17	QUESQUES	.62
53	AZ 37	QUESSIGNY	.27
47	W 41	QUESSOY	.22
87	W 50	QUESTEMBERT	C .56
10	BC 17	QUESTRECQUES	.62
178	CJ 82	QUET EN BEAUMONT	.38
116	CB 54	QUETIGNY	.21
29	AG 29	QUETTEHOU	C .50
29	AD 30	QUETTETOT	.50
32	AS 32	QUETTEVILLE	.14
49	AE 36	QUETTREVILLE SUR SIENNE	.50
57	BR 40	QUEUDES	.51
55	BI 38	QUEUE EN BRIE, LA	.94
54	BC 38	QUEUE LES YVELINES, LA	.78
142	BK 70	QUEUILLE	.63
21	BF 27	QUEVAUVILLERS	.80
68	P 48	QUEVEN	.56
70	AA 41	QUEVERT	.22
33	AW 31	QUEVILLON	.76
83	CI 41	QUEVILLONCOURT	.54
33	AY 32	QUEVREVILLE LA POTERIE	.76
150	AH 76	QUEYRAC	.33
159	BU 80	QUEYRIERES	.43
169	AS 82	QUEYSSAC	.24
171	BC 81	QUEYSSAC LES VIGNES	.19
171	BF 83	QUEZAC	.15
188	BQ 87	QUEZAC	.48
86	S 51	QUIBERON	C .56
19	AW 26	QUIBERVILLE	.76
50	AH 35	QUIBOU	.50
220	BA 104	QUIE	.09
56	BL 40	QUIERS	.77
95	BH 47	QUIERS SUR BEZONDE	.45
22	BL 21	QUIERY LA MOTTE	.62
36	BM 30	QUIERZY	.02
11	BG 17	QUIESTEDE	.62
24	BT 22	QUIEVELON	.59
13	BQ 20	QUIEVRECHAIN	.59
34	BA 28	QUIEVRECOURT	.76
23	BO 23	QUIEVY	.59
10	BE 19	QUILEN	.62
221	BF 104	QUILLAN	C .11
32	AT 31	QUILLEBEUF SUR SEINE	C .27
69	U 43	QUILLIO, LE	.22
38	BX 31	QUILLY	.08
88	AA 52	QUILLY	.44
69	X 47	QUILY	.56
67	K 45	QUIMPER	P .29
68	O 47	QUIMPERLE	C .29
33	AY 30	QUINCAMPOIX	.76
34	BC 28	QUINCAMPOIX FLEUZY	.60
124	AQ 62	QUINCAY	.86
98	BV 51	QUINCEROT	.21
98	BU 48	QUINCEROT	.89
116	CB 57	QUINCEY	.21
101	CJ 51	QUINCEY	.70
145	BY 68	QUINCIE EN BEAUJOLAIS	.69
161	CE 77	QUINCIEU	.38
146	BZ 70	QUINCIEUX	.69
111	BF 57	QUINCY	.18
37	BO 30	QUINCY BASSE	.02
40	CC 30	QUINCY LANDZECOURT	.55
98	BV 51	QUINCY LE VICOMTE	.21
37	BP 32	QUINCY SOUS LE MONT	.02
55	BI 40	QUINCY SOUS SENART	.91
56	BL 37	QUINCY VOISINS	.77
29	AG 30	QUINEVILLE	.50
117	CH 57	QUINGEY	C .25
35	BH 30	QUINQUEMPOIX	.60
186	BH 89	QUINS	.12
153	AU 76	QUINSAC	.24
167	AK 83	QUINSAC	.33
209	CK 94	QUINSON	.04
128	BI 66	QUINSSAINES	.03
201	BA 96	QUINT FONSEGRIVES	.31
148	CK 70	QUINTAL	.74
73	AP 46	QUINTE, LA	.72
160	BZ 78	QUINTENAS	.07
48	X 40	QUINTENIC	.22
133	CF 61	QUINTIGNY	.39
222	BK 103	QUINTILLAN	.11
47	U 41	QUINTIN	C .22
70	AA 42	QUIOU, LE	.22
221	BF 105	QUIRBAJOU	.11
35	BH 29	QUIRY LE SEC	.80
189	BU 93	QUISSAC	C .30
171	BB 84	QUISSAC	.46
68	S 47	QUISTINIC	.56
53	AX 35	QUITTEBEUF	.27
22	BL 27	QUIVIERES	.80
21	BF 22	QUOEUX HAUT MAINIL	.62

R

Page	Carreau	Commune	Adm. Dpt
185	BB 94	RABASTENS	C .81
198	AO 98	RABASTENS DE BIGORRE	C .65
220	BA 104	RABAT LES TROIS SEIGNEURS	.09
106	AF 59	RABATELIERE, LA	.85
107	AL 55	RABLAY SUR LAYON	.49
51	AN 38	RABODANGES	.61
178	CJ 84	RABOU	.05
221	BH 106	RABOUILLET	.66
83	CJ 44	RACECOURT	.88
81	CB 41	RACHECOURT SUR MARNE	.52
81	CA 42	RACHECOURT SUZEMONT	.52
12	BM 20	RACHES	.59
79	BS 47	RACINES	.10
116	CC 60	RACINEUSE, LA	.71
11	BH 17	RACQUINGHEM	.62
62	CM 36	RACRANGE	.57
102	CL 48	RADDON ET CHAPENDU	.70
69	V 46	RADENAC	.56
33	AZ 32	RADEPONT	.27
11	BF 19	RADINGHEM	.62
12	BK 18	RADINGHEM EN WEPPES	.59
73	AQ 41	RADON	.61
80	BW 43	RADONVILLIERS	.10
103	CS 52	RAEDERSDORF	.68
103	CS 47	RAEDERSHEIM	.68
32	AT 29	RAFFETOT	.76
157	BO 79	RAGEADE	.15
93	AX 49	RAHART	.41
93	AV 47	RAHAY	.72
63	CQ 35	RAHLING	.57
102	CN 54	RAHON	.25
117	CE 58	RAHON	.39
52	AT 39	RAI	.61
29	AG 33	RAIDS	.50
22	BM 23	RAILLENCOURT STE OLLE	.59
225	BF 107	RAILLEU	.66
38	BX 28	RAILLICOURT	.08
38	BU 28	RAILLIMONT	.02
12	BM 20	RAIMBEAUCOURT	.59
117	CE 56	RAINANS	.39
21	BH 24	RAINCHEVAL	.80
101	CH 48	RAINCOURT	.70
55	BI 37	RAINCY, LE	S .93
19	AW 27	RAINFREVILLE	.76
21	BH 25	RAINNEVILLE	.80
23	BS 24	RAINSARS	.59
83	CH 43	RAINVILLE	.88
	BE 32	RAINVILLERS	.60
91	AO 51	RAIRIES, LES	.49
13	BO 20	RAISMES	.59
220	BC 103	RAISSAC	.09
203	BL 100	RAISSAC D'AUDE	.11
202	BF 100	RAISSAC SUR LAMPY	.11
60	CC 37	RAIVAL	.55
138	AP 69	RAIX	.16
54	BC 40	RAIZEUX	.78
133	CE 67	RAMASSE	.01
210	CP 99	RAMATUELLE	.83
178	CL 85	RAMBAUD	.05
84	CM 43	RAMBERVILLERS	C .88
60	CC 36	RAMBLUZIN ET BENOITE VAUX	.55
54	BC 40	RAMBOUILLET	S .78
60	CG 37	RAMBUCOURT	.55
20	BC 25	RAMBURELLES	.80
20	BC 25	RAMBURES	.80
21	BG 21	RAMECOURT	.62
83	CI 43	RAMECOURT	.88
80	BV 41	RAMERUPT	C .10
23	BO 25	RAMICOURT	.02
22	BN 23	RAMILLIES	.59
103	CQ 48	RAMMERSMATT	.68
102	CN 48	RAMONCHAMP	.88
201	BA 97	RAMONVILLE ST AGNE	.31
77	BG 45	RAMOULU	.45
197	AG 97	RAMOUS	.64
24	BT 24	RAMOUSIES	.59
183	AP 93	RAMOUZENS	.32
50	AH 34	RAMPAN	.50
169	AU 84	RAMPIEUX	.24
78	BM 41	RAMPILLON	.77
170	AY 84	RAMPOUX	.46
146	CA 69	RANCE	.01
117	CI 56	RANCENAY	.25
25	BY 23	RANCENNES	.08
80	BX 42	RANCES	.10
145	BW 68	RANCHAL	.69
117	CG 56	RANCHOT	.39
30	AK 33	RANCHY	.14
138	AR 73	RANCOGNE	.16
140	AY 68	RANCON	.87
100	CF 47	RANCONNIERES	.52
22	BL 25	RANCOURT	.80
83	CI 44	RANCOURT	.88
59	BZ 38	RANCOURT SUR ORNAIN	.55
132	CC 62	RANCY	.71
143	BO 69	RANDAN	C .63
162	CM 74	RANDENS	.73
118	CM 54	RANDEVILLERS	.25
52	AU 40	RANDONNAI	.61
51	AO 40	RANES	.61
102	CM 53	RANG	.25
10	BB 20	RANG DU FLIERS	.62
82	CE 46	RANGECOURT	.52
64	CS 39	RANGEN	.67
41	CH 32	RANGUEVAUX	.57
89	AG 47	RANNEE	.35
85	CR 42	RANRUPT	.67
117	CG 56	RANS	.39
21	BJ 23	RANSART	.62
102	CP 47	RANSPACH	.68
103	CT 50	RANSPACH LE BAS	.68
103	CT 51	RANSPACH LE HAUT	.68
118	CL 56	RANTECHAUX	.25
35	BH 32	RANTIGNY	.60
108	AO 58	RANTON	.86
103	CS 50	RANTZWILLER	.68
31	AO 33	RANVILLE	.14
138	AO 70	RANVILLE BREUILLAUD	.16
101	CI 48	RANZEVELLE	.70
60	CE 35	RANZIERES	.55
84	CM 46	RAON AUX BOIS	.88
62	CQ 40	RAON LES LEAU	.54
84	CO 42	RAON L'ETAPE	C .88
62	CQ 40	RAON SUR PLAINE	.88
231	DN 107	RAPAGGIO	.2B
229	DM 105	RAPALE	.2B
83	CJ 43	RAPEY	.88
51	AN 37	RAPILLY	.14
59	BY 36	RAPSECOURT	.51
36	BJ 33	RARAY	.60
59	CB 35	RARECOURT	.55
222	BJ 105	RASIGUERES	.66
108	AP 57	RASLAY	.86
191	CB 89	RASTEAU	.84
132	CB 63	RATENELLE	.71
160	CB 78	RATIERES	.26
133	CD 62	RATTE	.71
63	CQ 35	RATZWILLER	.67
159	BW 78	RAUCOULES	.43
61	CJ 36	RAUCOURT	.54
23	BQ 23	RAUCOURT AU BOIS	.59
39	CA 29	RAUCOURT ET FLABA	C .08
172	BJ 82	RAULHAC	.15
174	BS 82	RAURET	.43
29	AD 29	RAUVILLE LA BIGOT	.50
29	AE 31	RAUVILLE LA PLACE	.50
62	CP 37	RAUWILLER	.67
168	AN 83	RAUZAN	.33
113	BM 56	RAVEAU	.58
143	BP 72	RAVEL	.63
35	BI 30	RAVENEL	.60
29	AG 30	RAVENOVILLE	.50
84	CP 43	RAVES	.88
98	BV 50	RAVIERES	.89
73	AP 42	RAVIGNY	.53
61	CL 34	RAVILLE	.57
62	CL 39	RAVILLE SUR SANON	.54
133	CH 64	RAVILLOLES	.39
162	CJ 74	RAVOIRE, LA	C .73
101	CH 51	RAY SUR SAONE	.70
20	BE 22	RAYE SUR AUTHIE	.62
169	AU 84	RAYET	.47
112	BJ 59	RAYMOND	.18
102	CO 51	RAYNANS	.25
209	CO 100	RAYOL CANADEL SUR MER	.83
186	BH 94	RAYSSAC	.81
168	AQ 82	RAZAC DE SAUSSIGNAC	.24
168	AR 84	RAZAC D'EYMET	.24
153	AT 79	RAZAC SUR L'ISLE	.24
101	CI 51	RAZE	.70
219	AU 103	RAZECUEILLE	.31
200	AV 95	RAZENGUES	.32
140	AZ 69	RAZES	.87
183	AP 87	RAZIMET	.47
109	AS 58	RAZINES	.37
221	BF 107	REAL	.66
20	BB 27	REALCAMP	.76
179	CN 84	REALLON	.05
202	BF 94	REALMONT	C .81
185	BA 90	REALVILLE	.82
182	AO 93	REANS	.32
55	BI 40	REAU	.77
161	CF 76	REAUMONT	.38
123	AJ 61	REAUMUR	.85
183	AP 90	REAUP LISSE	.47
176	CA 86	REAUVILLE	.26
151	AL 75	REAUX	.17
56	BN 38	REBAIS	C .77
11	BG 18	REBECQUES	.62
217	AK 101	REBENACQ	.64
10	BE 16	REBERGUES	.62
34	BA 30	REBETS	.76
82	CF 43	REBEUVILLE	.88
201	BA 97	REBIGUE	.31
187	BK 93	REBOURGUIL	.12
111	BC 57	REBOURSIN	.36
94	BE 47	REBRECHIEN	.45
11	BI 20	REBREUVE RANCHICOURT	.62
21	BH 22	REBREUVE SUR CANCHE	.62
21	BH 22	REBREUVIETTE	.62
117	CF 60	RECANOZ	.39
99	BZ 49	RECEY SUR OURCE	C .21
103	CQ 52	RECHESY	.90
62	CM 38	RECHICOURT LA PETITE	.54
62	CO 39	RECHICOURT LE CHATEAU	C .57
59	CB 34	RECICOURT	.55
76	BC 43	RECLAINVILLE	.28
115	BV 58	RECLESNE	.71
11	BF 19	RECLINGHEM	.62
62	CN 40	RECLONVILLE	.54
77	BJ 43	RECLOSES	.77
117	CH 55	RECOLOGNE	.25
100	CG 51	RECOLOGNE	.70
101	CI 52	RECOLOGNE LES RIOZ	.70
177	CF 84	RECOUBEAU JANSAC	.26
173	BM 84	RECOULES D'AUBRAC	.48
173	BO 84	RECOULES DE FUMAS	.48
187	BM 88	RECOULES PREVINQUIERES	.12
22	BL 22	RECOURT	.62
60	CD 36	RECOURT LE CREUX	.55
102	CP 51	RECOUVRANCE	.90
188	BN 88	RECOUX, LE	.48
10	BD 19	RECQUES SUR COURSE	.62
11	BF 16	RECQUES SUR HEM	.62
24	BT 22	RECQUIGNIES	.59
50	AJ 37	RECULEY, LE	.14
134	CJ 61	RECULFOZ	.25
199	AR 100	RECURT	.65
58	BV 36	RECY	.51
40	CG 30	REDANGE	.57
68	P 47	REDENE	.29
190	BY 93	REDESSAN	.30
62	CP 38	REDING	.57
88	Z 50	REDON	S .35
203	BJ 100	REDORTE, LA	.11
192	CH 90	REDORTIERS	.04
56	BL 35	REEZ FOSSE MARTIN	.60
124	AN 63	REFFANNES	.79
60	CE 40	REFFROY	.55
50	AH 39	REFFUVEILLE	.50
218	AT 102	REGADES	.31
220	BD 103	REGAT	.09
20	BE 21	REGNAUVILLE	.62
83	CI 47	REGNEVELLE	.88
49	AE 35	REGNEVILLE SUR MER	.50
40	CC 33	REGNEVILLE SUR MEUSE	.55
83	CK 43	REGNEY	.88
145	BY 68	REGNIE DURETTE	.69
20	BC 22	REGNIERE ECLUSE	.80
24	BV 25	REGNIOWEZ	.08
23	BO 27	REGNY	.02
145	BV 69	REGNY	.42
106	AG 56	REGRIPPIERE, LA	.44
69	V 46	REGUINY	.56
85	CS 47	REGUISHEIM	.68
209	CL 95	REGUSSE	.83
83	CL 42	REHAINCOURT	.88
61	CL 40	REHAINVILLER	.54
84	CN 45	REHAUPAL	.88
84	CN 41	REHERREY	.54
40	CF 30	REHON	.54
85	CS 42	REICHSFELD	.67
64	CU 35	REICHSHOFFEN	.67
64	CU 39	REICHSTETT	.67
151	AN 76	REIGNAC	.16
151	AK 78	REIGNAC	.33
109	AW 56	REIGNAC SUR INDRE	.37
143	BO 72	REIGNAT	.63
29	AF 31	REIGNEVILLE BOCAGE	.50
148	CL 67	REIGNIER	C .74
128	BG 63	REIGNY	.18
172	BH 81	REILHAC	.15
171	BC 84	REILHAC	.46
170	BA 83	REILHAGUET	.46
192	CF 89	REILHANETTE	.26
192	CH 92	REILLANNE	C .04
62	CN 40	REILLON	.54
34	BD 33	REILLY	.60
38	BT 33	REIMS	S .51
59	BY 39	REIMS LA BRULEE	.51
63	CR 38	REINHARDSMUNSTER	.67
103	CR 49	REININGUE	.68
63	CS 36	REIPERTSWILLER	.67
133	CF 63	REITHOUSE	.39
183	AS 93	REJAUMONT	.32
218	AR 101	REJAUMONT	.65
23	BQ 24	REJET DE BEAULIEU	.59
83	CI 45	RELANGES	.88
117	CE 60	RELANS	.39
44	J 40	RELECQ KERHUON, LE	.29
146	CB 68	RELEVANT	.01
11	BH 19	RELY	.62
21	BG 23	REMAISNIL	.80
74	AV 42	REMALARD	C .61
23	BO 26	REMAUCOURT	.02
38	BU 29	REMAUCOURT	.08
106	AF 55	REMAUDIERE, LA	.44
36	BJ 29	REMAUGIES	.80
78	BK 45	REMAUVILLE	.77
59	CB 37	REMBERCOURT SOMMAISNE	.55
61	CH 36	REMBERCOURT SUR MAD	.54
35	BI 31	REMECOURT	.60
41	CL 32	REMELFANG	.57
62	CP 34	REMELFING	.57
41	CL 31	REMELING	.57
59	BZ 38	REMENNECOURT	.55
84	CL 41	REMENOVILLE	.54
35	BG 31	REMERANGLES	.60
61	CK 39	REMEREVILLE	.54
42	CM 32	REMERING	.57
62	CO 35	REMERING LES PUTTELANGE	.57
59	BZ 36	REMICOURT	.51
83	CI 43	REMICOURT	.88
35	BH 27	REMIENCOURT	.80
37	BP 28	REMIES	.02
36	BN 28	REMIGNY	.02
116	BZ 59	REMIGNY	.71
61	CK 35	REMILLY	.57
114	BS 60	REMILLY	.58
39	CA 28	REMILLY AILLICOURT	.08
116	BZ 55	REMILLY EN MONTAGNE	.21
38	BW 27	REMILLY LES POTHEES	.08
29	AG 33	REMILLY SUR LOZON	.50
116	CC 54	REMILLY SUR TILLE	.21
11	BF 17	REMILLY WIRQUIN	.62
88	Y 48	REMINIAC	.56
84	CM 46	REMIREMONT	C .88
40	CD 31	REMOIVILLE	.55
178	CL 86	REMOLLON	.05
84	CP 43	REMOMEIX	.88
62	CN 39	REMONCOURT	.54
83	CI 44	REMONCOURT	.88
102	CO 53	REMONDANS VAIVRE	.25
118	CK 60	REMORAY BOUJEONS	.25
106	AE 57	REMOUILLE	.44
190	BY 92	REMOULINS	C .30
83	CG 43	REMOVILLE	.88
141	BD 73	REMPNAT	.87
32	AS 30	REMUEE, LA	.76
69	T 47	REMUNGOL	.56
177	CF 87	REMUZAT	C .26
36	BJ 31	REMY	.60
22	BL 22	REMY	.62
88	AA 49	RENAC	.35
161	CF 76	RENAGE	.38
144	BT 69	RENAISON	.42
37	BP 28	RENANSART	.02
100	CG 51	RENAUCOURT	.70
144	BR 72	RENAUDIE, LA	.63
106	AH 56	RENAUDIERE, LA	.49
83	CK 45	RENAUVOID	.88
93	AY 49	RENAY	.41
90	AH 49	RENAZE	.53
161	CF 79	RENCUREL	.38
74	AR 44	RENE	.72
118	CK 57	RENEDALE	.25
11	BH 17	RENESCURE	.59
100	CE 53	RENEVE	.21
62	CO 36	RENING	.57
55	BE 38	RENNEMOULIN	.78
81	BZ 45	RENNEPONT	.52
71	AC 45	RENNES	P .35
73	AM 41	RENNES EN GRENOUILLES	.53
221	BG 104	RENNES LE CHATEAU	.11
221	BG 104	RENNES LES BAINS	.11
117	CH 57	RENNES SUR LOUE	.25
38	BT 28	RENNEVAL	.02
38	BU 29	RENNEVILLE	.08
33	AZ 32	RENNEVILLE	.27
201	BB 99	RENNEVILLE	.31
230	DI 109	RENNO	.2A
51	AQ 37	RENOUARD, LE	.61
157	BM 76	RENTIERES	.63
11	BE 18	RENTY	.62
198	AL 94	RENUNG	.40
24	BX 26	RENWEZ	C .08
168	AN 85	REOLE, LA	C .33
122	AG 62	REORTHE, LA	.85
179	CO 83	REOTIER	.05
62	CN 39	REPAIX	.54
176	CC 84	REPARA AURIPLES, LA	.26
137	AM 72	REPARSAC	.16
83	CH 43	REPEL	.88
31	AQ 34	REPENTIGNY	.14
132	CA 66	REPLONGES	.01
149	CN 69	REPOSOIR, LE	.74
133	CE 61	REPOTS, LES	.39
102	CQ 50	REPPE	.90
91	AQ 49	REQUEIL	.72
187	BI 91	REQUISTA	C .12
52	AR 38	RESENLIEU	.61
117	CF 54	RESIE ST MARTIN, LA	.70
38	BU 28	RESIGNY	.02
60	CC 38	RESSON	.55
35	BF 33	RESSONS L'ABBAYE	.60
36	BM 32	RESSONS LE LONG	.02
36	BK 30	RESSONS SUR MATZ	C .60
53	AW 40	RESSUINTES, LES	.28
108	AR 55	RESTIGNE	.37
205	BU 95	RESTINCLIERES	.34
123	AL 63	RETAIL, LE	.79
137	AI 73	RETAUD	.17
142	BH 68	RETERRE	.23
38	BV 30	RETHEL	S .08
36	BL 32	RETHEUIL	.02
36	BL 31	RETHONDES	.60
36	BK 28	RETHONVILLERS	.80
29	AG 28	RETHOVILLE	.50
89	AF 47	RETIERS	C .35
182	AL 90	RETJONS	.40
41	CK 34	RETONFEY	.57
20	BB 27	RETONVAL	.76
159	BU 78	RETOURNAC	C .43
64	CV 35	RETSCHWILLER	.67
41	CJ 30	RETTEL	.57
10	BD 16	RETY	.62
103	CQ 50	RETZWILLER	.68
118	CK 57	REUGNEY	.25
128	BJ 64	REUGNY	.03
93	AV 53	REUGNY	.37
57	BR 35	REUIL	.51
56	BM 37	REUIL EN BRIE	.77
35	BG 30	REUIL SUR BRECHE	.60
53	AY 35	REUILLY	.27
111	BE 57	REUILLY	.36
57	BP 35	REUILLY SAUVIGNY	.02
116	CA 56	REULLE VERGY	.21
23	BP 24	REUMONT	.59
182	AP 88	REUNION, LA	.47
63	CS 38	REUTENBOURG	.67
57	BR 38	REUVES	.51
19	AW 28	REUVILLE	.76
32	AR 33	REUX	.14
57	BP 39	REVEILLON	.51
74	AT 42	REVEILLON	.61
202	BE 98	REVEL	C .31
162	CI 78	REVEL	.38
160	CC 76	REVEL TOURDAN	.38
21	BF 27	REVELLES	.80
188	BO 91	REVENS	.30
160	CA 75	REVENTIN VAUGRIS	.38
53	AX 39	REVERCOURT	.28
192	CH 91	REVEST DES BROUSSES	.04
192	CG 90	REVEST DU BION	.04
209	CK 100	REVEST LES EAUX, LE	.83
195	CT 92	REVEST LES ROCHES	.06
192	CI 91	REVEST ST MARTIN	.04
31	AM 32	REVIERS	.14
133	CF 62	REVIGNY	.39
59	CA 38	REVIGNY SUR ORNAIN	C .55
29	AG 28	REVILLE	.50
40	CC 32	REVILLE AUX BOIS	.55
37	BQ 32	REVILLON	.02
24	BX 25	REVIN	C .08
147	CD 67	REVONNAS	.01
63	CQ 36	REXINGEN	.67
11	BI 14	REXPOEDE	.59
63	CR 34	REYERSVILLER	.57
171	BD 80	REYGADE	.19
82	CD 44	REYNEL	.52
226	BK 109	REYNES	.66
185	AZ 92	REYNIES	.82
171	BD 84	REYREVIGNES	.46
146	CA 70	REYRIEUX	C .01
132	CA 64	REYSSOUZE	.01
135	CN 65	REYVROZ	.74
127	BF 62	REZAY	.18
105	AD 56	REZE	C .44
157	BM 79	REZENTIERES	.15
61	CH 34	REZONVILLE	.57
230	DJ 110	REZZA	.2A
80	BT 41	RHEGES	.10
70	AC 45	RHEU, LE	.35
85	CU 42	RHINAU	.67
62	CO 38	RHODES	.57
93	AY 50	RHODON	.41
36	BJ 33	RHUIS	.60
51	AO 38	RI	.61
226	BH 107	RIA SIRACH	.66
89	AF 52	RIAILLE	C .44
203	BI 97	RIALET, LE	.81
112	BJ 56	RIANS	.18
208	CI 95	RIANS	C .83
86	Q 49	RIANTEC	.56
81	CB 45	RIAUCOURT	.52
60	CF 34	RIAVILLE	.55
169	AS 83	RIBAGNAC	.24
198	AL 97	RIBARROUY	.64
222	BJ 102	RIBAUTE	.11
189	BU 91	RIBAUTE LES TAVERNES	.30
73	AM 42	RIBAY, LE	.53
82	CD 41	RIBEAUCOURT	.55
21	BF 24	RIBEAUCOURT	.80
23	BP 24	RIBEAUVILLE	.02
85	CR 44	RIBEAUVILLE	S .68
36	BL 30	RIBECOURT DRESLINCOURT	C .60
22	BM 24	RIBECOURT LA TOUR	.59
37	BP 27	RIBEMONT	C .02
21	BI 25	RIBEMONT SUR ANCRE	.80
173	BP 84	RIBENNES	.48
152	AR 78	RIBERAC	C .24
175	BV 86	RIBES	.07
177	CG 86	RIBEYRET	.05
192	CI 89	RIBIERS	C .05
220	BD 101	RIBOUISSE	.11
208	CI 99	RIBOUX	.83
159	BW 76	RICAMARIE, LA	.42
18	AU 29	RICARVILLE	.76
19	AZ 27	RICARVILLE DU VAL	.76
202	BD 99	RICAUD	.11
218	AQ 101	RICAUD	.65
80	BW 47	RICEYS, LES	C .10
48	AA 40	RICHARDAIS, LA	.35
61	CJ 40	RICHARDMENIL	.54

Page	Carreau	Commune	Adm.Dpt
76	BE 42	RICHARVILLE	.91
109	AU 54	RICHE, LA	.37
62	CM 36	RICHE	.57
81	CB 47	RICHEBOURG	.52
12	BJ 19	RICHEBOURG	.62
54	BB 38	RICHEBOURG	.78
60	CF 37	RICHECOURT	.55
108	AR 58	RICHELIEU	C .37
62	CO 35	RICHELING	.57
41	CI 32	RICHEMONT	.57
20	BB 27	RICHEMONT	.76
191	CB 87	RICHERENCHES	.84
62	CO 39	RICHEVAL	.57
34	BB 33	RICHEVILLE	.27
85	CU 43	RICHTOLSHEIM	.67
103	CR 48	RICHWILLER	.68
199	AP 97	RICOURT	.32
36	BK 30	RICQUEBOURG	.60
67	N 47	RIEC SUR BELON	.29
103	CS 49	RIEDISHEIM	.68
64	CV 35	RIEDSELTZ	.67
85	CS 45	RIEDWIHR	.68
99	BY 47	RIEL LES EAUX	.21
21	BE 26	RIENCOURT	.80
22	BL 24	RIENCOURT LES BAPAUME	.62
22	BL 23	RIENCOURT LES CAGNICOURT	.62
102	CO 49	RIERVESCEMONT	.90
103	CS 51	RIESPACH	.68
219	AT 102	RIEUCAZE	.31
220	BC 102	RIEUCROS	.09
22	BN 21	RIEULAY	.59
201	BC 98	RIEUMAJOU	.31
200	AW 98	RIEUMES	C .31
186	BG 88	RIEUPEYROUX	C .12
203	BK 98	RIEUSSEC	.34
174	BQ 84	RIEUTORT DE RANDON	.48
200	AX 100	RIEUX	C .31
57	BP 38	RIEUX	.51
88	Z 51	RIEUX	.56
35	BI 33	RIEUX	.60
20	BB 26	RIEUX	.76
220	BA 102	RIEUX DE PELLEPORT	.09
22	BO 23	RIEUX EN CAMBRESIS	.59
222	BI 102	RIEUX EN VAL	.11
203	BJ 100	RIEUX MINERVOIS	.11
193	CL 93	RIEZ	C .04
222	BI 107	RIGARDA	.66
194	CS 91	RIGAUD	.06
186	BG 87	RIGNAC	C .12
171	BB 83	RIGNAC	.46
101	CJ 53	RIGNEY	.25
146	CD 70	RIGNIEUX LE FRANC	.01
101	CK 53	RIGNOSOT	.25
102	CM 49	RIGNOVELLE	.70
100	CF 53	RIGNY	.70
79	BQ 42	RIGNY LA NONNEUSE	.10
60	CF 40	RIGNY LA SALLE	.55
79	BQ 45	RIGNY LE FERRON	.10
60	CF 40	RIGNY ST MARTIN	.55
130	BT 63	RIGNY SUR ARROUX	.71
108	AR 55	RIGNY USSE	.37
199	AQ 95	RIGUEPEU	.32
140	AX 73	RILHAC LASTOURS	.87
140	AZ 70	RILHAC RANCON	.87
155	BB 75	RILHAC TREIGNAC	.19
155	BF 79	RILHAC XAINTRIE	.19
101	CL 53	RILLANS	.25
92	AR 53	RILLE	.37
146	CA 71	RILLIEUX LA PAPE	C .69
58	BT 34	RILLY LA MONTAGNE	.51
80	BT 42	RILLY STE SYRE	.10
39	BX 30	RILLY SUR AISNE	.08
93	AX 53	RILLY SUR LOIRE	.41
109	AS 57	RILLY SUR VIENNE	.37
82	CD 44	RIMAUCOURT	.52
85	CQ 47	RIMBACH PRES GUEBWILLER	.68
102	CP 48	RIMBACH PRES MASEVAUX	.68
103	CQ 47	RIMBACHZELL	.68
182	AO 91	RIMBEZ ET BAUDIETS	.40
10	BE 19	RIMBOVAL	.62
173	BO 83	RIMEIZE	.48
43	CQ 34	RIMLING	.57
24	BW 26	RIMOGNE	.08
177	CE 84	RIMON ET SAVEL	.26
127	BF 67	RIMONDEIX	.23
168	AO 84	RIMONS	.33
219	AY 103	RIMONT	.09
71	AE 42	RIMOU	.35
194	CT 90	RIMPLAS	.06
62	CQ 36	RIMSDORF	.67
64	CT 37	RINGELDORF	.67
64	CT 37	RINGENDORF	.67
10	BC 16	RINXENT	.62
168	AP 83	RIOCAUD	.33
200	AV 99	RIOLAS	.31
203	BK 97	RIOLS	.34
186	BD 90	RIOLS, LE	.81
143	BN 71	RIOM	S .63
156	BJ 77	RIOM ES MONTAGNES	C .15
192	CG 88	RIOMS	.26
181	AG 92	RION DES LANDES	.40
167	AL 84	RIONS	.33
144	BU 69	RIORGES	.42
159	BX 78	RIOTORD	.43
137	AJ 73	RIOUX	.17
152	AO 78	RIOUX MARTIN	.16
101	CJ 53	RIOZ	C .70
85	CR 44	RIQUEWIHR	.68
144	BP 69	RIS	.63
218	AR 104	RIS	.65
55	BH 40	RIS ORANGIS	C .91
198	AN 95	RISCLE	C .32
179	CP 84	RISOUL	.05
179	CR 82	RISTOLAS	.05
64	CW 36	RITTERSHOFFEN	.67
41	CL 30	RITZING	.57
198	AL 98	RIUPEYROUS	.64
126	AZ 62	RIVARENNES	.36
108	AR 55	RIVARENNES	.37
159	BV 74	RIVAS	.42
159	BY 74	RIVE DE GIER	C .42
36	BJ 32	RIVECOURT	.60
121	AE 67	RIVEDOUX PLAGE	.17
197	AG 98	RIVEHAUTE	.64
221	BE 103	RIVEL	.11
231	DL 109	RIVENTOSA	.2B
219	AX 103	RIVERENERT	.09
145	BY 74	RIVERIE	.69
21	BG 26	RIVERY	.80
188	BO 93	RIVES, LES	.34
161	CF 76	RIVES	C .38
169	AU 84	RIVES	.47
222	BL 105	RIVESALTES	C .66
167	AL 81	RIVIERE, LA	.33
108	AR 56	RIVIERE	.37
161	CF 77	RIVIERE, LA	.38
22	BJ 22	RIVIERE	.62
80	BT 44	RIVIERE DE CORPS, LA	.10
118	CK 59	RIVIERE DRUGEON, LA	.25
149	CO 67	RIVIERE ENVERSE, LA	.74
100	CC 51	RIVIERE LES FOSSES	.52
196	AE 94	RIVIERE SAAS ET GOURBY	.40
32	AS 31	RIVIERE ST SAUVEUR, LA	.14
188	BN 90	RIVIERE SUR TARN	.12
138	AR 72	RIVIERES	.16
190	BW 89	RIVIERES	.30
186	BD 93	RIVIERES	.81
58	BX 40	RIVIERES HENRUEL, LES	.51
100	CE 50	RIVIERES LE BOIS	.52
18	AT 28	RIVILLE	.76
145	BY 69	RIVOLET	.69
118	CJ 60	RIX	.39
97	BP 53	RIX	.58
103	CS 49	RIXHEIM	.68
133	CI 64	RIXOUSE, LA	.39
81	BZ 44	RIZAUCOURT BUCHEY	.52
167	AL 86	ROAILLAN	.33
191	CC 89	ROAIX	.84
145	BU 69	ROANNE	S .42
172	BH 82	ROANNES ST MARY	.15
82	CF 45	ROBECOURT	.88
11	BI 18	ROBECQ	.62
23	BQ 23	ROBERSART	.59
59	CA 38	ROBERT ESPAGNE	.55
81	BZ 42	ROBERT MAGNY LANEUVILLE A REMY	.52
18	AV 28	ROBERTOT	.76
36	BJ 33	ROBERVAL	.60
189	BV 88	ROBIAC ROCHESSADOULE	.30
193	CM 88	ROBINE SUR GALABRE, LA	.04
191	CD 93	ROBION	.84
170	AZ 82	ROC, LE	.46
69	X 48	ROC ST ANDRE, LE	.56
170	BB 83	ROCAMADOUR	.46
209	CL 99	ROCBARON	.83
93	AX 49	ROCE	.41
146	CC 74	ROCHE	.38
144	BT 74	ROCHE	.42
88	X 52	ROCHE BERNARD, LA	C .56
89	AG 53	ROCHE BLANCHE, LA	.44
143	BN 73	ROCHE BLANCHE, LA	.63
155	BE 78	ROCHE CANILLAC, LA	C .19
152	AO 79	ROCHE CHALAIS, LA	.24
157	BM 75	ROCHE CHARLES LA MAYRAND	.63
108	AQ 57	ROCHE CLERMAULT, LA	.37
142	BJ 69	ROCHE D'AGOUX	.63
160	CA 80	ROCHE DE GLUN, LA	.26
179	CO 82	ROCHE DE RAME, LA	.05
46	R 37	ROCHE DERRIEN, LA	C .22
178	CJ 85	ROCHE DES ARNAUDS, LA	.05
115	BU 54	ROCHE EN BRENIL, LA	.21
158	BT 78	ROCHE EN REGNIER	.43
100	CG 51	ROCHE ET RAUCOURT	.70
54	BB 35	ROCHE GUYON, LA	.95
159	BW 75	ROCHE LA MOLIERE	.42
154	AY 74	ROCHE L'ABEILLE, LA	.87
156	BH 76	ROCHE LE PEYROUX	.19
102	CM 53	ROCHE LES CLERVAL	.25
118	CJ 54	ROCHE LEZ BEAUPRE	.25
73	AP 41	ROCHE MABILE, LA	.61
45	K 40	ROCHE MAURICE, LA	.29
100	CG 50	ROCHE MOREY, LA	.70
143	BN 73	ROCHE NOIRE, LA	.63
125	AV 60	ROCHE POSAY, LA	.86
108	AQ 58	ROCHE RIGAULT, LA	.86
176	CC 86	ROCHE ST SECRET BECONNE	.26
148	CL 68	ROCHE SUR FORON, LA	C .74
176	CB 84	ROCHE SUR GRANE, LA	.26
191	CE 88	ROCHE SUR LE BUIS, LA	.26
101	CK 52	ROCHE SUR LINOTTE ET SORANS LES CORDIERS	.70
121	AD 61	ROCHE SUR YON, LA	P .85
99	BX 53	ROCHE VANNEAU, LA	.21
132	BZ 65	ROCHE VINEUSE, LA	.71
176	CC 85	ROCHEBAUDIN	.26
152	AR 75	ROCHEBEAUCOURT ET ARGENTINE, LA	.24
178	CL 86	ROCHEBRUNE	.05
191	CD 87	ROCHEBRUNE	.26
161	CD 80	ROCHECHINARD	.26
139	AV 71	ROCHECHOUART	S .87
175	BX 86	ROCHECOLOMBE	.07
92	AU 53	ROCHECORBON	.37
136	AG 69	ROCHEFORT	S .17
99	BY 50	ROCHEFORT	.21
147	CH 74	ROCHEFORT	.73
190	BZ 92	ROCHEFORT DU GARD	.30
88	X 49	ROCHEFORT EN TERRE	C .56
176	CB 86	ROCHEFORT EN VALDAINE	.26
76	BE 41	ROCHEFORT EN YVELINES	.78
142	BK 73	ROCHEFORT MONTAGNE	C .63
176	CD 80	ROCHEFORT SAMSON	.26
81	CC 44	ROCHEFORT SUR LA COTE	.52
107	AK 54	ROCHEFORT SUR LOIRE	.49
117	CF 56	ROCHEFORT SUR NENON	C .39
138	AR 72	ROCHEFOUCAULD, LA	C .16
177	CD 85	ROCHEFOURCHAT	.26
192	CH 90	ROCHEGIRON, LA	.04
190	CA 89	ROCHEGUDE	.26
190	BW 89	ROCHEGUDE	.30
134	CL 60	ROCHEJEAN	.25
136	AF 67	ROCHELLE, LA	P .17
100	CG 49	ROCHELLE, LA	.70
49	AF 38	ROCHELLE NORMANDE, LA	.50
176	BZ 85	ROCHEMAURE	C .07
123	AK 67	ROCHENARD, LA	.79
159	BX 79	ROCHEPAULE	.07
115	BY 59	ROCHEPOT, LA	.21
175	BW 85	ROCHER	.07
124	AQ 61	ROCHEREAU, LE	.86
127	BE 66	ROCHES	.23
94	BA 49	ROCHES	.41
82	CC 43	ROCHES BETTAINCOURT	.52
160	CA 75	ROCHES DE CONDRIEU, LES	.38
102	CP 53	ROCHES LES BLAMONT	.25
93	AW 50	ROCHES L'EVEQUE, LES	.41
125	AS 64	ROCHES PREMARIE ANDILLE	.86
59	CA 40	ROCHES SUR MARNE	.52
105	AD 58	ROCHESERVIERE	C .85
176	BY 84	ROCHESSAUVE	.07
84	CO 46	ROCHESSON	.88
99	CB 48	ROCHETAILLEE	.52
146	CA 71	ROCHETAILLEE SUR SAONE	.69
147	CE 74	ROCHETOIRIN	.38
106	AH 60	ROCHETREJOUX	.85
194	CR 91	ROCHETTE, LA	.04
178	CL 84	ROCHETTE, LA	.05
175	BW 81	ROCHETTE, LA	.07
138	AR 71	ROCHETTE, LA	.16
162	CK 75	ROCHETTE, LA	C .73
77	BJ 41	ROCHETTE, LA	.77
191	CF 88	ROCHETTE DU BUIS, LA	.26
29	AE 30	ROCHEVILLE	.50
41	CH 31	ROCHONVILLERS	.57
35	BF 32	ROCHY CONDE	.60
129	BM 65	ROCLES	.03
175	BV 85	ROCLES	.07
174	BS 84	ROCLES	.48
22	BK 21	ROCLINCOURT	.62
82	CG 45	ROCOURT	.88
57	BO 34	ROCOURT ST MARTIN	.02
51	AN 35	ROCQUANCOURT	.14
50	AK 37	ROCQUE, LA	.14
18	AV 28	ROCQUEFORT	.76
36	BK 33	ROCQUEMONT	.60
33	AZ 29	ROCQUEMONT	.76
35	BH 29	ROCQUENCOURT	.60
55	BF 38	ROCQUENCOURT	.78
52	AR 34	ROCQUES	.14
23	BS 25	ROCQUIGNY	.02
38	BU 28	ROCQUIGNY	.08
22	BL 24	ROCQUIGNY	.62
24	BW 26	ROCROI	C .08
62	CM 36	RODALBE	.57
10	BE 15	RODELINGHEM	.62
172	BJ 86	RODELLE	.12
41	CJ 30	RODEMACK	.57
103	CQ 49	RODEREN	.68
85	CS 44	RODERN	.68
222	BI 107	RODES	.66
187	BI 87	RODEZ	P .12
190	BX 93	RODILHAN	.30
221	BE 105	RODOME	.11
90	AH 48	ROE, LA	.53
21	BH 21	ROELLECOURT	.62
65	CW 36	ROESCHWOOG	.67
22	BN 21	ROEULX	.59
22	BL 22	ROEUX	.62
91	AQ 48	ROEZE SUR SARTHE	.72
97	BS 48	ROFFEY	.89
157	BM 80	ROFFIAC	.15
37	BO 29	ROGECOURT	.02
32	AR 30	ROGERVILLE	.76
61	CH 37	ROGEVILLE	.54
103	CT 47	ROGGENHOUSE	.68
229	DM 101	ROGLIANO	C .2B
133	CH 65	ROGNA	.39
207	CE 97	ROGNAC	.13
148	CM 73	ROGNAIX	.73
208	CF 95	ROGNES	.13
101	CK 53	ROGNON	.25
190	CA 93	ROGNONAS	.13
37	BR 27	ROGNY	.02
96	BL 50	ROGNY LES SEPT ECLUSES	.89
188	BQ 93	ROGUES	.30
35	BG 28	ROGY	.80
53	AV 40	ROHAIRE	.28
69	U 45	ROHAN	C .56
64	CT 38	ROHR	.67
63	CR 34	ROHRBACH LES BITCHE	C .57
64	CV 37	ROHRWILLER	.67
108	AP 57	ROIFFE	.86
160	BY 78	ROIFFIEUX	.07
36	BK 28	ROIGLISE	.80
98	BW 53	ROILLY	.21
76	BC 42	ROINVILLE	.28
77	BE 41	ROINVILLE	.91
77	BG 43	ROINVILLIERS	.91
22	BM 25	ROISEL	C .80
82	CF 42	ROISES, LES	.55
160	BZ 76	ROISEY	.42
177	CH 81	ROISSARD	.38
55	BJ 38	ROISSY EN BRIE	C .77
55	BI 36	ROISSY EN FRANCE	.95
52	AR 37	ROIVILLE	.61
38	BU 31	ROIZY	.08
100	CD 47	ROLAMPONT	.52
43	CS 33	ROLBING	.57
82	CG 43	ROLLAINVILLE	.88
11	BF 20	ROLLANCOURT	.62
54	BB 36	ROLLEBOISE	.78
32	AR 29	ROLLEVILLE	.76
35	BJ 29	ROLLOT	.80
124	AP 66	ROM	.79
143	BM 72	ROMAGNAT	.63
38	BV 28	ROMAGNE, LA	.08
167	AM 83	ROMAGNE	.33
71	AG 43	ROMAGNE	.35
106	AH 57	ROMAGNE, LA	.49
124	AR 66	ROMAGNE	.86
40	CD 32	ROMAGNE SOUS LES COTES	.55
39	CA 32	ROMAGNE SOUS MONTFAUCON	.55
161	CG 74	ROMAGNIEU	.38
50	AI 39	ROMAGNY	.50
103	CQ 50	ROMAGNY	.68
102	CP 49	ROMAGNY SOUS ROUGEMONT	.90
101	CL 53	ROMAIN	.25
117	CG 55	ROMAIN	.39
37	BR 32	ROMAIN	.51
83	CK 41	ROMAIN	.54
82	CG 46	ROMAIN AUX BOIS	.88
82	CE 45	ROMAIN SUR MEUSE	.52
55	BH 37	ROMAINVILLE	C .93
53	AX 38	ROMAN	.27
132	BZ 67	ROMANECHE THORINS	.71
117	CF 56	ROMANGE	.39
146	CB 68	ROMANS	.01
124	AN 65	ROMANS	.79
160	CC 79	ROMANS SUR ISERE	C .26
63	CS 39	ROMANSWILLER	.67
138	AN 69	ROMAZIERES	.17
71	AE 42	ROMAZY	.35
85	CR 43	ROMBACH LE FRANC	.68
41	CI 33	ROMBAS	C .57
23	BQ 21	ROMBIES ET MARCHIPONT	.59
11	BH 18	ROMBLY	.62
137	AI 70	ROMEGOUX	.17
62	CP 37	ROMELFING	.57
132	CC 63	ROMENAY	.71
57	BO 36	ROMENY SUR MARNE	.02
23	BP 23	ROMERIES	.59
23	BR 26	ROMERY	.02
57	BS 35	ROMERY	.51
34	BD 28	ROMESCAMPS	.60
168	AO 87	ROMESTAING	.47
177	CF 82	ROMEYER	.26
183	AS 92	ROMIEU, LA	.32
57	BR 34	ROMIGNY	.51
204	BO 94	ROMIGUIERES	.34
70	AB 44	ROMILLE	.35
93	AX 48	ROMILLY	.41
53	AV 36	ROMILLY LA PUTHENAYE	.27
93	AZ 47	ROMILLY SUR AIGRE	.28
33	AY 32	ROMILLY SUR ANDELLE	.27
79	BR 41	ROMILLY SUR SEINE	C .10
84	CM 42	ROMONT	.88
111	BB 54	ROMORANTIN LANTHENAY	S .41
176	BZ 83	ROMPON	.07
51	AO 38	RONAI	.61
80	BT 45	RONCENAY	.10
53	AX 37	RONCENAY AUTHENAY, LE	.27
49	AF 35	RONCEY	.50
102	CN 50	RONCHAMP	.70
117	CI 57	RONCHAUX	.25
57	BQ 34	RONCHERES	.02
96	BM 51	RONCHERES	.89
34	BA 29	RONCHEROLLES EN BRAY	.76
33	AY 31	RONCHEROLLES SUR LE VIVIER	.76
12	BM 18	RONCHIN	.59
34	BB 28	RONCHOIS	.76
41	CI 33	RONCOURT	.57
12	BM 16	RONCQ	.59
123	AI 66	RONDE, LA	.17
49	AF 34	RONDE HAYE, LA	.50
134	CK 60	RONDEFONTAINE	.25
186	BG 94	RONEL	.81
51	AM 38	RONFEUGERAI	.61
130	BP 66	RONGERES	.03
142	BJ 67	RONNET	.03
145	BW 69	RONNO	.69
55	BF 34	RONQUEROLLES	.95
152	AQ 75	RONSENAC	.16
22	BM 25	RONSSOY	.80
146	BY 73	RONTALON	.69
198	AL 100	RONTIGNON	.64
60	CE 34	RONVAUX	.55
12	BM 20	ROOST WARENDIN	.59
102	CP 50	ROPPE	.90
65	CW 36	ROPPENHEIM	.67
103	CS 51	ROPPENTZWILLER	.68
43	CS 34	ROPPEVILLER	.57
191	CC 90	ROQUE ALRIC, LA	.84
52	AQ 34	ROQUE BAIGNARD, LA	.14
207	CF 94	ROQUE D'ANTHERON, LA	.13
210	CP 94	ROQUE ESCLAPON, LA	.83
170	AX 82	ROQUE GAGEAC, LA	.24
188	BN 90	ROQUE STE MARGUERITE, LA	.12
190	BY 89	ROQUE SUR CEZE, LA	.30
191	CD 91	ROQUE SUR PERNES, LA	.84
195	CU 90	ROQUEBILLIERE	C .06
204	BM 97	ROQUEBRUN	.34
199	AQ 95	ROQUEBRUNE	.32
168	AO 84	ROQUEBRUNE	.33
195	CW 93	ROQUEBRUNE CAP MARTIN	.06
210	CP 97	ROQUEBRUNE SUR ARGENS	.83
208	CK 98	ROQUEBRUSSANNE, LA	C .83
184	AV 88	ROQUECOR	.82
202	BG 95	ROQUECOURBE	C .81
222	BJ 100	ROQUECOURBE MINERVOIS	.11
189	BR 92	ROQUEDUR	.30
202	BH 99	ROQUEFERE	.11
221	BD 105	ROQUEFEUIL	.11
220	BC 103	ROQUEFIXADE	.09
199	AS 94	ROQUEFORT	.32
182	AL 91	ROQUEFORT	C .40
183	AS 90	ROQUEFORT	.47
221	BF 106	ROQUEFORT DE SAULT	.11
222	BL 103	ROQUEFORT DES CORBIERES	.11
208	CH 100	ROQUEFORT LA BEDOULE	.13
220	BC 103	ROQUEFORT LES CASCADES	.09
210	CT 94	ROQUEFORT LES PINS	.06
219	AV 101	ROQUEFORT SUR GARONNE	.31
187	BM 92	ROQUEFORT SUR SOULZON	.12
199	AS 95	ROQUELAURE	.32
200	AV 95	ROQUELAURE ST AUBIN	.32
190	CA 91	ROQUEMAURE	C .30
185	BB 94	ROQUEMAURE	.81
183	AS 92	ROQUEPINE	.32
204	BN 94	ROQUEREDONDE	.34
201	AZ 97	ROQUES	.31
183	AQ 93	ROQUES	.32
201	BB 95	ROQUESERIERE	.31
204	BO 97	ROQUESSELS	.34
194	CS 92	ROQUESTERON	C .06
194	CS 92	ROQUESTERON GRASSE	.06
221	BF 103	ROQUETAILLADE	.11
11	BG 17	ROQUETOIRE	.62
33	AZ 33	ROQUETTE, LA	.27
210	CS 95	ROQUETTE SUR SIAGNE, LA	.06
195	CU 92	ROQUETTE SUR VAR, LA	.06
201	AZ 97	ROQUETTES	.31
208	CH 98	ROQUEVAIRE	C .13
201	BD 96	ROQUEVIDAL	.81
197	AG 100	ROQUIAGUE	.64
168	AQ 83	ROQUILLE, LA	.33
62	CO 37	RORBACH LES DIEUZE	.57
85	CS 44	RORSCHWIHR	.68
177	CF 87	ROSANS	C .05
133	CE 63	ROSAY	.39
19	AY 28	ROSAY	.76
54	BC 37	ROSAY	.78
34	BA 32	ROSAY SUR LIEURE	.27
230	DJ 110	ROSAZIA	.2A
42	CN 33	ROSBRUCK	.57
44	I 41	ROSCANVEL	.29
45	M 37	ROSCOFF	.29
31	AM 33	ROSEL	.14
103	CT 50	ROSENAU	.68
63	CS 40	ROSENWILLER	.67
117	CH 56	ROSET FLUANS	.25
101	CI 51	ROSEY	.70
132	BZ 61	ROSEY	.71
63	CS 40	ROSHEIM	C .67
102	CM 47	ROSIERE, LA	.70
175	BW 86	ROSIERES	.07
158	BU 79	ROSIERES	.43
56	BK 34	ROSIERES	.60
186	BF 91	ROSIERES	.81
61	CK 40	ROSIERES AUX SALINES	.54
61	CH 38	ROSIERES EN HAYE	.54
22	BJ 27	ROSIERES EN SANTERRE	C .80
80	BT 44	ROSIERES PRES TROYES	.10
119	CN 54	ROSIERES SUR BARBECHE	.25
101	CG 48	ROSIERES SUR MANCE	.70
154	AY 77	ROSIERS DE JUILLAC	.19
155	BE 76	ROSIERS D'EGLETONS	.19
108	AN 54	ROSIERS SUR LOIRE, LES	.49
203	BM 96	ROSIS	.34
126	AY 62	ROSNAY	.36
37	BR 33	ROSNAY	.51
122	AF 63	ROSNAY	.85
80	BW 42	ROSNAY L'HOPITAL	.10
45	K 42	ROSNOEN	.29
55	BI 37	ROSNY SOUS BOIS	C .93
54	BB 36	ROSNY SUR SEINE	.78
35	BI 32	ROSOY	.60
56	BL 35	ROSOY EN MULTIEN	.60
78	BL 46	ROSOY LE VIEIL	.45
46	R 37	ROSPEZ	.22
231	DM 109	ROSPIGLIANI	.2B
67	M 46	ROSPORDEN	C .29
41	CH 32	ROSSELANGE	.57
85	CU 42	ROSSFELD	.67
147	CG 71	ROSSILLON	.01
63	CR 36	ROSTEIG	.67
68	Q 43	ROSTRENEN	C .22
13	BO 20	ROSULT	.59
119	CO 55	ROSUREUX	.25
133	CF 62	ROTALIER	.39
35	BF 30	ROTANGY	.60
85	CR 41	ROTHAU	.67
64	CT 36	ROTHBACH	.67
162	CK 75	ROTHERENS	.73
81	BX 43	ROTHIERE, LA	.10
34	BE 29	ROTHOIS	.60
133	CF 63	ROTHONAY	.39
51	AN 38	ROTOURS, LES	.61
31	AM 33	ROTS	.14
64	CV 34	ROTT	.67
64	CU 37	ROTTELSHEIM	.67
177	CF 86	ROTTIER	.26
108	AN 55	ROU MARSON	.49
203	BI 97	ROUAIROUX	.81
105	AB 55	ROUANS	.44
89	AG 49	ROUAUDIERE, LA	.53
12	BM 17	ROUBAIX	C .59
203	BK 100	ROUBIA	.11
194	CS 89	ROUBION	.06
50	AL 36	ROUCAMPS	.14
22	BM 21	ROUCOURT	.59
37	BR 32	ROUCY	.02
67	O 44	ROUDOUALLEC	.56
81	CB 43	ROUECOURT	.52
219	AU 102	ROUEDE	.31
50	AK 40	ROUELLE	.61
99	CB 49	ROUELLES	.52
33	AX 31	ROUEN	P .76
74	AQ 43	ROUESSE FONTAINE	.72
73	AO 45	ROUESSE VASSE	.72
189	BS 94	ROUET	.34
73	AO 45	ROUEZ	.72
85	CS 47	ROUFFACH	C .68
117	CG 55	ROUFFANGE	.39
155	BF 80	ROUFFIAC	.15
152	AP 77	ROUFFIAC	.16
137	AL 73	ROUFFIAC	.17
186	BE 93	ROUFFIAC	.81
221	BG 101	ROUFFIAC D'AUDE	.11
222	BI 104	ROUFFIAC DES CORBIERES	.11
201	BA 95	ROUFFIAC TOLOSAN	.31
151	AL 76	ROUFFIGNAC	.17
169	AS 83	ROUFFIGNAC DE SIGOULES	.24
153	AW 80	ROUFFIGNAC ST CERNIN DE REILHAC	.24
49	AG 38	ROUFFIGNY	.50
170	AZ 83	ROUFFILHAC	.46
58	BT 37	ROUFFY	.51
89	AE 49	ROUGE	C .44
74	AU 44	ROUGE, LA	.61
53	AV 34	ROUGE PERRIERS	.27
21	BF 22	ROUGEFAY	.62
102	CO 49	ROUGEGOUTTE	.90
98	BV 51	ROUGEMONT	.21
101	CL 52	ROUGEMONT	C .25
102	CP 49	ROUGEMONT LE CHATEAU	C .90
32	AV 32	ROUGEMONTIERS	.27
101	CK 53	ROUGEMONTOT	.25
110	BA 54	ROUGEOU	.41
23	BR 27	ROUGERIES	.02
84	CO 43	ROUGES EAUX, LES	.88
171	BG 82	ROUGET, LE	.15
100	CF 49	ROUGEUX	.52
208	CJ 98	ROUGIERS	.83
152	AR 74	ROUGNAC	.16
142	BI 69	ROUGNAT	.23
193	CN 93	ROUGON	.04
118	CI 57	ROUHE	.25
42	CP 34	ROUHLING	.57
138	AO 72	ROUILLAC	C .16
70	Y 43	ROUILLAC	.22
124	AP 64	ROUILLE	.86
74	AQ 47	ROUILLON	.72
78	BN 40	ROUILLY	.77
80	BV 43	ROUILLY SACEY	.10
80	BU 44	ROUILLY ST LOUP	.10
204	BO 97	ROUJAN	C .34
118	CK 54	ROULANS	C .25
84	CM 45	ROULIER, LE	.88
74	AR 42	ROULLEE	.72
221	BG 101	ROULLENS	.11
152	AP 74	ROULLET ST ESTEPHE	.16
50	AJ 37	ROULLOURS	.14
168	AR 85	ROUMAGNE	.47
33	AW 30	ROUMARE	.76
139	AT 70	ROUMAZIERES LOUBERT	.16
171	BF 82	ROUMEGOUX	.15
202	BG 94	ROUMEGOUX	.81
221	BD 102	ROUMENGOUX	.09
202	BD 98	ROUMENS	.31
193	CL 93	ROUMOULES	.04
65	CW 37	ROUNTZENHEIM	.67
41	CL 33	ROUPELDANGE	.57
73	AP 41	ROUPERROUX	.61
74	AS 44	ROUPERROUX LE COQUET	.72
22	BN 27	ROUPY	.02
186	BE 88	ROUQUETTE, LA	.12
194	CS 89	ROURE	.06
210	CS 94	ROURET, LE	.06
23	BS 22	ROUSIES	.59
140	AY 69	ROUSSAC	.87
176	CA 87	ROUSSAS	.26
106	AH 57	ROUSSAY	.49
185	BC 91	ROUSSAYROLLES	.81
35	BH 33	ROUSSELOY	.60
172	BG 87	ROUSSENNAC	.12
20	BD 21	ROUSSENT	.62
134	CJ 63	ROUSSES, LES	.39
188	BR 89	ROUSSES	.48
178	CL 86	ROUSSET	.05
208	CH 97	ROUSSET	.13
131	BX 63	ROUSSET, LE	.71
176	CC 87	ROUSSET LES VIGNES	.26
52	AU 36	ROUSSIERE, LA	.27
192	CG 87	ROUSSIEUX	.26
160	CA 76	ROUSSILLON	C .38
191	CE 92	ROUSSILLON	.84
115	BU 58	ROUSSILLON EN MORVAN	.71
139	AT 72	ROUSSINES	.16
126	AZ 64	ROUSSINES	.36
189	BV 89	ROUSSON	.30
78	BN 46	ROUSSON	.89
41	CI 30	ROUSSY LE VILLAGE	.57
117	CH 56	ROUTELLE	.25
19	AV 28	ROUTES	.76
221	BF 102	ROUTIER	.11
32	AV 32	ROUTOT	C .27
221	BF 103	ROUVENAC	.11
61	CJ 36	ROUVES	.54
190	BW 92	ROUVIERE, LA	.30
23	BO 21	ROUVIGNIES	.59
36	BK 34	ROUVILLE	.60
32	AT 29	ROUVILLE	.76
35	BJ 31	ROUVILLERS	.60

Page	Carreau	Commune	Adm.	Dpt
98	BU 53	ROUVRAY		21
53	AZ 35	ROUVRAY		27
97	BQ 48	ROUVRAY		89
34	BA 30	ROUVRAY CATILLON		76
76	BD 44	ROUVRAY ST DENIS		28
76	BB 44	ROUVRAY ST FLORENTIN		28
76	BC 46	ROUVRAY STE CROIX		45
35	BH 28	ROUVREL		80
51	AO 36	ROUVRES		14
54	BA 38	ROUVRES		28
56	BJ 35	ROUVRES		77
56	BL 35	ROUVRES EN MULTIEN		60
116	CC 55	ROUVRES EN PLAINE		21
40	CF 33	ROUVRES EN WOEVRE		55
83	CI 43	ROUVRES EN XAINTOIS		88
82	CG 43	ROUVRES LA CHETIVE		88
111	BB 58	ROUVRES LES BOIS		36
81	BZ 44	ROUVRES LES VIGNES		10
115	BX 56	ROUVRES SOUS MEILLY		21
77	BF 43	ROUVRES ST JEAN		45
99	CA 48	ROUVRES SUR AUBE		52
60	CE 36	ROUVROIS SUR MEUSE		55
40	CE 31	ROUVROIS SUR OTHAIN		55
23	BO 26	ROUVROY		02
22	BK 21	ROUVROY	C	62
36	BJ 28	ROUVROY EN SANTERRE		80
35	BH 29	ROUVROY LES MERLES		60
39	BY 33	ROUVROY RIPONT		51
24	BW 27	ROUVROY SUR AUDRY		08
81	CB 43	ROUVROY SUR MARNE		52
38	BU 28	ROUVROY SUR SERRE		02
175	BV 83	ROUX, LE		07
50	AJ 34	ROUXEVILLE		50
90	AH 53	ROUXIERE, LA		44
19	AX 26	ROUXMESNIL BOUTEILLES		76
114	BQ 58	ROUY		58
36	BL 27	ROUY LE GRAND		80
36	BL 27	ROUY LE PETIT		80
221	BE 106	ROUZE		09
139	AT 72	ROUZEDE		16
171	BG 83	ROUZIERS		15
92	AU 52	ROUZIERS DE TOURAINE		37
207	CE 98	ROVE, LE		13
84	CM 42	ROVILLE AUX CHENES		88
83	CK 41	ROVILLE DEVANT BAYON		54
161	CF 78	ROVON		38
34	BE 30	ROY BOISSY		60
136	AG 73	ROYAN	C	17
160	CC 74	ROYAS		38
143	BM 72	ROYAT	C	63
35	BI 29	ROYAUCOURT		60
37	BP 30	ROYAUCOURT ET CHAILVET		02
61	CH 38	ROYAUMEIX		54
161	CD 77	ROYBON	C	38
102	CM 50	ROYE		70
36	BK 28	ROYE	C	80
36	BK 29	ROYE SUR MATZ		60
132	CA 63	ROYER		71
141	BD 71	ROYERE DE VASSIVIERE	C	23
140	BA 71	ROYERES		87
176	CB 84	ROYNAC		26
10	BE 20	ROYON		62
19	AX 27	ROYVILLE		76
48	AC 40	ROZ LANDRIEUX		35
49	AE 40	ROZ SUR COUESNON		35
56	BL 40	ROZAY EN BRIE	C	77
29	AC 30	ROZEL, LE		50
83	CL 41	ROZELIEURES		54
61	CI 34	ROZERIEULLES		57
83	CI 44	ROZEROTTE		88
183	AR 94	ROZES		32
36	BN 34	ROZET ST ALBIN		02
188	BN 89	ROZIER, LE		48
159	BU 76	ROZIER COTES D'AUREC		42
145	BV 71	ROZIER EN DONZY		42
94	BC 48	ROZIERES EN BEAUCE		45
37	BO 32	ROZIERES SUR CRISE		02
82	CG 45	ROZIERES SUR MOUZON		88
140	BA 72	ROZIERS ST GEORGES		87
57	BP 37	ROZOY BELLEVALLE		02
38	BT 28	ROZOY SUR SERRE	C	02
114	BR 55	RUAGES		58
76	BE 46	RUAN		45
75	AY 47	RUAN SUR EGVONNE		41
92	AR 48	RUAUDIN		72
39	CA 28	RUBECOURT ET LAMECOURT		08
77	BJ 41	RUBELLES		77
21	BH 25	RUBEMPRE		80
30	AJ 32	RUBERCY		14
35	BI 29	RUBESCOURT		80
38	BU 28	RUBIGNY		08
11	BH 16	RUBROUCK		59
48	Y 40	RUCA		22
168	AO 83	RUCH		33
30	AL 33	RUCQUEVILLE		14
153	AS 75	RUDEAU LADOSSE		24
171	BD 84	RUDELLE		46
20	BC 22	RUE	C	80
35	BG 32	RUE ST PIERRE, LA		60
33	AY 30	RUE ST PIERRE, LA		76
103	CS 51	RUEDERBACH		68
53	AX 39	RUEIL LA GADELIERE		28
55	BF 37	RUEIL MALMAISON	C	92
103	CS 48	RUELISHEIM		68
138	AQ 73	RUELLE SUR TOUVRE	C	16
22	BN 24	RUES DES VIGNES, LES		59
23	BP 22	RUESNES		59
171	BC 83	RUEYRES		46
138	AQ 69	RUFFEC	C	16
126	AX 62	RUFFEC		36
117	CH 55	RUFFEY LE CHATEAU		25
116	CA 58	RUFFEY LES BEAUNE		21
116	CB 54	RUFFEY LES ECHIREY		21
133	CF 61	RUFFEY SUR SEILLE		39
88	Y 48	RUFFIAC		56
147	CG 69	RUFFIEU		01
148	CI 70	RUFFIEUX	C	73
89	AE 49	RUFFIGNE		44
52	AU 38	RUGLES	C	27
83	CK 43	RUGNEY		88
98	BU 48	RUGNY		89
101	CJ 53	RUHANS		70
73	AO 46	RUILLE EN CHAMPAGNE		72
90	AK 48	RUILLE FROID FONDS		53
72	AI 46	RUILLE LE GRAVELAIS		53
92	AU 50	RUILLE SUR LOIR		72
11	BF 19	RUISSEAUVILLE		62
11	BI 20	RUITZ		62
187	BI 90	RULLAC ST CIRQ		12
50	AK 38	RULLY		14
36	BJ 33	RULLY		60
116	BZ 59	RULLY		71
22	BM 22	RUMAUCOURT		62
13	BO 19	RUMEGIES		59
103	CT 48	RUMERSHEIM LE HAUT		68
51	AP 34	RUMESNIL		14
24	BU 27	RUMIGNY	C	08
21	BG 27	RUMIGNY		80
11	BE 18	RUMILLY		62
148	CI 70	RUMILLY	C	74
22	BN 23	RUMILLY EN CAMBRESIS		59
80	BV 45	RUMILLY LES VAUDES		10
11	BF 15	RUMINGHEM		62
60	CC 38	RUMONT		55
77	BI 44	RUMONT		77
46	S 38	RUNAN		22
55	BH 39	RUNGIS		94
175	BX 86	RUOMS		07
57	BO 40	RUPEREUX		77
82	CG 41	RUPPES		88
81	CB 42	RUPT		52
59	CB 39	RUPT AUX NONAINS		55
60	CD 37	RUPT DEVANT ST MIHIEL		55
60	CD 35	RUPT EN WOEVRE		55
102	CN 47	RUPT SUR MOSELLE		88
40	CD 31	RUPT SUR OTHAIN		55
101	CH 50	RUPT SUR SAONE		70
41	CJ 32	RURANGE LES THIONVILLE		57
118	CI 57	RUREY		25
231	DM 107	RUSIO		2B
85	CR 41	RUSS		67
41	CH 30	RUSSANGE		57
119	CO 55	RUSSEY, LE	C	25
30	AK 32	RUSSY		14
36	BL 33	RUSSY BEMONT		60
85	CS 47	RUSTENHART		68
222	BI 100	RUSTIQUES		11
192	CG 92	RUSTREL		84
41	CK 30	RUSTROFF		57
229	DM 105	RUTALI		2B
80	BU 44	RUVIGNY		10
147	CE 73	RUY		38
22	BL 24	RUYAULCOURT		62
173	BO 80	RUYNES EN MARGERIDE	C	15
33	AZ 31	RY		76
117	CE 59	RYE		39
30	AL 32	RYES	C	14

S

Page	Carreau	Commune	Adm.	Dpt
56	BN 37	SAACY SUR MARNE		77
84	CQ 42	SAALES	C	67
19	AW 28	SAANE ST JUST		76
85	CU 43	SAASENHEIM		67
171	BE 83	SABADEL LATRONQUIERE		46
170	BB 85	SABADEL LAUZES		46
200	AU 98	SABAILLAN		32
198	AP 100	SABALOS		65
220	AZ 102	SABARAT		09
199	AR 100	SABARROS		65
198	AO 95	SABAZAN		32
91	AN 49	SABLE SUR SARTHE	C	72
121	AB 63	SABLES D'OLONNE, LES	S	85
191	CC 89	SABLET		84
175	BU 86	SABLIERES		07
136	AH 72	SABLONCEAUX		17
57	BO 37	SABLONNIERES		77
151	AM 80	SABLONS		33
160	CA 77	SABLONS		38
200	AW 97	SABONNERES		31
39	BX 30	SABOTTERIE, LA		08
190	BY 90	SABRAN		30
181	AI 89	SABRES	C	40
218	AS 105	SACCOURVIELLE		31
72	AK 45	SACE		53
71	AF 41	SACEY		50
109	AT 55	SACHE		37
11	BH 19	SACHIN		62
39	CB 28	SACHY		08
126	AZ 64	SACIERGES ST MARTIN		36
77	BF 43	SACLAS		91
55	BF 39	SACLAY		91
36	BN 32	SACONIN ET BREUIL		02
218	AS 103	SACOUE		65
53	AX 37	SACQ, LE		27
100	CD 51	SACQUENAY		21
53	AX 35	SACQUENVILLE		27
37	BS 34	SACY		51
97	BS 51	SACY		89
35	BI 32	SACY LE GRAND		60
35	BJ 32	SACY LE PETIT		60
199	AQ 98	SADEILLAN		32
169	AS 83	SADILLAC		24
167	AL 83	SADIRAC		33
199	AR 99	SADOURNIN		65
154	BA 77	SADROC		19
64	CT 38	SAESSOLSHEIM		67
61	CK 40	SAFFAIS		54
133	CH 61	SAFFLOZ		39
89	AD 52	SAFFRE		44
115	BX 54	SAFFRES		21
169	AW 83	SAGELAT		24
127	BB 66	SAGNAT		23
175	BV 83	SAGNES ET GOUDOULET		07
112	BK 60	SAGONNE		18
133	CD 62	SAGY		71
54	BE 36	SAGY		95
226	BH 108	SAHORRE		66
177	CE 87	SAHUNE		26
33	AW 32	SAHURS		76
51	AQ 39	SAI		61
156	BI 77	SAIGNES	C	15
171	BC 83	SAIGNES		46
20	BC 23	SAIGNEVILLE		80
192	CG 93	SAIGNON		84
200	AX 97	SAIGUEDE		31
130	BS 67	SAIL LES BAINS		42
144	BT 72	SAIL SOUS COUZAN		42
218	AQ 105	SAILHAN		65
155	BB 80	SAILLAC		19
185	BC 88	SAILLAC		46
225	BE 109	SAILLAGOUSE	C	66
177	CD 83	SAILLANS	C	26
167	AM 81	SAILLANS		33
158	BT 75	SAILLANT		63
139	AV 71	SAILLAT SUR VIENNE		87
133	CE 61	SAILLENARD		71
39	CB 29	SAILLY		08
82	CC 42	SAILLY		52
131	BX 63	SAILLY		71
54	BC 36	SAILLY		78
61	CJ 36	SAILLY ACHATEL		57
21	BI 24	SAILLY AU BOIS		62
22	BL 22	SAILLY EN OSTREVENT		62
20	BC 23	SAILLY FLIBEAUCOURT		80
12	BJ 19	SAILLY LABOURSE		62
21	BI 26	SAILLY LAURETTE		80
21	BI 26	SAILLY LE SEC		80
22	BM 23	SAILLY LEZ CAMBRAI		59
12	BN 18	SAILLY LEZ LANNOY		59
22	BL 24	SAILLY SAILLISEL		80
12	BK 18	SAILLY SUR LA LYS		62
145	BY 71	SAIN BEL		69
113	BM 59	SAINCAIZE MEAUCE		58
12	BM 18	SAINGHIN EN MELANTOIS		59
12	BL 19	SAINGHIN EN WEPPES		59
32	AR 30	SAINNEVILLE		76
96	BN 53	SAINPUITS		89
49	AD 40	SAINS		35
24	BS 24	SAINS DU NORD		59
21	BG 27	SAINS EN AMIENOIS		80
12	BJ 20	SAINS EN GOHELLE	C	62
11	BE 20	SAINS LES FRESSIN		62
22	BM 23	SAINS LES MARQUION		62
11	BG 19	SAINS LES PERNES		62
35	BH 30	SAINS MORAINVILLERS		60
23	BQ 27	SAINS RICHAUMONT	C	02
68	O 45	SAINT, LE		56
198	AL 100	SAINT ABIT		64
69	X 48	SAINT ABRAHAM		56
21	BF 23	SAINT ACHEUL		80
139	AS 72	SAINT ADJUTORY		16
46	S 40	SAINT ADRIEN		22
187	BL 92	SAINT AFFRIQUE	C	12
202	BF 97	SAINT AFFRIQUE LES MONTAGNES		81
46	S 40	SAINT AGATHON		22
75	AW 47	SAINT AGIL		41
57	BQ 36	SAINT AGNAN		02
114	BU 55	SAINT AGNAN		58
130	BS 64	SAINT AGNAN		71
201	BC 95	SAINT AGNAN		81
78	BM 44	SAINT AGNAN		89
52	AT 36	SAINT AGNAN DE CERNIERES		27
177	CF 81	SAINT AGNAN EN VERCORS		26
50	AL 35	SAINT AGNAN LE MALHERBE		14
74	AV 43	SAINT AGNAN SUR ERRE		61
52	AS 40	SAINT AGNAN SUR SARTHE		61
136	AH 70	SAINT AGNANT	C	17
126	BA 66	SAINT AGNANT DE VERSILLAT		23
142	BG 72	SAINT AGNANT PRES CROCQ		23
169	AT 82	SAINT AGNE		24
198	AL 96	SAINT AGNET		40
161	CD 74	SAINT AGNIN SUR BION		38
143	BN 69	SAINT AGOULIN		63
159	BX 80	SAINT AGREVE	C	07
39	BZ 28	SAINT AIGNAN		08
167	AM 81	SAINT AIGNAN		33
110	AZ 55	SAINT AIGNAN	C	41
68	T 44	SAINT AIGNAN		56
74	AS 45	SAINT AIGNAN		72
184	AW 91	SAINT AIGNAN		82
73	AN 42	SAINT AIGNAN DE COUPTRAIN		53
51	AN 35	SAINT AIGNAN DE CRAMESNIL		14
95	BH 49	SAINT AIGNAN DES GUES		45
128	BK 61	SAINT AIGNAN DES NOYERS		18
105	AC 56	SAINT AIGNAN GRANDLIEU		44
95	BH 50	SAINT AIGNAN LE JAILLARD		45
89	AG 48	SAINT AIGNAN SUR ROE	C	53
33	AZ 30	SAINT AIGNAN SUR RY		76
126	AW 62	SAINT AIGNY		36
152	AO 78	SAINT AIGULIN		17
41	CH 33	SAINT AIL		54
132	CA 64	SAINT ALBAIN		71
147	CF 68	SAINT ALBAN		01
47	X 40	SAINT ALBAN		22
201	AZ 95	SAINT ALBAN		31
175	BW 87	SAINT ALBAN AURIOLLES		07
159	BY 78	SAINT ALBAN D'AY		07
161	CH 74	SAINT ALBAN DE MONTBEL		73
146	CD 74	SAINT ALBAN DE ROCHE		38
162	CL 74	SAINT ALBAN DES HURTIERES		73
162	CL 76	SAINT ALBAN DES VILLARDS		73
160	BZ 75	SAINT ALBAN DU RHONE		38
174	BT 84	SAINT ALBAN EN MONTAGNE		07
144	BT 69	SAINT ALBAN LES EAUX		42
148	CJ 73	SAINT ALBAN LEYSSE	C	73
173	BP 83	SAINT ALBAN SUR LIMAGNOLE	C	48
161	CH 74	SAINT ALBIN DE VAULSERRE		38
190	BZ 89	SAINT ALEXANDRE		30
23	BR 26	SAINT ALGIS		02
69	U 47	SAINT ALLOUESTRE		56
142	BG 70	SAINT ALPINIEN		23
158	BR 76	SAINT ALYRE D'ARLANC		63
157	BL 76	SAINT ALYRE ES MONTAGNE		63
220	BC 102	SAINT AMADOU		09
202	BE 98	SAINT AMANCET		81
141	BF 70	SAINT AMAND		23
50	AI 35	SAINT AMAND		50
21	BI 23	SAINT AMAND		62
170	AW 83	SAINT AMAND DE BELVES		24
154	AY 80	SAINT AMAND DE COLY		24
169	AU 80	SAINT AMAND DE VERGT		24
33	AW 33	SAINT AMAND DES HAUTES TERRES		27
96	BM 52	SAINT AMAND EN PUISAYE	C	58
141	BB 70	SAINT AMAND JARTOUDEIX		23
141	BC 72	SAINT AMAND LE PETIT		87
13	BO 20	SAINT AMAND LES EAUX	C	59
93	AX 51	SAINT AMAND LONGPRE	C	41
140	AZ 67	SAINT AMAND MAGNAZEIX		87
128	BI 61	SAINT AMAND MONTROND	S	18
58	BX 38	SAINT AMAND SUR FION		51
60	CD 40	SAINT AMAND SUR ORNAIN		55
107	AJ 59	SAINT AMAND SUR SEVRE		79
156	BJ 77	SAINT AMANDIN		15
220	BA 101	SAINT AMANS		09
202	BD 100	SAINT AMANS		11
174	BP 84	SAINT AMANS	C	48
184	AX 89	SAINT AMANS DE PELLAGAL		82
172	BJ 84	SAINT AMANS DES COTS	C	12
184	AV 88	SAINT AMANS DU PECH		82
203	BH 97	SAINT AMANS SOULT	C	81
203	BI 97	SAINT AMANS VALTORET		81
152	AP 76	SAINT AMANT		16
138	AP 71	SAINT AMANT DE BOIXE	C	16
138	AR 71	SAINT AMANT DE BONNIEURE		16
138	AO 72	SAINT AMANT DE NOUERE		16
158	BR 74	SAINT AMANT ROCHE SAVINE	C	63
143	BM 73	SAINT AMANT TALLENDE	C	63
102	CQ 48	SAINT AMARIN	C	68
132	CA 61	SAINT AMBREUIL		71
111	BF 59	SAINT AMBROIX		18
189	BV 89	SAINT AMBROIX	C	30
84	CN 46	SAINT AME		88
133	CE 64	SAINT AMOUR	C	39
132	BZ 66	SAINT AMOUR BELLEVUE		71
113	BL 55	SAINT ANDELAIN		58
177	CD 82	SAINT ANDEOL		26
177	CG 80	SAINT ANDEOL		38
175	BY 85	SAINT ANDEOL DE BERG		07
189	BT 88	SAINT ANDEOL DE CLERGUEMORT		48
175	BW 82	SAINT ANDEOL DE FOURCHADES		07
175	BX 84	SAINT ANDEOL DE VALS		07
146	BZ 74	SAINT ANDEOL LE CHATEAU		69
98	BU 54	SAINT ANDEUX		21
191	CC 93	SAINT ANDIOL		13
200	AU 100	SAINT ANDRE		31
200	AU 96	SAINT ANDRE		32
227	BM 108	SAINT ANDRE		66
163	CO 77	SAINT ANDRE		73
186	BH 92	SAINT ANDRE		81
174	BT 87	SAINT ANDRE CAPCEZE		48
170	AX 82	SAINT ANDRE D'ALLAS		24
144	BT 69	SAINT ANDRE D'APCHON		42
132	CA 66	SAINT ANDRE DE BAGE		01
134	CM 67	SAINT ANDRE DE BOEGE		74
29	AG 33	SAINT ANDRE DE BOHON		50
51	AN 39	SAINT ANDRE DE BRIOUZE		61
189	BR 93	SAINT ANDRE DE BUEGES		34
158	BT 77	SAINT ANDRE DE CHALENCON		43
146	CB 70	SAINT ANDRE DE CORCY		01
190	BW 88	SAINT ANDRE DE CRUZIERES		07
151	AK 80	SAINT ANDRE DE CUBZAC	C	33
152	AR 79	SAINT ANDRE DE DOUBLE		24
106	AH 57	SAINT ANDRE DE LA MARCHE		49
195	CU 93	SAINT ANDRE DE LA ROCHE		06
189	BS 89	SAINT ANDRE DE LANCIZE		48
50	AI 34	SAINT ANDRE DE L'EPINE		50
53	AZ 37	SAINT ANDRE DE L'EURE	C	27
137	AI 73	SAINT ANDRE DE LIDON		17
189	BR 91	SAINT ANDRE DE MAJENCOULES		30
50	AL 39	SAINT ANDRE DE MESSEI		61
186	BE 90	SAINT ANDRE DE NAJAC		12
222	BL 101	SAINT ANDRE DE ROQUELONGUE		11
190	BX 89	SAINT ANDRE DE ROQUEPERTUIS		30
177	CG 87	SAINT ANDRE DE ROSANS		05
204	BQ 96	SAINT ANDRE DE SANGONIS		34
196	AD 96	SAINT ANDRE DE SEIGNANX		40
189	BR 90	SAINT ANDRE DE VALBORGNE	C	30
188	BO 90	SAINT ANDRE DE VEZINES		12
179	CO 84	SAINT ANDRE D'EMBRUN		05
70	AA 42	SAINT ANDRE DES EAUX		22
104	X 54	SAINT ANDRE DES EAUX		44
32	AS 32	SAINT ANDRE D'HEBERTOT		14
132	CA 67	SAINT ANDRE D'HUIRIAT		01
190	BY 90	SAINT ANDRE D'OLERARGUES		30
167	AN 85	SAINT ANDRE DU BOIS		33
60	CC 35	SAINT ANDRE EN BARROIS		55
132	CC 62	SAINT ANDRE EN BRESSE		71
114	BS 54	SAINT ANDRE EN MORVAN		58
161	CE 79	SAINT ANDRE EN ROYANS		38
98	BT 53	SAINT ANDRE EN TERRE PLAINE		89
159	BX 79	SAINT ANDRE EN VIVARAIS		07
168	AQ 82	SAINT ANDRE ET APPELLES		33
35	BG 29	SAINT ANDRE FARIVILLERS		60
106	AF 59	SAINT ANDRE GOULE D'OIE		85
145	BY 73	SAINT ANDRE LA COTE		69
175	BV 86	SAINT ANDRE LACHAMP		07
146	CC 68	SAINT ANDRE LE BOUCHOUX		01
143	BO 70	SAINT ANDRE LE COQ		63
131	BX 64	SAINT ANDRE LE DESERT		71
161	CF 74	SAINT ANDRE LE GAZ		38
145	BW 73	SAINT ANDRE LE PUY		42
193	CO 91	SAINT ANDRE LES ALPES	C	04
80	BT 44	SAINT ANDRE LES VERGERS		10
12	BL 17	SAINT ANDRE LEZ LILLE		59
33	AY 30	SAINT ANDRE SUR CAILLY		76
51	AM 34	SAINT ANDRE SUR ORNE		14
107	AJ 60	SAINT ANDRE SUR SEVRE		79
146	CC 67	SAINT ANDRE SUR VIEUX JONC		01
106	AE 58	SAINT ANDRE TREIZE VOIES		85
151	AJ 78	SAINT ANDRONY		33
53	AY 40	SAINT ANGE ET TORCAY		28
78	BL 44	SAINT ANGE LE VIEL		77
138	AR 71	SAINT ANGEAU		16
128	BJ 65	SAINT ANGEL		03
156	BG 75	SAINT ANGEL		19
143	BL 69	SAINT ANGEL		63
158	BT 74	SAINT ANTHEME	C	63
115	BY 54	SAINT ANTHOT		21
172	BG 83	SAINT ANTOINE		15
118	CL 60	SAINT ANTOINE		25
184	AU 91	SAINT ANTOINE		32
151	AL 80	SAINT ANTOINE		33
152	AQ 78	SAINT ANTOINE CUMOND		24
153	AW 79	SAINT ANTOINE D'AUBEROCHE		24
168	AP 82	SAINT ANTOINE DE BREUILH		24
184	AU 88	SAINT ANTOINE DE FICALBA		47
168	AO 83	SAINT ANTOINE DU QUEYRET		33
92	AU 53	SAINT ANTOINE DU ROCHER		37
32	AT 30	SAINT ANTOINE LA FORET		76
161	CD 78	SAINT ANTOINE L'ABBAYE		38
152	AO 80	SAINT ANTOINE SUR L'ISLE		33
194	CS 92	SAINT ANTONIN		06
200	AU 95	SAINT ANTONIN		32
202	BG 94	SAINT ANTONIN DE LACALM		81
52	AU 38	SAINT ANTONIN DE SOMMAIRE		27
209	CM 96	SAINT ANTONIN DU VAR		83
185	BC 90	SAINT ANTONIN NOBLE VAL	C	82
208	CH 96	SAINT ANTONIN SUR BAYON		13
111	BD 59	SAINT AOUSTRILLE		36
127	BD 61	SAINT AOUT		36
179	CN 85	SAINT APOLLINAIRE		05
116	CB 54	SAINT APOLLINAIRE		21
175	BY 81	SAINT APOLLINAIRE DE RIAS		07
145	BX 70	SAINT APPOLINAIRE		69
161	CD 78	SAINT APPOLINARD		38
160	BZ 76	SAINT APPOLINARD		42
153	AS 78	SAINT AQUILIN		24
52	AT 40	SAINT AQUILIN DE CORBION		61
53	AZ 36	SAINT AQUILIN DE PACY		27
200	AW 99	SAINT ARAILLE		31
199	AR 96	SAINT ARAILLES		32
158	BQ 80	SAINT ARCONS D'ALLIER		43
174	BT 82	SAINT ARCONS DE BARGES		43
177	CH 81	SAINT AREY		38
71	AD 46	SAINT ARMEL		35
87	V 51	SAINT ARMEL		56
198	AL 98	SAINT ARMOU		64
222	BI 105	SAINT ARNAC		66
31	AQ 32	SAINT ARNOULT		14
93	AW 50	SAINT ARNOULT		41
34	BD 29	SAINT ARNOULT		60
32	AU 30	SAINT ARNOULT		76
75	AZ 42	SAINT ARNOULT DES BOIS		28
76	BD 41	SAINT ARNOULT EN YVELINES	C	78
199	AS 98	SAINT ARROMAN		32
218	AR 102	SAINT ARROMAN		65
184	AW 92	SAINT ARROUMEX		82
153	AS 79	SAINT ASTIER	C	24
168	AQ 83	SAINT ASTIER		47
194	CQ 92	SAINT AUBAN	C	06
178	CI 86	SAINT AUBAN D'OZE		05
192	CF 88	SAINT AUBAN SUR L'OUVEZE		26
23	BO 23	SAINT AUBERT		59
51	AN 38	SAINT AUBERT SUR ORNE		61
36	BN 30	SAINT AUBIN		02
79	BQ 42	SAINT AUBIN		10
116	BY 58	SAINT AUBIN		21
111	BE 60	SAINT AUBIN		36
117	CD 57	SAINT AUBIN		39
197	AI 94	SAINT AUBIN		40
169	AV 86	SAINT AUBIN		47
23	BS 23	SAINT AUBIN		59
10	BC 20	SAINT AUBIN		62
55	BF 39	SAINT AUBIN		91
33	AY 32	SAINT AUBIN CELLOVILLE		76
96	BO 49	SAINT AUBIN CHATEAU NEUF		89
74	AS 41	SAINT AUBIN D'APPENAI		61
31	AN 33	SAINT AUBIN D'ARQUENAY		14
71	AD 43	SAINT AUBIN D'AUBIGNE	C	35
151	AK 77	SAINT AUBIN DE BLAYE		33
52	AS 37	SAINT AUBIN DE BONNEVAL		61
167	AN 82	SAINT AUBIN DE BRANNE		33
169	AS 84	SAINT AUBIN DE CADELECH		24
52	AT 40	SAINT AUBIN DE COURTERAIE		61
32	AU 29	SAINT AUBIN DE CRETOT		76
169	AT 83	SAINT AUBIN DE LANQUAIS		24
73	AP 44	SAINT AUBIN DE LOCQUENAY		72
107	AK 54	SAINT AUBIN DE LUIGNE		49
167	AI 81	SAINT AUBIN DE MEDOC		33
170	AY 83	SAINT AUBIN DE NABIRAT		24
52	AT 34	SAINT AUBIN DE SCELLON		27
49	AG 40	SAINT AUBIN DE TERREGATTE		50
53	AX 34	SAINT AUBIN D'ECROSVILLE		27
50	AH 37	SAINT AUBIN DES BOIS		14
75	AZ 42	SAINT AUBIN DES BOIS		28
89	AE 50	SAINT AUBIN DES CHATEAUX		44
114	BR 54	SAINT AUBIN DES CHAUMES		58
74	AT 45	SAINT AUBIN DES COUDRAIS		72
74	AU 43	SAINT AUBIN DES GROIS		61
52	AU 36	SAINT AUBIN DES HAYES		27
71	AF 46	SAINT AUBIN DES LANDES		35
106	AH 58	SAINT AUBIN DES ORMEAUX		85
49	AE 37	SAINT AUBIN DES PREAUX		50
71	AF 43	SAINT AUBIN DU CORMIER	C	35
73	AO 43	SAINT AUBIN DU DESERT		53
71	AE 46	SAINT AUBIN DU PAVAIL		35
29	AF 34	SAINT AUBIN DU PERRON		50
107	AL 59	SAINT AUBIN DU PLAIN		79
52	AT 36	SAINT AUBIN DU THENNEY		27
34	BD 31	SAINT AUBIN EN BRAY		60
131	BV 64	SAINT AUBIN EN CHAROLLAIS		71
33	AY 31	SAINT AUBIN EPINAY		76
72	AJ 42	SAINT AUBIN FOSSE LOUVAIN		53
122	AG 63	SAINT AUBIN LA PLAINE		85
19	AY 26	SAINT AUBIN LE CAUF		76
123	AM 62	SAINT AUBIN LE CLOUD		79
92	AS 51	SAINT AUBIN LE DEPEINT		37
52	AU 36	SAINT AUBIN LE GUICHARD		27
129	BL 64	SAINT AUBIN LE MONIAL		03
52	AU 35	SAINT AUBIN LE VERTUEUX		27
33	AX 32	SAINT AUBIN LES ELBEUF		76
113	BN 57	SAINT AUBIN LES FORGES		58
20	BE 27	SAINT AUBIN MONTENOY		80
20	BC 26	SAINT AUBIN RIVIERE		80
32	AS 30	SAINT AUBIN ROUTOT		76
35	BI 32	SAINT AUBIN SOUS ERQUERY		60
60	CD 39	SAINT AUBIN SUR AIRE		55
53	AZ 34	SAINT AUBIN SUR GAILLON		27
130	BR 63	SAINT AUBIN SUR LOIRE		71
31	AN 32	SAINT AUBIN SUR MER		14
19	AW 26	SAINT AUBIN SUR MER		76
32	AT 31	SAINT AUBIN SUR QUILLEBEUF		27
19	AX 26	SAINT AUBIN SUR SCIE		76
97	BO 47	SAINT AUBIN SUR YONNE		89
136	AF 72	SAINT AUGUSTIN		17
155	BD 76	SAINT AUGUSTIN		19
56	BL 38	SAINT AUGUSTIN		77
90	AJ 53	SAINT AUGUSTIN DES BOIS		49
154	AZ 78	SAINT AULAIRE		19
152	AO 75	SAINT AULAIS LA CHAPELLE		16
152	AP 78	SAINT AULAYE	C	24
205	BT 96	SAINT AUNES		34
198	AO 96	SAINT AUNIX LENGROS		32
161	CG 76	SAINT AUPRE		38
157	BO 79	SAINT AUSTREMOINE		43
139	AV 72	SAINT AUVENT		87
121	AD 63	SAINT AVAUGOURD DES LANDES		85
87	U 49	SAINT AVE		56
218	AS 105	SAINT AVENTIN		31
109	AU 54	SAINT AVERTIN	C	37
152	AP 78	SAINT AVIT		16
160	CB 78	SAINT AVIT		26
182	AK 92	SAINT AVIT		40
75	AW 46	SAINT AVIT		41
168	AP 85	SAINT AVIT		47
142	BI 71	SAINT AVIT		63
202	BE 97	SAINT AVIT		81
168	AP 82	SAINT AVIT DE SOULEGE		33
142	BG 70	SAINT AVIT DE TARDES		23
169	AV 81	SAINT AVIT DE VIALARD		24
183	AT 92	SAINT AVIT FRANDAT		32
141	BE 69	SAINT AVIT LE PAUVRE		23
75	AZ 44	SAINT AVIT LES GUESPIERES		28
169	AV 83	SAINT AVIT RIVIERE		24
169	AU 83	SAINT AVIT SENIEUR		24
168	AQ 82	SAINT AVIT ST NAZAIRE		33
62	CM 34	SAINT AVOLD	C	57
162	CM 76	SAINT AVRE		73
94	BC 49	SAINT AY		45
13	BQ 20	SAINT AYBERT		59
157	BO 74	SAINT BABEL		63
162	CJ 74	SAINT BALDOPH		73
36	BM 32	SAINT BANDRY		02
117	CE 58	SAINT BARAING		39
139	AV 67	SAINT BARBANT		87
142	BH 70	SAINT BARD		23
160	CB 79	SAINT BARDOUX		26
69	V 44	SAINT BARNABE		22
160	CC 76	SAINT BARTHELEMY		38
196	AD 96	SAINT BARTHELEMY		40
50	AI 39	SAINT BARTHELEMY		50
68	S 47	SAINT BARTHELEMY		56
102	CM 49	SAINT BARTHELEMY		70
57	BO 38	SAINT BARTHELEMY		77
168	AR 86	SAINT BARTHELEMY D'AGENAIS		47
90	AL 53	SAINT BARTHELEMY D'ANJOU		49
152	AP 79	SAINT BARTHELEMY DE BELLEGARDE		24
139	AU 73	SAINT BARTHELEMY DE BUSSIERE		24
161	CI 79	SAINT BARTHELEMY DE SECHILIENNE		38
160	CA 78	SAINT BARTHELEMY DE VALS		26
175	BY 81	SAINT BARTHELEMY GROZON		07
175	BX 82	SAINT BARTHELEMY LE MEIL		07
160	BZ 80	SAINT BARTHELEMY LE PLAIN		07
145	BW 72	SAINT BARTHELEMY LESTRA		42
175	BY 81	SAINT BASILE		07
83	CH 45	SAINT BASLEMONT		88
111	BF 60	SAINT BAUDEL		18
72	AK 44	SAINT BAUDELLE		53
147	CE 71	SAINT BAUDILLE DE LA TOUR		38
177	CH 82	SAINT BAUDILLE ET PIPET		38
109	AV 56	SAINT BAULD		37
60	CG 37	SAINT BAUSSANT		54
220	BA 102	SAINT BAUZEIL		09
189	BV 92	SAINT BAUZELY		30
176	BZ 84	SAINT BAUZILE		07
174	BQ 86	SAINT BAUZILE		48
204	BQ 96	SAINT BAUZILLE DE LA SYLVE		34
205	BU 94	SAINT BAUZILLE DE MONTMEL		34
189	BS 93	SAINT BAUZILLE DE PUTOIS		34
139	AV 72	SAINT BAZILE		87

Page	Carreau	Commune	Adm.	Dpt
155	BD 79	SAINT BAZILE DE LA ROCHE		19
155	BC 80	SAINT BAZILE DE MEYSSAC		19
218	AT 104	SAINT BEAT	C	31
188	BN 93	SAINT BEAULIZE		12
184	AV 88	SAINT BEAUZEIL		82
187	BL 90	SAINT BEAUZELY	C	12
185	BC 91	SAINT BEAUZILE		81
157	BO 77	SAINT BEAUZIRE		43
143	BN 71	SAINT BEAUZIRE		63
189	BV 92	SAINT BENEZET		30
132	CB 64	SAINT BENIGNE		01
23	BP 24	SAINT BENIN		59
113	BP 58	SAINT BENIN D'AZY	C	58
113	BP 57	SAINT BENIN DES BOIS		58
121	AE 64	SAINT BENOIST SUR MER		85
79	BQ 44	SAINT BENOIST SUR VANNE		10
147	CG 72	SAINT BENOIT		01
194	CQ 91	SAINT BENOIT		04
221	BE 103	SAINT BENOIT		11
124	AR 63	SAINT BENOIT		86
186	BF 91	SAINT BENOIT DE CARMAUX		81
32	AU 33	SAINT BENOIT DES OMBRES		27
48	AC 39	SAINT BENOIT DES ONDES		35
32	AR 32	SAINT BENOIT D'HEBERTOT		14
126	AZ 64	SAINT BENOIT DU SAULT	C	36
177	CE 84	SAINT BENOIT EN DIOIS		26
84	CN 42	SAINT BENOIT LA CHIPOTTE		88
108	AR 56	SAINT BENOIT LA FORET		37
95	BG 49	SAINT BENOIT SUR LOIRE		45
80	BT 43	SAINT BENOIT SUR SEINE		10
158	BR 80	SAINT BERAIN		43
131	BV 61	SAINT BERAIN SOUS SANVIGNES		71
115	BY 60	SAINT BERAIN SUR DHEUNE		71
146	BZ 70	SAINT BERNARD		01
116	CB 56	SAINT BERNARD		21
162	CI 76	SAINT BERNARD		38
103	CR 50	SAINT BERNARD		68
161	CH 74	SAINT BERON		73
72	AJ 46	SAINT BERTHEVIN	C	53
72	AI 42	SAINT BERTHEVIN LA TANNIERE		53
218	AS 102	SAINT BERTRAND DE COMMINGES		31
92	AR 49	SAINT BIEZ EN BELIN		72
47	T 42	SAINT BIHY		22
195	CU 92	SAINT BLAISE		06
148	CK 68	SAINT BLAISE		74
161	CF 76	SAINT BLAISE DU BUIS		38
85	CQ 42	SAINT BLAISE LA ROCHE		67
199	AT 99	SAINT BLANCARD		32
20	BB 24	SAINT BLIMONT		80
82	CD 44	SAINT BLIN	C	52
197	AH 96	SAINT BOES		64
93	AY 51	SAINT BOHAIRE		41
132	BZ 62	SAINT BOIL		71
83	CL 42	SAINT BOINGT		54
147	CG 72	SAINT BOIS		01
75	AV 45	SAINT BOMER		28
50	AK 40	SAINT BOMER LES FORGES		61
57	BP 40	SAINT BON		51
163	CO 75	SAINT BON TARENTAISE		73
152	AN 75	SAINT BONNET		16
155	BD 78	SAINT BONNET AVALOUZE		19
140	BA 73	SAINT BONNET BRIANCE		87
139	AW 67	SAINT BONNET DE BELLAC		87
160	CD 79	SAINT BONNET DE CHAVAGNE		38
173	BO 86	SAINT BONNET DE CHIRAC		48
156	BK 77	SAINT BONNET DE CONDAT		15
131	BU 67	SAINT BONNET DE CRAY		71
129	BL 66	SAINT BONNET DE FOUR		03
131	BW 64	SAINT BONNET DE JOUX	C	71
174	BR 82	SAINT BONNET DE MONTAUROUX		48
146	CC 72	SAINT BONNET DE MURE		69
143	BN 68	SAINT BONNET DE ROCHEFORT		03
189	BT 91	SAINT BONNET DE SALENDRINQUE		30
156	BH 79	SAINT BONNET DE SALERS		15
160	CD 78	SAINT BONNET DE VALCLERIEUX		26
131	BV 63	SAINT BONNET DE VIEILLE VIGNE		71
131	BX 66	SAINT BONNET DES BRUYERES		69
144	BS 68	SAINT BONNET DES QUARTS		42
190	BY 92	SAINT BONNET DU GARD		30
155	BD 79	SAINT BONNET ELVERT		19
116	CC 59	SAINT BONNET EN BRESSE		71
178	CK 83	SAINT BONNET EN CHAMPSAUR	C	05
154	AZ 77	SAINT BONNET LA RIVIERE		19
158	BQ 76	SAINT BONNET LE BOURG		63
158	BR 75	SAINT BONNET LE CHASTEL		63
159	BU 76	SAINT BONNET LE CHATEAU	C	42
144	BT 73	SAINT BONNET LE COURREAU		42
159	BX 79	SAINT BONNET LE FROID		43
145	BW 68	SAINT BONNET LE TRONCY		69
154	BA 77	SAINT BONNET L'ENFANTIER		19
143	BO 72	SAINT BONNET LES ALLIER		63
159	BW 74	SAINT BONNET LES OULES		42
155	BE 80	SAINT BONNET LES TOURS DE MERLE		19
156	BH 75	SAINT BONNET PRES BORT		19
143	BL 73	SAINT BONNET PRES ORCIVAL		63
143	BM 70	SAINT BONNET PRES RIOM		63
151	AJ 76	SAINT BONNET SUR GIRONDE		17
128	BJ 62	SAINT BONNET TRONCAIS		03
113	BO 56	SAINT BONNOT		58
113	BL 55	SAINT BOUIZE		18
98	BT 53	SAINT BRANCHER		89
109	AU 56	SAINT BRANCHS		37
47	U 41	SAINT BRANDAN		22
189	BV 88	SAINT BRES		30
200	AU 94	SAINT BRES		32
205	BU 95	SAINT BRES		34
189	BR 92	SAINT BRESSON		30
102	CL 48	SAINT BRESSON		70
171	BE 84	SAINT BRESSOU		46
104	Y 55	SAINT BREVIN LES PINS		44
48	Z 39	SAINT BRIAC SUR MER		35
137	AM 73	SAINT BRICE		16
168	AN 84	SAINT BRICE		33
49	AG 39	SAINT BRICE		50
91	AM 48	SAINT BRICE		53
72	AL 40	SAINT BRICE		61
79	BO 41	SAINT BRICE		77
38	BT 33	SAINT BRICE COURCELLES		51
72	AH 41	SAINT BRICE DE LANDELLES		50
71	AF 42	SAINT BRICE EN COGLES	C	35
55	BG 36	SAINT BRICE SOUS FORET		95
51	AO 39	SAINT BRICE SOUS RANES		61
139	AW 71	SAINT BRICE SUR VIENNE		87
47	U 40	SAINT BRIEUC	P	22
70	Y 45	SAINT BRIEUC DE MAURON		56
70	AB 43	SAINT BRIEUC DES IFFS		35
137	AL 71	SAINT BRIS DES BOIS		17
97	BQ 50	SAINT BRIS LE VINEUX		89
114	BU 55	SAINT BRISSON		58
95	BJ 51	SAINT BRISSON SUR LOIRE		45
100	CG 53	SAINT BROING		70
99	BZ 50	SAINT BROING LES MOINES		21
100	CD 50	SAINT BROINGT LE BOIS		52
100	CC 50	SAINT BROINGT LES FOSSES		52
49	AD 40	SAINT BROLADRE		35
161	CH 75	SAINT BUEIL		38
92	AU 48	SAINT CALAIS	C	72
73	AN 41	SAINT CALAIS DU DESERT		53
74	AR 43	SAINT CALEZ EN SAOSNOIS		72
207	CF 95	SAINT CANNAT		13
128	BJ 63	SAINT CAPRAIS		03
112	BG 59	SAINT CAPRAIS		18
200	AU 96	SAINT CAPRAIS		32
170	AX 85	SAINT CAPRAIS		46
151	AK 77	SAINT CAPRAIS DE BLAYE		33
167	AL 83	SAINT CAPRAIS DE BORDEAUX		33
184	AU 89	SAINT CAPRAIS DE LERM		47
169	AT 82	SAINT CAPRAISE DE LALINDE		24
169	AS 84	SAINT CAPRAISE D'EYMET		24
69	U 44	SAINT CARADEC		22
68	Q 45	SAINT CARADEC TREGOMEL		56
70	AA 42	SAINT CARNE		22
47	V 42	SAINT CARREUC		22
169	AV 84	SAINT CASSIEN		24
161	CG 76	SAINT CASSIEN		38
162	CI 74	SAINT CASSIN		73
48	Z 39	SAINT CAST LE GUILDO		22
198	AL 98	SAINT CASTIN		64
74	AS 46	SAINT CELERIN		72
72	AL 45	SAINT CENERE		53
73	AP 43	SAINT CENERI LE GEREI		61
112	BJ 56	SAINT CEOLS		18
171	BD 82	SAINT CERE	C	46
134	CL 66	SAINT CERGUES		74
156	BH 80	SAINT CERNIN	C	15
170	BB 85	SAINT CERNIN		46
169	AT 83	SAINT CERNIN DE LABARDE		24
154	AZ 79	SAINT CERNIN DE LARCHE		19
169	AW 85	SAINT CERNIN DE L'HERM		24
137	AK 72	SAINT CESAIRE		17
189	BV 91	SAINT CESAIRE DE GAUZIGNAN		30
210	CR 95	SAINT CEZAIRE SUR SIAGNE		06
200	AX 94	SAINT CEZERT		31
141	BG 68	SAINT CHABRAIS		23
179	CO 80	SAINT CHAFFREY		05
156	BH 79	SAINT CHAMANT		15
155	BD 79	SAINT CHAMANT		19
170	AZ 84	SAINT CHAMARAND		46
207	CC 96	SAINT CHAMAS		13
169	AV 82	SAINT CHAMASSY		24
159	BX 75	SAINT CHAMOND	C	42
147	CH 71	SAINT CHAMP		01
190	BW 92	SAINT CHAPTES	C	30
50	AK 36	SAINT CHARLES DE PERCY		14
90	AL 48	SAINT CHARLES LA FORET		53
127	BE 62	SAINT CHARTIER		36
147	CE 73	SAINT CHEF		38
171	BC 86	SAINT CHELS		46
173	BO 83	SAINT CHELY D'APCHER	C	48
173	BL 85	SAINT CHELY D'AUBRAC	C	12
58	BX 40	SAINT CHERON		51
77	BF 41	SAINT CHERON	C	91
203	BL 98	SAINT CHINIAN	C	34
22	BL 27	SAINT CHRIST BRIOST		80
219	AX 101	SAINT CHRISTAUD		31
199	AP 97	SAINT CHRISTAUD		32
159	BX 74	SAINT CHRISTO EN JAREZ		42
175	BX 82	SAINT CHRISTOL		07
205	BU 94	SAINT CHRISTOL		34
192	CG 91	SAINT CHRISTOL		84
190	BY 88	SAINT CHRISTOL DE RODIERES		30
189	BU 91	SAINT CHRISTOL LES ALES		30
151	AK 79	SAINT CHRISTOLY DE BLAYE		33
150	AI 76	SAINT CHRISTOLY MEDOC		33
144	BQ 67	SAINT CHRISTOPHE		03
139	AV 69	SAINT CHRISTOPHE		16
136	AH 67	SAINT CHRISTOPHE		17
141	BD 68	SAINT CHRISTOPHE		23
75	AZ 46	SAINT CHRISTOPHE		28
131	BY 66	SAINT CHRISTOPHE		69
161	CH 75	SAINT CHRISTOPHE		73
186	BE 90	SAINT CHRISTOPHE		81
108	AR 59	SAINT CHRISTOPHE		86
36	BM 31	SAINT CHRISTOPHE A BERRY		02
174	BR 82	SAINT CHRISTOPHE D'ALLIER		43
50	AJ 38	SAINT CHRISTOPHE DE CHAULIEU		61
152	AO 79	SAINT CHRISTOPHE DE DOUBLE		33
71	AE 43	SAINT CHRISTOPHE DE VALAINS		35
168	AN 81	SAINT CHRISTOPHE DES BARDES		33
71	AG 44	SAINT CHRISTOPHE DES BOIS		35
80	BW 42	SAINT CHRISTOPHE DODINICOURT		10
106	AH 57	SAINT CHRISTOPHE DU BOIS		49
29	AD 29	SAINT CHRISTOPHE DU FOC		50
73	AP 44	SAINT CHRISTOPHE DU JAMBET		72
105	AB 59	SAINT CHRISTOPHE DU LIGNERON		85
73	AL 45	SAINT CHRISTOPHE DU LUAT		53
111	BC 56	SAINT CHRISTOPHE EN BAZELLE	C	36
127	BF 62	SAINT CHRISTOPHE EN BOUCHERIE		36
132	CB 60	SAINT CHRISTOPHE EN BRESSE		71
131	BU 66	SAINT CHRISTOPHE EN BRIONNAIS		71
91	AO 47	SAINT CHRISTOPHE EN CHAMPAGNE		72
162	CL 80	SAINT CHRISTOPHE EN OISANS		38
160	CC 78	SAINT CHRISTOPHE ET LE LARIS		26
106	AG 55	SAINT CHRISTOPHE LA COUPERIE		49
128	BH 63	SAINT CHRISTOPHE LE CHAUDRY		18
51	AP 39	SAINT CHRISTOPHE LE JAJOLET		61
53	AV 39	SAINT CHRISTOPHE SUR AVRE		27
32	AU 33	SAINT CHRISTOPHE SUR CONDE		27
174	BS 80	SAINT CHRISTOPHE SUR DOLAISON		43
161	CH 75	SAINT CHRISTOPHE SUR GUIERS		38
92	AS 51	SAINT CHRISTOPHE SUR LE NAIS		37
123	AM 64	SAINT CHRISTOPHE SUR ROC		79
172	BH 86	SAINT CHRISTOPHE VALLON		12
168	AO 81	SAINT CIBARD		33
176	BZ 83	SAINT CIERGE LA SERRE		07
175	BX 81	SAINT CIERGE SOUS LE CHEYLARD		07
100	CC 48	SAINT CIERGUES		52
151	AM 75	SAINT CIERS CHAMPAGNE		17
151	AM 80	SAINT CIERS D'ABZAC		33
151	AJ 79	SAINT CIERS DE CANESSE		33
151	AJ 75	SAINT CIERS DU TAILLON		17
138	AQ 71	SAINT CIERS SUR BONNIEURE		16
151	AJ 77	SAINT CIERS SUR GIRONDE	C	33
186	BH 92	SAINT CIRGUE		81
157	BP 79	SAINT CIRGUES		43
171	BF 84	SAINT CIRGUES		46
156	BJ 80	SAINT CIRGUES DE JORDANNE		15
156	BH 80	SAINT CIRGUES DE MALBERT		15
175	BW 85	SAINT CIRGUES DE PRADES		07
175	BU 83	SAINT CIRGUES EN MONTAGNE		07
155	BF 80	SAINT CIRGUES LA LOUTRE		19
157	BN 74	SAINT CIRGUES SUR COUZE		63
184	AU 91	SAINT CIRICE		82
169	AW 81	SAINT CIRQ		24
185	BB 90	SAINT CIRQ		82
171	BB 87	SAINT CIRQ LAPOPIE		46
170	AY 83	SAINT CIRQ MADELON		46
170	AZ 84	SAINT CIRQ SOUILLAGUET		46
126	AZ 64	SAINT CIVRAN		36
160	BZ 77	SAINT CLAIR		07
170	AZ 84	SAINT CLAIR		46
184	AV 90	SAINT CLAIR		82
108	AP 59	SAINT CLAIR		86
52	AU 35	SAINT CLAIR D'ARCEY		27
50	AL 39	SAINT CLAIR DE HALOUZE		61
147	CF 74	SAINT CLAIR DE LA TOUR		38
160	BZ 75	SAINT CLAIR DU RHONE		38
34	BC 34	SAINT CLAIR SUR EPTE		95
160	CD 77	SAINT CLAIR SUR GALAURE		38
30	AI 33	SAINT CLAIR SUR L'ELLE	C	50
33	AV 29	SAINT CLAIR SUR LES MONTS		76
184	AU 93	SAINT CLAR	C	32
200	AX 98	SAINT CLAR DE RIVIERE		31
139	AS 70	SAINT CLAUD	C	16
133	CI 64	SAINT CLAUDE	S	39
94	BA 51	SAINT CLAUDE DE DIRAY		41
38	BT 27	SAINT CLEMENT		02
144	BR 69	SAINT CLEMENT		03
175	BW 81	SAINT CLEMENT		07
172	BJ 81	SAINT CLEMENT		15
155	BB 77	SAINT CLEMENT		19
189	BU 93	SAINT CLEMENT		30
62	CM 40	SAINT CLEMENT		54
78	BO 45	SAINT CLEMENT		89
38	BW 32	SAINT CLEMENT A ARNES		08
90	AJ 52	SAINT CLEMENT DE LA PLACE		49
143	BO 69	SAINT CLEMENT DE REGNAT		63
205	BT 95	SAINT CLEMENT DE RIVIERE		34
158	BT 75	SAINT CLEMENT DE VALORGUE		63
131	BW 67	SAINT CLEMENT DE VERS		69
121	AC 66	SAINT CLEMENT DES BALEINES		17
108	AO 54	SAINT CLEMENT DES LEVEES		49
145	BX 72	SAINT CLEMENT LES PLACES		69
50	AJ 39	SAINT CLEMENT RANCOUDRAY		50
179	CO 83	SAINT CLEMENT SUR DURANCE		05
131	BY 62	SAINT CLEMENT SUR GUYE		71
145	BX 70	SAINT CLEMENT SUR VALSONNE		69
107	AL 59	SAINT CLEMENTIN		79
46	S 38	SAINT CLET		22
55	BG 38	SAINT CLOUD	C	92
76	BA 47	SAINT CLOUD EN DUNOIS		28
169	AS 85	SAINT COLOMB DE LAUZUN		47
105	AC 57	SAINT COLOMBAN		44
162	CL 76	SAINT COLOMBAN DES VILLARDS		73
167	AM 86	SAINT COME		33
30	AL 32	SAINT COME DE FRESNE		14
172	BK 86	SAINT COME D'OLT		12
29	AG 32	SAINT COME DU MONT		50
189	BV 93	SAINT COME ET MARUEJOLS		30
88	X 49	SAINT CONGARD		56
46	T 41	SAINT CONNAN		22
69	T 44	SAINT CONNEC		22
171	BF 84	SAINT CONSTANT		15
31	AM 33	SAINT CONTEST		14
74	AS 46	SAINT CORNEILLE		72
50	AK 39	SAINT CORNIER DES LANDES		61
103	CQ 50	SAINT COSME		68
74	AT 44	SAINT COSME EN VAIRAIS		72
222	BJ 101	SAINT COUAT D'AUDE		11
221	BE 103	SAINT COUAT DU RAZES		11
67	L 43	SAINT COULITZ		29
48	AB 39	SAINT COULOMB		35
139	AS 69	SAINT COUTANT		16
124	AO 67	SAINT COUTANT		79
137	AI 69	SAINT COUTANT LE GRAND		17
184	AU 92	SAINT CREAC		32
217	AN 102	SAINT CREAC		65
179	CO 83	SAINT CREPIN		05
137	AJ 69	SAINT CREPIN		17
36	BL 31	SAINT CREPIN AUX BOIS		60
153	AV 79	SAINT CREPIN D'AUBEROCHE		24
153	AT 76	SAINT CREPIN DE RICHEMONT		24
170	AY 81	SAINT CREPIN ET CARLUCET		24
35	BE 33	SAINT CREPIN IBOUVILLERS		60
19	AX 27	SAINT CRESPIN		76
106	AG 57	SAINT CRESPIN SUR MOINE		49
200	AW 95	SAINT CRICQ		32
197	AI 95	SAINT CRICQ CHALOSSE		40
197	AF 96	SAINT CRICQ DU GAVE		40
182	AL 93	SAINT CRICQ VILLENEUVE		40
138	AO 72	SAINT CYBARDEAUX		16
170	AX 83	SAINT CYBRANET		24
154	AZ 78	SAINT CYPRIEN		19
170	AW 82	SAINT CYPRIEN	C	24
159	BV 74	SAINT CYPRIEN		42
184	AY 88	SAINT CYPRIEN		46
222	BM 107	SAINT CYPRIEN	C	66
172	BH 85	SAINT CYPRIEN SUR DOURDOU		12
160	BZ 77	SAINT CYR		07
29	AF 30	SAINT CYR		50
132	CA 61	SAINT CYR		71
125	AS 61	SAINT CYR		86
139	AW 71	SAINT CYR		87
146	CA 71	SAINT CYR AU MONT D'OR		69
145	BU 70	SAINT CYR DE FAVIERES		42
32	AU 34	SAINT CYR DE SALERNE		27
145	BW 70	SAINT CYR DE VALORGES		42
122	AI 62	SAINT CYR DES GATS		85
50	AJ 40	SAINT CYR DU BAILLEUL		50
122	AI 66	SAINT CYR DU DORET		17
93	AX 51	SAINT CYR DU GAULT		41
52	AS 35	SAINT CYR DU RONCERAY		14
54	BC 35	SAINT CYR EN ARTHIES		95
108	AO 56	SAINT CYR EN BOURG		49
73	AN 42	SAINT CYR EN PAIL		53
121	AE 64	SAINT CYR EN TALMONDAIS		85
94	BE 49	SAINT CYR EN VAL		45
33	AX 33	SAINT CYR LA CAMPAGNE		27
108	AO 57	SAINT CYR LA LANDE		79
77	BF 43	SAINT CYR LA RIVIERE		91
154	AZ 77	SAINT CYR LA ROCHE		19
74	AU 43	SAINT CYR LA ROSIERE		61
145	BX 69	SAINT CYR LE CHATOUX		69
72	AH 46	SAINT CYR LE GRAVELAIS		53
55	BF 38	SAINT CYR L'ECOLE	C	78
154	AY 76	SAINT CYR LES CHAMPAGNES		24
97	BR 50	SAINT CYR LES COLONS		89
145	BW 73	SAINT CYR LES VIGNES		42
117	CG 58	SAINT CYR MONTMALIN		39
77	BE 41	SAINT CYR SOUS DOURDAN		91
160	CA 74	SAINT CYR SUR LE RHONE		69
92	AU 54	SAINT CYR SUR LOIRE	C	37
132	CB 66	SAINT CYR SUR MENTHON		01
208	CI 100	SAINT CYR SUR MER		83
56	BN 37	SAINT CYR SUR MORIN		77
110	AX 58	SAINT CYRAN DU JAMBOT		36
194	CR 87	SAINT DALMAS LE SELVAGE		06
184	AY 88	SAINT DAUNES		46
202	BF 99	SAINT DENIS		11
190	BW 89	SAINT DENIS		30
78	BN 45	SAINT DENIS		89
55	BH 37	SAINT DENIS	S	93
170	AZ 85	SAINT DENIS CATUS		46
143	BO 70	SAINT DENIS COMBARNAZAT		63
19	AW 26	SAINT DENIS D'ACLON		76
91	AM 49	SAINT DENIS D'ANJOU		53
52	AT 37	SAINT DENIS D'AUGERONS		27
75	AX 43	SAINT DENIS D'AUTHOU		28
145	BV 67	SAINT DENIS DE CABANNE		42
72	AJ 43	SAINT DENIS DE GASTINES		53
127	BD 63	SAINT DENIS DE JOUHET		36
95	BF 49	SAINT DENIS DE L'HOTEL		45
52	AS 35	SAINT DENIS DE MAILLOC		14
51	AM 37	SAINT DENIS DE MERE		14
112	BI 59	SAINT DENIS DE PALIN		18
151	AN 80	SAINT DENIS DE PILE		33
116	BZ 60	SAINT DENIS DE VAUX		71
72	AL 41	SAINT DENIS DE VILLENETTE		61
74	AT 45	SAINT DENIS DES COUDRAIS		72
33	AV 33	SAINT DENIS DES MONTS		27
140	BA 72	SAINT DENIS DES MURS		87
75	AY 43	SAINT DENIS DES PUITS		28
136	AE 68	SAINT DENIS D'OLERON		17
73	AN 46	SAINT DENIS D'ORQUES		72
53	AW 37	SAINT DENIS DU BEHELAN		27
72	AL 47	SAINT DENIS DU MAINE		53
122	AF 64	SAINT DENIS DU PAYRE		85
137	AK 69	SAINT DENIS DU PIN		17
147	CD 69	SAINT DENIS EN BUGEY		01
174	BP 83	SAINT DENIS EN MARGERIDE		48
94	BE 49	SAINT DENIS EN VAL		45
106	AE 60	SAINT DENIS LA CHEVASSE		85
34	BC 32	SAINT DENIS LE FERMENT		27
49	AG 36	SAINT DENIS LE GAST		50
33	AZ 31	SAINT DENIS LE THIBOULT		76
49	AF 35	SAINT DENIS LE VETU		50
132	CC 67	SAINT DENIS LES BOURG		01
171	BB 81	SAINT DENIS LES MARTEL		46
75	AZ 46	SAINT DENIS LES PONTS		28
56	BN 38	SAINT DENIS LES REBAIS		77
50	AJ 36	SAINT DENIS MAISONCELLES		14
145	BX 73	SAINT DENIS SUR COISE		42
74	AT 42	SAINT DENIS SUR HUISNE		61
93	AZ 51	SAINT DENIS SUR LOIRE		41
96	BN 49	SAINT DENIS SUR OUANNE		89
73	AP 42	SAINT DENIS SUR SARTHON		61
19	AY 28	SAINT DENIS SUR SCIE		76
34	BD 29	SAINT DENISCOURT		60
10	BD 20	SAINT DENOEUX		62
48	Y 40	SAINT DENOUAL		22
45	L 39	SAINT DERRIEN		29
132	BZ 61	SAINT DESERT		71
52	AR 34	SAINT DESIR		14
160	CA 77	SAINT DESIRAT		07
128	BH 64	SAINT DESIRE		03
190	BW 91	SAINT DEZERY		30
115	BU 54	SAINT DIDIER		21
71	AF 45	SAINT DIDIER		35
133	CF 61	SAINT DIDIER		39
114	BQ 54	SAINT DIDIER		58
191	CD 91	SAINT DIDIER		84
146	CA 71	SAINT DIDIER AU MONT D'OR		69
174	BR 81	SAINT DIDIER D'ALLIER		43
132	CC 66	SAINT DIDIER D'AUSSIAT		01
161	CE 75	SAINT DIDIER DE BIZONNES		38
146	BZ 70	SAINT DIDIER DE FORMANS		01
161	CF 74	SAINT DIDIER DE LA TOUR		38
33	AX 33	SAINT DIDIER DES BOIS		27
116	CC 59	SAINT DIDIER EN BRESSE		71
131	BU 66	SAINT DIDIER EN BRIONNAIS		71
130	BS 65	SAINT DIDIER EN DONJON		03
159	BW 77	SAINT DIDIER EN VELAY	C	43
129	BO 67	SAINT DIDIER LA FORET		03
175	BX 85	SAINT DIDIER SOUS AUBENAS		07
73	AP 41	SAINT DIDIER SOUS ECOUVES		61
145	BY 74	SAINT DIDIER SOUS RIVERIE		69
115	BU 60	SAINT DIDIER SUR ARROUX		71
145	BY 67	SAINT DIDIER SUR BEAUJEU		69
146	CA 67	SAINT DIDIER SUR CHALARONNE		01
158	BQ 77	SAINT DIDIER SUR DOULON		43
144	BS 72	SAINT DIDIER SUR ROCHEFORT		42
84	CO 43	SAINT DIE DES VOSGES	S	88
144	BP 73	SAINT DIER D'AUVERGNE	C	63
157	BM 74	SAINT DIERY		63
189	BW 94	SAINT DIONIZY		30
178	CI 83	SAINT DISDIER		05
44	J 40	SAINT DIVY		29
151	AK 76	SAINT DIZANT DU BOIS		17
151	AJ 75	SAINT DIZANT DU GUA		17
59	CA 40	SAINT DIZIER	S	52
177	CF 85	SAINT DIZIER EN DIOIS		26
141	BF 68	SAINT DIZIER LA TOUR		23
127	BE 66	SAINT DIZIER LES DOMAINES		23
102	CP 52	SAINT DIZIER L'EVEQUE		90
141	BC 69	SAINT DIZIER LEYRENNE		23
88	Z 51	SAINT DOLAY		56
142	BG 69	SAINT DOMET		23
70	AB 42	SAINT DOMINEUC		35
47	U 41	SAINT DONAN		22
156	BJ 75	SAINT DONAT		63
160	CB 79	SAINT DONAT SUR L'HERBASSE	C	26
196	AF 97	SAINT DOS		64
112	BG 57	SAINT DOULCHARD	C	18
205	BU 94	SAINT DREZERY		34
94	BA 51	SAINT DYE SUR LOIRE		41
50	AH 35	SAINT EBREMOND DE BONFOSSE		50
131	BV 67	SAINT EDMOND		71
161	CH 77	SAINT EGREVE	C	38
53	AW 36	SAINT ELIER		27
75	AX 42	SAINT ELIPH		28
200	AU 97	SAINT ELIX		32
200	AX 99	SAINT ELIX LE CHATEAU		31
219	AU 100	SAINT ELIX SEGLAN		31
199	AR 98	SAINT ELIX THEUX		32
72	AH 42	SAINT ELLIER DU MAINE		53
73	AO 41	SAINT ELLIER LES BOIS		61
146	CC 70	SAINT ELOI		01
141	BD 69	SAINT ELOI		23
113	BN 59	SAINT ELOI		58
33	AV 33	SAINT ELOI DE FOURQUES		27
45	L 41	SAINT ELOY		29
128	BH 64	SAINT ELOY D'ALLIER		03
112	BG 57	SAINT ELOY DE GY		18
158	BQ 74	SAINT ELOY LA GLACIERE		63
143	BK 68	SAINT ELOY LES MINES		63
154	AY 76	SAINT ELOY LES TUILERIES		19
75	AY 44	SAINT EMAN		28
115	BX 59	SAINT EMILAND		71
167	AN 81	SAINT EMILION		33
129	BP 62	SAINT ENNEMOND		03
109	AT 57	SAINT EPAIN		37
61	CK 36	SAINT EPVRE		57
71	AD 46	SAINT ERBLON		35
89	AG 49	SAINT ERBLON		53
37	BR 30	SAINT ERME OUTRE ET RAMECOURT		02
76	BE 42	SAINT ESCOBILLE		91
215	AD 98	SAINT ESTEBEN		64
153	AT 74	SAINT ESTEPHE		24
151	AI 77	SAINT ESTEPHE		33
222	BK 106	SAINT ESTEVE	C	66
208	CF 95	SAINT ESTEVE JANSON		13
159	BW 76	SAINT ETIENNE	P	42
38	BW 32	SAINT ETIENNE A ARNES		08
10	BB 17	SAINT ETIENNE AU MONT		62
58	BV 36	SAINT ETIENNE AU TEMPLE		51
156	BH 74	SAINT ETIENNE AUX CLOS		19
172	BG 81	SAINT ETIENNE CANTALES		15
203	BL 97	SAINT ETIENNE D'ALBAGNAN		34
214	AC 100	SAINT ETIENNE DE BAIGORRY	C	64
175	BX 84	SAINT ETIENNE DE BOULOGNE		07
122	AH 63	SAINT ETIENNE DE BRILLOUET		85
172	BI 82	SAINT ETIENNE DE CARLAT		15
92	AT 54	SAINT ETIENNE DE CHIGNY		37
156	BJ 77	SAINT ETIENNE DE CHOMEIL		15
161	CG 76	SAINT ETIENNE DE CROSSEY		38
162	CL 76	SAINT ETIENNE DE CUINES		73
175	BW 85	SAINT ETIENNE DE FONTBELLON		07
169	AS 87	SAINT ETIENNE DE FOUGERES		47
140	BA 68	SAINT ETIENNE DE FURSAC		23
204	BP 94	SAINT ETIENNE DE GOURGAS		34
168	AN 82	SAINT ETIENNE DE LISSE		33
189	BV 91	SAINT ETIENNE DE L'OLM		30
174	BT 84	SAINT ETIENNE DE LUGDARES	C	07
171	BG 84	SAINT ETIENNE DE MAURS		15
105	AB 58	SAINT ETIENNE DE MER MORTE		44
105	AB 54	SAINT ETIENNE DE MONTLUC	C	44
152	AR 79	SAINT ETIENNE DE PUYCORBIER		24
175	BY 82	SAINT ETIENNE DE SERRE		07
161	CE 76	SAINT ETIENNE DE ST GEOIRS	C	38
194	CR 88	SAINT ETIENNE DE TINEE	C	06
185	BA 91	SAINT ETIENNE DE TULMONT		82
160	BZ 77	SAINT ETIENNE DE VALOUX		07
144	BQ 67	SAINT ETIENNE DE VICQ		03
169	AU 85	SAINT ETIENNE DE VILLEREAL		47
142	BI 71	SAINT ETIENNE DES CHAMPS		63
93	AX 51	SAINT ETIENNE DES GUERETS		41
145	BY 68	SAINT ETIENNE DES OULLIERES		69
190	BZ 89	SAINT ETIENNE DES SORTS		30
196	AE 95	SAINT ETIENNE D'ORTHE		40
133	CD 66	SAINT ETIENNE DU BOIS		01
105	AD 59	SAINT ETIENNE DU BOIS		85
206	CA 94	SAINT ETIENNE DU GRES		13
69	V 45	SAINT ETIENNE DU GUE DE L'ISLE		22
33	AX 32	SAINT ETIENNE DU ROUVRAY	C	76
174	BQ 86	SAINT ETIENNE DU VALDONNEZ		48
33	AY 33	SAINT ETIENNE DU VAUVRAY		27
174	BS 83	SAINT ETIENNE DU VIGAN		43
132	CB 61	SAINT ETIENNE EN BRESSE		71
71	AF 42	SAINT ETIENNE EN COGLES		35
178	CJ 83	SAINT ETIENNE EN DEVOLUY	C	05
204	BN 95	SAINT ETIENNE ESTRECHOUX		34
137	AL 68	SAINT ETIENNE LA CIGOGNE		79
156	BH 75	SAINT ETIENNE LA GENESTE		19
32	AQ 33	SAINT ETIENNE LA THILLAYE		14
145	BY 68	SAINT ETIENNE LA VARENNE		69
32	AU 33	SAINT ETIENNE L'ALLIER		27
158	BT 80	SAINT ETIENNE LARDEYROL		43
178	CL 85	SAINT ETIENNE LE LAUS		05
145	BU 72	SAINT ETIENNE LE MOLARD		42
192	CI 90	SAINT ETIENNE LES ORGUES	C	04
84	CM 46	SAINT ETIENNE LES REMIREMONT		88
36	BL 32	SAINT ETIENNE ROILAYE		60
54	BA 35	SAINT ETIENNE SOUS BAILLEUL		27
80	BT 41	SAINT ETIENNE SOUS BARBUISE		10
157	BM 77	SAINT ETIENNE SUR BLESLE		43
146	CA 67	SAINT ETIENNE SUR CHALARONNE		01
132	CB 64	SAINT ETIENNE SUR REYSSOUZE		01
38	BT 32	SAINT ETIENNE SUR SUIPPE		51
157	BP 75	SAINT ETIENNE SUR USSON		63
189	BT 90	SAINT ETIENNE VALLEE FRANCAISE		48
57	BP 36	SAINT EUGENE		02
151	AM 75	SAINT EUGENE		17
131	BV 61	SAINT EUGENE		71
59	BZ 39	SAINT EULIEN		51
37	BS 34	SAINT EUPHRAISE ET CLAIRIZET		51
98	BW 53	SAINT EUPHRONE		21
131	BX 61	SAINT EUSEBE		71
148	CJ 69	SAINT EUSEBE		74
178	CK 83	SAINT EUSEBE EN CHAMPSAUR		05
148	CK 71	SAINT EUSTACHE		74
32	AT 30	SAINT EUSTACHE LA FORET		76
152	AP 76	SAINT EUTROPE		16
169	AT 85	SAINT EUTROPE DE BORN		47
67	L 46	SAINT EVARZEC		29
52	AS 38	SAINT EVROULT DE MONTFORT		61
52	AT 38	SAINT EVROULT NOTRE DAME DU BOIS		61
168	AN 84	SAINT EXUPERY		33
156	BH 75	SAINT EXUPERY LES ROCHES		19
96	BM 51	SAINT FARGEAU	C	89
77	BI 41	SAINT FARGEAU PONTHIERRY		77
142	BJ 68	SAINT FARGEOL		03
197	AK 99	SAINT FAUST		64
160	BZ 79	SAINT FELICIEN	C	07
222	BK 106	SAINT FELIU D'AMONT		66
222	BK 106	SAINT FELIU D'AVALL		66
130	BP 67	SAINT FELIX		03
152	AO 76	SAINT FELIX		16
137	AK 68	SAINT FELIX		17
171	BF 85	SAINT FELIX		46
35	BG 32	SAINT FELIX		60
148	CJ 71	SAINT FELIX		74
153	AT 76	SAINT FELIX DE BOURDEILLES		24
168	AN 84	SAINT FELIX DE FONCAUDE		33
188	BO 93	SAINT FELIX DE L'HERAS		34
204	BQ 95	SAINT FELIX DE LODEZ		34
172	BI 85	SAINT FELIX DE LUNEL		12
189	BT 91	SAINT FELIX DE PALLIERES		30
153	AV 80	SAINT FELIX DE REILLAC ET MORTEMART		24
220	BB 102	SAINT FELIX DE RIEUTORD		09
187	BM 93	SAINT FELIX DE SORGUES		12
220	BC 101	SAINT FELIX DE TOURNEGAT		09
169	AT 81	SAINT FELIX DE VILLADEIX		24
202	BD 98	SAINT FELIX LAURAGAIS		31
38	BU 30	SAINT FERGEUX		08
102	CM 51	SAINT FERJEUX		70
168	AO 84	SAINT FERME		33
199	AT 99	SAINT FERREOL		31
148	CL 71	SAINT FERREOL		74
159	BW 76	SAINT FERREOL D'AUROURE		43
158	BR 74	SAINT FERREOL DES COTES		63
177	CE 86	SAINT FERREOL TRENTE PAS		26
221	BG 104	SAINT FERRIOL		11
46	S 41	SAINT FIACRE		22
56	BL 37	SAINT FIACRE		77
106	AE 56	SAINT FIACRE SUR MAINE		44
127	BD 67	SAINT FIEL		23
178	CJ 82	SAINT FIRMIN	C	05
83	CJ 42	SAINT FIRMIN		54
113	BP 58	SAINT FIRMIN		58
115	BX 60	SAINT FIRMIN		71
96	BL 48	SAINT FIRMIN DES BOIS		45
93	AX 49	SAINT FIRMIN DES PRES		41
96	BJ 51	SAINT FIRMIN SUR LOIRE		45
79	BR 43	SAINT FLAVY		10
95	BI 51	SAINT FLORENT		45
229	DM 104	SAINT FLORENT		2B
122	AF 62	SAINT FLORENT DES BOIS		85
106	AH 54	SAINT FLORENT LE VIEIL	C	49
189	BV 89	SAINT FLORENT SUR AUZONNET		30
112	BG 58	SAINT FLORENT SUR CHER		18

Page	Carreau	Commune	Adm.Dpt
111	BC 57	SAINT FLORENTIN	.36
97	BR 47	SAINT FLORENTIN	C .89
157	BM 74	SAINT FLORET	.63
11	BI 18	SAINT FLORIS	.62
157	BM 80	SAINT FLOUR	S .15
144	BQ 73	SAINT FLOUR	.63
174	BS 84	SAINT FLOUR DE MERCOIRE	.48
110	AW 59	SAINT FLOVIER	.37
29	AG 30	SAINT FLOXEL	.50
11	BF 14	SAINT FOLQUIN	.62
146	CA 72	SAINT FONS	C .69
115	BV 58	SAINT FORGEOT	.71
54	BE 39	SAINT FORGET	.78
145	BX 71	SAINT FORGEUX	.69
144	BT 68	SAINT FORGEUX LESPINASSE	.42
90	AJ 49	SAINT FORT	.53
151	AI 75	SAINT FORT SUR GIRONDE	.17
137	AM 74	SAINT FORT SUR LE NE	.16
176	BZ 82	SAINT FORTUNAT SUR EYRIEUX	.07
138	AO 70	SAINT FRAIGNE	.16
72	AK 41	SAINT FRAIMBAULT	.61
72	AL 43	SAINT FRAIMBAULT DE PRIERES	.53
200	AU 99	SAINT FRAJOU	.31
161	CH 75	SAINT FRANC	.73
114	BP 57	SAINT FRANCHY	.58
148	CJ 72	SAINT FRANCOIS DE SALES	.73
41	CK 31	SAINT FRANCOIS LACROIX	.57
162	CM 75	SAINT FRANCOIS LONGCHAMP	.73
44	J 38	SAINT FREGANT	.29
156	BH 74	SAINT FREJOUX	.19
174	BS 85	SAINT FREZAL D'ALBUGES	.48
189	BT 88	SAINT FREZAL DE VENTALON	.48
203	BI 100	SAINT FRICHOUX	.11
142	BG 71	SAINT FRION	.23
30	AI 33	SAINT FROMOND	.50
138	AR 70	SAINT FRONT	.16
175	BV 81	SAINT FRONT	.43
153	AU 77	SAINT FRONT D'ALEMPS	.24
152	AR 80	SAINT FRONT DE PRADOUX	.24
153	AU 75	SAINT FRONT LA RIVIERE	.24
169	AV 85	SAINT FRONT SUR LEMANCE	.47
153	AT 75	SAINT FRONT SUR NIZONNE	.24
136	AG 70	SAINT FROULT	.17
106	AF 59	SAINT FULGENT	C .85
74	AT 43	SAINT FULGENT DES ORMES	.61
21	BG 27	SAINT FUSCIEN	.80
31	AL 33	SAINT GABRIEL BRECY	.14
174	BP 84	SAINT GAL	.48
143	BL 68	SAINT GAL SUR SIOULE	.63
159	BW 74	SAINT GALMIER	C .42
101	CH 52	SAINT GAND	.70
88	AB 49	SAINT GANTON	.35
32	AR 32	SAINT GATIEN DES BOIS	.14
218	AT 102	SAINT GAUDENS	S .31
138	AR 68	SAINT GAUDENT	.86
221	BD 101	SAINT GAUDERIC	.11
126	AZ 62	SAINT GAULTIER	C .36
202	BD 94	SAINT GAUZENS	.81
182	AL 93	SAINT GEIN	.40
123	AM 65	SAINT GELAIS	.79
68	S 43	SAINT GELVEN	.22
205	BS 95	SAINT GELY DU FESC	.34
124	AO 67	SAINT GENARD	.79
140	AX 70	SAINT GENCE	.87
108	AO 59	SAINT GENEROUX	.79
143	BM 73	SAINT GENES CHAMPANELLE	.63
156	BJ 76	SAINT GENES CHAMPESPE	.63
151	AJ 78	SAINT GENES DE BLAYE	.33
168	AO 81	SAINT GENES DE CASTILLON	.33
151	AL 80	SAINT GENES DE FRONSAC	.33
167	AL 83	SAINT GENES DE LOMBAUD	.33
143	BN 69	SAINT GENES DU RETZ	.63
158	BP 75	SAINT GENES LA TOURETTE	.63
128	BJ 66	SAINT GENEST	.03
84	CL 42	SAINT GENEST	.88
109	AS 60	SAINT GENEST D'AMBIERE	.86
175	BV 87	SAINT GENEST DE BEAUZON	.07
202	BF 94	SAINT GENEST DE CONTEST	.81
175	BX 82	SAINT GENEST LACHAMP	.07
159	BW 75	SAINT GENEST LERPT	.42
159	BX 77	SAINT GENEST MALIFAUX	C .42
140	AZ 73	SAINT GENEST SUR ROSELLE	.87
158	BS 79	SAINT GENEYS PRES ST PAULIEN	.43
56	BN 35	SAINT GENGOULPH	.02
132	BZ 64	SAINT GENGOUX DE SCISSE	.71
131	BY 62	SAINT GENGOUX LE NATIONAL	C .71
170	AY 81	SAINT GENIES	.24
201	BA 95	SAINT GENIES BELLEVUE	.31
190	CA 91	SAINT GENIES DE COMOLAS	.30
204	BN 97	SAINT GENIES DE FONTEDIT	.34
190	BW 92	SAINT GENIES DE MALGOIRES	.30
203	BM 95	SAINT GENIES DE VARENSAL	.34
205	BU 95	SAINT GENIES DES MOURGUES	.34
193	CK 88	SAINT GENIEZ	.04
173	BM 86	SAINT GENIEZ D'OLT	C .12
155	BE 80	SAINT GENIEZ O MERLE	.19
178	CI 87	SAINT GENIS	.05
151	AK 75	SAINT GENIS DE SAINTONGE	C .17
227	BL 108	SAINT GENIS DES FONTAINES	.66
138	AP 72	SAINT GENIS D'HIERSAC	.16
167	AM 84	SAINT GENIS DU BOIS	.33
145	BX 72	SAINT GENIS L'ARGENTIERE	.69
146	BZ 73	SAINT GENIS LAVAL	C .69
146	BZ 72	SAINT GENIS LES OLLIERES	.69
134	CJ 66	SAINT GENIS POUILLY	.01
132	CB 66	SAINT GENIS SUR MENTHON	.01
147	CG 73	SAINT GENIX SUR GUIERS	C .73
110	AZ 59	SAINT GENOU	.36
109	AT 54	SAINT GENOUPH	.37
161	CG 75	SAINT GEOIRE EN VALDAINE	C .38
161	CE 77	SAINT GEOIRS	.38
157	BM 80	SAINT GEORGES	.15
138	AR 70	SAINT GEORGES	.16
200	AV 95	SAINT GEORGES	.32
169	AV 87	SAINT GEORGES	.47
62	CO 39	SAINT GEORGES	.57
21	BF 21	SAINT GEORGES	.62
185	BB 89	SAINT GEORGES	.82
151	AK 75	SAINT GEORGES ANTIGNAC	.17
102	CM 53	SAINT GEORGES ARMONT	.25
168	AR 81	SAINT GEORGES BLANCANEIX	.24
72	AK 43	SAINT GEORGES BUTTAVENT	.53
51	AN 40	SAINT GEORGES D'ANNEBECQ	.61
50	AK 35	SAINT GEORGES D'AUNAY	.14
158	BQ 79	SAINT GEORGES D'AURAC	.43
145	BU 71	SAINT GEORGES DE BAROILLE	.42
29	AG 33	SAINT GEORGES DE BOHON	.50
71	AF 44	SAINT GEORGES DE CHESNE	.35
161	CH 80	SAINT GEORGES DE COMMIERS	.38
136	AG 73	SAINT GEORGES DE DIDONNE	.17
49	AE 40	SAINT GEORGES DE GREHAIGNE	.35
92	AT 49	SAINT GEORGES DE LA COUEE	.72
29	AD 31	SAINT GEORGES DE LA RIVIERE	.50
188	BN 88	SAINT GEORGES DE LEVEJAC	.48
49	AG 38	SAINT GEORGES DE LIVOYE	.50
137	AL 69	SAINT GEORGES DE LONGUEPIERRE	.17
187	BM 91	SAINT GEORGES DE LUZENCON	.12
143	BK 70	SAINT GEORGES DE MONS	.63
106	AF 58	SAINT GEORGES DE MONTAIGU	.85
169	AT 81	SAINT GEORGES DE MONTCLARD	.24
123	AN 63	SAINT GEORGES DE NOISNE	.79
121	AC 61	SAINT GEORGES DE POINTINDOUX	.85
128	BH 62	SAINT GEORGES DE POISIEUX	.18
71	AG 41	SAINT GEORGES DE REINTEMBAULT	.35
146	BZ 68	SAINT GEORGES DE RENEINS	.69
123	AK 66	SAINT GEORGES DE REX	.79
50	AJ 40	SAINT GEORGES DE ROUELLEY	.50
50	AI 34	SAINT GEORGES D'ELLE	.50
151	AJ 76	SAINT GEORGES DES AGOUTS	.17
137	AJ 71	SAINT GEORGES DES COTEAUX	.17
107	AJ 56	SAINT GEORGES DES GARDES	.49
50	AL 38	SAINT GEORGES DES GROSEILLERS	.61
162	CL 74	SAINT GEORGES DES HURTIERES	.73
107	AM 54	SAINT GEORGES DES SEPT VOIES	.49
160	CC 74	SAINT GEORGES D'ESPERANCHE	.38
136	AE 69	SAINT GEORGES D'OLERON	.17
205	BS 96	SAINT GEORGES D'ORQUES	.34
137	AJ 67	SAINT GEORGES DU BOIS	.17
91	AN 52	SAINT GEORGES DU BOIS	.49
91	AQ 47	SAINT GEORGES DU BOIS	.72
32	AU 33	SAINT GEORGES DU MESNIL	.27
74	AT 45	SAINT GEORGES DU ROSAY	.72
32	AT 33	SAINT GEORGES DU VIEVRE	C .27
51	AQ 36	SAINT GEORGES EN AUGE	.14
144	BT 72	SAINT GEORGES EN COUZAN	C .42
159	BU 74	SAINT GEORGES HAUTE VILLE	.42
141	BE 69	SAINT GEORGES LA POUGE	.23
158	BT 77	SAINT GEORGES LAGRICOL	.43
72	AL 46	SAINT GEORGES LE FLECHARD	.53
73	AP 44	SAINT GEORGES LE GAULTIER	.72
125	AS 62	SAINT GEORGES LES BAILLARGEAUX	C .86
176	CA 82	SAINT GEORGES LES BAINS	.07
126	AZ 65	SAINT GEORGES LES LANDES	.87
50	AI 34	SAINT GEORGES MONTCOCQ	.50
53	AZ 38	SAINT GEORGES MOTEL	.27
142	BG 71	SAINT GEORGES NIGREMONT	.23
143	BN 73	SAINT GEORGES SUR ALLIER	.63
111	BE 58	SAINT GEORGES SUR ARNON	.36
97	BP 49	SAINT GEORGES SUR BAULCHE	.89
110	AX 55	SAINT GEORGES SUR CHER	.41
73	AN 45	SAINT GEORGES SUR ERVE	.53
75	AZ 42	SAINT GEORGES SUR EURE	.28
33	AY 30	SAINT GEORGES SUR FONTAINE	.76
111	BE 56	SAINT GEORGES SUR LA PREE	.18
11	BF 14	SAINT GEORGES SUR L'AA	.59
107	AM 56	SAINT GEORGES SUR LAYON	.49
90	AJ 53	SAINT GEORGES SUR LOIRE	C .49
112	BH 56	SAINT GEORGES SUR MOULON	.18
146	CB 68	SAINT GEORGES SUR RENON	.01
197	AH 94	SAINT GEOURS D'AURIBAT	.40
196	AE 95	SAINT GEOURS DE MAREMNE	.40
69	T 45	SAINT GERAND	.56
129	BP 65	SAINT GERAND DE VAUX	.03
130	BQ 67	SAINT GERAND LE PUY	.03
168	AP 85	SAINT GERAUD	.47
168	AQ 81	SAINT GERAUD DE CORPS	.24
89	AG 54	SAINT GEREON	.44
175	BX 85	SAINT GERMAIN	.07
80	BT 44	SAINT GERMAIN	.10
83	CK 42	SAINT GERMAIN	.54
102	CM 49	SAINT GERMAIN	.70
125	AV 63	SAINT GERMAIN	.86
146	BZ 70	SAINT GERMAIN AU MONT D'OR	.69
126	BA 66	SAINT GERMAIN BEAUPRE	.23
129	BO 61	SAINT GERMAIN CHASSENAY	.58
72	AJ 44	SAINT GERMAIN D'ANXURE	.53
92	AR 51	SAINT GERMAIN D'ARCE	.72
52	AS 37	SAINT GERMAIN D'AUNAY	.61
169	AW 83	SAINT GERMAIN DE BELVES	.24
189	BS 89	SAINT GERMAIN DE CALBERTE	C .48
52	AR 39	SAINT GERMAIN DE CLAIREFEUILLE	.61
139	AU 69	SAINT GERMAIN DE CONFOLENS	.16
73	AO 44	SAINT GERMAIN DE COULAMER	.53
53	AZ 36	SAINT GERMAIN DE FRESNEY	.27
167	AM 84	SAINT GERMAIN DE GRAVE	.33
133	CH 67	SAINT GERMAIN DE JOUX	.01
74	AU 44	SAINT GERMAIN DE LA COUDRE	.61
54	BD 38	SAINT GERMAIN DE LA GRANGE	.78
167	AL 81	SAINT GERMAIN DE LA RIVIERE	.33
52	AR 35	SAINT GERMAIN DE LIVET	.14
123	AM 61	SAINT GERMAIN DE LONGUE CHAUME	.79
151	AK 75	SAINT GERMAIN DE LUSIGNAN	.17
136	AI 68	SAINT GERMAIN DE MARENCENNES	.17
52	AS 40	SAINT GERMAIN DE MARTIGNY	.61
115	BU 54	SAINT GERMAIN DE MODEON	.21
138	AR 73	SAINT GERMAIN DE MONTBRON	.16
52	AQ 36	SAINT GERMAIN DE MONTGOMMERY	.14
33	AX 33	SAINT GERMAIN DE PASQUIER	.27
122	AH 61	SAINT GERMAIN DE PRINCAY	.85
143	BN 67	SAINT GERMAIN DE SALLES	.03
50	AJ 38	SAINT GERMAIN DE TALLEVENDE LA LANDE VAUMONT	.14
29	AF 29	SAINT GERMAIN DE TOURNEBUT	.50
29	AG 31	SAINT GERMAIN DE VARREVILLE	.50
151	AM 75	SAINT GERMAIN DE VIBRAC	.17
50	AK 34	SAINT GERMAIN D'ECTOT	.14
50	AJ 34	SAINT GERMAIN D'ELLE	.50
53	AY 35	SAINT GERMAIN DES ANGLES	.27
112	BH 59	SAINT GERMAIN DES BOIS	.18
114	BP 54	SAINT GERMAIN DES BOIS	.58
97	BS 54	SAINT GERMAIN DES CHAMPS	.89
33	AZ 30	SAINT GERMAIN DES ESSOURTS	.76
129	BP 67	SAINT GERMAIN DES FOSSES	.03
75	AV 43	SAINT GERMAIN DES GROIS	.61
153	AW 77	SAINT GERMAIN DES PRES	.24
96	BK 48	SAINT GERMAIN DES PRES	.45
90	AJ 53	SAINT GERMAIN DES PRES	.49
202	BE 96	SAINT GERMAIN DES PRES	.81
28	AC 27	SAINT GERMAIN DES VAUX	.50
150	AH 77	SAINT GERMAIN D'ESTEUIL	.33
19	AY 27	SAINT GERMAIN D'ETABLES	.76
170	AZ 84	SAINT GERMAIN DU BEL AIR	C .46
132	CD 61	SAINT GERMAIN DU BOIS	C .71
73	AP 42	SAINT GERMAIN DU CORBEIS	.61
50	AL 37	SAINT GERMAIN DU CRIOULT	.14
30	AI 32	SAINT GERMAIN DU PERT	.14
71	AG 47	SAINT GERMAIN DU PINEL	.35
132	CB 61	SAINT GERMAIN DU PLAIN	C .71
167	AM 82	SAINT GERMAIN DU PUCH	.33
112	BH 57	SAINT GERMAIN DU PUY	.18
153	AR 79	SAINT GERMAIN DU SALEMBRE	.24
151	AJ 74	SAINT GERMAIN DU SEUDRE	.17
173	BN 86	SAINT GERMAIN DU TEIL	C .48
131	BV 65	SAINT GERMAIN EN BRIONNAIS	.71
71	AG 42	SAINT GERMAIN EN COGLES	.35
55	BF 37	SAINT GERMAIN EN LAYE	S .78
118	CI 60	SAINT GERMAIN EN MONTAGNE	.39
169	AT 82	SAINT GERMAIN ET MONS	.24
31	AM 34	SAINT GERMAIN LA BLANCHE HERBE	.14
52	AS 35	SAINT GERMAIN LA CAMPAGNE	.27
148	CI 71	SAINT GERMAIN LA CHAMBOTTE	.73
131	BW 67	SAINT GERMAIN LA MONTAGNE	.42
34	BE 31	SAINT GERMAIN LA POTERIE	.60
58	BW 37	SAINT GERMAIN LA VILLE	.51
122	AI 61	SAINT GERMAIN L'AIGUILLER	.85
51	AN 37	SAINT GERMAIN LANGOT	.14
158	BT 80	SAINT GERMAIN LAPRADE	.43
144	BT 71	SAINT GERMAIN LAVAL	C .42
78	BL 43	SAINT GERMAIN LAVAL	.77
141	BF 74	SAINT GERMAIN LAVOLPS	.19
78	BJ 41	SAINT GERMAIN LAXIS	.77
102	CP 50	SAINT GERMAIN LE CHATELET	.90
72	AJ 45	SAINT GERMAIN LE FOUILLOUX	.53
75	AZ 42	SAINT GERMAIN LE GAILLARD	.28
29	AD 30	SAINT GERMAIN LE GAILLARD	.50
72	AJ 44	SAINT GERMAIN LE GUILLAUME	.53
99	BY 50	SAINT GERMAIN LE ROCHEUX	.21
51	AN 36	SAINT GERMAIN LE VASSON	.14
52	AS 40	SAINT GERMAIN LE VIEUX	.61
157	BO 75	SAINT GERMAIN LEMBRON	C .63
117	CF 60	SAINT GERMAIN LES ARLAY	.39
55	BG 40	SAINT GERMAIN LES ARPAJON	.91
140	BA 74	SAINT GERMAIN LES BELLES	C .87
132	BZ 61	SAINT GERMAIN LES BUXY	.71
55	BI 40	SAINT GERMAIN LES CORBEIL	C .91
147	CG 71	SAINT GERMAIN LES PAROISSES	.01
98	BV 51	SAINT GERMAIN LES SENAILLY	.21
155	BB 77	SAINT GERMAIN LES VERGNES	.19
144	BT 68	SAINT GERMAIN LESPINASSE	.42
158	BQ 75	SAINT GERMAIN L'HERM	C .63
142	BI 72	SAINT GERMAIN PRES HERMENT	.63
99	BY 52	SAINT GERMAIN SOURCE SEINE	.21
33	AY 30	SAINT GERMAIN SOUS CAILLY	.76
56	BM 38	SAINT GERMAIN SOUS DOUE	.77
53	AZ 39	SAINT GERMAIN SUR AVRE	.27
29	AE 33	SAINT GERMAIN SUR AY	.50
20	BC 27	SAINT GERMAIN SUR BRESLE	.80
34	BA 28	SAINT GERMAIN SUR EAULNE	.76
77	BH 42	SAINT GERMAIN SUR ECOLE	.77
71	AD 44	SAINT GERMAIN SUR ILLE	.35
145	BY 71	SAINT GERMAIN SUR L'ARBRESLE	.69
60	CF 39	SAINT GERMAIN SUR MEUSE	.55
106	AG 56	SAINT GERMAIN SUR MOINE	.49
56	BK 37	SAINT GERMAIN SUR MORIN	.77
146	CB 68	SAINT GERMAIN SUR RENON	.01
147	CH 68	SAINT GERMAIN SUR RHONE	.74
73	AQ 44	SAINT GERMAIN SUR SARTHE	.72
29	AF 33	SAINT GERMAIN SUR SEVES	.50
108	AP 56	SAINT GERMAIN SUR VIENNE	.37
32	AT 32	SAINT GERMAIN VILLAGE	.27
38	BT 30	SAINT GERMAINMONT	.08
198	AN 95	SAINT GERME	.32
34	BC 31	SAINT GERMER DE FLY	.60
201	BC 98	SAINT GERMIER	.31
200	AV 95	SAINT GERMIER	.32
124	AO 64	SAINT GERMIER	.79
202	BG 95	SAINT GERMIER	.81
157	BO 77	SAINT GERON	.43
171	BF 81	SAINT GERONS	.15
190	BY 89	SAINT GERVAIS	.30
151	AK 80	SAINT GERVAIS	.33
161	CF 78	SAINT GERVAIS	.38
105	Z 59	SAINT GERVAIS	.85
54	BC 34	SAINT GERVAIS	.95
143	BK 69	SAINT GERVAIS D'AUVERGNE	C .63
92	AV 48	SAINT GERVAIS DE VIC	.72
51	AQ 37	SAINT GERVAIS DES SABLONS	.61
73	AQ 41	SAINT GERVAIS DU PERRON	.61
92	AQ 48	SAINT GERVAIS EN BELIN	.72
116	CA 59	SAINT GERVAIS EN VALLIERE	.71
93	AZ 52	SAINT GERVAIS LA FORET	.41
149	CP 70	SAINT GERVAIS LES BAINS	C .74
109	AS 59	SAINT GERVAIS LES TROIS CLOCHERSC	.86
144	BQ 73	SAINT GERVAIS SOUS MEYMONT	.63
115	BX 59	SAINT GERVAIS SUR COUCHES	.71
203	BM 95	SAINT GERVAIS SUR MARE	C .34
176	CB 85	SAINT GERVAIS SUR ROUBION	.26
190	BX 93	SAINT GERVASY	.30
157	BN 76	SAINT GERVAZY	.63
168	AQ 81	SAINT GERY	.24
170	BA 86	SAINT GERY	C .46
153	AV 79	SAINT GEYRAC	.24
58	BV 36	SAINT GIBRIEN	.51
47	T 41	SAINT GILDAS	.22
87	T 52	SAINT GILDAS DE RHUYS	.56
88	AA 52	SAINT GILDAS DES BOIS	C .44
206	BX 95	SAINT GILLES	C .30
70	AC 45	SAINT GILLES	.35
126	BA 64	SAINT GILLES	.36
50	AH 34	SAINT GILLES	.50
37	BQ 33	SAINT GILLES	.51
115	BY 59	SAINT GILLES	.71
69	T 43	SAINT GILLES VIEUX MARCHE	.22
120	AA 61	SAINT GILLES CROIX DE VIE	C .85
32	AU 30	SAINT GILLES DE CRETOT	.76
32	AS 29	SAINT GILLES DE LA NEUVILLE	.76
50	AK 40	SAINT GILLES DES MARAIS	.61
69	W 43	SAINT GILLES DU MENE	.22
46	S 38	SAINT GILLES LES BOIS	.22
141	BB 73	SAINT GILLES LES FORETS	.87
46	S 41	SAINT GILLES PLIGEAUX	.22
175	BY 84	SAINT GINEIS EN COIRON	.07
135	CP 64	SAINT GINGOLPH	.74
148	CJ 71	SAINT GIROD	.73
219	AX 103	SAINT GIRONS	S .09
197	AH 96	SAINT GIRONS	.64
151	AK 79	SAINT GIRONS D'AIGUEVIVES	.33
197	AG 98	SAINT GLADIE ARRIVE MUNEIN	.64
47	X 42	SAINT GLEN	.22
67	N 44	SAINT GOAZEC	.29
37	BO 29	SAINT GOBAIN	.02
23	BR 27	SAINT GOBERT	.02
197	AI 100	SAINT GOIN	.64
95	BI 51	SAINT GONDON	.45
70	AC 43	SAINT GONDRAN	.35
70	AA 45	SAINT GONLAY	.35
69	U 45	SAINT GONNERY	.56
182	AM 91	SAINT GOR	.40
88	Y 50	SAINT GORGON	.56
84	CM 43	SAINT GORGON	.88
118	CL 57	SAINT GORGON MAIN	.25
69	W 43	SAINT GOUENO	.22
93	AX 51	SAINT GOURGON	.41
138	AR 70	SAINT GOURSON	.16
140	BB 69	SAINT GOUSSAUD	.23
21	BH 25	SAINT GRATIEN	.80
55	BG 36	SAINT GRATIEN	C .95
114	BR 59	SAINT GRATIEN SAVIGNY	.58
88	Y 49	SAINT GRAVE	.56
71	AD 45	SAINT GREGOIRE	.35
186	BG 92	SAINT GREGOIRE	.81
151	AK 74	SAINT GREGOIRE D'ARDENNES	.17
32	AU 33	SAINT GREGOIRE DU VIEVRE	.27
198	AN 94	SAINT GRIEDE	.32
138	AQ 70	SAINT GROUX	.16
69	T 43	SAINT GUEN	.22
204	BQ 94	SAINT GUILHEM LE DESERT	.34
177	CG 80	SAINT GUILLAUME	.38
48	AB 40	SAINT GUINOUX	.35
204	BP 95	SAINT GUIRAUD	.34
69	W 49	SAINT GUYOMARD	.56
174	BS 82	SAINT HAON	.43
144	BT 68	SAINT HAON LE CHATEL	C .42
144	BS 68	SAINT HAON LE VIEUX	.42
159	BW 74	SAINT HEAND	C .42
70	AB 41	SAINT HELEN	.22
99	BY 54	SAINT HELIER	.21
19	AY 28	SAINT HELLIER	.76
105	AC 55	SAINT HERBLAIN	C .44
89	AG 53	SAINT HERBLON	.44
157	BN 75	SAINT HERENT	.63
68	O 43	SAINT HERNIN	.29
69	U 43	SAINT HERVE	.22
129	BM 64	SAINT HILAIRE	.03
221	BG 102	SAINT HILAIRE	C .11
118	CK 54	SAINT HILAIRE	.25
200	AY 98	SAINT HILAIRE	.31
157	BP 76	SAINT HILAIRE	.43
171	BF 83	SAINT HILAIRE	.46
142	BJ 68	SAINT HILAIRE	.63
77	BF 42	SAINT HILAIRE	.91
162	CI 76	SAINT HILAIRE (DU TOUVET)	.38
58	BV 35	SAINT HILAIRE AU TEMPLE	.51
140	AZ 72	SAINT HILAIRE BONNEVAL	.87
11	BH 18	SAINT HILAIRE COTTES	.62
159	BU 76	SAINT HILAIRE CUSSON LA VALMITTE	.42
205	BU 94	SAINT HILAIRE DE BEAUVOIR	.34
147	CE 73	SAINT HILAIRE DE BRENS	.38
189	BV 91	SAINT HILAIRE DE BRETHMAS	.30
51	AN 39	SAINT HILAIRE DE BRIOUZE	.61
105	AB 56	SAINT HILAIRE DE CHALEONS	.44
106	AF 57	SAINT HILAIRE DE CLISSON	.44
111	BE 56	SAINT HILAIRE DE COURT	.18
113	BL 58	SAINT HILAIRE DE GONDILLY	.18
161	CE 76	SAINT HILAIRE DE LA COTE	.38
168	AO 85	SAINT HILAIRE DE LA NOAILLE	.33
189	BS 89	SAINT HILAIRE DE LAVIT	.48
106	AF 58	SAINT HILAIRE DE LOULAY	.85
183	AS 89	SAINT HILAIRE DE LUSIGNAN	.47
120	AA 60	SAINT HILAIRE DE RIEZ	.85
137	AK 71	SAINT HILAIRE DE VILLEFRANCHE	C .17
123	AJ 62	SAINT HILAIRE DE VOUST	.85
71	AF 43	SAINT HILAIRE DES LANDES	.35
123	AJ 64	SAINT HILAIRE DES LOGES	C .85
153	AS 80	SAINT HILAIRE D'ESTISSAC	.24
190	BZ 92	SAINT HILAIRE D'OZILHAN	.30
151	AK 75	SAINT HILAIRE DU BOIS	.17
168	AN 84	SAINT HILAIRE DU BOIS	.33
50	AH 40	SAINT HILAIRE DU HARCOUET	C .50
72	AI 44	SAINT HILAIRE DU MAINE	.53
161	CD 79	SAINT HILAIRE DU ROSIER	.38
127	BF 61	SAINT HILAIRE EN LIGNIERES	.18
114	BS 57	SAINT HILAIRE EN MORVAN	.58
60	CF 35	SAINT HILAIRE EN WOEVRE	.55
155	BF 77	SAINT HILAIRE FOISSAC	.19
130	BQ 61	SAINT HILAIRE FONTAINE	.58
143	BM 69	SAINT HILAIRE LA CROIX	.63
121	AD 64	SAINT HILAIRE LA FORET	.85
51	AQ 40	SAINT HILAIRE LA GERARD	.61
93	AY 48	SAINT HILAIRE LA GRAVELLE	.41
123	AJ 66	SAINT HILAIRE LA PALUD	.79
141	BE 68	SAINT HILAIRE LA PLAINE	.23
126	AZ 66	SAINT HILAIRE LA TREILLE	.87
141	BD 70	SAINT HILAIRE LE CHATEAU	.23
74	AT 41	SAINT HILAIRE LE CHATEL	.61
58	BW 34	SAINT HILAIRE LE GRAND	.51
74	AT 46	SAINT HILAIRE LE LIERRU	.72
38	BW 33	SAINT HILAIRE LE PETIT	.51
122	AG 61	SAINT HILAIRE LE VOUHIS	.85
78	BM 46	SAINT HILAIRE LES ANDRESIS	.45
155	BC 74	SAINT HILAIRE LES COURBES	.19
142	BJ 71	SAINT HILAIRE LES MONGES	.63
140	AX 73	SAINT HILAIRE LES PLACES	.87
23	BO 23	SAINT HILAIRE LEZ CAMBRAI	.59
155	BG 76	SAINT HILAIRE LUC	.19
29	AH 32	SAINT HILAIRE PETITVILLE	.50
155	BB 78	SAINT HILAIRE PEYROUX	.19
145	BV 68	SAINT HILAIRE SOUS CHARLIEU	.42
79	BQ 41	SAINT HILAIRE SOUS ROMILLY	.10
94	BD 49	SAINT HILAIRE ST MESMIN	.45
126	AX 63	SAINT HILAIRE SUR BENAIZE	.36
74	AU 44	SAINT HILAIRE SUR ERRE	.61
23	BR 23	SAINT HILAIRE SUR HELPE	.59
96	BJ 48	SAINT HILAIRE SUR PUISEAUX	.45
52	AT 39	SAINT HILAIRE SUR RISLE	.61
75	AY 47	SAINT HILAIRE SUR YERRE	.28
155	BC 80	SAINT HILAIRE TAURIEUX	.19
54	BC 40	SAINT HILARION	.78
56	BN 40	SAINT HILLIERS	.77
172	BI 84	SAINT HIPPOLYTE	.12
156	BJ 78	SAINT HIPPOLYTE	.15
136	AI 70	SAINT HIPPOLYTE	.17
102	CO 54	SAINT HIPPOLYTE	C .25
168	AN 82	SAINT HIPPOLYTE	.33
110	AX 58	SAINT HIPPOLYTE	.37
222	BL 105	SAINT HIPPOLYTE	.66
85	CS 43	SAINT HIPPOLYTE	.68
189	BV 91	SAINT HIPPOLYTE DE CATON	.30
190	BY 91	SAINT HIPPOLYTE DE MONTAIGU	.30
189	BT 92	SAINT HIPPOLYTE DU FORT	C .30
191	CC 90	SAINT HIPPOLYTE LE GRAVEYRON	.84
178	CI 80	SAINT HONORE	.38
19	AY 27	SAINT HONORE	.76
114	BS 59	SAINT HONORE LES BAINS	.58
159	BU 79	SAINT HOSTIEN	.43
41	CK 33	SAINT HUBERT	.57
131	BY 63	SAINT HURUGE	.71
32	AR 33	SAINT HYMER	.14
133	CF 65	SAINT HYMETIERE	.39
68	S 43	SAINT IGEAUX	.22
171	BE 87	SAINT IGEST	.12
218	AT 101	SAINT IGNAN	.31
143	BO 70	SAINT IGNAT	.63
131	BW 67	SAINT IGNY DE ROCHE	.71
131	BX 67	SAINT IGNY DE VERS	.69
156	BG 80	SAINT ILLIDE	.15
54	BB 36	SAINT ILLIERS LA VILLE	.78
54	BA 36	SAINT ILLIERS LE BOIS	.78
157	BP 78	SAINT ILPIZE	.43
57	BS 35	SAINT IMOGES	.51
10	BC 15	SAINT INGLEVERT	.62
161	CI 77	SAINT ISMIER	C .38
187	BJ 92	SAINT IZAIRE	.12
193	CN 91	SAINT JACQUES	.04
19	AZ 26	SAINT JACQUES D'ALIERMONT	.76
142	BK 70	SAINT JACQUES D'AMBUR	.63
160	BZ 76	SAINT JACQUES D'ATTICIEUX	.07
71	AC 46	SAINT JACQUES DE LA LANDE	.35
29	AE 31	SAINT JACQUES DE NEHOU	.50
107	AN 58	SAINT JACQUES DE THOUARS	.79
131	BY 66	SAINT JACQUES DES ARRETS	.69
156	BJ 80	SAINT JACQUES DES BLATS	.15
92	AV 50	SAINT JACQUES DES GUERETS	.41
178	CK 82	SAINT JACQUES EN VALGODEMARD	.05
33	AY 31	SAINT JACQUES SUR DARNETAL	.76
48	Z 40	SAINT JACUT DE LA MER	.22
69	X 43	SAINT JACUT DU MENE	.22
88	Y 50	SAINT JACUT LES PINS	.56
155	BB 76	SAINT JAL	.19
71	AG 41	SAINT JAMES	C .50
198	AM 99	SAINT JAMMES	.64
12	BJ 16	SAINT JANS CAPPEL	.59
201	BA 95	SAINT JEAN	.31
113	BO 58	SAINT JEAN AUX AMOGNES	.58
38	BV 28	SAINT JEAN AUX BOIS	.08
36	BL 32	SAINT JEAN AUX BOIS	.60
159	BX 75	SAINT JEAN BONNEFONDS	.42
69	V 48	SAINT JEAN BREVELAY	C .56
211	CV 94	SAINT JEAN CAP FERRAT	.06
175	BY 81	SAINT JEAN CHAMBRE	.07
220	BD 104	SAINT JEAN D'AIGUES VIVES	.09
187	BM 92	SAINT JEAN D'ALCAPIES	.12
137	AK 69	SAINT JEAN D'ANGELY	S .17
136	AH 71	SAINT JEAN D'ANGLE	.17
146	BZ 68	SAINT JEAN D'ARDIERES	.69
162	CL 77	SAINT JEAN D'ARVES	.73
148	CJ 73	SAINT JEAN D'ARVEY	.73
73	AQ 45	SAINT JEAN D'ASSE	.72
152	AR 79	SAINT JEAN D'ATAUX	.24
158	BS 76	SAINT JEAN D'AUBRIGOUX	.43
135	CO 66	SAINT JEAN D'AULPS	.74
161	CG 74	SAINT JEAN D'AVELANNE	.38
222	BK 103	SAINT JEAN DE BARROU	.11
62	CO 37	SAINT JEAN DE BASSEL	.57
55	BF 40	SAINT JEAN DE BEAUREGARD	.91
163	CN 75	SAINT JEAN DE BELLEVILLE	.73
122	AG 63	SAINT JEAN DE BEUGNE	.85
168	AN 82	SAINT JEAN DE BLAIGNAC	.33
116	BZ 56	SAINT JEAN DE BOEUF	.21
105	AC 55	SAINT JEAN DE BOISEAU	.44
80	BT 45	SAINT JEAN DE BONNEVAL	.10
160	CD 75	SAINT JEAN DE BOURNAY	C .38
94	BE 48	SAINT JEAN DE BRAYE	C .45
188	BR 93	SAINT JEAN DE BUEGES	.34
190	BW 91	SAINT JEAN DE CEYRARGUES	.30
147	CH 72	SAINT JEAN DE CHEVELU	.73
153	AV 76	SAINT JEAN DE COLE	.24
205	BU 94	SAINT JEAN DE CORNIES	.34
162	CI 75	SAINT JEAN DE COUZ	.73
189	BU 92	SAINT JEAN DE CRIEULON	.30
205	BS 94	SAINT JEAN DE CUCULLES	.34
30	AH 33	SAINT JEAN DE DAYE	C .50
168	AQ 84	SAINT JEAN DE DURAS	.47
32	AT 30	SAINT JEAN DE FOLLEVILLE	.76
204	BQ 95	SAINT JEAN DE FOS	.34
134	CI 66	SAINT JEAN DE GONVILLE	.01
204	BP 95	SAINT JEAN DE LA BLAQUIERE	.34
90	AK 53	SAINT JEAN DE LA CROIX	.49
74	AU 43	SAINT JEAN DE LA FORET	.61
49	AF 39	SAINT JEAN DE LA HAIZE	.50
32	AT 33	SAINT JEAN DE LA LEQUERAYE	.27
91	AP 50	SAINT JEAN DE LA MOTTE	.72
32	AT 30	SAINT JEAN DE LA NEUVILLE	.76
162	CK 74	SAINT JEAN DE LA PORTE	.73
29	AD 31	SAINT JEAN DE LA RIVIERE	.50
94	BD 48	SAINT JEAN DE LA RUELLE	C .45
185	BC 87	SAINT JEAN DE LAUR	.46
181	AH 93	SAINT JEAN DE LIER	.40
90	AK 53	SAINT JEAN DE LINIERES	.49
122	AI 66	SAINT JEAN DE LIVERSAY	.17
52	AR 35	SAINT JEAN DE LIVET	.14
116	CD 57	SAINT JEAN DE LOSNE	C .21
214	AA 97	SAINT JEAN DE LUZ	C .64
186	BG 91	SAINT JEAN DE MARCEL	.81
196	AD 95	SAINT JEAN DE MARSACQ	.40
190	BW 89	SAINT JEAN DE MARUEJOLS ET AVEJAN	.30
162	CM 76	SAINT JEAN DE MAURIENNE	S .73
203	BK 98	SAINT JEAN DE MINERVOIS	.34
161	CG 76	SAINT JEAN DE MOIRANS	.38
104	Z 60	SAINT JEAN DE MONTS	C .85
160	CA 79	SAINT JEAN DE MUZOLS	.07
158	BR 80	SAINT JEAN DE NAY	.43
146	CD 71	SAINT JEAN DE NIOST	.01
221	BF 104	SAINT JEAN DE PARACOL	.11
53	AZ 40	SAINT JEAN DE REBERVILLIERS	.28
201	BC 94	SAINT JEAN DE RIVES	.81
108	AP 60	SAINT JEAN DE SAUVES	.86
30	AI 33	SAINT JEAN DE SAVIGNY	.50
189	BU 91	SAINT JEAN DE SERRES	.30
148	CM 69	SAINT JEAN DE SIXT	.74
147	CF 74	SAINT JEAN DE SOUDAIN	.38
148	CM 67	SAINT JEAN DE THOLOME	.74
108	AN 58	SAINT JEAN DE THOUARS	.79
184	AU 90	SAINT JEAN DE THURAC	.47
146	CA 70	SAINT JEAN DE THURIGNEUX	.01
160	BZ 74	SAINT JEAN DE TOUSLAS	.69
115	BX 60	SAINT JEAN DE TREZY	.71
189	BV 89	SAINT JEAN DE VALERISCLE	.30
202	BG 95	SAINT JEAN DE VALS	.81
161	CH 80	SAINT JEAN DE VAULX	.38
116	BY 60	SAINT JEAN DE VAUX	.71
205	BS 96	SAINT JEAN DE VEDAS	.34
220	BB 103	SAINT JEAN DE VERGES	.09
187	BI 91	SAINT JEAN DELNOUS	.12
50	AI 34	SAINT JEAN DES BAISANTS	.50
50	AJ 39	SAINT JEAN DES BOIS	.61
49	AE 37	SAINT JEAN DES CHAMPS	.50
74	AU 46	SAINT JEAN DES ECHELLES	.72
50	AJ 35	SAINT JEAN DES ESSARTIERS	.14
90	AL 53	SAINT JEAN DES MAUVRETS	.49
143	BP 73	SAINT JEAN DES OLLIERES	.63
146	BZ 70	SAINT JEAN DES VIGNES	.69
153	AS 80	SAINT JEAN D'ESTISSAC	.24
133	CE 64	SAINT JEAN D'ETREUX	.39
59	BY 37	SAINT JEAN DEVANT POSSESSE	.51
169	AS 81	SAINT JEAN D'EYRAUD	.24
177	CH 82	SAINT JEAN D'HERANS	.38
144	BP 71	SAINT JEAN D'HEURS	.63
166	AI 82	SAINT JEAN D'ILLAC	.33
84	CP 42	SAINT JEAN D'ORMONT	.88
91	AP 48	SAINT JEAN DU BOIS	.72
184	AV 92	SAINT JEAN DU BOUZET	.82
188	BP 91	SAINT JEAN DU BRUEL	.12
33	AX 30	SAINT JEAN DU CARDONNAY	.76
219	AV 103	SAINT JEAN DU CASTILLONNAIS	.09
50	AJ 40	SAINT JEAN DU CORAIL	.50
49	AG 38	SAINT JEAN DU CORAIL DES BOIS	.50
45	O 38	SAINT JEAN DU DOIGT	.29
220	BA 102	SAINT JEAN DU FALGA	.09
189	BT 90	SAINT JEAN DU GARD	C .30
189	BU 90	SAINT JEAN DU PIN	.30
52	AT 36	SAINT JEAN DU THENNEY	.27
161	CE 80	SAINT JEAN EN ROYANS	C .26
157	BO 75	SAINT JEAN EN VAL	.63
187	BM 92	SAINT JEAN ET ST PAUL	.12
93	AY 48	SAINT JEAN FROIDMENTEL	.41
47	T 39	SAINT JEAN KERDANIEL	.22
63	CQ 38	SAINT JEAN KOURTZERODE	.57
145	BW 69	SAINT JEAN LA BUSSIERE	.69
174	BR 84	SAINT JEAN LA FOUILLOUSE	.48

Page	Carreau	Commune	Adm.Dpt
88	Z 50	SAINT JEAN LA POTERIE	.56
144	BS 72	SAINT JEAN LA VETRE	.42
174	BR 81	SAINT JEAN LACHALM	.43
171	BD 82	SAINT JEAN LAGINESTE	.46
227	BL 107	SAINT JEAN LASSEILLE	.66
50	AK 36	SAINT JEAN LE BLANC	.14
94	BD 48	SAINT JEAN LE BLANC	C .45
175	BY 85	SAINT JEAN LE CENTENIER	.07
199	AS 96	SAINT JEAN LE COMTAL	.32
49	AE 38	SAINT JEAN LE THOMAS	.50
147	CE 69	SAINT JEAN LE VIEUX	.01
162	CI 78	SAINT JEAN LE VIEUX	.38
215	AE 100	SAINT JEAN LE VIEUX	.64
40	CF 34	SAINT JEAN LES BUZY	.55
56	BL 37	SAINT JEAN LES DEUX JUMEAUX	.77
40	CD 31	SAINT JEAN LES LONGUYON	.54
171	BD 82	SAINT JEAN LESPINASSE	.46
201	BB 95	SAINT JEAN LHERM	.31
140	AZ 73	SAINT JEAN LIGOURE	.87
171	BE 85	SAINT JEAN MIRABEL	.46
215	AD 100	SAINT JEAN PIED DE PORT	C .64
75	AV 44	SAINT JEAN PIERRE FIXTE	.28
226	BK 108	SAINT JEAN PLA DE CORTS	.66
198	AM 97	SAINT JEAN POUDGE	.64
199	AR 94	SAINT JEAN POUTGE	.32
62	CO 35	SAINT JEAN ROHRBACH	.57
175	BX 81	SAINT JEAN ROURE	.07
63	CR 37	SAINT JEAN SAVERNE	.67
159	BU 75	SAINT JEAN SOLEYMIEUX	C .42
110	AW 57	SAINT JEAN ST GERMAIN	.37
157	BP 76	SAINT JEAN ST GERVAIS	.63
144	BT 69	SAINT JEAN ST MAURICE SUR LOIRE	.42
178	CL 83	SAINT JEAN ST NICOLAS	.05
71	AF 43	SAINT JEAN SUR COUESNON	.35
73	AM 46	SAINT JEAN SUR ERVE	.53
72	AK 45	SAINT JEAN SUR MAYENNE	.53
58	BX 37	SAINT JEAN SUR MOIVRE	.51
132	CC 65	SAINT JEAN SUR REYSSOUZE	.01
59	BY 34	SAINT JEAN SUR TOURBE	.51
132	CA 66	SAINT JEAN SUR VEYLE	.01
71	AF 45	SAINT JEAN SUR VILAINE	.35
66	J 46	SAINT JEAN TROLIMON	.29
193	CL 91	SAINT JEANNET	.04
195	CT 93	SAINT JEANNET	.06
127	BF 63	SAINT JEANVRIN	.18
134	CM 67	SAINT JEOIRE	C .74
162	CJ 74	SAINT JEOIRE PRIEURE	.73
159	BX 80	SAINT JEURE D'ANDAURE	.07
160	BZ 79	SAINT JEURE D'AY	.07
159	BV 79	SAINT JEURES	.43
88	Y 53	SAINT JOACHIM	.44
145	BU 71	SAINT JODARD	.42
60	CD 40	SAINT JOIRE	.55
29	AF 32	SAINT JORES	.50
148	CK 71	SAINT JORIOZ	.74
201	AZ 94	SAINT JORY	.31
153	AV 75	SAINT JORY DE CHALAIS	.24
153	AW 76	SAINT JORY LAS BLOUX	.24
159	BY 74	SAINT JOSEPH	.42
29	AE 29	SAINT JOSEPH	.50
161	CH 76	SAINT JOSEPH DE RIVIERE	.38
175	BX 83	SAINT JOSEPH DES BANCS	.07
10	BC 20	SAINT JOSSE	.62
70	Z 43	SAINT JOUAN DE L'ISLE	.22
48	AB 40	SAINT JOUAN DES GUERETS	.35
31	AP 33	SAINT JOUIN	.14
18	AR 29	SAINT JOUIN BRUNEVAL	.76
74	AT 42	SAINT JOUIN DE BLAVOU	.61
108	AO 59	SAINT JOUIN DE MARNES	.79
123	AK 61	SAINT JOUIN DE MILLY	.79
140	AY 70	SAINT JOUVENT	.87
118	CL 54	SAINT JUAN	.25
70	AB 42	SAINT JUDOCE	.22
187	BJ 93	SAINT JUERY	.12
173	BM 82	SAINT JUERY	.48
186	BF 92	SAINT JUERY	.81
122	AH 62	SAINT JUIRE CHAMPGILLON	.85
202	BD 97	SAINT JULIA	.31
221	BG 104	SAINT JULIA DE BEC	.11
100	CC 53	SAINT JULIEN	.21
47	U 41	SAINT JULIEN	.22
200	AX 100	SAINT JULIEN	.31
203	BL 96	SAINT JULIEN	.34
133	CE 65	SAINT JULIEN	C .39
146	BY 69	SAINT JULIEN	.69
208	CJ 94	SAINT JULIEN	.83
83	CH 46	SAINT JULIEN	.88
155	BF 79	SAINT JULIEN AUX BOIS	.19
151	AI 78	SAINT JULIEN BEYCHEVELLE	.33
175	BW 81	SAINT JULIEN BOUTIERES	.07
159	BU 80	SAINT JULIEN CHAPTEUIL	C .43
158	BT 77	SAINT JULIEN D'ANCE	.43
182	AN 92	SAINT JULIEN D'ARMAGNAC	.40
189	BR 88	SAINT JULIEN D'ARPAON	.48
193	CK 92	SAINT JULIEN D'ASSE	.04
153	AT 76	SAINT JULIEN DE BOURDEILLES	.24
221	BD 101	SAINT JULIEN DE BRIOLA	.11
189	BV 89	SAINT JULIEN DE CASSAGNAS	.30
110	AY 55	SAINT JULIEN DE CHEDON	.41
131	BV 65	SAINT JULIEN DE CIVRY	.71
106	AE 55	SAINT JULIEN DE CONCELLES	.44
143	BO 73	SAINT JULIEN DE COPPEL	.63
169	AS 81	SAINT JULIEN DE CREMPSE	.24
220	BC 102	SAINT JULIEN DE GRAS CAPOU	.09
131	BU 66	SAINT JULIEN DE JONZY	.71
53	AZ 34	SAINT JULIEN DE LA LIEGUE	.27
189	BR 92	SAINT JULIEN DE LA NEF	.30
170	AZ 82	SAINT JULIEN DE LAMPON	.24
137	AL 70	SAINT JULIEN DE L'ESCAP	.17
160	CC 75	SAINT JULIEN DE L'HERMS	.38
52	AS 35	SAINT JULIEN DE MAILLOC	.14
190	BY 88	SAINT JULIEN DE PEYROLAS	.30
161	CG 76	SAINT JULIEN DE RAZ	.38
171	BF 83	SAINT JULIEN DE TOURSAC	.15
89	AG 50	SAINT JULIEN DE VOUVANTES	C .44
158	BQ 80	SAINT JULIEN DES CHAZES	.43
121	AC 61	SAINT JULIEN DES LANDES	.85
189	BT 89	SAINT JULIEN DES POINTS	.48
168	AR 84	SAINT JULIEN D'EYMET	.24
144	BT 71	SAINT JULIEN D'ODDES	.42
175	BX 83	SAINT JULIEN DU GUA	.07
159	BU 79	SAINT JULIEN DU PINET	.43
202	BF 94	SAINT JULIEN DU PUY	.81
78	BN 47	SAINT JULIEN DU SAULT	C .89
175	BX 84	SAINT JULIEN DU SERRE	.07
73	AM 41	SAINT JULIEN DU TERROUX	.53
174	BR 86	SAINT JULIEN DU TOURNEL	.48
193	CO 92	SAINT JULIEN DU VERDON	.04
177	CH 84	SAINT JULIEN EN BEAUCHENE	.05
180	AE 90	SAINT JULIEN EN BORN	.40
178	CK 84	SAINT JULIEN EN CHAMPSAUR	.05
134	CJ 67	SAINT JULIEN EN GENEVOIS	S .74
177	CE 82	SAINT JULIEN EN QUINT	.26
176	BZ 83	SAINT JULIEN EN ST ALBAN	.07
161	CF 80	SAINT JULIEN EN VERCORS	.26
186	BH 92	SAINT JULIEN GAULENE	.81
142	BK 69	SAINT JULIEN LA GENESTE	.63
142	BH 68	SAINT JULIEN LA GENETE	.23
144	BS 71	SAINT JULIEN LA VETRE	.42
175	BX 81	SAINT JULIEN LABROUSSE	.07
125	AS 63	SAINT JULIEN L'ARS	C .86
142	BG 68	SAINT JULIEN LE CHATEL	.23
51	AQ 35	SAINT JULIEN LE FAUCON	.14
155	BE 80	SAINT JULIEN LE PELERIN	.19
141	BB 71	SAINT JULIEN LE PETIT	.87
176	BZ 82	SAINT JULIEN LE ROUX	.07
154	AZ 75	SAINT JULIEN LE VENDOMOIS	.19
60	CG 35	SAINT JULIEN LES GORZE	.54
61	CJ 34	SAINT JULIEN LES METZ	.57
102	CN 52	SAINT JULIEN LES MONTBELIARD	.25
189	BU 89	SAINT JULIEN LES ROSIERS	.30
119	CO 55	SAINT JULIEN LES RUSSEY	.25
80	BU 44	SAINT JULIEN LES VILLAS	.10
155	BB 80	SAINT JULIEN MAUMONT	.19
159	BX 78	SAINT JULIEN MOLHESABATE	.43
159	BY 77	SAINT JULIEN MOLIN MOLETTE	.42
163	CM 77	SAINT JULIEN MONT DENIS	.73
156	BH 76	SAINT JULIEN PRES BORT	.19
142	BJ 73	SAINT JULIEN PUY LAVEZE	.63
60	CE 38	SAINT JULIEN SOUS LES COTES	.55
145	BX 71	SAINT JULIEN SUR BIBOST	.69
32	AR 33	SAINT JULIEN SUR CALONNE	.14
111	BC 55	SAINT JULIEN SUR CHER	.41
131	BX 60	SAINT JULIEN SUR DHEUNE	.71
132	CC 65	SAINT JULIEN SUR REYSSOUZE	.01
74	AS 41	SAINT JULIEN SUR SARTHE	.61
132	CB 67	SAINT JULIEN SUR VEYLE	.01
159	BY 78	SAINT JULIEN VOCANCE	.07
139	AV 71	SAINT JUNIEN	C .87
141	BC 71	SAINT JUNIEN LA BREGERE	.23
140	AX 68	SAINT JUNIEN LES COMBES	.87
61	CJ 36	SAINT JURE	.57
193	CM 92	SAINT JURS	.04
133	CD 67	SAINT JUST	.01
190	BZ 88	SAINT JUST	.07
173	BN 82	SAINT JUST	.15
112	BI 58	SAINT JUST	.18
153	AS 77	SAINT JUST	.24
54	BA 35	SAINT JUST	.27
205	BV 95	SAINT JUST	.34
88	AA 49	SAINT JUST	.35
158	BS 75	SAINT JUST	.63
146	CB 74	SAINT JUST CHALEYSSIN	.38
145	BX 69	SAINT JUST D'AVRAY	.69
161	CE 79	SAINT JUST DE CLAIX	.38
144	BT 72	SAINT JUST EN BAS	.42
56	BM 40	SAINT JUST EN BRIE	.77
35	BH 30	SAINT JUST EN CHAUSSEE	C .60
144	BS 70	SAINT JUST EN CHEVALET	C .42
221	BG 104	SAINT JUST ET LE BEZU	.11
189	BV 91	SAINT JUST ET VACQUIERES	.30
215	AF 100	SAINT JUST IBARRE	.64
145	BV 70	SAINT JUST LA PENDUE	.42
140	AZ 71	SAINT JUST LE MARTEL	.87
136	AG 71	SAINT JUST LUZAC	.17
159	BW 76	SAINT JUST MALMONT	.43
157	BO 78	SAINT JUST PRES BRIOUDE	.43
79	BR 41	SAINT JUST SAUVAGE	.51
159	BV 75	SAINT JUST ST RAMBERT	C .42
108	AO 56	SAINT JUST SUR DIVE	.49
186	BH 90	SAINT JUST SUR VIAUR	.12
198	AP 97	SAINT JUSTIN	.32
182	AM 92	SAINT JUSTIN	.40
70	AA 42	SAINT JUVAT	.22
39	BZ 32	SAINT JUVIN	.08
110	BA 59	SAINT LACTENCIN	.36
146	BZ 68	SAINT LAGER	.69
176	BZ 84	SAINT LAGER BRESSAC	.07
117	CF 60	SAINT LAMAIN	.39
50	AL 36	SAINT LAMBERT	.14
54	BE 39	SAINT LAMBERT	.78
107	AK 55	SAINT LAMBERT DU LATTAY	.49
39	BX 30	SAINT LAMBERT ET MONT DE JEUX	.08
90	AJ 52	SAINT LAMBERT LA POTHERIE	.49
51	AQ 38	SAINT LAMBERT SUR DIVE	.61
74	AT 41	SAINT LANGIS LES MORTAGNE	.61
198	AN 96	SAINT LANNE	.65
108	AP 58	SAINT LAON	.86
219	AV 104	SAINT LARY	.09
199	AS 95	SAINT LARY	.32
200	AT 100	SAINT LARY BOUJEAN	.31
218	AQ 105	SAINT LARY SOULAN	.65
160	CD 79	SAINT LATTIER	.38
70	Y 44	SAINT LAUNEUC	.22
143	BO 70	SAINT LAURE	.63
39	BY 27	SAINT LAURENT	.08
111	BF 56	SAINT LAURENT	.18
46	R 39	SAINT LAURENT	.22
141	BD 68	SAINT LAURENT	.23
200	AU 99	SAINT LAURENT	.31
183	AR 89	SAINT LAURENT	.47
148	CM 68	SAINT LAURENT	.74
22	BK 22	SAINT LAURENT BLANGY	.62
198	AM 98	SAINT LAURENT BRETAGNE	.64
157	BO 77	SAINT LAURENT CHABREUGES	.43
146	BZ 73	SAINT LAURENT D'AGNY	.69
206	BW 95	SAINT LAURENT D'AIGOUZE	.30
131	BX 61	SAINT LAURENT D'ANDENAY	.71
151	AK 80	SAINT LAURENT D'ARCE	.33
152	AP 76	SAINT LAURENT DE BELZAGOT	.16
32	AR 30	SAINT LAURENT DE BREVEDENT	.76
190	BY 89	SAINT LAURENT DE CARNOLS	.30
226	BJ 110	SAINT LAURENT DE CERDANS	.66
139	AS 70	SAINT LAURENT DE CERIS	.16
145	BX 72	SAINT LAURENT DE CHAMOUSSET	C .69
137	AL 72	SAINT LAURENT DE COGNAC	.16
51	AM 35	SAINT LAURENT DE CONDEL	.14
50	AH 38	SAINT LAURENT DE CUVES	.50
196	AD 96	SAINT LAURENT DE GOSSE	.40
125	AT 65	SAINT LAURENT DE JOURDES	.86
137	AJ 69	SAINT LAURENT DE LA BARRIERE	.17
222	BJ 102	SAINT LAURENT DE LA CABRERISSE	.11
107	AJ 54	SAINT LAURENT DE LA PLAINE	.49
136	AG 69	SAINT LAURENT DE LA PREE	.17
222	BM 105	SAINT LAURENT DE LA SALANQUE	C .66
122	AH 62	SAINT LAURENT DE LA SALLE	.85
187	BL 89	SAINT LAURENT DE LEVEZOU	.12
92	AR 52	SAINT LAURENT DE LIN	.37
146	CB 73	SAINT LAURENT DE MURE	.69
173	BN 85	SAINT LAURENT DE MURET	.48
218	AR 102	SAINT LAURENT DE NESTE	C .65
49	AG 40	SAINT LAURENT DE TERREGATTE	.50
188	BQ 89	SAINT LAURENT DE TREVES	.48
146	BY 72	SAINT LAURENT DE VAUX	.69
173	BN 83	SAINT LAURENT DE VEYRES	.48
190	BZ 91	SAINT LAURENT DES ARBRES	.30
106	AG 54	SAINT LAURENT DES AUTELS	.49
169	AU 81	SAINT LAURENT DES BATONS	.24
53	AZ 38	SAINT LAURENT DES BOIS	.27
94	BA 49	SAINT LAURENT DES BOIS	.41
152	AP 76	SAINT LAURENT DES COMBES	.16
168	AN 82	SAINT LAURENT DES COMBES	.33
152	AQ 80	SAINT LAURENT DES HOMMES	.24
90	AL 49	SAINT LAURENT DES MORTIERS	.53
168	AR 82	SAINT LAURENT DES VIGNES	.24
145	BY 70	SAINT LAURENT D'OINGT	.69
173	BN 87	SAINT LAURENT D'OLT	.12
160	CC 78	SAINT LAURENT D'ONAY	.26
168	AN 84	SAINT LAURENT DU BOIS	.33
178	CK 84	SAINT LAURENT DU CROS	.05
51	AQ 34	SAINT LAURENT DU MONT	.14
106	AI 54	SAINT LAURENT DU MOTTAY	.49
176	BZ 82	SAINT LAURENT DU PAPE	.07
168	AN 84	SAINT LAURENT DU PLAN	.33
161	CH 76	SAINT LAURENT DU PONT	C .38
52	AT 37	SAINT LAURENT DU TENCEMENT	.27
211	CT 94	SAINT LAURENT DU VAR	C .06
209	CL 94	SAINT LAURENT DU VERDON	.04
178	CI 81	SAINT LAURENT EN BEAUMONT	.38
131	BV 66	SAINT LAURENT EN BRIONNAIS	.71
19	AW 28	SAINT LAURENT EN CAUX	.76
92	AV 52	SAINT LAURENT EN GATINES	.37
134	CI 62	SAINT LAURENT EN GRANDVAUX	C .39
161	CE 80	SAINT LAURENT EN ROYANS	.26
145	BV 73	SAINT LAURENT LA CONCHE	.42
54	BA 39	SAINT LAURENT LA GATINE	.28
133	CF 62	SAINT LAURENT LA ROCHE	.39
170	AX 83	SAINT LAURENT LA VALLEE	.24
190	BY 90	SAINT LAURENT LA VERNEDE	.30
113	BL 55	SAINT LAURENT L'ABBAYE	.58
189	BR 92	SAINT LAURENT LE MINIER	.30
174	BU 85	SAINT LAURENT LES BAINS	.07
140	BA 70	SAINT LAURENT LES EGLISES	.87
171	BD 82	SAINT LAURENT LES TOURS	.46
184	AX 88	SAINT LAURENT LOLMIE	.46
150	AH 78	SAINT LAURENT MEDOC	C .33
94	BB 50	SAINT LAURENT NOUAN	.41
144	BT 72	SAINT LAURENT ROCHEFORT	.42
175	BX 84	SAINT LAURENT SOUS COIRON	.07
139	AW 72	SAINT LAURENT SUR GORRE	C .87
153	AU 79	SAINT LAURENT SUR MANOIRE	.24
30	AJ 31	SAINT LAURENT SUR MER	.14
40	CE 31	SAINT LAURENT SUR OTHAIN	.55
88	Y 48	SAINT LAURENT SUR OUST	.56
132	CA 66	SAINT LAURENT SUR SAONE	.01
106	AI 58	SAINT LAURENT SUR SEVRE	.85
123	AK 63	SAINT LAURS	.79
194	CQ 91	SAINT LEGER	.06
152	AP 75	SAINT LEGER	.16
137	AK 73	SAINT LEGER	.17
183	AQ 88	SAINT LEGER	.47
73	AM 46	SAINT LEGER	.53
22	BK 23	SAINT LEGER	.62
162	CL 75	SAINT LEGER	.73
56	BN 38	SAINT LEGER	.77
36	BL 31	SAINT LEGER AUX BOIS	.60
20	BB 27	SAINT LEGER AUX BOIS	.76
126	BB 66	SAINT LEGER BRIDEREIX	.23
167	AK 86	SAINT LEGER DE BALSON	.33
114	BS 58	SAINT LEGER DE FOUGERET	.58
124	AO 67	SAINT LEGER DE LA MARTINIERE	.79
108	AO 57	SAINT LEGER DE MONTBRILLAIS	.86
108	AO 58	SAINT LEGER DE MONTBRUN	.79
173	BO 85	SAINT LEGER DE PEYRE	.48
52	AU 35	SAINT LEGER DE ROTES	.27
76	BC 43	SAINT LEGER DES AUBEES	.28
90	AJ 53	SAINT LEGER DES BOIS	.49
71	AD 42	SAINT LEGER DES PRES	.35
113	BP 60	SAINT LEGER DES VIGNES	.58
115	BX 58	SAINT LEGER DU BOIS	.71
33	AY 31	SAINT LEGER DU BOURG DENIS	.76
32	AV 33	SAINT LEGER DU GENNETEY	.27
173	BO 82	SAINT LEGER DU MALZIEU	.48
191	CE 89	SAINT LEGER DU VENTOUX	.84
31	AP 33	SAINT LEGER DUBOSQ	.14
35	BE 32	SAINT LEGER EN BRAY	.60
54	BC 39	SAINT LEGER EN YVELINES	.78
140	AZ 69	SAINT LEGER LA MONTAGNE	.87
141	BC 68	SAINT LEGER LE GUERETOIS	.23
113	BM 57	SAINT LEGER LE PETIT	.18
21	BI 23	SAINT LEGER LES AUTHIE	.80
21	BF 24	SAINT LEGER LES DOMART	.80
178	CL 84	SAINT LEGER LES MELEZES	.05
131	BU 64	SAINT LEGER LES PARAY	.71
105	AC 56	SAINT LEGER LES VIGNES	.44
126	AY 66	SAINT LEGER MAGNAZEIX	.87
80	BT 44	SAINT LEGER PRES TROYES	.10
115	BU 59	SAINT LEGER SOUS BEUVRAY	C .71
80	BW 42	SAINT LEGER SOUS BRIENNE	.10
106	AI 57	SAINT LEGER SOUS CHOLET	.49
131	BX 66	SAINT LEGER SOUS LA BUSSIERE	.71
80	BW 41	SAINT LEGER SOUS MARGERIE	.10
20	BC 26	SAINT LEGER SUR BRESLE	.80
115	BY 60	SAINT LEGER SUR DHEUNE	.71
144	BT 69	SAINT LEGER SUR ROANNE	.42
74	AS 41	SAINT LEGER SUR SARTHE	.61
130	BT 65	SAINT LEGER SUR VOUZANCE	.03
117	CD 54	SAINT LEGER TRIEY	.21
114	BT 54	SAINT LEGER VAUBAN	.89
126	AW 64	SAINT LEOMER	.86
130	BR 65	SAINT LEON	.03
201	BA 98	SAINT LEON	.31
167	AM 83	SAINT LEON	.33
183	AQ 88	SAINT LEON	.47
169	AT 84	SAINT LEON D'ISSIGEAC	.24
153	AS 79	SAINT LEON SUR L'ISLE	.24
170	AX 80	SAINT LEON SUR VEZERE	.24
184	AU 93	SAINT LEONARD	.32
38	BT 33	SAINT LEONARD	.51
10	BB 17	SAINT LEONARD	.62
18	AS 28	SAINT LEONARD	.76
84	CP 44	SAINT LEONARD	.88
140	BA 71	SAINT LEONARD DE NOBLAT	C .87
73	AP 43	SAINT LEONARD DES BOIS	.72
52	AR 40	SAINT LEONARD DES PARCS	.61
93	AZ 49	SAINT LEONARD EN BEAUCE	.41
187	BM 89	SAINT LEONS	.12
129	BM 62	SAINT LEOPARDIN D'AUGY	.03
70	Y 45	SAINT LERY	.56
35	BH 34	SAINT LEU D'ESSERENT	.60
55	BG 36	SAINT LEU LA FORET	C .95
198	AO 98	SAINT LEZER	.65
107	AJ 55	SAINT LEZIN	.49
202	BG 94	SAINT LIEUX LAFENASSE	.81
201	BC 94	SAINT LIEUX LES LAVAUR	.81
124	AN 63	SAINT LIN	.79
193	CN 91	SAINT LIONS	.04
219	AX 103	SAINT LIZIER	C .09
200	AV 98	SAINT LIZIER DU PLANTE	.32
50	AH 34	SAINT LO	P .50
29	AD 31	SAINT LO D'OURVILLE	.50
196	AF 95	SAINT LON LES MINES	.40
74	AS 43	SAINT LONGIS	.72
48	Z 40	SAINT LORMEL	.22
117	CG 60	SAINT LOTHAIN	.39
200	AV 98	SAINT LOUBE	.32
167	AM 85	SAINT LOUBERT	.33
167	AL 81	SAINT LOUBES	.33
198	AK 95	SAINT LOUBOUER	.40
50	AK 35	SAINT LOUET SUR SEULLES	.14
50	AI 36	SAINT LOUET SUR VIRE	.50
63	CQ 38	SAINT LOUIS	.57
103	CU 50	SAINT LOUIS	.68
167	AK 81	SAINT LOUIS DE MONTFERRAND	.33
152	AR 80	SAINT LOUIS EN L'ISLE	.24
221	BG 105	SAINT LOUIS ET PARAHOU	.11
63	CR 35	SAINT LOUIS LES BITCHE	.57
129	BO 65	SAINT LOUP	.03
137	AJ 69	SAINT LOUP	.17
142	BG 68	SAINT LOUP	.23
117	CD 58	SAINT LOUP	.39
111	BD 55	SAINT LOUP	.41
49	AG 39	SAINT LOUP	.50
57	BR 39	SAINT LOUP	.51
96	BM 53	SAINT LOUP	.58
145	BX 70	SAINT LOUP	.69
184	AU 91	SAINT LOUP	.82
201	BA 95	SAINT LOUP CAMMAS	.31
38	BU 31	SAINT LOUP CHAMPAGNE	.08
79	BQ 42	SAINT LOUP DE BUFFIGNY	.10
51	AP 34	SAINT LOUP DE FRIBOIS	.14
78	BL 46	SAINT LOUP DE GONOIS	.45
116	CA 58	SAINT LOUP DE LA SALLE	.71
78	BN 41	SAINT LOUP DE NAUD	.77
132	CA 61	SAINT LOUP DE VARENNES	.71
112	BH 60	SAINT LOUP DES CHAUMES	.18
77	BH 47	SAINT LOUP DES VIGNES	.45
78	BN 47	SAINT LOUP D'ORDON	.89
91	AM 48	SAINT LOUP DU DORAT	.53
72	AL 43	SAINT LOUP DU GAST	.53
199	AS 100	SAINT LOUP EN COMMINGES	.31
30	AK 33	SAINT LOUP HORS	.14
108	AN 60	SAINT LOUP LAMAIRE	C .79
100	CG 53	SAINT LOUP NANTOUARD	.70
99	CB 48	SAINT LOUP SUR AUJON	.52
101	CK 48	SAINT LOUP SUR SEMOUSE	C .70
39	BX 29	SAINT LOUP TERRIER	.08
51	AQ 39	SAINT LOYER DES CHAMPS	.61
53	AX 39	SAINT LUBIN DE CRAVANT	.28
54	BB 38	SAINT LUBIN DE LA HAYE	.28
53	AY 39	SAINT LUBIN DES JONCHERETS	.28
93	AY 51	SAINT LUBIN EN VERGONNOIS	.41
53	AY 36	SAINT LUC	.27
54	BB 40	SAINT LUCIEN	.28
59	BX 38	SAINT LUMIER EN CHAMPAGNE	.51
59	BZ 39	SAINT LUMIER LA POPULEUSE	.51
106	AE 57	SAINT LUMINE DE CLISSON	.44
105	AC 57	SAINT LUMINE DE COUTAIS	.44
48	AA 39	SAINT LUNAIRE	.35
75	AZ 42	SAINT LUPERCE	.28
133	CH 64	SAINT LUPICIN	.39
79	BR 43	SAINT LUPIEN	.10
80	BT 43	SAINT LYE	.10
76	BE 47	SAINT LYE LA FORET	.45
87	X 53	SAINT LYPHARD	.44
200	AX 97	SAINT LYS	C .31
167	AM 85	SAINT MACAIRE	C .33
107	AN 57	SAINT MACAIRE DU BOIS	.49
106	AH 56	SAINT MACAIRE EN MAUGES	.49
32	AT 32	SAINT MACLOU	.27
19	AX 28	SAINT MACLOU DE FOLLEVILLE	.76
18	AT 29	SAINT MACLOU LA BRIERE	.76
138	AQ 68	SAINT MACOUX	.86
70	AA 42	SAINT MADEN	.22
167	AI 85	SAINT MAGNE	.33
168	AN 82	SAINT MAGNE DE CASTILLON	.33
142	BJ 68	SAINT MAIGNER	.63
151	AM 76	SAINT MAIGRIN	.17
192	CI 92	SAINT MAIME	.04
153	AT 80	SAINT MAIME DE PEREYROL	.24
141	BF 69	SAINT MAIXANT	.23
167	AM 85	SAINT MAIXANT	.33
74	AU 46	SAINT MAIXENT	.72
123	AK 63	SAINT MAIXENT DE BEUGNE	.79
123	AN 64	SAINT MAIXENT L'ECOLE	C .79
105	AB 60	SAINT MAIXENT SUR VIE	.85
53	AY 40	SAINT MAIXME HAUTERIVE	.28
48	AB 39	SAINT MALO	S .35
70	Z 47	SAINT MALO DE BEIGNON	.56
88	Y 53	SAINT MALO DE GUERSAC	.44
49	AE 34	SAINT MALO DE LA LANDE	C .50
88	AB 48	SAINT MALO DE PHILY	.35
69	X 46	SAINT MALO DES TROIS FONTAINES	.56
106	AI 59	SAINT MALO DU BOIS	.85
113	BO 55	SAINT MALO EN DONZIOIS	.58
70	AA 45	SAINT MALON SUR MEL	.35
131	BY 66	SAINT MAMERT	.69
189	BV 93	SAINT MAMERT DU GARD	C .30
218	AS 105	SAINT MAMET	.31
172	BG 82	SAINT MAMET LA SALVETAT	C .15
78	BK 43	SAINT MAMMES	.77
55	BH 38	SAINT MANDE	C .94
137	AM 69	SAINT MANDE SUR BREDOIRE	.17
212	CK 101	SAINT MANDRIER SUR MER	C .83
50	AI 37	SAINT MANVIEU BOCAGE	.14
31	AM 34	SAINT MANVIEU NORREY	.14
173	BN 81	SAINT MARC	.15
141	BF 70	SAINT MARC A FRONGIER	.23
141	BE 71	SAINT MARC A LOUBAUD	.23
93	AW 47	SAINT MARC DU COR	.41
208	CG 96	SAINT MARC JAUMEGARDE	.13
123	AM 63	SAINT MARC LA LANDE	.79
71	AF 42	SAINT MARC LE BLANC	.35
71	AF 43	SAINT MARC SUR COUESNON	.35
99	BX 50	SAINT MARC SUR SEINE	.21
49	AD 40	SAINT MARCAN	.35
39	BY 28	SAINT MARCEAU	.08
74	AQ 45	SAINT MARCEAU	.72
146	CB 70	SAINT MARCEL	.01
38	BX 27	SAINT MARCEL	.08
54	BA 35	SAINT MARCEL	.27
126	BA 63	SAINT MARCEL	.36
61	CH 34	SAINT MARCEL	.54
69	X 48	SAINT MARCEL	.56
101	CH 48	SAINT MARCEL	.70
116	CA 60	SAINT MARCEL	.71
163	CN 74	SAINT MARCEL	.73
147	CD 73	SAINT MARCEL BEL ACCUEIL	.38
186	BE 91	SAINT MARCEL CAMPES	.81
190	BY 88	SAINT MARCEL D'ARDECHE	.07
190	BY 90	SAINT MARCEL DE CAREIRET	.30
145	BV 71	SAINT MARCEL DE FELINES	.42
169	AU 81	SAINT MARCEL DU PERIGORD	.24
144	BS 71	SAINT MARCEL D'URFE	.42
142	BI 68	SAINT MARCEL EN MARCILLAT	.03
129	BM 66	SAINT MARCEL EN MURAT	.03
145	BX 71	SAINT MARCEL L'ECLAIRE	.69
159	BY 77	SAINT MARCEL LES ANNONAY	.07
176	CA 85	SAINT MARCEL LES SAUZET	.26
176	CB 80	SAINT MARCEL LES VALENCE	.26
201	BA 95	SAINT MARCEL PAULEL	.31
203	BL 100	SAINT MARCEL SUR AUDE	.11
131	BX 63	SAINT MARCELIN DE CRAY	.71
161	CE 78	SAINT MARCELLIN	C .38
159	BV 75	SAINT MARCELLIN EN FOREZ	.42
191	CD 89	SAINT MARCELLIN LES VAISON	.84
219	AU 100	SAINT MARCET	.31
169	AV 84	SAINT MARCORY	.24
30	AI 33	SAINT MARCOUF	.14
29	AG 30	SAINT MARCOUF	.50
37	BQ 32	SAINT MARD	.02
137	AJ 68	SAINT MARD	.17
83	CK 41	SAINT MARD	.54
56	BJ 36	SAINT MARD	.77
36	BJ 28	SAINT MARD	.80
74	AU 41	SAINT MARD DE RENO	.61
115	BY 60	SAINT MARD DE VAUX	.71
58	BT 36	SAINT MARD LES ROUFFY	.51
59	BY 35	SAINT MARD SUR AUVE	.51
59	BZ 37	SAINT MARD SUR LE MONT	.51
19	AX 27	SAINT MARDS	.76
32	AT 32	SAINT MARDS DE BLACARVILLE	.27
52	AT 35	SAINT MARDS DE FRESNE	.27
79	BR 45	SAINT MARDS EN OTHE	.10
127	BG 65	SAINT MARIEN	.23
151	AL 79	SAINT MARIENS	.33
105	AC 56	SAINT MARS DE COUTAIS	.44
92	AT 48	SAINT MARS DE LOCQUENAY	.72
50	AK 40	SAINT MARS D'EGRENNE	.61
92	AS 48	SAINT MARS D'OUTILLE	.72
89	AE 54	SAINT MARS DU DESERT	.44
73	AO 44	SAINT MARS DU DESERT	.53
74	AS 47	SAINT MARS LA BRIERE	.72
89	AG 52	SAINT MARS LA JAILLE	C .44
106	AI 59	SAINT MARS LA REORTHE	.85
74	AR 45	SAINT MARS SOUS BALLON	.72
72	AK 43	SAINT MARS SUR COLMONT	.53
72	AI 42	SAINT MARS SUR LA FUTAIE	.53
57	BO 39	SAINT MARS VIEUX MAISONS	.77
226	BJ 108	SAINT MARSAL	.66
175	BW 82	SAINT MARTIAL	.07
173	BM 82	SAINT MARTIAL	.15
152	AP 76	SAINT MARTIAL	.16
137	AL 69	SAINT MARTIAL	.17
189	BS 91	SAINT MARTIAL	.30
167	AN 84	SAINT MARTIAL	.33
154	AW 77	SAINT MARTIAL D'ALBAREDE	.24
152	AQ 80	SAINT MARTIAL D'ARTENSET	.24
155	BD 78	SAINT MARTIAL DE GIMEL	.19
151	AK 76	SAINT MARTIAL DE MIRAMBEAU	.17
170	AY 83	SAINT MARTIAL DE NABIRAT	.24
153	AT 75	SAINT MARTIAL DE VALETTE	.24
151	AL 75	SAINT MARTIAL DE VITATERNE	.17
155	BE 79	SAINT MARTIAL ENTRAYGUES	.19
141	BE 69	SAINT MARTIAL LE MONT	.23
142	BG 73	SAINT MARTIAL LE VIEUX	.23
139	AV 67	SAINT MARTIAL SUR ISOP	.87
151	AL 74	SAINT MARTIAL SUR NE	.17
152	AR 76	SAINT MARTIAL VIVEYROL	.24
199	AR 97	SAINT MARTIN	.32
62	CN 40	SAINT MARTIN	.54
88	Y 49	SAINT MARTIN	.56
217	AO 101	SAINT MARTIN	.65
222	BI 105	SAINT MARTIN	.66
85	CR 42	SAINT MARTIN	.67
208	CJ 96	SAINT MARTIN	.83
20	BC 27	SAINT MARTIN AU BOSC	.76
11	BG 16	SAINT MARTIN AU LAERT	.62
19	AW 29	SAINT MARTIN AUX ARBRES	.76
35	BI 30	SAINT MARTIN AUX BOIS	.60
18	AT 27	SAINT MARTIN AUX BUNEAUX	.76
58	BW 38	SAINT MARTIN AUX CHAMPS	.51
32	AR 32	SAINT MARTIN AUX CHARTRAINS	.14
132	CA 65	SAINT MARTIN BELLE ROCHE	.71
148	CK 69	SAINT MARTIN BELLEVUE	.74
10	BB 17	SAINT MARTIN BOULOGNE	.62
156	BG 79	SAINT MARTIN CANTALES	.15
141	BC 71	SAINT MARTIN CHATEAU	.23
10	BD 17	SAINT MARTIN CHOQUEL	.62
182	AO 88	SAINT MARTIN CURTON	.47
95	BG 49	SAINT MARTIN D'ABBAT	.45
57	BS 36	SAINT MARTIN D'ABLOIS	.51
160	CB 78	SAINT MARTIN D'AOUT	.26
215	AE 98	SAINT MARTIN D'ARBEROUE	.64
163	CN 77	SAINT MARTIN D'ARC	.73
91	AO 52	SAINT MARTIN D'ARCE	.49
190	BY 88	SAINT MARTIN D'ARDECHE	.07
198	AN 95	SAINT MARTIN D'ARMAGNAC	.32
214	AD 99	SAINT MARTIN D'ARROSSA	.64
151	AM 78	SAINT MARTIN D'ARY	.17
29	AG 34	SAINT MARTIN D'AUBIGNY	.50
29	AG 29	SAINT MARTIN D'AUDOUVILLE	.50
112	BH 56	SAINT MARTIN D'AUXIGNY	C .18
131	BY 61	SAINT MARTIN D'AUXY	.71
147	CH 70	SAINT MARTIN DE BAVEL	.01
184	AU 89	SAINT MARTIN DE BEAUVILLE	.47
163	CN 75	SAINT MARTIN DE BELLEVILLE	.73
123	AM 66	SAINT MARTIN DE BERNEGOUE	.79
52	AS 35	SAINT MARTIN DE BIENFAITE LA CRESSONNIERE	.14
30	AJ 33	SAINT MARTIN DE BLAGNY	.14
49	AH 35	SAINT MARTIN DE BONFOSSE	.50
33	AW 31	SAINT MARTIN DE BOSCHERVILLE	.76
79	BR 42	SAINT MARTIN DE BOSSENAY	.10
189	BT 89	SAINT MARTIN DE BOUBAUX	.48
76	BE 41	SAINT MARTIN DE BRETHENCOURT	.78
192	CJ 93	SAINT MARTIN DE BROMES	.04
220	BA 103	SAINT MARTIN DE CARALP	.09
192	CG 93	SAINT MARTIN DE CASTILLON	.84
49	AG 36	SAINT MARTIN DE CENILLY	.50
177	CH 82	SAINT MARTIN DE CLELLES	.38
115	BX 59	SAINT MARTIN DE COMMUNE	.71
73	AN 45	SAINT MARTIN DE CONNEE	.53
152	AN 79	SAINT MARTIN DE COUX	.17
207	CA 95	SAINT MARTIN DE CRAU	.13
51	AN 34	SAINT MARTIN DE FONTENAY	.14
123	AJ 64	SAINT MARTIN DE FRAIGNEAU	.85
153	AV 75	SAINT MARTIN DE FRESSENGEAS	.24
174	BT 81	SAINT MARTIN DE FUGERES	.43
183	AS 91	SAINT MARTIN DE GOYNE	.32
168	AP 81	SAINT MARTIN DE GURSON	.24
196	AD 96	SAINT MARTIN DE HINX	.40
137	AM 70	SAINT MARTIN DE JUILLERS	.17
139	AV 71	SAINT MARTIN DE JUSSAC	.87
208	CG 94	SAINT MARTIN DE LA BRASQUE	.84
161	CH 80	SAINT MARTIN DE LA CLUZE	.38
52	AR 35	SAINT MARTIN DE LA LIEUE	.14
115	BV 56	SAINT MARTIN DE LA MER	.21
108	AO 54	SAINT MARTIN DE LA PLACE	.49
163	CN 77	SAINT MARTIN DE LA PORTE	.73
110	BA 58	SAINT MARTIN DE LAMPS	.36
49	AG 40	SAINT MARTIN DE LANDELLES	.50
189	BS 89	SAINT MARTIN DE LANSUSCLE	.48
203	BM 96	SAINT MARTIN DE L'ARCON	.34
151	AM 80	SAINT MARTIN DE LAYE	.33
173	BM 87	SAINT MARTIN DE LENNE	.12
168	AN 84	SAINT MARTIN DE LERM	.33
131	BV 67	SAINT MARTIN DE LIXY	.71
205	BS 94	SAINT MARTIN DE LONDRES	C .34
108	AO 58	SAINT MARTIN DE MACON	.79

Page	Carreau	Commune	Adm.	Dpt
52	AS 35	SAINT MARTIN DE MAILLOC		14
51	AN 37	SAINT MARTIN DE MIEUX		14
54	BB 40	SAINT MARTIN DE NIGELLES		28
179	CO 81	SAINT MARTIN DE QUEYRIERES		05
121	AE 66	SAINT MARTIN DE RE	C	17
152	AR 78	SAINT MARTIN DE RIBERAC		24
131	BX 63	SAINT MARTIN DE SALENCEY		71
50	AL 36	SAINT MARTIN DE SALLEN		14
108	AN 57	SAINT MARTIN DE SANZAY		79
196	AC 96	SAINT MARTIN DE SEIGNANX	C	40
167	AM 85	SAINT MARTIN DE SESCAS		33
124	AN 65	SAINT MARTIN DE ST MAIXENT		79
175	BW 81	SAINT MARTIN DE VALAMAS	C	07
189	BU 90	SAINT MARTIN DE VALGALGUES		30
29	AH 31	SAINT MARTIN DE VARREVILLE		50
161	CH 75	SAINT MARTIN DE VAULSERRE		38
170	BA 85	SAINT MARTIN DE VERS		46
169	AU 84	SAINT MARTIN DE VILLEREAL		47
221	BF 101	SAINT MARTIN DE VILLEREGLAN		11
52	AU 38	SAINT MARTIN D'ECUBLEI		61
194	CQ 89	SAINT MARTIN D'ENTRAUNES		06
50	AJ 35	SAINT MARTIN DES BESACES		14
93	AV 50	SAINT MARTIN DES BOIS		41
113	BL 57	SAINT MARTIN DES CHAMPS		18
45	N 39	SAINT MARTIN DES CHAMPS		29
49	AF 39	SAINT MARTIN DES CHAMPS		50
57	BO 38	SAINT MARTIN DES CHAMPS		77
54	BC 37	SAINT MARTIN DES CHAMPS		78
96	BM 51	SAINT MARTIN DES CHAMPS		89
169	AT 81	SAINT MARTIN DES COMBES		24
30	AL 33	SAINT MARTIN DES ENTREES		14
122	AH 63	SAINT MARTIN DES FONTAINES		85
130	BR 62	SAINT MARTIN DES LAIS		03
73	AO 41	SAINT MARTIN DES LANDES		61
74	AT 45	SAINT MARTIN DES MONTS		72
122	AF 61	SAINT MARTIN DES NOYERS		85
158	BS 74	SAINT MARTIN DES OLMES		63
52	AT 40	SAINT MARTIN DES PEZERITS		61
157	BO 75	SAINT MARTIN DES PLAINS		63
69	T 42	SAINT MARTIN DES PRES		22
222	BI 102	SAINT MARTIN DES PUITS		11
106	AH 58	SAINT MARTIN DES TILLEULS		85
130	BS 67	SAINT MARTIN D'ESTREAUX		42
11	BF 18	SAINT MARTIN D'HARDINGHEM		62
161	CI 78	SAINT MARTIN D'HERES	C	38
113	BN 58	SAINT MARTIN D'HEUILLE		58
158	BP 76	SAINT MARTIN D'OLLIERES		63
50	AJ 36	SAINT MARTIN DON		14
181	AJ 92	SAINT MARTIN D'ONEY		40
78	BN 47	SAINT MARTIN D'ORDON		89
220	AZ 101	SAINT MARTIN D'OYDES		09
32	AR 29	SAINT MARTIN DU BEC		76
151	AM 80	SAINT MARTIN DU BOIS		33
90	AJ 50	SAINT MARTIN DU BOIS		49
57	BO 39	SAINT MARTIN DU BOSCHET		77
138	AQ 68	SAINT MARTIN DU CLOCHER		16
90	AJ 53	SAINT MARTIN DU FOUILLOUX		49
124	AO 63	SAINT MARTIN DU FOUILLOUX		79
147	CF 67	SAINT MARTIN DU FRENE		01
131	BU 66	SAINT MARTIN DU LAC		71
90	AH 49	SAINT MARTIN DU LIMET		53
32	AR 30	SAINT MARTIN DU MANOIR		76
51	AQ 35	SAINT MARTIN DU MESNIL OURY		14
147	CE 68	SAINT MARTIN DU MONT		01
99	BZ 53	SAINT MARTIN DU MONT		21
133	CD 62	SAINT MARTIN DU MONT		71
168	AO 84	SAINT MARTIN DU PUY		33
114	BS 55	SAINT MARTIN DU PUY		58
131	BY 62	SAINT MARTIN DU TARTRE		71
78	BN 45	SAINT MARTIN DU TERTRE		89
55	BH 35	SAINT MARTIN DU TERTRE		95
52	AT 35	SAINT MARTIN DU TILLEUL		27
195	CU 92	SAINT MARTIN DU VAR		06
74	AT 43	SAINT MARTIN DU VIEUX BELLEME		61
33	AY 31	SAINT MARTIN DU VIVIER		76
162	CI 78	SAINT MARTIN D'URIAGE		38
77	BI 42	SAINT MARTIN EN BIERE		77
116	CB 60	SAINT MARTIN EN BRESSE	C	71
19	AZ 25	SAINT MARTIN EN CAMPAGNE		76
116	CB 58	SAINT MARTIN EN GATINOIS		71
145	BY 73	SAINT MARTIN EN HAUT		69
161	CF 80	SAINT MARTIN EN VERCORS		26
200	AU 97	SAINT MARTIN GIMOIS		32
53	AX 35	SAINT MARTIN LA CAMPAGNE		27
54	BC 36	SAINT MARTIN LA GARENNE		78
155	BE 79	SAINT MARTIN LA MEANNE		19
131	BX 63	SAINT MARTIN LA PATROUILLE		71
159	BY 74	SAINT MARTIN LA PLAINE		42
144	BT 71	SAINT MARTIN LA SAUVETE		42
171	BC 86	SAINT MARTIN LABOUVAL		46
151	AJ 79	SAINT MARTIN LACAUSSADE		33
186	BD 90	SAINT MARTIN LAGUEPIE		81
51	AO 40	SAINT MARTIN L'AIGUILLON		61
202	BE 99	SAINT MARTIN LALANDE		11
125	AS 67	SAINT MARTIN L'ARS		86
122	AH 62	SAINT MARTIN LARS EN STE HERMINE		85
152	AR 80	SAINT MARTIN L'ASTIER		24
109	AW 54	SAINT MARTIN LE BEAU		37
49	AH 38	SAINT MARTIN LE BOUILLANT		50
132	CC 66	SAINT MARTIN LE CHATEL		01
161	CE 80	SAINT MARTIN LE COLONEL		26
20	BA 25	SAINT MARTIN LE GAILLARD		76
29	AE 29	SAINT MARTIN LE GREARD		50
29	AE 30	SAINT MARTIN LE HEBERT		50
126	AY 65	SAINT MARTIN LE MAULT		87
35	BF 32	SAINT MARTIN LE NOEUD		60
153	AT 74	SAINT MARTIN LE PIN		24
170	AW 86	SAINT MARTIN LE REDON		46
202	BF 99	SAINT MARTIN LE VIEIL		11
140	AX 72	SAINT MARTIN LE VIEUX		87
161	CH 78	SAINT MARTIN LE VINOUX		38
192	CI 92	SAINT MARTIN LES EAUX		04
100	CC 48	SAINT MARTIN LES LANGRES		52
124	AN 67	SAINT MARTIN LES MELLE		79
178	CM 87	SAINT MARTIN LES SEYNE		04
145	BW 72	SAINT MARTIN LESTRA		42
38	BW 33	SAINT MARTIN L'HEUREUX		51
34	BA 28	SAINT MARTIN L'HORTIER		76
35	BI 32	SAINT MARTIN LONGUEAU		60
221	BG 105	SAINT MARTIN LYS		11
33	AZ 29	SAINT MARTIN OSMONVILLE		76
168	AO 85	SAINT MARTIN PETIT		47
23	BP 24	SAINT MARTIN RIVIERE		02
154	BA 76	SAINT MARTIN SEPERT		19
116	BY 60	SAINT MARTIN SOUS MONTAIGU		71
172	BK 81	SAINT MARTIN SOUS VIGOUROUX		15
32	AU 33	SAINT MARTIN ST FIRMIN		27
140	BB 70	SAINT MARTIN STE CATHERINE		23
98	BT 48	SAINT MARTIN SUR ARMANCON		89
22	BK 22	SAINT MARTIN SUR COJEUL		62
23	BP 22	SAINT MARTIN SUR ECAILLON		59
162	CM 76	SAINT MARTIN SUR LA CHAMBRE		73
176	BZ 84	SAINT MARTIN SUR LAVEZON		07
58	BV 36	SAINT MARTIN SUR LE PRE		51
113	BL 54	SAINT MARTIN SUR NOHAIN		58
95	BJ 51	SAINT MARTIN SUR OCRE		45
97	BO 49	SAINT MARTIN SUR OCRE		89
96	BM 49	SAINT MARTIN SUR OUANNE		89
140	AZ 70	SAINT MARTIN TERRESSUS		87
156	BH 79	SAINT MARTIN VALMEROUX		15
195	CU 90	SAINT MARTIN VESUBIE	C	06
128	BI 66	SAINT MARTINIEN		03
219	AV 101	SAINT MARTORY	C	31
138	AR 71	SAINT MARY		16
157	BN 78	SAINT MARY LE PLAIN		15
38	BU 32	SAINT MASMES		51
139	AU 73	SAINT MATHIEU	C	87
205	BT 94	SAINT MATHIEU DE TREVIERS		34
121	AB 62	SAINT MATHURIN		85
91	AM 53	SAINT MATHURIN SUR LOIRE		49
184	AX 87	SAINT MATRE		46
69	V 45	SAINT MAUDAN		22
70	Z 41	SAINT MAUDEZ		22
70	Z 45	SAINT MAUGAN		35
20	BD 26	SAINT MAULVIS		80
128	BG 63	SAINT MAUR		18
199	AQ 97	SAINT MAUR		32
111	BB 60	SAINT MAUR		36
133	CF 62	SAINT MAUR		39
34	BE 29	SAINT MAUR		60
49	AH 37	SAINT MAUR DES BOIS		50
55	BI 38	SAINT MAUR DES FOSSES	C	94
76	BA 45	SAINT MAUR SUR LE LOIR		28
100	CE 48	SAINT MAURICE		52
114	BQ 57	SAINT MAURICE		58
143	BN 73	SAINT MAURICE		63
85	CR 42	SAINT MAURICE		67
55	BH 38	SAINT MAURICE		94
84	CO 41	SAINT MAURICE AUX FORGES		54
79	BP 43	SAINT MAURICE AUX RICHES HOMMES		89
102	CN 52	SAINT MAURICE COLOMBIER		25
133	CH 62	SAINT MAURICE CRILLAT		39
175	BX 86	SAINT MAURICE D'ARDECHE		07
146	CB 71	SAINT MAURICE DE BEYNOST		01
190	BW 91	SAINT MAURICE DE CAZEVIEILLE		30
146	CC 71	SAINT MAURICE DE GOURDANS		01
169	AS 85	SAINT MAURICE DE LESTAPEL		47
159	BV 78	SAINT MAURICE DE LIGNON		43
147	CD 69	SAINT MAURICE DE REMENS		01
147	CH 73	SAINT MAURICE DE ROTHERENS		73
132	BZ 64	SAINT MAURICE DE SATONNAY		71
151	AL 75	SAINT MAURICE DE TAVERNOLE		17
189	BS 88	SAINT MAURICE DE VENTALON		48
131	BY 62	SAINT MAURICE DES CHAMPS		71
139	AU 70	SAINT MAURICE DES LIONS		16
123	AJ 62	SAINT MAURICE DES NOUES		85
32	AU 31	SAINT MAURICE D'ETELAN		76
175	BY 86	SAINT MAURICE D'IBIE		07
51	AM 40	SAINT MAURICE DU DESERT		61
175	BY 82	SAINT MAURICE EN CHALENCON		07
29	AD 31	SAINT MAURICE EN COTENTIN		50
159	BV 76	SAINT MAURICE EN GOURGOIS		42
171	BD 83	SAINT MAURICE EN QUERCY		46
116	CB 59	SAINT MAURICE EN RIVIERE		71
177	CH 82	SAINT MAURICE EN TRIEVES		38
178	CK 82	SAINT MAURICE EN VALGODEMARD		05
125	AS 65	SAINT MAURICE LA CLOUERE		86
107	AL 58	SAINT MAURICE LA FOUGEREUSE		79
126	BA 67	SAINT MAURICE LA SOUTERRAINE		23
123	AI 62	SAINT MAURICE LE GIRARD		85
97	BO 49	SAINT MAURICE LE VIEIL		89
140	AY 73	SAINT MAURICE LES BROUSSES		87
53	AV 40	SAINT MAURICE LES CHARENCEY		61
131	BV 67	SAINT MAURICE LES CHATEAUNEUF		71
115	BX 59	SAINT MAURICE LES COUCHES		71
160	BZ 76	SAINT MAURICE L'EXIL		38
77	BF 41	SAINT MAURICE MONTCOURONNE		91
188	BQ 93	SAINT MAURICE NAVACELLES		34
142	BG 71	SAINT MAURICE PRES CROCQ		23
142	BI 69	SAINT MAURICE PRES PIONSAT		63
60	CF 35	SAINT MAURICE SOUS LES COTES		55
75	AX 41	SAINT MAURICE ST GERMAIN		28
197	AK 94	SAINT MAURICE SUR ADOUR		40
96	BL 49	SAINT MAURICE SUR AVEYRON		45
159	BY 74	SAINT MAURICE SUR DARGOIRE		69
191	CC 88	SAINT MAURICE SUR EYGUES		26
95	BI 47	SAINT MAURICE SUR FESSARD		45
74	AU 42	SAINT MAURICE SUR HUISNE		61
84	CM 42	SAINT MAURICE SUR MORTAGNE		88
102	CO 48	SAINT MAURICE SUR MOSELLE		88
100	CE 51	SAINT MAURICE SUR VINGEANNE		21
97	BO 49	SAINT MAURICE THIZOUAILLE		89
184	AV 89	SAINT MAURIN		47
61	CJ 39	SAINT MAX	C	54
20	BC 25	SAINT MAXENT		80
190	BY 91	SAINT MAXIMIN		30
162	CJ 75	SAINT MAXIMIN		38
35	BH 34	SAINT MAXIMIN		60
208	CJ 97	SAINT MAXIMIN LA STE BAUME	C	83
123	AL 64	SAINT MAXIRE		79
177	CE 86	SAINT MAY		26
69	T 43	SAINT MAYEUX		22
140	BA 73	SAINT MEARD		87
152	AR 78	SAINT MEARD DE DRONE		24
168	AP 81	SAINT MEARD DE GURCON		24
152	AN 75	SAINT MEDARD		16
151	AM 76	SAINT MEDARD		17
219	AU 101	SAINT MEDARD		31
199	AR 97	SAINT MEDARD		32
110	AY 58	SAINT MEDARD		36
170	AY 86	SAINT MEDARD		46
62	CM 37	SAINT MEDARD		57
197	AJ 96	SAINT MEDARD		64
123	AM 67	SAINT MEDARD		79
122	AH 67	SAINT MEDARD D'AUNIS		17
152	AN 80	SAINT MEDARD DE GUIZIERES		33
152	AR 80	SAINT MEDARD DE MUSSIDAN		24
171	BC 82	SAINT MEDARD DE PRESQUE		46
154	AW 77	SAINT MEDARD D'EXCIDEUIL		24
167	AK 83	SAINT MEDARD D'EYRANS		33
145	BW 74	SAINT MEDARD EN FOREZ		42
167	AI 81	SAINT MEDARD EN JALLES	C	33
141	BF 69	SAINT MEDARD LA ROCHETTE		23
171	BE 83	SAINT MEDARD NICOURBY		46
71	AD 43	SAINT MEDARD SUR ILLE		35
45	K 39	SAINT MEEN		29
70	Z 44	SAINT MEEN LE GRAND	C	35
107	AL 54	SAINT MELAINE SUR AUBANCE		49
175	BV 85	SAINT MELANY		07
70	Z 41	SAINT MELOIR DES BOIS		22
48	AB 39	SAINT MELOIR DES ONDES		35
105	AB 57	SAINT MEME LE TENU		44
138	AN 73	SAINT MEME LES CARRIERES		16
58	BW 36	SAINT MEMMIE		51
83	CH 43	SAINT MENGE		88
39	BZ 27	SAINT MENGES		08
129	BN 63	SAINT MENOUX		03
155	BE 78	SAINT MERD DE LAPLEAU		19
142	BH 72	SAINT MERD LA BREUILLE		23
141	BE 73	SAINT MERD LES OUSSINES		19
78	BK 41	SAINT MERY		77
33	AW 33	SAINT MESLIN DU BOSC		27
56	BJ 36	SAINT MESMES		77
79	BS 42	SAINT MESMIN		10
115	BY 54	SAINT MESMIN		21
154	AY 77	SAINT MESMIN		24
107	AJ 60	SAINT MESMIN		85
155	BB 77	SAINT MEXANT		19
183	AS 91	SAINT MEZARD		32
71	AH 45	SAINT M'HERVE		35
70	AA 44	SAINT M'HERVON		35
131	BX 61	SAINT MICAUD		71
24	BT 26	SAINT MICHEL		02
220	BA 101	SAINT MICHEL		09
138	AP 73	SAINT MICHEL		16
219	AW 101	SAINT MICHEL		31
199	AR 98	SAINT MICHEL		32
188	BP 93	SAINT MICHEL		34
77	BH 46	SAINT MICHEL		45
215	AD 101	SAINT MICHEL		64
184	AV 91	SAINT MICHEL		82
104	Z 55	SAINT MICHEL CHEF CHEF		44
175	BX 81	SAINT MICHEL D'AURANCE		07
171	BB 81	SAINT MICHEL DE BANNIERES		46
175	BX 84	SAINT MICHEL DE BOULOGNE		07
182	AN 88	SAINT MICHEL DE CASTELNAU		33
176	BY 82	SAINT MICHEL DE CHABRILLANOUX		07
178	CL 83	SAINT MICHEL DE CHAILLOL		05
74	AT 47	SAINT MICHEL DE CHAVAIGNES		72
189	BT 89	SAINT MICHEL DE DEZE		48
152	AQ 80	SAINT MICHEL DE DOUBLE		24
90	AL 49	SAINT MICHEL DE FEINS		53
167	AM 81	SAINT MICHEL DE FRONSAC		33
49	AF 34	SAINT MICHEL DE LA PIERRE		50
89	AH 48	SAINT MICHEL DE LA ROE		53
201	BC 99	SAINT MICHEL DE LANES		11
168	AP 85	SAINT MICHEL DE LAPUJADE		33
52	AQ 36	SAINT MICHEL DE LIVET		14
222	BJ 107	SAINT MICHEL DE LLOTES		66
163	CN 77	SAINT MICHEL DE MAURIENNE	C	73
168	AO 82	SAINT MICHEL DE MONTAIGNE		24
50	AI 38	SAINT MICHEL DE MONTJOIE		50
70	Z 41	SAINT MICHEL DE PLELAN		22
167	AK 84	SAINT MICHEL DE RIEUFRET		33
161	CE 77	SAINT MICHEL DE ST GEOIRS		38
185	BC 90	SAINT MICHEL DE VAX		81
141	BE 70	SAINT MICHEL DE VEISSE		23
169	AU 81	SAINT MICHEL DE VILLADEIX		24
112	BH 57	SAINT MICHEL DE VOLANGIS		18
51	AM 40	SAINT MICHEL DES ANDAINES		61
190	BY 89	SAINT MICHEL D'EUZET		30
34	BB 29	SAINT MICHEL D'HALESCOURT		76
178	CI 81	SAINT MICHEL EN BEAUMONT		38
126	AY 60	SAINT MICHEL EN BRENNE		36
46	P 38	SAINT MICHEL EN GREVE		22
122	AF 65	SAINT MICHEL EN L'HERM		85
180	AE 92	SAINT MICHEL ESCALUS		40
89	AH 50	SAINT MICHEL ET CHANVEAUX		49
186	BH 92	SAINT MICHEL LABADIE		81
123	AJ 63	SAINT MICHEL LE CLOUCQ		85
177	CG 81	SAINT MICHEL LES PORTES		38
192	CH 92	SAINT MICHEL L'OBSERVATOIRE		04
171	BD 82	SAINT MICHEL LOUBEJOU		46
106	AI 60	SAINT MICHEL MONT MERCURE		85
10	BE 19	SAINT MICHEL SOUS BOIS		62
108	AR 55	SAINT MICHEL SUR LOIRE		37
84	CO 43	SAINT MICHEL SUR MEURTHE		88
55	BG 40	SAINT MICHEL SUR ORGE	C	91
160	BZ 75	SAINT MICHEL SUR RHONE		42
160	CC 78	SAINT MICHEL SUR SAVASSE		26
21	BH 21	SAINT MICHEL SUR TERNOISE		62
52	AU 39	SAINT MICHEL TUBOEUF		61
60	CE 37	SAINT MIHIEL	C	55
207	CC 97	SAINT MITRE LES REMPARTS		13
87	X 53	SAINT MOLF		44
11	BG 16	SAINT MOMELIN		59
198	AM 95	SAINT MONT		32
176	BY 86	SAINT MONTANT		07
97	BR 52	SAINT MORE		89
141	BB 71	SAINT MOREIL		23
39	BY 32	SAINT MOREL		08
167	AK 84	SAINT MORILLON		33
162	CJ 77	SAINT MURY MONTEYMOND		38
143	BN 69	SAINT MYON		63
85	CS 41	SAINT NABOR		67
84	CM 46	SAINT NABORD		88
80	BU 41	SAINT NABORD SUR AUBE		10
185	AZ 92	SAINT NAUPHARY		82
190	BZ 89	SAINT NAZAIRE		30
104	Y 54	SAINT NAZAIRE	S	44
222	BM 106	SAINT NAZAIRE		66
203	BL 100	SAINT NAZAIRE D'AUDE		11
204	BM 97	SAINT NAZAIRE DE LADAREZ		34
205	BV 95	SAINT NAZAIRE DE PEZAN		34
184	AW 89	SAINT NAZAIRE DE VALENTANE		82
189	BU 92	SAINT NAZAIRE DES GARDIES		30
161	CD 79	SAINT NAZAIRE EN ROYANS		26
177	CE 85	SAINT NAZAIRE LE DESERT		26
162	CI 77	SAINT NAZAIRE LES EYMES		38
136	AG 70	SAINT NAZAIRE SUR CHARENTE		17
157	BM 74	SAINT NECTAIRE		63
169	AS 83	SAINT NEXANS		24
67	J 43	SAINT NIC		29
46	Q 42	SAINT NICODEME		22
22	BK 21	SAINT NICOLAS		62
37	BO 29	SAINT NICOLAS AUX BOIS		02
19	AY 26	SAINT NICOLAS D'ALIERMONT		76
53	AW 38	SAINT NICOLAS D'ATTEZ		27
32	AV 30	SAINT NICOLAS DE BLIQUETUIT		76
108	AQ 55	SAINT NICOLAS DE BOURGUEIL		37
184	AU 90	SAINT NICOLAS DE LA BALERME		47
184	AW 91	SAINT NICOLAS DE LA GRAVE	C	82
32	AU 30	SAINT NICOLAS DE LA HAIE		76
32	AT 30	SAINT NICOLAS DE LA TAILLE		76
161	CG 76	SAINT NICOLAS DE MACHERIN		38
29	AE 32	SAINT NICOLAS DE PIERREPONT		50
61	CJ 39	SAINT NICOLAS DE PORT	C	54
88	Z 50	SAINT NICOLAS DE REDON	C	44
52	AU 38	SAINT NICOLAS DE SOMMAIRE		61
144	BR 69	SAINT NICOLAS DES BIEFS		03
49	AG 38	SAINT NICOLAS DES BOIS		50
73	AP 41	SAINT NICOLAS DES BOIS		61
52	AS 38	SAINT NICOLAS DES LAITIERS		61
93	AX 52	SAINT NICOLAS DES MOTETS		37
33	AW 34	SAINT NICOLAS DU BOSC		27
46	R 42	SAINT NICOLAS DU PELEM	C	22
88	Y 48	SAINT NICOLAS DU TERTRE		56
79	BP 41	SAINT NICOLAS LA CHAPELLE		10
149	CN 71	SAINT NICOLAS LA CHAPELLE		73
116	CB 57	SAINT NICOLAS LES CITEAUX		21
145	BX 68	SAINT NIZIER D'AZERGUES		69
159	BU 76	SAINT NIZIER DE FORNAS		42
161	CG 78	SAINT NIZIER DU MOUCHEROTTE		38
132	CC 64	SAINT NIZIER LE BOUCHOUX		01
146	CC 68	SAINT NIZIER LE DESERT		01
145	BU 67	SAINT NIZIER SOUS CHARLIEU		42
115	BU 60	SAINT NIZIER SUR ARROUX		71
87	V 49	SAINT NOLFF		56
54	BE 38	SAINT NOM LA BRETECHE	C	78
148	CJ 72	SAINT OFFENGE DESSOUS		73
148	CJ 72	SAINT OFFENGE DESSUS		73
51	AM 36	SAINT OMER		14
11	BG 17	SAINT OMER	S	62
11	BF 14	SAINT OMER CAPELLE		62
34	BE 30	SAINT OMER EN CHAUSSEE		60
161	CG 74	SAINT ONDRAS		38
70	Z 44	SAINT ONEN LA CHAPELLE		35
142	BG 72	SAINT ORADOUX DE CHIROUZE		23
142	BH 71	SAINT ORADOUX PRES CROCQ		23
200	AV 95	SAINT ORENS		32
201	BA 97	SAINT ORENS DE GAMEVILLE		31
183	AR 92	SAINT ORENS POUY PETIT		32
199	AR 98	SAINT OST		32
138	AN 71	SAINT OUEN		17
93	AX 49	SAINT OUEN		41
21	BF 25	SAINT OUEN		80
55	BH 37	SAINT OUEN	C	93
53	AW 38	SAINT OUEN D'ATTEZ		27
122	AG 66	SAINT OUEN D'AUNIS		17
74	AU 42	SAINT OUEN DE LA COUR		61
73	AP 44	SAINT OUEN DE MIMBRE		72
33	AW 33	SAINT OUEN DE PONTCHEUIL		27
52	AT 40	SAINT OUEN DE SECHEROUVRE		61
33	AW 32	SAINT OUEN DE THOUBERVILLE		27
71	AE 43	SAINT OUEN DES ALLEUX		35
50	AJ 35	SAINT OUEN DES BESACES		14
32	AT 32	SAINT OUEN DES CHAMPS		27
72	AI 45	SAINT OUEN DES TOITS		53
72	AL 45	SAINT OUEN DES VALLONS		53
58	BW 40	SAINT OUEN DOMPROT		51
33	AX 29	SAINT OUEN DU BREUIL		76
51	AP 34	SAINT OUEN DU MESNIL OGER		14
33	AW 33	SAINT OUEN DU TILLEUL		27
92	AR 49	SAINT OUEN EN BELIN		72
78	BL 41	SAINT OUEN EN BRIE		77
91	AO 47	SAINT OUEN EN CHAMPAGNE		72
71	AF 41	SAINT OUEN LA ROUERIE		35
55	BF 36	SAINT OUEN L'AUMONE	C	95
73	AN 41	SAINT OUEN LE BRISOULT		61
52	AR 36	SAINT OUEN LE HOUX		14
19	AX 27	SAINT OUEN LE MAUGER		76
51	AQ 34	SAINT OUEN LE PIN		14
82	CG 45	SAINT OUEN LES PAREY		88
93	AW 53	SAINT OUEN LES VIGNES		37
54	BA 38	SAINT OUEN MARCHEFROY		28
19	AZ 26	SAINT OUEN SOUS BAILLY		76
140	AX 68	SAINT OUEN SUR GARTEMPE		87
52	AU 39	SAINT OUEN SUR ITON		61
113	BO 60	SAINT OUEN SUR LOIRE		58
51	AO 39	SAINT OUEN SUR MAIRE		61
56	BN 37	SAINT OUEN SUR MORIN		77
79	BS 41	SAINT OULPH		10
143	BL 71	SAINT OURS		63
148	CJ 71	SAINT OURS		73
111	BD 57	SAINT OUTRILLE		18
49	AG 39	SAINT OVIN		50
163	CN 74	SAINT OYEN		73
44	H 39	SAINT PABU		29
33	AW 30	SAINT PAER		76
51	AO 34	SAINT PAIR		14
49	AE 37	SAINT PAIR SUR MER		50
158	BT 76	SAINT PAL DE CHALENCON		43
159	BW 78	SAINT PAL DE MONS		43
158	BR 77	SAINT PAL DE SENOUIRE		43
128	BG 64	SAINT PALAIS		03
112	BH 56	SAINT PALAIS		18
151	AJ 77	SAINT PALAIS		33
215	AF 99	SAINT PALAIS	C	64
151	AM 77	SAINT PALAIS DE NEGRIGNAC		17
151	AK 74	SAINT PALAIS DE PHIOLIN		17
151	AM 74	SAINT PALAIS DU NE		16
136	AF 73	SAINT PALAIS SUR MER		17
153	AT 76	SAINT PANCRACE		24
162	CM 77	SAINT PANCRACE		73
162	CI 77	SAINT PANCRASSE		38
40	CF 30	SAINT PANCRE		54
196	AF 95	SAINT PANDELON		40
184	AY 87	SAINT PANTALEON		46
191	CD 92	SAINT PANTALEON		84
155	BF 77	SAINT PANTALEON DE LAPLEAU		19
154	AZ 79	SAINT PANTALEON DE LARCHE		19
176	CC 87	SAINT PANTALEON LES VIGNES		26
153	AW 78	SAINT PANTALY D'ANS		24
153	AW 77	SAINT PANTALY D'EXCIDEUIL		24
202	BE 99	SAINT PAPOUL		11
167	AM 85	SAINT PARDON DE CONQUES		33
137	AL 69	SAINT PARDOULT		17
143	BM 69	SAINT PARDOUX		63
123	AM 63	SAINT PARDOUX		79
140	AY 69	SAINT PARDOUX		87
154	AZ 76	SAINT PARDOUX CORBIER		19
142	BH 71	SAINT PARDOUX D'ARNET		23
152	AR 78	SAINT PARDOUX DE DRONE		24
168	AP 86	SAINT PARDOUX DU BREUIL		47
169	AV 83	SAINT PARDOUX ET VIELVIC		24
168	AR 85	SAINT PARDOUX ISAAC		47
155	BD 78	SAINT PARDOUX LA CROISILLE		19
153	AU 75	SAINT PARDOUX LA RIVIERE	C	24
156	BG 74	SAINT PARDOUX LE NEUF		19
142	BG 70	SAINT PARDOUX LE NEUF		23
156	BG 74	SAINT PARDOUX LE VIEUX		19
141	BF 68	SAINT PARDOUX LES CARDS		23
154	BB 77	SAINT PARDOUX L'ORTIGIER		19
141	BD 71	SAINT PARDOUX MORTEROLLES		23
204	BQ 97	SAINT PARGOIRE		34
129	BP 61	SAINT PARIZE EN VIRY		58
113	BN 60	SAINT PARIZE LE CHATEL		58
80	BU 44	SAINT PARRES AUX TERTRES		10
80	BU 45	SAINT PARRES LES VAUDES		10
172	BG 85	SAINT PARTHEM		12
169	AT 86	SAINT PASTOUR		47
217	AN 102	SAINT PASTOUS		65
73	AQ 42	SAINT PATERNE	C	72
92	AT 51	SAINT PATERNE RACAN		37
56	BK 35	SAINT PATHUS		77
108	AR 55	SAINT PATRICE		37
29	AF 33	SAINT PATRICE DE CLAIDS		50
73	AN 41	SAINT PATRICE DU DESERT		61
211	CT 94	SAINT PAUL		06
155	BD 78	SAINT PAUL		19
151	AJ 78	SAINT PAUL		33
35	BE 31	SAINT PAUL		60
50	AK 39	SAINT PAUL		61
218	AS 102	SAINT PAUL		65
147	CH 72	SAINT PAUL		73
140	AZ 72	SAINT PAUL		87
83	CH 43	SAINT PAUL		88
36	BN 30	SAINT PAUL AUX BOIS		02
202	BD 96	SAINT PAUL CAP DE JOUX	C	81
199	AQ 94	SAINT PAUL DE BAISE		32
222	BI 105	SAINT PAUL DE FENOUILLET	C	66
33	AV 33	SAINT PAUL DE FOURQUES		27
220	BB 104	SAINT PAUL DE JARRAT		09
185	AZ 88	SAINT PAUL DE LOUBRESSAC		46
156	BI 79	SAINT PAUL DE SALERS		15
153	AT 79	SAINT PAUL DE SERRE		24
174	BT 82	SAINT PAUL DE TARTAS		43
146	CC 68	SAINT PAUL DE VARAX		01
161	CG 79	SAINT PAUL DE VARCES		38
171	BD 82	SAINT PAUL DE VERN		46
145	BU 70	SAINT PAUL DE VEZELIN		42
172	BG 81	SAINT PAUL DES LANDES		15
184	AW 90	SAINT PAUL D'ESPIS		82
161	CF 77	SAINT PAUL D'IZEAUX		38
218	AS 104	SAINT PAUL D'OUEIL		31
107	AL 57	SAINT PAUL DU BOIS		49
30	AK 33	SAINT PAUL DU VERNAY		14
145	BU 73	SAINT PAUL D'UZORE		42
180	AF 89	SAINT PAUL EN BORN		40
135	CN 64	SAINT PAUL EN CHABLAIS		74
159	BV 76	SAINT PAUL EN CORNILLON		42
210	CQ 95	SAINT PAUL EN FORET		83
123	AK 62	SAINT PAUL EN GATINE		79
159	BY 75	SAINT PAUL EN JAREZ		42
106	AH 60	SAINT PAUL EN PAREDS		85
205	BR 96	SAINT PAUL ET VALMALLE		34
189	BU 90	SAINT PAUL LA COSTE		30
153	AW 75	SAINT PAUL LA ROCHE		24
174	BQ 83	SAINT PAUL LE FROID		48
73	AO 43	SAINT PAUL LE GAULTIER		72
189	BV 88	SAINT PAUL LE JEUNE		07
196	AF 94	SAINT PAUL LES DAX		40
208	CI 95	SAINT PAUL LES DURANCE		13
190	BZ 90	SAINT PAUL LES FONTS		30
177	CG 81	SAINT PAUL LES MONESTIER		38
160	CD 79	SAINT PAUL LES ROMANS		26
152	AQ 77	SAINT PAUL LIZONNE		24
105	AC 60	SAINT PAUL MONT PENIT		85
148	CM 73	SAINT PAUL SUR ISERE		73
200	AY 95	SAINT PAUL SUR SAVE		31
179	CQ 85	SAINT PAUL SUR UBAYE		04
190	CA 87	SAINT PAUL TROIS CHATEAUX	C	26
201	BD 98	SAINT PAULET		11
190	BY 88	SAINT PAULET DE CAISSON		30
158	BS 79	SAINT PAULIEN	C	43
74	AR 47	SAINT PAVACE		72
218	AT 103	SAINT PE D'ARDET		31
217	AM 101	SAINT PE DE BIGORRE	C	65
196	AF 97	SAINT PE DE LEREN		64
199	AT 100	SAINT PE DELBOSC		31
182	AP 91	SAINT PE ST SIMON		47
196	AB 98	SAINT PEE SUR NIVELLE		64
75	AY 46	SAINT PELLERIN		28
30	AH 32	SAINT PELLERIN		50
70	AA 46	SAINT PERAN		35
94	BB 47	SAINT PERAVY LA COLOMBE		45
176	CA 81	SAINT PERAY	C	07
181	AJ 93	SAINT PERDON		40
169	AS 83	SAINT PERDOUX		24
171	BE 84	SAINT PERDOUX		46
48	AB 40	SAINT PERE		35
113	BL 54	SAINT PERE		58
97	BR 53	SAINT PERE		89
105	Z 55	SAINT PERE EN RETZ	C	44
95	BH 50	SAINT PERE SUR LOIRE		45
114	BR 57	SAINT PEREUSE		58
70	AA 43	SAINT PERN		35
88	Z 50	SAINT PERREUX		56
46	S 40	SAINT PEVER		22
168	AN 82	SAINT PEY D'ARMENS		33
168	AN 82	SAINT PEY DE CASTETS		33
80	BT 46	SAINT PHAL		10
105	AD 58	SAINT PHILBERT DE BOUAINE		85
105	AC 57	SAINT PHILBERT DE GRAND LIEU	C	44
32	AS 33	SAINT PHILBERT DES CHAMPS		14
91	AP 54	SAINT PHILBERT DU PEUPLE		49
106	AH 56	SAINT PHILBERT EN MAUGES		49
33	AV 33	SAINT PHILBERT SUR BOISSEY		27
51	AN 38	SAINT PHILBERT SUR ORNE		61
32	AU 33	SAINT PHILBERT SUR RISLE		27
116	CB 56	SAINT PHILIBERT		21
86	S 51	SAINT PHILIBERT		56
168	AO 81	SAINT PHILIPPE D'AIGUILLE		33
168	AQ 82	SAINT PHILIPPE DU SEIGNAL		33
76	BB 41	SAINT PIAT		28
194	CR 92	SAINT PIERRE		04
156	BH 76	SAINT PIERRE		15
201	BB 96	SAINT PIERRE		31
134	CI 62	SAINT PIERRE		39
58	BU 36	SAINT PIERRE		51
85	CS 42	SAINT PIERRE		67
38	BW 33	SAINT PIERRE A ARNES		08
36	BN 32	SAINT PIERRE AIGLE		02
192	CI 88	SAINT PIERRE AVEZ		05
31	AQ 33	SAINT PIERRE AZIF		14
141	BD 70	SAINT PIERRE BELLEVUE		23
19	AX 28	SAINT PIERRE BENOUVILLE		76
85	CS 42	SAINT PIERRE BOIS		67
11	BG 15	SAINT PIERRE BROUCK		59
51	AO 37	SAINT PIERRE CANIVET		14
140	BB 70	SAINT PIERRE CHERIGNAT		23
157	BL 75	SAINT PIERRE COLAMINE		63
148	CK 73	SAINT PIERRE D'ALBIGNY	C	73
162	CK 76	SAINT PIERRE D'ALLEVARD		38
147	CH 73	SAINT PIERRE D'ALVEY		73
123	AJ 67	SAINT PIERRE D'AMILLY		17
177	CH 85	SAINT PIERRE D'ARGENCON		05
29	AD 31	SAINT PIERRE D'ARTHEGLISE		50
199	AP 95	SAINT PIERRE D'AUBEZIES		32
167	AM 85	SAINT PIERRE D'AURILLAC		33
54	BA 35	SAINT PIERRE D'AUTILS		27
53	AZ 35	SAINT PIERRE DE BAILLEUL		27
167	AM 84	SAINT PIERRE DE BAT		33
162	CL 75	SAINT PIERRE DE BELLEVILLE		73
160	BZ 76	SAINT PIERRE DE BOEUF		42
161	CE 76	SAINT PIERRE DE BRESSIEUX		38
183	AQ 89	SAINT PIERRE DE BUZET		47
52	AT 37	SAINT PIERRE DE CERNIERES		27
146	CB 73	SAINT PIERRE DE CHANDIEU		69
162	CI 76	SAINT PIERRE DE CHARTREUSE		38
161	CE 79	SAINT PIERRE DE CHERENNES		38
92	AS 51	SAINT PIERRE DE CHEVILLE		72
153	AV 79	SAINT PIERRE DE CHIGNAC	C	24
184	AU 90	SAINT PIERRE DE CLAIRAC		47
153	AU 76	SAINT PIERRE DE COLE		24
175	BW 83	SAINT PIERRE DE COLOMBIER		07
32	AS 33	SAINT PIERRE DE CORMEILLES		27
49	AF 35	SAINT PIERRE DE COUTANCES		50
147	CH 71	SAINT PIERRE DE CURTILLE		73
153	AW 74	SAINT PIERRE DE FRUGIE		24
140	BA 68	SAINT PIERRE DE FURSAC		23
161	CH 75	SAINT PIERRE DE GENEBROZ		73
111	BE 57	SAINT PIERRE DE JARDS		36
137	AL 70	SAINT PIERRE DE JUILLERS		17
204	BP 94	SAINT PIERRE DE LA FAGE		34
201	BB 96	SAINT PIERRE DE LAGES		31
110	BA 59	SAINT PIERRE DE LAMPS		36
137	AL 69	SAINT PIERRE DE L'ILE		17
125	AV 62	SAINT PIERRE DE MAILLE		86
52	AS 35	SAINT PIERRE DE MAILLOC		14

Page	Carreau	Commune	Adm.	Dpt
33	AW 32	SAINT PIERRE DE MANNEVILLE		76
178	CI 81	SAINT PIERRE DE MEAROZ		38
161	CH 79	SAINT PIERRE DE MESAGE		38
190	BZ 93	SAINT PIERRE DE MEZOARGUES		13
167	AM 85	SAINT PIERRE DE MONS		33
173	BN 86	SAINT PIERRE DE NOGARET		48
70	AB 41	SAINT PIERRE DE PLESGUEN		35
220	BA 103	SAINT PIERRE DE RIVIERE		09
32	AU 34	SAINT PIERRE DE SALERNE		27
50	AI 34	SAINT PIERRE DE SEMILLY		50
162	CK 74	SAINT PIERRE DE SOUCY		73
202	BH 94	SAINT PIERRE DE TRIVISY		81
33	AW 30	SAINT PIERRE DE VARENGEVILLE		76
115	BX 60	SAINT PIERRE DE VARENNES		71
191	CD 90	SAINT PIERRE DE VASSOLS		84
225	BF 108	SAINT PIERRE DELS FORCATS		66
162	CI 75	SAINT PIERRE D'ENTREMONT		38
50	AK 38	SAINT PIERRE D'ENTREMONT		61
162	CI 75	SAINT PIERRE D'ENTREMONT		73
91	AO 48	SAINT PIERRE DES BOIS		72
222	BJ 102	SAINT PIERRE DES CHAMPS		11
109	AU 54	SAINT PIERRE DES CORPS	C	37
107	AJ 58	SAINT PIERRE DES ECHAUBROGNES		79
33	AW 33	SAINT PIERRE DES FLEURS		27
52	AR 35	SAINT PIERRE DES IFS		14
32	AU 33	SAINT PIERRE DES IFS		27
20	BA 26	SAINT PIERRE DES JONQUIERES		76
72	AH 44	SAINT PIERRE DES LANDES		53
52	AT 39	SAINT PIERRE DES LOGES		61
73	AP 42	SAINT PIERRE DES NIDS		53
74	AS 44	SAINT PIERRE DES ORMES		72
188	BO 89	SAINT PIERRE DES TRIPIERS		48
138	AQ 67	SAINT PIERRE D'EXIDEUIL		86
168	AR 82	SAINT PIERRE D'EYRAUD		24
196	AC 97	SAINT PIERRE D'IRUBE	C	64
136	AE 69	SAINT PIERRE D'OLERON	C	17
33	AW 33	SAINT PIERRE DU BOSGUERARD		27
51	AO 37	SAINT PIERRE DU BU		14
158	BT 78	SAINT PIERRE DU CHAMP		43
123	AJ 61	SAINT PIERRE DU CHEMIN		85
50	AK 35	SAINT PIERRE DU FRESNE		14
31	AO 34	SAINT PIERRE DU JONQUET		14
92	AT 49	SAINT PIERRE DU LOROUER		72
52	AT 37	SAINT PIERRE DU MESNIL		27
30	AI 31	SAINT PIERRE DU MONT		14
181	AK 93	SAINT PIERRE DU MONT		40
113	BP 54	SAINT PIERRE DU MONT		58
152	AN 78	SAINT PIERRE DU PALAIS		17
55	BI 40	SAINT PIERRE DU PERRAY		91
50	AL 37	SAINT PIERRE DU REGARD		61
32	AS 31	SAINT PIERRE DU VAL		27
33	AZ 33	SAINT PIERRE DU VAUVRAY		27
29	AF 28	SAINT PIERRE EGLISE	C	50
148	CM 68	SAINT PIERRE EN FAUCIGNY		74
18	AT 27	SAINT PIERRE EN PORT		76
20	BA 25	SAINT PIERRE EN VAL		76
115	BX 57	SAINT PIERRE EN VAUX		21
34	BC 31	SAINT PIERRE ES CHAMPS		60
159	BU 80	SAINT PIERRE EYNAC		43
144	BR 73	SAINT PIERRE LA BOURLHONNE		63
75	AV 43	SAINT PIERRE LA BRUYERE		61
72	AI 45	SAINT PIERRE LA COUR		53
54	BA 34	SAINT PIERRE LA GARENNE		27
145	BU 67	SAINT PIERRE LA NOAILLE		42
145	BY 71	SAINT PIERRE LA PALUD		69
52	AR 38	SAINT PIERRE LA RIVIERE		61
176	BZ 84	SAINT PIERRE LA ROCHE		07
50	AL 37	SAINT PIERRE LA VIEILLE		14
170	AZ 86	SAINT PIERRE LAFEUILLE		46
49	AE 38	SAINT PIERRE LANGERS		50
130	BR 67	SAINT PIERRE LAVAL		03
18	AU 28	SAINT PIERRE LAVIS		76
128	BG 65	SAINT PIERRE LE BOST		23
142	BK 72	SAINT PIERRE LE CHASTEL		63
129	BN 61	SAINT PIERRE LE MOUTIER	C	58
173	BO 82	SAINT PIERRE LE VIEUX		48
131	BX 66	SAINT PIERRE LE VIEUX		71
19	AW 26	SAINT PIERRE LE VIEUX		76
123	AJ 65	SAINT PIERRE LE VIEUX		85
19	AW 27	SAINT PIERRE LE VIGER		76
36	BM 31	SAINT PIERRE LES BITRY		60
128	BG 62	SAINT PIERRE LES BOIS		18
33	AX 33	SAINT PIERRE LES ELBEUF		76
128	BJ 61	SAINT PIERRE LES ETIEUX		18
23	BR 27	SAINT PIERRE LES FRANQUEVILLE		02
77	BJ 44	SAINT PIERRE LES NEMOURS		77
106	AH 55	SAINT PIERRE MONTLIMART		49
86	R 51	SAINT PIERRE QUIBERON		56
142	BK 72	SAINT PIERRE ROCHE		63
175	BU 86	SAINT PIERRE ST JEAN		07
51	AP 36	SAINT PIERRE SUR DIVES	C	14
159	BX 79	SAINT PIERRE SUR DOUX		07
168	AQ 84	SAINT PIERRE SUR DROPT		47
73	AM 47	SAINT PIERRE SUR ERVE		53
73	AO 44	SAINT PIERRE SUR ORTHE		53
39	BX 28	SAINT PIERRE SUR VENCE		08
50	AJ 36	SAINT PIERRE TARENTAINE		14
171	BD 86	SAINT PIERRE TOIRAC		46
37	BS 28	SAINT PIERREMONT		02
39	BZ 30	SAINT PIERREMONT		08
84	CM 41	SAINT PIERREMONT		88
175	BY 82	SAINT PIERREVILLE	C	07
40	CF 31	SAINT PIERREVILLERS		55
129	BL 62	SAINT PLAISIR		03
218	AS 101	SAINT PLANCARD		31
49	AE 37	SAINT PLANCHERS		50
127	BB 64	SAINT PLANTAIRE		36
131	BY 65	SAINT POINT		71
118	CL 60	SAINT POINT LAC		25
50	AI 38	SAINT POIS	C	50
72	AH 47	SAINT POIX		53
45	M 38	SAINT POL DE LEON	C	29
4	BH 13	SAINT POL SUR MER		59
21	BH 21	SAINT POL SUR TERNOISE	C	62
144	BT 70	SAINT POLGUES		42
221	BG 102	SAINT POLYCARPE		11
123	AK 64	SAINT POMPAIN		79
170	AX 84	SAINT POMPONT		24
157	BN 79	SAINT PONCY		15
179	CP 86	SAINT PONS		04
175	BY 85	SAINT PONS		07
204	BQ 97	SAINT PONS DE MAUCHIENS		34
203	BK 97	SAINT PONS DE THOMIERES	C	34
190	BY 90	SAINT PONS LA CALM		30
143	BO 67	SAINT PONT		03
136	AI 71	SAINT PORCHAIRE	C	17
184	AX 92	SAINT PORQUIER		82
48	Y 40	SAINT POTAN		22
80	BT 45	SAINT POUANGE		10
130	BQ 64	SAINT POURCAIN SUR BESBRE		03
129	BO 66	SAINT POURCAIN SUR SIOULE	C	03
83	CH 43	SAINT PRANCHER		88
158	BQ 78	SAINT PREJET ARMANDON		43
174	BR 81	SAINT PREJET D'ALLIER		43
76	BA 42	SAINT PREST		28
138	AN 74	SAINT PREUIL		16
175	BY 83	SAINT PRIEST		07
142	BH 68	SAINT PRIEST		23
146	CB 72	SAINT PRIEST	C	69
143	BP 69	SAINT PRIEST BRAMEFANT		63
143	BN 68	SAINT PRIEST D'ANDELOT		03
155	BD 77	SAINT PRIEST DE GIMEL		19
142	BK 69	SAINT PRIEST DES CHAMPS		63
159	BX 75	SAINT PRIEST EN JAREZ		42
129	BL 65	SAINT PRIEST EN MURAT		03
140	BA 67	SAINT PRIEST LA FEUILLE		23
127	BF 64	SAINT PRIEST LA MARCHE		18
141	BB 67	SAINT PRIEST LA PLAINE		23
144	BR 70	SAINT PRIEST LA PRUGNE		42
145	BU 70	SAINT PRIEST LA ROCHE		42
144	BS 71	SAINT PRIEST LA VETRE		42
154	AW 74	SAINT PRIEST LES FOUGERES		24
140	AY 73	SAINT PRIEST LIGOURE		87
141	BB 71	SAINT PRIEST PALUS		23
140	AX 71	SAINT PRIEST SOUS AIXE		87
140	AZ 71	SAINT PRIEST TAURION		87
160	CA 75	SAINT PRIM		38
175	BX 84	SAINT PRIVAT		07
155	BF 79	SAINT PRIVAT	C	19
204	BP 94	SAINT PRIVAT		34
174	BR 80	SAINT PRIVAT D'ALLIER		43
190	BX 88	SAINT PRIVAT DE CHAMPCLOS		30
189	BS 88	SAINT PRIVAT DE VALLONGUE		48
152	AQ 78	SAINT PRIVAT DES PRES		24
189	BV 90	SAINT PRIVAT DES VIEUX		30
158	BP 78	SAINT PRIVAT DU DRAGON		43
173	BO 81	SAINT PRIVAT DU FAU		48
41	CI 33	SAINT PRIVAT LA MONTAGNE		57
131	BY 61	SAINT PRIVE		71
96	BL 51	SAINT PRIVE		89
130	BR 67	SAINT PRIX		03
175	BX 81	SAINT PRIX		07
115	BU 59	SAINT PRIX		71
55	BG 36	SAINT PRIX		95
115	BX 57	SAINT PRIX LES ARNAY		21
170	BA 83	SAINT PROJET		46
185	BC 88	SAINT PROJET		82
156	BI 80	SAINT PROJET DE SALERS		15
138	AR 72	SAINT PROJET ST CONSTANT		16
122	AH 61	SAINT PROUANT		85
94	BD 48	SAINT PRYVE ST MESMIN		45
183	AR 93	SAINT PUY		32
23	BO 23	SAINT PYTHON		59
151	AK 74	SAINT QUANTIN DE RANCANNE		17
46	Q 37	SAINT QUAY PERROS		22
47	V 39	SAINT QUAY PORTRIEUX		22
23	BO 27	SAINT QUENTIN	S	02
19	AZ 26	SAINT QUENTIN AU BOSC		76
167	AM 82	SAINT QUENTIN DE BARON		33
74	AS 42	SAINT QUENTIN DE BLAVOU		61
168	AP 83	SAINT QUENTIN DE CAPLONG		33
152	AP 78	SAINT QUENTIN DE CHALAIS		16
52	AU 35	SAINT QUENTIN DES ISLES		27
34	BC 30	SAINT QUENTIN DES PRES		60
169	AT 84	SAINT QUENTIN DU DROPT		47
106	AI 55	SAINT QUENTIN EN MAUGES		49
20	BB 22	SAINT QUENTIN EN TOURMONT		80
146	CC 73	SAINT QUENTIN FALLAVIER		38
141	BF 71	SAINT QUENTIN LA CHABANNE		23
20	BA 24	SAINT QUENTIN LA MOTTE CROIX AU BAILLY		80
190	BX 91	SAINT QUENTIN LA POTERIE		30
221	BD 102	SAINT QUENTIN LA TOUR		09
38	BT 29	SAINT QUENTIN LE PETIT		08
57	BR 40	SAINT QUENTIN LE VERGER		51
90	AI 49	SAINT QUENTIN LES ANGES		53
91	AO 51	SAINT QUENTIN LES BEAUREPAIRE		49
50	AK 38	SAINT QUENTIN LES CHARDONNETS		61
59	BX 38	SAINT QUENTIN LES MARAIS		51
139	AU 71	SAINT QUENTIN SUR CHARENTE		16
58	BV 38	SAINT QUENTIN SUR COOLE		51
110	AX 56	SAINT QUENTIN SUR INDROIS		37
161	CG 77	SAINT QUENTIN SUR ISERE		38
49	AG 39	SAINT QUENTIN SUR LE HOMME		50
113	BM 54	SAINT QUENTIN SUR NOHAIN		58
157	BP 74	SAINT QUENTIN SUR SAUXILLANGES		63
143	BM 68	SAINT QUINTIN SUR SIOULE		63
201	BA 100	SAINT QUIRC		09
62	CP 39	SAINT QUIRIN		57
154	AX 78	SAINT RABIER		24
131	BW 66	SAINT RACHO		71
160	CA 77	SAINT RAMBERT D'ALBON		26
147	CE 69	SAINT RAMBERT EN BUGEY	C	01
154	AX 77	SAINT RAPHAEL		24
210	CR 97	SAINT RAPHAEL	C	83
159	BX 77	SAINT REGIS DU COIN		42
93	AX 54	SAINT REGLE		37
190	BY 87	SAINT REMEZE		07
83	CJ 41	SAINT REMIMONT		54
83	CH 44	SAINT REMIMONT		88
132	CC 67	SAINT REMY		01
186	BE 87	SAINT REMY		12
51	AM 36	SAINT REMY		14
142	BG 73	SAINT REMY		19
98	BV 51	SAINT REMY		21
168	AQ 81	SAINT REMY		24
101	CJ 48	SAINT REMY		70
132	CA 60	SAINT REMY		71
123	AL 65	SAINT REMY		79
84	CO 42	SAINT REMY		88
20	BD 21	SAINT REMY AU BOIS		62
83	CL 42	SAINT REMY AUX BOIS		54
37	BO 33	SAINT REMY BLANZY		02
20	BA 25	SAINT REMY BOSCROCOURT		76
23	BR 23	SAINT REMY CHAUSSEE		59
143	BL 68	SAINT REMY DE BLOT		63
157	BO 75	SAINT REMY DE CHARGNAT		63
173	BM 83	SAINT REMY DE CHAUDES AIGUES		15
162	CL 75	SAINT REMY DE MAURIENNE		73
191	CB 94	SAINT REMY DE PROVENCE	C	13
73	AP 45	SAINT REMY DE SILLE		72
29	AE 32	SAINT REMY DES LANDES		50
74	AS 43	SAINT REMY DES MONTS		72
23	BS 22	SAINT REMY DU NORD		59
71	AE 42	SAINT REMY DU PLAIN		35
74	AR 43	SAINT REMY DU VAL		72
59	BY 40	SAINT REMY EN BOUZEMONT ST GENEST ET ISSON	C	51
35	BH 31	SAINT REMY EN L'EAU		60
106	AH 55	SAINT REMY EN MAUGES		49
143	BO 67	SAINT REMY EN ROLLAT		03
60	CE 35	SAINT REMY LA CALONNE		55
56	BN 38	SAINT REMY LA VANNE		77
91	AM 54	SAINT REMY LA VARENNE		49
38	BU 31	SAINT REMY LE PETIT		08
55	BF 39	SAINT REMY LES CHEVREUSE		78
54	BD 39	SAINT REMY L'HONORE		78
80	BT 42	SAINT REMY SOUS BARBUISE		10
57	BR 39	SAINT REMY SOUS BROYES		51
53	AY 39	SAINT REMY SUR AVRE		28
58	BX 35	SAINT REMY SUR BUSSY		51
109	AU 59	SAINT REMY SUR CREUSE		86
144	BQ 70	SAINT REMY SUR DUROLLE	C	63
44	H 40	SAINT RENAN	C	29
190	CA 88	SAINT RESTITUT		26
121	AB 61	SAINT REVEREND		85
114	BP 56	SAINT REVERIEN		58
70	X 41	SAINT RIEUL		22
74	AR 43	SAINT RIGOMER DES BOIS		72
93	AW 50	SAINT RIMAY		41
20	BD 23	SAINT RIQUIER		80
20	BB 26	SAINT RIQUIER EN RIVIERE		76
18	AU 27	SAINT RIQUIER ES PLAINS		76
144	BS 68	SAINT RIRAND		42
45	L 41	SAINT RIVOAL		29
154	AY 78	SAINT ROBERT		19
184	AU 89	SAINT ROBERT		47
92	AT 53	SAINT ROCH		37
50	AK 40	SAINT ROCH SUR EGRENNE		61
136	AG 67	SAINT ROGATIEN		17
152	AP 77	SAINT ROMAIN		16
116	BZ 58	SAINT ROMAIN		21
158	BS 75	SAINT ROMAIN		63
124	AR 67	SAINT ROMAIN		86
146	CA 71	SAINT ROMAIN AU MONT D'OR		69
160	BZ 78	SAINT ROMAIN D'AY		07
136	AH 72	SAINT ROMAIN DE BENET		17
32	AS 30	SAINT ROMAIN DE COLBOSC	C	76
147	CD 72	SAINT ROMAIN DE JALIONAS		38
176	CA 80	SAINT ROMAIN DE LERPS		07
169	AV 83	SAINT ROMAIN DE MONPAZIER		24
145	BX 71	SAINT ROMAIN DE POPEY		69
160	CA 76	SAINT ROMAIN DE SURIEU		38
144	BS 71	SAINT ROMAIN D'URFE		42
160	CA 74	SAINT ROMAIN EN GAL		69
160	BZ 74	SAINT ROMAIN EN GIER		69
159	BY 74	SAINT ROMAIN EN JAREZ		42
191	CD 88	SAINT ROMAIN EN VIENNOIS		84
153	AV 76	SAINT ROMAIN ET ST CLEMENT		24
144	BT 68	SAINT ROMAIN LA MOTTE		42
167	AL 81	SAINT ROMAIN LA VIRVEE		33
159	BW 77	SAINT ROMAIN LACHALM		43
184	AU 90	SAINT ROMAIN LE NOBLE		47
96	BN 48	SAINT ROMAIN LE PREUX		89
159	BV 74	SAINT ROMAIN LE PUY		42
159	BW 76	SAINT ROMAIN LES ATHEUX		42
131	BW 62	SAINT ROMAIN SOUS GOURDON		71
131	BU 62	SAINT ROMAIN SOUS VERSIGNY		71
110	AZ 55	SAINT ROMAIN SUR CHER		41
151	AI 75	SAINT ROMAIN SUR GIRONDE		17
177	CF 83	SAINT ROMAN		26
189	BS 91	SAINT ROMAN DE CODIERES		30
191	CC 88	SAINT ROMAN DE MALEGARDE		84
161	CE 79	SAINT ROMANS		38
123	AM 67	SAINT ROMANS DES CHAMPS		79
124	AN 67	SAINT ROMANS LES MELLE		79
201	BB 98	SAINT ROME		31
187	BL 91	SAINT ROME DE CERNON		12
188	BN 89	SAINT ROME DE DOLAN		48
187	BL 91	SAINT ROME DE TARN	C	12
50	AH 35	SAINT ROMPHAIRE		50
201	AY 94	SAINT RUSTICE		31
19	AZ 29	SAINT SAENS	C	76
34	BA 28	SAINT SAIRE		76
186	BE 89	SAINT SALVADOU		12
155	BC 76	SAINT SALVADOUR		19
203	BI 94	SAINT SALVI DE CARCAVES		81
183	AR 88	SAINT SALVY		47
202	BH 96	SAINT SALVY DE LA BALME		81
31	AO 34	SAINT SAMSON		14
73	AO 41	SAINT SAMSON		53
50	AH 35	SAINT SAMSON DE BONFOSSE		50
32	AS 31	SAINT SAMSON DE LA ROQUE		27
34	BC 29	SAINT SAMSON LA POTERIE		60
70	AA 41	SAINT SAMSON SUR RANCE		22
143	BM 73	SAINT SANDOUX		63
172	BG 84	SAINT SANTIN		12
156	BG 80	SAINT SANTIN CANTALES		15
171	BF 84	SAINT SANTIN DE MAURS		15
183	AR 88	SAINT SARDOS		47
184	AX 93	SAINT SARDOS		82
112	BK 54	SAINT SATUR		18
156	BK 78	SAINT SATURNIN		15
138	AO 73	SAINT SATURNIN		16
127	BF 64	SAINT SATURNIN		18
188	BN 87	SAINT SATURNIN		48
57	BS 40	SAINT SATURNIN		51
143	BM 73	SAINT SATURNIN		63
73	AQ 46	SAINT SATURNIN		72
173	BM 87	SAINT SATURNIN DE LENNE		12
204	BP 95	SAINT SATURNIN DE LUCIAN		34
137	AJ 68	SAINT SATURNIN DU BOIS		17
90	AH 49	SAINT SATURNIN DU LIMET		53
192	CF 92	SAINT SATURNIN LES APT		84
191	CB 92	SAINT SATURNIN LES AVIGNON		84
91	AL 54	SAINT SATURNIN SUR LOIRE		49
153	AV 74	SAINT SAUD LACOUSSIERE		24
35	BG 27	SAINT SAUFLIEU		80
114	BP 57	SAINT SAULGE	C	58
23	BP 21	SAINT SAULVE		59
171	BF 82	SAINT SAURY		15
137	AK 72	SAINT SAUVANT		17
124	AP 65	SAINT SAUVANT		86
156	BJ 74	SAINT SAUVES D'AUVERGNE		63
179	CO 85	SAINT SAUVEUR		05
117	CD 54	SAINT SAUVEUR		21
169	AT 82	SAINT SAUVEUR		24
45	M 40	SAINT SAUVEUR		29
201	AZ 94	SAINT SAUVEUR		31
150	AH 78	SAINT SAUVEUR		33
161	CE 78	SAINT SAUVEUR		38
62	CP 40	SAINT SAUVEUR		54
36	BK 33	SAINT SAUVEUR		60
101	CL 49	SAINT SAUVEUR	C	70
21	BF 26	SAINT SAUVEUR		80
109	AT 60	SAINT SAUVEUR		86
188	BP 90	SAINT SAUVEUR CAMPRIEU		30
122	AH 67	SAINT SAUVEUR D'AUNIS		17
51	AP 40	SAINT SAUVEUR DE CARROUGES		61
190	BW 88	SAINT SAUVEUR DE CRUZIERES		07
90	AJ 49	SAINT SAUVEUR DE FLEE		49
174	BQ 84	SAINT SAUVEUR DE GINESTOUX		48
106	AF 55	SAINT SAUVEUR DE LANDEMONT		49
168	AO 86	SAINT SAUVEUR DE MEILHAN		47
175	BY 82	SAINT SAUVEUR DE MONTAGUT		07
173	BO 84	SAINT SAUVEUR DE PEYRE		48
29	AE 32	SAINT SAUVEUR DE PIERREPONT		50
152	AO 80	SAINT SAUVEUR DE PUYNORMAND		33
32	AS 29	SAINT SAUVEUR D'EMALLEVILLE		76
71	AF 43	SAINT SAUVEUR DES LANDES		35
176	CD 84	SAINT SAUVEUR EN DIOIS		26
96	BN 51	SAINT SAUVEUR EN PUISAYE	C	89
159	BX 77	SAINT SAUVEUR EN RUE		42
191	CF 87	SAINT SAUVEUR GOUVERNET		26
49	AF 37	SAINT SAUVEUR LA POMMERAYE		50
158	BR 76	SAINT SAUVEUR LA SAGNE		63
170	BA 85	SAINT SAUVEUR LA VALLEE		46
168	AQ 81	SAINT SAUVEUR LALANDE		24
29	AE 31	SAINT SAUVEUR LE VICOMTE	C	50
49	AF 34	SAINT SAUVEUR LENDELIN	C	50
78	BN 42	SAINT SAUVEUR LES BRAY		77
75	AZ 40	SAINT SAUVEUR MARVILLE		28
77	BI 42	SAINT SAUVEUR SUR ECOLE		77
194	CT 90	SAINT SAUVEUR SUR TINEE	C	06
128	BG 65	SAINT SAUVIER		03
200	AU 95	SAINT SAUVY		32
151	AK 79	SAINT SAVIN	C	33
147	CE 73	SAINT SAVIN		38
217	AM 103	SAINT SAVIN		65
125	AV 63	SAINT SAVIN	C	86
137	AJ 70	SAINT SAVINIEN	C	17
138	AQ 68	SAINT SAVIOL		86
208	CG 98	SAINT SAVOURNIN		13
126	BA 65	SAINT SEBASTIEN		23
178	CI 82	SAINT SEBASTIEN		38
189	BT 90	SAINT SEBASTIEN D'AIGREFEUILLE		30
53	AX 36	SAINT SEBASTIEN DE MORSENT		27
29	AG 33	SAINT SEBASTIEN DE RAIDS		50
105	AD 55	SAINT SEBASTIEN SUR LOIRE		44
125	AS 66	SAINT SECONDIN		86
67	L 43	SAINT SEGAL		29
88	AA 48	SAINT SEGLIN		35
130	BS 61	SAINT SEINE		58
117	CD 56	SAINT SEINE EN BACHE		21
99	BZ 53	SAINT SEINE L'ABBAYE	C	21
100	CE 52	SAINT SEINE SUR VINGEANNE		21
167	AK 84	SAINT SELVE		33
49	AF 40	SAINT SENIER DE BEUVRON		50
49	AG 39	SAINT SENIER SOUS AVRANCHES		50
109	AW 58	SAINT SENOCH		37
88	AC 47	SAINT SENOUX		35
205	BV 94	SAINT SERIES		34
175	BX 85	SAINT SERNIN		07
201	BC 100	SAINT SERNIN		11
168	AQ 84	SAINT SERNIN		47
115	BW 60	SAINT SERNIN DU BOIS		71
115	BY 59	SAINT SERNIN DU PLAIN		71
202	BE 97	SAINT SERNIN LES LAVAUR		81
187	BJ 93	SAINT SERNIN SUR RANCE	C	12
78	BN 44	SAINT SEROTIN		89
46	Q 41	SAINT SERVAIS		22
45	L 40	SAINT SERVAIS		29
69	W 47	SAINT SERVANT		56
141	BF 73	SAINT SETIERS		19
151	AJ 80	SAINT SEURIN DE BOURG		33
150	AI 77	SAINT SEURIN DE CADOURNE		33
151	AJ 78	SAINT SEURIN DE CURSAC		33
137	AK 73	SAINT SEURIN DE PALENNE		17
168	AO 82	SAINT SEURIN DE PRATS		24
152	AO 80	SAINT SEURIN SUR L'ISLE		33
168	AO 85	SAINT SEVE		33
197	AJ 94	SAINT SEVER	C	40
50	AI 37	SAINT SEVER CALVADOS	C	14
199	AP 99	SAINT SEVER DE RUSTAN		65
137	AK 72	SAINT SEVER DE SAINTONGE		17
203	BJ 94	SAINT SEVER DU MOUSTIER		12
152	AQ 77	SAINT SEVERIN		16
153	AS 80	SAINT SEVERIN D'ESTISSAC		24
137	AL 68	SAINT SEVERIN SUR BOUTONNE		17
190	BY 91	SAINT SIFFRET		30
94	BB 47	SAINT SIGISMOND		45
90	AI 53	SAINT SIGISMOND		49
149	CO 68	SAINT SIGISMOND		74
123	AJ 65	SAINT SIGISMOND		85
151	AK 75	SAINT SIGISMOND DE CLERMONT		17
127	BF 66	SAINT SILVAIN BAS LE ROC		23
142	BG 70	SAINT SILVAIN BELLEGARDE		23
141	BC 68	SAINT SILVAIN MONTAIGUT		23
127	BF 67	SAINT SILVAIN SOUS TOULX		23
32	AT 33	SAINT SIMEON		27
72	AK 41	SAINT SIMEON		61
56	BN 38	SAINT SIMEON		77
161	CD 76	SAINT SIMEON DE BRESSIEUX		38
138	AO 73	SAINT SIMEUX		16
36	BN 28	SAINT SIMON	C	02
172	BI 81	SAINT SIMON		15
138	AO 73	SAINT SIMON		16
171	BC 84	SAINT SIMON		46
151	AL 76	SAINT SIMON DE BORDES		17
137	AJ 73	SAINT SIMON DE PELLOUAILLE		17
148	CL 68	SAINT SIXT		74
144	BT 72	SAINT SIXTE		42
184	AU 90	SAINT SIXTE		47
154	AZ 77	SAINT SOLVE		19
145	BY 73	SAINT SORLIN		69
162	CL 77	SAINT SORLIN D'ARVES		73
151	AJ 76	SAINT SORLIN DE CONAC		17
147	CF 73	SAINT SORLIN DE MORESTEL		38
160	CB 75	SAINT SORLIN DE VIENNE		38
147	CE 70	SAINT SORLIN EN BUGEY		01
160	CB 77	SAINT SORLIN EN VALLOIRE		26
129	BM 65	SAINT SORNIN		03
139	AS 73	SAINT SORNIN		16
136	AH 71	SAINT SORNIN		17
139	AW 67	SAINT SORNIN LA MARCHE		87
154	AZ 76	SAINT SORNIN LAVOLPS		19
140	AY 67	SAINT SORNIN LEULAC		87
200	AV 97	SAINT SOULAN		32
23	BP 24	SAINT SOUPLET		59
38	BW 33	SAINT SOUPLET SUR PY		51
56	BK 36	SAINT SOUPPLETS		77
170	BA 82	SAINT SOZY		46
84	CQ 42	SAINT STAIL		88
48	AB 40	SAINT SULIAC		35
132	CB 65	SAINT SULPICE		01
93	AY 52	SAINT SULPICE		41
171	BC 85	SAINT SULPICE		46
91	AM 53	SAINT SULPICE		49
90	AJ 48	SAINT SULPICE		53
113	BO 58	SAINT SULPICE		58
35	BF 32	SAINT SULPICE		60
142	BJ 73	SAINT SULPICE		63
102	CL 51	SAINT SULPICE		70
147	CI 74	SAINT SULPICE		73
201	BB 94	SAINT SULPICE		81
136	AI 71	SAINT SULPICE D'ARNOULT		17
137	AL 72	SAINT SULPICE DE COGNAC		16
167	AM 82	SAINT SULPICE DE FALEYRENS		33
77	BF 41	SAINT SULPICE DE FAVIERES		91
32	AT 32	SAINT SULPICE DE GRIMBOUVILLE		27
168	AO 84	SAINT SULPICE DE GUILLERAGUES		33
153	AS 75	SAINT SULPICE DE MAREUIL		24
168	AN 84	SAINT SULPICE DE POMMIERS		33
152	AR 78	SAINT SULPICE DE ROUMAGNAC		24
136	AG 72	SAINT SULPICE DE ROYAN		17
138	AR 70	SAINT SULPICE DE RUFFEC		16
89	AD 49	SAINT SULPICE DES LANDES		35
89	AG 51	SAINT SULPICE DES LANDES		44
161	CG 75	SAINT SULPICE DES RIVOIRES		38
153	AW 76	SAINT SULPICE D'EXCIDEUIL		24
123	AI 62	SAINT SULPICE EN PAREDS		85
167	AL 81	SAINT SULPICE ET CAMEYRAC		33
71	AD 44	SAINT SULPICE LA FORET		35
140	BA 69	SAINT SULPICE LAURIERE		87
127	BC 66	SAINT SULPICE LE DUNOIS		23
141	BD 67	SAINT SULPICE LE GUERETOIS		23
106	AE 59	SAINT SULPICE LE VERDON		85
141	BF 74	SAINT SULPICE LES BOIS		19
141	BE 70	SAINT SULPICE LES CHAMPS	C	23
126	AZ 66	SAINT SULPICE LES FEUILLES	C	87
200	AY 99	SAINT SULPICE SUR LEZE		31
52	AU 38	SAINT SULPICE SUR RISLE		61
40	CF 31	SAINT SUPPLET		54
51	AO 35	SAINT SYLVAIN		14
155	BD 78	SAINT SYLVAIN		19
18	AU 26	SAINT SYLVAIN		76
90	AL 52	SAINT SYLVAIN D'ANJOU		49
160	BZ 80	SAINT SYLVESTRE		07
148	CJ 71	SAINT SYLVESTRE		74
140	AZ 69	SAINT SYLVESTRE		87
11	BI 16	SAINT SYLVESTRE CAPPEL		59
32	AS 33	SAINT SYLVESTRE DE CORMEILLES		27
143	BP 69	SAINT SYLVESTRE PRAGOULIN		63
184	AU 87	SAINT SYLVESTRE SUR LOT		47
128	BG 60	SAINT SYMPHORIEN		18
32	AT 32	SAINT SYMPHORIEN		27
167	AK 86	SAINT SYMPHORIEN	C	33
174	BR 82	SAINT SYMPHORIEN		48
73	AO 46	SAINT SYMPHORIEN		72
123	AL 66	SAINT SYMPHORIEN		79
132	BZ 67	SAINT SYMPHORIEN D'ANCELLES		71
145	BV 70	SAINT SYMPHORIEN DE LAY	C	42
159	BY 78	SAINT SYMPHORIEN DE MAHUN		07
115	BW 60	SAINT SYMPHORIEN DE MARMAGNE		71
172	BJ 83	SAINT SYMPHORIEN DE THENIERES		12
131	BW 65	SAINT SYMPHORIEN DES BOIS		71
52	AT 38	SAINT SYMPHORIEN DES BRUYERES		61
72	AI 40	SAINT SYMPHORIEN DES MONTS		50
146	CA 73	SAINT SYMPHORIEN D'OZON	C	69
76	BC 41	SAINT SYMPHORIEN LE CHATEAU		28
29	AE 32	SAINT SYMPHORIEN LE VALOIS		50
176	BZ 83	SAINT SYMPHORIEN SOUS CHOMERAC		07
145	BX 73	SAINT SYMPHORIEN SUR COISE	C	69
140	AY 69	SAINT SYMPHORIEN SUR COUZE		87
116	CD 57	SAINT SYMPHORIEN SUR SAONE		21
45	M 40	SAINT THEGONNEC	C	29
69	U 43	SAINT THELO		22
189	BU 92	SAINT THEODORIT		30
161	CI 80	SAINT THEOFFREY		38
162	CI 74	SAINT THIBAUD DE COUZ		73
80	BU 45	SAINT THIBAULT		10
115	BX 54	SAINT THIBAULT		21
34	BD 28	SAINT THIBAULT		60
55	BJ 37	SAINT THIBAULT DES VIGNES		77
37	BQ 33	SAINT THIBAUT		02
204	BP 98	SAINT THIBERY		34
117	CH 58	SAINT THIEBAUD		39
82	CE 44	SAINT THIEBAULT		52
37	BS 33	SAINT THIERRY		51
67	M 43	SAINT THOIS		29
37	BR 30	SAINT THOMAS		02
200	AW 97	SAINT THOMAS		31
151	AJ 76	SAINT THOMAS DE CONAC		17
73	AN 44	SAINT THOMAS DE COURCERIERS		53
39	BZ 34	SAINT THOMAS EN ARGONNE		51
161	CE 80	SAINT THOMAS EN ROYANS		26
159	BU 74	SAINT THOMAS LA GARDE		42
176	BY 86	SAINT THOME		07
45	J 40	SAINT THONAN		29
70	AB 43	SAINT THUAL		35
70	AB 46	SAINT THURIAL		35
69	T 46	SAINT THURIAU		56
32	AT 31	SAINT THURIEN		27
68	O 46	SAINT THURIEN		29
144	BS 71	SAINT THURIN		42
10	BD 15	SAINT TRICAT		62
47	W 42	SAINT TRIMOEL		22
192	CG 90	SAINT TRINIT		84
132	CC 64	SAINT TRIVIER DE COURTES	C	01
146	CA 68	SAINT TRIVIER SUR MOIGNANS	C	01
151	AK 79	SAINT TROJAN		33
136	AF 71	SAINT TROJAN LES BAINS		17
210	CP 99	SAINT TROPEZ	C	83
68	Q 45	SAINT TUGDUAL		56
75	AV 45	SAINT ULPHACE		72
103	CQ 51	SAINT ULRICH		68
70	AA 44	SAINT UNIAC		35
45	K 41	SAINT URBAIN		29
105	Z 59	SAINT URBAIN		85
81	CC 42	SAINT URBAIN MACONCOURT		52
184	AU 90	SAINT URCISSE		47
185	BB 92	SAINT URCISSE		81
173	BM 84	SAINT URCIZE		15
81	BX 46	SAINT USAGE		10
116	CC 57	SAINT USAGE		21
132	CD 61	SAINT USUGE		71
80	BW 41	SAINT UTIN		51
160	CA 78	SAINT UZE		26
36	BJ 33	SAINT VAAST DE LONGMONT		60
19	AZ 27	SAINT VAAST D'EQUIQUEVILLE		76
18	AV 28	SAINT VAAST DIEPPEDALLE		76
19	AX 28	SAINT VAAST DU VAL		76
31	AP 32	SAINT VAAST EN AUGE		14
23	BO 23	SAINT VAAST EN CAMBRESIS		59
21	BF 25	SAINT VAAST EN CHAUSSEE		80
29	AG 29	SAINT VAAST LA HOUGUE		50
35	BH 33	SAINT VAAST LES MELLO		60
50	AL 34	SAINT VAAST SUR SEULLES		14
137	AK 71	SAINT VAIZE		17
101	CL 48	SAINT VALBERT		70
111	BD 59	SAINT VALENTIN		36
122	AH 63	SAINT VALERIEN		85
78	BM 45	SAINT VALERIEN		89
34	BC 28	SAINT VALERY		60
18	AV 26	SAINT VALERY EN CAUX	C	76
20	BB 23	SAINT VALERY SUR SOMME	C	80
131	BY 61	SAINT VALLERIN		71
152	AO 77	SAINT VALLIER		16
160	CA 78	SAINT VALLIER	C	26
131	BW 62	SAINT VALLIER		71
83	CK 43	SAINT VALLIER		88
210	CR 94	SAINT VALLIER DE THIEY	C	06
100	CD 49	SAINT VALLIER SUR MARNE		52
107	AN 59	SAINT VARENT	C	79
127	BC 67	SAINT VAURY	C	23
11	BI 18	SAINT VENANT		62
174	BR 82	SAINT VENERAND		43
96	BM 53	SAINT VERAIN		58
179	CQ 83	SAINT VERAN		05
161	CE 78	SAINT VERAND		38
145	BY 70	SAINT VERAND		69
132	BZ 66	SAINT VERAND		71
158	BQ 76	SAINT VERT		43
154	BA 78	SAINT VIANCE		19
94	BD 53	SAINT VIATRE		41
105	Z 54	SAINT VIAUD		44
73	AQ 43	SAINT VICTEUR		72
128	BJ 65	SAINT VICTOR		03
160	BZ 79	SAINT VICTOR		07
156	BG 80	SAINT VICTOR		15

Page	Carreau	Commune	Adm.	Dpt
152	AR 77	SAINT VICTOR		24
75	AW 42	SAINT VICTOR DE BUTHON		28
161	CE 74	SAINT VICTOR DE CESSIEU		38
52	AT 35	SAINT VICTOR DE CHRETIENVILLE		27
190	BW 89	SAINT VICTOR DE MALCAP		30
147	CF 72	SAINT VICTOR DE MORESTEL		38
74	AU 41	SAINT VICTOR DE RENO		61
32	AU 34	SAINT VICTOR D'EPINE		27
190	BY 91	SAINT VICTOR DES OULES		30
141	BC 68	SAINT VICTOR EN MARCHE		23
187	BK 91	SAINT VICTOR ET MELVIEU		12
190	BZ 91	SAINT VICTOR LA COSTE		30
157	BL 74	SAINT VICTOR LA RIVIERE		63
19	AY 28	SAINT VICTOR L'ABBAYE		76
159	BW 77	SAINT VICTOR MALESCOURS		43
144	BQ 70	SAINT VICTOR MONTVIANEIX		63
220	BA 102	SAINT VICTOR ROUZAUD		09
158	BS 77	SAINT VICTOR SUR ARLANC		43
53	AW 39	SAINT VICTOR SUR AVRE		27
116	BZ 55	SAINT VICTOR SUR OUCHE		21
145	BW 69	SAINT VICTOR SUR RHINS		42
207	CE 98	SAINT VICTORET		13
156	BH 75	SAINT VICTOUR		19
140	AW 71	SAINT VICTURNIEN		87
158	BS 80	SAINT VIDAL		43
53	AY 35	SAINT VIGOR		27
50	AK 37	SAINT VIGOR DES MEZERETS		14
50	AH 36	SAINT VIGOR DES MONTS		50
32	AS 30	SAINT VIGOR D'YMONVILLE		76
30	AL 32	SAINT VIGOR LE GRAND		14
201	BC 98	SAINT VINCENT		31
158	BT 79	SAINT VINCENT		43
157	BN 74	SAINT VINCENT		63
217	AM 101	SAINT VINCENT		64
185	BA 90	SAINT VINCENT		82
131	BU 63	SAINT VINCENT BRAGNY		71
32	AS 30	SAINT VINCENT CRAMESNIL		76
205	BT 95	SAINT VINCENT DE BARBEYRARGUES		34
176	BZ 84	SAINT VINCENT DE BARRES		07
145	BU 69	SAINT VINCENT DE BOISSET		42
152	AR 79	SAINT VINCENT DE CONNEZAC		24
170	AX 82	SAINT VINCENT DE COSSE		24
176	BZ 82	SAINT VINCENT DE DURFORT		07
183	AS 90	SAINT VINCENT DE LAMONTJOIE		47
162	CJ 76	SAINT VINCENT DE MERCUZE		38
167	AK 81	SAINT VINCENT DE PAUL		33
196	AF 94	SAINT VINCENT DE PAUL		40
168	AN 82	SAINT VINCENT DE PERTIGNAS		33
145	BW 68	SAINT VINCENT DE REINS		69
156	BI 78	SAINT VINCENT DE SALERS		15
196	AD 95	SAINT VINCENT DE TYROSSE	C	40
54	BA 35	SAINT VINCENT DES BOIS		27
89	AE 50	SAINT VINCENT DES LANDES		44
131	BX 64	SAINT VINCENT DES PRES		71
74	AS 44	SAINT VINCENT DES PRES		72
203	BL 96	SAINT VINCENT D'OLARGUES		34
52	AT 35	SAINT VINCENT DU BOULAY		27
92	AT 49	SAINT VINCENT DU LOROUER		72
171	BD 82	SAINT VINCENT DU PENDIT		46
132	CB 61	SAINT VINCENT EN BRESSE		71
152	AQ 78	SAINT VINCENT JALMOUTIERS		24
124	AO 67	SAINT VINCENT LA CHATRE		79
176	CC 81	SAINT VINCENT LA COMMANDERIE		26
170	AY 82	SAINT VINCENT LE PALUEL		24
179	CN 86	SAINT VINCENT LES FORTS		04
184	AV 90	SAINT VINCENT LESPINASSE		82
170	AY 86	SAINT VINCENT RIVE D'OLT		46
122	AG 61	SAINT VINCENT STERLANGES		85
121	AE 63	SAINT VINCENT SUR GRAON		85
192	CI 89	SAINT VINCENT SUR JABRON		04
121	AD 64	SAINT VINCENT SUR JARD		85
153	AV 78	SAINT VINCENT SUR L'ISLE		24
88	Z 49	SAINT VINCENT SUR OUST		56
117	CH 56	SAINT VIT		25
148	CL 73	SAINT VITAL		73
169	AV 86	SAINT VITE		47
128	BI 63	SAINT VITTE		18
140	BA 74	SAINT VITTE SUR BRIANCE		87
136	AG 68	SAINT VIVIEN		17
168	AP 81	SAINT VIVIEN		24
151	AK 79	SAINT VIVIEN DE BLAYE		33
150	AG 75	SAINT VIVIEN DE MEDOC	C	33
168	AP 85	SAINT VIVIEN DE MONSEGUR		33
130	BQ 65	SAINT VOIR		03
45	L 39	SAINT VOUGAY		29
59	BZ 39	SAINT VRAIN		51
77	BG 41	SAINT VRAIN		91
69	X 43	SAINT VRAN		22
147	CD 71	SAINT VULBAS		01
23	BQ 22	SAINT WAAST		59
33	AV 30	SAINT WANDRILLE RANCON		76
55	BI 35	SAINT WITZ		95
122	AG 67	SAINT XANDRE		17
181	AI 92	SAINT YAGUEN		40
130	BU 65	SAINT YAN		71
154	BA 76	SAINT YBARD		19
201	AZ 100	SAINT YBARS		09
77	BF 41	SAINT YON		91
144	BP 69	SAINT YORRE		03
141	BE 71	SAINT YRIEIX LA MONTAGNE		23
154	AY 75	SAINT YRIEIX LA PERCHE	C	87
155	BE 75	SAINT YRIEIX LE DEJALAT		19
141	BD 68	SAINT YRIEIX LES BOIS		23
140	AX 71	SAINT YRIEIX SOUS AIXE		87
138	AP 73	SAINT YRIEIX SUR CHARENTE		16
131	BY 63	SAINT YTHAIRE		71
157	BO 74	SAINT YVOINE		63
67	M 46	SAINT YVY		29
151	AL 79	SAINT YZAN DE SOUDIAC		33
150	AI 76	SAINT YZANS DE MEDOC		33
208	CI 98	SAINT ZACHARIE		83
31	AQ 30	SAINTE ADRESSE		76
144	BQ 71	SAINTE AGATHE		63
19	AZ 27	SAINTE AGATHE D'ALIERMONT		76
145	BW 71	SAINTE AGATHE EN DONZY		42
145	BU 72	SAINTE AGATHE LA BOUTERESSE		42
195	CW 92	SAINTE AGNES		06
162	CJ 77	SAINTE AGNES		38
133	CF 62	SAINTE AGNES		39
185	AY 88	SAINTE ALAUZIE		46
169	AU 81	SAINTE ALVERE	C	24
157	BL 78	SAINTE ANASTASIE		15
190	BX 92	SAINTE ANASTASIE		30
209	CL 98	SAINTE ANASTASIE SUR ISSOLE		83
118	CI 58	SAINTE ANNE		25
200	AV 94	SAINTE ANNE		32
93	AX 50	SAINTE ANNE		41
87	T 49	SAINTE ANNE D'AURAY		56
141	BB 73	SAINTE ANNE ST PRIEST		87
88	AA 52	SAINTE ANNE SUR BRIVET		44
161	CD 74	SAINTE ANNE SUR GERVONDE		38
88	AB 49	SAINTE ANNE SUR VILAINE		35
56	BN 36	SAINTE AULDE		77
199	AR 99	SAINTE AURENCE CAZAUX		32
21	BE 21	SAINTE AUSTREBERTHE		62
33	AX 29	SAINTE AUSTREBERTHE		76
41	CJ 34	SAINTE BARBE		57
84	CN 42	SAINTE BARBE		88
53	AZ 34	SAINTE BARBE SUR GAILLON		27
168	AO 86	SAINTE BAZEILLE		47
34	BB 27	SAINTE BEUVE EN RIVIERE		76
161	CF 74	SAINTE BLANDINE		38
123	AM 66	SAINTE BLANDINE		79
68	S 44	SAINTE BRIGITTE		56
201	BC 100	SAINTE CAMELLE		11
22	BJ 22	SAINTE CATHERINE		62
158	BP 75	SAINTE CATHERINE		63
145	BY 74	SAINTE CATHERINE		69
109	AU 56	SAINTE CATHERINE DE FIERBOIS		37
111	BB 56	SAINTE CECILE		36
49	AH 37	SAINTE CECILE		50
131	BY 65	SAINTE CECILE		71
122	AG 61	SAINTE CECILE		85
189	BU 89	SAINTE CECILE D'ANDORGE		30
185	BC 92	SAINTE CECILE DU CAYROU		81
191	CB 89	SAINTE CECILE LES VIGNES		84
74	AT 41	SAINTE CERONNE LES MORTAGNE		61
92	AU 48	SAINTE CEROTTE		72
199	AT 94	SAINTE CHRISTIE		32
198	AO 94	SAINTE CHRISTIE D'ARMAGNAC		32
107	AI 55	SAINTE CHRISTINE		49
143	BK 69	SAINTE CHRISTINE		63
192	CH 88	SAINTE COLOMBE		05
138	AR 71	SAINTE COLOMBE		16
151	AM 77	SAINTE COLOMBE		17
98	BW 53	SAINTE COLOMBE		21
118	CK 59	SAINTE COLOMBE		25
168	AN 82	SAINTE COLOMBE		33
89	AE 48	SAINTE COLOMBE		35
197	AJ 95	SAINTE COLOMBE		40
171	BE 84	SAINTE COLOMBE		46
29	AE 31	SAINTE COLOMBE		50
160	CA 74	SAINTE COLOMBE		69
19	AV 27	SAINTE COLOMBE		76
78	BN 41	SAINTE COLOMBE		77
98	BT 52	SAINTE COLOMBE		89
168	AP 84	SAINTE COLOMBE DE DURAS		47
226	BK 107	SAINTE COLOMBE DE LA COMMANDERIE		66
173	BN 84	SAINTE COLOMBE DE PEYRE		48
183	AT 88	SAINTE COLOMBE DE VILLENEUVE		47
113	BM 55	SAINTE COLOMBE DES BOIS		58
183	AS 90	SAINTE COLOMBE EN BRUILHOIS		47
53	AW 35	SAINTE COLOMBE LA COMMANDERIE		27
53	AZ 35	SAINTE COLOMBE PRES VERNON		27
145	BV 70	SAINTE COLOMBE SUR GAND		42
221	BG 105	SAINTE COLOMBE SUR GUETTE		11
221	BD 103	SAINTE COLOMBE SUR L'HERS		11
96	BN 52	SAINTE COLOMBE SUR LOING		89
98	BX 48	SAINTE COLOMBE SUR SEINE		21
217	AK 101	SAINTE COLOME		64
146	BZ 72	SAINTE CONSORCE		69
146	CC 70	SAINTE CROIX		01
37	BR 31	SAINTE CROIX		02
171	BD 87	SAINTE CROIX		12
169	AV 83	SAINTE CROIX		24
177	CE 83	SAINTE CROIX		26
184	AX 88	SAINTE CROIX		46
132	CD 63	SAINTE CROIX		71
186	BE 92	SAINTE CROIX		81
192	CH 92	SAINTE CROIX A LAUZE		04
85	CR 43	SAINTE CROIX AUX MINES		68
189	BT 91	SAINTE CROIX DE CADERLE		30
153	AR 75	SAINTE CROIX DE MAREUIL		24
205	BT 94	SAINTE CROIX DE QUINTILLARGUES		34
193	CL 94	SAINTE CROIX DE VERDON		04
167	AM 85	SAINTE CROIX DU MONT		33
159	BY 75	SAINTE CROIX EN JAREZ		42
85	CS 46	SAINTE CROIX EN PLAINE		68
31	AL 33	SAINTE CROIX GRAND TONNE		14
29	AD 28	SAINTE CROIX HAGUE		50
32	AU 31	SAINTE CROIX SUR AIZIER		27
33	AZ 30	SAINTE CROIX SUR BUCHY		76
31	AM 32	SAINTE CROIX SUR MER		14
51	AN 38	SAINTE CROIX SUR ORNE		61
189	BS 89	SAINTE CROIX VALLEE FRANCAISE		48
219	AX 101	SAINTE CROIX VOLVESTRE	C	09
199	AR 98	SAINTE DODE		32
124	AN 65	SAINTE EANNE		79
215	AH 102	SAINTE ENGRACE		64
188	BP 87	SAINTE ENIMIE	C	48
158	BQ 79	SAINTE EUGENIE DE VILLENEUVE		43
175	BV 82	SAINTE EULALIE		07
202	BF 100	SAINTE EULALIE		11
156	BH 79	SAINTE EULALIE		15
167	AK 81	SAINTE EULALIE		33
174	BP 83	SAINTE EULALIE		48
154	AW 78	SAINTE EULALIE D'ANS		24
188	BN 92	SAINTE EULALIE DE CERNON		12
168	AR 84	SAINTE EULALIE D'EYMET		24
173	BL 86	SAINTE EULALIE D'OLT		12
180	AE 88	SAINTE EULALIE EN BORN		40
161	CE 80	SAINTE EULALIE EN ROYANS		26
146	BZ 69	SAINTE EUPHEMIE		01
191	CF 88	SAINTE EUPHEMIE SUR OUVEZE		26
35	BG 30	SAINTE EUSOYE		60
111	BD 60	SAINTE FAUSTE		36
154	BA 78	SAINTE FEREOLE		19
141	BD 68	SAINTE FEYRE		23
142	BG 71	SAINTE FEYRE LA MONTAGNE		23
121	AC 62	SAINTE FLAIVE DES LOUPS		85
168	AN 82	SAINTE FLORENCE		33
106	AG 60	SAINTE FLORENCE		85
157	BO 76	SAINTE FLORINE		43
221	BD 101	SAINTE FOI		09
155	BC 78	SAINTE FORTUNADE		19
182	AL 92	SAINTE FOY		40
131	BU 66	SAINTE FOY		71
19	AY 27	SAINTE FOY		76
121	AC 63	SAINTE FOY		85
201	BB 97	SAINTE FOY D'AIGREFEUILLE		31
170	AW 83	SAINTE FOY DE BELVES		24
169	AU 81	SAINTE FOY DE LONGAS		24
52	AQ 36	SAINTE FOY DE MONTGOMMERY		14
200	AX 97	SAINTE FOY DE PEYROLIERES		31
168	AP 82	SAINTE FOY LA GRANDE	C	33
168	AN 85	SAINTE FOY LA LONGUE		33
145	BX 72	SAINTE FOY L'ARGENTIERE		69
146	BZ 72	SAINTE FOY LES LYON	C	69
145	BU 72	SAINTE FOY ST SULPICE		42
149	CQ 73	SAINTE FOY TARENTAISE		73
52	AT 39	SAINTE GAUBURGE STE COLOMBE		61
136	AI 71	SAINTE GEMME		17
200	AU 94	SAINTE GEMME		32
168	AO 85	SAINTE GEMME		33
110	AZ 60	SAINTE GEMME		36
57	BQ 34	SAINTE GEMME		51
107	AN 59	SAINTE GEMME		79
186	BF 91	SAINTE GEMME		81
112	BK 54	SAINTE GEMME EN SANCERROIS		18
122	AG 63	SAINTE GEMME LA PLAINE		85
183	AP 87	SAINTE GEMME MARTAILLAC		47
54	BA 39	SAINTE GEMME MORONVAL		28
93	AY 49	SAINTE GEMMES		41
90	AI 50	SAINTE GEMMES D'ANDIGNE		49
73	AM 45	SAINTE GEMMES LE ROBERT		53
90	AL 53	SAINTE GEMMES SUR LOIRE		49
38	BT 28	SAINTE GENEVIEVE		02
29	AG 28	SAINTE GENEVIEVE		50
61	CI 37	SAINTE GENEVIEVE		54
35	BG 33	SAINTE GENEVIEVE		60
34	BA 29	SAINTE GENEVIEVE		76
96	BK 49	SAINTE GENEVIEVE DES BOIS		45
55	BG 40	SAINTE GENEVIEVE DES BOIS	C	91
54	BB 35	SAINTE GENEVIEVE LES GASNY		27
172	BK 83	SAINTE GENEVIEVE SUR ARGENCE	C	12
166	AH 80	SAINTE HELENE		33
174	BQ 86	SAINTE HELENE		48
68	R 49	SAINTE HELENE		56
131	BY 61	SAINTE HELENE		71
84	CM 43	SAINTE HELENE		88
18	AT 27	SAINTE HELENE BONDEVILLE		76
162	CK 74	SAINTE HELENE DU LAC		73
148	CM 73	SAINTE HELENE SUR ISERE		73
122	AG 63	SAINTE HERMINE	C	85
50	AK 34	SAINTE HONORINE DE DUCY		14
30	AK 32	SAINTE HONORINE DES PERTES		14
51	AM 35	SAINTE HONORINE DU FAY		14
51	AM 38	SAINTE HONORINE LA CHARDONNE		61
51	AM 38	SAINTE HONORINE LA GUILLAUME		61
168	AR 83	SAINTE INNOCENCE		24
191	CE 87	SAINTE JALLE		26
74	AQ 45	SAINTE JAMME SUR SARTHE		72
147	CD 70	SAINTE JULIE		01
184	AX 88	SAINTE JULIETTE		82
187	BI 89	SAINTE JULIETTE SUR VIAUR		12
225	BE 109	SAINTE LEOCADIE		66
151	AL 74	SAINTE LHEURINE		17
200	AW 95	SAINTE LIVRADE		31
183	AS 87	SAINTE LIVRADE SUR LOT	C	47
111	BE 58	SAINTE LIZAIGNE		36
178	CJ 82	SAINTE LUCE		38
106	AE 55	SAINTE LUCE SUR LOIRE		44
233	DL 115	SAINTE LUCIE DE TALLANO		2A
112	BG 59	SAINTE LUNAISE		18
98	BU 53	SAINTE MAGNANCE		89
158	BQ 78	SAINTE MARGUERITE		43
84	CP 43	SAINTE MARGUERITE		88
51	AO 40	SAINTE MARGUERITE DE CARROUGES		61
53	AW 37	SAINTE MARGUERITE DE L'AUTEL		27
51	AQ 36	SAINTE MARGUERITE DE VIETTE		14
30	AI 33	SAINTE MARGUERITE D'ELLE		14
52	AR 36	SAINTE MARGUERITE DES LOGES		14
52	AU 36	SAINTE MARGUERITE EN OUCHE		27
175	BU 86	SAINTE MARGUERITE LAFIGERE		07
33	AW 30	SAINTE MARGUERITE SUR DUCLAIR		76
18	AU 28	SAINTE MARGUERITE SUR FAUVILLE		76
19	AW 26	SAINTE MARGUERITE SUR MER		76
177	CF 86	SAINTE MARIE		05
39	BX 32	SAINTE MARIE		08
173	BL 82	SAINTE MARIE		15
102	CN 52	SAINTE MARIE		25
200	AU 95	SAINTE MARIE		32
88	AA 50	SAINTE MARIE		35
113	BP 57	SAINTE MARIE		58
218	AS 103	SAINTE MARIE		65
222	BM 106	SAINTE MARIE		66
38	BW 33	SAINTE MARIE A PY		51
18	AR 28	SAINTE MARIE AU BOSC		76
41	CH 33	SAINTE MARIE AUX CHENES		57
85	CQ 43	SAINTE MARIE AUX MINES	C	68
11	BI 16	SAINTE MARIE CAPPEL		59
162	CJ 76	SAINTE MARIE D'ALLOIX		38
147	CH 73	SAINTE MARIE D'ALVEY		73
153	AV 79	SAINTE MARIE DE CHIGNAC		24
162	CM 76	SAINTE MARIE DE CUINES		73
196	AD 96	SAINTE MARIE DE GOSSE		40
136	AE 67	SAINTE MARIE DE RE		17
34	BB 33	SAINTE MARIE DE VATIMESNIL		27
140	AW 71	SAINTE MARIE DE VAUX		87
33	AV 29	SAINTE MARIE DES CHAMPS		76
50	AI 40	SAINTE MARIE DU BOIS		50
73	AM 42	SAINTE MARIE DU BOIS		53
59	BY 40	SAINTE MARIE DU LAC NUISEMENT		51
162	CJ 76	SAINTE MARIE DU MONT		38
29	AH 31	SAINTE MARIE DU MONT		50
102	CM 48	SAINTE MARIE EN CHANOIS		70
101	CK 49	SAINTE MARIE EN CHAUX		70
11	BF 15	SAINTE MARIE KERQUE		62
116	CA 58	SAINTE MARIE LA BLANCHE		21
51	AO 40	SAINTE MARIE LA ROBERT		61
156	BG 76	SAINTE MARIE LAPANOUZE		19
50	AJ 36	SAINTE MARIE LAUMONT		14
50	AI 36	SAINTE MARIE OUTRE L'EAU		14
116	BZ 55	SAINTE MARIE SUR OUCHE		21
53	AW 36	SAINTE MARTHE		27
168	AP 87	SAINTE MARTHE		47
80	BT 43	SAINTE MAURE		10
183	AP 91	SAINTE MAURE DE PEYRIAC		47
109	AU 57	SAINTE MAURE DE TOURAINE	C	37
210	CQ 98	SAINTE MAXIME		83
137	AL 70	SAINTE MEME		17
59	BZ 35	SAINTE MENEHOULD	S	51
183	AT 91	SAINTE MERE		32
29	AG 31	SAINTE MERE EGLISE	C	50
76	BD 41	SAINTE MESME		78
170	AY 82	SAINTE MONDANE		24
95	BG 53	SAINTE MONTAINE		18
170	AY 81	SAINTE NATHALENE		24
123	AM 65	SAINTE NEOMAYE		79
146	CB 69	SAINTE OLIVE		01
51	AM 39	SAINTE OPPORTUNE		61
53	AV 34	SAINTE OPPORTUNE DU BOSC		27
32	AT 31	SAINTE OPPORTUNE LA MARE		27
154	AX 78	SAINTE ORSE		24
92	AT 48	SAINTE OSMANE		72
123	AL 64	SAINTE OUENNE		79
97	BR 51	SAINTE PALLAYE		89
145	BY 70	SAINTE PAULE		69
105	AB 56	SAINTE PAZANNE		44
122	AG 63	SAINTE PEXINE		85
49	AG 38	SAINTE PIENCE		50
84	CO 41	SAINTE POLE		54
37	BS 29	SAINTE PREUVE		02
187	BJ 88	SAINTE RADEGONDE		12
136	AI 71	SAINTE RADEGONDE		17
169	AT 84	SAINTE RADEGONDE		24
183	AS 93	SAINTE RADEGONDE		32
168	AO 82	SAINTE RADEGONDE		33
131	BU 62	SAINTE RADEGONDE		71
107	AN 58	SAINTE RADEGONDE		79
125	AU 62	SAINTE RADEGONDE		86
122	AG 65	SAINTE RADEGONDE DES NOYERS		85
151	AJ 75	SAINTE RAMEE		17
100	CG 52	SAINTE REINE		70
148	CK 73	SAINTE REINE		73
88	Y 52	SAINTE REINE DE BRETAGNE		44
61	CI 34	SAINTE RUFFINE		57
115	BY 56	SAINTE SABINE		21
169	AU 84	SAINTE SABINE BORN		24
73	AQ 45	SAINTE SABINE SUR LONGEVE		72
80	BT 44	SAINTE SAVINE	C	10
52	AS 40	SAINTE SCOLASSE SUR SARTHE		61
34	BD 28	SAINTE SEGREE		80
45	M 39	SAINTE SEVE		29
137	AM 72	SAINTE SEVERE		16
127	BF 64	SAINTE SEVERE SUR INDRE	C	36
159	BV 78	SAINTE SIGOLENE	C	43
112	BI 57	SAINTE SOLANGE		18
124	AP 66	SAINTE SOLINE		79
152	AO 76	SAINTE SOULINE		16
122	AH 67	SAINTE SOULLE		17
220	AZ 100	SAINTE SUZANNE		09
102	CO 52	SAINTE SUZANNE		25
73	AM 46	SAINTE SUZANNE	C	53
50	AH 35	SAINTE SUZANNE SUR VIRE		50
168	AN 82	SAINTE TERRE		33
128	BI 67	SAINTE THERENCE		03
111	BG 57	SAINTE THORETTE		18
68	R 43	SAINTE TREPHINE		22
154	AY 77	SAINTE TRIE		24
192	CI 93	SAINTE TULLE		04
203	BK 100	SAINTE VALIERE		11
38	BX 31	SAINTE VAUBOURG		08
108	AN 58	SAINTE VERGE		79
97	BS 50	SAINTE VERTU		89
29	AG 33	SAINTENY		50
137	AK 72	SAINTES	S	17
206	BX 98	SAINTES MARIES DE LA MER	C	13
36	BK 33	SAINTINES		60
55	BI 40	SAINTRY SUR SEINE		91
56	BM 39	SAINTS		77
96	BO 51	SAINTS		89
100	CD 49	SAINTS GEOSMES		52
76	BD 43	SAINVILLE		28
108	AR 59	SAIRES		86
51	AM 39	SAIRES LA VERRERIE		61
202	BF 99	SAISSAC	C	11
21	BF 26	SAISSEVAL		80
115	BX 59	SAISY		71
124	AN 64	SAIVRES		79
178	CI 86	SAIX, LE		05
202	BF 96	SAIX		81
108	AP 57	SAIX		86
117	CI 58	SAIZENAY		39
61	CI 38	SAIZERAIS		54
114	BR 54	SAIZY		58
200	AW 98	SAJAS		31
154	AX 77	SALAGNAC		24
147	CE 73	SALAGNON		38
160	CA 76	SALAISE SUR SANNE		38
117	CH 56	SALANS		39
204	BO 96	SALASC		34
166	AI 81	SALAUNES		33
190	BX 87	SALAVAS		07
133	CE 65	SALAVRE		01
190	BY 89	SALAZAC		30
95	BE 54	SALBRIS	C	41
173	BN 86	SALCES, LES		48
218	AS 103	SALECHAN		65
219	AV 102	SALEICH		31
138	AN 69	SALEIGNES		17
222	BM 107	SALEILLES		66
175	BV 87	SALELLES, LES		07
173	BO 86	SALELLES, LES		48
36	BM 30	SALENCY		60
63	CS 39	SALENTHAL		67
192	CI 87	SALEON		05
192	CH 88	SALERANS		05
200	AU 99	SALERM		31
209	CM 96	SALERNES	C	83
156	BH 79	SALERS	C	15
148	CJ 70	SALES		74
23	BP 23	SALESCHES		59
178	CJ 82	SALETTE FALLAVAUX, LA		38
176	CB 85	SALETTES		26
174	BT 82	SALETTES		43
21	BG 26	SALEUX		80
230	DJ 110	SALICE		2A
231	DM 107	SALICETO		2B
186	BF 93	SALIES		81
197	AG 97	SALIES DE BEARN	C	64
219	AV 102	SALIES DU SALAT	C	31
192	CK 89	SALIGNAC		04
151	AL 80	SALIGNAC		33
151	AK 76	SALIGNAC DE MIRAMBEAU		17
170	AY 81	SALIGNAC EYVIGUES	C	24
137	AL 73	SALIGNAC SUR CHARENTE		17
117	CF 55	SALIGNEY		39
106	AE 60	SALIGNY		85
79	BO 45	SALIGNY		89
112	BK 58	SALIGNY LE VIF		18
130	BR 64	SALIGNY SUR ROUDON		03
217	AN 104	SALIGOS		65
189	BV 90	SALINDRES		30
189	BU 94	SALINELLES		30
156	BH 78	SALINS		15
78	BM 42	SALINS		77
117	CH 58	SALINS LES BAINS	C	39
163	CN 74	SALINS LES THERMES		73
99	CA 51	SALIVES		21
194	CR 92	SALLAGRIFFON		06
149	CN 69	SALLANCHES	C	74
12	BK 20	SALLAUMINES		62
132	CA 65	SALLE, LA		71
84	CO 43	SALLE, LA		88
107	AK 56	SALLE DE VIHIERS, LA		49
178	CI 81	SALLE EN BEAUMONT, LA		38
106	AH 55	SALLE ET CHAPELLE AUBRY, LA		49
163	CO 80	SALLE LES ALPES, LA		05
188	BR 88	SALLE PRUNET, LA		48
167	AL 82	SALLEBOEUF		33
143	BO 73	SALLEDES		63
202	BH 99	SALLELES CABARDES		11
203	BL 100	SALLELES D'AUDE		11
50	AJ 34	SALLEN		14
31	AO 33	SALLENELLES		14
148	CJ 69	SALLENOVES		74
105	AA 59	SALLERTAINE		85
168	AO 81	SALLES, LES		33
166	AH 85	SALLES		33
144	BS 71	SALLES, LES		42
169	AV 86	SALLES		47
217	AM 102	SALLES		65
124	AO 65	SALLES		79
186	BE 91	SALLES		81
217	AO 100	SALLES ADOUR		65
145	BY 69	SALLES ARBUISSONNAS EN BEAUJOLAIS		69
171	BE 86	SALLES COURBATIES		12
187	BK 90	SALLES CURAN	C	12
137	AM 73	SALLES D'ANGLES		16
182	AN 93	SALLES D'ARMAGNAC		32
204	BN 100	SALLES D'AUDE		11
152	AN 75	SALLES DE BARBEZIEUX		16
169	AW 84	SALLES DE BELVES		24
138	AQ 70	SALLES DE VILLEFAGNAN		16
189	BU 89	SALLES DU GARDON, LES		30
218	AS 105	SALLES ET PRATVIEL		31
172	BI 87	SALLES LA SOURCE		12
152	AQ 76	SALLES LAVALETTE		16
139	AU 72	SALLES LAVAUGUYON, LES		87
197	AH 97	SALLES MONGISCARD		64
176	CB 86	SALLES SOUS BOIS		26
200	AX 100	SALLES SUR GARONNE		31
201	BC 100	SALLES SUR L'HERS	C	11
136	AG 68	SALLES SUR MER		17
193	CM 93	SALLES SUR VERDON, LES		83
197	AI 97	SALLESPISSE		64
60	CD 38	SALMAGNE		55
99	BY 53	SALMAISE		21
65	CW 35	SALMBACH		67
187	BI 90	SALMIECH		12
12	BK 19	SALOME		59
58	BT 40	SALON		10
153	AU 80	SALON		24
207	CD 95	SALON DE PROVENCE	C	13
154	BA 75	SALON LA TOUR		19
62	CL 38	SALONNES		57
131	BY 63	SALORNAY SUR GUYE		71
21	BG 26	SALOUEL		80
11	BG 16	SALPERWICK		62
219	AV 104	SALSEIN		09
222	BL 105	SALSES LE CHATEAU		66
202	BG 99	SALSIGNE		11
145	BW 72	SALT EN DONZY		42
185	BB 93	SALVAGNAC	C	81
171	BD 86	SALVAGNAC CAJARC		12
185	BA 92	SALVETAT BELMONTET, LA		82
201	BC 97	SALVETAT LAURAGAIS, LA		31
186	BG 89	SALVETAT PEYRALES, LA	C	12
200	AY 96	SALVETAT ST GILLES, LA		31
203	BK 96	SALVETAT SUR AGOUT, LA	C	34
221	BG 105	SALVEZINES		11
170	AY 84	SALVIAC	C	46
145	BV 72	SALVIZINET		42
222	BI 103	SALZA		11
158	BP 78	SALZUIT		43
197	AK 95	SAMADET		40
199	AT 100	SAMAN		31
199	AS 98	SAMARAN		32
200	AV 97	SAMATAN	C	32
168	AP 87	SAMAZAN		47
93	AY 53	SAMBIN		41
98	BT 50	SAMBOURG		89
13	BO 20	SAMEON		59
10	BC 18	SAMER	C	62
117	CE 57	SAMEREY		21
196	AE 96	SAMES		64
108	AQ 58	SAMMARCOLLES		86
56	BM 37	SAMMERON		77
149	CP 67	SAMOENS	C	74
133	CF 66	SAMOGNAT		01
40	CC 33	SAMOGNEUX		55
78	BJ 42	SAMOIS SUR SEINE		77
151	AK 79	SAMONAC		33
78	BK 42	SAMOREAU		77
200	AV 100	SAMOUILLAN		31
37	BR 29	SAMOUSSY		02
117	CE 56	SAMPANS		39
60	CE 38	SAMPIGNY		55
115	BY 59	SAMPIGNY LES MARANGES		71
231	DL 112	SAMPOLO		2A
175	BW 87	SAMPZON		07
117	CH 57	SAMSON		25
198	AM 98	SAMSONS LION		64
218	AS 103	SAMURAN		65
231	DN 107	SAN DAMIANO		2B
231	DN 107	SAN GAVINO D'AMPUGNANI		2B
233	DL 115	SAN GAVINO DI CARBINI		2A
231	DM 112	SAN GAVINO DI FIUMORBO		2B
229	DL 105	SAN GAVINO DI TENDA		2B
231	DN 107	SAN GIOVANNI DI MORIANI		2B
231	DO 108	SAN GIULIANO		2B
231	DM 107	SAN LORENZO		2B
229	DM 103	SAN MARTINO DI LOTA	C	2B
231	DO 107	SAN NICOLAO		2B
200	AW 100	SANA		31
212	CJ 101	SANARY SUR MER		83
132	CA 65	SANCE		71
113	BL 56	SANCERGUES	C	18
113	BK 55	SANCERRE	C	18
119	CM 54	SANCEY LE GRAND		25
119	CN 54	SANCEY LE LONG		25
76	BB 45	SANCHEVILLE		28
83	CK 44	SANCHEY		88
113	BL 60	SANCOINS	C	18
34	BC 32	SANCOURT		27
22	BN 23	SANCOURT		59
36	BL 27	SANCOURT		80
41	CH 32	SANCY		54
56	BL 37	SANCY		77
37	BP 31	SANCY LES CHEMINOTS		02
57	BO 39	SANCY LES PROVINS		77
85	CU 42	SAND		67
75	AZ 43	SANDARVILLE		28
83	CH 44	SANDAUCOURT		88
95	BE 49	SANDILLON		45
32	AS 30	SANDOUVILLE		76
146	CB 68	SANDRANS		01
10	BC 14	SANGATTE		62
10	BD 16	SANGHEN		62
166	AF 86	SANGUINET		40
175	BW 85	SANILHAC		07
190	BX 92	SANILHAC SAGRIES		30
142	BH 68	SANNAT		23
31	AO 34	SANNERVILLE		14
208	CG 94	SANNES		84
55	BG 36	SANNOIS	C	95
198	AO 98	SANOUS		65
41	CJ 33	SANRY LES VIGY		57
61	CK 35	SANRY SUR NIED		57
83	CI 45	SANS VALLOIS		88
225	BF 107	SANSA		66
172	BG 82	SANSAC DE MARMIESSE		15
172	BH 83	SANSAC VEINAZES		15
123	AK 66	SANSAIS		79
199	AT 97	SANSAN		32
158	BS 80	SANSSAC L'EGLISE		43
130	BP 67	SANSSAT		03
231	DL 108	SANTA LUCIA DI MERCURIO		2B
231	DO 107	SANTA LUCIA DI MORIANI		2B
229	DM 103	SANTA MARIA DI LOTA		2B
232	DK 115	SANTA MARIA FIGANIELLA		2A
231	DO 107	SANTA MARIA POGGIO		2B
230	DK 113	SANTA MARIA SICHE	C	2A
228	DJ 105	SANTA REPARATA DI BALAGNA		2B
231	DN 107	SANTA REPARATA DI MORIANI		2B
231	DM 108	SANT'ANDREA DI BOZIO		2B
231	DN 108	SANT'ANDREA DI COTONE		2B
230	DI 111	SANT'ANDREA D'ORCINO		2A
117	CG 58	SANTANS		39

Page	Carreau	Commune	Adm.	Dpt
228	DJ 105	SANT'ANTONINO		2B
77	BF 46	SANTEAU		45
45	M 37	SANTEC		29
116	BY 59	SANTENAY		21
93	AX 52	SANTENAY		41
55	BI 39	SANTENY		94
12	BL 18	SANTES		59
76	BC 43	SANTEUIL		28
54	BE 35	SANTEUIL		95
98	BU 52	SANTIGNY		89
76	BD 46	SANTILLY		28
132	BZ 62	SANTILLY		71
229	DL 105	SANTO PIETRO DI TENDA		2B
231	DL 109	SANTO PIETRO DI VENACO		2B
102	CM 53	SANTOCHE		25
115	BY 58	SANTOSSE		21
96	BK 53	SANTRANGES		18
186	BE 88	SANVENSA		12
131	BV 62	SANVIGNES LES MINES		71
124	AP 64	SANXAY		86
107	AL 58	SANZAY		79
60	CG 38	SANZEY		54
30	AJ 33	SAON		14
118	CJ 55	SAONE		25
30	AJ 32	SAONNET		14
195	CW 90	SAORGE		06
74	AR 43	SAOSNES		72
176	CC 84	SAOU		26
52	AS 37	SAP, LE		61
52	AS 38	SAP ANDRE, LE		61
59	BZ 40	SAPIGNICOURT		51
22	BK 23	SAPIGNIES		62
39	BY 28	SAPOGNE ET FEUCHERES		08
40	CC 29	SAPOGNE SUR MARCHE		08
118	CI 60	SAPOIS		39
84	CN 46	SAPOIS		88
37	BP 34	SAPONAY		02
101	CI 48	SAPONCOURT		70
148	CK 68	SAPPEY, LE		74
161	CI 77	SAPPEY EN CHARTREUSE, LE		38
200	AU 97	SARAMON	C	32
94	BD 48	SARAN		45
118	CI 58	SARAZ		25
182	AL 91	SARBAZAN		40
92	AR 50	SARCE		72
51	AP 39	SARCEAUX		61
55	BH 36	SARCELLES	S	95
161	CH 77	SARCENAS		38
82	CD 46	SARCEY		52
145	BY 70	SARCEY		69
199	AT 98	SARCOS		32
34	BD 28	SARCUS		60
37	BR 34	SARCY		51
189	BU 93	SARDAN		30
141	BD 69	SARDENT		23
160	CD 76	SARDIEU		38
143	BN 70	SARDON		63
114	BR 56	SARDY LES EPIRY		58
214	AB 98	SARE		64
74	AR 47	SARGE LES LE MANS		72
93	AV 48	SARGE SUR BRAYE		41
230	DI 111	SARI D'ORCINO	C	2A
233	DN 113	SARI SOLENZARA		2A
199	AS 99	SARIAC MAGNOAC		65
218	AQ 102	SARLABOUS		65
154	AX 76	SARLANDE		24
170	AY 82	SARLAT LA CANEDA	S	24
153	AV 78	SARLIAC SUR L'ISLE		24
198	AO 99	SARNIGUET		65
34	BD 29	SARNOIS		60
79	BR 41	SARON SUR AUBE		51
218	AS 102	SARP		65
197	AI 97	SARPOURENX		64
198	AN 95	SARRAGACHIES		32
134	CK 61	SARRAGEOIS		25
199	AQ 99	SARRAGUZAN		32
62	CP 35	SARRALBE	C	57
62	CP 38	SARRALTROFF		57
155	BD 76	SARRAN		19
216	AI 102	SARRANCE		64
218	AQ 103	SARRANCOLIN		65
200	AV 94	SARRANT		32
160	CA 78	SARRAS		07
154	AW 76	SARRAZAC		24
170	BB 80	SARRAZAC		46
197	AK 95	SARRAZIET		40
62	CP 36	SARRE UNION	C	67
62	CP 38	SARREBOURG	S	57
199	AS 100	SARRECAVE		31
62	CP 34	SARREGUEMINES	S	57
62	CP 34	SARREINSMING		57
199	AT 100	SARREMEZAN		31
62	CP 36	SARREWERDEN		67
82	CD 47	SARREY		52
198	AP 98	SARRIAC BIGORRE		65
191	CB 90	SARRIANS		84
91	AM 52	SARRIGNE		49
133	CF 64	SARROGNA		39
230	DJ 111	SARROLA CARCOPINO		2A
198	AL 96	SARRON		40
198	AP 100	SARROUILLES		65
156	BH 76	SARROUX		19
58	BW 37	SARRY		51
131	BU 66	SARRY		71
98	BT 51	SARRY		89
22	BK 24	SARS, LE		62
12	BN 20	SARS ET ROSIERES		59
21	BH 22	SARS LE BOIS		62
24	BS 23	SARS POTERIES		59
232	DK 116	SARTENE	S	2A
82	CF 44	SARTES		88
49	AF 38	SARTILLY	C	50
21	BH 24	SARTON		62
55	BF 37	SARTROUVILLE	C	78
127	BD 63	SARZAY		36
87	U 51	SARZEAU	C	56
93	AW 50	SASNIERES		41
131	BY 61	SASSANGY		71
110	BA 54	SASSAY		41
23	BR 23	SASSEGNIES		59
161	CG 78	SASSENAGE		38
116	CA 60	SASSENAY		71
19	AW 27	SASSETOT LE MALGARDE		76
18	AT 27	SASSETOT LE MAUCONDUIT		76
18	AU 27	SASSEVILLE		76
53	AY 35	SASSEY		27
39	CB 31	SASSEY SUR MEUSE		55
127	BD 61	SASSIERGES ST GERMAIN		36
217	AN 104	SASSIS		65
51	AO 36	SASSY		14
146	CA 71	SATHONAY CAMP		69
146	CA 71	SATHONAY VILLAGE		69
159	BY 78	SATILLIEU	C	07
146	CC 72	SATOLAS ET BONCE		38
205	BV 95	SATURARGUES		34
201	AZ 97	SAUBENS		31
196	AD 95	SAUBION		40
198	AM 99	SAUBOLE		64
196	AD 95	SAUBRIGUES		40
196	AE 95	SAUBUSSE		40
167	AJ 84	SAUCATS		33
197	AI 99	SAUCEDE		64
53	AX 40	SAUCELLE, LA		28
19	AY 26	SAUCHAY		76
22	BM 22	SAUCHY CAUCHY		62
22	BM 22	SAUCHY LESTREE		62
188	BP 92	SAUCLIERES		12
22	BL 22	SAUDEMONT		62
57	BQ 40	SAUDOY		51
82	CD 41	SAUDRON		52
59	CA 39	SAUDRUPT		55
133	CH 62	SAUGEOT		39
197	AF 95	SAUGNAC ET CAMBRAN		40
166	AH 87	SAUGNACQ ET MURET		40
151	AK 78	SAUGON		33
174	BQ 81	SAUGUES	C	43
215	AG 100	SAUGUIS ST ETIENNE		64
111	BF 59	SAUGY		18
171	BD 86	SAUJAC		12
136	AH 72	SAUJON	C	17
178	CK 86	SAULCE, LA		05
176	CA 83	SAULCE SUR RHONE		26
38	BW 31	SAULCES CHAMPENOISES		08
38	BW 29	SAULCES MONCLIN		08
129	BO 66	SAULCET		03
56	BO 36	SAULCHERY		02
35	BF 29	SAULCHOY, LE		60
20	BD 21	SAULCHOY		62
34	BE 28	SAULCHOY SOUS POIX		80
81	BZ 44	SAULCY		10
84	CP 41	SAULCY, LE		88
84	CP 43	SAULCY SUR MEURTHE		88
118	CK 56	SAULES		25
131	BY 62	SAULES		71
125	AV 65	SAULGE		86
107	AM 55	SAULGE L'HOPITAL		49
73	AM 47	SAULGES		53
139	AU 70	SAULGOND		16
171	BC 86	SAULIAC SUR CELE		46
115	BV 55	SAULIEU	C	21
100	CE 50	SAULLES		52
39	CB 31	SAULMORY ET VILLEFRANCHE		55
110	AY 60	SAULNAY		36
40	CG 30	SAULNES		54
53	AZ 40	SAULNIERES		28
89	AD 47	SAULNIERES		35
102	CN 51	SAULNOT		70
41	CI 34	SAULNY		57
116	CB 56	SAULON LA CHAPELLE		21
116	CB 55	SAULON LA RUE		21
79	BP 41	SAULSOTTE, LA		10
192	CF 90	SAULT	C	84
147	CE 71	SAULT BRENAZ		01
197	AI 96	SAULT DE NAVAILLES		64
38	BV 30	SAULT LES RETHEL		08
38	BU 31	SAULT ST REMY		08
23	BP 21	SAULTAIN		59
21	BI 22	SAULTY		62
60	CE 39	SAULVAUX		55
101	CK 50	SAULX	C	70
99	CB 52	SAULX LE DUC		21
60	CF 35	SAULX LES CHAMPLON		55
55	BG 39	SAULX LES CHARTREUX		91
54	BD 38	SAULX MARCHAIS		78
83	CH 41	SAULXEROTTE		54
84	CQ 42	SAULXURES		67
82	CG 44	SAULXURES LES BULGNEVILLE		88
61	CJ 39	SAULXURES LES NANCY		54
82	CG 41	SAULXURES LES VANNES		54
84	CO 47	SAULXURES SUR MOSELOTTE	C	88
128	BH 63	SAULZAIS LE POTIER	C	18
143	BN 68	SAULZET		03
143	BL 73	SAULZET LE FROID		63
23	BO 22	SAULZOIR		59
192	CH 90	SAUMANE		04
189	BS 90	SAUMANE		30
191	CD 92	SAUMANE DE VAUCLUSE		84
182	AO 89	SAUMEJAN		47
75	AZ 44	SAUMERAY		28
183	AR 90	SAUMONT		47
34	BB 30	SAUMONT LA POTERIE		76
166	AG 81	SAUMOS		33
108	AO 55	SAUMUR	S	49
93	AW 51	SAUNAY		37
141	BD 68	SAUNIERE, LA		23
116	CB 59	SAUNIERES		71
19	AX 27	SAUQUEVILLE		76
124	AO 62	SAURAIS		79
220	BA 104	SAURAT		09
142	BK 69	SAURET BESSERVE		63
157	BM 74	SAURIER		63
103	CS 48	SAUSHEIM		68
205	BS 96	SAUSSAN		34
54	BA 38	SAUSSAY		28
33	AW 29	SAUSSAY		76
34	BB 32	SAUSSAY LA CAMPAGNE		27
33	AX 33	SAUSSAYE, LA		27
29	AF 29	SAUSSEMESNIL		50
186	BG 92	SAUSSENAC		81
201	BB 96	SAUSSENS		31
194	CQ 90	SAUSSES		04
207	CD 99	SAUSSET LES PINS		13
18	AS 28	SAUSSEUZEMARE EN CAUX		76
115	BY 57	SAUSSEY		21
49	AF 35	SAUSSEY		50
168	AQ 83	SAUSSIGNAC		24
205	BU 94	SAUSSINES		34
99	CA 53	SAUSSY		21
220	BC 103	SAUTEL		09
167	AL 85	SAUTERNES		33
189	BT 93	SAUTEYRARGUES		34
225	BF 108	SAUTO		66
105	AC 55	SAUTRON		44
51	AM 40	SAUVAGERE, LA		61
145	BW 70	SAUVAGES, LES		69
139	AT 72	SAUVAGNAC		16
184	AU 89	SAUVAGNAS		47
142	BI 72	SAUVAGNAT		63
157	BN 74	SAUVAGNAT STE MARTHE		63
117	CI 54	SAUVAGNEY		25
198	AK 98	SAUVAGNON		64
128	BK 64	SAUVAGNY		03
144	BT 73	SAUVAIN		42
156	BH 77	SAUVAT		15
189	BT 92	SAUVE	C	30
167	AM 83	SAUVE, LA		33
197	AI 98	SAUVELADE		64
134	CJ 65	SAUVERNY		01
158	BS 76	SAUVESSANGES		63
183	AS 93	SAUVETAT, LA		32
143	BN 73	SAUVETAT, LA		63
184	AU 89	SAUVETAT DE SAVERES, LA		47
168	AQ 84	SAUVETAT DU DROPT, LA		47
169	AU 86	SAUVETAT SUR LEDE, LA		47
190	CA 91	SAUVETERRE		30
200	AU 98	SAUVETERRE		32
198	AO 97	SAUVETERRE		65
203	BI 97	SAUVETERRE		81
185	AY 89	SAUVETERRE		82
197	AG 98	SAUVETERRE DE BEARN	C	64
218	AT 102	SAUVETERRE DE COMMINGES		31
168	AN 84	SAUVETERRE DE GUYENNE	C	33
186	BG 89	SAUVETERRE DE ROUERGUE		12
169	AW 85	SAUVETERRE LA LEMANCE		47
183	AT 90	SAUVETERRE ST DENIS		47
199	AR 98	SAUVIAC		32
167	AM 87	SAUVIAC		33
204	BO 99	SAUVIAN		34
144	BQ 73	SAUVIAT		63
140	BB 70	SAUVIAT SUR VIGE		87
152	AO 77	SAUVIGNAC		16
100	CG 53	SAUVIGNEY LES GRAY		70
117	CF 54	SAUVIGNEY LES PESMES		70
82	CG 41	SAUVIGNY		55
98	BU 53	SAUVIGNY LE BEUREAL		89
98	BT 52	SAUVIGNY LE BOIS		89
113	BO 59	SAUVIGNY LES BOIS		58
39	BY 30	SAUVILLE		08
82	CG 45	SAUVILLE		88
35	BH 28	SAUVILLERS MONGIVAL		80
200	AV 98	SAUVIMONT		32
60	CF 40	SAUVOY		55
184	AW 87	SAUX		46
218	AT 101	SAUX ET POMAREDE		31
157	BO 74	SAUXILLANGES	C	63
194	CQ 90	SAUZE		06
178	CM 85	SAUZE DU LAC, LE		05
138	AP 68	SAUZE VAUSSAIS	C	79
126	AW 62	SAUZELLES		36
176	CA 85	SAUZET		26
189	BV 92	SAUZET		30
170	AY 87	SAUZET		46
185	BB 92	SAUZIERE ST JEAN, LA		81
86	R 53	SAUZON		56
219	AU 101	SAVARTHES		31
160	BZ 77	SAVAS		07
160	CC 75	SAVAS MEPIN		38
176	CA 85	SAVASSE		26
88	AA 53	SAVENAY	C	44
184	AX 93	SAVENES		82
141	BD 68	SAVENNES		23
156	BI 74	SAVENNES		63
90	AK 54	SAVENNIERES		49
201	BA 100	SAVERDUN	C	09
200	AW 98	SAVERES		31
63	CS 38	SAVERNE	S	67
21	BF 26	SAVEUSE		80
131	BY 61	SAVIANGES		71
80	BT 43	SAVIERES		10
133	CF 64	SAVIGNA		39
186	BD 88	SAVIGNAC		12
168	AN 85	SAVIGNAC		33
168	AP 84	SAVIGNAC DE DURAS		47
151	AM 80	SAVIGNAC DE L'ISLE		33
169	AV 81	SAVIGNAC DE MIREMONT		24
153	AU 74	SAVIGNAC DE NONTRON		24
154	AY 77	SAVIGNAC LEDRIER		24
153	AV 77	SAVIGNAC LES EGLISES	C	24
220	BC 106	SAVIGNAC LES ORMEAUX		09
200	AW 97	SAVIGNAC MONA		32
169	AU 86	SAVIGNAC SUR LEYZE		47
189	BU 92	SAVIGNARGUES		30
138	AR 67	SAVIGNE		86
74	AR 46	SAVIGNE L'EVEQUE		72
91	AP 51	SAVIGNE SOUS LE LUDE		72
92	AR 53	SAVIGNE SUR LATHAN		37
146	CA 69	SAVIGNEUX		01
145	BU 74	SAVIGNEUX		42
34	BE 31	SAVIGNIES		60
49	AG 35	SAVIGNY		50
100	CF 50	SAVIGNY		52
145	BY 71	SAVIGNY		69
148	CI 68	SAVIGNY		74
83	CJ 43	SAVIGNY		88
133	CE 62	SAVIGNY EN REVERMONT		71
96	BK 53	SAVIGNY EN SANCERRE		18
112	BI 58	SAVIGNY EN SEPTAINE		18
98	BU 53	SAVIGNY EN TERRE PLAINE		89
108	AQ 56	SAVIGNY EN VERON		37
99	CB 53	SAVIGNY LE SEC		21
77	BI 41	SAVIGNY LE TEMPLE	C	77
72	AH 41	SAVIGNY LE VIEUX		50
116	BZ 57	SAVIGNY LES BEAUNE		21
125	AS 63	SAVIGNY LEVESCAULT		86
130	BS 61	SAVIGNY POIL FOL		58
108	AR 60	SAVIGNY SOUS FAYE		86
116	BZ 54	SAVIGNY SOUS MALAIN		21
39	BY 32	SAVIGNY SUR AISNE		08
37	BR 33	SAVIGNY SUR ARDRES		51
93	AV 48	SAVIGNY SUR BRAYE	C	41
78	BM 46	SAVIGNY SUR CLAIRIS		89
131	BY 63	SAVIGNY SUR GROSNE		71
55	BH 40	SAVIGNY SUR ORGE	C	91
132	CC 62	SAVIGNY SUR SEILLE		71
115	BV 57	SAVILLY		21
179	CN 85	SAVINES LE LAC	C	05
78	BN 42	SAVINS		77
191	CF 89	SAVOILLAN		84
98	BW 50	SAVOISY		21
100	CD 54	SAVOLLES		21
109	AT 54	SAVONNIERES		37
59	CB 38	SAVONNIERES DEVANT BAR		55
59	CB 40	SAVONNIERES EN PERTHOIS		55
116	CB 56	SAVOUGES		21
178	CI 86	SAVOURNON		05
100	CG 52	SAVOYEUX		70
22	BN 27	SAVY		02
21	BI 21	SAVY BERLETTE		62
134	CM 66	SAXEL		74
114	BP 58	SAXI BOURDON		58
83	CI 42	SAXON SION		54
143	BM 71	SAYAT		63
190	BZ 92	SAZE		30
127	BE 65	SAZERAY		36
129	BL 66	SAZERET		03
108	AR 57	SAZILLY		37
217	AN 104	SAZOS		65
67	O 45	SCAER	C	29
231	DN 107	SCATA		2B
153	AU 75	SCEAU ST ANGEL		24
175	BY 85	SCEAUTRES		07
98	BT 52	SCEAUX		89
55	BG 38	SCEAUX	C	92
90	AK 51	SCEAUX D'ANJOU		49
77	BI 46	SCEAUX DU GATINAIS		45
74	AT 46	SCEAUX SUR HUISNE		72
118	CJ 56	SCEY MAISIERES		25
101	CH 50	SCEY SUR SAONE ET ST ALBIN	C	70
85	CT 41	SCHAEFFERSHEIM		67
65	CX 36	SCHAFFHOUSE PRES SELTZ		67
64	CT 38	SCHAFFHOUSE SUR ZORN		67
63	CQ 37	SCHALBACH		57
64	CT 37	SCHALKENDORF		67
64	CT 39	SCHARRACHBERGHEIM IRMSTETT		67
65	CX 35	SCHEIBENHARD		67
64	CT 37	SCHERLENHEIM		67
85	CS 43	SCHERWILLER		67
64	CT 36	SCHILLERSDORF		67
64	CU 39	SCHILTIGHEIM	C	67
85	CQ 41	SCHIRMECK	C	67
64	CV 37	SCHIRRHEIN		67
64	CV 37	SCHIRRHOFFEN		67
65	CW 35	SCHLEITHAL		67
103	CT 50	SCHLIERBACH		68
63	CQ 35	SCHMITTVILLER		57
62	CP 38	SCHNECKENBUSCH		57
64	CT 39	SCHNERSHEIM		67
85	CU 43	SCHOENAU		67
63	CQ 37	SCHOENBOURG		67
42	CO 33	SCHOENECK		57
64	CV 35	SCHOENENBOURG		67
62	CP 36	SCHOPPERTEN		67
63	CS 34	SCHORBACH		57
64	CU 37	SCHWEIGHOUSE SUR MODER		67
103	CR 49	SCHWEIGHOUSE THANN		68
63	CS 38	SCHWENHEIM		67
42	CL 31	SCHWERDORFF		57
43	CR 33	SCHWEYEN		57
64	CT 37	SCHWINDRATZHEIM		67
103	CS 50	SCHWOBEN		68
85	CT 43	SCHWOBSHEIM		67
123	AL 65	SCIECQ		79
148	CL 67	SCIENTRIER		74
199	AP 96	SCIEURAC ET FLOURES		32
134	CM 65	SCIEZ		74
123	AK 62	SCILLE		79
149	CN 68	SCIONZIER	C	74
229	DM 105	SCOLCA		2B
109	AS 60	SCORBE CLAIRVAUX		86
46	O 41	SCRIGNAC		29
59	BZ 39	SCRUPT		51
61	CI 34	SCY CHAZELLES		57
101	CI 50	SCYE		70
198	AP 94	SEAILLES		32
159	BV 77	SEAUVE SUR SEMENE, LA		43
187	BJ 87	SEBAZAC CONCOURES		12
53	AW 36	SEBECOURT		27
29	AG 31	SEBEVILLE		50
23	BP 25	SEBONCOURT		02
23	BQ 21	SEBOURG		59
172	BJ 86	SEBRAZAC		12
198	AK 97	SEBY		64
102	CM 51	SECENANS		70
39	BY 33	SECHAULT		08
160	BZ 79	SECHERAS		07
25	BX 26	SECHEVAL		08
162	CI 79	SECHILIENNE		38
118	CK 54	SECHIN		25
12	BL 19	SECLIN	C	59
137	AM 67	SECONDIGNE SUR BELLE		79
123	AL 62	SECONDIGNY	C	79
61	CJ 36	SECOURT		57
31	AM 33	SECQUEVILLE EN BESSIN		14
39	BZ 28	SEDAN	S	08
218	AS 101	SEDEILHAC		31
192	CG 89	SEDERON	C	26
198	AM 98	SEDZE MAUBECQ		64
198	AM 99	SEDZERE		64
65	CW 35	SEEBACH		67
52	AQ 40	SEES	C	61
149	CP 73	SEEZ		73
169	AS 85	SEGALAS		47
198	AO 98	SEGALAS		65
171	BF 82	SEGALASSIERE, LA		15
68	S 45	SEGLIEN		56
134	CJ 65	SEGNY		01
137	AN 73	SEGONZAC	C	16
154	AY 77	SEGONZAC		19
153	AS 78	SEGONZAC		24
198	AM 96	SEGOS		32
200	AX 96	SEGOUFIELLE		32
90	AJ 50	SEGRE	S	49
201	BC 97	SEGREVILLE		31
73	AP 45	SEGRIE		72
51	AM 38	SEGRIE FONTAINE		61
116	CA 56	SEGROIS		21
111	BF 59	SEGRY		36
106	AH 57	SEGUINIERE, LA		49
187	BL 88	SEGUR		12
186	BE 90	SEGUR, LE		81
154	AY 76	SEGUR LE CHATEAU		19
157	BK 78	SEGUR LES VILLAS		15
220	BB 102	SEGURA		09
191	CC 89	SEGURET		84
217	AN 102	SEGUS		65
218	AR 102	SEICH		65
61	CJ 39	SEICHAMPS	C	54
95	BG 47	SEICHEBRIERES		45
60	CG 37	SEICHEPREY		54
91	AM 52	SEICHES SUR LE LOIR	C	49
221	BD 102	SEIGNALENS		11
137	AN 70	SEIGNE		17
97	BQ 48	SEIGNELAY	C	89
59	CC 37	SEIGNEULLES		55
196	AC 94	SEIGNOSSE		40
98	BW 52	SEIGNY		21
110	AZ 55	SEIGY		41
201	AY 95	SEILH		31
155	BC 76	SEILHAC	C	19
218	AS 102	SEILHAN		31
93	AY 52	SEILLAC		41
210	CP 95	SEILLANS		83
147	CF 71	SEILLONNAZ		01
208	CJ 97	SEILLONS SOURCE D'ARGENS		83
77	BI 41	SEINE PORT		77
62	CN 34	SEINGHOUSE		57
199	AS 97	SEISSAN		32
219	AX 104	SEIX		09
89	AD 48	SEL DE BRETAGNE, LE	C	35
83	CH 41	SELAINCOURT		54
36	BN 30	SELENS		02
85	CT 43	SELESTAT	S	67
137	AM 67	SELIGNE		79
117	CF 58	SELIGNEY		39
90	AH 48	SELLE CRAONNAISE, LA		53
71	AF 42	SELLE EN COGLES, LA		35
78	BL 47	SELLE EN HERMOY, LA		45
72	AH 43	SELLE EN LUITRE, LA		35
89	AG 47	SELLE GUERCHAISE, LA		35
51	AL 39	SELLE LA FORGE, LA		61
78	BL 46	SELLE SUR LE BIED, LA		45
32	AT 33	SELLES		27
38	BV 33	SELLES		51
10	BD 17	SELLES		62
83	CI 47	SELLES		70
111	BD 54	SELLES ST DENIS		41
110	BB 55	SELLES SUR CHER	C	41
110	BA 58	SELLES SUR NAHON		36
117	CF 60	SELLIERES	C	39
93	AY 50	SELOMMES	C	41
102	CP 52	SELONCOURT		25
99	CC 51	SELONGEY	C	21
178	CM 87	SELONNET		04
65	CX 36	SELTZ	C	67
38	BT 30	SELVE, LA		02
187	BI 90	SELVE, LA		12
220	BA 105	SEM		09
202	BE 96	SEMALENS		81
74	AQ 42	SEMALLE		61
115	BY 55	SEMAREY		21
158	BR 77	SEMBADEL		43
183	AT 88	SEMBAS		47
92	AT 53	SEMBLANCAY		37
111	BC 56	SEMBLECAY		36
199	AP 98	SEMBOUES		32
198	AO 100	SEMEAC	C	65
198	AN 97	SEMEACQ BLACHON		64
41	CI 33	SEMECOURT		57
114	BS 60	SEMELAY		58
167	AM 84	SEMENS		33
97	BO 51	SEMENTRON		89
24	BS 23	SEMERIES		59
93	AZ 48	SEMERVILLE		41
116	CA 56	SEMEZANGES		21
200	AT 97	SEMEZIES CACHAN		32
38	BX 32	SEMIDE		08
151	AJ 76	SEMILLAC		17
82	CE 44	SEMILLY		52
101	CH 50	SEMMADON		70
58	BT 39	SEMOINE		10
99	BX 50	SEMOND		21
102	CN 51	SEMONDANS		25
160	CD 75	SEMONS		38
23	BS 23	SEMOUSIES		59
151	AJ 76	SEMOUSSAC		17
81	CB 46	SEMOUTIERS MONTSAON		52
94	BE 48	SEMOY		45
183	AT 91	SEMPESSERRE		32
36	BL 30	SEMPIGNY		60
10	BD 19	SEMPY		62
98	BW 53	SEMUR EN AUXOIS	C	21
131	BU 66	SEMUR EN BRIONNAIS	C	71
74	AU 47	SEMUR EN VALLON		72
136	AH 73	SEMUSSAC		17
39	BX 30	SEMUY		08
181	AK 90	SEN, LE		40
199	AP 99	SENAC		65
82	CG 47	SENAIDE		88
171	BE 82	SENAILLAC LATRONQUIERE		46
171	BB 85	SENAILLAC LAUZES		46
98	BV 52	SENAILLY		21
97	BO 48	SENAN		89
54	BB 40	SENANTES		28
34	BD 31	SENANTES		60
200	AW 99	SENARENS		31
102	CM 51	SENARGENT MIGNAFANS		70
20	BC 26	SENARPONT		80
207	CC 94	SENAS		13
133	CE 65	SENAUD		39
203	BJ 94	SENAUX		81
153	AU 77	SENCENAC PUY DE FOURCHES		24
220	BB 105	SENCONAC		09
168	AN 87	SENDETS		33
198	AL 99	SENDETS		64
87	U 50	SENE		56
189	BU 88	SENECHAS		30
172	BI 85	SENERGUES		12
168	AQ 87	SENESTIS		47
174	BS 81	SENEUJOLS		43
193	CN 92	SENEZ		04
172	BH 84	SENEZERGUES		15
219	AU 103	SENGOUAGNET		31
170	BA 84	SENIERGUES		46
125	AT 61	SENILLE		86
10	BE 17	SENINGHEM		62
10	BE 18	SENLECQUES		62
55	BI 34	SENLIS	S	60
11	BF 19	SENLIS		62
21	BI 25	SENLIS LE SEC		80
54	BE 39	SENLISSE		78
112	BH 59	SENNECAY		18
132	CA 62	SENNECEY LE GRAND	C	71
116	CB 55	SENNECEY LES DIJON		21
95	BF 51	SENNELY		45
110	AX 57	SENNEVIERES		37
18	AS 27	SENNEVILLE SUR FECAMP		76
98	BV 49	SENNEVOY LE BAS		89
98	BV 49	SENNEVOY LE HAUT		89
40	CE 32	SENON		55
75	AX 41	SENONCHES	C	28
101	CI 48	SENONCOURT		70
60	CC 35	SENONCOURT LES MAUJOUY		55
84	CP 42	SENONES	C	88
83	CI 45	SENONGES		88
89	AG 49	SENONNES		53
34	BE 33	SENOTS		60
186	BD 92	SENOUILLAC		81
29	AD 30	SENOVILLE		50
132	CA 65	SENOZAN		71
78	BN 45	SENS	S	89
112	BJ 55	SENS BEAUJEU		18
71	AE 43	SENS DE BRETAGNE		35
133	CD 60	SENS SUR SEILLE		71
219	AV 104	SENTEIN		09
35	BE 28	SENTELIE		80
220	AZ 103	SENTENAC DE SEROU		09
219	AX 104	SENTENAC D'OUST		09
102	CQ 49	SENTHEIM		68
51	AO 38	SENTILLY		61
23	BP 21	SENTINELLE, LA		59
199	AQ 100	SENTOUS		65
39	BZ 32	SENUC		08
46	T 41	SENVEN LEHART		22
96	BN 48	SEPEAUX		89
23	BP 22	SEPMERIES		59
109	AU 57	SEPMES		37
103	CR 51	SEPPOIS LE BAS		68
103	CR 51	SEPPOIS LE HAUT		68
72	AL 41	SEPT FORGES		61
50	AI 37	SEPT FRERES		14
20	BA 25	SEPT MEULES		76
58	BU 34	SEPT SAULX		51
56	BM 37	SEPT SORTS		77
50	AJ 35	SEPT VENTS		14
160	CB 74	SEPTEME		38
208	CF 98	SEPTEMES LES VALLONS		13
54	BC 37	SEPTEUIL		78
185	BA 90	SEPTFONDS		82
118	CK 58	SEPTFONTAINES		25
134	CI 65	SEPTMONCEL		39

Page	Carreau	Commune	Adm.	Dpt
37	BO 32	SEPTMONTS		02
39	CB 32	SEPTSARGES		55
37	BO 30	SEPTVAUX		02
82	CF 40	SEPVIGNY		55
124	AO 66	SEPVRET		79
219	AU 101	SEPX		31
12	BL 18	SEQUEDIN		59
23	BO 26	SEQUEHART		02
186	BE 93	SEQUESTRE, LE		81
23	BO 25	SERAIN		02
38	BU 29	SERAINCOURT		08
54	BD 36	SERAINCOURT		95
156	BG 77	SERANDON		19
194	CQ 93	SERANON		06
54	BD 34	SERANS		60
51	AO 39	SERANS		61
84	CL 41	SERANVILLE		54
22	BN 24	SERANVILLERS FORENVILLE		59
36	BN 27	SERAUCOURT LE GRAND		02
82	CF 42	SERAUMONT		88
54	BA 40	SERAZEREUX		28
143	BO 68	SERBANNES		03
78	BN 44	SERBONNES		89
37	BO 32	SERCHES		02
84	CL 44	SERCOEUR		88
11	BH 17	SERCUS		59
132	BZ 62	SERCY		71
226	BG 108	SERDINYA		66
199	AT 98	SERE		32
217	AM 102	SERE EN LAVEDAN		65
217	AO 102	SERE LANSO		65
199	AQ 100	SERE RUSTAING		65
83	CG 46	SERECOURT		88
140	AW 72	SEREILHAC		87
41	CH 32	SEREMANGE ERZANGE		57
200	AU 94	SEREMPUY		32
186	BG 92	SERENAC		81
69	W 48	SERENT		56
35	BH 29	SEREVILLERS		60
53	AZ 37	SEREZ		27
161	CE 74	SEREZIN DE LA TOUR		38
146	CA 73	SEREZIN DU RHONE		69
170	AX 80	SERGEAC		24
117	CE 59	SERGENAUX		39
117	CE 59	SERGENON		39
78	BN 43	SERGINES	C	89
134	CJ 66	SERGY		01
57	BQ 34	SERGY		02
21	BG 22	SERICOURT		62
173	BM 81	SERIERS		15
34	BC 32	SERIFONTAINE		60
170	AX 87	SERIGNAC		46
184	AW 92	SERIGNAC		82
169	AS 85	SERIGNAC PEBOUDOU		47
183	AR 89	SERIGNAC SUR GARONNE		47
204	BO 100	SERIGNAN		34
191	CB 89	SERIGNAN DU COMTAT		84
123	AI 63	SERIGNE		85
74	AT 43	SERIGNY		61
108	AR 59	SERIGNY		86
155	BC 80	SERILHAC		19
37	BP 34	SERINGES ET NESLES		02
94	BA 50	SERIS		41
116	CD 60	SERLEY		71
114	BS 58	SERMAGES		58
91	AN 52	SERMAISE		49
77	BF 41	SERMAISE		91
77	BG 44	SERMAISES		45
36	BL 29	SERMAIZE		60
59	BZ 38	SERMAIZE LES BAINS		51
102	CO 50	SERMAMAGNY		90
117	CF 56	SERMANGE		39
231	DM 108	SERMANO	C	2B
144	BP 72	SERMENTIZON		63
147	CE 73	SERMERIEU		38
85	CT 42	SERMERSHEIM		67
116	CC 59	SERMESSE		71
58	BS 34	SERMIERS		51
97	BR 52	SERMIZELLES		89
37	BO 32	SERMOISE		02
113	BN 59	SERMOISE SUR LOIRE		58
132	CB 63	SERMOYER		01
142	BH 70	SERMUR		23
190	BY 92	SERNHAC		30
83	CH 46	SEROCOURT		88
198	AN 99	SERON		65
160	CA 74	SERPAIZE		38
221	BF 103	SERPENT, LA		11
11	BG 16	SERQUES		62
82	CG 47	SERQUEUX		52
34	BB 29	SERQUEUX		76
52	AU 35	SERQUIGNY		27
232	DI 115	SERRA DI FERRO		2A
231	DN 112	SERRA DI FIUMORBO		2B
233	DL 114	SERRA DI SCOPAMENE	C	2A
226	BI 110	SERRALONGUE		66
148	CM 71	SERRAVAL		74
187	BJ 91	SERRE, LA		12
142	BG 69	SERRE BUSSIERE VIEILLE, LA		23
117	CF 55	SERRE LES MOULIERES		39
117	CI 55	SERRE LES SAPINS		25
177	CH 86	SERRES	C	05
221	BG 103	SERRES		11
61	CL 39	SERRES		54
198	AL 98	SERRES CASTET		64
168	AR 84	SERRES ET MONTGUYARD		24
197	AK 95	SERRES GASTON		40
198	AL 99	SERRES MORLAAS		64
197	AJ 98	SERRES STE MARIE		64
220	BA 103	SERRES SUR ARGET		09
197	AI 95	SERRESLOUS ET ARRIBANS		40
230	DH 108	SERRIERA		2A
160	BZ 77	SERRIERES	C	07
132	BZ 66	SERRIERES		71
147	CF 71	SERRIERES DE BRIORD		01
148	CI 70	SERRIERES EN CHAUTAGNE		73
147	CF 67	SERRIERES SUR AIN		01
98	BS 49	SERRIGNY		89
116	CC 60	SERRIGNY EN BRESSE		71
56	BK 38	SERRIS		77
40	CG 31	SERROUVILLE		54
112	BH 60	SERRUELLES		18
138	AR 74	SERS		16
217	AO 104	SERS		65
37	BO 29	SERVAIS		02
37	BQ 32	SERVAL		02
102	CN 48	SERVANCE		70
152	AP 79	SERVANCHES		24
143	BL 68	SERVANT		63
146	CC 68	SERVAS		01
189	BV 90	SERVAS		30
33	AZ 31	SERVAVILLE SALMONVILLE		76
173	BP 84	SERVERETTE		48
160	CA 79	SERVES SUR RHONE		26
204	BO 98	SERVIAN	C	34
173	BP 85	SERVIERES		48
155	BE 79	SERVIERES LE CHATEAU		19
190	BX 91	SERVIERS ET LABAUME		30
202	BE 95	SERVIES		81
222	BI 102	SERVIES EN VAL		11
132	CB 64	SERVIGNAT		01
101	CK 49	SERVIGNEY		70
49	AF 34	SERVIGNY		50
61	CL 34	SERVIGNY LES RAVILLE		57
41	CJ 34	SERVIGNY LES STE BARBE		57
54	BA 39	SERVILLE		28
130	BQ 66	SERVILLY		03
118	CM 54	SERVIN		25
11	BJ 20	SERVINS		62
49	AF 40	SERVON		50
55	BI 39	SERVON		77
39	BZ 33	SERVON MELZICOURT		51
71	AE 45	SERVON SUR VILAINE		35
149	CP 69	SERVOZ		74
38	BV 29	SERY		08
97	BR 51	SERY		89
37	BO 27	SERY LES MEZIERES		02
36	BK 33	SERY MAGNEVAL		60
37	BR 33	SERZY ET PRIN		51
65	CW 37	SESSENHEIM		67
205	BS 98	SETE	C	34
11	BF 17	SETQUES		62
55	BH 35	SEUGY		95
38	BW 31	SEUIL		08
59	CB 36	SEUIL D'ARGONNE	C	55
144	BP 67	SEUILLET		03
108	AQ 57	SEUILLY		37
93	AZ 53	SEUR		41
137	AM 71	SEURE, LE		17
116	CC 58	SEURRE	C	21
21	BF 26	SEUX		80
60	CE 36	SEUZEY		55
145	BW 68	SEVELINGES		42
102	CP 51	SEVENANS		90
88	Z 51	SEVERAC		44
188	BM 88	SEVERAC LE CHATEAU	C	12
187	BL 88	SEVERAC L'EGLISE		12
100	CG 52	SEVEUX		70
70	Y 42	SEVIGNAC		22
198	AL 97	SEVIGNACQ		64
217	AK 101	SEVIGNACQ MEYRACQ		64
51	AP 38	SEVIGNY		61
24	BW 26	SEVIGNY LA FORET		08
38	BT 29	SEVIGNY WALEPPE		08
19	AY 28	SEVIS		76
51	AO 39	SEVRAI		61
55	BI 37	SEVRAN	C	93
55	BF 38	SEVRES	C	92
125	AS 63	SEVRES ANXAUMONT		86
132	CA 61	SEVREY		71
148	CK 70	SEVRIER		74
112	BK 57	SEVRY		18
102	CP 48	SEWEN		68
155	BE 80	SEXCLES		19
61	CI 40	SEXEY AUX FORGES		54
61	CI 39	SEXEY LES BOIS		54
81	CB 45	SEXFONTAINES		52
143	BO 71	SEYCHALLES		63
168	AQ 85	SEYCHES	C	47
178	CM 87	SEYNE	C	04
212	CJ 101	SEYNE SUR MER, LA	C	83
190	BW 90	SEYNES		30
148	CK 70	SEYNOD	C	74
201	BB 99	SEYRE		31
196	AF 95	SEYRESSE		40
147	CH 69	SEYSSEL	C	01
147	CI 69	SEYSSEL	C	74
201	AY 97	SEYSSES		31
200	AW 97	SEYSSES SAVES		32
161	CH 78	SEYSSINET PARISET		38
161	CH 78	SEYSSINS		38
160	CA 74	SEYSSUEL		38
148	CL 72	SEYTHENEX		74
135	CN 66	SEYTROUX		74
57	BQ 39	SEZANNE	C	51
198	AO 99	SIARROUY		65
158	BR 80	SIAUGUES STE MARIE		43
45	L 38	SIBIRIL		29
21	BG 22	SIBIVILLE		62
147	CE 72	SICCIEU ST JULIEN ET CARISIEU		38
113	BO 56	SICHAMPS		58
102	CP 49	SICKERT		68
29	AD 29	SIDEVILLE		50
128	BG 64	SIDIAILLES		18
137	AN 71	SIECQ		17
65	CW 35	SIEGEN		67
79	BP 45	SIEGES, LES		89
41	CK 30	SIERCK LES BAINS	C	57
103	CT 50	SIERENTZ	C	68
63	CR 34	SIERSTHAL		57
33	AX 29	SIERVILLE		76
196	AF 95	SIEST		40
202	BE 94	SIEURAC		81
220	AY 101	SIEURAS		09
178	CI 81	SIEVOZ		38
63	CQ 37	SIEWILLER		67
194	CS 92	SIGALE		06
168	AN 86	SIGALENS		33
222	BM 102	SIGEAN	C	11
95	BG 49	SIGLOY		45
218	AS 104	SIGNAC		31
208	CJ 99	SIGNES		83
82	CC 44	SIGNEVILLE		52
38	BW 28	SIGNY L'ABBAYE	C	08
24	BV 26	SIGNY LE PETIT	C	08
40	CC 29	SIGNY MONTLIBERT		08
56	BM 37	SIGNY SIGNETS		77
138	AN 72	SIGOGNE		16
85	CR 45	SIGOLSHEIM		68
192	CJ 91	SIGONCE		04
177	CH 86	SIGOTTIER		05
168	AR 83	SIGOULES	C	24
122	AH 61	SIGOURNAIS		85
192	CJ 87	SIGOYER		04
178	CJ 86	SIGOYER		05
220	BA 105	SIGUER		09
78	BN 42	SIGY		77
34	BA 30	SIGY EN BRAY		76
131	BY 63	SIGY LE CHATEL		71
68	S 44	SILFIAC		56
176	BY 82	SILHAC		07
161	CE 76	SILLANS		38
209	CL 96	SILLANS LA CASCADE		83
125	AV 65	SILLARS		86
182	AN 87	SILLAS		33
73	AO 45	SILLE LE GUILLAUME	C	72
74	AS 46	SILLE LE PHILIPPE		72
61	CI 35	SILLEGNY		57
38	BU 34	SILLERY		51
118	CJ 57	SILLEY AMANCEY		25
118	CL 54	SILLEY BLEFOND		25
148	CJ 69	SILLINGY		74
51	AQ 38	SILLY EN GOUFFERN		61
61	CJ 35	SILLY EN SAULNOIS		57
36	BM 34	SILLY LA POTERIE		02
56	BK 35	SILLY LE LONG		60
61	CK 34	SILLY SUR NIED		57
35	BF 33	SILLY TILLARD		60
60	CC 39	SILMONT		55
62	CP 34	SILTZHEIM		67
229	DN 106	SILVARECCIO		2B
81	BZ 46	SILVAROUVRES		52
198	AM 98	SIMACOURBE		64
132	CB 62	SIMANDRE		71
133	CE 66	SIMANDRE SUR SURAN		01
146	CA 73	SIMANDRES		69
132	CC 61	SIMARD		71
21	BJ 22	SIMENCOURT		62
170	AZ 82	SIMEYROLS		24
208	CG 98	SIMIANE COLLONGUE		13
192	CG 91	SIMIANE LA ROTONDE		04
200	AU 98	SIMORRE		32
90	AJ 48	SIMPLE		53
22	BM 21	SIN LE NOBLE		59
177	CH 81	SINARD		38
36	BN 29	SINCENY		02
98	BU 53	SINCEY LES ROUVRAY		21
181	AG 91	SINDERES		40
156	BI 74	SINGLES		63
168	AR 83	SINGLEYRAC		24
39	BY 29	SINGLY		08
63	CS 38	SINGRIST		67
220	BB 105	SINSAT		09
199	AP 100	SINZOS		65
198	AO 94	SION		32
89	AD 49	SION LES MINES		44
171	BC 81	SIONIAC		19
82	CF 42	SIONNE		88
62	CL 39	SIONVILLER		54
152	AR 78	SIORAC DE RIBERAC		24
169	AW 82	SIORAC EN PERIGORD		24
29	AC 29	SIOUVILLE HAGUE		50
200	AV 95	SIRAC		32
21	BG 21	SIRACOURT		62
218	AS 103	SIRADAN		65
171	BF 81	SIRAN		15
203	BJ 99	SIRAN		34
217	AM 103	SIREIX		65
138	AO 73	SIREUIL		16
134	CI 61	SIROD		39
197	AJ 99	SIROS		64
229	DN 102	SISCO		2B
37	BS 30	SISSONNE	C	02
23	BO 27	SISSY		02
184	AU 91	SISTELS		82
192	CJ 89	SISTERON	C	04
192	CF 93	SIVERGUES		84
131	BX 64	SIVIGNON		71
61	CJ 37	SIVRY		54
59	BZ 36	SIVRY ANTE		51
78	BJ 41	SIVRY COURTRY		77
60	CC 34	SIVRY LA PERCHE		55
40	CC 32	SIVRY SUR MEUSE		55
212	CJ 101	SIX FOURS LES PLAGES	C	83
149	CP 68	SIXT FER A CHEVAL		74
88	AA 49	SIXT SUR AFF		35
45	L 41	SIZUN	C	29
124	AR 64	SMARVES		86
20	BA 27	SMERMESNIL		76
230	DJ 109	SOCCIA		2A
102	CO 52	SOCHAUX	C	25
83	CJ 42	SOCOURT		88
11	BH 15	SOCX		59
218	AS 105	SODE		31
90	AL 50	SOEURDRES		49
78	BN 42	SOGNOLLES EN MONTOIS		77
58	BW 37	SOGNY AUX MOULINS		51
59	BZ 38	SOGNY EN L'ANGLE		51
51	AO 35	SOIGNOLLES		14
56	BJ 40	SOIGNOLLES EN BRIE		77
54	BC 37	SOINDRES		78
101	CH 51	SOING CUBRY CHARENTENAY		70
94	BA 54	SOINGS EN SOLOGNE		41
116	CD 56	SOIRANS		21
37	BO 32	SOISSONS	S	02
117	CE 55	SOISSONS SUR NACEY		21
79	BO 42	SOISY BOUY		77
55	BG 36	SOISY SOUS MONTMORENCY	C	95
77	BI 42	SOISY SUR ECOLE		91
55	BH 40	SOISY SUR SEINE		91
38	BT 28	SOIZE		02
75	AW 45	SOIZE		28
57	BR 38	SOIZY AUX BOIS		51
146	CA 73	SOLAIZE		69
231	DN 112	SOLARO		2B
85	CR 41	SOLBACH		67
194	CP 92	SOLEILHAS		04
102	CN 53	SOLEMONT		25
36	BK 28	SOLENTE		60
222	BK 106	SOLER, LE		66
190	CA 87	SOLERIEUX		26
56	BJ 40	SOLERS		77
23	BP 23	SOLESMES	C	59
91	AN 49	SOLESMES		72
147	CE 72	SOLEYMIEU		38
158	BU 75	SOLEYMIEUX		42
181	AG 89	SOLFERINO		40
61	CJ 36	SOLGNE		57
51	AN 34	SOLIERS		14
140	AY 72	SOLIGNAC		87
158	BT 78	SOLIGNAC SOUS ROCHE		43
174	BT 81	SOLIGNAC SUR LOIRE	C	43
157	BN 75	SOLIGNAT		63
52	AT 40	SOLIGNY LA TRAPPE		61
79	BP 43	SOLIGNY LES ETANGS		10
232	DJ 115	SOLLACARO		2A
163	CQ 77	SOLLIERES SARDIERES		73
209	CK 100	SOLLIES PONT	C	83
209	CK 100	SOLLIES TOUCAS		83
209	CK 100	SOLLIES VILLE		83
132	BY 65	SOLOGNY		71
200	AV 94	SOLOMIAC		32
24	BT 23	SOLRE LE CHATEAU	C	59
24	BT 23	SOLRINNES		59
96	BK 48	SOLTERRE		45
132	BZ 66	SOLUTRE POUILLY		71
22	BN 21	SOMAIN		59
118	CK 58	SOMBACOUR		25
116	BY 54	SOMBERNON	C	21
21	BI 22	SOMBRIN		62
198	AN 97	SOMBRUN		65
107	AK 58	SOMLOIRE		49
23	BP 22	SOMMAING		59
81	CA 41	SOMMANCOURT		52
115	BV 58	SOMMANT		71
39	CA 30	SOMMAUTHE		08
59	BY 35	SOMME BIONNE		51
58	BX 34	SOMME SUIPPE		51
59	BX 35	SOMME TOURBE		51
59	BX 36	SOMME VESLE		51
59	BY 36	SOMME YEVRE		51
96	BN 49	SOMMECAISE		89
60	CD 35	SOMMEDIEUE		55
59	CA 37	SOMMEILLES		55
56	BN 34	SOMMELANS		02
59	CA 39	SOMMELONNE		55
38	BW 33	SOMMEPY TAHURE		51
39	CA 32	SOMMERANCE		08
82	CF 44	SOMMERECOURT		52
34	BE 28	SOMMEREUX		60
23	BS 25	SOMMERON		02
30	AL 32	SOMMERVIEU		14
61	CK 39	SOMMERVILLER		54
34	BA 29	SOMMERY		76
18	AU 28	SOMMESNIL		76
58	BU 39	SOMMESOUS		51
118	CM 55	SOMMETTE, LA		25
36	BM 28	SOMMETTE EAUCOURT		02
80	BS 45	SOMMEVAL		10
81	BZ 42	SOMMEVOIRE		52
205	BU 94	SOMMIERES	C	30
124	AR 66	SOMMIERES DU CLAIN		86
138	AO 67	SOMPT		79
58	BV 39	SOMPUIS	C	51
58	BW 40	SOMSOIS		51
38	BV 29	SON		08
171	BD 84	SONAC		46
76	BD 41	SONCHAMP		78
83	CH 42	SONCOURT		88
81	CB 44	SONCOURT SUR MARNE		52
85	CQ 46	SONDERNACH		68
103	CS 52	SONDERSDORF		68
161	CE 79	SONE, LA		38
34	BD 30	SONGEONS	C	60
133	CH 62	SONGESON		39
147	CH 69	SONGIEU		01
58	BW 38	SONGY		51
171	BF 85	SONNAC		12
137	AM 71	SONNAC		17
221	BE 103	SONNAC SUR L'HERS		11
160	CB 76	SONNAY		38
148	CI 73	SONNAZ		73
138	AN 71	SONNEVILLE		16
37	BQ 27	SONS ET RONCHERES		02
133	CF 66	SONTHONNAX LA MONTAGNE		01
92	AS 52	SONZAY		37
196	AC 95	SOORTS HOSSEGOR		40
103	CQ 49	SOPPE LE BAS		68
103	CQ 49	SOPPE LE HAUT		68
219	AW 104	SOR		09
101	CI 53	SORANS LES BREUREY		70
23	BS 26	SORBAIS		02
198	AO 95	SORBETS		32
198	AL 95	SORBETS		40
40	CE 31	SORBEY		55
61	CJ 35	SORBEY		57
130	BR 65	SORBIER		03
177	CG 87	SORBIERS		05
159	BX 75	SORBIERS		42
229	DN 106	SORBO OCAGNANO		2B
233	DL 114	SORBOLLANO		2A
38	BV 30	SORBON		08
188	BP 93	SORBS		34
38	BX 30	SORCY BAUTHEMONT		08
60	CF 39	SORCY ST MARTIN		55
196	AF 96	SORDE L'ABBAYE		40
181	AJ 88	SORE	C	40
198	AP 99	SOREAC		65
227	BM 108	SOREDE		66
22	BM 25	SOREL		80
20	BD 25	SOREL EN VIMEU		80
53	AZ 38	SOREL MOUSSEL		28
202	BE 98	SOREZE		81
220	BC 106	SORGEAT		09
153	AV 77	SORGES		24
191	CB 91	SORGUES		84
109	AU 55	SORIGNY		37
105	AD 56	SORINIERES, LES		44
229	DL 105	SORIO		2B
79	BR 46	SORMERY		89
24	BX 27	SORMONNE		08
141	BF 73	SORNAC	C	19
117	CG 55	SORNAY		70
132	CC 62	SORNAY		71
61	CL 38	SORNEVILLE		54
18	AU 28	SORQUAINVILLE		76
10	BC 20	SORRUS		62
197	AG 95	SORT EN CHALOSSE		40
29	AF 30	SORTOSVILLE		50
29	AD 30	SORTOSVILLE EN BEAUMONT		50
183	AP 91	SOS		47
195	CW 92	SOSPEL	C	06
109	AS 60	SOSSAIS		86
218	AS 103	SOST		65
233	DM 117	SOTTA		2A
29	AE 29	SOTTEVAST		50
29	AD 29	SOTTEVILLE		50
33	AX 31	SOTTEVILLE LES ROUEN	C	76
33	AY 32	SOTTEVILLE SOUS LE VAL		76
19	AW 26	SOTTEVILLE SUR MER		76
169	AW 86	SOTURAC		46
62	CM 37	SOTZELING		57
58	BX 34	SOUAIN PERTHES LES HURLUS		51
202	BF 97	SOUAL		81
75	AV 44	SOUANCE AU PERCHE		28
226	BG 108	SOUANYAS		66
21	BI 23	SOUASTRE		62
204	BP 94	SOUBES		34
136	AG 70	SOUBISE		17
198	AN 97	SOUBLECAUSE		65
151	AK 76	SOUBRAN		17
141	BD 70	SOUBREBOST		23
72	AK 42	SOUCE		53
91	AM 52	SOUCELLES		49
175	BV 85	SOUCHE, LA		07
12	BJ 20	SOUCHEZ		62
63	CR 35	SOUCHT		57
133	CH 63	SOUCIA		39
146	BZ 73	SOUCIEU EN JARREST		69
170	BA 84	SOUCIRAC		46
147	CF 70	SOUCLIN		01
36	BM 32	SOUCY		02
79	BO 44	SOUCY		89
155	BC 74	SOUDAINE LAVINADIERE		19
89	AF 49	SOUDAN		44
124	AO 64	SOUDAN		79
139	AT 73	SOUDAT		24
75	AV 47	SOUDAY		41
58	BV 39	SOUDE		51
155	BE 76	SOUDEILLES		19
189	BS 91	SOUDORGUES		30
58	BU 38	SOUDRON		51
219	AU 102	SOUEICH		31
219	AX 104	SOUEIX ROGALLE		09
186	BD 91	SOUEL		81
198	AO 100	SOUES		65
21	BE 25	SOUES		80
95	BF 53	SOUESMES		41
64	CU 39	SOUFFELWEYERSHEIM		67
64	CW 36	SOUFFLENHEIM		67
153	AS 74	SOUFFRIGNAC		16
110	BA 59	SOUGE		36
92	AU 50	SOUGE		41
73	AP 43	SOUGE LE GANELON		72
71	AE 41	SOUGEAL		35
97	BO 52	SOUGERES EN PUISAYE		89
221	BH 104	SOUGRAIGNE		11
76	BC 47	SOUGY		45
113	BP 60	SOUGY SUR LOIRE		58
59	CC 35	SOUHESMES RAMPONT, LES		55
98	BW 53	SOUHEY		21
21	BH 22	SOUICH, LE		62
202	BD 99	SOUILHANELS		11
202	BD 99	SOUILHE		11
170	BA 82	SOUILLAC	C	46
74	AQ 46	SOUILLE		72
60	CC 35	SOUILLY	C	55
220	BB 103	SOULA		09
150	AF 74	SOULAC SUR MER		33
157	BO 80	SOULAGES		15
172	BK 84	SOULAGES BONNEVAL		12
81	BY 43	SOULAINES DHUYS	C	10
107	AL 54	SOULAINES SUR AUBANCE		49
90	AL 51	SOULAIRE ET BOURG		49
76	BB 41	SOULAIRES		28
219	AX 104	SOULAN		09
58	BX 38	SOULANGES		51
112	BI 56	SOULANGIS		18
51	AO 36	SOULANGY		14
222	BI 104	SOULATGE		11
82	CF 44	SOULAUCOURT SUR MOUZON		52
169	AV 84	SOULAURES		24
102	CP 54	SOULCE CERNAY		25
72	AL 46	SOULGE SUR OUETTE		53
203	BJ 97	SOULIE, LE		34
57	BS 37	SOULIERES		51
167	AL 84	SOULIGNAC		33
91	AP 47	SOULIGNE FLACE		72
74	AR 45	SOULIGNE SOUS BALLON		72
137	AI 71	SOULIGNONNE		17
80	BT 45	SOULIGNY		10
74	AS 47	SOULITRE		72
105	AA 60	SOULLANS		85
49	AH 35	SOULLES		50
217	AN 103	SOULOM		65
170	BB 85	SOULOMES		46
82	CF 42	SOULOSSE SOUS ST ELOPHE		88
103	CR 47	SOULTZ HAUT RHIN	C	68
64	CS 40	SOULTZ LES BAINS		67
64	CV 35	SOULTZ SOUS FORETS	C	67
85	CR 46	SOULTZBACH LES BAINS		68
85	CQ 45	SOULTZEREN		68
85	CR 46	SOULTZMATT		68
89	AE 48	SOULVACHE		44
79	BS 47	SOUMAINTRAIN		89
128	BG 66	SOUMANS		23
168	AR 84	SOUMENSAC		47
151	AL 77	SOUMERAS		17
204	BP 95	SOUMONT		34
51	AO 36	SOUMONT ST QUENTIN		14
198	AM 99	SOUMOULOU		64
202	BD 98	SOUPEX		11
37	BQ 31	SOUPIR		02
78	BJ 45	SOUPPES SUR LOING		77
181	AI 94	SOUPROSSE		40
214	AB 98	SOURAIDE		64
102	CN 53	SOURANS		25
145	BY 71	SOURCIEUX LES MINES		69
23	BR 26	SOURD, LE		02
50	AJ 39	SOURDEVAL	C	50
49	AG 36	SOURDEVAL LES BOIS		50
35	BH 28	SOURDON		80
79	BO 41	SOURDUN		77
69	T 45	SOURN, LE		56
221	BH 106	SOURNIA	C	66
156	BG 77	SOURNIAC		15
193	CK 89	SOURRIBES		04
76	BB 43	SOURS		28
155	BF 77	SOURSAC		19
152	AR 80	SOURZAC		24
141	BE 69	SOUS PARSAT		23
171	BE 82	SOUSCEYRAC	C	46
151	AL 77	SOUSMOULINS		17
176	CB 85	SOUSPIERRE		26
168	AO 83	SOUSSAC		33
151	AJ 80	SOUSSANS		33
115	BX 54	SOUSSEY SUR BRIONNE		21
189	BU 90	SOUSTELLE		30
196	AD 94	SOUSTONS	C	40
178	CI 81	SOUSVILLE		38
144	BT 71	SOUTERNON		42
126	BA 67	SOUTERRAINE, LA	C	23
123	AM 63	SOUTIERS		79
117	CF 58	SOUVANS		39
189	BV 94	SOUVIGNARGUES		30
138	AP 69	SOUVIGNE		16
92	AS 52	SOUVIGNE		37
124	AN 65	SOUVIGNE		79
74	AU 45	SOUVIGNE SUR MEME		72
91	AM 49	SOUVIGNE SUR SARTHE		72
129	BN 63	SOUVIGNY	C	03
93	AX 53	SOUVIGNY DE TOURAINE		37
95	BF 51	SOUVIGNY EN SOLOGNE		41
199	AP 100	SOUYEAUX		65
108	AP 55	SOUZAY CHAMPIGNY		49
145	BX 72	SOUZY		69
77	BF 41	SOUZY LA BRICHE		91
231	DL 107	SOVERIA		2B
176	CC 84	SOYANS		26
138	AQ 73	SOYAUX	C	16
102	CM 53	SOYE		25
112	BI 58	SOYE EN SEPTAINE		18
22	BK 26	SOYECOURT		80
100	CF 48	SOYERS		52
176	CA 81	SOYONS		07
63	CS 36	SPARSBACH		67
91	AQ 48	SPAY		72
103	CR 50	SPECHBACH LE BAS		68
103	CR 50	SPECHBACH LE HAUT		68
228	DJ 105	SPELONCATO		2B
210	CR 94	SPERACEDES		06
67	N 43	SPEZET		29
42	CO 33	SPICHEREN		57
40	CE 32	SPINCOURT	C	55
60	CG 35	SPONVILLE		54
81	BY 44	SPOY		10
100	CC 53	SPOY		21
11	BG 14	SPYCKER		59
46	S 39	SQUIFFIEC		22
103	CR 48	STAFFELFELDEN		68

Page	Carreau	Commune	Adm.	Dpt
55	BH 37	STAINS	C	93
59	CB 40	STAINVILLE		55
11	BH 17	STAPLE		59
65	CW 37	STATTMATTEN		67
231	DN 107	STAZZONA		2B
11	BH 17	STEENBECQUE		59
11	BH 14	STEENE		59
11	BI 16	STEENVOORDE	C	59
12	BK 17	STEENWERCK		59
85	CR 42	STEIGE		67
103	CQ 48	STEINBACH		68
63	CS 37	STEINBOURG		67
103	CS 50	STEINBRUNN LE BAS		68
103	CS 50	STEINBRUNN LE HAUT		68
64	CV 35	STEINSELTZ		67
103	CS 51	STEINSOULTZ		68
39	CB 30	STENAY	C	55
103	CQ 49	STERNENBERG		68
103	CT 50	STETTEN		68
98	BV 49	STIGNY		89
63	CS 40	STILL		67
42	CO 33	STIRING WENDEL	C	57
39	BZ 30	STONNE		08
102	CP 48	STORCKENSOHN		68
85	CQ 46	STOSSWIHR		68
85	CT 42	STOTZHEIM		67
64	CU 39	STRASBOURG	P	67
11	BJ 17	STRAZEELE		59
170	BB 81	STRENQUELS		46
103	CQ 51	STRUETH		68
63	CR 36	STRUTH		67
41	CJ 32	STUCKANGE		57
65	CW 35	STUNDWILLER		67
64	CT 34	STURZELBRONN		57
64	CU 39	STUTZHEIM OFFENHEIM		67
103	CQ 51	SUARCE		90
139	AS 71	SUAUX		16
112	BG 58	SUBDRAY, LE		18
110	AW 55	SUBLAINES		37
30	AK 33	SUBLES		14
112	BK 54	SUBLIGNY		18
49	AF 38	SUBLIGNY		50
78	BN 45	SUBLIGNY		89
220	AZ 105	SUC ET SENTENAC		09
161	CE 74	SUCCIEU		38
89	AD 54	SUCE SUR ERDRE		44
55	BI 39	SUCY EN BRIE	C	94
94	BA 51	SUEVRES		41
157	BP 74	SUGERES		63
39	BX 32	SUGNY		08
215	AE 99	SUHESCUN		64
113	BM 55	SUILLY LA TOUR		58
131	BX 64	SUIN		71
58	BW 34	SUIPPES	C	51
62	CM 36	SUISSE		57
57	BR 37	SUIZY LE FRANC		51
146	CB 67	SULIGNAT		01
30	AK 32	SULLY		14
34	BC 30	SULLY		60
115	BX 58	SULLY		71
95	BF 47	SULLY LA CHAPELLE		45
95	BH 50	SULLY SUR LOIRE	C	45
87	W 50	SULNIAC		56
189	BS 92	SUMENE	C	30
85	CS 46	SUNDHOFFEN		68
85	CU 43	SUNDHOUSE		67
118	CI 59	SUPT		39
143	BO 70	SURAT		63
220	BA 104	SURBA		09
64	CV 36	SURBOURG		67
21	BF 24	SURCAMPS		80
155	BB 74	SURDOUX		87
74	AS 43	SURE		61
55	BG 37	SURESNES	C	92
92	AS 47	SURFONDS		72
37	BP 28	SURFONTAINE		02
137	AI 68	SURGERES	C	17
97	BP 53	SURGY		58
83	CG 45	SURIAUVILLE		88
123	AL 64	SURIN		79
138	AR 68	SURIN		86
139	AT 71	SURIS		16
147	CH 68	SURJOUX		01
119	CN 54	SURMONT		25
10	BE 17	SURQUES		62
30	AJ 32	SURRAIN		14
29	AC 30	SURTAINVILLE		50
33	AX 34	SURTAUVILLE		27
52	AR 38	SURVIE		61
32	AR 32	SURVILLE		14
33	AX 34	SURVILLE		27
29	AD 32	SURVILLE		50
55	BI 35	SURVILLIERS		95
38	BX 27	SURY		08
95	BH 47	SURY AUX BOIS		45
112	BK 54	SURY EN VAUX		18
96	BJ 53	SURY ES BOIS		18
159	BV 74	SURY LE COMTAL		42
96	BL 53	SURY PRES LERE		18
87	V 51	SURZUR		56
197	AH 99	SUS		64
21	BH 22	SUS ST LEGER		62
197	AH 99	SUSMIOU		64
141	BB 73	SUSSAC		87
205	BU 95	SUSSARGUES		34
143	BM 68	SUSSAT		03
115	BW 56	SUSSEY		21
177	CH 81	SUSVILLE		38
147	CG 69	SUTRIEU		01
220	AZ 102	SUZAN		09
39	BX 30	SUZANNE		08
22	BJ 25	SUZANNE		80
81	CC 42	SUZANNECOURT		52
34	BA 33	SUZAY		27
176	CC 83	SUZE		26
191	CA 88	SUZE LA ROUSSE		26
91	AP 48	SUZE SUR SARTHE, LA	C	72
191	CC 89	SUZETTE		84
36	BL 30	SUZOY		60
37	BP 30	SUZY		02
39	BZ 30	SY		08
134	CI 61	SYAM		39
53	AX 37	SYLVAINS LES MOULINS		27
187	BL 93	SYLVANES		12
84	CN 46	SYNDICAT, LE		88
		T		
197	AG 98	TABAILLE USQUAIN		64
167	AL 83	TABANAC		33
162	CK 74	TABLE, LA		73
121	AE 62	TABLIER, LE		85
220	BC 103	TABRE		09
138	AR 71	TACHE, LA		16
199	AT 97	TACHOIRES		32
54	BB 38	TACOIGNIERES		78
114	BP 55	TACONNAY		58
70	AA 41	TADEN		22
198	AM 96	TADOUSSE USSAU		64
229	DN 106	TAGLIO ISOLACCIO		2B
131	BV 60	TAGNIERE, LA		71
38	BV 31	TAGNON		08
103	CR 50	TAGOLSHEIM		68
103	CS 50	TAGSDORF		68
158	BP 80	TAILHAC		43
191	CD 93	TAILLADES		84
167	AJ 81	TAILLAN MEDOC, LE		33
82	CF 41	TAILLANCOURT		55
137	AJ 70	TAILLANT		17
51	AM 38	TAILLEBOIS		61
137	AJ 71	TAILLEBOURG		17
168	AP 86	TAILLEBOURG		47
168	AP 84	TAILLECAVAT		33
102	CP 52	TAILLECOURT		25
122	AH 65	TAILLEE, LA		85
36	BM 33	TAILLEFONTAINE		02
29	AE 31	TAILLEPIED		50
226	BJ 108	TAILLET		66
24	BW 25	TAILLETTE		08
71	AG 44	TAILLIS		35
39	CA 31	TAILLY		08
116	BZ 58	TAILLY		21
20	BE 26	TAILLY		80
160	CA 79	TAIN L'HERMITAGE	C	26
97	BO 51	TAINGY		89
84	CO 43	TAINTRUX		88
23	BR 23	TAISNIERES EN THIERACHE		59
23	BR 21	TAISNIERES SUR HON		59
38	BT 34	TAISSY		51
186	BF 92	TAIX		81
132	BY 63	TAIZE		71
108	AO 59	TAIZE		79
138	AQ 68	TAIZE AIZIE		16
38	BU 30	TAIZY		08
218	AR 101	TAJAN		65
222	BJ 102	TALAIRAN		11
150	AG 75	TALAIS		33
41	CI 33	TALANGE		57
116	CB 54	TALANT		21
231	DN 107	TALASANI		2B
159	BX 75	TALAUDIERE, LA		42
198	AO 99	TALAZAC		65
94	BA 50	TALCY		41
98	BU 52	TALCY		89
167	AJ 82	TALENCE	C	33
160	BZ 78	TALENCIEUX		07
70	AB 45	TALENSAC		35
147	CH 70	TALISSIEU		01
157	BM 79	TALIZAT		15
101	CK 53	TALLANS		25
178	CK 86	TALLARD	C	05
118	CI 54	TALLENAY		25
143	BN 73	TALLENDE		63
180	AF 93	TALLER		40
148	CK 70	TALLOIRES		74
231	DN 109	TALLONE		2B
123	AM 62	TALLUD, LE		79
122	AI 61	TALLUD STE GEMME		85
21	BG 25	TALMAS		80
117	CE 54	TALMAY		21
121	AC 63	TALMONT ST HILAIRE	C	85
150	AH 74	TALMONT SUR GIRONDE		17
34	BC 32	TALMONTIERS		60
114	BQ 55	TALON		58
57	BR 38	TALUS ST PRIX		51
146	BZ 73	TALUYERS		69
29	AF 29	TAMERVILLE		50
114	BR 58	TAMNAY EN BAZOIS		58
170	AX 81	TAMNIES		24
157	BM 80	TANAVELLE		15
100	CD 53	TANAY		21
32	AT 30	TANCARVILLE		76
107	AM 56	TANCOIGNE		49
131	BV 67	TANCON		71
62	CO 39	TANCONVILLE		54
56	BM 36	TANCROU		77
134	CI 63	TANCUA		39
11	BH 20	TANGRY		62
149	CN 67	TANINGES	C	74
49	AF 40	TANIS		50
98	BU 49	TANLAY		89
39	BZ 30	TANNAY		08
114	BQ 54	TANNAY	C	58
210	CR 95	TANNERON		83
96	BM 50	TANNERRE EN PUISAYE		89
37	BP 33	TANNIERES		02
59	CC 39	TANNOIS		55
51	AP 39	TANQUES		61
83	CI 41	TANTONVILLE		54
49	AG 37	TANU, LE		50
186	BG 90	TANUS		81
73	AP 41	TANVILLE		61
151	AJ 74	TANZAC		17
146	BZ 68	TAPONAS		69
139	AS 72	TAPONNAT FLEURIGNAC		16
201	BB 97	TARABEL		31
209	CN 97	TARADEAU		83
145	BX 70	TARARE	C	69
190	BZ 93	TARASCON	C	13
220	BB 104	TARASCON SUR ARIEGE	C	09
198	AO 99	TARASTEIX		65
198	AO 100	TARBES	P	65
118	CJ 56	TARCENAY		25
142	BH 68	TARDES		23
215	AG 101	TARDETS SORHOLUS	C	64
123	AJ 62	TARDIERE, LA		85
10	BC 15	TARDINGHEN		62
159	BX 76	TARENTAISE		42
222	BI 106	TARERACH		66
225	BD 108	TARGASSONNE		66
129	BM 66	TARGET		03
167	AM 83	TARGON	C	33
141	BD 73	TARNAC		19
167	AL 81	TARNES		33
196	AC 96	TARNOS		40
198	AL 97	TARON SADIRAC VIELLENAVE		64
62	CN 38	TARQUIMPOL		57
231	DN 107	TARRANO		2B
198	AN 95	TARSAC		32
197	AJ 98	TARSACQ		64
99	CA 52	TARSUL		21
116	CD 56	TART L'ABBAYE		21
116	CC 56	TART LE BAS		21
116	CC 56	TART LE HAUT		21
160	BZ 74	TARTARAS		42
181	AH 93	TARTAS	C	40
101	CI 48	TARTECOURT		70
36	BN 31	TARTIERS		02
35	BG 29	TARTIGNY		60
193	CN 90	TARTONNE		04
133	CE 61	TARTRE, LE		71
54	BB 39	TARTRE GAUDRAN, LE		78
24	BU 26	TARZY		08
198	AO 95	TASQUE		32
91	AO 48	TASSE		72
117	CF 59	TASSENIERES		39
73	AO 47	TASSILLE		72
146	CA 72	TASSIN LA DEMI LUNE	C	69
231	DL 112	TASSO		2A
11	BF 17	TATINGHEM		62
151	AN 76	TATRE, LE		16
122	AI 66	TAUGON		17
45	M 39	TAULE	C	29
176	CC 86	TAULIGNAN		26
226	BJ 108	TAULIS		66
69	X 47	TAUPONT		56
151	AK 80	TAURIAC		33
171	BC 82	TAURIAC		46
185	BA 93	TAURIAC		81
203	BM 94	TAURIAC DE CAMARES		12
186	BG 90	TAURIAC DE NAUCELLE		12
175	BW 85	TAURIERS		07
219	AW 102	TAURIGNAN CASTET		09
219	AX 102	TAURIGNAN VIEUX		09
226	BH 108	TAURINYA		66
222	BI 102	TAURIZE		11
172	BJ 82	TAUSSAC		12
204	BM 96	TAUSSAC LA BILLIERE		34
222	BK 105	TAUTAVEL		66
156	BJ 74	TAUVES	C	63
58	BT 35	TAUXIERES MUTRY		51
109	AV 56	TAUXIGNY		37
230	DJ 111	TAVACO		2A
109	AS 57	TAVANT		37
117	CE 57	TAVAUX		39
37	BS 28	TAVAUX ET PONTSERICOURT		02
190	BZ 91	TAVEL		30
230	DK 111	TAVERA		2A
115	BV 58	TAVERNAY		71
209	CK 96	TAVERNES	C	83
55	BG 36	TAVERNY	C	95
94	BB 50	TAVERS		45
102	CO 51	TAVEY		70
143	BN 67	TAXAT SENAT		03
117	CG 55	TAXENNE		39
168	AO 81	TAYAC		33
200	AU 94	TAYBOSC		32
186	BG 89	TAYRAC		12
184	AV 89	TAYRAC		47
130	BT 61	TAZILLY		58
226	BI 109	TECH, LE		66
161	CE 78	TECHE		38
186	BD 93	TECOU		81
166	AG 84	TEICH, LE		33
114	BR 54	TEIGNY		58
176	BZ 85	TEIL, LE		07
143	BM 70	TEILHEDE		63
220	BC 102	TEILHET		09
143	BK 68	TEILHET		63
89	AD 49	TEILLAY		35
89	AF 53	TEILLE		44
74	AR 45	TEILLE		72
186	BH 93	TEILLET		81
128	BI 66	TEILLET ARGENTY		03
72	AJ 41	TEILLEUL, LE	C	50
154	AY 78	TEILLOTS		24
172	BH 81	TEISSIERES DE CORNET		15
172	BI 82	TEISSIERES LES BOULIES		15
66	J 43	TELGRUC SUR MER		29
40	CE 30	TELLANCOURT		54
116	CD 55	TELLECEY		21
52	AS 40	TELLIERES LE PLESSIS		61
92	AR 48	TELOCHE		72
166	AG 81	TEMPLE, LE		33
93	AW 48	TEMPLE, LE		41
105	AB 54	TEMPLE DE BRETAGNE, LE		44
154	AX 78	TEMPLE LAGUYON		24
183	AS 87	TEMPLE SUR LOT, LE		47
12	BM 19	TEMPLEMARS		59
12	BM 19	TEMPLEUVE		59
22	BL 25	TEMPLEUX LA FOSSE		80
22	BM 25	TEMPLEUX LE GUERARD		80
147	CF 70	TENAY		01
159	BW 79	TENCE	C	43
162	CJ 76	TENCIN		38
195	CW 89	TENDE	C	06
84	CN 45	TENDON		88
113	BK 59	TENDRON		18
126	BB 62	TENDU		36
11	BG 20	TENEUR		62
73	AO 46	TENNIE		72
42	CO 34	TENTELING		57
125	AT 63	TERCE		86
127	BE 65	TERCILLAT		23
196	AF 95	TERCIS LES BAINS		40
11	BI 16	TERDEGHEM		59
36	BN 29	TERGNIER	C	02
142	BI 67	TERJAT		03
39	BY 32	TERMES		08
222	BI 103	TERMES		11
173	BN 82	TERMES		48
198	AN 95	TERMES D'ARMAGNAC		32
163	CP 76	TERMIGNON		73
76	BC 46	TERMINIERS		28
145	BX 70	TERNAND		69
137	AK 70	TERNANT		17
116	CA 56	TERNANT		21
130	BS 61	TERNANT		58
157	BM 75	TERNANT LES EAUX		63
21	BH 21	TERNAS		62
99	CB 48	TERNAT		52
92	AV 50	TERNAY		41
146	CA 73	TERNAY		69
108	AO 58	TERNAY		86
173	BM 80	TERNES, LES		15
102	CN 49	TERNUAY MELAY ET ST HILAIRE		70
37	BO 31	TERNY SORNY		02
21	BH 24	TERRAMESNIL		80
162	CJ 76	TERRASSE, LA		38
159	BY 75	TERRASSE SUR DORLAY, LA		42
154	AY 79	TERRASSON LAVILLEDIEU	C	24
226	BK 107	TERRATS		66
183	AS 92	TERRAUBE		32
186	BG 93	TERRE CLAPIER		81
100	CF 48	TERRE NATALE	C	52
200	AV 100	TERREBASSE		31
99	BZ 50	TERREFONDREE		21
74	AS 45	TERREHAULT		72
102	CO 54	TERRES DE CHAUX, LES		25
173	BK 83	TERRISSE, LA		12
221	BG 103	TERROLES		11
39	BY 31	TERRON SUR AISNE		08
171	BE 83	TERROU		46
160	CC 78	TERSANNE		26
126	AX 66	TERSANNES		87
186	BE 92	TERSSAC		81
54	BB 37	TERTRE ST DENIS, LE		78
22	BM 26	TERTRY		80
41	CI 32	TERVILLE		57
54	BE 36	TESSANCOURT SUR AUBETTE		78
73	AM 41	TESSE FROULAY		61
50	AL 34	TESSEL		14
137	AJ 73	TESSON		17
108	AN 60	TESSONNIERE		79
107	AI 58	TESSOUALE, LA		49
50	AH 36	TESSY SUR VIRE	C	50
166	AF 84	TESTE DE BUCH, LA	C	33
39	CB 28	TETAIGNE		08
4	BH 14	TETEGHEM		59
42	CL 33	TETERCHEN		57
197	AG 94	TETHIEU		40
62	CM 35	TETING SUR NIED		57
151	AK 79	TEUILLAC		33
201	BB 96	TEULAT		81
29	AF 29	TEURTHEVILLE BOCAGE		50
29	AD 29	TEURTHEVILLE HAGUE		50
153	AT 74	TEYJAT		24
205	BT 95	TEYRAN		34
176	CD 86	TEYSSIERES		26
171	BE 81	TEYSSIEU		46
202	BD 96	TEYSSODE		81
57	BS 40	THAAS		51
136	AI 73	THAIMS		17
136	AH 68	THAIRE		17
114	BR 60	THAIX		58
62	CQ 36	THAL DRULINGEN		67
63	CR 38	THAL MARMOUTIER		67
156	BH 75	THALAMY		19
103	CQ 48	THANN	S	68
85	CR 43	THANNENKIRCH		68
85	CS 42	THANVILLE		67
31	AM 33	THAON		14
83	CL 44	THAON LES VOSGES		88
190	BW 89	THARAUX		30
97	BS 53	THAROISEAU		89
97	BS 52	THAROT		89
112	BJ 60	THAUMIERS		18
141	BC 69	THAURON		23
112	BK 55	THAUVENAY		18
218	AS 103	THEBE		65
42	CO 34	THEDING		57
170	AY 85	THEDIRAC		46
171	BC 83	THEGRA		46
88	Z 51	THEHILLAC		56
129	BN 65	THEIL, LE		03
29	AF 29	THEIL, LE		50
74	AU 44	THEIL, LE	C	61
50	AK 37	THEIL BOCAGE, LE		14
89	AE 47	THEIL DE BRETAGNE, LE		35
32	AR 32	THEIL EN AUGE, LE		14
52	AT 34	THEIL NOLENT, LE		27
138	AP 68	THEIL RABIER		16
79	BP 45	THEIL SUR VANNE		89
111	BE 55	THEILLAY		41
33	AV 33	THEILLEMENT		27
87	V 50	THEIX		56
145	BY 70	THEIZE		69
145	BW 68	THEL		69
75	AV 45	THELIGNY		72
159	BY 77	THELIS LA COMBE		42
83	CI 40	THELOD		54
39	BZ 29	THELONNE		08
22	BK 21	THELUS		62
54	BD 35	THEMERICOURT		95
171	BC 83	THEMINES		46
171	BC 84	THEMINETTES		46
137	AJ 73	THENAC		17
168	AR 83	THENAC		24
23	BS 27	THENAILLES		02
126	BA 62	THENAY		36
110	AY 54	THENAY		41
23	BP 27	THENELLES		02
148	CM 72	THENESOL		73
109	AS 57	THENEUIL		37
129	BL 63	THENEUILLE		03
124	AO 61	THENEZAY	C	79
111	BD 55	THENIOUX		18
99	BY 52	THENISSEY		21
78	BN 42	THENISY		77
80	BU 44	THENNELIERES		10
21	BH 27	THENNES		80
154	AX 79	THENON	C	24
39	BZ 31	THENORGUES		08
210	CS 96	THEOULE SUR MER		06
35	BF 31	THERDONNE		60
34	BD 29	THERINES		60
199	AS 99	THERMES MAGNOAC		65
172	BK 82	THERONDELS		12
11	BG 18	THEROUANNE		62
18	AT 27	THEROULDEVILLE		76
117	CF 55	THERVAY		39
110	AZ 55	THESEE		41
117	CI 59	THESY		39
101	CH 51	THEULEY		70
178	CL 86	THEUS		05
76	BB 43	THEUVILLE		28
55	BE 34	THEUVILLE		95
18	AT 27	THEUVILLE AUX MAILLOTS		76
127	BE 62	THEVET ST JULIEN		36
29	AF 28	THEVILLE		50
52	AV 36	THEVRAY		27
83	CH 44	THEY SOUS MONTFORT		88
83	CI 42	THEY SOUS VAUDEMONT		54
162	CJ 77	THEYS		38
222	BM 107	THEZA		66
137	AI 73	THEZAC		17
169	AW 87	THEZAC		47
222	BK 102	THEZAN DES CORBIERES		11
204	BN 98	THEZAN LES BEZIERS		34
192	CJ 87	THEZE		04
198	AL 97	THEZE	C	64
61	CK 36	THEZEY ST MARTIN		54
190	BZ 92	THEZIERS		30
147	CG 70	THEZILLIEU		01
21	BH 27	THEZY GLIMONT		80
55	BH 39	THIAIS	C	94
102	CP 51	THIANCOURT		90
114	BP 59	THIANGES		58
23	BO 22	THIANT		59
125	AW 66	THIAT		87
61	CG 36	THIAUCOURT REGNIEVILLE	C	54
84	CN 42	THIAVILLE SUR MEURTHE		54
52	AT 34	THIBERVILLE	C	27
58	BU 37	THIBIE		51
34	BD 33	THIBIVILLERS		60
53	AV 34	THIBOUVILLE		27
62	CL 35	THICOURT		57
62	CM 40	THIEBAUMENIL		54
59	BY 39	THIEBLEMONT FAREMONT	C	51
119	CP 54	THIEBOUHANS		25
80	BW 45	THIEFFRAIN		10
101	CK 52	THIEFFRANS		70
84	CN 47	THIEFOSSE		88
130	BQ 64	THIEL SUR ACOLIN		03
11	BF 18	THIEMBRONNE		62
101	CK 52	THIENANS		70
11	BH 18	THIENNES		59
22	BJ 24	THIEPVAL		80
18	AT 28	THIERGEVILLE		76
37	BR 27	THIERNU		02
144	BQ 71	THIERS	S	63
55	BI 34	THIERS SUR THEVE		60
32	AV 33	THIERVILLE		27
40	CC 34	THIERVILLE SUR MEUSE		55
194	CS 91	THIERY		06
36	BK 30	THIESCOURT		60
18	AT 28	THIETREVILLE		76
75	AX 42	THIEULIN, LE		28
34	BE 28	THIEULLOY LA VILLE		80
20	BE 27	THIEULLOY L'ABBAYE		80
34	BD 29	THIEULOY ST ANTOINE		60
11	BH 20	THIEULOYE, LA		62
35	BG 30	THIEUX		60
56	BJ 36	THIEUX		77
51	AP 35	THIEVILLE		14
21	BH 23	THIEVRES		62
21	BH 23	THIEVRES		80
156	BJ 80	THIEZAC		15
77	BF 44	THIGNONVILLE		45
146	CB 71	THIL		01
81	BZ 43	THIL		10
34	BB 33	THIL, LE		27
200	AX 95	THIL		31
38	BS 32	THIL		51
40	CG 30	THIL		54
19	AX 27	THIL MANNEVILLE		76
34	BB 29	THIL RIBERPRE, LE		76
115	BU 60	THIL SUR ARROUX		71
25	BY 26	THILAY		08
55	BH 36	THILLAY, LE		95
81	BZ 42	THILLEUX		52
34	BB 33	THILLIERS EN VEXIN, LES		27
37	BS 33	THILLOIS		51
60	CD 36	THILLOMBOIS		55
60	CF 35	THILLOT		55
102	CO 48	THILLOT, LE	C	88
109	AT 56	THILOUZE		37
75	AZ 41	THIMERT GATELLES		28
61	CK 36	THIMONVILLE		57
95	BJ 48	THIMORY		45
38	BW 28	THIN LE MOUTIER		08
158	BR 74	THIOLIERES		63
130	BQ 65	THIONNE		03
41	CI 31	THIONVILLE	S	57
18	AU 28	THIOUVILLE		76
83	CI 43	THIRAUCOURT		88
122	AH 63	THIRE		85
75	AW 43	THIRON GARDAIS	C	28
38	BX 27	THIS		08
118	CJ 54	THISE		25
76	BA 43	THIVARS		28
13	BP 20	THIVENCELLE		59
35	BH 33	THIVERNY		60
54	BD 38	THIVERVAL GRIGNON		78
82	CC 47	THIVET		52
153	AV 76	THIVIERS	C	24
75	AZ 47	THIVILLE		28
111	BD 59	THIZAY		36
108	AQ 56	THIZAY		37
145	BW 69	THIZY	C	69
98	BT 52	THIZY		89
193	CL 89	THOARD		04
160	CD 77	THODURE		38
74	AR 44	THOIGNE		72
189	BT 91	THOIRAS		30
74	AR 43	THOIRE SOUS CONTENSOR		72
92	AS 50	THOIRE SUR DINAN		72
99	BY 48	THOIRES		21
133	CF 66	THOIRETTE		39
133	CG 63	THOIRIA		39
134	CI 66	THOIRY		01
148	CJ 73	THOIRY		73
54	BD 37	THOIRY		78
146	BZ 67	THOISSEY	C	01
133	CE 64	THOISSIA		39
115	BW 55	THOISY LA BERCHERE		21
115	BX 55	THOISY LE DESERT		21
35	BF 28	THOIX		80
82	CE 45	THOL LES MILLIERES		52
126	AX 65	THOLLET		86
135	CO 64	THOLLON LES MEMISES		74
208	CG 96	THOLONET, LE		13
84	CN 45	THOLY, LE		88
53	AY 37	THOMER LA SOGNE		27
78	BK 43	THOMERY		77
115	BY 57	THOMIREY		21
154	AX 80	THONAC		24
148	CM 70	THONES	C	74
81	CC 42	THONNANCE LES JOINVILLE		52
82	CC 42	THONNANCE LES MOULINS		52
40	CD 29	THONNE LA LONG		55
40	CC 29	THONNE LE THIL		55
40	CC 30	THONNE LES PRES		55
40	CC 29	THONNELLE		55
134	CM 64	THONON LES BAINS	S	74
83	CH 47	THONS, LES		88
62	CL 35	THONVILLE		57
191	CC 92	THOR, LE		84
78	BL 47	THORAILLES		45
117	CI 56	THORAISE		25
193	CO 90	THORAME BASSE		04
193	CO 90	THORAME HAUTE		04
174	BQ 82	THORAS		43
93	AW 49	THORE LA ROCHETTE		41
91	AP 50	THOREE LES PINS		72
148	CL 69	THORENS GLIERES	C	74
98	BU 48	THOREY		89
116	CC 55	THOREY EN PLAINE		21
83	CI 42	THOREY LYAUTEY		54
115	BW 54	THOREY SOUS CHARNY		21
115	BY 56	THOREY SUR OUCHE		21
123	AN 66	THORIGNE		79
90	AK 51	THORIGNE D'ANJOU		49
73	AM 47	THORIGNE EN CHARNIE		53
71	AD 45	THORIGNE FOUILLARD		35
74	AT 47	THORIGNE SUR DUE		72
122	AF 62	THORIGNY		85
137	AK 67	THORIGNY SUR LE MIGNON		79
56	BJ 37	THORIGNY SUR MARNE	C	77
79	BO 44	THORIGNY SUR OREUSE		89
209	CN 97	THORONET, LE		83
160	BZ 78	THORRENC		07
81	BZ 43	THORS		10
137	AM 71	THORS		17
35	BH 28	THORY		80
97	BS 52	THORY		89
98	BV 53	THOSTE		21
136	AH 68	THOU, LE		17
95	BJ 54	THOU		18
96	BL 52	THOU		45
107	AL 55	THOUARCE	C	49

Page	Carreau	Commune	Adm. Dpt
106	AE 55	THOUARE SUR LOIRE	44
108	AN 58	THOUARS	C 79
219	AX 101	THOUARS SUR ARIZE	09
183	AQ 89	THOUARS SUR GARONNE	47
136	AI 62	THOUARSAIS BOUILDROUX	85
57	BR 38	THOULT TROSNAY, LE	51
38	BT 30	THOUR, LE	08
107	AN 54	THOUREIL, LE	49
89	AE 48	THOURIE	35
140	AY 69	THOURON	87
36	BL 31	THOUROTTE	60
94	BB 51	THOURY	41
78	BL 44	THOURY FEROTTES	77
200	AW 95	THOUX	32
73	AM 41	THUBOEUF	53
38	BT 29	THUEL, LE	02
225	BG 108	THUES ENTRE VALLS	66
175	BV 84	THUEYTS	C 07
38	BW 31	THUGNY TRUGNY	08
162	CK 74	THUILE, LA	73
179	CO 86	THUILES, LES	04
61	CH 40	THUILLEY AUX GROSEILLES	54
83	CI 45	THUILLIERES	88
222	BK 107	THUIR	C 66
34	AZ 33	THUIT, LE	27
33	AX 33	THUIT ANGER, LE	27
33	AW 32	THUIT HEBERT	27
33	AW 33	THUIT SIGNOL, LE	27
33	AW 33	THUIT SIMER, LE	27
102	CO 53	THULAY	25
40	CF 33	THUMEREVILLE	54
12	BM 20	THUMERIES	59
20	BN 22	THUN L'EVEQUE	59
13	BO 19	THUN ST AMAND	59
20	BN 22	THUN ST MARTIN	59
124	AR 61	THURAGEAU	86
109	AS 60	THURE	86
143	BN 70	THURET	63
132	CC 61	THUREY	71
101	CJ 53	THUREY LE MONT	25
146	BY 73	THURINS	69
115	BX 58	THURY	21
97	BO 52	THURY	89
56	BL 34	THURY EN VALOIS	60
51	AM 36	THURY HARCOURT	C 14
35	BG 32	THURY SOUS CLERMONT	60
148	CI 69	THUSY	74
199	AP 100	THUY	65
149	CN 68	THYEZ	74
218	AS 102	TIBIRAN JAUNAC	65
52	AR 37	TICHEVILLE	61
116	CD 58	TICHEY	21
63	CR 36	TIEFFENBACH	67
91	AL 51	TIERCE	C 49
40	CG 30	TIERCELET	54
71	AF 43	TIERCENT, LE	35
31	AL 32	TIERCEVILLE	14
198	AO 96	TIESTE URAGNOUX	32
188	BN 87	TIEULE, LA	48
106	AG 58	TIFFAUGES	85
56	BK 38	TIGEAUX	77
55	BI 40	TIGERY	91
220	BC 105	TIGNAC	09
107	AM 56	TIGNE	49
83	CH 46	TIGNECOURT	88
163	CR 74	TIGNES	73
210	CR 95	TIGNET, LE	06
146	CD 72	TIGNIEU JAMEYZIEU	38
20	BC 21	TIGNY NOYELLE	62
95	BG 49	TIGY	45
100	CC 52	TIL CHATEL	21
197	AH 96	TILH	40
218	AQ 102	TILHOUSE	65
199	AQ 97	TILLAC	32
76	BC 45	TILLAY LE PENEUX	28
35	BF 31	TILLE	60
117	CD 56	TILLENAY	21
18	AR 28	TILLEUL, LE	76
53	AW 36	TILLEUL DAME AGNES	27
53	AW 35	TILLEUL LAMBERT, LE	27
53	AV 35	TILLEUL OTHON, LE	27
82	CG 43	TILLEUX	88
106	AG 56	TILLIERES	49
53	AX 39	TILLIERES SUR AVRE	27
36	BJ 29	TILLOLOY	80
128	AN 67	TILLOU	79
59	BX 36	TILLOY ET BELLAY	51
20	BB 25	TILLOY FLORIVILLE	80
35	BF 28	TILLOY LES CONTY	80
21	BI 21	TILLOY LES HERMAVILLE	62
22	BK 22	TILLOY LES MOFFLAINES	62
22	BN 23	TILLOY LEZ CAMBRAI	59
12	BO 20	TILLOY LEZ MARCHIENNES	59
54	BB 34	TILLY	27
126	AY 65	TILLY	36
54	BB 37	TILLY	78
11	BF 20	TILLY CAPELLE	62
51	AN 34	TILLY LA CAMPAGNE	14
60	CD 36	TILLY SUR MEUSE	55
31	AL 34	TILLY SUR SEULLES	C 14
11	BB 16	TILQUES	62
101	CG 51	TINCEY ET PONTREBEAU	70
50	AK 38	TINCHEBRAY	C 61
22	BL 26	TINCOURT BOUCLY	80
21	BH 21	TINCQUES	62
61	CK 36	TINCRY	57
10	BC 18	TINGRY	62
38	BS 33	TINQUEUX	51
70	AC 43	TINTENIAC	C 35
115	BX 59	TINTRY	71
114	BQ 58	TINTURY	58
158	BT 77	TIRANGES	43
200	AU 97	TIRENT PONTEJAC	32
49	AG 39	TIREPIED	50
97	BS 49	TISSEY	89
20	BD 23	TITRE, LE	80
76	BD 45	TIVERNON	45
157	BN 80	TIVIERS	15
167	AM 82	TIZAC DE CURTON	33
151	AM 79	TIZAC DE LAPOUYADE	33
153	AS 78	TOCANE ST APRE	24
32	AU 31	TOCQUEVILLE	27
29	AG 28	TOCQUEVILLE	50
19	AW 27	TOCQUEVILLE EN CAUX	76
18	AT 28	TOCQUEVILLE LES MURS	76
19	AZ 25	TOCQUEVILLE SUR EU	76
20	BC 24	TOEUFLES	80
39	BY 31	TOGES	08
58	BW 37	TOGNY AUX BOEUFS	51
230	DK 112	TOLLA	2A
82	CG 46	TOLLAINCOURT	88
21	BE 22	TOLLENT	62
29	AE 29	TOLLEVAST	50
78	BM 43	TOMBE, LA	77
168	AR 86	TOMBEBOEUF	47
61	CJ 39	TOMBLAINE	C 54
229	DN 101	TOMINO	2B
177	CD 85	TONILS, LES	26
185	BD 91	TONNAC	81
137	AJ 69	TONNAY BOUTONNE	C 17
136	AI 69	TONNAY CHARENTE	C 17
183	AQ 87	TONNEINS	C 47
98	BS 49	TONNERRE	C 89
29	AD 28	TONNEVILLE	50
61	CJ 40	TONNOY	54
46	Q 38	TONQUEDEC	22
48	AG 46	TORCE	35
74	AS 45	TORCE EN VALLEE	72
73	AN 46	TORCE VIVIERS EN CHARNIE	53
100	CE 49	TORCENAY	52
72	AK 41	TORCHAMP	61
161	CE 74	TORCHEFELON	38
62	CO 36	TORCHEVILLE	57
147	CE 70	TORCIEU	01
10	BE 19	TORCY	62
131	BX 61	TORCY	71
55	BJ 38	TORCY	S 77
56	BN 35	TORCY EN VALOIS	02
98	BV 52	TORCY ET POULIGNY	21
80	BU 41	TORCY LE GRAND	10
19	AY 27	TORCY LE GRAND	76
80	BU 41	TORCY LE PETIT	10
19	AY 27	TORCY LE PETIT	76
226	BK 108	TORDERES	66
52	AS 35	TORDOUET	14
106	AG 57	TORFOU	49
77	BG 41	TORFOU	91
50	AI 35	TORIGNI SUR VIRE	C 50
189	BU 91	TORNAC	30
100	CF 50	TORNAY	52
19	AW 28	TORP MESNIL, LE	76
117	CH 56	TORPES	25
117	CD 60	TORPES	71
32	AS 32	TORPT, LE	27
32	AR 33	TORQUESNE, LE	14
222	BM 105	TORREILLES	66
152	AQ 74	TORSAC	16
157	BN 76	TORSIAC	43
142	BJ 72	TORTEBESSE	63
20	BE 21	TORTEFONTAINE	62
22	BL 22	TORTEQUESNE	62
113	BL 58	TORTERON	18
10	AK 34	TORTEVAL QUESNAY	14
129	BL 64	TORTEZAIS	03
51	AQ 36	TORTISAMBERT	14
87	AR 44	TORVILLIERS	10
137	AJ 69	TORXE	17
33	AZ 34	TOSNY	27
196	AD 94	TOSSE	40
147	CD 67	TOSSIAT	01
198	AO 99	TOSTAT	65
33	AX 33	TOSTES	27
83	CI 43	TOTAINVILLE	88
19	AX 28	TOTES	76
127	BG 61	TOUCHAY	18
176	CB 86	TOUCHE, LA	26
89	AE 53	TOUCHES, LES	44
73	AM 70	TOUCHES DE PERIGNY, LES	17
97	BO 50	TOUCY	C 89
177	CT 92	TOUDON	06
195	CV 92	TOUET DE L'ESCARENE	06
194	CS 91	TOUET SUR VAR	06
184	AW 89	TOUFFAILLES	82
12	BN 17	TOUFFLERS	59
31	AO 34	TOUFFREVILLE	14
34	BA 32	TOUFFREVILLE	27
32	AU 30	TOUFFREVILLE LA CABLE	76
33	AV 30	TOUFFREVILLE LA CORBELINE	76
19	AZ 25	TOUFFREVILLE SUR EU	76
200	AV 95	TOUGET	32
219	AV 102	TOUILLE	31
99	BW 51	TOUILLON	21
118	CL 60	TOUILLON ET LOUTELET	25
183	AM 93	TOUJOUSE	32
81	CG 39	TOUL	S 54
176	CA 81	TOULAUD	07
167	AM 85	TOULENNE	33
90	BX 28	TOULIGNY	08
50	AI 35	TOULIS ET ATTENCOURT	02
212	CJ 101	TOULON	P 83
129	BO 64	TOULON SUR ALLIER	03
131	BU 61	TOULON SUR ARROUX	C 71
186	BE 87	TOULONJAC	12
222	BK 106	TOULOUGES	C 66
201	AY 96	TOULOUSE	P 31
177	CF 60	TOULOUSE LE CHATEAU	39
197	AI 94	TOULOUZETTE	40
127	BF 66	TOULX STE CROIX	23
32	AQ 32	TOUQUES	14
10	BB 19	TOUQUET PARIS PLAGE, LE	62
52	AS 38	TOUQUETTES	61
56	BL 39	TOUQUIN	77
195	CU 91	TOUR, LA	06
148	CM 67	TOUR, LA	74
152	AR 76	TOUR BLANCHE, LA	24
208	CH 94	TOUR D'AIGUES, LA	84
156	BJ 75	TOUR D'AUVERGNE, LA	C 63
170	BB 86	TOUR DE FAURE	46
146	BZ 71	TOUR DE SALVAGNY, LA	69
101	CK 53	TOUR DE SCAY, LA	25
220	BB 102	TOUR DU CRIEU, LA	09
133	CG 63	TOUR DU MEIX, LA	39
87	V 51	TOUR DU PARC, LE	56
161	CF 74	TOUR DU PIN, LA	S 38
30	AK 32	TOUR EN BESSIN	14
159	BX 75	TOUR EN JAREZ, LA	42
94	BA 52	TOUR EN SOLOGNE	41
109	AS 58	TOUR ST GELIN, LA	37
204	BN 95	TOUR SUR ORB, LA	34
93	AX 51	TOURAILLES	41
51	AM 38	TOURAILLES, LES	61
204	BP 98	TOURBES	34
38	BX 31	TOURCELLES CHAUMONT	08
67	N 45	TOURCH	29
12	BM 17	TOURCOING	C 59
199	AP 96	TOURDUN	32
159	BU 76	TOURETTE, LA	42
202	BG 98	TOURETTE CABARDES, LA	11
195	CT 92	TOURETTE DU CHATEAU	06
31	AQ 32	TOURGEVILLE	14
107	AK 56	TOURLANDRY, LA	49
29	AE 28	TOURLAVILLE	C 50
169	AU 84	TOURLIAC	47
38	BE 34	TOURLY	60
12	BM 19	TOURMIGNIES	59
117	CG 59	TOURMONT	39
31	AQ 38	TOURNAI SUR DIVE	61
200	AU 98	TOURNAN	32
56	BK 39	TOURNAN EN BRIE	C 77
101	CK 53	TOURNANS	25
25	BY 26	TOURNAVAUX	08
218	AQ 101	TOURNAY	C 65
50	AL 35	TOURNAY SUR ODON	14
167	AL 83	TOURNE, LE	33
51	AN 36	TOURNEBU	14
184	AU 93	TOURNECOUPE	32
53	AX 35	TOURNEDOS BOIS HUBERT	27
33	AY 33	TOURNEDOS SUR SEINE	27
201	AY 96	TOURNEFEUILLE	C 31
195	CT 91	TOURNEFORT	06
11	BF 16	TOURNEHEM SUR LA HEM	62
187	BM 92	TOURNEMIRE	12
156	BI 80	TOURNEMIRE	15
25	BX 27	TOURNES	08
50	AJ 36	TOURNEUR, LE	14
53	AX 35	TOURNEVILLE	27
30	AJ 33	TOURNIERES	14
222	BJ 102	TOURNISSAN	11
76	BB 47	TOURNOISIS	45
148	CL 73	TOURNON	73
184	AW 87	TOURNON D'AGENAIS	C 47
125	AW 61	TOURNON ST MARTIN	C 36
125	AW 61	TOURNON ST PIERRE	37
160	CA 80	TOURNON SUR RHONE	S 07
199	AQ 99	TOURNOUS DARRE	65
199	AR 100	TOURNOUS DEVANT	65
132	CA 63	TOURNUS	C 71
54	BB 34	TOURNY	27
52	AU 40	TOUROUVRE	C 61
203	BK 100	TOUROUZELLE	11
221	BF 103	TOURREILLES	11
218	AS 101	TOURREILLES, LES	31
199	AT 94	TOURRENQUETS	32
195	CU 93	TOURRETTE LEVENS	06
176	CA 84	TOURRETTES, LES	26
210	CQ 95	TOURRETTES	83
210	CT 94	TOURRETTES SUR LOUP	06
138	AQ 71	TOURRIERS	16
109	AT 54	TOURS	P 37
149	CN 72	TOURS EN SAVOIE	73
20	BC 24	TOURS EN VIMEU	80
58	BT 35	TOURS SUR MARNE	51
144	BQ 73	TOURS SUR MEYMONT	63
104	AO 58	TOURTENAY	79
39	BX 30	TOURTERON	C 08
154	AX 77	TOURTOIRAC	24
209	CN 95	TOURTOUR	83
219	AX 102	TOURTOUSE	09
168	AR 86	TOURTRES	47
220	BC 102	TOURTROL	09
208	CK 97	TOURVES	83
32	AR 32	TOURVILLE EN AUGE	14
33	AW 33	TOURVILLE LA CAMPAGNE	27
19	AZ 25	TOURVILLE LA CHAPELLE	76
33	AY 32	TOURVILLE LA RIVIERE	76
18	AS 28	TOURVILLE LES IFS	76
19	AY 26	TOURVILLE SUR ARQUES	76
51	AM 34	TOURVILLE SUR ODON	14
32	AT 32	TOURVILLE SUR PONT AUDEMER	27
49	AE 35	TOURVILLE SUR SIENNE	50
76	BD 45	TOURY	28
129	BP 61	TOURY LURCY	58
129	BN 61	TOURY SUR JOUR	58
157	BN 75	TOURZEL RONZIERES	63
18	AT 28	TOUSSAINT	76
146	CB 73	TOUSSIEU	69
146	CA 70	TOUSSIEUX	01
77	BH 43	TOUSSON	77
55	BF 39	TOUSSUS LE NOBLE	78
32	AT 32	TOUTAINVILLE	27
116	CC 59	TOUTENANT	71
21	BH 25	TOUTENCOURT	80
201	BC 97	TOUTENS	31
147	AJ 57	TOUTLEMONDE	49
98	BU 53	TOUTRY	21
131	AN 76	TOUVERAC	16
162	CJ 76	TOUVET, LE	C 38
33	AV 33	TOUVILLE	27
102	AC 59	TOUVOIS	44
138	AQ 73	TOUVRE	16
124	AR 74	TOUZAC	16
170	AW 86	TOUZAC	46
231	DN 108	TOX	2B
141	BD 73	TOY VIAM	19
50	AK 35	TRACY BOCAGE	14
36	BL 31	TRACY LE MONT	60
36	BL 31	TRACY LE VAL	60
113	BL 55	TRACY SUR LOIRE	58
30	AL 32	TRACY SUR MER	14
131	BY 66	TRADES	69
63	CS 39	TRAENHEIM	67
61	CK 36	TRAGNY	57
79	BP 43	TRAINEL	10
95	BF 47	TRAINOU	45
33	AW 31	TRAIT, LE	76
101	CJ 53	TRAITIEFONTAINE	70
147	CH 73	TRAIZE	73
142	BJ 70	TRALAIGUES	63
231	DL 108	TRALONCA	2B
70	X 42	TRAMAIN	22
131	BY 66	TRAMAYES	C 71
131	BX 65	TRAMBLY	71
11	BF 18	TRAMECOURT	62
37	BR 33	TRAMERY	51
218	AQ 105	TRAMEZAIGUES	65
161	CD 74	TRAMOLE	38
83	CH 42	TRAMONT EMY	54
83	CH 42	TRAMONT LASSUS	54
83	CH 42	TRAMONT ST ANDRE	54
146	CB 70	TRAMOYES	01
82	CD 43	TRAMPOT	88
79	BP 43	TRANCAULT	10
121	AD 65	TRANCHE SUR MER, LA	85
146	CD 68	TRANCLIERE, LA	01
76	BD 44	TRANCRAINVILLE	28
73	AQ 47	TRANGE	72
110	AY 59	TRANGER, LE	36
81	BX 44	TRANNES	10
82	CG 42	TRANQUEVILLE GRAUX	88
73	AN 44	TRANS	53
209	CO 96	TRANS EN PROVENCE	83
71	AD 41	TRANS LA FORET	35
89	AF 52	TRANS SUR ERDRE	44
20	BC 25	TRANSLAY, LE	80
22	BK 24	TRANSLOY, LE	62
127	BD 62	TRANZAULT	36
54	BE 39	TRAPPES	C 78
202	BH 99	TRASSANEL	11
103	CQ 50	TRAUBACH LE BAS	68
103	CQ 50	TRAUBACH LE HAUT	68
203	BI 99	TRAUSSE	11
191	CB 89	TRAVAILLAN	84
37	BO 28	TRAVECY	02
199	AT 97	TRAVERSERES	32
101	CI 51	TRAVES	70
202	BG 94	TRAVET, LE	81
123	AL 61	TRAYES	79
88	Y 48	TREAL	56
29	AC 29	TREAUVILLE	50
44	G 41	TREBABU	29
129	BN 65	TREBAN	03
186	BH 91	TREBAN	81
187	BI 92	TREBAS	81
70	Z 42	TREBEDAN	22
221	BH 100	TREBES	11
46	P 37	TREBEURDEN	22
217	AO 101	TREBONS	65
218	AS 105	TREBONS DE LUCHON	31
201	BB 98	TREBONS SUR LA GRASSE	31
46	P 42	TREBRIVAN	22
47	W 42	TREBRY	22
116	CD 56	TRECLUN	21
58	BT 37	TRECON	51
47	W 42	TREDANIEL	22
46	S 37	TREDARZEC	22
70	Z 42	TREDIAS	22
69	W 48	TREDION	56
46	P 38	TREDREZ LOCQUEMEAU	22
46	P 38	TREDUDER	22
22	BM 27	TREFCON	02
70	AA 46	TREFFENDEL	35
67	J 47	TREFFIAGAT	29
89	AD 51	TREFFIEUX	44
87	V 50	TREFFLEAN	56
177	CH 81	TREFFORT	38
133	CE 66	TREFFORT CUISIAT	C 01
46	P 42	TREFFRIN	22
45	L 38	TREFLAOUENAN	29
45	K 41	TREFLEVENEZ	29
45	K 38	TREFLEZ	29
57	BP 38	TREFOLS	51
70	AA 43	TREFUMEL	22
45	K 39	TREGARANTEC	29
67	K 42	TREGARVAN	29
46	Q 37	TREGASTEL	22
46	R 39	TREGLAMUS	22
46	I 39	TREGLONOU	29
47	U 40	TREGOMEUR	22
48	Z 40	TREGON	22
46	S 39	TREGONNEAU	22
68	M 44	TREGOUREZ	29
46	Q 39	TREGROM	22
66	J 46	TREGUENNEC	29
47	V 41	TREGUEUX	22
47	U 39	TREGUIDEL	22
46	R 37	TREGUIER	C 22
67	M 47	TREGUNC	29
92	AT 50	TREHET	41
70	Y 46	TREHORENTEUC	56
56	K 41	TREHOU, LE	29
155	BC 75	TREIGNAC	C 19
128	BG 65	TREIGNAT	03
96	BN 52	TREIGNY	89
222	BM 104	TREILLES	11
77	BJ 46	TREILLES EN GATINAIS	45
105	AC 54	TREILLIERES	44
82	CC 45	TREIX	52
106	AF 58	TREIZE SEPTIERS	85
106	AI 59	TREIZE VENTS	85
184	AX 89	TREJOULS	82
173	BM 86	TRELANS	48
90	AL 53	TRELAZE	49
46	Q 37	TRELEVERN	22
144	BT 72	TRELINS	42
153	AU 78	TRELISSAC	24
70	AA 41	TRELIVAN	22
49	AF 36	TRELLY	50
24	BT 24	TRELON	C 59
57	BQ 35	TRELOU SUR MARNE	02
45	K 39	TREMAOUEZAN	29
46	R 42	TREMARGAT	22
18	AT 28	TREMAUVILLE	76
136	AF 71	TREMBLADE, LA	C 17
72	AE 42	TREMBLAY	35
90	AH 50	TREMBLAY, LE	49
55	BI 37	TREMBLAY EN FRANCE	C 93
53	AZ 40	TREMBLAY LES VILLAGES	28
53	AW 35	TREMBLAY OMONVILLE, LE	27
54	BD 39	TREMBLAY SUR MAULDRE, LE	78
61	CH 38	TREMBLECOURT	54
100	CF 54	TREMBLOIS, LE	70
39	CC 28	TREMBLOIS LES CARIGNAN	08
24	BW 26	TREMBLOIS LES ROCROI	08
71	AD 42	TREMEHEUC	35
46	P 39	TREMEL	22
47	U 40	TREMELOIR	22
107	AJ 56	TREMENTINES	49
67	J 46	TREMEOC	29
48	AA 40	TREMEREUC	22
41	CJ 33	TREMERY	57
70	Y 42	TREMEUR	22
47	T 38	TREMEVEN	22
68	P 47	TREMEVEN	29
177	CI 83	TREMINIS	38
102	CN 51	TREMOINS	70
169	AV 82	TREMOLAT	24
184	AV 87	TREMONS	47
107	AL 56	TREMONT	49
52	AR 40	TREMONT	61
59	CB 39	TREMONT SUR SAULX	55
83	CK 47	TREMONZEY	88
70	Y 44	TREMOREL	22
156	BJ 76	TREMOUILLE	15
156	BI 75	TREMOUILLE ST LOUP	63
187	BJ 89	TREMOUILLES	12
220	BB 101	TREMOULET	09
47	U 40	TREMUSON	22
133	CE 62	TRENAL	39
181	AI 89	TRENSACQ	40
169	AV 87	TRENTELS	47
66	P 43	TREOGAN	22
66	J 46	TREOGAT	29
53	AZ 40	TREON	28
44	H 39	TREOUERGAT	29
58	BU 35	TREPAIL	51
19	AZ 24	TREPORT, LE	76
118	CJ 56	TREPOT	25
51	AN 37	TREPREL	14
147	CE 73	TREPT	38
60	CE 35	TRESAUVAUX	55
89	AD 48	TRESBOEUF	35
22	BM 24	TRESCAULT	62
177	CF 83	TRESCHENU CREYERS	26
192	CH 87	TRESCLEOUX	05
101	CI 53	TRESILLEY	70
37	BR 33	TRESLON	51
129	BN 62	TRESNAY	58
170	AZ 87	TRESPOUX RASSIELS	46
190	BY 90	TRESQUES	30
204	BQ 96	TRESSAN	34
100	CL 52	TRESSANDANS	25
41	CH 31	TRESSANGE	57
70	AB 41	TRESSE	35
226	BK 108	TRESSERRE	66
148	CI 72	TRESSERVE	73
167	AK 82	TRESSES	33
47	T 39	TRESSIGNAUX	22
12	BN 18	TRESSIN	59
92	AT 48	TRESSON	72
130	BQ 65	TRETEAU	03
56	BN 38	TRETOIRE, LA	77
208	CI 97	TRETS	C 13
21	BI 25	TREUX	80
78	BK 44	TREUZY LEVELAY	77
69	U 44	TREVE	22
102	CP 51	TREVENANS	90
47	U 38	TREVENEUC	22
60	CD 40	TREVERAY	55
46	T 39	TREVEREC	22
70	AB 42	TREVERIEN	35
188	BP 91	TREVES	C 30
160	BZ 74	TREVES	69
186	BF 91	TREVIEN	81
30	AJ 32	TREVIERES	C 14
148	CJ 72	TREVIGNIN	73
222	BI 106	TREVILLACH	66
202	BD 98	TREVILLE	11
119	CP 54	TREVILLERS	25
98	BT 52	TREVILLY	89
129	BO 62	TREVOL	03
46	R 37	TREVOU TREGUIGNEC	22
146	BZ 70	TREVOUX	C 01
68	O 47	TREVOUX, LE	29
70	AA 42	TREVRON	22
130	BQ 66	TREZELLES	03
46	R 37	TREZENY	22
221	BD 102	TREZIERS	11
45	L 38	TREZILIDE	29
144	BP 72	TREZIOUX	63
138	AN 73	TRIAC LAUTRAIT	16
205	BT 94	TRIADOU, LE	34
122	AF 64	TRIAIZE	85
29	AG 33	TRIBEHOU	50
98	BU 48	TRICHEY	89
35	BI 30	TRICOT	60
34	BD 33	TRIE CHATEAU	60
34	BD 33	TRIE LA VILLE	60
199	AR 99	TRIE SUR BAISE	C 65
36	BE 36	TRIEL SUR SEINE	C 78
85	CR 42	TRIEMBACH AU VAL	67
41	CH 32	TRIEUX	54
193	CO 93	TRIGANCE	83
87	Y 54	TRIGNAC	44
37	BS 33	TRIGNY	51
96	BL 48	TRIGUERES	45
56	BK 37	TRILBARDOU	77
222	BI 106	TRILLA	66
56	BL 37	TRILPORT	77
65	CW 35	TRIMBACH	67
70	AB 43	TRIMER	35
126	AW 64	TRIMOUILLE, LA	C 86
76	BD 46	TRINAY	45
173	BL 83	TRINITAT, LA	15
195	CV 93	TRINITE, LA	06
53	AY 36	TRINITE, LA	27
49	AG 38	TRINITE, LA	50
162	CK 74	TRINITE, LA	73
52	AT 36	TRINITE DE REVILLE, LA	27
33	AW 32	TRINITE DE THOUBERVILLE, LA	27
52	AS 38	TRINITE DES LAITIERS, LA	61
32	AT 30	TRINITE DU MONT, LA	76
69	W 45	TRINITE PORHOET, LA	C 56
85	S 51	TRINITE SUR MER, LA	56
87	V 50	TRINITE SURZUR, LA	56
160	CC 79	TRIORS	26
171	BF 84	TRIOULOU, LE	15
94	BA 48	TRIPLEVILLE	41
32	AU 30	TRIQUERVILLE	76
32	AT 32	TRIQUEVILLE	27
23	BP 21	TRITH ST LEGER	59
62	CM 34	TRITTELING REDLACH	57
131	BX 65	TRIVY	71
156	BI 78	TRIZAC	15
136	AH 70	TRIZAY	17
75	AW 44	TRIZAY COUTRETOT ST SERGE	28
75	AZ 45	TRIZAY LES BONNEVAL	28
31	AO 34	TROARN	C 14
154	AZ 76	TROCHE	19
116	CD 54	TROCHERES	21
56	BL 35	TROCY EN MULTIEN	77
56	BN 34	TROESNES	02
46	S 37	TROGUERY	22
109	AS 57	TROGUES	37
60	CC 36	TROIS DOMAINES, LES	55
128	BG 67	TROIS FONDS	23
59	CA 39	TROIS FONTAINES L'ABBAYE	51
51	AM 35	TROIS MONTS	14
108	AP 57	TROIS MOUTIERS, LES	C 86
138	AP 73	TROIS PALIS	16
32	AS 30	TROIS PIERRES, LES	76
38	BT 34	TROIS PUITS	51
113	BP 59	TROIS VEVRES	58
215	AG 101	TROIS VILLES	64
62	CQ 39	TROISFONTAINES	57
81	CA 41	TROISFONTAINES LA VILLE	52
50	AI 35	TROISGOTS	50
35	BE 31	TROISSEREUX	60
57	BQ 35	TROISSY	51
11	BG 20	TROISVAUX	62
23	BP 24	TROISVILLES	59
117	CG 54	TROMAREY	70
42	CL 32	TROMBORN	57
199	AP 98	TRONCENS	32
161	CH 78	TRONCHE, LA	38
70	AC 41	TRONCHET, LE	35
73	AQ 45	TRONCHET, LE	72
98	BT 48	TRONCHOY	89
132	CC 61	TRONCHY	71
53	AW 34	TRONCQ, LE	27
60	CG 39	TRONDES	54
129	BM 65	TRONGET	03
30	AJ 33	TRONQUAY, LE	14
34	BA 31	TRONQUAY, LE	27
113	BM 57	TRONSANGES	58
61	CH 35	TRONVILLE	54
60	CC 39	TRONVILLE EN BARROIS	55
92	AV 50	TROO	41
36	BL 32	TROSLY BREUIL	60
36	BN 30	TROSLY LOIRE	02
58	BU 40	TROUANS	10
218	AS 103	TROUBAT	65
116	CD 56	TROUHANS	21
99	BZ 54	TROUHAUT	21
226	BK 107	TROUILLAS	66
199	AQ 99	TROULEY LABARTHE	65
35	BG 29	TROUSSENCOURT	60
60	CF 39	TROUSSEY	55
34	BE 32	TROUSSURES	60
101	CL 53	TROUVANS	25
32	AU 29	TROUVILLE	76

Page	Carreau	Commune	Adm.	Dpt
40	CD 33	VAUX DEVANT DAMLOUP		55
21	BG 25	VAUX EN AMIENOIS		80
145	BY 69	VAUX EN BEAUJOLAIS		69
147	CE 70	VAUX EN BUGEY		01
39	CA 30	VAUX EN DIEULET		08
131	BY 62	VAUX EN PRE		71
22	BM 27	VAUX EN VERMANDOIS		02
118	CK 60	VAUX ET CHANTEGRUE		25
152	AQ 76	VAUX LAVALETTE		16
101	CH 52	VAUX LE MONCELOT		70
78	BJ 41	VAUX LE PENIL		77
39	BY 32	VAUX LES MOURON		08
39	CB 29	VAUX LES MOUZON		08
60	CE 35	VAUX LES PALAMEIX		55
117	CH 55	VAUX LES PRES		25
38	BU 28	VAUX LES RUBIGNY		08
133	CH 65	VAUX LES ST CLAUDE		39
20	BC 25	VAUX MARQUENNEVILLE		80
38	BX 29	VAUX MONTREUIL		08
138	AO 72	VAUX ROUILLAC		16
99	BZ 53	VAUX SAULES		21
100	CD 51	VAUX SOUS AUBIGNY		52
30	AK 32	VAUX SUR AURE		14
81	CA 42	VAUX SUR BLAISE		52
53	AZ 35	VAUX SUR EURE		27
78	BL 45	VAUX SUR LUNAIN		77
136	AG 73	VAUX SUR MER		17
117	CG 60	VAUX SUR POLIGNY		39
54	BE 36	VAUX SUR SEINE		78
30	AL 33	VAUX SUR SEULLES		14
21	BI 26	VAUX SUR SOMME		80
81	CC 43	VAUX SUR ST URBAIN		52
109	AT 59	VAUX SUR VIENNE		86
38	BW 27	VAUX VILLAINE		08
37	BO 31	VAUXAILLON		02
99	CB 48	VAUXBONS		52
36	BN 32	VAUXBUIN		02
37	BQ 32	VAUXCERE		02
131	BY 67	VAUXRENARD		69
36	BN 31	VAUXREZIS		02
37	BQ 32	VAUXTIN		02
59	CC 38	VAVINCOURT	C	55
59	BY 38	VAVRAY LE GRAND		51
59	BY 38	VAVRAY LE PETIT		51
84	CN 41	VAXAINVILLE		54
83	CL 43	VAXONCOURT		88
62	CL 37	VAXY		57
89	AC 51	VAY		44
220	BC 106	VAYCHIS		09
185	BB 88	VAYLATS		46
171	BC 81	VAYRAC	C	46
167	AM 81	VAYRES		33
139	AU 72	VAYRES		87
77	BG 42	VAYRES SUR ESSONNE		91
158	BR 79	VAZEILLES LIMANDRE		43
174	BQ 81	VAZEILLES PRES SAUGUES		43
184	AY 89	VAZERAC		82
143	BM 68	VEAUCE		03
159	BV 74	VEAUCHE		42
159	BV 74	VEAUCHETTE		42
112	BK 55	VEAUGUES		18
160	CB 79	VEAUNES		26
19	AV 29	VEAUVILLE LES BAONS		76
19	AV 28	VEAUVILLE LES QUELLES		76
220	BB 105	VEBRE		09
156	BI 77	VEBRET		15
188	BQ 89	VEBRON		48
63	CQ 37	VECKERSVILLER		57
41	CK 32	VECKRING		57
84	CN 47	VECOUX		88
21	BH 26	VECQUEMONT		80
81	CB 42	VECQUEVILLE		52
191	CB 92	VEDENE		84
157	BO 80	VEDRINES ST LOUP		15
171	BC 81	VEGENNES		19
62	CN 40	VEHO		54
109	AU 55	VEIGNE		37
134	CL 66	VEIGY FONCENEX		74
201	BC 96	VEILHES		81
94	BB 54	VEILLEINS		41
115	BY 57	VEILLY		21
155	BD 75	VEIX		19
61	CI 39	VELAINE EN HAYE		54
61	CK 38	VELAINE SOUS AMANCE		54
60	CC 39	VELAINES		55
161	CG 75	VELANNE		38
116	CA 54	VELARS SUR OUCHE		21
207	CE 97	VELAUX		13
35	BF 31	VELENNES		60
35	BF 27	VELENNES		80
100	CG 53	VELESMES ECHEVANNE		70
117	CH 56	VELESMES ESSARTS		25
100	CF 53	VELET		70
203	BK 98	VELIEUX		34
168	AP 82	VELINES	C	24
55	BF 38	VELIZY VILLACOUBLAY	C	78
101	CI 51	VELLE LE CHATEL		70
83	CK 41	VELLE SUR MOSELLE		54
109	AT 59	VELLECHES		86
102	CM 51	VELLECHEVREUX ET COURBENANS		70
101	CH 53	VELLECLAIRE		70
101	CJ 51	VELLEFAUX		70
101	CH 53	VELLEFREY ET VELLEFRANGE		70
101	CJ 50	VELLEFRIE		70
101	CJ 51	VELLEGUINDRY ET LEVRECEY		70
101	CK 50	VELLEMINFROY		70
101	CG 52	VELLEMOZ		70
191	CC 92	VELLERON		84
102	CN 53	VELLEROT LES BELVOIR		25
118	CM 55	VELLEROT LES VERCEL		25
127	BB 62	VELLES		36
100	CG 48	VELLES		52
102	CQ 51	VELLESCOT		90
118	CM 54	VELLEVANS		25
100	CG 51	VELLEXON QUEUTREY ET VAUDEY		70
100	CG 53	VELLOREILLE LES CHOYE		70
122	AH 64	VELLUIRE		85
98	BX 54	VELOGNY		21
231	DN 107	VELONE ORNETO		2B
101	CK 49	VELORCEY		70
40	CD 30	VELOSNES		55
83	CJ 43	VELOTTE ET TATIGNECOURT		88
22	BL 24	VELU		62
42	CL 32	VELVING		57
58	BU 37	VELYE		51
172	BI 80	VELZIC		15
55	BI 35	VEMARS		95
53	AZ 34	VENABLES		27
231	DL 109	VENACO	C	2B
121	AD 61	VENANSAULT		85
195	CU 90	VENANSON		06
98	BW 52	VENAREY LES LAUMES	C	21
154	BB 78	VENARSAL		19
128	BK 64	VENAS		03
191	CD 91	VENASQUE		84
194	CT 94	VENCE	C	06
205	BT 95	VENDARGUES		34
143	BO 68	VENDAT		03
150	AG 76	VENDAYS MONTALIVET		33
23	BP 23	VENDEGIES AU BOIS		59
23	BP 22	VENDEGIES SUR ECAILLON		59
71	AG 43	VENDEL		35
49	AF 34	VENDELEE, LA		50
22	BM 26	VENDELLES		02
204	BQ 96	VENDEMIAN		34
131	BW 64	VENDENESSE LES CHAROLLES		71
130	BT 62	VENDENESSE SUR ARROUX		71
64	CU 38	VENDENHEIM		67
50	AL 34	VENDES		14
37	BO 28	VENDEUIL		02
35	BG 29	VENDEUIL CAPLY		60
51	AP 36	VENDEUVRE		14
124	AR 61	VENDEUVRE DU POITOU		86
80	BW 44	VENDEUVRE SUR BARSE	C	10
12	BM 18	VENDEVILLE		59
22	BN 25	VENDHUILE		02
57	BO 37	VENDIERES		02
12	BK 20	VENDIN LE VIEIL		62
11	BI 19	VENDIN LES BETHUNE		62
201	BC 96	VENDINE		31
126	AZ 61	VENDOEUVRES		36
152	AQ 76	VENDOIRE		24
93	AX 49	VENDOME	S	41
145	BU 70	VENDRANGES		42
106	AG 60	VENDRENNES		85
204	BO 100	VENDRES		34
39	BY 29	VENDRESSE		08
37	BQ 31	VENDRESSE BEAULNE		02
56	BM 36	VENDREST		77
80	BU 45	VENDUE MIGNOT, LA		10
190	BZ 89	VENEJAN		30
208	CG 95	VENELLES		13
137	AK 71	VENERAND		17
117	CG 54	VENERE		70
147	CD 73	VENERIEU		38
23	BQ 25	VENEROLLES		02
201	AZ 98	VENERQUE		31
202	BF 95	VENES		81
112	BG 60	VENESMES		18
19	AW 27	VENESTANVILLE		76
36	BK 31	VENETTE		60
78	BK 43	VENEUX LES SABLONS		77
84	CO 41	VENEY		54
50	AI 38	VENGEONS		50
101	CJ 54	VENISE		25
101	CI 48	VENISEY		70
146	CA 72	VENISSIEUX	C	69
37	BO 32	VENIZEL		02
79	BR 47	VENIZY		89
118	CK 54	VENNANS		25
95	BE 48	VENNECY		45
119	CN 56	VENNES		25
83	CL 41	VENNEZEY		54
53	AX 34	VENON		27
162	CI 78	VENON		38
162	CK 80	VENOSC		38
97	BR 48	VENOUSE		89
97	BQ 49	VENOY		89
150	AG 76	VENSAC		33
143	BN 69	VENSAT		63
207	CE 96	VENTABREN		13
178	CJ 87	VENTAVON		05
37	BR 32	VENTELAY		51
220	BC 103	VENTENAC		09
202	BG 100	VENTENAC CABARDES		11
203	BL 100	VENTENAC EN MINERVOIS		11
178	CK 86	VENTEROL		04
176	CD 87	VENTEROL		26
53	AX 37	VENTES, LES		27
74	AR 41	VENTES DE BOURSE, LES		61
19	AZ 28	VENTES ST REMY		76
174	BQ 81	VENTEUGES		43
57	BR 35	VENTEUIL		51
148	CM 72	VENTHON		73
231	DN 112	VENTISERI		2B
138	AR 70	VENTOUSE		16
84	CO 47	VENTRON		88
52	AU 40	VENTROUZE, LA		61
229	DN 106	VENZOLASCA		2B
49	AF 37	VER		50
76	BA 43	VER LES CHARTRES		28
56	BJ 35	VER SUR LAUNETTE		60
31	AM 32	VER SUR MER		14
151	AL 80	VERAC		33
160	BZ 76	VERANNE		42
205	BV 95	VERARGUES		34
221	BG 103	VERAZA		11
36	BJ 33	VERBERIE		60
82	CC 46	VERBIESLES		52
118	CL 55	VERCEL VILLEDIEU LE CAMP	C	25
23	BO 22	VERCHAIN MAUGRE		59
149	CO 67	VERCHAIX		74
177	CD 83	VERCHENY		26
107	AM 56	VERCHERS SUR LAYON, LES		49
11	BF 19	VERCHIN		62
11	BE 19	VERCHOCQ		62
133	CE 62	VERCIA		39
177	CF 87	VERCLAUSE		26
191	CF 88	VERCOIRAN		26
20	BC 21	VERCOURT		80
193	CM 88	VERDACHES		04
202	BF 97	VERDALLE		81
167	AM 85	VERDELAIS		33
57	BO 37	VERDELOT		77
62	CN 40	VERDENAL		54
35	BF 31	VERDEREL LES SAUQUEUSE		60
35	BI 32	VERDERONNE		60
94	BA 48	VERDES		41
231	DN 107	VERDESE		2B
197	AI 100	VERDETS		64
185	BC 92	VERDIER, LE		81
209	CK 95	VERDIERE, LA		83
112	BK 54	VERDIGNY		18
138	AO 70	VERDILLE		16
57	BP 35	VERDILLY		02
169	AT 83	VERDON		24
57	BQ 37	VERDON		51
150	AG 74	VERDON SUR MER, LE		33
98	BV 50	VERDONNET		21
220	BB 105	VERDUN		09
60	CD 34	VERDUN	S	55
202	BE 99	VERDUN EN LAURAGAIS		11
184	AY 93	VERDUN SUR GARONNE	C	82
116	CB 59	VERDUN SUR LE DOUBS	C	71
113	BK 60	VEREAUX		18
161	CH 74	VEREL DE MONTBEL		73
148	CJ 73	VEREL PRAGONDRAN		73
109	AV 54	VERETZ		37
100	CF 52	VEREUX		70
201	BB 95	VERFEIL	C	31
186	BD 90	VERFEIL		82
190	BX 90	VERFEUIL		30
62	CN 37	VERGAVILLE		57
71	AG 46	VERGEAL		35
102	CM 51	VERGENNE, LA		70
70	AB 46	VERGER, LE		35
136	AH 69	VERGEROUX		17
133	CG 62	VERGES		39
32	AR 29	VERGETOT		76
158	BR 80	VERGEZAC		43
206	BW 94	VERGEZE		30
142	BJ 69	VERGHEAS		63
20	BD 26	VERGIES		80
97	BR 47	VERGIGNY		89
132	BZ 66	VERGISSON		71
137	AK 68	VERGNE		17
137	AK 69	VERGNE, LA		17
198	AM 94	VERGOIGNAN		32
49	AF 40	VERGONCEY		50
157	BO 76	VERGONGHEON		43
90	AH 50	VERGONNES		49
194	CP 92	VERGONS		04
102	CL 53	VERGRANNE		25
153	AU 80	VERGT	C	24
169	AV 85	VERGT DE BIRON		24
22	BN 26	VERGUIER, LE		02
133	CE 64	VERIA		39
209	CM 95	VERIGNON		83
75	AZ 41	VERIGNY		28
160	BZ 75	VERIN		42
122	AH 67	VERINES		17
132	CC 61	VERISSEY		71
133	CE 65	VERJON		01
116	CB 59	VERJUX		71
102	CN 51	VERLANS		70
185	BA 92	VERLHAC TESCOU		82
78	BN 47	VERLIN		89
10	BC 18	VERLINCTHUN		62
12	BL 17	VERLINGHEM		59
198	AM 96	VERLUS		32
22	BM 26	VERMAND	C	02
22	BJ 27	VERMANDOVILLERS		80
12	BJ 19	VERMELLES		62
97	BR 51	VERMENTON	C	89
84	CQ 42	VERMONT, LE		88
90	AI 51	VERN D'ANJOU		49
71	AD 46	VERN SUR SEICHE		35
128	BJ 61	VERNAIS		18
146	CA 73	VERNAISON		69
220	BA 103	VERNAJOUL		09
59	BZ 37	VERNANCOURT		51
91	AP 54	VERNANTES		49
133	CF 62	VERNANTOIS		39
189	BU 88	VERNAREDE, LA		30
147	CD 71	VERNAS		38
158	BR 79	VERNASSAL		43
220	BC 105	VERNAUX		09
145	BX 67	VERNAY		69
135	CN 65	VERNAZ, LA		74
101	CL 53	VERNE		25
207	CD 95	VERNEGUES		13
128	BG 66	VERNEIGES		23
162	CL 75	VERNEIL, LE		73
92	AR 50	VERNEIL LE CHETIF		72
128	BJ 65	VERNEIX		03
110	BB 55	VERNELLE, LA		36
144	BP 68	VERNET, LE		03
193	CN 88	VERNET, LE		04
220	BA 101	VERNET, LE		09
201	AZ 98	VERNET		31
158	BR 80	VERNET, LE		43
158	BP 75	VERNET LA VARENNE		63
226	BH 108	VERNET LES BAINS		66
143	BL 74	VERNET STE MARGUERITE, LE		63
142	BI 72	VERNEUGHEOL		63
139	AU 72	VERNEUIL		16
112	BI 60	VERNEUIL		18
57	BQ 35	VERNEUIL		51
114	BQ 60	VERNEUIL		58
129	BN 65	VERNEUIL EN BOURBONNAIS		03
35	BI 33	VERNEUIL EN HALATTE		60
40	CD 30	VERNEUIL GRAND		55
109	AS 58	VERNEUIL LE CHATEAU		37
56	BK 40	VERNEUIL L'ETANG		77
126	AX 65	VERNEUIL MOUSTIERS		87
40	CD 30	VERNEUIL PETIT		55
37	BO 30	VERNEUIL SOUS COUCY		02
53	AW 39	VERNEUIL SUR AVRE	C	27
127	BE 62	VERNEUIL SUR IGNERAIE		36
110	AW 58	VERNEUIL SUR INDRE		37
54	BE 36	VERNEUIL SUR SEINE		78
37	BQ 29	VERNEUIL SUR SERRE		02
140	AX 71	VERNEUIL SUR VIENNE		87
52	AS 37	VERNEUSSES		27
41	CH 34	VERNEVILLE		57
73	AP 45	VERNIE		72
118	CK 56	VERNIERFONTAINE		25
143	BL 73	VERNINES		63
220	BB 102	VERNIOLLE		09
160	CA 75	VERNIOZ		38
49	AG 39	VERNIX		50
108	AP 54	VERNOIL		49
133	CF 61	VERNOIS, LE		39
102	CN 54	VERNOIS LES BELVOIR		25
99	CB 51	VERNOIS LES VESVRES		21
100	CG 48	VERNOIS SUR MANCE		70
157	BL 78	VERNOLS		15
175	BW 86	VERNON		07
54	BA 35	VERNON	C	27
125	AS 64	VERNON		86
81	BY 43	VERNONVILLIERS		10
160	BZ 78	VERNOSC LES ANNONAY		07
99	CA 52	VERNOT		21
101	CH 52	VERNOTTE, LA		70
94	BB 53	VERNOU EN SOLOGNE		41
78	BK 43	VERNOU LA CELLE SUR SEINE		77
93	AV 53	VERNOU SUR BRENNE		37
53	AZ 39	VERNOUILLET		28
54	BE 36	VERNOUILLET		78
132	CC 64	VERNOUX		01
123	AL 62	VERNOUX EN GATINE		79
176	BZ 81	VERNOUX EN VIVARAIS	C	07
137	AM 67	VERNOUX SUR BOUTONNE		79
102	CN 51	VERNOY, LE		25
78	BM 46	VERNOY		89
129	BL 66	VERNUSSE		03
61	CJ 35	VERNY	C	57
230	DJ 111	VERO		2A
79	BO 46	VERON		89
177	CD 83	VERONNE		26
100	CC 52	VERONNES		21
131	BX 65	VEROSVRES		71
39	BZ 31	VERPEL		08
146	CD 73	VERPILLIERE, LA	C	38
36	BK 29	VERPILLIERES		80
81	BX 46	VERPILLIERES SUR OURCE		10
191	CB 93	VERQUIERES		13
11	BJ 19	VERQUIN		62
148	CL 72	VERRENS ARVEY		73
203	BJ 98	VERRERIES DE MOUSSANS		34
115	BY 54	VERREY SOUS DREE		21
99	BY 53	VERREY SOUS SALMAISE		21
80	BV 42	VERRICOURT		10
108	AN 55	VERRIE		49
106	AH 58	VERRIE, LA		85
54	BE 39	VERRIERE, LA		78
39	BZ 30	VERRIERES		08
80	BU 44	VERRIERES		10
187	BM 89	VERRIERES		12
151	AM 74	VERRIERES		16
59	BZ 35	VERRIERES		51
75	AV 43	VERRIERES		61
157	BM 74	VERRIERES		63
125	AT 65	VERRIERES		86
118	CM 59	VERRIERES DE JOUX		25
118	CK 55	VERRIERES DU GROSBOIS		25
158	BT 74	VERRIERES EN FOREZ		42
55	BG 39	VERRIERES LE BUISSON		91
108	AQ 60	VERRUE		86
123	AM 63	VERRUYES		79
170	BA 86	VERS		46
132	CA 62	VERS		71
148	CJ 68	VERS		74
117	CI 60	VERS EN MONTAGNE		39
190	BY 92	VERS PONT DU GARD		30
117	CF 60	VERS SOUS SELLIERES		39
192	CG 89	VERS SUR MEOUGE		26
21	BG 27	VERS SUR SELLES		80
55	BF 38	VERSAILLES	P	78
146	CC 69	VERSAILLEUX		01
51	AO 37	VERSAINVILLE		14
159	BY 77	VERSANNE, LA		42
131	BU 65	VERSAUGUES		71
100	CC 49	VERSEILLES LE BAS		52
100	CD 49	VERSEILLES LE HAUT		52
37	BP 29	VERSIGNY		02
56	BK 34	VERSIGNY		60
187	BL 93	VERSOLS ET LAPEYRE		12
51	AM 34	VERSON		14
134	CJ 65	VERSONNEX		01
148	CI 70	VERSONNEX		74
162	CI 78	VERSOUD, LE		38
181	AJ 90	VERT		40
54	BC 37	VERT		78
137	AL 68	VERT, LE		79
53	AZ 39	VERT EN DROUAIS		28
77	BG 41	VERT LE GRAND		91
77	BH 41	VERT LE PETIT		91
77	BJ 41	VERT ST DENIS		77
57	BS 38	VERT TOULON		51
23	BP 23	VERTAIN		59
143	BO 72	VERTAIZON	C	63
133	CH 62	VERTAMBOZ		39
98	BV 48	VERTAULT		21
152	AR 76	VERTEILLAC	C	24
168	AR 86	VERTEUIL D'AGENAIS		47
138	AQ 69	VERTEUIL SUR CHARENTE		16
147	CH 73	VERTHEMEX		73
150	AI 77	VERTHEUIL		33
144	BR 73	VERTOLAYE		63
10	BC 20	VERTON		62
106	AE 56	VERTOU	C	44
147	CE 70	VERTRIEU		38
58	BT 37	VERTUS	C	51
138	AP 71	VERVANT		16
137	AL 69	VERVANT		17
84	CN 44	VERVEZELLE		88
23	BR 27	VERVINS	S	02
39	CA 33	VERY		55
132	BZ 65	VERZE		71
221	BG 101	VERZEILLE		11
58	BU 34	VERZENAY		51
58	BU 34	VERZY	C	51
82	CE 44	VESAIGNES SOUS LAFAUCHE		52
82	CC 47	VESAIGNES SUR MARNE		52
134	CJ 65	VESANCY		01
176	CD 85	VESC		26
102	CO 49	VESCEMONT		90
63	CQ 37	VESCHEIM		57
133	CG 65	VESCLES		39
132	CB 64	VESCOURS		01
229	DN 106	VESCOVATO	C	2B
128	BH 63	VESDUN		18
58	BW 37	VESIGNEUL SUR MARNE		51
132	CA 65	VESINES		01
55	BF 37	VESINET, LE	C	78
37	BR 28	VESLES ET CAUMONT		02
37	BR 30	VESLUD		02
34	BB 33	VESLY		27
29	AE 33	VESLY		50
101	CJ 51	VESOUL	P	70
52	AS 36	VESPIERE, LA		14
175	BX 84	VESSEAUX		07
71	AF 41	VESSEY		50
206	BW 94	VESTRIC ET CANDIAC		30
115	BX 54	VESVRES		21
99	CC 50	VESVRES SOUS CHALANCEY		52
54	BC 35	VETHEUIL		95
134	CL 67	VETRAZ MONTHOUX		74
102	CP 50	VETRIGNE		90
110	BA 57	VEUIL		36
56	BN 35	VEUILLY LA POTERIE		02
19	AV 26	VEULES LES ROSES		76
18	AU 26	VEULETTES SUR MER		76
129	BM 61	VEURDRE, LE		03
161	CG 77	VEUREY VOROIZE		38
58	BV 35	VEUVE, LA		51
93	AX 53	VEUVES		41
115	BY 56	VEUVEY SUR OUCHE		21
99	BZ 47	VEUXHAULLES SUR AUBE		21
133	CG 61	VEVY		39
84	CP 41	VEXAINCOURT		88
51	AM 37	VEY, LE		14
178	CI 85	VEYNES	C	05
140	AX 70	VEYRAC		87
175	BY 83	VEYRAS		07
143	BN 73	VEYRE MONTON	C	63
188	BO 90	VEYREAU		12
148	CK 70	VEYRIER DU LAC		74
156	BH 77	VEYRIERES		15
156	BH 75	VEYRIERES		19
170	AY 82	VEYRIGNAC		24
170	AX 83	VEYRINES DE DOMME		24
153	AU 80	VEYRINES DE VERGT		24
147	CF 73	VEYRINS THUELLIN		38
30	AH 32	VEYS, LES		50
146	CD 73	VEYSSILIEU		38
36	BL 33	VEZ		60
172	BI 82	VEZAC		15
170	AX 82	VEZAC		24
97	BS 48	VEZANNES		89
36	BN 31	VEZAPONIN		02
157	BM 78	VEZE		15
118	CJ 55	VEZE, LA		25
97	BR 53	VEZELAY	C	89
83	CI 41	VEZELISE	C	54
102	CP 51	VEZELOIS		90
172	BI 83	VEZELS ROUSSY		15
189	BV 91	VEZENOBRES	C	30
147	CF 73	VEZERONCE CURTIN		38
101	CH 52	VEZET		70
157	BO 76	VEZEZOUX		43
57	BP 38	VEZIER, LE		51
108	AQ 57	VEZIERES		86
34	BA 33	VEZILLON		27
57	BQ 34	VEZILLY		02
71	AC 45	VEZIN LE COQUET		35
98	BS 48	VEZINNES		89
107	AJ 56	VEZINS		49
187	BL 88	VEZINS DE LEVEZOU	C	12
74	AR 43	VEZOT		72
231	DM 109	VEZZANI	C	2B
76	BC 45	VIABON		28
188	BM 92	VIALA DU PAS DE JAUX		12
187	BL 91	VIALA DU TARN		12
189	BT 88	VIALAS		48
198	AM 97	VIALER		64
141	BD 74	VIAM		19
203	BI 94	VIANE		81
115	BV 56	VIANGES		21
183	AQ 89	VIANNE		47
80	BT 41	VIAPRES LE PETIT		10
55	BH 35	VIARMES	C	95
204	BP 99	VIAS		34
171	BE 84	VIAZAC		46
187	BK 88	VIBAL, LE		12
62	CO 36	VIBERSVILLER		57
19	AW 28	VIBEUF		76
138	AO 73	VIBRAC		16
151	AL 76	VIBRAC		17
74	AV 46	VIBRAYE	C	72
98	BV 53	VIC DE CHASSENAY		21
115	BY 57	VIC DES PRES		21
198	AO 98	VIC EN BIGORRE	C	65
199	AQ 94	VIC FEZENSAC	C	32
205	BS 97	VIC LA GARDIOLE		34
143	BO 73	VIC LE COMTE	C	63
189	BV 93	VIC LE FESQ		30
115	BV 54	VIC SOUS THIL		21
36	BM 31	VIC SUR AISNE	C	02
172	BJ 81	VIC SUR CERE	C	15
62	CL 38	VIC SUR SEILLE	C	57
220	BA 105	VICDESSOS	C	09
29	AG 28	VICEL, LE		50
157	BN 76	VICHEL		63
56	BN 34	VICHEL NANTEUIL		02
75	AW 44	VICHERES		28
83	CH 42	VICHEREY		88
143	BP 68	VICHY	S	03
230	DI 110	VICO	C	2A
21	BG 24	VICOGNE, LA		80
70	AB 41	VICOMTE SUR RANCE, LA		22
143	BM 68	VICQ		03
100	CF 47	VICQ		52
13	BP 20	VICQ		59
54	BD 38	VICQ		78
181	AH 93	VICQ D'AURIBAT		40
127	BF 62	VICQ EXEMPLET		36
140	AZ 73	VICQ SUR BREUILH		87
125	AV 61	VICQ SUR GARTEMPE		86
110	BA 57	VICQ SUR NAHON		36
51	AP 36	VICQUES		14
51	AP 34	VICTOT PONTFOL		14
74	AS 42	VIDAI		61
185	BC 88	VIDAILLAC		46
141	BD 70	VIDAILLAT		23
209	CN 97	VIDAUBAN		83
29	AG 29	VIDECOSVILLE		50
139	AU 72	VIDEIX		87
77	BH 42	VIDELLES		91
199	AQ 99	VIDOU		65
50	AJ 34	VIDOUVILLE		50
198	AN 98	VIDOUZE		65
35	BF 29	VIEFVILLERS		60
91	AO 52	VIEIL BAUGE, LE		49
59	BZ 36	VIEIL DAMPIERRE, LE		51
53	AZ 36	VIEIL EVREUX, LE		27
21	BF 21	VIEIL HESDIN		62
10	BE 17	VIEIL MOUTIER		62
157	BP 77	VIEILLE BRIOUDE		43
12	BJ 18	VIEILLE CHAPELLE		62
11	BF 15	VIEILLE EGLISE		62
54	BD 40	VIEILLE EGLISE EN YVELINES		78
117	CG 57	VIEILLE LOYE, LA		39
52	AV 37	VIEILLE LYRE, LA		27
201	AZ 97	VIEILLE TOULOUSE		31
95	BH 48	VIEILLES MAISONS SUR JOUDRY		45
157	BN 79	VIEILLESPESSE		15
172	BH 84	VIEILLEVIE		15
201	BB 98	VIEILLEVIGNE		31
106	AE 58	VIEILLEVIGNE		44
118	CJ 54	VIEILLEY		25
115	BY 55	VIEILMOULIN		21
37	BQ 32	VIEL ARCY		02
38	BW 29	VIEL ST REMY		08
198	AN 96	VIELLA		32
217	AO 104	VIELLA		65
217	AO 101	VIELLE ADOUR		65
218	AQ 104	VIELLE AURE	C	65
218	AQ 104	VIELLE LOURON		65
182	AM 91	VIELLE SOUBIRAN		40
180	AD 92	VIELLE ST GIRONS		40
198	AK 95	VIELLE TURSAN		40
197	AK 98	VIELLENAVE D'ARTHEZ		64
197	AH 98	VIELLENAVE DE NAVARRENX		64
197	AI 98	VIELLESEGURE		64
113	BM 55	VIELMANAY		58
202	BE 96	VIELMUR SUR AGOUT	C	81
174	BT 82	VIELPRAT		43
57	BO 37	VIELS MAISONS		02
117	CE 55	VIELVERGE		21
123	AN 61	VIENNAY		79
160	CA 74	VIENNE	S	38
54	BC 35	VIENNE EN ARTHIES		95
30	AL 32	VIENNE EN BESSIN		14
95	BF 49	VIENNE EN VAL		45
59	BZ 34	VIENNE LA VILLE		51
39	BZ 34	VIENNE LE CHATEAU		51
192	CH 92	VIENS		84
84	CO 44	VIENVILLE		88
217	AN 103	VIER BORDES		65
128	BH 66	VIERSAT		23
76	BD 43	VIERVILLE		28
29	AG 31	VIERVILLE		50
30	AJ 31	VIERVILLE SUR MER		14
111	BF 56	VIERZON	S	18
36	BN 33	VIERZY		02
23	BP 23	VIESLY		59
50	AJ 37	VIESSOIX		14
102	CL 53	VIETHOREY		25

Page	Carreau	Commune	Adm. Dpt
147	CH 70	VIEU	01
147	CF 68	VIEU D'IZENAVE	01
129	BL 64	VIEURE	03
203	BM 97	VIEUSSAN	34
75	AY 44	VIEUVICQ	28
72	AJ 42	VIEUVY	53
51	AM 35	VIEUX	14
185	BD 92	VIEUX	81
11	BJ 17	VIEUX BERQUIN	59
180	AC 93	VIEUX BOUCAU LES BAINS	40
32	AR 32	VIEUX BOURG	14
47	T 41	VIEUX BOURG, LE	22
139	AS 70	VIEUX CERIER, LE	16
78	BM 41	VIEUX CHAMPAGNE	77
102	CO 51	VIEUX CHARMONT	25
98	BU 53	VIEUX CHATEAU	21
13	BP 20	VIEUX CONDE	59
103	CS 52	VIEUX FERRETTE	68
51	AO 35	VIEUX FUME	14
38	BT 31	VIEUX LES ASFELD	08
62	CQ 37	VIEUX LIXHEIM	57
33	AZ 30	VIEUX MANOIR	76
46	Q 39	VIEUX MARCHE, LE	22
153	AS 76	VIEUX MAREUIL	24
23	BR 22	VIEUX MESNIL	59
36	BL 32	VIEUX MOULIN	60
84	CP 42	VIEUX MOULIN	88
51	AO 39	VIEUX PONT	61
51	AP 35	VIEUX PONT EN AUGE	14
32	AU 31	VIEUX PORT	27
24	BS 21	VIEUX RENG	59
20	BC 27	VIEUX ROUEN SUR BRESLE	76
33	AZ 30	VIEUX RUE, LA	76
139	AS 69	VIEUX RUFFEC	16
103	CQ 48	VIEUX THANN	68
71	AE 41	VIEUX VIEL	35
53	AZ 34	VIEUX VILLEZ	27
71	AE 43	VIEUX VY SUR COUESNON	35
199	AR 100	VIEUZOS	65
100	CC 53	VIEVIGNE	21
81	CB 44	VIEVILLE	52
61	CH 36	VIEVILLE EN HAYE	54
115	BX 57	VIEVY	21
93	AZ 49	VIEVY LE RAYE	41
217	AO 104	VIEY	65
161	CH 79	VIF	C 38
57	BP 36	VIFFORT	02
188	BR 92	VIGAN, LE	S 30
170	AZ 83	VIGAN, LE	46
156	BH 78	VIGEAN, LE	15
125	AU 67	VIGEANT, LE	86
140	AY 72	VIGEN, LE	87
154	BA 76	VIGEOIS	C 19
217	AN 102	VIGER	65
141	BE 68	VIGEVILLE	23
232	DJ 115	VIGGIANELLO	2A
95	BG 50	VIGLAIN	45
21	BF 25	VIGNACOURT	80
229	DN 105	VIGNALE	2B
51	AO 37	VIGNATS	14
198	AL 94	VIGNAU, LE	40
200	AW 95	VIGNAUX	31
179	CO 82	VIGNEAUX, LES	05
218	AQ 104	VIGNEC	65
56	BK 37	VIGNELY	77
36	BK 30	VIGNEMONT	60
188	BO 88	VIGNES, LES	48
198	AK 97	VIGNES	64
98	BU 52	VIGNES	89
82	CD 44	VIGNES LA COTE	52
40	CC 30	VIGNEUL SOUS MONTMEDY	55
61	CK 40	VIGNEULLES	54
60	CF 36	VIGNEULLES LES HATTONCHATEL	C 55
105	AC 54	VIGNEUX DE BRETAGNE	44
37	BS 28	VIGNEUX HOCQUET	02
55	BH 39	VIGNEUX SUR SEINE	C 91
222	BI 103	VIGNEVIEILLE	11
147	CE 73	VIGNIEU	38
70	AC 44	VIGNOC	35
114	BR 54	VIGNOL	58
116	CA 58	VIGNOLES	21
152	AO 75	VIGNOLLES	16
154	AZ 77	VIGNOLS	19
167	AN 82	VIGNONET	33
81	CB 44	VIGNORY	C 52
60	CF 38	VIGNOT	55
112	BH 56	VIGNOUX SOUS LES AIX	18
111	BF 56	VIGNOUX SUR BARANGEON	18
61	CJ 36	VIGNY	57
54	BE 35	VIGNY	C 95
127	BF 65	VIGOULANT	36
201	AZ 97	VIGOULET AUZIL	31
126	BA 64	VIGOUX	36
184	AW 93	VIGUERON	82
41	CJ 33	VIGY	C 57
107	AL 56	VIHIERS	C 49
127	BF 65	VIJON	36
61	CH 36	VILCEY SUR TREY	54
70	Z 41	VILDE GUINGALAN	22
128	BK 63	VILHAIN, LE	03
138	AR 73	VILHONNEUR	16
77	BH 41	VILLABE	91
112	BJ 57	VILLABON	18
154	AY 78	VILLAC	24
80	BT 43	VILLACERF	10
83	CK 41	VILLACOURT	54
79	BQ 44	VILLADIN	10
102	CL 51	VILLAFANS	70
103	CU 50	VILLAGE NEUF	68
98	BX 50	VILLAINES EN DUESMOIS	21
74	AR 43	VILLAINES LA CARELLE	72
74	AU 45	VILLAINES LA GONAIS	72
73	AN 43	VILLAINES LA JUHEL	C 53
98	BV 52	VILLAINES LES PREVOTES	21
109	AS 56	VILLAINES LES ROCHERS	37
55	BH 35	VILLAINES SOUS BOIS	95
92	AT 49	VILLAINES SOUS LUCE	72
91	AO 50	VILLAINES SOUS MALICORNE	72
18	AR 29	VILLAINVILLE	76
53	AX 37	VILLALET	27
202	BH 100	VILLALIER	11
76	BB 47	VILLAMBLAIN	45
153	AS 80	VILLAMBLARD	C 24
71	AG 42	VILLAMEE	35
76	BA 47	VILLAMPUY	28
167	AL 86	VILLANDRAUT	C 33
109	AS 54	VILLANDRY	37
202	BG 99	VILLANIERE	11
230	DH 112	VILLANOVA	2A
114	BT 59	VILLAPOURCON	58
162	CM 79	VILLAR D'ARENE	05
221	BH 102	VILLAR EN VAL	11
178	CL 82	VILLAR LOUBIERE	05
221	BG 102	VILLAR ST ANSELME	11
179	CO 81	VILLAR ST PANCRACE	05
127	BC 66	VILLARD	23
134	CM 66	VILLARD	74
162	CI 77	VILLARD BONNOT	38
161	CG 79	VILLARD DE LANS	C 38
162	CK 74	VILLARD D'HERY	73
162	CL 74	VILLARD LEGER	73
162	CK 80	VILLARD NOTRE DAME	38
162	CK 79	VILLARD RECULAS	38
162	CK 79	VILLARD REYMOND	38
162	CK 74	VILLARD SALLET	73
162	CI 80	VILLARD ST CHRISTOPHE	38
133	CI 65	VILLARD ST SAUVEUR	39
133	CI 63	VILLARD SUR BIENNE	39
149	CN 72	VILLARD SUR DORON	73
221	BH 103	VILLARDEBELLE	11
202	BG 99	VILLARDONNEL	11
133	CH 64	VILLARDS D'HERIA	39
148	CM 70	VILLARDS SUR THONES, LES	74
162	CL 77	VILLAREMBERT	73
102	CM 51	VILLARGENT	70
115	BV 55	VILLARGOIX	21
162	CM 77	VILLARGONDRAN	73
201	BA 94	VILLARIES	31
163	CN 75	VILLARLURIN	73
163	CP 77	VILLARODIN BOURGET	73
149	CQ 73	VILLAROGER	73
162	CK 75	VILLAROUX	73
153	AU 76	VILLARS	24
76	BB 45	VILLARS	28
159	BW 75	VILLARS	42
132	CA 63	VILLARS, LE	71
192	CF 92	VILLARS	84
194	CO 89	VILLARS COLMARS	04
81	BY 46	VILLARS EN AZOIS	52
137	AJ 73	VILLARS EN PONS	17
98	BW 52	VILLARS ET VILLENOTTE	21
116	CA 56	VILLARS FONTAINE	21
101	CH 48	VILLARS LE PAUTEL	70
102	CP 52	VILLARS LE SEC	90
102	CP 53	VILLARS LES BLAMONT	25
137	AL 71	VILLARS LES BOIS	17
146	CB 69	VILLARS LES DOMBES	C 01
99	CA 50	VILLARS SANTENOGE	52
102	CO 53	VILLARS SOUS DAMPJOUX	25
102	CN 53	VILLARS SOUS ECOT	25
117	CH 56	VILLARS ST GEORGES	25
194	CT 91	VILLARS SUR VAR	C 06
203	BH 100	VILLARZEL CABARDES	11
221	BF 101	VILLARZEL DU RAZES	11
221	BE 100	VILLASAVARY	11
201	AZ 97	VILLATE	31
185	AZ 93	VILLAUDRIC	31
220	BC 101	VILLAUTOU	11
93	AW 50	VILLAVARD	41
148	CK 69	VILLAZ	74
36	BL 30	VILLE	60
85	CR 42	VILLE	C 67
40	CG 31	VILLE AU MONTOIS	54
61	CI 37	VILLE AU VAL	54
81	BY 42	VILLE AUX BOIS, LA	10
38	BS 29	VILLE AUX BOIS LES DIZY, LA	02
37	BR 31	VILLE AUX BOIS LES PONTAVERT, LA	02
93	AX 48	VILLE AUX CLERCS, LA	41
92	AV 54	VILLE AUX DAMES, LA	37
55	BF 38	VILLE D'AVRAY	92
60	CD 37	VILLE DEVANT BELRAIN	55
40	CD 32	VILLE DEVANT CHAUMONT	55
228	DJ 105	VILLE DI PARASO	2B
229	DM 103	VILLE DI PIETRABUGNO	2B
184	AX 91	VILLE DIEU DU TEMPLE, LA	82
37	BS 34	VILLE DOMMANGE	51
55	BG 40	VILLE DU BOIS, LA	91
118	CM 57	VILLE DU PONT	25
81	CA 42	VILLE EN BLAISOIS	52
134	CM 67	VILLE EN SALLAZ	74
58	BT 35	VILLE EN SELVE	51
37	BR 34	VILLE EN TARDENOIS	C 51
61	CJ 40	VILLE EN VERMOIS	54
60	CE 34	VILLE EN WOEVRE	55
48	AB 40	VILLE ES NONAIS, LA	35
40	CE 29	VILLE HOUDLEMONT	54
134	CL 66	VILLE LA GRAND	74
114	BP 59	VILLE LANGY	58
21	BF 25	VILLE LE MARCLET	80
37	BQ 33	VILLE SAVOYE	02
160	CA 76	VILLE SOUS ANJOU	38
81	BZ 45	VILLE SOUS LA FERTE	10
57	BQ 36	VILLE SOUS ORBAIS, LA	51
78	BL 43	VILLE ST JACQUES	77
21	BJ 25	VILLE SUR ANCRE	80
80	BW 46	VILLE SUR ARCE	10
59	CB 35	VILLE SUR COUSANCES	55
83	CJ 44	VILLE SUR ILLON	88
145	BY 70	VILLE SUR JARNIOUX	69
39	BY 27	VILLE SUR LUMES	08
38	BW 32	VILLE SUR RETOURNE	08
59	CB 39	VILLE SUR SAULX	55
81	BY 43	VILLE SUR TERRE	10
39	BY 34	VILLE SUR TOURBE	C 51
60	CG 34	VILLE SUR YRON	54
76	BB 44	VILLEAU	28
52	AQ 38	VILLEBADIN	61
93	AZ 51	VILLEBAROU	41
49	AH 36	VILLEBAUDON	50
221	BG 102	VILLEBAZY	11
78	BL 45	VILLEBEON	77
108	AP 55	VILLEBERNIER	49
99	BX 53	VILLEBERNY	21
116	CB 56	VILLEBICHOT	21
78	BM 44	VILLEBLEVIN	89
147	CF 71	VILLEBOIS	01
152	AQ 75	VILLEBOIS LAVALETTE	C 16
192	CH 87	VILLEBOIS LES PINS	26
75	AY 43	VILLEBON	28
55	BG 39	VILLEBON SUR YVETTE	C 91
78	BN 45	VILLEBOUGIS	89
92	AT 50	VILLEBOURG	37
93	AY 47	VILLEBOUT	41
169	AS 86	VILLEBRAMAR	47
128	BJ 66	VILLEBRET	03
185	AZ 93	VILLEBRUMIER	C 82
111	BF 60	VILLECELIN	18
78	BK 43	VILLECERF	77
61	CH 35	VILLECEY SUR MAD	54
133	CE 65	VILLECHANTRIA	39
93	AW 51	VILLECHAUVE	41
145	BX 71	VILLECHENEVE	69
80	BU 44	VILLECHETIF	10
79	BP 46	VILLECHETIVE	89
50	AI 40	VILLECHIEN	50
79	BO 47	VILLECIEN	89
40	CD 30	VILLECLOYE	55
172	BI 86	VILLECOMTAL	12
199	AP 98	VILLECOMTAL SUR ARROS	32
99	CB 52	VILLECOMTE	21
77	BF 41	VILLECONIN	91
22	BL 27	VILLECOURT	80
55	BI 39	VILLECRESNES	C 94
209	CM 95	VILLECROZE	83
222	BK 100	VILLEDAIGNE	11
173	BM 80	VILLEDIEU	15
137	AM 68	VILLEDIEU, LA	17
98	BW 48	VILLEDIEU	21
141	BD 72	VILLEDIEU, LA	23
134	CK 61	VILLEDIEU, LES	25
174	BQ 84	VILLEDIEU, LA	48
191	CC 88	VILLEDIEU	84
125	AS 64	VILLEDIEU DU CLAIN, LA	C 86
101	CJ 49	VILLEDIEU EN FONTENETTE, LA	70
106	AG 56	VILLEDIEU LA BLOUERE	49
92	AU 50	VILLEDIEU LE CHATEAU	41
51	AQ 38	VILLEDIEU LES BAILLEUL	61
49	AG 37	VILLEDIEU LES POELES	C 50
110	BA 60	VILLEDIEU SUR INDRE	36
110	AY 58	VILLEDOMAIN	37
93	AW 52	VILLEDOMER	37
122	AG 66	VILLEDOUX	17
202	BH 100	VILLEDUBERT	11
138	AP 69	VILLEFAGNAN	C 16
97	BP 50	VILLEFARGEAU	89
140	AY 67	VILLEFAVARD	87
98	BX 53	VILLEFERRY	21
221	BH 101	VILLEFLOURE	11
137	AM 68	VILLEFOLLET	79
146	CC 73	VILLEFONTAINE	C 38
221	BE 103	VILLEFORT	11
174	BT 87	VILLEFORT	C 48
200	AT 98	VILLEFRANCHE	32
96	BM 48	VILLEFRANCHE	89
186	BG 93	VILLEFRANCHE D'ALBIGEOIS	C 81
129	BL 65	VILLEFRANCHE D'ALLIER	03
226	BH 107	VILLEFRANCHE DE CONFLENT	66
201	BC 98	VILLEFRANCHE DE LAURAGAIS	C 31
168	AO 81	VILLEFRANCHE DE LONCHAT	C 24
187	BJ 91	VILLEFRANCHE DE PANAT	12
186	BE 88	VILLEFRANCHE DE ROUERGUE	S 12
170	AW 85	VILLEFRANCHE DU PERIGORD	C 24
183	AP 88	VILLEFRANCHE DU QUEYRAN	47
192	CG 89	VILLEFRANCHE LE CHATEAU	26
111	BC 55	VILLEFRANCHE SUR CHER	41
211	CV 94	VILLEFRANCHE SUR MER	C 06
146	BY 69	VILLEFRANCHE SUR SAONE	S 69
93	AY 51	VILLEFRANCOEUR	41
100	CG 53	VILLEFRANCON	70
196	AC 97	VILLEFRANQUE	64
198	AN 97	VILLEFRANQUE	65
202	BG 100	VILLEGAILHENC	11
138	AQ 69	VILLEGATS	16
54	BA 36	VILLEGATS	27
116	CC 60	VILLEGAUDIN	71
95	BI 54	VILLEGENON	18
202	BH 99	VILLEGLY	11
110	BB 59	VILLEGONGIS	36
167	AM 81	VILLEGOUGE	33
110	AZ 59	VILLEGOUIN	36
100	CD 50	VILLEGUSIEN LE LAC	52
111	BD 54	VILLEHERVIERS	41
138	AP 70	VILLEJESUS	16
138	AQ 71	VILLEJOUBERT	16
55	BH 38	VILLEJUIF	C 94
55	BG 40	VILLEJUST	91
208	CG 94	VILLELAURE	84
110	AY 57	VILLELOIN COULANGE	37
217	AN 103	VILLELONGUE	65
221	BE 102	VILLELONGUE D'AUDE	11
222	BM 106	VILLELONGUE DE LA SALANQUE	66
227	BL 108	VILLELONGUE DELS MONTS	66
79	BS 43	VILLELOUP	10
185	AY 91	VILLEMADE	82
202	BE 99	VILLEMAGNE	11
204	BN 96	VILLEMAGNE L'ARGENTIERE	34
138	AO 69	VILLEMAIN	79
96	BJ 47	VILLEMANDEUR	45
78	BM 44	VILLEMANOCHE	89
93	AY 50	VILLEMARDY	41
78	BK 44	VILLEMARECHAL	77
56	BL 37	VILLEMAREUIL	77
185	BA 93	VILLEMATIER	31
79	BR 44	VILLEMAUR SUR VANNE	10
199	AQ 100	VILLEMBITS	65
34	BD 31	VILLEMBRAY	60
78	BK 44	VILLEMER	77
97	BP 48	VILLEMER	89
80	BT 45	VILLEMEREUIL	10
54	BA 40	VILLEMEUX SUR EURE	28
146	CD 72	VILLEMOIRIEU	38
79	BR 45	VILLEMOIRON EN OTHE	10
90	AI 53	VILLEMOISAN	49
55	BG 40	VILLEMOISSON SUR ORGE	91
226	BK 107	VILLEMOLAQUE	66
55	BI 37	VILLEMOMBLE	C 93
144	BT 70	VILLEMONTAIS	42
36	BN 33	VILLEMONTOIRE	02
80	BV 46	VILLEMORIEN	10
137	AM 69	VILLEMORIN	17
125	AW 63	VILLEMORT	86
133	CD 65	VILLEMOTIER	01
202	BG 100	VILLEMOUSTAUSSOU	11
95	BI 47	VILLEMOUTIERS	45
80	BV 45	VILLEMOYENNE	10
199	AS 100	VILLEMUR	65
185	BA 93	VILLEMUR SUR TARN	C 31
95	BG 51	VILLEMURLIN	45
192	CI 93	VILLEMUS	04
79	BP 40	VILLENAUXE LA GRANDE	C 10
78	BO 43	VILLENAUXE LA PETITE	77
181	AH 92	VILLENAVE	40
167	AL 84	VILLENAVE DE RIONS	33
167	AK 83	VILLENAVE D'ORNON	C 33
198	AN 99	VILLENAVE PRES BEARN	65
198	AO 99	VILLENAVE PRES MARSAC	65
78	BN 44	VILLENAVOTTE	89
146	CA 69	VILLENEUVE	01
192	CJ 92	VILLENEUVE	04
219	AV 103	VILLENEUVE	09
171	BE 87	VILLENEUVE	C 12
142	BH 70	VILLENEUVE, LA	23
151	AJ 79	VILLENEUVE	33
157	BN 75	VILLENEUVE	63
116	CC 58	VILLENEUVE, LA	71
79	BQ 41	VILLENEUVE AU CHATELOT, LA	10
79	BR 46	VILLENEUVE AU CHEMIN	10
80	BW 44	VILLENEUVE AU CHENE, LA	10
101	CK 50	VILLENEUVE BELLENOYE ET LA MAIZE, LA	70
157	BO 78	VILLENEUVE D'ALLIER	43
118	CJ 58	VILLENEUVE D'AMONT	25
12	BM 18	VILLENEUVE D'ASCQ	C 59
117	CG 58	VILLENEUVE D'AVAL	39
175	BY 85	VILLENEUVE DE BERG	C 07
168	AQ 83	VILLENEUVE DE DURAS	47
222	BL 107	VILLENEUVE DE LA RAHO	66
160	CC 75	VILLENEUVE DE MARC	38
182	AL 92	VILLENEUVE DE MARSAN	C 40
218	AT 101	VILLENEUVE DE RIVIERE	31
194	CQ 89	VILLENEUVE D'ENTRAUNES	06
220	BC 104	VILLENEUVE D'OLMES	09
220	AZ 100	VILLENEUVE DU LATOU	09
220	BB 101	VILLENEUVE DU PAREAGE	09
54	BA 36	VILLENEUVE EN CHEVRIE, LA	78
131	BY 60	VILLENEUVE EN MONTAGNE	71
93	AZ 49	VILLENEUVE FROUVILLE	41
202	BD 100	VILLENEUVE LA COMPTAL	11
137	AK 68	VILLENEUVE LA COMTESSE	17
78	BM 46	VILLENEUVE LA DONDAGRE	89
55	BG 37	VILLENEUVE LA GARENNE	C 92
78	BM 43	VILLENEUVE LA GUYARD	89
57	BP 38	VILLENEUVE LA LIONNE	51
222	BK 106	VILLENEUVE LA RIVIERE	66
79	BQ 45	VILLENEUVE L'ARCHEVEQUE	C 89
56	BK 38	VILLENEUVE LE COMTE	77
55	BH 39	VILLENEUVE LE ROI	C 94
218	AR 101	VILLENEUVE LECUSSAN	31
190	CA 92	VILLENEUVE LES AVIGNON	C 30
204	BO 99	VILLENEUVE LES BEZIERS	34
78	BM 42	VILLENEUVE LES BORDES	77
201	AZ 94	VILLENEUVE LES BOULOC	31
143	BO 69	VILLENEUVE LES CERFS	63
57	BQ 38	VILLENEUVE LES CHARLEVILLE, LA	51
133	CE 65	VILLENEUVE LES CHARNOD	39
99	BX 52	VILLENEUVE LES CONVERS, LA	21
222	BK 103	VILLENEUVE LES CORBIERES	11
96	BM 50	VILLENEUVE LES GENETS	89
201	BC 96	VILLENEUVE LES LAVAUR	81
205	BT 97	VILLENEUVE LES MAGUELONE	34
221	BF 101	VILLENEUVE LES MONTREAL	11
35	BF 33	VILLENEUVE LES SABLONS	60
210	CT 94	VILLENEUVE LOUBET	06
202	BH 99	VILLENEUVE MINERVOIS	11
58	BT 37	VILLENEUVE RENNEVILLE CHEVIGNY	51
98	BW 53	VILLENEUVE SOUS CHARIGNY	21
55	BJ 36	VILLENEUVE SOUS DAMMARTIN	77
133	CF 61	VILLENEUVE SOUS PYMONT	39
56	BM 34	VILLENEUVE SOUS THURY, LA	60
56	BK 38	VILLENEUVE ST DENIS	77
55	BH 39	VILLENEUVE ST GEORGES	C 94
37	BO 32	VILLENEUVE ST GERMAIN	02
76	BB 44	VILLENEUVE ST NICOLAS	28
97	BQ 49	VILLENEUVE ST SALVES	89
57	BR 40	VILLENEUVE ST VISTRE ET VILLEVOTTE	51
129	BO 62	VILLENEUVE SUR ALLIER	03
77	BG 42	VILLENEUVE SUR AUVERS	91
57	BO 38	VILLENEUVE SUR BELLOT	77
112	BG 58	VILLENEUVE SUR CHER	18
76	BB 47	VILLENEUVE SUR CONIE	45
57	BP 34	VILLENEUVE SUR FERE	02
183	AT 87	VILLENEUVE SUR LOT	S 47
35	BJ 33	VILLENEUVE SUR VERBERIE	60
186	BE 92	VILLENEUVE SUR VERE	81
79	BO 46	VILLENEUVE SUR YONNE	C 89
201	AZ 97	VILLENEUVE TOLOSANE	31
204	BP 96	VILLENEUVETTE	34
54	BE 37	VILLENNES SUR SEINE	78
201	BB 98	VILLENOUVELLE	31
56	BK 37	VILLENOY	77
110	BA 56	VILLENTROIS	36
94	BC 51	VILLENY	41
73	AN 42	VILLEPAIL	53
55	BI 37	VILLEPARISIS	77
101	CJ 50	VILLEPAROIS	70
177	CE 86	VILLEPERDRIX	26
109	AT 56	VILLEPERDUE	37
78	BN 44	VILLEPERROT	89
202	BF 100	VILLEPINTE	11
55	BI 36	VILLEPINTE	C 93
93	AW 51	VILLEPORCHER	41
89	AF 49	VILLEPOT	44
54	BE 38	VILLEPREUX	78
32	AU 30	VILLEQUIER	76
36	BN 29	VILLEQUIER AUMONT	02
112	BK 58	VILLEQUIERS	18
62	CM 35	VILLER	57
93	AX 50	VILLERABLE	41
93	AZ 51	VILLERBON	41
169	AU 84	VILLEREAL	C 47
76	BE 46	VILLEREAU	45
23	BQ 22	VILLEREAU	59
144	BT 69	VILLEREST	42
22	BM 25	VILLERET	02
81	BX 42	VILLERET	10
133	CE 67	VILLEREVERSURE	01
94	BA 49	VILLERMAIN	41
93	AX 50	VILLEROMAIN	41
55	BI 35	VILLERON	95
222	BJ 103	VILLEROUGE TERMENES	11
56	BK 36	VILLEROY	77
20	BC 26	VILLEROY	80
78	BN 45	VILLEROY	89
60	CE 40	VILLEROY SUR MEHOLLE	55
145	BV 68	VILLERS	42
83	CJ 43	VILLERS	88
57	BQ 34	VILLERS AGRON AIGUIZY	02
58	BT 34	VILLERS ALLERAND	51
22	BJ 21	VILLERS AU BOIS	62
22	BL 24	VILLERS AU FLOS	62
22	BM 21	VILLERS AU TERTRE	59
57	BS 37	VILLERS AUX BOIS	51
35	BI 27	VILLERS AUX ERABLES	80
38	BT 34	VILLERS AUX NOEUDS	51
59	CA 37	VILLERS AUX VENTS	55
50	AK 35	VILLERS BOCAGE	C 14
21	BG 25	VILLERS BOCAGE	C 80
101	CI 53	VILLERS BOUTON	70
21	BI 26	VILLERS BRETONNEUX	80
21	BI 21	VILLERS BRULIN	62
117	CH 55	VILLERS BUZON	25
20	BD 26	VILLERS CAMPSART	80
51	AN 36	VILLERS CANIVET	14
22	BK 26	VILLERS CARBONNEL	80
39	CA 28	VILLERS CERNAY	08
21	BI 21	VILLERS CHATEL	62
101	CH 53	VILLERS CHEMIN ET MONT LES ETRELLES	70
118	CL 55	VILLERS CHIEF	25
36	BM 33	VILLERS COTTERETS	C 02
39	CB 31	VILLERS DEVANT DUN	55
38	BT 30	VILLERS DEVANT LE THOUR	08
39	CA 29	VILLERS DEVANT MOUZON	08
33	AW 30	VILLERS ECALLES	76
59	CA 35	VILLERS EN ARGONNE	51
54	BC 35	VILLERS EN ARTHIES	95
23	BO 22	VILLERS EN CAUCHIES	59
61	CI 37	VILLERS EN HAYE	54
52	AT 37	VILLERS EN OUCHE	61
37	BQ 32	VILLERS EN PRAYERES	02
34	BB 33	VILLERS EN VEXIN	27
117	CG 58	VILLERS FARLAY	C 39
22	BM 25	VILLERS FAUCON	80
37	BS 32	VILLERS FRANQUEUX	51
101	CK 53	VILLERS GRELOT	25
22	BM 24	VILLERS GUISLAIN	59
36	BN 33	VILLERS HELON	02
40	CF 30	VILLERS LA CHEVRE	54
118	CM 55	VILLERS LA COMBE	25
116	CA 57	VILLERS LA FAYE	21
40	CG 30	VILLERS LA MONTAGNE	54
102	CM 51	VILLERS LA VILLE	70
58	BU 36	VILLERS LE CHATEAU	51
119	CN 57	VILLERS LE LAC	25
40	CD 30	VILLERS LE ROND	54
37	BP 27	VILLERS LE SEC	02
59	BZ 38	VILLERS LE SEC	51
60	CC 40	VILLERS LE SEC	55
101	CK 51	VILLERS LE SEC	70
39	BY 29	VILLERS LE TILLEUL	08
38	BX 29	VILLERS LE TOURNEUR	08
117	CF 59	VILLERS LES BOIS	39
22	BL 22	VILLERS LES CAGNICOURT	62
23	BQ 26	VILLERS LES GUISE	02
101	CK 49	VILLERS LES LUXEUIL	70
40	CE 31	VILLERS LES MANGIENNES	55
61	CJ 37	VILLERS LES MOIVRONS	54
61	CJ 39	VILLERS LES NANCY	C 54
111	BB 60	VILLERS LES ORMES	36
117	CD 55	VILLERS LES POTS	21
36	BJ 28	VILLERS LES ROYE	80
21	BG 22	VILLERS L'HOPITAL	62
58	BU 34	VILLERS MARMERY	51
22	BN 25	VILLERS OUTREAUX	59
101	CJ 52	VILLERS PATER	70
98	BX 48	VILLERS PATRAS	21
22	BM 24	VILLERS PLOUICH	59
23	BP 22	VILLERS POL	59
117	CF 58	VILLERS ROBERT	39
117	CE 56	VILLERS ROTIN	21
39	BY 27	VILLERS SEMEUSE	C 08
21	BI 21	VILLERS SIR SIMON	62
23	BS 21	VILLERS SIRE NICOLE	59
21	BE 24	VILLERS SOUS AILLY	80
118	CJ 59	VILLERS SOUS CHALAMONT	25
57	BR 35	VILLERS SOUS CHATILLON	51
20	BB 27	VILLERS SOUS FOUCARMONT	76
118	CJ 56	VILLERS SOUS MONTROND	25
60	CF 34	VILLERS SOUS PAREID	55
61	CH 36	VILLERS SOUS PRENY	54
35	BH 34	VILLERS SOUS ST LEU	60
34	BE 32	VILLERS ST BARTHELEMY	60
36	BM 27	VILLERS ST CHRISTOPHE	02
35	BJ 33	VILLERS ST FRAMBOURG	60
56	BL 34	VILLERS ST GENEST	60
102	CL 54	VILLERS ST MARTIN	25
35	BI 33	VILLERS ST PAUL	60
35	BF 32	VILLERS ST SEPULCRE	60
61	CK 35	VILLERS STONCOURT	57
34	BD 31	VILLERS SUR AUCHY	60
20	BC 21	VILLERS SUR AUTHIE	80
39	BZ 28	VILLERS SUR BAR	08
34	BE 30	VILLERS SUR BONNIERES	60
36	BK 31	VILLERS SUR COUDUN	60
57	BP 34	VILLERS SUR FERE	02
39	BY 28	VILLERS SUR LE MONT	08
33	AZ 34	VILLERS SUR LE ROULE	27
31	AP 32	VILLERS SUR MER	14
60	CD 35	VILLERS SUR MEUSE	55
62	CL 36	VILLERS SUR NIED	57
101	CJ 50	VILLERS SUR PORT	70
102	CN 51	VILLERS SUR SAULNOT	70
34	BD 33	VILLERS SUR TRIE	60
35	BH 29	VILLERS TOURNELLE	80
100	CG 50	VILLERS VAUDEY	70
34	BC 30	VILLERS VERMONT	60
35	BG 29	VILLERS VICOMTE	60
117	CG 59	VILLERSERINE	39
102	CL 51	VILLERSEXEL	C 70
41	CG 30	VILLERUPT	C 54
32	AQ 31	VILLERVILLE	14
80	BT 45	VILLERY	10
147	CH 68	VILLES	01
191	CE 91	VILLES SUR AUZON	84
36	BM 28	VILLESELVE	60
58	BU 38	VILLESENEUX	51
185	AY 87	VILLESEQUE	46
222	BL 103	VILLESEQUE DES CORBIERES	11
202	BF 100	VILLESEQUELANDE	11
202	BE 100	VILLESISCLE	11
203	BL 99	VILLESPASSANS	34
202	BE 99	VILLESPY	11
55	BH 37	VILLETANEUSE	93
142	BG 70	VILLETELLE, LA	23
205	BV 94	VILLETELLE	34
78	BM 44	VILLETHIERRY	89
183	AQ 87	VILLETON	47
152	AR 77	VILLETOUREIX	24
222	BI 102	VILLETRITOULS	11
93	AY 49	VILLETRUN	41
51	AM 37	VILLETTE, LA	14
40	CE 30	VILLETTE	54
54	BC 37	VILLETTE	78
146	CC 71	VILLETTE D'ANTHON	38
160	CB 74	VILLETTE DE VIENNE	38
117	CG 59	VILLETTE LES ARBOIS	39
117	CF 57	VILLETTE LES DOLE	39
147	CD 69	VILLETTE SUR AIN	01
80	BT 41	VILLETTE SUR AUBE	10
53	AX 34	VILLETTES	27
159	BV 78	VILLETTES, LES	43
146	CA 72	VILLEURBANNE	C 69
79	BO 47	VILLEVALLIER	89
55	BJ 37	VILLEVAUDE	77
57	BR 38	VILLEVENARD	51
91	AM 52	VILLEVEQUE	49
204	BR 97	VILLEVEYRAC	34
205	BV 94	VILLEVIEILLE	30
133	CE 61	VILLEVIEUX	39
159	BY 78	VILLEVOCANCE	07
77	BI 47	VILLEVOQUES	45
94	BA 50	VILLEXANTON	41
151	AL 76	VILLEXAVIER	17
117	CF 59	VILLEY, LE	39
61	CH 39	VILLEY LE SEC	54
61	CH 38	VILLEY ST ETIENNE	54
99	CB 52	VILLEY SUR TILLE	21
53	AZ 35	VILLEZ SOUS BAILLEUL	27
53	AW 34	VILLEZ SUR LE NEUBOURG	27
146	BZ 67	VILLIE MORGON	69
110	AY 60	VILLIERS	36
124	AQ 62	VILLIERS	86
55	BG 35	VILLIERS ADAM	95
92	AR 52	VILLIERS AU BOUIN	37
79	BQ 41	VILLIERS AUX CORNEILLES	51
90	AK 48	VILLIERS CHARLEMAGNE	53
138	AN 69	VILLIERS COUTURE	17
77	BI 42	VILLIERS EN BIERE	77
137	AL 67	VILLIERS EN BOIS	79
54	BA 37	VILLIERS EN DESOEUVRE	27
59	BZ 39	VILLIERS EN LIEU	52
115	BV 56	VILLIERS EN MORVAN	21

Page	Carreau	Commune	Adm.	Dpt
123	AK 64	VILLIERS EN PLAINE		79
30	AI 34	VILLIERS FOSSARD		50
58	BU 40	VILLIERS HERBISSE		10
55	BF 39	VILLIERS LE BACLE		91
55	BH 36	VILLIERS LE BEL	C	95
98	BU 47	VILLIERS LE BOIS		10
99	BY 49	VILLIERS LE DUC		21
54	BC 37	VILLIERS LE MAHIEU		78
54	BB 40	VILLIERS LE MORHIER		28
71	AF 40	VILLIERS LE PRE		50
138	AP 69	VILLIERS LE ROUX		16
30	AL 32	VILLIERS LE SEC		14
81	CB 45	VILLIERS LE SEC		52
113	BP 54	VILLIERS LE SEC		58
55	BH 35	VILLIERS LE SEC		95
100	CC 50	VILLIERS LES APREY		52
98	BU 50	VILLIERS LES HAUTS		89
79	BO 45	VILLIERS LOUIS		89
77	BJ 44	VILLIERS SOUS GREZ		77
74	AU 41	VILLIERS SOUS MORTAGNE		61
80	BV 46	VILLIERS SOUS PRASLIN		10
96	BN 50	VILLIERS ST BENOIT		89
56	BN 36	VILLIERS ST DENIS		02
54	BD 38	VILLIERS ST FREDERIC		78
57	BO 40	VILLIERS ST GEORGES	C	77
76	BA 46	VILLIERS ST ORIEN		28
137	AM 68	VILLIERS SUR CHIZE		79
93	AW 49	VILLIERS SUR LOIR		41
55	BI 38	VILLIERS SUR MARNE	C	94
56	BK 38	VILLIERS SUR MORIN		77
55	BG 40	VILLIERS SUR ORGE		91
79	BO 42	VILLIERS SUR SEINE		77
82	CC 47	VILLIERS SUR SUIZE		52
97	BO 48	VILLIERS SUR THOLON		89
97	BQ 54	VILLIERS SUR YONNE		58
97	BS 48	VILLIERS VINEUX		89
93	AW 50	VILLIERSFAUX		41
146	CD 70	VILLIEU LOYES MOLLON		01
42	CM 32	VILLING		57
138	AP 71	VILLOGNON		16
98	BU 48	VILLON		89
84	CL 43	VILLONCOURT		88
31	AM 33	VILLONS LES BUISSONS		14
94	BB 49	VILLORCEAU		45
142	BJ 70	VILLOSANGES		63
34	BE 32	VILLOTRAN		60
82	CG 45	VILLOTTE		88
59	CB 37	VILLOTTE DEVANT LOUPPY		55
99	BY 53	VILLOTTE ST SEINE		21
60	CD 37	VILLOTTE SUR AIRE		55
99	BY 48	VILLOTTE SUR OURCE		21
82	CE 43	VILLOUXEL		88
79	BO 43	VILLUIS		77
39	CB 29	VILLY		08
97	BR 49	VILLY		89
50	AL 34	VILLY BOCAGE		14
99	BY 53	VILLY EN AUXOIS		21
80	BW 45	VILLY EN TRODES		10
80	BT 45	VILLY LE BOIS		10
148	CK 68	VILLY LE BOUVERET		74
80	BT 45	VILLY LE MARECHAL		10
116	CB 58	VILLY LE MOUTIER		21
148	CK 69	VILLY LE PELLOUX		74
51	AO 37	VILLY LEZ FALAISE		14
20	BA 25	VILLY SUR YERES		76
101	CK 49	VILORY		70
39	CB 32	VILOSNES HARAUMONT		55
63	CR 37	VILSBERG		57
73	AN 45	VIMARCE		53
187	BL 87	VIMENET		12
84	CM 44	VIMENIL		88
162	CI 74	VIMINES		73
51	AO 34	VIMONT		14
96	BJ 48	VIMORY		45
52	AR 37	VIMOUTIERS	C	61
78	BN 42	VIMPELLES		77
22	BK 21	VIMY	C	62
56	BJ 36	VINANTES		77
223	BN 100	VINASSAN		11
138	AN 69	VINAX		17
161	CE 78	VINAY	C	38
57	BS 36	VINAY		51
222	BI 107	VINCA	C	66
133	CF 62	VINCELLES		39
57	BQ 35	VINCELLES		51
132	CD 62	VINCELLES		71
97	BQ 50	VINCELLES		89
97	BQ 50	VINCELOTTES		89
55	BH 38	VINCENNES	C	94
117	CE 60	VINCENT		39
83	CK 43	VINCEY		88
11	BF 19	VINCLY		62
56	BL 35	VINCY MANOEUVRE		77
38	BT 28	VINCY REUIL ET MAGNY		02
130	BT 65	VINDECY		71
29	AF 32	VINDEFONTAINE		50
138	AP 72	VINDELLE		16
57	BQ 39	VINDEY		51
186	BD 91	VINDRAC ALAYRAC		81
80	BU 41	VINETS		10
111	BB 59	VINEUIL		36
93	AZ 52	VINEUIL	C	41
35	BI 34	VINEUIL ST FIRMIN		60
131	BY 64	VINEUSE, LA		71
175	BW 85	VINEZAC		07
222	BK 105	VINGRAU		66
73	AQ 41	VINGT HANAPS		61
18	AT 27	VINNEMERVILLE		76
78	BM 43	VINNEUF		89
112	BK 55	VINON		18
208	CJ 94	VINON SUR VERDON		83
209	CL 97	VINS SUR CARAMY		83
191	CC 88	VINSOBRES		26
203	BI 97	VINTROU, LE		81
143	BO 70	VINZELLES		63
132	BZ 66	VINZELLES		71
135	CN 65	VINZIER		74
160	BZ 77	VINZIEUX		07
83	CH 43	VIOCOURT		88
197	AG 99	VIODOS ABENSE DE BAS		64
12	BK 19	VIOLAINES		62
145	BW 71	VIOLAY		42
191	CB 90	VIOLES		84
100	CE 49	VIOLOT		52
205	BS 94	VIOLS EN LAVAL		34
205	BR 94	VIOLS LE FORT		34
83	CJ 45	VIOMENIL		88
160	CA 79	VION		07
91	AN 49	VION		72
147	CI 71	VIONS		73
61	CH 34	VIONVILLE		57
199	AR 98	VIOZAN		32
128	BH 64	VIPLAIX		03
220	BC 102	VIRA		09
221	BH 105	VIRA		66
186	BE 91	VIRAC		81
29	AD 29	VIRANDEVILLE		50
157	BL 79	VIRARGUES		15
168	AQ 86	VIRAZEIL		47
50	AJ 37	VIRE	S	14
132	CA 64	VIRE		71
73	AN 47	VIRE EN CHAMPAGNE		72
170	AX 86	VIRE SUR LOT		46
98	BT 49	VIREAUX		89
83	CK 41	VIRECOURT		54
167	AL 84	VIRELADE		33
25	BX 24	VIREUX MOLHAIN		08
25	BY 24	VIREUX WALLERAND		08
50	AH 40	VIREY		50
116	CA 59	VIREY LE GRAND		71
80	BV 46	VIREY SOUS BAR		10
59	BY 34	VIRGINY		51
132	CD 66	VIRIAT	C	01
145	BW 73	VIRICELLES		42
161	CF 75	VIRIEU	C	38
147	CG 70	VIRIEU LE GRAND	C	01
147	CH 70	VIRIEU LE PETIT		01
145	BW 73	VIRIGNEUX		42
147	CH 72	VIRIGNIN		01
160	CD 76	VIRIVILLE		38
142	BJ 68	VIRLET		63
62	CN 36	VIRMING		57
55	BF 38	VIROFLAY	C	78
151	AJ 74	VIROLLET		17
20	BD 22	VIRONCHAUX		80
33	AY 34	VIRONVAY		27
151	AK 80	VIRSAC		33
136	AH 67	VIRSON		17
32	AS 29	VIRVILLE		76
133	CH 65	VIRY		39
131	BW 64	VIRY		71
148	CJ 67	VIRY		74
55	BH 40	VIRY CHATILLON	C	91
36	BN 29	VIRY NOUREUIL		02
22	BL 22	VIS EN ARTOIS		62
191	CB 88	VISAN		84
144	BR 71	VISCOMTAT		63
217	AN 103	VISCOS		65
98	BV 52	VISERNY		21
217	AO 101	VISKER		65
20	BC 25	VISMES		80
101	CK 49	VISONCOURT		70
158	BR 79	VISSAC AUTEYRAC		43
188	BQ 93	VISSEC		30
71	AF 47	VISSEICHE		35
202	BD 95	VITERBE		81
61	CI 40	VITERNE		54
53	AW 34	VITOT		27
172	BG 83	VITRAC		15
170	AY 82	VITRAC		24
143	BL 70	VITRAC		63
173	BK 83	VITRAC EN VIADENE		12
139	AS 72	VITRAC ST VINCENT		16
155	BD 76	VITRAC SUR MONTANE		19
52	AV 39	VITRAI SOUS LAIGLE		61
128	BJ 63	VITRAY		03
76	BA 44	VITRAY EN BEAUCE		28
71	AG 45	VITRE	C	35
124	AN 66	VITRE		79
117	CG 55	VITREUX		39
83	CI 41	VITREY		54
100	CG 49	VITREY SUR MANCE	C	70
61	CL 40	VITRIMONT		54
178	CJ 86	VITROLLES		05
207	CE 97	VITROLLES	C	13
192	CH 93	VITROLLES EN LUBERON		84
95	BG 48	VITRY AUX LOGES		45
22	BL 21	VITRY EN ARTOIS	C	62
131	BU 64	VITRY EN CHAROLLAIS		71
99	CB 49	VITRY EN MONTAGNE		52
59	BX 39	VITRY EN PERTHOIS		51
58	BW 38	VITRY LA VILLE		51
114	BQ 56	VITRY LACHE		58
81	BX 45	VITRY LE CROISE		10
59	BX 39	VITRY LE FRANCOIS	S	51
131	BY 64	VITRY LES CLUNY		71
82	CD 47	VITRY LES NOGENT		52
130	BR 62	VITRY SUR LOIRE		71
41	CI 32	VITRY SUR ORNE		57
55	BH 38	VITRY SUR SEINE	C	94
40	CD 31	VITTARVILLE		55
98	BX 54	VITTEAUX	C	21
18	AU 27	VITTEFLEUR		76
83	CH 44	VITTEL	C	88
62	CO 36	VITTERSBOURG		57
61	CL 35	VITTONCOURT		57
61	CI 36	VITTONVILLE		54
21	BE 22	VITZ SUR AUTHIE		80
148	CM 67	VIUZ EN SALLAZ		74
148	CK 71	VIUZ LA CHIESAZ		74
37	BP 29	VIVAISE		02
144	BT 67	VIVANS		42
231	DL 109	VIVARIO		2B
198	AK 97	VIVEN		64
158	BS 76	VIVEROLS	C	63
226	BK 108	VIVES		66
99	CB 50	VIVEY		52
221	BH 105	VIVIER, LE		66
39	BY 27	VIVIER AU COURT		08
49	AC 40	VIVIER SUR MER, LE		35
36	BM 33	VIVIERES		02
176	BZ 86	VIVIERS	C	07
61	CL 37	VIVIERS		57
97	BS 49	VIVIERS		89
148	CI 73	VIVIERS DU LAC		73
83	CH 45	VIVIERS LE GRAS		88
201	BC 96	VIVIERS LES LAVAUR		81
202	BF 97	VIVIERS LES MONTAGNES		81
83	CI 44	VIVIERS LES OFFROICOURT		88
80	BX 46	VIVIERS SUR ARTAUT		10
40	CE 30	VIVIERS SUR CHIERS		54
220	BC 102	VIVIES		09
171	BF 86	VIVIEZ		12
152	AN 74	VIVILLE		16
74	AQ 44	VIVOIN		72
124	AR 65	VIVONNE	C	86
108	AO 54	VIVY		49
98	BX 48	VIX		21
122	AI 65	VIX		85
161	CI 79	VIZILLE	C	38
217	AN 104	VIZOS		65
159	BY 78	VOCANCE		07
157	BN 75	VODABLE		63
85	CR 46	VOEGTLINSHOFFEN		68
42	CM 32	VOELFLING LES BOUZONVILLE		57
62	CP 35	VOELLERDINGEN		67
152	AP 74	VOEUIL ET GIGET		16
85	CU 46	VOGELGRUN		68
148	CI 73	VOGLANS		73
175	BX 85	VOGUE		07
37	BR 27	VOHARIES		02
60	CF 39	VOID VACON	C	55
81	BZ 44	VOIGNY		10
59	BZ 35	VOILEMONT		51
102	CL 53	VOILLANS		25
81	BZ 41	VOILLECOMTE		52
61	CK 35	VOIMHAUT		57
83	CJ 41	VOINEMONT		54
142	BI 72	VOINGT		63
56	BL 39	VOINSLES		77
58	BT 37	VOIPREUX		51
118	CK 56	VOIRES		25
161	CG 76	VOIRON	C	38
33	AV 33	VOISCREVILLE		27
76	BC 43	VOISE		28
77	BJ 41	VOISENON		77
100	CG 48	VOISEY		52
100	CC 48	VOISINES		52
79	BO 44	VOISINES		89
55	BE 39	VOISINS LE BRETONNEUX		78
161	CH 75	VOISSANT		38
137	AK 69	VOISSAY		17
133	CF 61	VOITEUR	C	39
102	CM 48	VOIVRE, LA		70
84	CO 42	VOIVRE, LA		88
83	CK 46	VOIVRES, LES		88
91	AP 48	VOIVRES LES LE MANS		72
11	BG 16	VOLCKERINCKHOVE		59
131	BU 64	VOLESVRES		71
85	CT 46	VOLGELSHEIM		68
97	BO 48	VOLGRE		89
63	CR 35	VOLKSBERG		67
144	BR 72	VOLLORE MONTAGNE		63
144	BQ 72	VOLLORE VILLE		63
41	CK 33	VOLMERANGE LES BOULAY		57
41	CH 30	VOLMERANGE LES MINES		57
43	CR 34	VOLMUNSTER	C	57
116	BZ 58	VOLNAY		21
92	AS 48	VOLNAY		72
100	CG 51	VOLON		70
193	CK 90	VOLONNE	C	04
229	DM 105	VOLPAJOLA		2B
41	CJ 32	VOLSTROFF		57
177	CE 85	VOLVENT		26
143	BM 71	VOLVIC		63
192	CJ 92	VOLX		04
84	CM 43	VOMECOURT		88
83	CJ 42	VOMECOURT SUR MADON		88
100	CF 50	VONCOURT		52
39	BX 31	VONCQ		08
117	CE 55	VONGES		21
147	CH 71	VONGNES		01
132	CB 67	VONNAS		01
118	CI 54	VORAY SUR L'OGNON		70
161	CG 77	VOREPPE		38
158	BT 78	VOREY	C	43
37	BQ 30	VORGES		02
118	CI 56	VORGES LES PINS		25
112	BH 59	VORLY		18
112	BI 59	VORNAY		18
133	CF 65	VOSBLES		39
116	CA 56	VOSNE ROMANEE		21
79	BS 46	VOSNON		10
109	AV 57	VOU		37
57	BS 40	VOUARCES		51
115	BW 57	VOUDENAY		21
80	BU 42	VOUE		10
81	CB 44	VOUECOURT		52
101	CI 47	VOUGECOURT		70
116	CA 56	VOUGEOT		21
80	BV 46	VOUGREY		10
145	BU 68	VOUGY		42
149	CN 68	VOUGY		74
138	AP 71	VOUHARTE		16
137	AI 67	VOUHE		17
123	AN 63	VOUHE		79
102	CM 50	VOUHENANS		70
123	AM 65	VOUILLE		79
124	AQ 62	VOUILLE	C	86
122	AH 64	VOUILLE LES MARAIS		85
59	BZ 39	VOUILLERS		51
111	BD 60	VOUILLON		36
30	AI 32	VOUILLY		14
102	CO 52	VOUJEAUCOURT		25
99	BZ 49	VOULAINES LES TEMPLIERS		21
56	BK 38	VOULANGIS		77
138	AQ 68	VOULEME		86
152	AP 75	VOULGEZAC		16
124	AQ 65	VOULON		86
23	BR 27	VOULPAIX		02
176	CA 82	VOULTE SUR RHONE, LA	C	07
107	AL 59	VOULTEGON		79
57	BO 40	VOULTON		77
78	BL 44	VOULX		77
124	AQ 63	VOUNEUIL SOUS BIARD		86
125	AT 61	VOUNEUIL SUR VIENNE	C	86
161	CF 76	VOUREY		38
146	CA 73	VOURLES		69
129	BM 66	VOUSSAC		03
97	BS 52	VOUTENAY SUR CURE		89
154	AZ 77	VOUTEZAC		19
139	AS 73	VOUTHON		16
82	CE 41	VOUTHON BAS		55
82	CF 41	VOUTHON HAUT		55
73	AN 45	VOUTRE		53
123	AJ 62	VOUVANT		85
93	AV 54	VOUVRAY	C	37
74	AT 46	VOUVRAY SUR HUISNE		72
92	AS 50	VOUVRAY SUR LOIR		72
82	CG 43	VOUXEY		88
124	AP 61	VOUZAILLES		86
152	AR 74	VOUZAN		16
112	BG 55	VOUZERON		18
39	BX 31	VOUZIERS	S	08
95	BE 51	VOUZON		41
58	BT 37	VOUZY		51
76	BB 44	VOVES	C	28
148	CK 68	VOVRAY EN BORNES		74
37	BR 28	VOYENNE		02
36	BL 27	VOYENNES		80
62	CP 39	VOYER		57
87	W 50	VRAIE CROIX, LA		56
22	BM 26	VRAIGNES EN VERMANDOIS		80
20	BD 27	VRAIGNES LES HORNOY		80
81	CB 44	VRAINCOURT		52
33	AX 34	VRAIVILLE		27
58	BU 36	VRAUX		51
82	CF 45	VRECOURT		88
12	BN 20	VRED		59
117	CH 54	VREGILLE		70
37	BO 31	VREGNY		02
36	BJ 27	VRELY		80
29	AD 30	VRETOT, LE		50
117	CF 56	VRIANGE		39
39	BZ 28	VRIGNE AUX BOIS		08
39	BY 28	VRIGNE MEUSE		08
77	BG 46	VRIGNY		45
37	BS 33	VRIGNY		51
51	AP 39	VRIGNY		61
90	AH 51	VRITZ		44
39	BX 31	VRIZY		08
34	BD 30	VROCOURT		60
59	BZ 37	VROIL		51
20	BC 21	VRON		80
83	CI 41	VRONCOURT		54
82	CE 45	VRONCOURT LA COTE		52
83	CJ 43	VROVILLE		88
41	CK 33	VRY		57
105	AB 55	VUE		44
118	CK 57	VUILLAFANS		25
118	CL 58	VUILLECIN		25
37	BO 31	VUILLERY		02
79	BQ 44	VULAINES		10
78	BN 41	VULAINES LES PROVINS		77
78	BK 42	VULAINES SUR SEINE		77
148	CI 68	VULBENS		74
61	CJ 36	VULMONT		57
133	CH 65	VULVOZ		39
101	CI 51	VY LE FERROUX		70
101	CK 52	VY LES FILAIN		70
102	CL 50	VY LES LURE		70
101	CH 51	VY LES RUPT		70
102	CO 51	VYANS LE VAL		70
102	CN 53	VYT LES BELVOIR		25
		W		
20	BC 21	WABEN		62
35	BI 31	WACQUEMOULIN		60
10	BC 16	WACQUINGHEN		62
39	BZ 28	WADELINCOURT		08
38	BW 29	WAGNON		08
12	BM 19	WAHAGNIES		59
103	CS 50	WAHLBACH		68
64	CU 37	WAHLENHEIM		67
21	BF 21	WAIL		62
22	BJ 22	WAILLY		62
10	BC 20	WAILLY BEAUCAMP		62
85	CR 45	WALBACH		68
64	CU 36	WALBOURG		67
64	CT 36	WALCK, LA		67
85	CR 41	WALDERSBACH		67
63	CQ 36	WALDHAMBACH		67
43	CS 33	WALDHOUSE		57
103	CS 51	WALDIGHOFEN		68
63	CS 38	WALDOLWISHEIM		67
41	CL 31	WALDWEISTROFF		57
41	CL 31	WALDWISSE		57
103	CS 50	WALHEIM		68
22	BN 24	WALINCOURT SELVIGNY		59
23	BO 21	WALLERS		59
24	BT 24	WALLERS TRELON		59
11	BI 17	WALLON CAPPEL		59
43	CS 33	WALSCHBRONN		57
63	CQ 39	WALSCHEID		57
63	CQ 38	WALTEMBOURG		57
103	CS 50	WALTENHEIM		68
64	CT 38	WALTENHEIM SUR ZORN		67
59	CB 36	WALY		55
22	BN 23	WAMBAIX		59
10	BE 20	WAMBERCOURT		62
34	BD 30	WAMBEZ		60
12	BL 17	WAMBRECHIES		59
11	BF 20	WAMIN		62
20	AZ 26	WANCHY CAPVAL		76
22	BK 22	WANCOURT		62
12	BN 20	WANDIGNIES HAMAGE		59
63	CS 39	WANGEN		67
63	CR 39	WANGENBOURG ENGENTHAL		67
12	BN 18	WANNEHAIN		59
21	BJ 22	WANQUETIN		62
64	CV 38	WANTZENAU, LA		67
39	BX 27	WARCQ		08
40	CF 33	WARCQ		55
11	BG 17	WARDRECQUES		62
59	BX 34	WARGEMOULIN HURLUS		51
21	BG 25	WARGNIES		80
23	BQ 21	WARGNIES LE GRAND		59
23	BQ 22	WARGNIES LE PETIT		59
11	BH 14	WARHEM		59
12	BN 20	WARLAING		59
22	BK 24	WARLENCOURT EAUCOURT		62
21	BI 23	WARLINCOURT LES PAS		62
21	BI 25	WARLOY BAILLON		80
35	BF 32	WARLUIS		60
22	BJ 22	WARLUS		62
20	BE 26	WARLUS		80
21	BI 22	WARLUZEL		62
38	BU 32	WARMERIVILLE		51
38	BX 28	WARNECOURT		08
12	BL 16	WARNETON		59
35	BJ 28	WARSY		80
35	BJ 27	WARVILLERS		80
38	BV 29	WASIGNY		08
22	BN 22	WASNES AU BAC		59
12	BM 17	WASQUEHAL		59
63	CS 39	WASSELONNE	C	67
85	CQ 46	WASSERBOURG		68
23	BQ 25	WASSIGNY	C	02
81	CA 41	WASSY	C	52
10	BD 16	WAST, LE		62
24	BU 26	WATIGNY		02
60	CE 34	WATRONVILLE		55
11	BF 16	WATTEN		59
12	BL 18	WATTIGNIES		59
23	BS 23	WATTIGNIES LA VICTOIRE		59
12	BN 17	WATTRELOS		59
103	CR 48	WATTWILLER		68
35	BH 30	WAVIGNIES		60
61	CH 35	WAVILLE		54
11	BF 17	WAVRANS SUR L'AA		62
11	BG 20	WAVRANS SUR TERNOISE		62
23	BO 21	WAVRECHAIN SOUS DENAIN		59
22	BN 22	WAVRECHAIN SOUS FAULX		59
40	CD 32	WAVRILLE		55
12	BL 18	WAVRIN		59
22	BM 21	WAZIERS		59
85	CT 46	WECKOLSHEIM		68
102	CP 48	WEGSCHEID		68
63	CS 36	WEINBOURG		67
63	CQ 36	WEISLINGEN		67
64	CU 37	WEITBRUCH		67
63	CR 36	WEITERSWILLER		67
35	BI 29	WELLES PERENNES		60
11	BH 16	WEMAERS CAPPEL		59
103	CT 51	WENTZWILLER		68
103	CS 51	WERENTZHOUSE		68
12	BL 16	WERVICQ SUD		59
11	BI 15	WEST CAPPEL		59
85	CR 46	WESTHALTEN		68
63	CS 39	WESTHOFFEN		67
85	CT 41	WESTHOUSE		67
63	CS 38	WESTHOUSE MARMOUTIER		67
11	BH 19	WESTREHEM		62
85	CR 45	WETTOLSHEIM		68
62	CQ 37	WEYER		67
64	CV 38	WEYERSHEIM		67
85	CS 45	WICKERSCHWIHR		68
64	CT 37	WICKERSHEIM WILSHAUSEN		67
10	BE 18	WICQUINGHEM		62
12	BK 19	WICRES		59
10	BC 18	WIDEHEM		62
85	CT 45	WIDENSOLEN		68
23	BQ 26	WIEGE FATY		02
21	BI 27	WIENCOURT L'EQUIPEE		80
10	BD 18	WIERRE AU BOIS		62
10	BC 16	WIERRE EFFROY		62
63	CQ 34	WIESVILLER		57
24	BS 25	WIGNEHIES		59
38	BX 29	WIGNICOURT		08
85	CR 45	WIHR AU VAL		68
84	CP 46	WILDENSTEIN		68
85	CQ 41	WILDERSBACH		67
21	BF 21	WILLEMAN		62
12	BN 18	WILLEMS		59
21	BF 22	WILLENCOURT		62
103	CS 51	WILLER		68
103	CQ 48	WILLER SUR THUR		68
60	CD 39	WILLERONCOURT		55
22	BK 21	WILLERVAL		62
62	CP 35	WILLERWALD		57
64	CT 38	WILLGOTTHEIM		67
40	CC 28	WILLIERS		08
24	BT 23	WILLIES		59
64	CT 38	WILWISHEIM		67
10	BB 16	WIMEREUX		62
10	BB 16	WIMILLE		62
63	CS 36	WIMMENAU		67
23	BS 25	WIMY		02
64	CU 35	WINDSTEIN		67
64	CU 34	WINGEN		67
63	CR 36	WINGEN SUR MODER		67
64	CT 38	WINGERSHEIM		67
12	BK 19	WINGLES	C	62
103	CS 52	WINKEL		68
11	BI 15	WINNEZEELE		59
63	CQ 37	WINTERSBOURG		57
64	CU 37	WINTERSHOUSE		67
65	CX 35	WINTZENBACH		67
85	CR 45	WINTZENHEIM	C	68
64	CS 39	WINTZENHEIM KOCHERSBERG		67
10	BC 17	WIRWIGNES		62
20	BD 25	WIRY AU MONT		80
63	CR 40	WISCHES		67
85	CQ 43	WISEMBACH		88
39	CB 31	WISEPPE		55
11	BF 18	WISMES		62
11	BG 17	WISQUES		62
10	BC 15	WISSANT		62
64	CV 34	WISSEMBOURG	S	67
37	BO 30	WISSIGNICOURT		02
55	BG 39	WISSOUS		91
38	BT 33	WITRY LES REIMS		51
103	CR 48	WITTELSHEIM		68
103	CS 48	WITTENHEIM	C	68
11	BH 18	WITTERNESSE		62
85	CU 43	WITTERNHEIM		67
103	CS 50	WITTERSDORF		68
64	CT 37	WITTERSHEIM		67
11	BH 17	WITTES		62
85	CU 43	WITTISHEIM		67
62	CQ 34	WITTRING		57
64	CT 39	WIWERSHEIM		67
11	BG 17	WIZERNES		62
60	CF 35	WOEL		55
63	CQ 34	WOELFLING LES SARREGUEMINES		57
64	CU 35	WOERTH	C	67
20	BA 24	WOIGNARUE		80
60	CD 36	WOIMBEY		55
20	BB 24	WOINCOURT		80
41	CI 34	WOIPPY	C	57
20	BD 25	WOIREL		80
103	CQ 50	WOLFERSDORF		68
85	CT 46	WOLFGANTZEN		68
64	CU 39	WOLFISHEIM		67
62	CP 36	WOLFSKIRCHEN		67
63	CS 38	WOLSCHHEIM		67
103	CS 52	WOLSCHWILLER		68
64	CT 40	WOLXHEIM		67
11	BH 15	WORMHOUT	C	59
62	CO 34	WOUSTVILLER		57
103	CR 47	WUENHEIM		68
62	CM 37	WUISSE		57
11	BG 16	WULVERDINGHE		59
54	BD 35	WY DIT JOLI VILLAGE		95
11	BI 15	WYLDER		59
		X		
84	CM 42	XAFFEVILLERS		88
183	AQ 89	XAINTRAILLES		47
123	AL 64	XAINTRAY		79
138	AP 71	XAMBES		16
60	CG 36	XAMMES		54
84	CM 45	XAMONTARUPT		88
62	CM 38	XANREY		57
123	AJ 64	XANTON CHASSENON		85
83	CJ 42	XARONVAL		88
61	CL 40	XERMAMENIL		54
83	CL 46	XERTIGNY	C	88
61	CI 40	XEUILLEY		54
83	CJ 42	XIROCOURT		54
60	CF 37	XIVRAY ET MARVOISIN		55
40	CF 32	XIVRY CIRCOURT		54
61	CK 36	XOCOURT		57
84	CP 45	XONRUPT LONGEMER		88
60	CG 35	XONVILLE		54
62	CP 38	XOUAXANGE		57
62	CN 39	XOUSSE		54
62	CM 39	XURES		54
		Y		
22	BL 27	Y		80
33	AW 31	YAINVILLE		76
20	BE 24	YAUCOURT BUSSUS		80
181	AG 88	YCHOUX		40
156	BH 77	YDES		15
18	AT 29	YEBLERON		76
56	BJ 40	YEBLES		77
147	CH 72	YENNE	C	73
76	BB 41	YERMENONVILLE		28
55	BI 39	YERRES	C	91
19	AW 28	YERVILLE	C	76
77	BG 45	YEVRE LA VILLE		45
75	AY 45	YEVRES		28
80	BW 42	YEVRES LE PETIT		10
47	V 41	YFFINIAC		22
181	AI 92	YGOS ST SATURNIN		40
129	BL 63	YGRANDE		03
33	AY 32	YMARE		76
76	BC 41	YMERAY		28
76	BC 44	YMONVILLE		28

Page	Carreau	Commune	Adm.	Dpt
172	BI 81	YOLET		15
39	CA 29	YONCQ		08
20	BD 24	YONVAL		80
142	BK 68	YOUX		63
18	AS 28	YPORT		76
18	AT 28	YPREVILLE BIVILLE		76
33	AZ 29	YQUEBEUF		76
49	AE 37	YQUELON		50
143	BO 74	YRONDE ET BURON		63
98	BT 49	YROUERRE		89
143	BM 70	YSSAC LA TOURETTE		63
154	AZ 78	YSSANDON		19
159	BV 79	YSSINGEAUX	S	43
172	BH 81	YTRAC		15
22	BL 24	YTRES		62
41	CJ 31	YUTZ	C	57
19	AV 28	YVECRIQUE		76
39	BX 28	YVERNAUMONT		08
124	AQ 62	YVERSAY		86
136	AG 69	YVES		17
51	AN 39	YVETEAUX, LES		61
33	AV 29	YVETOT	C	76
29	AF 30	YVETOT BOCAGE		50
47	T 38	YVIAS		22
152	AO 77	YVIERS		16
70	Z 42	YVIGNAC LA TOUR		22
33	AW 31	YVILLE SUR SEINE		76
134	CL 65	YVOIRE		74
94	BD 51	YVOY LE MARRON		41
167	AK 82	YVRAC		33
139	AS 72	YVRAC ET MALLEYRAND		16
50	AK 39	YVRANDES		61
91	AQ 49	YVRE LE POLIN		72
74	AR 47	YVRE L'EVEQUE		72
20	BE 23	YVRENCH		80
20	BE 23	YVRENCHEUX		80
20	BB 24	YZENGREMER		80
107	AJ 58	YZERNAY		49
145	BY 72	YZERON		69
129	BO 63	YZEURE	C	03
125	AV 60	YZEURES SUR CREUSE		37
21	BF 25	YZEUX		80
197	AG 94	YZOSSE		40
		Z		
103	CS 50	ZAESSINGUE		68
231	DN 108	ZALANA		2B
62	CM 36	ZARBELING		57
11	BH 15	ZEGERSCAPPEL		59
63	CS 38	ZEHNACKER		67
64	CS 38	ZEINHEIM		67
85	CS 44	ZELLENBERG		68
85	CT 42	ZELLWILLER		67
11	BH 16	ZERMEZEELE		59
233	DK 114	ZERUBIA		2A
62	CP 34	ZETTING		57
231	DK 113	ZEVACO		2A
231	DL 112	ZICAVO	C	2A
232	DK 113	ZIGLIARA		2A
228	DJ 106	ZILIA		2B
63	CQ 37	ZILLING		57
103	CS 49	ZILLISHEIM		68
85	CR 45	ZIMMERBACH		68
103	CS 49	ZIMMERSHEIM		68
42	CL 34	ZIMMING		57
83	CL 43	ZINCOURT		88
64	CT 36	ZINSWILLER		67
63	CR 36	ZITTERSHEIM		67
64	CS 37	ZOEBERSDORF		67
62	CN 37	ZOMMANGE		57
233	DM 114	ZONZA		2A
10	BD 18	ZOTEUX		62
11	BE 16	ZOUAFQUES		62
41	CI 30	ZOUFFTGEN		57
233	DL 115	ZOZA		2A
231	DM 108	ZUANI		2B
11	BF 17	ZUDAUSQUES		62
11	BE 15	ZUTKERQUE		62
4	BH 13	ZUYDCOOTE		59
11	BH 16	ZUYTPEENE		59

BELGIQUE

Administratif :
S Chef-Lieu d'Arrondissement
P Chef-Lieu de Province

Page	Carreau	Commune	Adm.
		A	
14	BT 14	AALST (ALOST)	S
6	BO 13	AALTER	
40	CG 28	AARLEN (ARLON)	P
8	BY 14	AARSCHOTT	
7	BV 12	AARTSELAAR	
13	BR 18	AAT (ATH)	S
14	BX 20	AISEAU PRESLES	
15	CB 15	ALKEN	
14	BT 14	ALOST (AALST)	S
5	BJ 14	ALVERINGEM	
17	CI 20	AMBLEVE (AMEL)	
17	CI 20	AMEL (AMBLEVE)	
15	CC 18	AMMAY	
15	CA 19	ANDENNE	
14	BU 15	ANDERLECHT	
14	BU 20	ANDERLUES	
25	BY 21	ANHEE	
16	CD 17	ANS	
16	CD 19	ANTHISNES	
13	BO 18	ANTOING	
7	BU 11	ANTWERPEN (ANVERS)	P
7	BU 11	ANVERS (ANTWERPEN)	P
13	BO 16	ANZEGEM	
12	BN 14	ARDOOIE	
8	CA 10	ARENDONK	
40	CG 28	ARLON (AARLEN)	P
9	CD 13	AS	
14	BT 15	ASSE	
6	BQ 11	ASSENEDE	
15	BZ 20	ASSESSE	
13	BR 18	ATH (AAT)	S
40	CF 27	ATTERT	
40	CF 29	AUBANGE	
16	CF 16	AUBEL	
13	BQ 15	AUDENARDE (OUDENAARDE)	S
14	BV 16	AUDERGHEM (OUDERGEM)	
13	BO 16	AVELGEM	
16	CC 17	AWANS	
16	CE 19	AYWAILLE	
		B	
8	BZ 9	BAARLE HERTOG (BAERLE DUC)	
16	CG 17	BAELEN	
8	BZ 9	BAERLE DUC (BAARLE HERTOG)	
8	CA 11	BALEN	
16	CD 16	BASSENGE (BITSINGEN)	
26	CF 24	BASTENAKEN (BASTOGNE)	S
26	CF 24	BASTOGNE (BASTENAKEN)	S
24	BU 22	BEAUMONT	
25	BZ 23	BEAURAING	
15	BY 16	BEAUVECHAIN (BEVEKOM)	
5	BN 12	BEERNEM	
8	BY 10	BEERSE	
14	BU 16	BEERSEL	
8	BX 13	BEGIJNENDIJK	
15	BZ 14	BEKKEVOORT	
13	BQ 19	BELOEIL	
7	BV 11	BERCHEM	
14	BU 15	BERCHEM STE AGATHE (SINT AGATHA BERCHEM)	
13	BS 20	BERGEN (MONS)	P
8	CA 13	BERINGEN	
7	BX 12	BERLAAR	
6	BS 13	BERLARE	
15	CB 17	BERLOZ	
13	BQ 20	BERNISSART	
14	BW 15	BERTEM	
26	CE 23	BERTOGNE	
25	CB 26	BERTRIX	
15	BY 16	BEVEKOM (BEAUVECHAIN)	
13	BS 17	BEVER (BIEVENE)	
7	BU 11	BEVEREN (WAAS)	
16	CE 17	BEYNE HEUSAY	
15	BY 15	BIERBEEK	
13	BS 17	BIEVENE (BEVER)	
25	CA 25	BIEVRE	
16	CD 15	BILZEN	
14	BT 20	BINCHE	
16	CD 16	BITSINGEN (BASSENGE)	
5	BM 10	BLANKENBERGE	
16	CF 17	BLEGNY	
9	CD 11	BOCHOLT	
7	BW 12	BOECHOUT	
7	BW 13	BONHEIDEN	
14	BV 19	BONS VILLERS, LES	
7	BV 13	BOOM	
7	BW 14	BOORTMEERBEEK	
7	BV 11	BORGERHOUT	
16	CC 16	BORGLOON	
15	CB 17	BORGWORM (WAREMME)	S
7	BU 13	BORNEM	
7	BV 11	BORSBEEK	
25	CA 27	BOUILLON	
8	CA 12	BOURG LEOPOLD (LEOPOLDSBURG)	
13	BR 20	BOUSSU	
15	BY 15	BOUTERSEM	
14	BV 17	BRAINE L'ALLEUD (EIGENBRAKEL)	
14	BU 17	BRAINE LE CHATEAU (KASTEELBRAKEL)	
14	BT 18	BRAINE LE COMTE ('S GRAVENBRAKEL)	
15	CA 18	BRAIVES	
13	BR 16	BRAKEL	
7	BW 10	BRASSHAAT	
7	BX 10	BRECHT	
5	BL 11	BREDENE	
9	CD 12	BREE	
13	BR 18	BRUGELETTE	
5	BM 11	BRUGES (BRUGGE)	P
5	BM 11	BRUGGE (BRUGES)	P
13	BO 19	BRUNEHAUT	
14	BU 15	BRUSSEL (BRUXELLES)	P
14	BU 15	BRUXELLES (BRUSSEL)	P
7	BT 14	BUGGENHOUT	
17	CI 20	BULLANGE (BUTGENBACH/BULLINGEN)	
17	CI 20	BULLINGEN (BUTGENBACH/BULLANGE)	
15	CA 18	BURDINNE	
27	CH 22	BURG REULAND	
17	CI 20	BUTGENBACH (BULLINGEN/BULLANGE)	
		C	
13	BO 17	CELLES (Les Tournai)	
24	BV 23	CERFONTAINE	
14	BU 20	CHAPELE LEZ HERLAIMONT	
14	BV 20	CHARLEROI	S
14	BX 18	CHASTRE	
14	BW 20	CHATELET	
16	CE 18	CHAUDFONTAINE	
15	BX 17	CHAUMONT GISTOUX	
13	BR 18	CHIEVRES	
24	BV 24	CHIMAY	
40	CC 27	CHINY	
25	CA 21	CINEY	
16	CC 20	CLAVIER	
13	BR 20	COLFONTAINE	
12	BL 16	COMINES (KOMEN)	
14	BV 20	COURCELLES	
14	BW 17	COURT ST ETIENNE	
12	BN 16	COURTRAI (KORTRIJK)	S
24	BW 24	COUVIN	
16	CC 16	CRISNEE	
		D	
16	CE 16	DALHEM	
5	BN 11	DAMME	
25	CA 24	DAVERDISSE	
5	BL 11	DE HAAN	
4	BI 13	DE PANNE (LA PANNE)	
6	BP 14	DE PINTE	
13	BO 15	DEERIJK	
6	BP 14	DEINZE	
14	BT 15	DENDERLEEUW	
7	BS 13	DENDERMONDE (TERMONDE)	S
13	BO 14	DENTERGEM	
8	CA 11	DESSEL	
6	BQ 13	DESTELBERGEN	
7	BV 11	DEURNE (Antwerpen)	
16	CC 14	DIEPENBEEK	
8	CA 14	DIEST	
5	BK 13	DIKSMUIDE (DIXMUDE)	S
14	BU 15	DILBEEK	
9	CE 13	DILSEN	
25	BZ 22	DINANT	S
16	CG 18	DISON	
5	BK 13	DIXMUDE (DISKMUIDE)	S
25	BY 23	DOISCHE	
15	CB 17	DONCEEL	
12	BN 18	DOORNIK (TOURNAI)	S
13	BR 20	DOUR	
14	BU 16	DROGENBOS	
7	BW 12	DUFFEL	
26	CC 21	DURBUY	
		E	
14	BT 18	ECAUSSINNES	
7	BV 12	EDEGEM	
14	BS 17	EDINGEN (ENGHIEN)	
6	BP 12	EEKLO	S
15	BY 18	EGHEZEE	
14	BV 17	EIGENBRAKEL (BRAINE L'ALLEUD)	
7	BV 11	EKERREN	
13	BQ 17	ELLEZELLES (ELZELE)	
14	BV 16	ELSENE (IXELLES)	
13	BQ 17	ELZELE (ELLEZELLES)	
14	BS 17	ENGHIEN (EDINGEN)	
16	CC 18	ENGIS	
26	CD 21	EREZEE	
13	BS 15	ERPE MERE	
24	BT 21	ERQUELINNES	
16	CD 19	ESNEUX	
13	BO 17	ESPIERRES HELCHIN (SPIERE HELKIJN)	
7	BV 8	ESSEN	
12	BN 17	ESTAIMPUIS	
14	BT 20	ESTINNES	
40	CE 28	ETALLE	
14	BV 15	ETTERBEEK	
17	CH 17	EUPEN	
14	BV 15	EVERE	
6	BQ 12	EVERGEM	
		F	
15	CB 17	FAIMES	
14	BW 20	FARCIENNES	
26	CE 26	FAUVILLERS	
15	BZ 18	FERNELMONT	
16	CE 20	FERRIERES	
16	CC 17	FEXHE LE HAUT CLOCHER	
16	CD 16	FEXHE SLINS	
16	CD 18	FLEMALLE	
16	CE 17	FLERON	
14	BW 19	FLEURUS	
13	BQ 17	FLOBECQ (VLOESBERG)	
15	BY 20	FLOREFFE	
24	BX 22	FLORENNES	
40	CC 28	FLORENVILLE	
14	BU 20	FONTAINE L'EVEQUE	
14	BV 16	FOREST (VORST)	
15	BX 20	FOSSES LA VILLE	
16	CF 16	FOURONS (VOEREN)	
13	BQ 17	FRAISNES LEZ ANVAING	
13	BS 20	FRAMERIES	
24	BV 23	FROIDCHAPELLE	
4	BJ 13	FURNES (VEURNE)	S
		G	
13	BS 16	GALMAARDEN (GAMMERAGES)	
13	BS 16	GAMMERAGES (GALMAARDEN)	
6	BQ 13	GAND (GENT)	P
14	BU 15	GANSHOREN	
13	BQ 14	GAVERE	
25	BZ 25	GEDINNE	
8	BZ 12	GEEL	
15	CA 17	GEER	
15	CA 15	GEETBETS	
15	BY 17	GELDENAKEN (JODOIGNE)	
15	BX 18	GEMBLOUX SUR ORNEAU	
14	BV 18	GENAPPE (GENEPIEN)	
14	BW 18	GENEPIEN (GENAPPE)	
9	CD 14	GENK	
6	BQ 13	GENT (GAND)	P
13	BR 16	GERAARDSBERGEN (GRAMMONT)	
24	BW 21	GERPINNES	
15	CA 20	GESVES	
15	CA 16	GINGELOM	
5	BL 12	GISTEL	
16	CD 16	GLAAIEN (GLONS)	
15	BZ 15	GLABBEEK ZUURBEMDE	
16	CD 16	GLONS (GLAAIEN)	
15	BZ 16	GOETSENHOVEN (GOSSONCOURT)	
14	BT 16	GOOIK	
15	BZ 16	GOSSONCOURT (GOETSENHOVEN)	
26	CG 22	GOUVY (Bovigny)	
16	CD 17	GRACE HOLLOGNE	
13	BS 16	GRAMMONT (GERAARSBERGEN)	
15	BX 16	GRAVEN (GREZ DOICEAU)	
15	BX 16	GREZ DOICEAU (GRAVEN)	
14	BV 14	GRIMBERGEN	
8	BX 11	GROBBENDONK	
		H	
7	BX 14	HAACHT	
13	BS 15	HAALTERT	
40	CE 28	HABAY	
14	BU 17	HAL (HALLE)	S
15	CA 14	HALEN	
14	BU 17	HALLE (HAL)	S
8	CA 12	HAM	
24	BV 21	HAM SUR HEURE NALINNES	
7	BT 13	HAMME (Durme)	
16	CD 20	HAMOIR	
25	CA 21	HAMOIS	
9	CD 11	HAMONT ACHEL	
15	CA 17	HANNUIT (HANNUT)	
15	CA 17	HANNUT (HANNUIT)	
12	BN 15	HARELBEKE	
15	CB 14	HASSELT	P
25	BY 22	HASTIERE	
15	CB 20	HAVELANGE	
8	CB 12	HECHTEL EKSEL	
15	CC 16	HEERS	
8	BX 13	HEIST OP DEN BERG	
14	BT 15	HEKELGEM	
15	BZ 16	HELECINE	
7	BU 12	HEMIKSEM	
13	BQ 20	HENSIES	
25	CB 27	HERBEUMONT	
14	BX 14	HERENT	
8	BY 11	HERENTALS	
8	BX 12	HERENTHOUT	
15	CA 14	HERK DE STAD (HERK LA VILLE)	
15	CA 14	HERK LA VILLE (HERK DE STAD)	
14	BS 17	HERNE	
15	CA 18	HERON	
8	BY 13	HERSELT	
16	CE 17	HERSTAL	
16	CC 16	HERSTAPPE	
16	CF 17	HERVE	
13	BR 15	HERZELE	
8	CB 13	HEUSDEN ZOLDER	
12	BK 16	HEUVELLAND	
7	BV 12	HOBOKEN	
15	BY 16	HOEGAARDEN	
15	CB 19	HOEI (HUY)	S
14	BW 16	HOEILAART	
16	CD 15	HOELSELT	
15	BX 14	HOLSBEEK	
23	BQ 21	HONNELLES	
12	BL 14	HOOGLEDE	
7	BX 9	HOOGSTATEN	
13	BQ 16	HOREBEKE	
26	CC 21	HOTTON	
26	CF 23	HOUFFALIZE	
9	CC 13	HOUTALEN HELCHTEREN	
12	BL 14	HOUTHULST	
25	CA 23	HOUYET	
7	BV 12	HOVE	
14	BW 16	HULDENBERG	
8	BY 13	HULSHOUT	
15	CB 19	HUY (HOEI)	S
		I	
5	BL 13	ICHTEGEM	
12	BK 15	IEPER (YPRES)	S
15	BY 17	INCOURT	
12	BN 15	INGELMUNSTER	
14	BU 17	ITTER (ITTRE)	
14	BU 17	ITTRE (ITTER)	
14	BV 16	IXELLES (ELSENE)	
12	BN 15	IZEGEM	
		J	
5	BM 12	JABBEKE	
16	CG 18	JALHAY	
14	BX 19	JEMEPPE SUR SAMBRE	
14	BU 15	JETTE	
15	CB 16	JEUK (GOYER)	
15	BY 17	JODOIGNE (GELDENAKEN)	
16	CD 17	JUPRELLE	
13	BS 19	JURBEKE (JURBISE)	
		K	
7	BV 9	KALMTHOUT	
14	BW 14	KAMPENHOUT	
7	BV 13	KAPELLE OP DEN BOS	
7	BV 10	KAPELLEN (Antwerpen)	
6	BP 11	KAPRIJKE	
14	BU 17	KASTEELBRAKEL (BRAINE LE CHÂTEAU)	
8	BZ 11	KASTERLEE	
7	BX 13	KEERBERGEN	
16	CG 16	KELMIS (LA CALAMINE)	
9	CE 12	KINROOI	
13	BP 16	KLUISBERGEN	
6	BO 12	KNESSELARE	
5	BN 10	KNOKKE HEIST	
5	BL 13	KOEKELARE	
14	BU 15	KOEKELBERG	
4	BJ 13	KOKSIJDE	
12	BL 16	KOMEN (COMINES)	
7	BV 12	KONTICH	
5	BL 13	KORTEMARK	
15	CA 14	KORTENAKEN	
14	BW 15	KORTENBERG	
16	CC 15	KORTESSEM	
12	BN 16	KORTRIJK (COURTRAI)	S
14	BV 15	KRAINEM	
7	BU 12	KRUIBEKE	
13	BP 15	KRUISHOUTEM	
12	BN 15	KUURNE	
		L	
15	BY 19	LA BRUYERE	
16	CG 16	LA CALAMINE (KELMIS)	
14	BV 17	LA HULPE (TERHULPEN)	
4	BI 13	LA PANNE (DE PANNE)	
26	CD 22	LA ROCHE EN ARDENNE	
8	BZ 13	LAAKDAL	
6	BR 13	LAARNE	
16	CE 14	LANAKEN	
15	CA 16	LANDEN	
12	BK 15	LANGEMARK POELKAPELLE	
14	BT 19	LE ROEULX	
15	CA 15	LEAU (ZOUTLEEUW)	
7	BT 14	LEBBEKE	
13	BS 14	LEDE	
12	BM 15	LEDEGEM	
26	CE 27	LEGLISE	
12	BN 15	LENDELEDE	
14	BT 16	LENNIK	
13	BR 19	LENS	
8	CB 12	LEOPOLDSBURG (BOURG LEOPOLD)	
13	BR 17	LESSEN (LESSINES)	
13	BR 17	LESSINES (LESSEN)	
14	BX 15	LEUVEN (LOUVAIN)	S
13	BQ 18	LEUZE EN HAINAUT	
25	CC 25	LIBIN	
26	CC 25	LIBRAMONT CHEVIGNY	
5	BM 13	LICHTERVELDE	
14	BT 15	LIEDEKERKE	
16	CD 17	LIEGE (LUIK)	P
7	BW 12	LIER (LIERRE)	
13	BR 16	LIERDE	
26	CF 21	LIERNEUX	
7	BW 12	LIERRE (LIER)	
15	CA 17	LIJSEM (LINCENT)	
8	BY 11	LILLE	
16	CG 17	LIMBOURG (LIMBURG)	
15	CA 17	LINCENT (LIJSEM)	
14	BV 16	LINKEBEEK	
7	BW 12	LINT	
15	BZ 15	LINTER	
12	BJ 14	LO RENINGE	
24	BU 21	LOBBES	
6	BR 13	LOCHRISTI	
6	BS 13	LOKEREN	
8	CB 11	LOMMEL	
7	BU 14	LONDERZEEL	
16	CG 17	LONTZEN	
14	BX 15	LOUVAIN (LEUVEN)	P
14	BU 19	LOUVIERE, LA	
6	BP 13	LOVENDEGEM	
15	BY 15	LUBBEEK	
16	CD 17	LUIK (LIEGE)	P
8	CB 14	LUMMMEN	
		M	
13	BQ 16	MAARKEDAL	
9	CE 12	MAASEIK	S
9	CE 14	MAASMECHELEM	
14	BV 15	MACHELEN (Brussel)	
6	BO 11	MALDEGEM	
7	BV 13	MALINES (MECHELEN)	S
17	CH 20	MALMEDY	
14	BU 19	MANAGE	
26	CE 21	MANHAY	
26	CC 22	MARCHE EN FAMENNE	
15	CB 19	MARCHIN	
26	CF 26	MARTELANGE	
7	BV 13	MECHELEN (MALINES)	S
8	CA 12	MEERHOUT	
9	CD 12	MEEUWEN GRUITRODE	
14	BU 14	MEISE	
40	CD 29	MEIX DEVANT VIRTON	
6	BR 14	MELLE	
12	BM 16	MENEN (MENIN)	
24	BT 21	MERBES LE CHATEAU	
14	BU 14	MERCHTEM	
6	BQ 14	MERELBEKE	
7	BV 11	MERKSEM	
8	BY 9	MERKSPLAS	
40	CF 29	MESANCY	
12	BL 16	MESEN (MESSINES)	
12	BL 16	MESSINES (MESEN)	
24	BX 21	METTET	
12	BN 14	MEULEBEKE	
5	BK 12	MIDDELKERKE	
15	CB 20	MODAVE	
6	BS 12	MOERBEKE (Waas)	
12	BN 17	MOESKROEN (MOUSCRON)	S
8	CA 11	MOL	
14	BU 15	MOLENBEEK ST JEAN (SINT JANS MOLENBEEK)	
24	BU 24	MOMIGNIES	
13	BS 20	MONS (BERGEN)	P
13	BP 17	MONT DE L'ENCLUS	
14	BW 18	MONT ST GUIBERT	
24	BV 21	MONTIGNY LE TILLEUL	
12	BL 15	MOORSLEDE	
14	BU 20	MORLANWELZ	
7	BV 12	MORTSEL	
12	BN 16	MOUSCRON (MOESKROEN)	S
40	CF 29	MUSSON	
		N	
15	BY 19	NAMUR (NAMEN)	P
16	CC 19	NANDRIN	
26	CC 23	NASSOGNE	
13	BP 14	NAZARETH	
9	CC 11	NEERPELT	
26	CD 26	NEUFCHATEAU	S
16	CD 19	NEUPRE	
6	BP 13	NEVELE	
7	BU 12	NIEL	
5	BJ 12	NIEUPORT (NIEUWPOORT)	
15	CB 15	NIEUWERKERKEN (Saint Truiden)	
5	BJ 12	NIEUWPOORT (NIEUPORT)	
7	BX 12	NIJEN	
14	BU 18	NIJVEL (NIVELLES)	S
14	BS 15	NINOVE	
14	BU 18	NIVELLES (NIJVEL)	S
		O	
16	CC 16	OERLE (OREYE)	
15	CA 20	OHEY	
8	BY 12	OLEN	
16	CF 18	OLNE	
25	BY 22	ONHAYE	
5	BK 11	OOSTENDE (OSTENDE)	S

Page	Carreau	Commune	Adm.
13	**BQ 14**	OOSTERZELE	
5	**BN 12**	OOSTKAMP	
12	**BN 15**	OOSTROZEBEKE	
9	**CD 13**	OPGLABBEEK	
14	**BU 14**	OPWIJK	
13	**BS 17**	OPZULLIK (SILLY)	
16	**CC 16**	OREYE (OERLE)	
15	**BZ 17**	ORP JAUCHE	
5	**BK 11**	OSTENDE (OOSTENDE)	S
14	**BW 17**	OTTIGNIES LOUVAIN LA NEUVE	
14	**BX 15**	OUD HEVERLEE	
8	**BZ 10**	OUD TURNHOUT	
13	**BP 15**	OUDENAARDE (AUDENARDE)	S
5	**BL 12**	OUDENBURG	
14	**BV 16**	OUDERGEM (AUDERGHEM)	
16	**CD 19**	OUFFET	
16	**CE 17**	OUPEYE	
14	**BW 16**	OVERIJSE	
9	**CC 11**	OVERPELT	
		P	
25	**CA 26**	PALISEUL	
12	**BN 17**	PECQ	
9	**CC 12**	PEER	
14	**BT 16**	PEPINGEN	
16	**CF 18**	PEPINSTER	
13	**BP 19**	PERUWELZ	
15	**BY 18**	PERWEZ (PERWIJS)	
24	**BW 22**	PHILIPPEVILLE	S
5	**BN 14**	PITTEM	
16	**CG 16**	PLOMBIERES	
14	**BV 19**	PONT A CELLES	
12	**BJ 15**	POPERINGE	
15	**BY 20**	PROFONDEVILLE	
7	**BX 13**	PUTTE	
		Q	
13	**BR 20**	QUAREGNON	
23	**BS 21**	QUEVY	
13	**BQ 20**	QUIEVRAIN	
		R	
17	**CH 17**	RAEREN	
15	**BZ 17**	RAMILLIES	
7	**BW 11**	RANST	
8	**BZ 9**	RAVELS	
14	**BT 17**	REBECQ	
15	**CB 17**	REMICOURT	
13	**BP 16**	RENAIX (RONSE)	
26	**CD 22**	RENDEUX	
8	**BZ 10**	RETIE	
14	**BV 16**	RHODE ST GENESE (SINT GENESIUS RODE)	
16	**CD 15**	RIEMST	
8	**BX 10**	RIJKEVORSEL	
14	**BW 17**	RIXENSART	
25	**CB 23**	ROCHEFORT	
12	**BM 14**	ROESELARE (ROULERS)	S
13	**BP 16**	RONSE (RENAIX	
14	**BT 16**	ROOSDAAL	
14	**BX 14**	ROTSELAAR	
12	**BM 14**	ROULERS (ROESELARE)	S
40	**CD 30**	ROUVROY	
6	**BO 13**	RUISELEDE	
12	**BN 19**	RUMES	
7	**BV 13**	RUMST	
		S	
14	**BT 18**	S GRAVENBRAKEL (BRAINE LE COMTE)	
15	**CC 18**	SAINT GEORGES SUR MEUSE	
13	**BR 20**	SAINT GHISLAIN	
14	**BV 16**	SAINT GILLES (SINT GILLIS)	
26	**CC 24**	SAINT HUBERT	
14	**BV 15**	SAINT JOSSE TEN NOODE (SINT JOOST TEN NODE)	
40	**CE 29**	SAINT LEGER (EN GAUME)	
16	**CD 17**	SAINT NICOLAS	
7	**BT 12**	SAINT NICOLAS (SINT NIKLAAS)	S
15	**CA 15**	SAINT TROND (SINT TRUIDEN)	
27	**CI 21**	SAINT VITH (SANKT VITH)	
26	**CD 24**	SAINTE ODE	
14	**BX 20**	SAMBREVILLE	
27	**CI 21**	SANKT VITH (SAINT VITH)	
14	**BV 15**	SCHAARBEEK (SCHAERBEEK)	
8	**BZ 14**	SCHERPENHEUVEL ZICHEM	
7	**BW 11**	SCHILDE	
7	**BW 11**	SCHOTEN	
14	**BU 19**	SENEFFE	
16	**CD 18**	SERAING	
13	**BS 18**	SILLY (OPZULLIK)	
14	**BU 15**	SINT AGATHA BERCHEM (BERCHEM STE AGATHE)	
7	**BU 13**	SINT AMANDS	
14	**BV 16**	SINT GENESIUS RODE (RHODE ST GENESE)	
14	**BV 16**	SINT GILLIS (SAINT GILLES)	
7	**BT 11**	SINT GILLIS WAAS	
14	**BU 15**	SINT JANS MOLENBEEK (MOLENBEEK ST JEAN)	
14	**BV 15**	SINT JOOST TEN NODE (SAINT JOSSE TEN NOODE)	
7	**BW 13**	SINT KATELIJNE WAVER	
14	**BV 15**	SINT LAMBRECHTS WOLUWE (WOLUWE ST LAMBERT)	
6	**BP 11**	SINT LAUREINS	
13	**BR 15**	SINT LIEVENS HOUTEM	
6	**BP 13**	SINT MARTENS LATEM	
7	**BT 12**	SINT NIKLAAS (SAINT NICOLAS)	S
14	**BU 16**	SINT PIETERS LEEUW	
14	**BV 15**	SINT PIETERS WOLUWE (WOLUWE ST PIERRE)	
14	**BT 17**	SINT RENELDE (SAINTES)	
15	**CA 15**	SINT TRUIDEN (SAINT TROND)	
24	**BT 23**	SIVRY RANCE	
14	**BT 18**	SOIGNIES (ZINNIK)	S
14	**BW 19**	SOMBREFFE	
26	**CC 21**	SOMME LEUZE	
16	**CE 18**	SOUMAGNE	
16	**CG 19**	SPA	
13	**BO 17**	SPIERE HELKIJN (ESPIERRES HELCHIN)	
16	**CE 19**	SPRIMONT	
7	**BV 10**	STABROEK	
12	**BL 14**	STADEN	
16	**CG 20**	STAVELOT	
14	**BW 14**	STEENOKKERZEEL	
6	**BS 11**	STEKENE	
16	**CF 20**	STOUMONT	
		T	
7	**BT 12**	TAMISE (TEMSE)	
25	**CB 24**	TELLIN	
7	**BT 12**	TEMSE (TAMISE)	
26	**CD 23**	TENNEVILLE	
7	**BS 13**	TERMONDE (DENDERMONDE)	S
14	**BV 17**	TERHULPEN (LA HULPE)	
14	**BT 15**	TERNAT	
14	**BW 16**	TERVUREN	
8	**BZ 13**	TESSENDERLO	
16	**CF 18**	THEUX	
16	**CG 17**	THIMISTER CLERMONT	
24	**BU 21**	THUIN	S
5	**BN 14**	TIELT	S
15	**BZ 14**	TIELT WINGE	
15	**BZ 16**	TIENEN (TIRLEMONT)	
16	**CC 19**	TINLOT	
40	**CD 28**	TINTIGNY	
15	**BZ 16**	TIRLEMONT (TIENEN)	
16	**CD 16**	TONGEREN (TONGRES)	S
16	**CD 16**	TONGRES (TONGEREN)	S
5	**BM 13**	TORHOUT	
12	**BN 18**	TOURNAI (DOORNIK)	S
7	**BX 14**	TREMELO	
16	**CG 20**	TROIS POINTS	
16	**CF 18**	TROOZ	
14	**BU 17**	TUBIZE (TUBEZE)	
		U	
14	**BV 16**	UCCLE (UKKEL)	
14	**BV 16**	UKKEL (UCCLE)	
		V	
26	**CD 25**	VAUX SUR SURE	
15	**CB 18**	VERLAINE	
16	**CG 18**	VERVIERS	S
4	**BJ 13**	VEURNE (FURNES)	S
26	**CG 21**	VIELSALM	
14	**BW 18**	VILLERS LA VILLE	
15	**CB 18**	VILLERS LE BOUILLET	
14	**BV 14**	VILVOORDE (VILVORDE)	S
24	**BW 24**	VIROINVAL	
40	**CE 29**	VIRTON	S
16	**CE 16**	VISE (WEZET)	
12	**BJ 15**	VLETEREN	
13	**BQ 17**	VLOESBERG (FLOBECQ)	
16	**CF 16**	VOEREN (FOURONS)	
8	**BX 11**	VORSELAAR	
14	**BV 16**	VORST (FOREST)	
8	**BY 10**	VOSSELAAR	
25	**BZ 26**	VRESSE SUR SEMOIS	
		W	
6	**BP 12**	WAARSCHOOT	
7	**BT 12**	WAASMUNSTER	
6	**BR 12**	WACHTEBEKE	
17	**CH 20**	WAIMES (WEISMES)	
24	**BV 22**	WALCOURT	
15	**BX 18**	WALHAIN	
15	**CB 18**	WANZE	
13	**BO 15**	WAREGEM	
15	**CB 17**	WAREMME (BORGWORM)	S
15	**BZ 18**	WASSEIGES	
14	**BV 17**	WATERLOO	
14	**BV 16**	WATERMAAL BOSVOORDE (WATERMAEL BOITSFORT)	
14	**BV 16**	WATERMAEL BOITSFORT (WATERMAAL BOSVOORDE)	
14	**BX 17**	WAVRE (WAVER)	P
17	**CH 20**	WEISMES (WAIMES)	
16	**CG 17**	WELKENRAEDT	
16	**CC 15**	WELLEN	
25	**CA 24**	WELLIN	
14	**BU 15**	WEMMEL	
12	**BL 16**	WERVIK	
8	**BY 13**	WESTERLO	
7	**BX 10**	WESTMALLE	
6	**BR 14**	WETTEREN	
12	**BM 16**	WEVELGEM	
14	**BW 15**	WEZEMBEEK OPPEM	
16	**CE 16**	WEZET (VISE)	
6	**BS 14**	WICHELEN	
13	**BO 15**	WIELSBEKE	
7	**BW 11**	WIJNEGEM	
7	**BV 13**	WILLEBROEK	
7	**BV 12**	WILRIJK	
5	**BN 13**	WINGENE	
14	**BV 15**	WOLUWE ST LAMBERT (SINT LAMBRECHTS WOLUWE)	
14	**BV 15**	WOLUWE ST PIERRE (SINT PIETERS WOLUWE)	
7	**BW 11**	WOMMELGEM	
13	**BP 15**	WORTEGEM PETEGEM	
7	**BW 9**	WUUSTWEZEL	
		Y	
12	**BL 15**	YPRES (IEPER)	S
25	**BZ 21**	YVOIR	
		Z	
7	**BX 11**	ZANDHOVEN	
14	**BW 15**	ZAVENTEM	
5	**BM 12**	ZEDELGEM	
7	**BS 13**	ZELE	
6	**BR 11**	ZELZATE	
7	**BV 14**	ZEMST	
13	**BQ 15**	ZINGEM	
14	**BT 18**	ZINNIK (SOIGNIES)	S
8	**BX 10**	ZOERSEL	
6	**BP 12**	ZOMERGEM	
9	**CC 13**	ZONHOVEN	
12	**BL 15**	ZONNEBEKE	
13	**BR 15**	ZOTTEGEM	
15	**CA 15**	ZOUTLEEUW (LEAU)	
5	**BM 11**	ZUIENKERKE	
13	**BO 15**	ZULTE	
16	**CD 14**	ZUTENDAAL	
13	**BQ 15**	ZWALM	
12	**BN 16**	ZWEVEGEM	
7	**BU 11**	ZWIJNDRECHT	

LUXEMBOURG

Page	Carreau	Commune	Adm.
		A	
26	**CG 26**	ARSDORF	
27	**CG 23**	ASSELBORN	
		B	
41	**CG 29**	BASCHARAGE	
27	**CI 25**	BASTENDORF	
27	**CJ 26**	BEAUFORT	
27	**CK 27**	BECH	
40	**CG 27**	BECKERICH	
27	**CJ 26**	BERDORF	
27	**CH 26**	BERG	
41	**CH 29**	BERTRANGE	
26	**CG 27**	BETTBORN	
41	**CI 30**	BETTEMBOURG	
27	**CI 26**	BETTENDORF	
41	**CJ 28**	BETZDORF	
26	**CF 26**	BIGONVILLE	
27	**CH 27**	BISSEN	
26	**CG 24**	BOEVANGE (Clervaux)	
27	**CH 27**	BOEVANGE SUR ATTERT	
26	**CG 26**	BOULAIDE	
27	**CH 25**	BOURSCHEID	
41	**CJ 29**	BOUS	
41	**CJ 30**	BURMERANGE	
		C	
41	**CH 28**	CAPELLEN	C
40	**CG 29**	CLEMENCY	
27	**CH 24**	CLERVAUX	C
27	**CJ 27**	CONSDORF	
27	**CH 25**	CONSTHUM	
41	**CJ 29**	CONTERN	
		D	
41	**CJ 29**	DALHEIM	
27	**CI 26**	DIEKIRCH	S
40	**CG 30**	DIFFERDANGE	
41	**CH 29**	DIPPACH	
41	**CI 30**	DUDELANGE	
		E	
27	**CK 26**	ECHTERNACH	C
26	**CG 27**	ELL	
27	**CJ 26**	ERMSDORF	
27	**CH 26**	ERPELDANGE (sur Sure)	
41	**CH 30**	ESCH SUR ALZETTE	C
26	**CG 25**	ESCH SUR SURE	
26	**CG 24**	ESCHWEILER	
27	**CH 26**	ETTELBRUCK	
		F	
27	**CH 26**	FEULEN	
27	**CI 27**	FISCHBACH	
41	**CJ 28**	FLAXWEILER	
26	**CG 26**	FOLSCHETTE	
27	**CI 25**	FOUHREN	
41	**CI 30**	FRISANGE	
		G	
41	**CH 29**	GARNICH	
27	**CG 25**	GOESDORF	
41	**CK 28**	GREVENMACHER	S
27	**CH 26**	GROSBOUS	
		H	
26	**CG 23**	HACHIVILLE	
26	**CF 25**	HARLANGE	
27	**CJ 27**	HEFFINGEN	
27	**CH 26**	HEIDERSCHEID	
27	**CH 23**	HEINERSCHEID	
41	**CI 29**	HESPERANGE	
40	**CG 28**	HOBSCHEID	
27	**CH 25**	HOSCHEID	
27	**CH 24**	HOSINGEN	
		J	
41	**CJ 27**	JUNGLINSTER	
		K	
27	**CH 25**	KAUTENBACH	
41	**CH 30**	KAYL	
41	**CH 28**	KEHLEN	
41	**CH 28**	KOERICH	
41	**CI 28**	KOPSTAL	
		L	
27	**CJ 27**	LAROCHETTE	
41	**CJ 29**	LENNINGEN	
41	**CH 29**	LEUDELANGE	
41	**CI 27**	LINTGEN	
41	**CI 28**	LORENTZWEILER	
41	**CI 29**	LUXEMBOURG	P
		M	
41	**CH 28**	MAMER	
41	**CK 27**	MANTERNACH	
26	**CG 25**	MECHER	
27	**CI 26**	MEDERNACH	
27	**CH 27**	MERSCH	C
41	**CK 28**	MERTERT	
27	**CH 26**	MERTZIG	
27	**CK 27**	MOMPACH	
41	**CH 29**	MONDERCANGE	
41	**CJ 30**	MONDORF LES BAINS	
27	**CH 24**	MUNSHAUSEN	
		N	
26	**CG 26**	NEUNHAUSEN	
41	**CJ 28**	NIEDERANVEN	
27	**CI 27**	NOMMERN	
		O	
26	**CF 24**	OBERWAMPACH	
		P	
26	**CF 26**	PERLE	
40	**CG 29**	PETANGE	
27	**CI 25**	PUTSCHEID	
		R	
41	**CH 29**	RECKANGE SUR MESS	
26	**CG 27**	REDANGE	C
27	**CJ 26**	REISDORF	
41	**CJ 30**	REMERSCHEN	
41	**CK 29**	REMICH	C
41	**CJ 28**	RODENBOURG	
41	**CI 29**	ROESER	
27	**CK 26**	ROSPORT	
41	**CH 30**	RUMELANGE	
		S	
41	**CH 27**	SAEUL	
41	**CJ 28**	SANDWEILER	
41	**CH 29**	SANEM	
27	**CH 26**	SCHIEREN	
41	**CH 30**	SCHIFFLANGE	
41	**CJ 28**	SCHUTTRANGE	
41	**CG 28**	SEPTFONTAINES	
41	**CJ 29**	STADTBREDIMUS	
41	**CG 28**	STEINFORT	
41	**CI 28**	STEINSEL	
41	**CH 29**	STRASSEN	
		T	
27	**CG 23**	TROISVIERGE	
41	**CH 27**	TUNTAGE	
		U	
27	**CH 27**	USELDANGE	
		V	
27	**CI 25**	VIANDEN	C
27	**CH 27**	VICHTEN	
		W	
26	**CG 26**	WAHL	
27	**CJ 27**	WALDBILLIG	
41	**CJ 29**	WALDBREDIMUS	
41	**CI 28**	WALFERDANGE	
41	**CI 29**	WEILER LA TOUR	
41	**CI 28**	WEIMERSKRICH	
27	**CH 23**	WEISWANPACH	
41	**CJ 30**	WELLENSTEIN	
26	**CG 25**	WILTZ	C
27	**CH 24**	WILWERWILTZ	
26	**CG 25**	WINSELER	

MONACO

Page	Carreau	Commune	Adm.
195	**CW 95**	CONDAMINE, LA	
195	**CW 93**	MONACO	
195	**CW 93**	MONTE CARLO	

290 - PARIS - Monuments - Grands Axes

Axes circulaires correspondant aux axes fléchés de Paris
Circular roads corresponding to the arrowed roads of Paris
Kreisfoermige Verkehrsachsen entsprechend den in Paris gepfeilten Verkehrsachsen

Axes transversaux correspondant aux axes fléchés de Paris
Crossroads corresponding to the arrowed roads of Paris
Querlaufende Verkehrsachsen entsprechend den in Paris gepfeilten Verkehrsachsen

ST-DENIS
AUBERVILLIERS
PANTIN
BOBIGNY
ROMAINVILLE
LE PRE ST-GERVAIS
LES LILAS
BAGNOLET
MONTREUIL
VINCENNES
ST-MANDE
BOIS DE VINCENNES
CHARENTON - LE - PONT
ST-MAURICE
IVRY-S-SEINE
GENTILLY
LE KREMLIN-BICÊTRE
Cimetière Parisien de Pantin Bobigny
PORTE DE LA CHAPELLE
PORTE D'AUBERVILLIERS
PORTE DE LA VILLETTE
PORTE DE PANTIN
PORTE DU PRE-ST-GERVAIS
PORTE DES LILAS
PORTE DE BAGNOLET
PORTE DE MONTREUIL
PORTE DE VINCENNES
PORTE DE ST-MANDE
PORTE DOREE
PORTE DE CHARENTON
PORTE DE BERCY
QUAI D'IVRY
PORTE D'IVRY
PORTE D'ITALIE
PORTE DE GENTILLY
18e
19e
20e
10e
11e
3e
4e
5e
12e
13e
Canal Saint-Denis
Canal de l'Ourcq
CITÉ DES SCIENCES ET DE L'INDUSTRIE
Parc de la Villette
Parc des Buttes-Chaumont
Parc de Belleville
Cimetière du Père-Lachaise
SACRÉ CŒUR
GARE DU NORD
GARE DE L'EST
CENTRE G. POMPIDOU TOUR ST-JACQUES
FORUM DES HALLES
HÔTEL DE VILLE
NOTRE DAME
ILE DE LA CITE
ILE ST-LOUIS
PLACE DES VOSGES
COLONNE DE JUILLET
OPÉRA-BASTILLE
PANTHÉON
SORBONNE
Jardin des Plantes
MOSQUÉE DE PARIS
GARE D'AUSTERLITZ
GARE DE LYON
PALAIS OMNISPORTS DE PARIS BERCY
BIBLIOTHÈQUE NATIONALE DE FRANCE FR. MITTERRAND
MANUFACTURE DES GOBELINS
OBSERVATOIRE
HÔPITAL DU VAL-DE-GRACE
Parc de Montsouris
STADE CHARLÉTY
AQUARIUM DE LA PORTE DORÉE
Parc Zoologique
LAC DAUMESNIL
Seine
Marne
A 1
A 3
A 4
A 6b
Boulevard Macdonald
Boulevard Ney
Bd de Rochechouart
Bd de la Chapelle
Bd de la Villette
Bd de Belleville
Bd de Ménilmontant
Bd de Charonne
Bd Davout
Bd Mortier
Bd Sérurier
Cours de Vincennes
Avenue Jean Jaurès
Rue de Rivoli
Bd Saint-Germain
Bd Saint-Michel
Boulevard de Port-Royal
Bd Saint-Marcel
Boulevard Masséna
Boulevard Poniatowski
Bd Diderot
Rue du Faubourg St-Antoine
Avenue de la République
Rue de Tolbiac
Boulevard Jourdan
Boulevard Kellermann

Aix-en-Provence

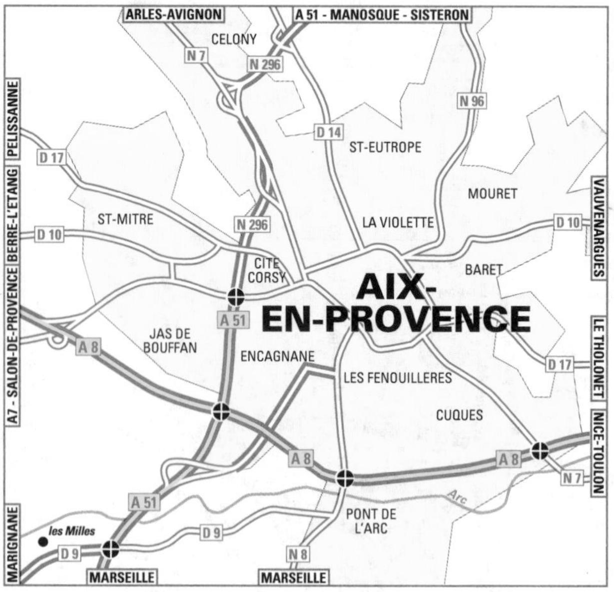

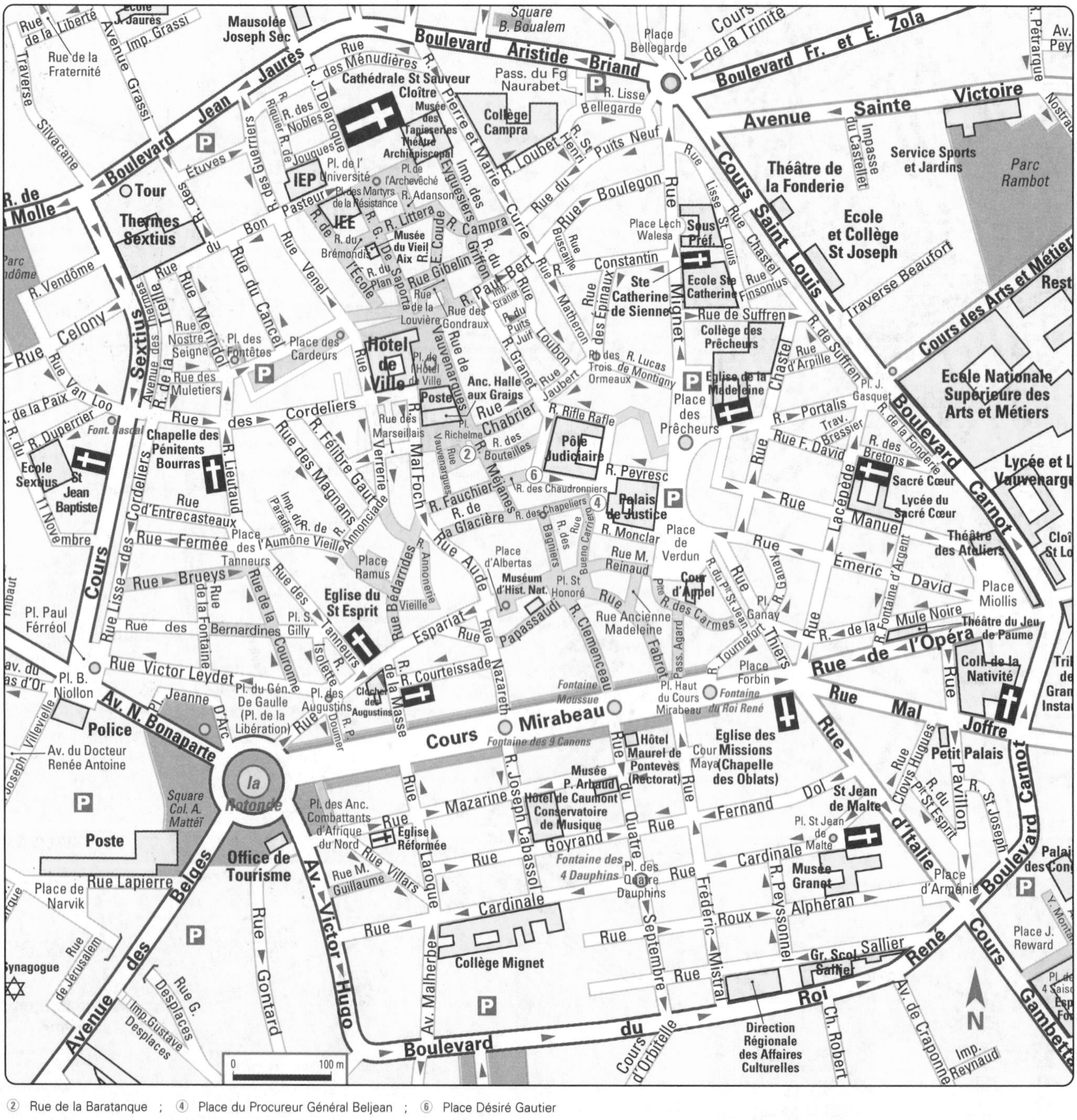

② Rue de la Baratanque ; ④ Place du Procureur Général Beljean ; ⑥ Place Désiré Gautier

Amiens

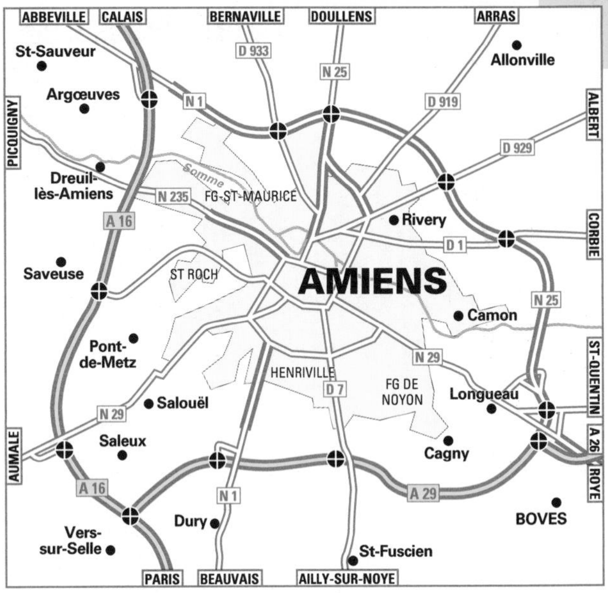

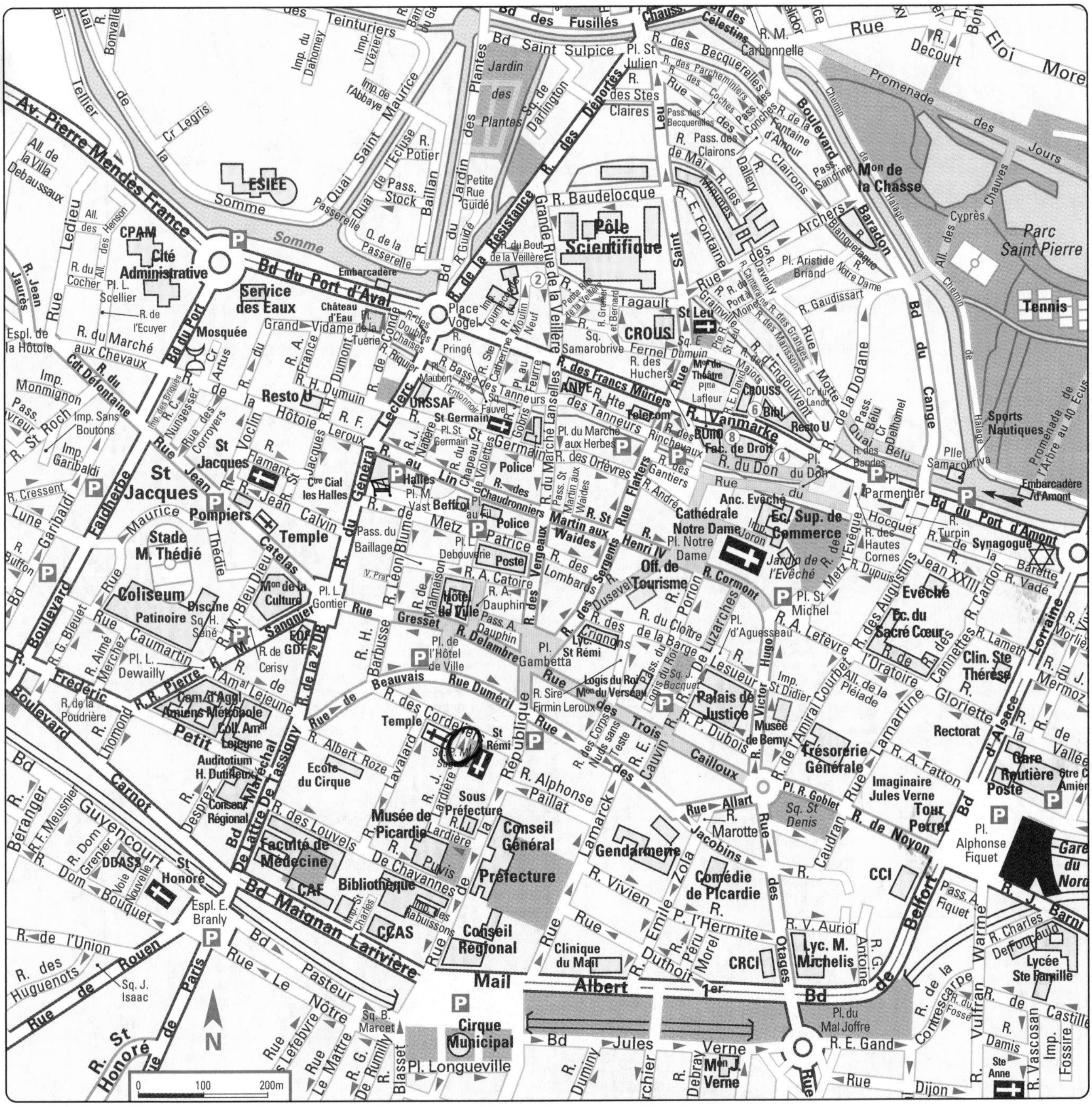

② Passage des Bains Neveux ; ④ Venelle Lafleur ; ⑥ Venelle des Marmousets ; ⑧ Rue de la Plumette

Angers

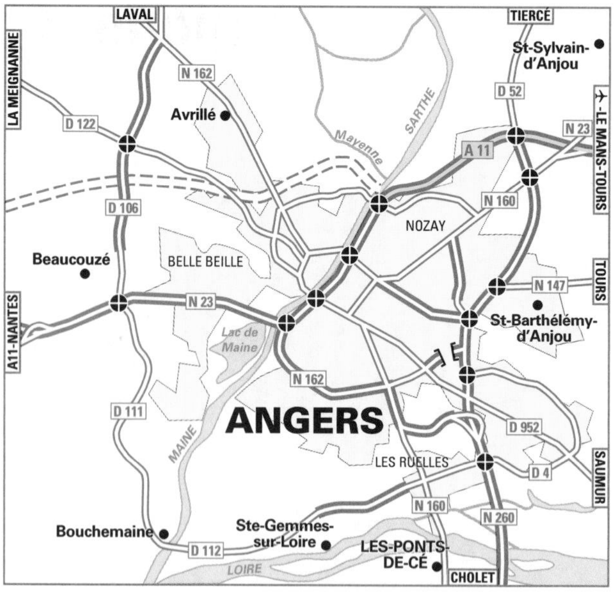
LAVAL
TIERCÉ
St-Sylvain-d'Anjou
LA MEIGNANNE
N 162
D 52
LE MANS-TOURS
N 23
Avrillé
D 122
Mayenne
SARTHE
A 11
D 106
N 160
NOZAY
Beaucouzé
BELLE BEILLE
TOURS
N 147
A11-NANTES
N 23
St-Barthélémy-d'Anjou
Lac de Maine
N 162
D 111
ANGERS
D 952
MAINE
LES RUELLES
D 4
SAUMUR
N 160
N 260
Bouchemaine
Ste-Gemmes-sur-Loire
LES-PONTS-DE-CÉ
D 112
LOIRE
CHOLET

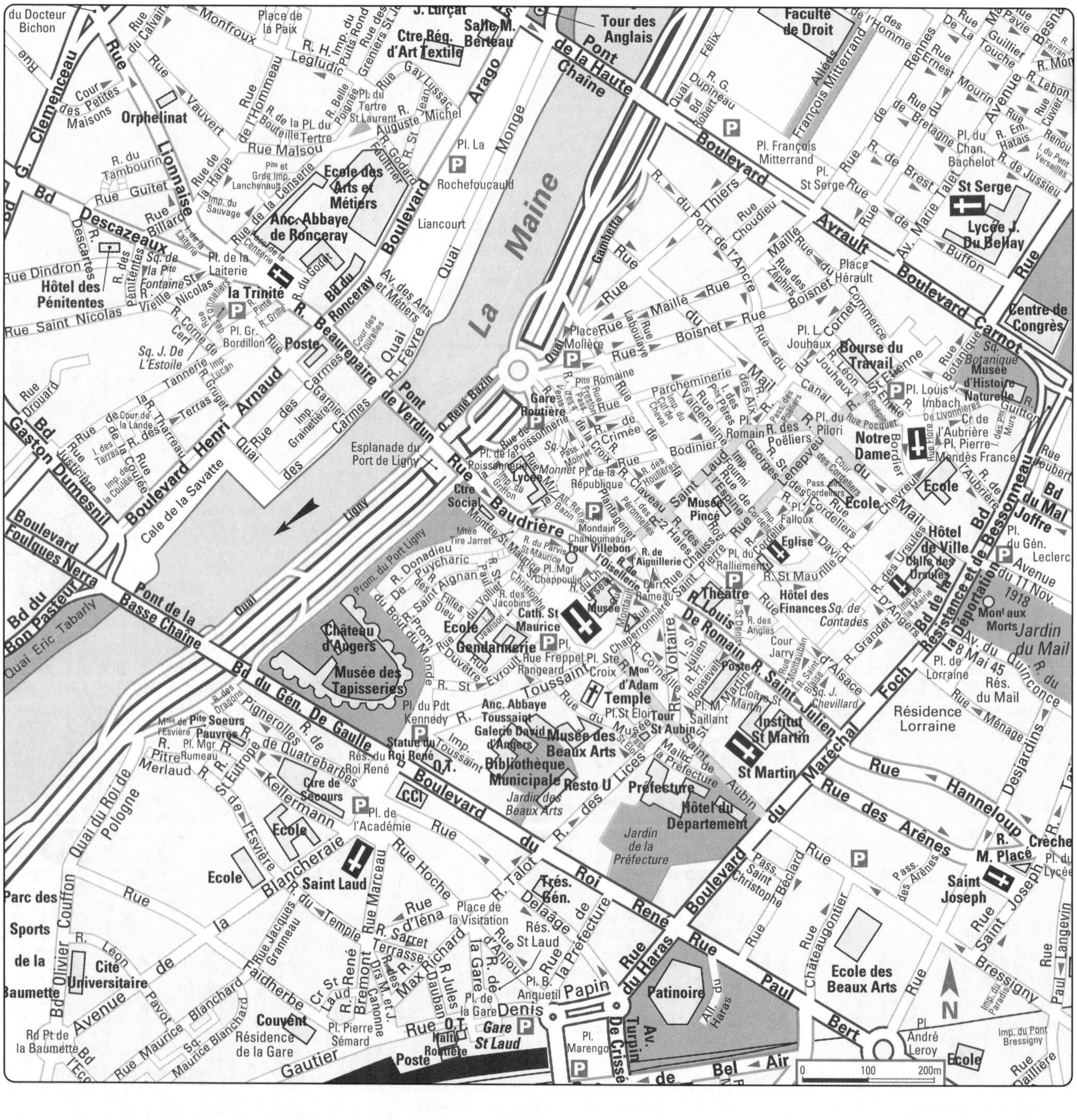
Tour des Anglais
Faculté de Droit
Ctre Rég. d'Art Textile
Salle M. Berteau
Orphelinat
Rue Vauvert
Rue Malsou
Ecole des Arts et Métiers
Anc. Abbaye de Ronceray
Pl. La Rochefoucauld Liancourt
Quai Monge
Boulevard Arago
La Maine
Pont de la Haute Chaine
Boulevard Ayrault
Pl. François Mitterrand
Allées François Mitterrand
St Serge
Lycée J. Du Bellay
Boulevard Carnot
Centre de Congrès
Hôtel des Pénitentes
la Trinité
Rue Saint Nicolas
Bd Descazeaux
Poste
R. Beaurepaire
Rue Thiers
Rue Boisnet
Place Molière
Bourse du Travail
Musée d'Histoire Naturelle
Sq. Botanique
Notre Dame
Pl. Louis Imbach
Pl. Pierre-Mendès France
Boulevard Henri Arnaud
Bd Gaston Dumesnil
Boulevard Foulques Nerra
Cale de la Savatte
Pont de Verdun
Quai R. Bazin
Gare Routière
Esplanade du Port de Ligny
Lycée
Ctre Social
Rue Baudrière
Pl. de la République
Musée Pincé
Eglise
Hôtel de Ville
Pl. du Ralliement
Théâtre
Hôtel des Finances
Sq. de Contades
Pl. du Gén. Leclerc
Mon aux Morts
Jardin du Mail
Bd de la Résistance et de la Déportation
Bd de Bessonneau
Pont de la Basse Chaine
Quai Eric Tabarly
Bd du Bon Pasteur
Château d'Angers
Musée des Tapisseries
Cath. St Maurice
Ecole
Gendarmerie
Pl. Ste Croix
Temple
Pl. du Pdt Kennedy
Anc. Abbaye Toussaint
Galerie David d'Angers
Musée des Beaux Arts
Bibliothèque Municipale
Resto U
Tour St Aubin
Préfecture
Hôtel du Département
Jardin de la Préfecture
Institut St Martin
St Martin
Résidence Lorraine
Rue Hanneloup
Rue des Arènes
Crèche
M. Placé
Saint Joseph
Bd du Gén. De Gaulle
Statue du Roi René
O.T.
CCI
Boulevard du Roi René
Ctre de Secours
Ecole
Saint Laud
Rue Blancheraie
Quai du Roi de Pologne
Parc des Sports de la Baumette
Cité Universitaire
Avenue Pasteur
Couvent
Résidence de la Gare
Poste
Gare St Laud
Pl. Pierre Sémard
Rue Denis Papin
Patinoire
Boulevard du Maréchal Foch
Rue Paul Bert
Ecole des Beaux Arts
Pl. André Leroy
Ecole
Bel Air
Pl. Marengo
De Crissé
N
0 100 200m

Avignon

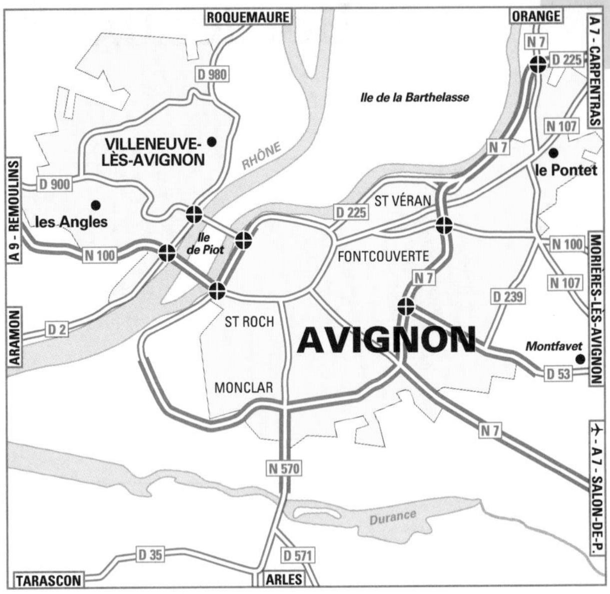

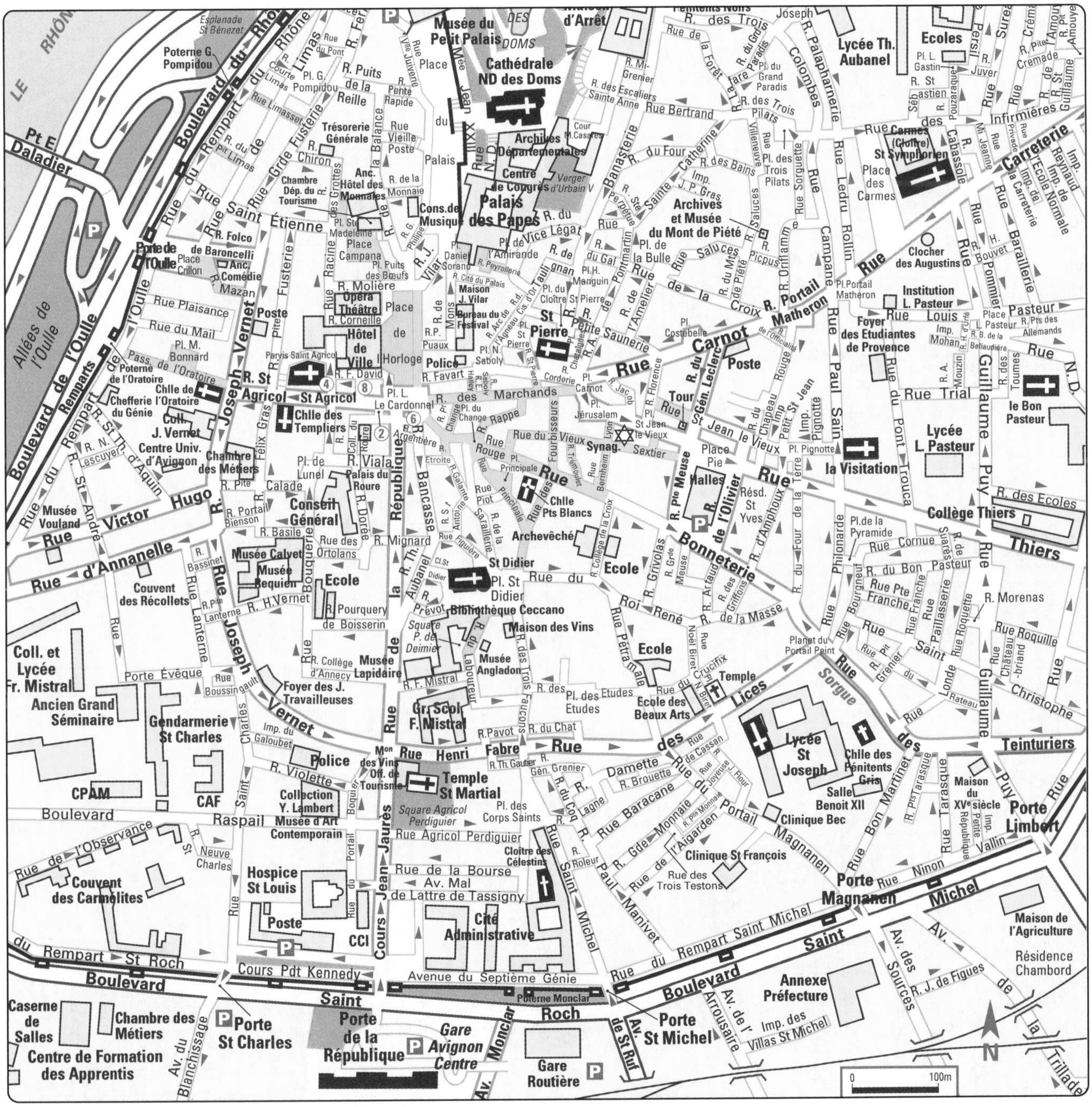

② Rue Emile Espérandieu ; ④ Passage Agricol Moureau ; ⑥ Passage du Panier Fleuri ; ⑧ Passage Saint Agricol

Bordeaux

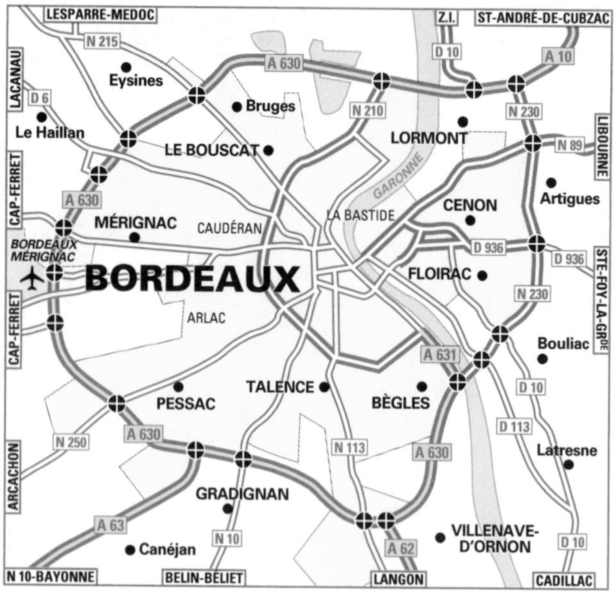
LESPARRE-MEDOC
N 215
Z.I.
ST-ANDRÉ-DE-CUBZAC
D 10
A 10
A 630
Eysines
Bruges
LACANAU
D 6
Le Haillan
LE BOUSCAT
N 210
LORMONT
N 230
N 89
LIBOURNE
GARONNE
Artigues
CAP-FERRET
A 630
MÉRIGNAC
CAUDÉRAN
LA BASTIDE
CENON
BORDEAUX MÉRIGNAC
D 936
D 936
BORDEAUX
FLOIRAC
STE-FOY-LA-GDE
N 230
CAP-FERRET
ARLAC
Bouliac
A 631
PESSAC
TALENCE
BÈGLES
D 10
D 113
N 250
A 630
N 113
A 630
Latresne
ARCACHON
GRADIGNAN
A 63
N 10
Canéjan
A 62
VILLENAVE-D'ORNON
D 10
N 10-BAYONNE
BELIN-BÉLIET
LANGON
CADILLAC

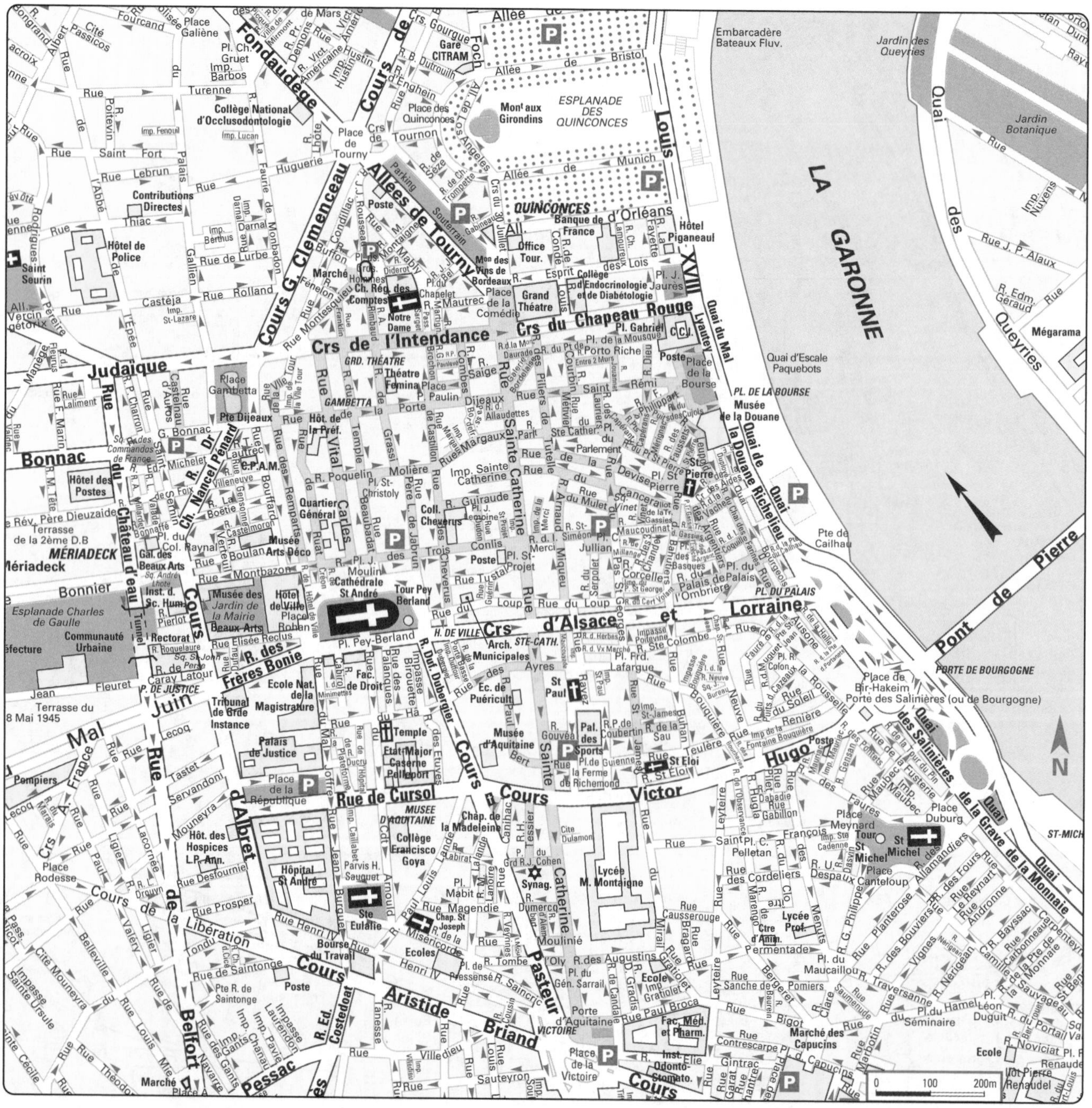
Embarcadère Bateaux Fluv.
Jardin des Queyries
Quai des Queyries
Jardin Botanique
ESPLANADE DES QUINCONCES
Mont aux Girondins
Allée de Bristol
Allée de Munich
Cours de Gourgue
Gare CITRAM
Place des Quinconces
Place de Tourny
Allées de Tourny
Cours G. Clemenceau
Fondaudège
Collège National d'Occlusodontologie
Contributions Directes
Hôtel de Police
Saint Seurin
QUINCONCES
Banque de France
Hôtel Piganeau
Office Tour.
Maison des Vins de Bordeaux
Marché
Ch. Rég. des Comptes
Notre Dame
Grand Théâtre
Collège d'Endocrinologie et de Diabétologie
Place de la Comédie
Crs de l'Intendance
Crs du Chapeau Rouge
GRD. THÉATRE
Pl. Gabriel
C.C.I.
Quai du Mal Lyautey
LA GARONNE
Quai d'Escale Paquebots
Mégarama
Place de la Bourse
PL. DE LA BOURSE
Musée de la Douane
Quai de la Douane
Quai Richelieu
Judaïque
Place Gambetta
GAMBETTA
Théâtre Femina
Pte Dijeaux
Hôt. de la Préf.
Rue Sainte Catherine
Rue Vital Carles
Quartier Général
Coll. Cheverus
Bonnac
Hôtel des Postes
C.P.A.M.
Cours Alsace et Lorraine
MÉRIADECK
Musée Arts Déco
Cathédrale St André
Tour Pey Berland
Musée des Jardin de la Mairie Beaux-Arts
Hôtel de Ville
Place Rohan
Esplanade Charles de Gaulle
Communauté Urbaine
Préfecture
Rectorat
Pl. Pey-Berland
H. DE VILLE
Arch. Municipales
STE-CATH.
Pte de Cailhau
PL. DU PALAIS
Pont de Pierre
PORTE DE BOURGOGNE
Place de Bir-Hakeim
Porte des Salinières (ou de Bourgogne)
Quai des Salinières
Fac. de Droit
Ecole Nat. de la Magistrature
Tribunal de Grde Instance
Ec. de Puéricult.
St Paul
Cours Pasteur
Musée d'Aquitaine
Pal. des Sports
St Eloi
Cours Victor Hugo
Palais de Justice
Place de la République
Rue de Cursol
Temple
Etat-Major Caserne Pelleport
MUSEE D'AQUITAINE
Chap. de la Madeleine
Collège Francisco Goya
Lycée M. Montaigne
Place Meynard
Tour St Michel
St Michel
Place Duburg
Quai de la Grave
Quai de la Monnaie
Hôt. des Hospices L.P.-Ann.
Hôpital St André
Parvis H. Sauguet
Ste Eulalie
Synag.
Chap. St Joseph Miséricorde
Cours de la Libération
Bourse du Travail
Cours Aristide Briand
Poste
Lycée Prof.
Ctre d'Anim.
Marché des Capucins
Porte d'Aquitaine
VICTOIRE
Place de la Victoire
Fac. Méd. et Pharm.
Inst. Odonto-Stomato.
Ecole
Cours Pessac
Marché
0
100
200m
N

Brest

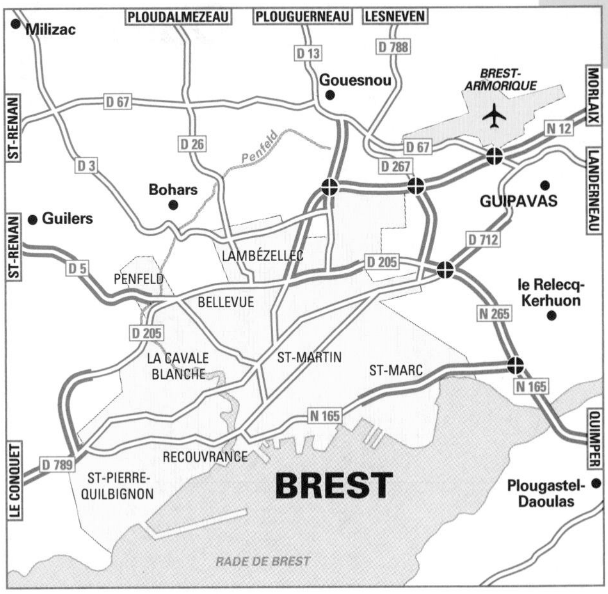

PLOUDALMEZEAU
PLOUGUERNEAU
LESNEVEN
Milizac
D 13
D 788
Gouesnou
BREST-ARMORIQUE
MORLAIX
ST-RENAN
D 67
N 12
D 26
Penfeld
D 67
LANDERNEAU
D 3
D 267
Bohars
GUIPAVAS
Guilers
ST-RENAN
D 712
LAMBÉZELLEC
D 5
PENFELD
D 205
le Relecq-Kerhuon
BELLEVUE
N 265
D 205
LA CAVALE BLANCHE
ST-MARTIN
ST-MARC
N 165
N 165
QUIMPER
LE CONQUET
D 789
RECOUVRANCE
ST-PIERRE-QUILBIGNON
BREST
Plougastel-Daoulas
RADE DE BREST

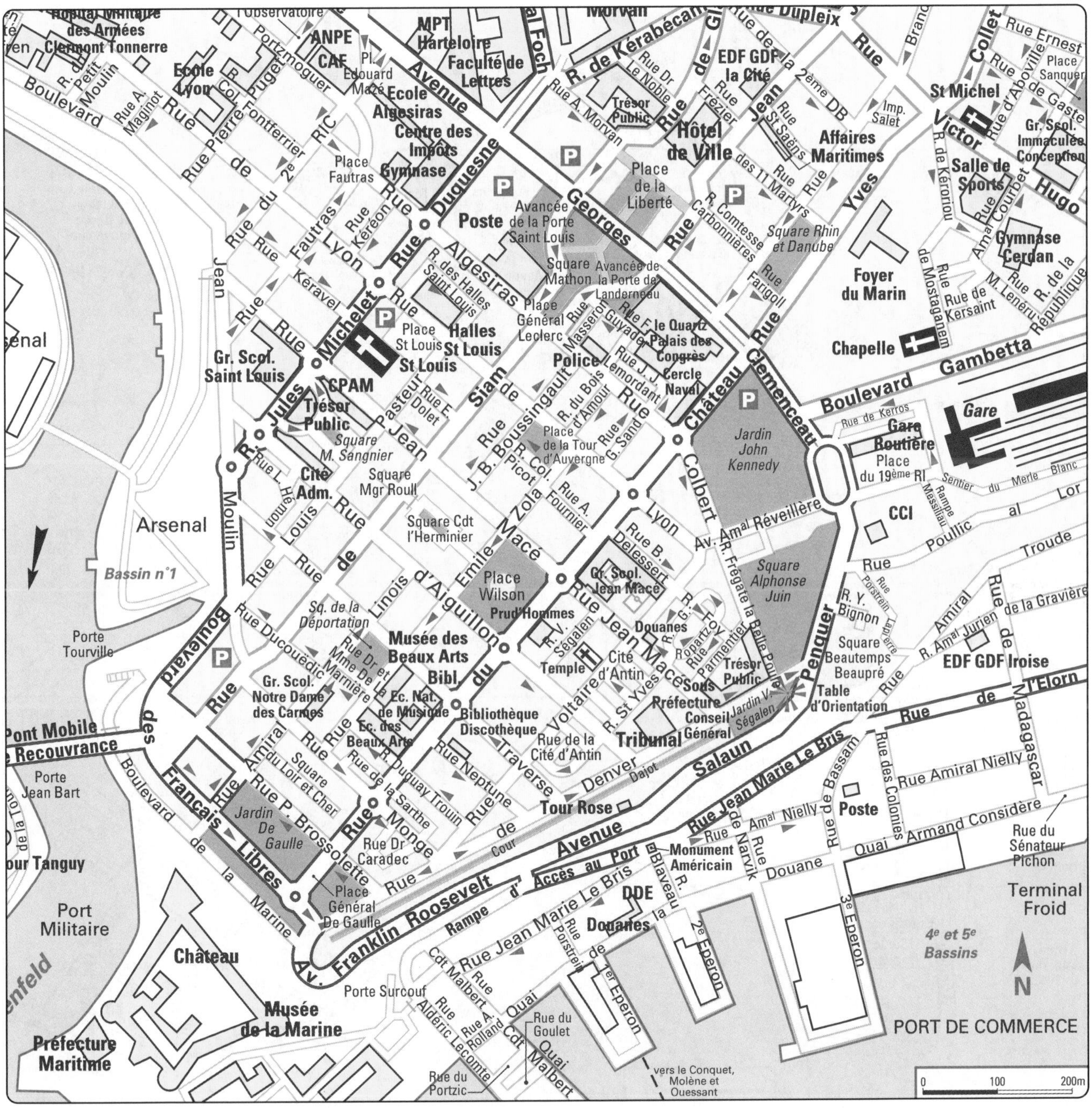

Hôpital Militaire des Armées Clermont Tonnerre
l'Observatoire
ANPE
CAF
MPT Harteloire
Faculté de Lettres
Morvan
R. de Kérabécam
Rue Dupleix
Rue Ernest
Place Sanquer
Boulevard
R. du Petit Moulin
Rue A. Maginot
Ecole Lyon
Pl. Edouard Mazé
Ecole Algesiras
Centre des Impôts
Gymnase
Rue Dr Le Noble
Trésor Public
EDF GDF la Cité
Hôtel de Ville
Affaires Maritimes
Imp. Salet
St Michel
Gr. Scol. Immaculée Conception
Salle de Sports
Place Fautras
Place de la Liberté
Poste
Avancée de la Porte Saint Louis
Square Mathon
Avancée de la Porte de Landerneau
Square Rhin et Danube
Foyer du Marin
Gymnase Cerdan
Rue de Kersaint
Place St Louis
Halles St Louis
St Louis
Place Général Leclerc
le Quartz Palais des Congrès
Cercle Naval
Chapelle
Boulevard Gambetta
Gr. Scol. Saint Louis
CPAM
Trésor Public
Square M. Sangnier
Police
Jardin John Kennedy
Rue de Kerros
Gare Routière
Gare
Place du 19ème RI
Sentier du Merle Blanc
Cité Adm.
Square Mgr Roull
Place de la Tour d'Auvergne
CCI
Arsenal
Square Cdt l'Herminier
Av. Amal Réveillère
Rue Poullic al Lor
Rue Troude
Bassin n°1
Place Wilson
Gr. Scol. Jean Macé
Square Alphonse Juin
R. Y. Bignon
Porte Tourville
Sq. de la Déportation
Prud'Hommes
Douanes
Square Beautemps Beaupré
EDF GDF Iroise
Musée des Beaux Arts
Bibl.
Temple
Cité d'Antin
Trésor Public
Sous Préfecture
Table d'Orientation
Gr. Scol. Notre Dame des Carmes
Ec. Nat. de Musique
Bibliothèque Discothèque
Conseil Général
Tribunal
Jardin V. Ségalen
Pont Mobile de Recouvrance
Ec. des Beaux Arts
Rue de la Cité d'Antin
Rue Amiral Nielly
Porte Jean Bart
Square du Loir et Cher
Tour Rose
Poste
Rue du Sénateur Pichon
Jardin De Gaulle
Rue Dr Caradec
Monument Américain
Quai Armand Considère
Tour Tanguy
Port Militaire
Place Général De Gaulle
Avenue Franklin Roosevelt
Rampe d'Accès au Port
DDE
Douanes
Terminal Froid
Château
4e et 5e Bassins
Porte Surcouf
N
Musée de la Marine
Rue du Goulet
PORT DE COMMERCE
Préfecture Maritime
Rue du Portzic
vers le Conquet, Molène et Ouessant
0
100
200m

Caen

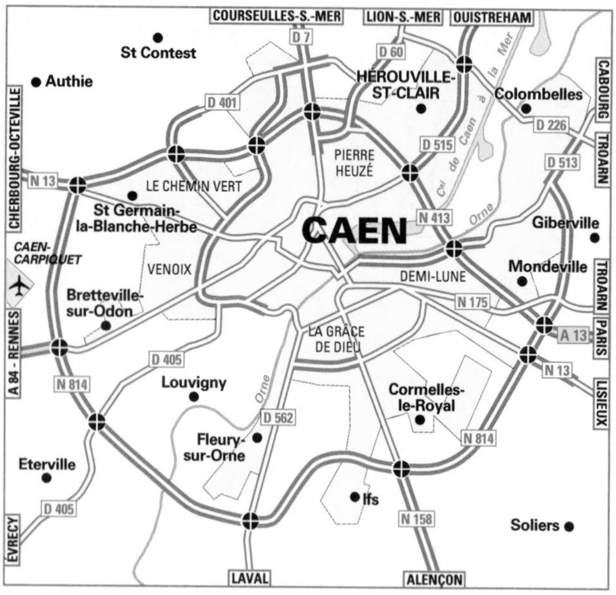
COURSEULLES-S.-MER
LION-S.-MER
OUISTREHAM
D 7
D 60
St Contest
Authie
HÉROUVILLE-ST-CLAIR
Colombelles
CABOURG
D 401
D 226
TROARN
D 515
D 513
PIERRE HEUZÉ
CHERBOURG-OCTEVILLE
N 13
LE CHEMIN VERT
St Germain-la-Blanche-Herbe
CAEN
N 413
Giberville
CAEN-CARPIQUET
VENOIX
DEMI-LUNE
Mondeville
Bretteville-sur-Odon
N 175
TROARN
A 13
PARIS
LA GRACE DE DIEU
A 84 - RENNES
N 13
D 405
LISIEUX
N 814
Louvigny
Cormelles-le-Royal
Orne
D 562
N 814
Fleury-sur-Orne
Eterville
Ifs
D 405
N 158
Soliers
ÉVRECY
LAVAL
ALENÇON

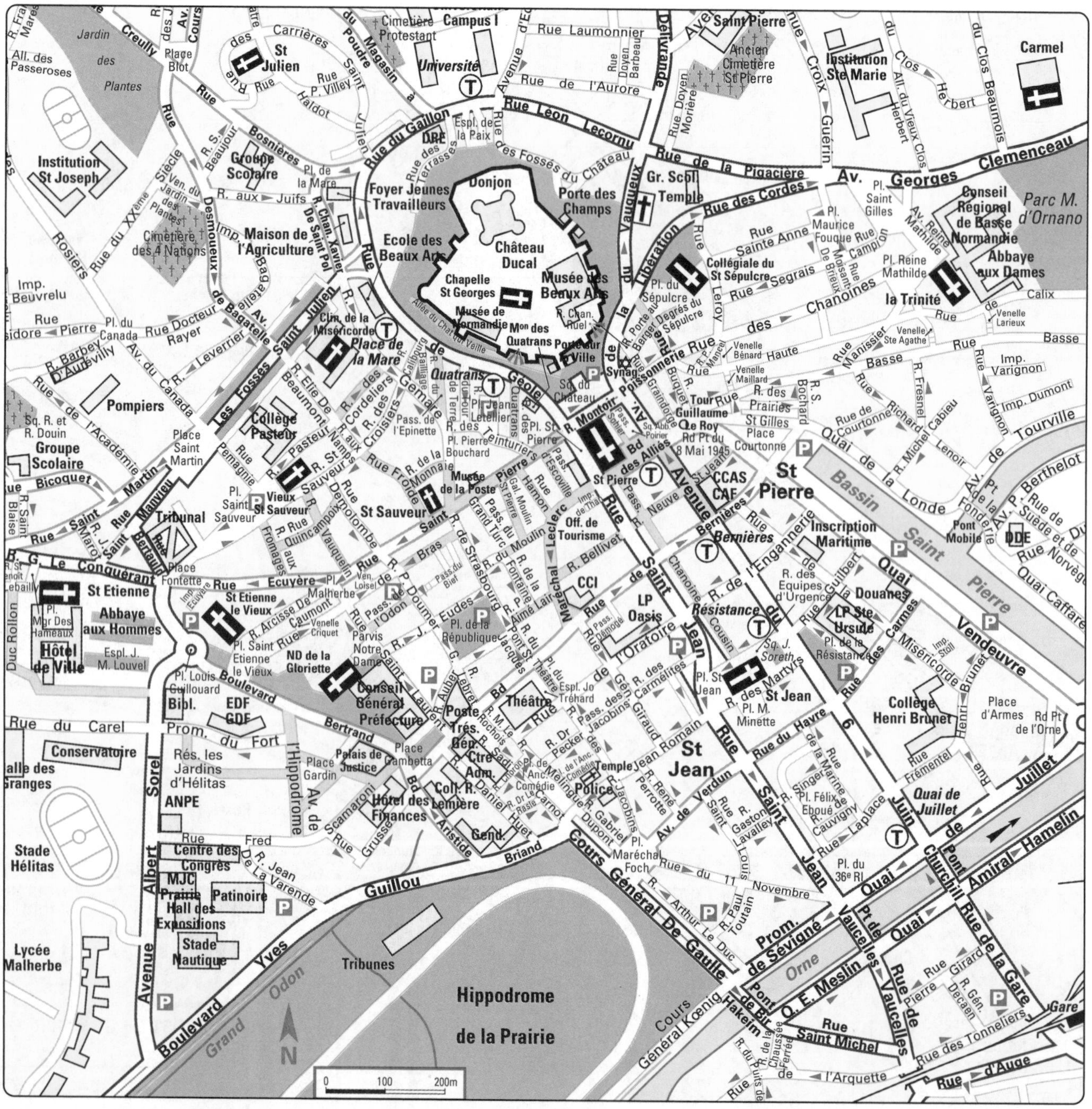
Jardin des Plantes
Campus I
Université
Rue Laumonnier
Ancien Cimetière St Pierre
Institution Ste Marie
Carmel
St Julien
Rue Léon Lecornu
Rue de l'Aurore
Institution St Joseph
Groupe Scolaire
Donjon
Porte des Champs
Foyer Jeunes Travailleurs
Av. Georges Clemenceau
Rue de la Pigacière
Conseil Régional de Basse Normandie
Parc M. d'Ornano
Maison de l'Agriculture
Ecole des Beaux Arts
Château Ducal
Chapelle St Georges
Musée des Beaux Arts
Musée de Normandie
Collégiale du St Sépulcre
Abbaye aux Dames
la Trinité
Cimetière des 4 Nations
Place de la Mare
Pompiers
Collège Pasteur
Groupe Scolaire
Place Saint Martin
Quatrans
Musée de la Poste
St Sauveur
Vieux St Sauveur
Tribunal
St Pierre
Off. de Tourisme
CCAS CAF
Inscription Maritime
Bassin Saint Pierre
Quai Vendeuvre
Douanes
St Etienne
Abbaye aux Hommes
Hôtel de Ville
St Etienne le Vieux
ND de la Gloriette
Conseil Général Préfecture
Théâtre
CCI
LP Oasis
Résistance
St Jean
LP Ste Ursule
Collège Henri Brunet
Place d'Armes
EDF GDF
Bibl.
Conservatoire
Rue du Carel
Palais de Justice
Place Gambetta
Hôtel des Finances
Coll. R. Lemière
Police
Temple
Quai de Juillet
ANPE
Stade Hélitas
Centre des Congrès
MJC Prairie
Patinoire
Hall des Expositions
Stade Nautique
Lycée Malherbe
Tribunes
Hippodrome de la Prairie
Cours Général De Gaulle
Cours Général Kœnig
Boulevard Yves Guillou
Grand Odon
Orne
Prom. de Sévigné
Quai Amiral Hamelin
Rue de la Gare
Gare
Rue Saint Michel
Rue d'Auge
Avenue Albert Sorel
0
100
200m
N

Dijon

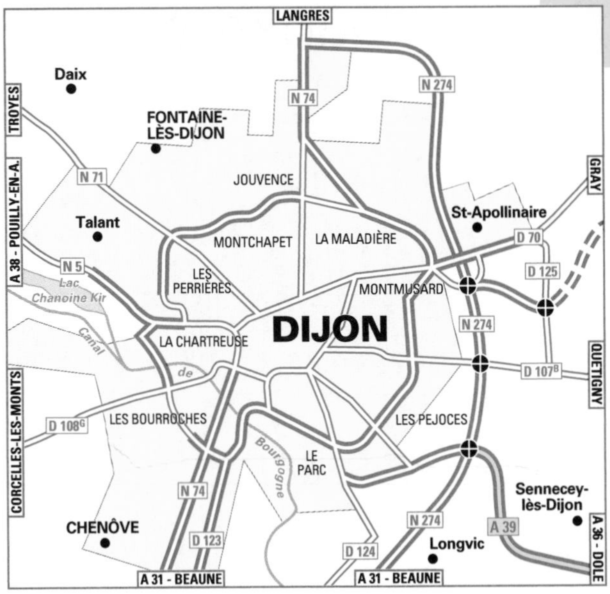
LANGRES
TROYES
GRAY
A 38 - POUILLY-EN-A.
QUETIGNY
CORCELLES-LES-MONTS
A 36 - DOLE
A 31 - BEAUNE
A 31 - BEAUNE
Daix
FONTAINE-LÈS-DIJON
N 74
N 274
N 71
JOUVENCE
Talant
St-Apollinaire
D 70
MONTCHAPET
LA MALADIÈRE
N 5
LES PERRIÈRES
MONTMUSARD
D 125
Lac Chanoine Kir
DIJON
N 274
LA CHARTREUSE
Canal de Bourgogne
D 107B
D 108G
LES BOURROCHES
LES PEJOCES
LE PARC
N 74
Sennecey-lès-Dijon
N 274
CHENÔVE
D 123
D 124
A 39
Longvic

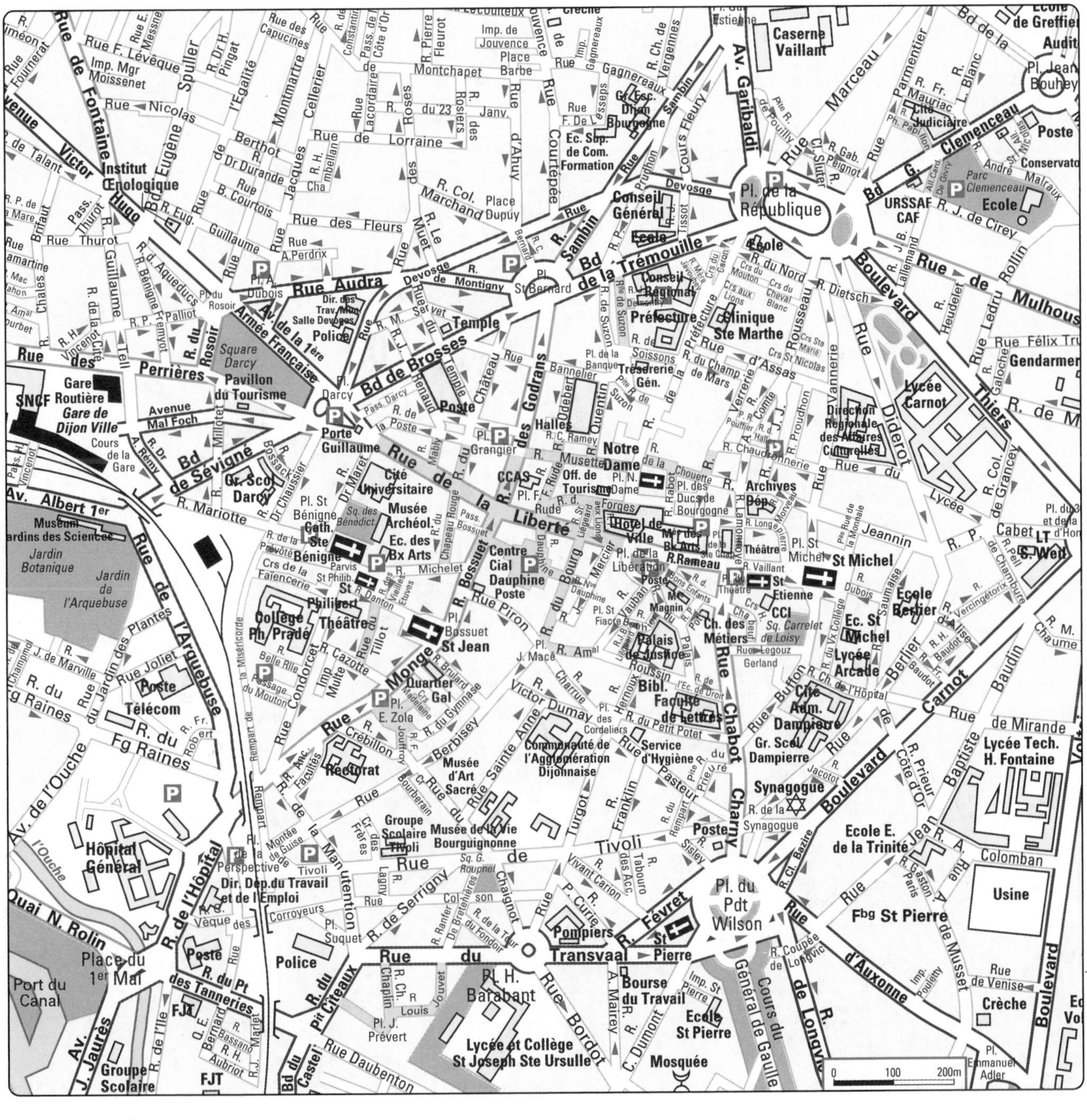
Rue de Fontaine
Avenue Victor Hugo
Institut Œnologique
Bd Eugène Spuller
Rue Jacques Cellerier
Rue de Montchapet
Rue des Rosiers
Rue de Lorraine
Rue d'Ahuy
Rue Courtépée
Rue des Fleurs
Rue Nicolas Berthot
Rue Thurot
Rue Audra
Devosge
Temple
Bd de Brosses
Rue des Godrans
Bd de la Trémouille
Conseil Général
Conseil Régional
Préfecture
Clinique Ste Marthe
Av. Garibaldi
Caserne Vaillant
Rue Marceau
Pl. de la République
URSSAF CAF
Parc Clemenceau
Ecole
Poste
Bd G. Clemenceau
Rue de Mulhouse
Boulevard de Brosses
Rue Diderot
Lycée Carnot
Boulevard Thiers
Gendarmerie
Square Darcy
Pavillon du Tourisme
Armée Française
Gare Routière
SNCF
Gare de Dijon Ville
Avenue Mal Foch
Porte Guillaume
Pl. Darcy
Poste
Halles
Notre Dame
Rue de la Liberté
Bd de Sévigné
Gr. Scol. Darcy
Cité Universitaire
Musée Archéol.
Off. de Tourisme
Hôtel de Ville
Mus. des Bx Arts
Pl. de la Libération
Archives Dép.
Théâtre
St Michel
Ec. des Bx Arts
Cath. Ste Bénigne
Centre Cial Dauphine
Poste
St Philibert
Théâtre
Collège Ph. Pradé
Pl. Bossuet
St Jean
Palais de Justice
Ch. des Métiers
CCI
Sq. Carrelet de Loisy
Ec. St Michel
Lycée Arcade
Ecole Berlier
Av. Albert 1er
Muséum
Jardins des Sciences
Jardin Botanique
Jardin de l'Arquebuse
Rue de l'Arquebuse
Poste Télécom
Rue Monge
Quartier Gal
Pl. E. Zola
Bibl.
Faculté de Lettres
Rue Chabot Charny
Cité Adm. Dampierre
Gr. Scol. Dampierre
Lycée Tech. H. Fontaine
Rectorat
Musée d'Art Sacré
Communauté de l'Agglomération Dijonnaise
Service d'Hygiène
Synagogue
Boulevard Carnot
Ecole E. de la Trinité
Rue Colomban
Usine
Hôpital Général
Groupe Scolaire Tivoli
Musée de la Vie Bourguignonne
Rue de Tivoli
Poste
Pl. du Pdt Wilson
Fbg St Pierre
Dir. Dép. du Travail et de l'Emploi
Perspective
Quai N. Rolin
Place du 1er Mai
Port du Canal
R. de l'Hôpital
Police
Rue du Transvaal
Pompiers
St Pierre
Pl. H. Barabant
Lycée et Collège St Joseph Ste Ursulle
Bourse du Travail
Ecole St Pierre
Mosquée
Cours du Général de Gaulle
Rue de Longvic
Rue d'Auxonne
Boulevard Voltaire
Crèche
Pl. Emmanuel Adler
Av. J. Jaurès
Groupe Scolaire
FJT
FJT
Rue Daubenton
Av. de l'Ouche
R. du Fg Raines
0
100
200m

Dunkerque

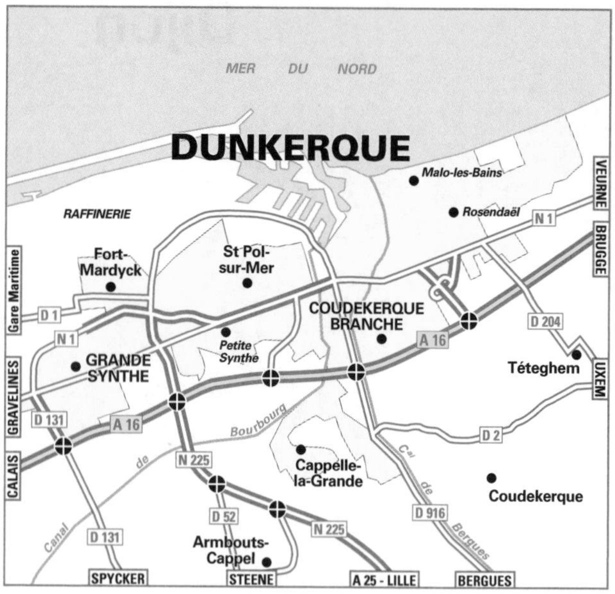
MER DU NORD
DUNKERQUE
Malo-les-Bains
Rosendaël
RAFFINERIE
Fort-Mardyck
St Pol-sur-Mer
COUDEKERQUE BRANCHE
GRANDE SYNTHE
Petite Synthe
Téteghem
Cappelle-la-Grande
Coudekerque
Armbouts-Cappel
Gare Maritime
GRAVELINES
CALAIS
VEURNE
BRUGGE
UXEM
SPYCKER
STEENE
A 25 - LILLE
BERGUES
N 1
D 1
A 16
D 204
D 131
N 225
D 52
D 916
D 2
Bourbourg
Canal de
Canal de Bergues

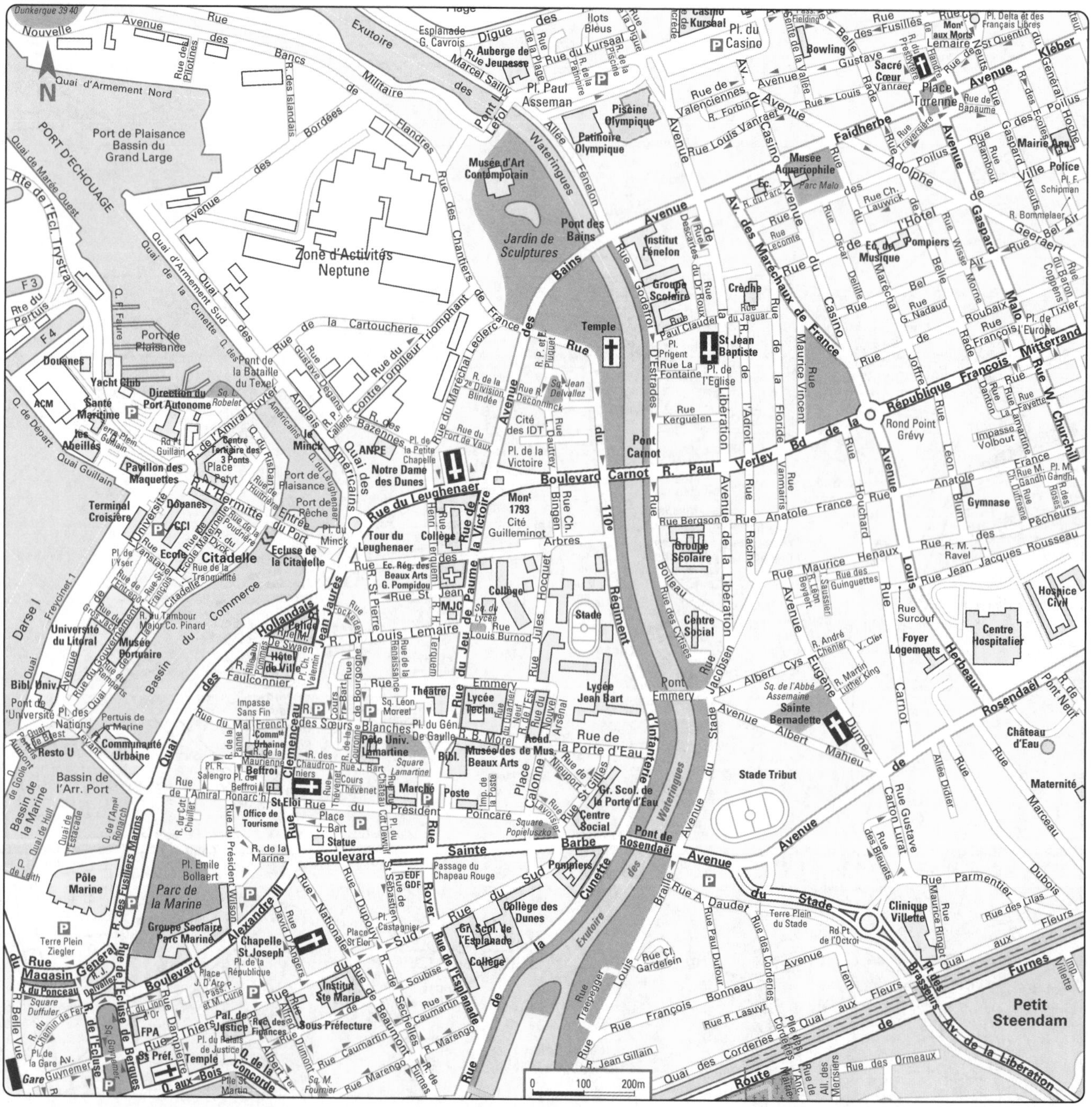
N
PORT D'ECHOUAGE
Port de Plaisance Bassin du Grand Large
Zone d'Activités Neptune
Jardin de Sculptures
Musée d'Art Contemporain
Exutoire
Digue des Alliés
Quai d'Armement Nord
Quai d'Armement Sud
Quai de la Cunette
Rue des Chantiers de France
Rue de la Cartoucherie
Piscine Olympique
Patinoire Olympique
Pont des Bains
Institut Fénelon
Temple
St Jean Baptiste
Musée Aquariophile
Parc Malo
Avenue des Maréchaux de France
Avenue Faidherbe
Avenue Adolphe Geeraert
Place Turenne
Sacré Cœur
Bowling
Kursaal
Pl. du Casino
Mairie Ann.
Police
Pompiers
Éc. de Musique
Crèche
Groupe Scolaire
Pont Carnot
Boulevard Carnot
Rue Paul Verley
Bd de la République François Mitterrand
Rond Point Grévy
Avenue W. Churchill
Gymnase
Hospice Civil
Centre Hospitalier
Foyer Logements
Rue Louis Herbeaux
Rue de Rosendaël
Château d'Eau
Maternité
Stade Tribut
Sainte Bernadette
Avenue Albert Mahieu
Centre Social
Lycée Jean Bart
Stade
Collège
Théatre
Lycée Techn.
Musée des Beaux Arts
Acad. de Mus.
Rue de la Porte d'Eau
Quai des Hollandais
Rue Jean Jaurès
Rue du Leughenaer
Tour du Leughenaer
Notre Dame des Dunes
ANPE
Port de Plaisance
Port de Pêche
Ecluse de la Citadelle
Citadelle
Douanes
CCI
Université
Terminal Croisière
Pavillon des Maquettes
Yacht Club
Santé Maritime
Direction du Port Autonome
ACM
Darse I
Université du Littoral
Musée Portuaire
Bibl. Univ.
Communauté Urbaine
Resto U
Bassin de l'Arr. Port
Bassin de la Marine
Pôle Marine
Parc de la Marine
Groupe Scolaire Parc Marine
Chapelle St Joseph
Beffroi
St Eloi
Office de Tourisme
Place J. Bart
Statue
Boulevard Sainte Barbe
Pont de Rosendaël
Canal de la Cunette
Waterlingues
Rue du Sud
Collège des Dunes
Gr. Scol. de l'Esplanade
Rue de l'Esplanade
Institut Ste Marie
Sous Préfecture
Pal. de Justice
Rec. des Finances
FPA
S/s Préf.
Gare
Rue du Magasin Général
Rue de l'Écluse de Bergues
Route de Furnes
Quai des Fleurs
Quai aux Fleurs
Av. de la Libération
Petit Steendam
Clinique Villette
Avenue du Stade
Rue Parmentier
Avenue de la Libération
Stade
Rue Emmery
Poste
Rue du Président Poincaré
Pl. du Gén. De Gaulle
Bibl.
Dunkerque 39 40
0 100 200m

Grenoble

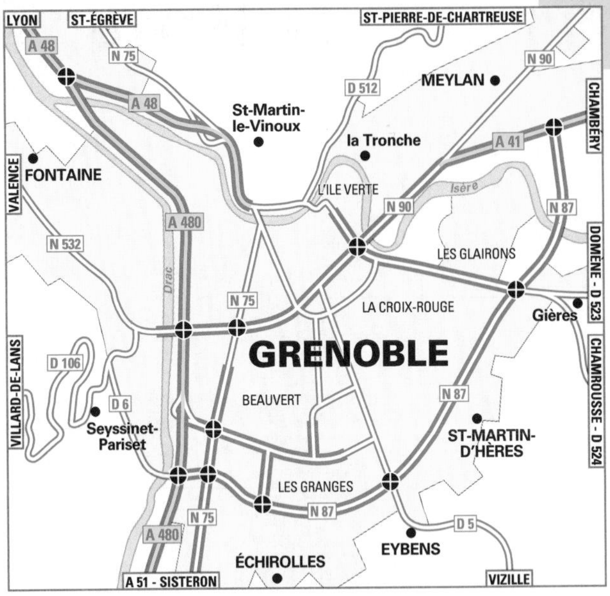
LYON
ST-ÉGRÈVE
ST-PIERRE-DE-CHARTREUSE
A 48
N 75
D 512
MEYLAN
N 90
CHAMBÉRY
St-Martin-le-Vinoux
la Tronche
A 41
VALENCE
FONTAINE
L'ILE VERTE
Isère
N 90
N 87
A 480
N 532
LES GLAIRONS
DOMENE - D 523
Drac
N 75
LA CROIX-ROUGE
Gières
GRENOBLE
CHAMROUSSE - D 524
VILLARD-DE-LANS
D 106
BEAUVERT
N 87
D 6
Seyssinet-Pariset
ST-MARTIN-D'HÈRES
LES GRANGES
N 87
N 75
A 480
D 5
ÉCHIROLLES
EYBENS
A 51 - SISTERON
VIZILLE

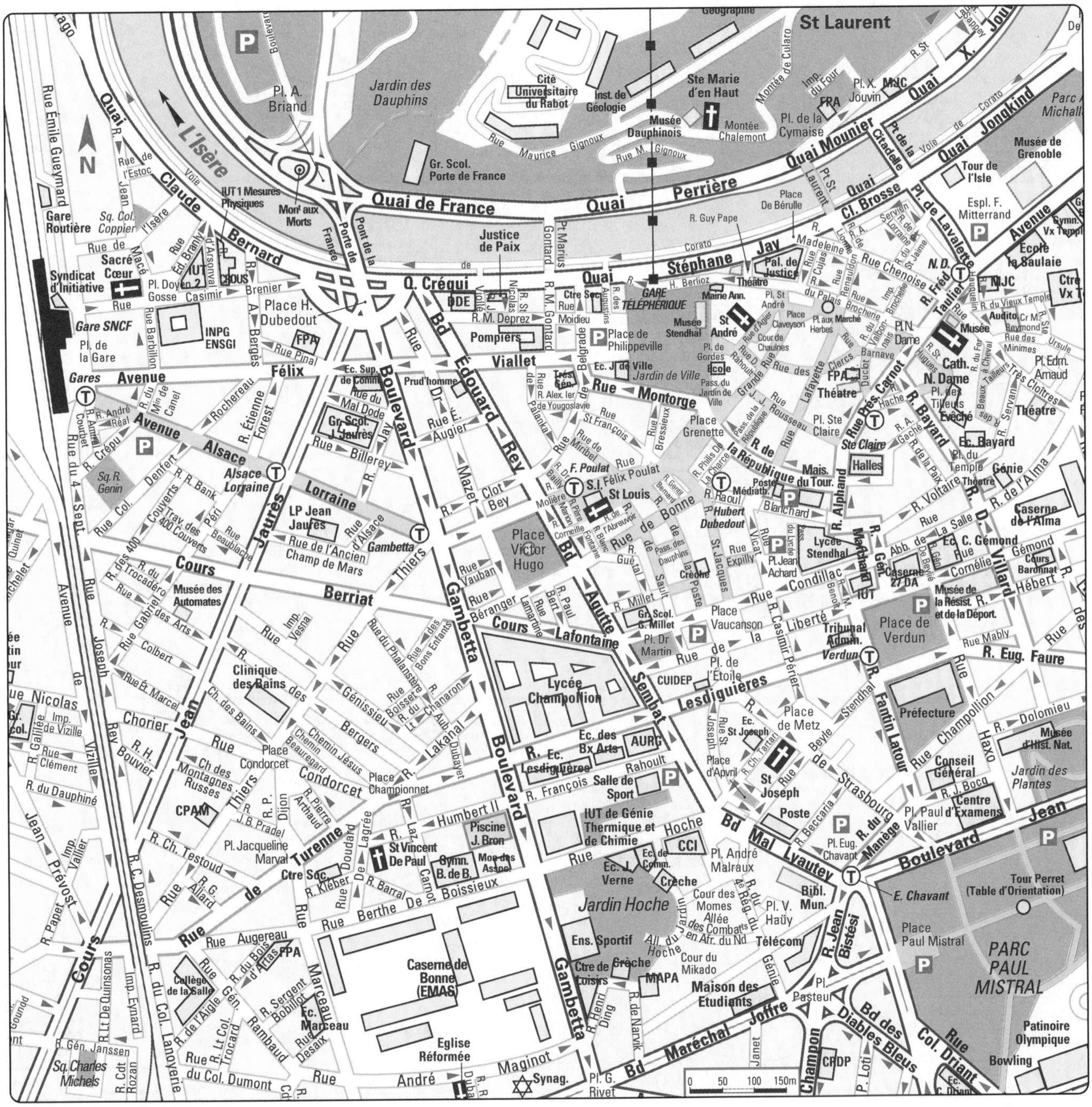
St Laurent
L'Isère
Jardin des Dauphins
Cité Universitaire du Rabot
Inst. de Géologie
Ste Marie d'en Haut
Musée Dauphinois
Montée Chalemont
Pl. de la Cymaise
Pl. X. Jouvin
MJC
FPA
Quai Mounier
Quai Jongkind
Musée de Grenoble
Tour de l'Isle
Espl. F. Mitterrand
Gr. Scol. Porte de France
Pl. A. Briand
Quai Claude Bernard
IUT 1 Mesures Physiques
Mon' aux Morts
Quai de France
Quai Perrière
Place De Bérulle
Gare Routière
Sq. Col. Coppier
Rue Émile Gueymard
Justice de Paix
R. Guy Pape
Quai Stéphane Jay
Pal. de Justice
Théâtre
Cl. Brosse
Pl. de Lavalette
Syndicat d'Initiative
Sacré Cœur
Pl. Doyen Gosse
IUT 2
CROUS
Q. Créqui
GARE TÉLÉPHÉRIQUE
Mairie Ann.
Pl. St André
Rue Chenoise
N. D.
MJC
Gare SNCF
Pl. de la Gare
INPG ENSGI
Place H. Dubedout
FPA
DDE
Pompiers
Place de Philippeville
Musée Stendhal
St André
Place Claveyson
Pl. aux Herbes
Pl. N. Dame
Cath. N. Dame
Musée
Pl. Edm. Arnaud
Gares
Avenue Félix Viallet
Ec. J. de Ville
Jardin de Ville
Rue Montorge
FPA
Théâtre
Évêché
Théâtre
Avenue Alsace Lorraine
Gr. Scol. J. Jaurès
Place Grenette
Pl. Ste Claire
Ste Claire
Halles
Ec. Bayard
Sq. R. Genin
Alsace Lorraine
F. Poulat
S.I.
St Louis
R. de la République
Mais. du Tour.
Médiath.
Poste
Pl. du Temple
Génie
LP Jean Jaurès
Gambetta
Place Victor Hugo
Hubert Dubedout
Lycée Stendhal
Caserne de l'Alma
Cours Berriat
Musée des Automates
Pl. Jean Achard
Caserne 27 DA
C. Gémond
Cours Lafontaine
Gr. Scol. G. Millet
Place Vaucanson
Rue de la Liberté
Musée de la Résist. et de la Déport.
Place de Verdun
Pl. Dr Martin
Tribunal Admin.
Verdun
R. Eug. Faure
Clinique des Bains
Lycée Champollion
CUIDEP
Pl. de l'Étoile
Rue Lesdiguières
Préfecture
Musée d'Hist. Nat.
Jardin des Plantes
Place de Metz
Ec. des Bx Arts
AURG
St Joseph
Conseil Général
Centre d'Examens
Place Condorcet
Salle de Sport
Place Championnet
CPAM
Piscine J. Bron
IUT de Génie Thermique et de Chimie
Poste
Pl. Paul Vallier
Pl. Jacqueline Marval
St Vincent De Paul
Gymn. B. de B.
CCI
Pl. Eug. Chavant
Pl. André Malraux
Ctre Soc.
Jardin Hoche
Bibl. Mun.
E. Chavant
Tour Perret (Table d'Orientation)
Place Paul Mistral
PARC PAUL MISTRAL
Ens. Sportif
Cour des Momes
Allée des Combats en Afr. du Nd
Pl. V. Haüy
Télécom
Caserne de Bonne (EMAS)
Collège de la Salle
FPA
Ec. Marceau
Ctre de Loisirs
Crèche
MAPA
Cour du Mikado
Maison des Etudiants
Pl. Pasteur
Eglise Réformée
Bd Maréchal Joffre
Bd des Diables Bleus
Rue Col. Driant
Patinoire Olympique
Bowling
Sq. Charles Michels
Synag.
Pl. G. Rivet
CRDP
0 50 100 150m

Le Havre

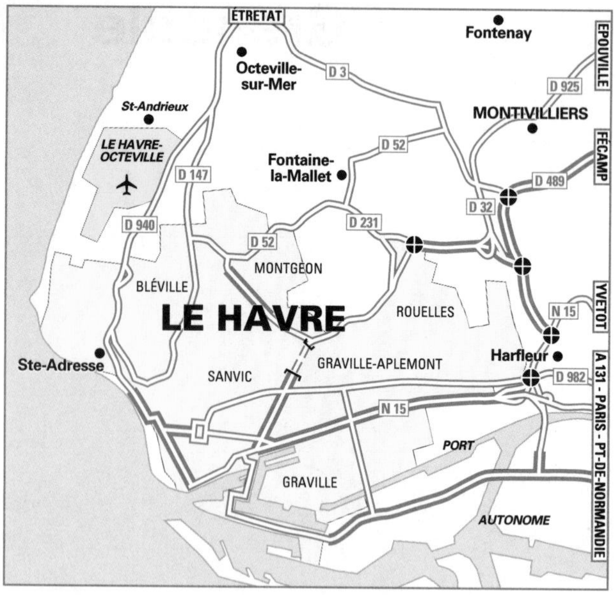
ÉTRETAT
Fontenay
Octeville-sur-Mer
D 3
EPOUVILLE
D 925
St-Andrieux
MONTIVILLIERS
LE HAVRE-OCTEVILLE
D 52
Fontaine-la-Mallet
FECAMP
D 147
D 489
D 32
D 940
D 231
D 52
MONTGEON
BLÉVILLE
LE HAVRE
ROUELLES
N 15
YVETOT
Ste-Adresse
SANVIC
GRAVILLE-APLEMONT
Harfleur
D 982
N 15
A 131 - PARIS - PT-DE-NORMANDIE
PORT
GRAVILLE
AUTONOME

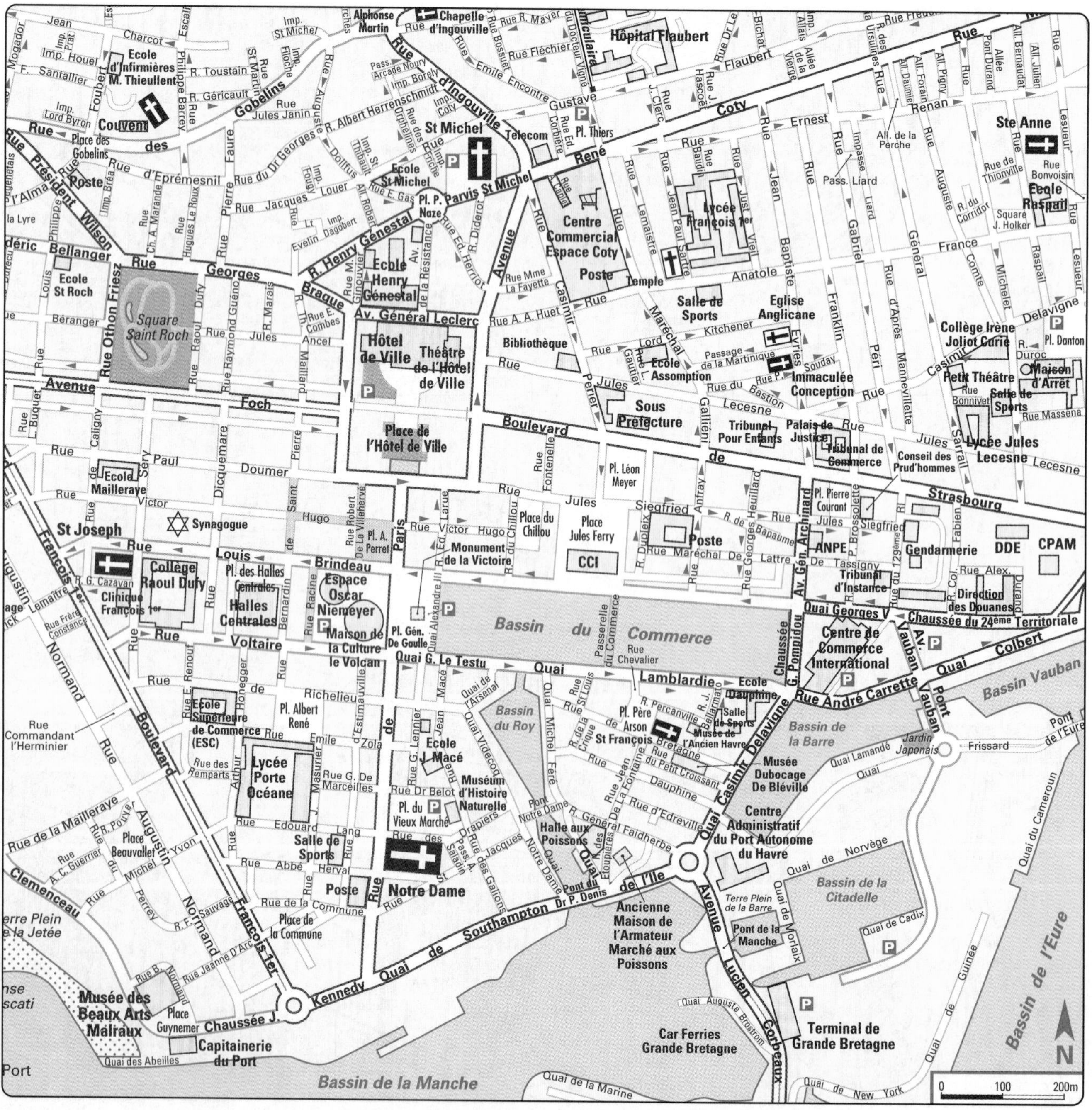
Alphonse Martin
Chapelle d'Ingouville
Hôpital Flaubert
Ecole d'Infirmières M. Thieullent
Couvent des Gobelins
Rue d'Ingouville
St Michel
Telecom
Pl. Thiers
Rue Flaubert
Rue René Coty
Ste Anne
Ecole St Michel
Pl. P. Naze
Parvis St Michel
Centre Commercial Espace Coty
Poste
Lycée François 1er
Temple
Ecole Raspail
Rue d'Epréménil
Rue Président Wilson
Poste
R. Henry Génestal
Ecole Henry Génestal
Avenue
Rue Frédéric Bellanger
Ecole St Roch
Rue Georges Braque
Square Saint Roch
Av. Général Leclerc
Hôtel de Ville
Théâtre de l'Hôtel de Ville
Bibliothèque
Salle de Sports
Eglise Anglicane
Collège Irène Joliot Curie
Pl. Danton
Ecole Assomption
Immaculée Conception
Petit Théâtre
Maison d'Arrêt
Salle de Sports
Avenue Foch
Place de l'Hôtel de Ville
Sous Préfecture
Tribunal Pour Enfants
Palais de Justice
Tribunal de Commerce
Conseil des Prud'hommes
Lycée Jules Lecesne
Boulevard de Strasbourg
Rue Paul Doumer
Ecole Mailleraye
Pl. Léon Meyer
Place du Chillou
Place Jules Ferry
Poste
Pl. Pierre Courant
ANPE
Gendarmerie
DDE
CPAM
St Joseph
Synagogue
Rue Victor Hugo
Monument de la Victoire
Pl. A. Perret
Rue de Paris
CCI
Tribunal d'Instance
Direction des Douanes
Collège Raoul Dufy
Clinique François 1er
Pl. des Halles Centrales
Halles Centrales
Rue Louis Brindeau
Espace Oscar Niemeyer
Maison de la Culture le Volcan
Pl. Gén. De Gaulle
Bassin du Commerce
Quai Georges V
Centre de Commerce International
Chaussée du 24ème Territoriale
Quai Colbert
Rue Voltaire
Quai G. Le Testu
Quai Lamblardie
Rue André Carrette
Pont Vauban
Bassin Vauban
Ecole Supérieure de Commerce (ESC)
Pl. Albert René
Ecole J. Macé
Bassin du Roy
Pl. Père Arson
St François
Salle de Sports
Musée de l'Ancien Havre
Bassin de la Barre
Jardin Japonais
Rue Frissard
Pont de l'Eure
Lycée Porte Océane
Muséum d'Histoire Naturelle
Pl. du Vieux Marché
Halle aux Poissons
Musée Dubocage De Bléville
Centre Administratif du Port Autonome du Havre
Quai Casimir Delavigne
Salle de Sports
Notre Dame
Poste
Boulevard François 1er
Place de la Commune
Pont du Dr P. Denis
Ancienne Maison de l'Armateur
Marché aux Poissons
Quai de Southampton
Bassin de la Citadelle
Quai de Norvège
Quai du Cameroun
Pont de la Manche
Terre Plein de la Barre
Quai de Cadix
Terre Plein de la Jetée
Musée des Beaux Arts Malraux
Place Guynemer
Chaussée J. Kennedy
Capitainerie du Port
Quai des Abeilles
Car Ferries Grande Bretagne
Terminal de Grande Bretagne
Avenue Lucien Corbeaux
Quai Auguste Brostrom
Bassin de la Manche
Quai de la Marine
Quai de New York
Quai de Guinée
Bassin de l'Eure
N
0
100
200m

Lille

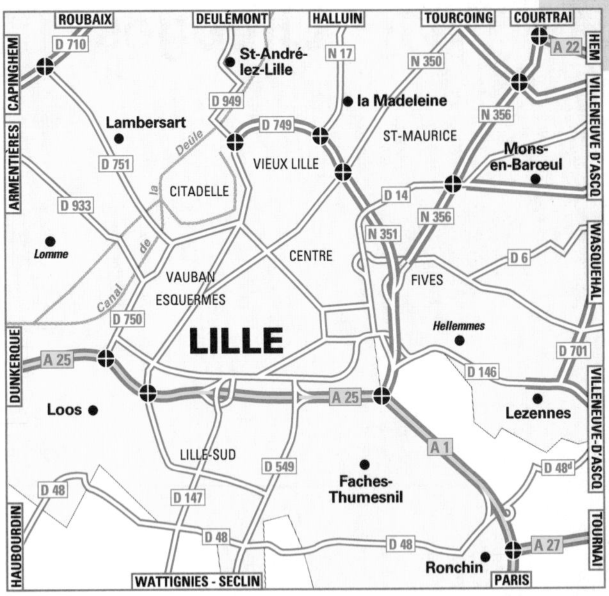
ROUBAIX
DEULÉMONT
HALLUIN
TOURCOING
COURTRAI
CAPINGHEM
ARMENTIÈRES
DUNKERQUE
HAUBOURDIN
WATTIGNIES - SECLIN
PARIS
HEM
VILLENEUVE D'ASCQ
WASQUEHAL
VILLENEUVE-D'ASCQ
TOURNAI
St-André-lez-Lille
la Madeleine
Lambersart
ST-MAURICE
Mons-en-Barœul
VIEUX LILLE
CITADELLE
Lomme
CENTRE
FIVES
VAUBAN
ESQUERMES
Hellemmes
LILLE
Loos
Lezennes
LILLE-SUD
Faches-Thumesnil
Ronchin
Canal de la Deûle
D 710
D 949
D 749
N 17
N 350
N 356
A 22
D 751
D 933
D 14
N 351
D 6
D 750
A 25
D 701
D 146
A 1
D 549
D 48
D 147
D 48d
A 27

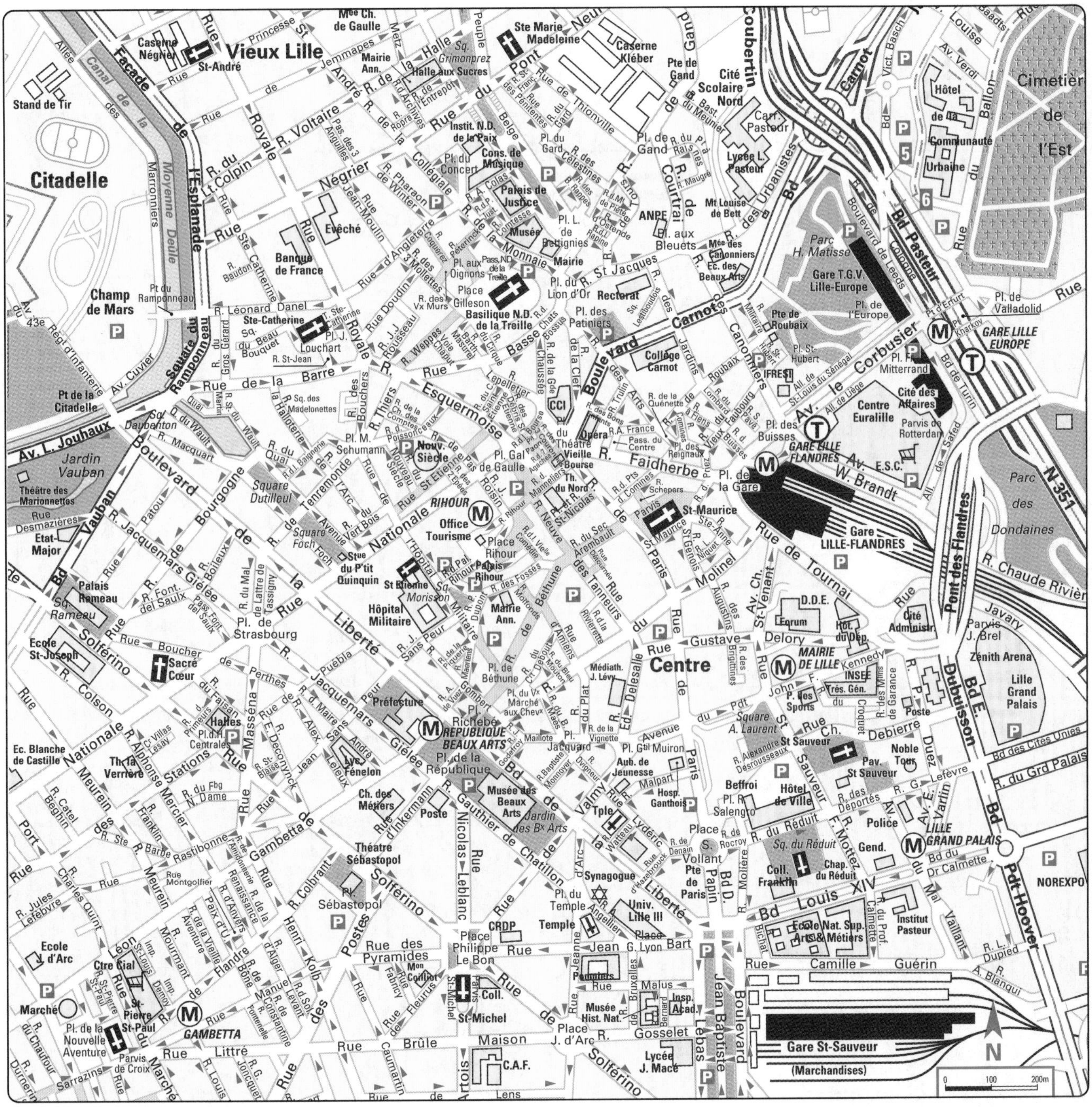
Vieux Lille
Citadelle
Champ de Mars
Jardin Vauban
Théâtre des Marionnettes
Stand de Tir
Caserne Négrier
St-André
Caserne Kléber
Cité Scolaire Nord
Lycée L. Pasteur
Parc H. Matisse
Gare T.G.V. Lille-Europe
GARE LILLE EUROPE
Centre Euralille
Cité des Affaires
GARE LILLE FLANDRES
Gare LILLE-FLANDRES
Parc des Dondaines
Cimetière de l'Est
Hôtel de la Communauté Urbaine
Palais de Justice
Musée
Basilique N.D. de la Treille
Évêché
Banque de France
Ste-Catherine
Préfecture
RÉPUBLIQUE BEAUX ARTS
Pl. de la République
Musée des Beaux Arts
Jardin des Bx Arts
Hôpital Militaire
Office Tourisme
RIHOUR
Palais Rihour
Opéra
Vieille Bourse
Th. du Nord
Pl. Gal de Gaulle
Nouv. Siècle
St-Maurice
Centre
MAIRIE DE LILLE
Beffroi
Hôtel de Ville
Zénith Arena
Lille Grand Palais
LILLE GRAND PALAIS
NOREXPO
Théâtre Sébastopol
Pl. Sébastopol
Synagogue
Univ. Lille III
Ecole Nat. Sup. Arts & Métiers
Institut Pasteur
Gare St-Sauveur (Marchandises)
GAMBETTA
Marché
Ecole J. d'Arc
Sacré Cœur
Palais Rameau
Ecole St-Joseph
Etat-Major
Halles
Boulevard de la Liberté
Rue Nationale
Rue Solférino
Rue Gambetta
Bd Louis XIV
Bd Carnot
Bd Pasteur
Pont des Flandres
N 351
N
0 100 200m

Limoges

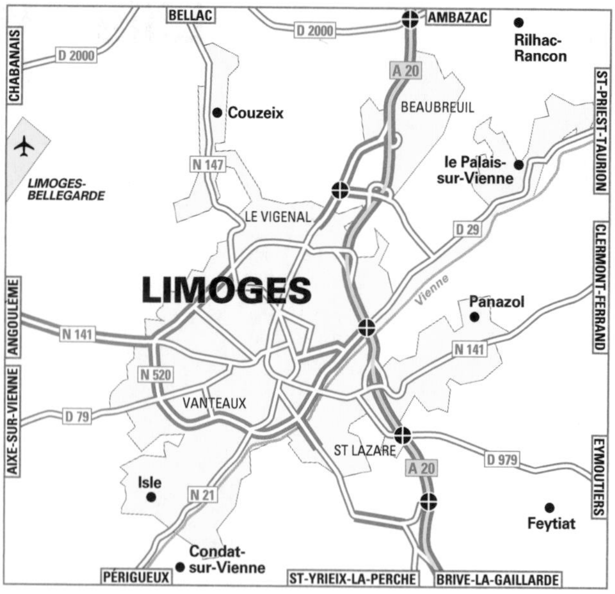
BELLAC
AMBAZAC
CHABANAIS
D 2000
Rilhac-Rancon
A 20
BEAUBREUIL
ST-PRIEST-TAURION
Couzeix
LIMOGES-BELLEGARDE
N 147
le Palais-sur-Vienne
LE VIGENAL
D 29
CLERMONT-FERRAND
LIMOGES
Vienne
ANGOULÊME
Panazol
N 141
N 520
AIXE-SUR-VIENNE
VANTEAUX
D 79
ST LAZARE
D 979
EYMOUTIERS
Isle
N 21
Feytiat
Condat-sur-Vienne
PÉRIGUEUX
ST-YRIEIX-LA-PERCHE
BRIVE-LA-GAILLARDE

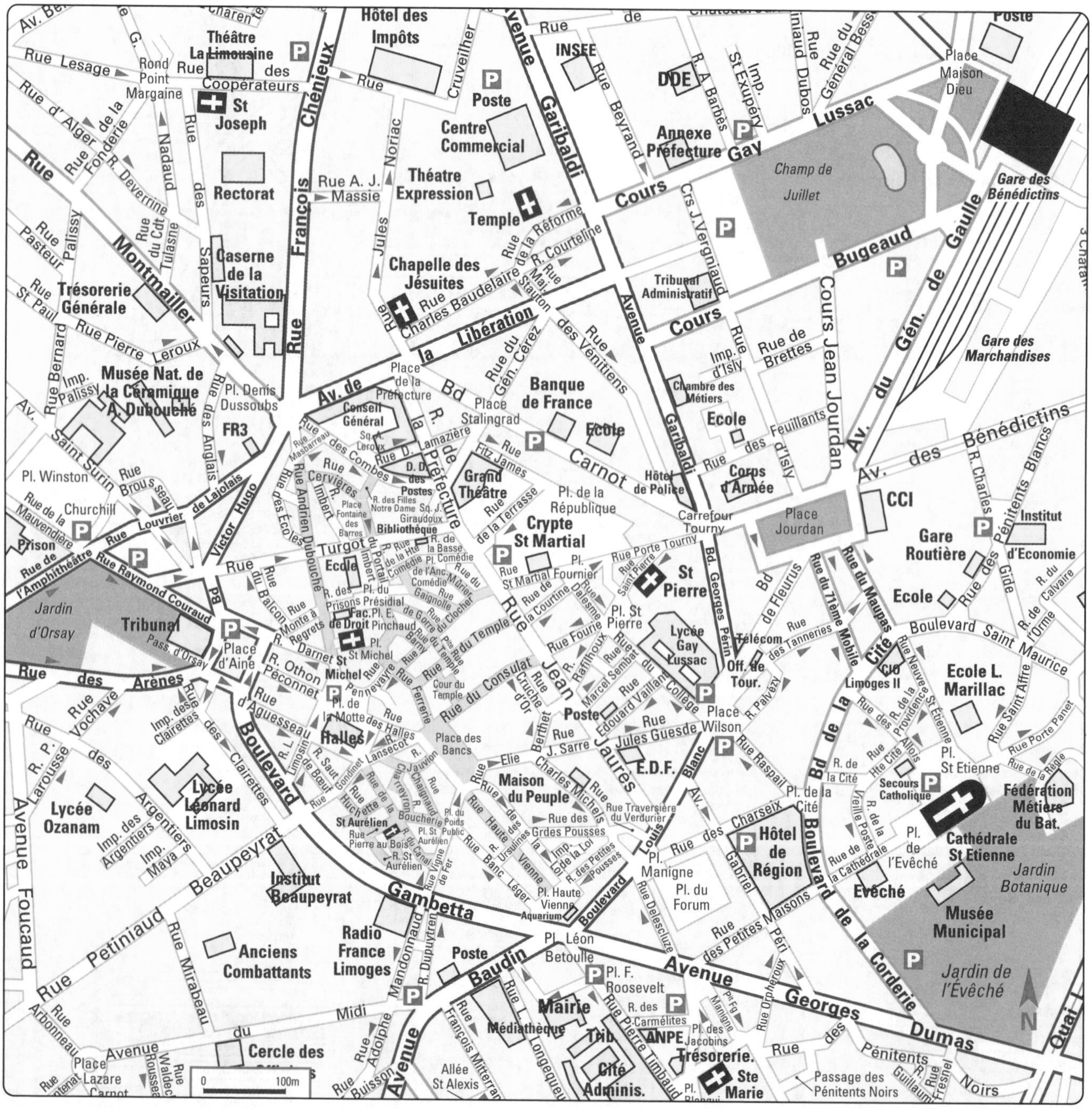
Théâtre La Limousine
Hôtel des Impôts
INSEE
DDE
Poste
St Joseph
Centre Commercial
Annexe Préfecture
Champ de Juillet
Gare des Bénédictins
Rectorat
Théâtre Expression
Temple
Cours Gay Lussac
Cours Bugeaud
Caserne de la Visitation
Chapelle des Jésuites
Tribunal Administratif
Trésorerie Générale
Gare des Marchandises
Musée Nat. de la Céramique A. Dubouché
Conseil Général
Banque de France
Chambre des Métiers
Ecole
FR3
Grand Théâtre
Hôtel de Police
Corps d'Armée
Pl. Winston Churchill
Pl. de la République
Carrefour Tourny
Place Jourdan
CCI
Prison
Bibliothèque
Crypte St Martial
Gare Routière
Institut d'Economie
St Pierre
Jardin d'Orsay
Tribunal
Place d'Aine
Fac. de Droit
Lycée Gay Lussac
Ecole L. Marillac
Halles
Maison du Peuple
E.D.F.
Hôtel de Région
Fédération Métiers du Bat.
Lycée Ozanam
Lycée Léonard Limosin
Cathédrale St Etienne
Jardin Botanique
Institut Beaupeyrat
Evêché
Musée Municipal
Anciens Combattants
Radio France Limoges
Jardin de l'Évêché
Mairie
Médiathèque
ANPE
Trésorerie
Cercle des Officiers
Cité Adminis.
Ste Marie
Avenue Georges Dumas
Boulevard Gambetta
Avenue Foucaud
0
100m
N

Lyon

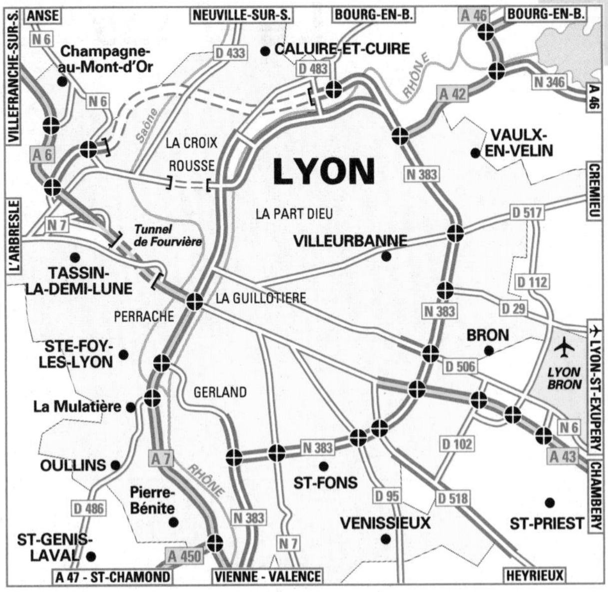
ANSE
NEUVILLE-SUR-S.
BOURG-EN-B.
A 46
BOURG-EN-B.
VILLEFRANCHE-SUR-S.
N 6
Champagne-au-Mont-d'Or
D 433
CALUIRE-ET-CUIRE
D 483
RHÔNE
A 42
N 346
A 46
N 6
Saône
LA CROIX ROUSSE
LYON
VAULX-EN-VELIN
A 6
N 383
CREMIEU
L'ARBRESLE
LA PART DIEU
D 517
N 7
Tunnel de Fourvière
VILLEURBANNE
TASSIN-LA-DEMI-LUNE
D 112
LA GUILLOTIERE
N 383
D 29
PERRACHE
BRON
STE-FOY-LES-LYON
LYON BRON
D 506
LYON-ST-EXUPERY
GERLAND
La Mulatière
N 6
D 102
A 43
N 383
A 7
RHÔNE
OULLINS
CHAMBERY
Pierre-Bénite
D 95
D 518
D 486
N 383
VENISSIEUX
ST-FONS
ST-PRIEST
ST-GENIS-LAVAL
N 7
A 450
A 47 - ST-CHAMOND
VIENNE - VALENCE
HEYRIEUX

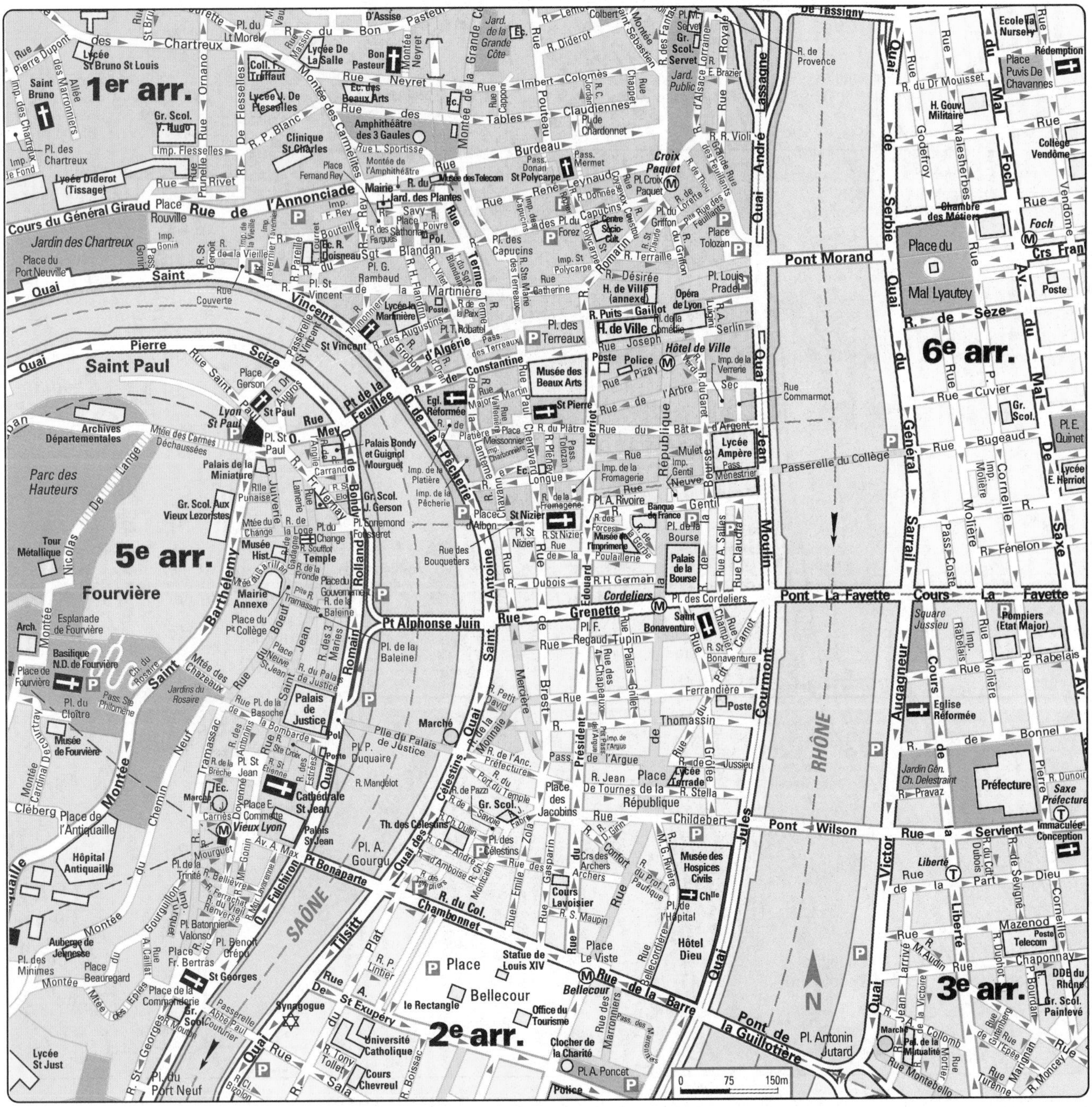
1er arr.
2e arr.
3e arr.
5e arr.
6e arr.
Saint Bruno
Lycée St Bruno St Louis
Allée des Marronniers
Rue des Chartreux
Pl. des Chartreux
Lycée Diderot (Tissage)
Gr. Scol. V. Hugo
Coll. F. Truffaut
Lycée J. De Flesselles
Clinique St Charles
Lycée De La Salle
Bon Pasteur
Montée de la Grande Côte
Jard. de la Grande Côte
Montée des Carmélites
Rue Neyret
Rue Imbert Colomès
Rue des Tables Claudiennes
Pl. de Chardonnet
Amphithéâtre des 3 Gaules
Ec. des Beaux Arts
Rue Burdeau
Pass. Mermet
Rue René Leynaud
St Polycarpe
Musée des Telecom
Jard. des Plantes
Mairie
Croix Paquet
Pl. Croix Paquet
Cours du Général Giraud
Rue de l'Annonciade
Place Rouville
Jardin des Chartreux
Place du Port Neuville
Quai Saint Vincent
Rue des Capucins
Pl. des Capucins
Pl. Sathonay
Rue Terme
Rue de la Martinière
Lycée la Martinière
Rue d'Algérie
Pl. des Terreaux
H. de Ville
H. de Ville (annexe)
Opéra de Lyon
Pl. Louis Pradel
Place Tolozan
Rue Royale
Quai André Lassagne
Pont Morand
Rue Puits Gaillot
Rue Joseph Serlin
Hôtel de Ville
Rue Constantine
Musée des Beaux Arts
Egl. Réformée
St Pierre
Rue de l'Arbre Sec
Rue Commarmot
Rue du Bât d'Argent
Lycée Ampère
Passerelle du Collège
Rue de la République
Rue Mulet
Quai Pierre Scize
Saint Paul
Lyon St Paul
Pl. St Paul
Place Gerson
Archives Départementales
Parc des Hauteurs
Palais de la Miniature
Gr. Scol. Aux Vieux Lezor
Palais Bondy et Guignol Mourguet
Gr. Scol. J. Gerson
Pl. de la Feuillée
Pt de la Feuillée
Quai de la Pêcherie
Quai de Bondy
Rue de la Platière
Place d'Albon
St Nizier
Pl. St Nizier
Rue des Bouquetiers
Musée de l'Imprimerie
Banque de France
Palais de la Bourse
Pl. de la Bourse
Tour Métallique
Montée Nicolas de Lange
Fourvière
Musée Hist.
Mairie Annexe
Place du Pt Collège
Esplanade de Fourvière
Basilique N.D. de Fourvière
Place de Fourvière
Pl. du Cloître
Musée de Fourvière
Jardins du Rosaire
Montée Saint Barthélemy
Pt Alphonse Juin
Quai Romain Rolland
Quai Saint Antoine
Rue Grenette
Cordeliers
Pl. des Cordeliers
Saint Bonaventure
Pont La Fayette
Cours La Fayette
Square Jussieu
Pompiers (Etat Major)
Quai Jean Moulin
Quai de Serbie
Quai Général Sarrail
Pl. du Mal Lyautey
Rue de Sèze
Rue Cuvier
Rue Bugeaud
Rue Fénelon
Rue Molière
Rue Vendôme
Cours Franklin Roosevelt
Foch
Collège Vendôme
Chambre des Métiers
H. Gouv. Militaire
Ecole la Nursery
Rédemption
Place Puvis De Chavannes
Pl. E. Quinet
Lycée E. Herriot
Palais de Justice
Marché
Plle du Palais de Justice
Place Duquaire
Cathédrale St Jean
Vieux Lyon
Palais St Jean
Place de l'Antiquaille
Hôpital Antiquaille
Montée du Chemin Neuf
Th. des Célestins
Pl. des Célestins
Quai des Célestins
Place des Jacobins
Place de la République
Rue Jean de Tournes
Rue Childebert
Pont Wilson
Musée des Hospices Civils
Chlle de l'Hôpital
Hôtel Dieu
Cours Lavoisier
Place Le Viste
Quai Jules Courmont
RHÔNE
Quai Victor Augagneur
Cours de la Liberté
Eglise Réformée
Rue Bonnel
Jardin Gén. Ch. Delestraint
Préfecture
Saxe Préfecture
Rue Servient
Liberté
Immaculée Conception
Rue de Bonnel
Rue Dunoir
Rue Duguesclin
Rue Mazenod
Poste Telecom
Rue Chaponnay
DDE du Rhône
Gr. Scol. Painlevé
Pl. de la Mutualité
Rue Montebello
Rue de Créqui
Rue Moncey
Pont de la Guillotière
Pl. Antonin Jutard
SAÔNE
Pt Bonaparte
Quai Fulchiron
Quai Tilsitt
Place Bellecour
Statue de Louis XIV
le Rectangle
Office du Tourisme
Bellecour
Rue de la Barre
Clocher de la Charité
Pl. A. Poncet
Rue Sala
Université Catholique
Cours Chevreul
Synagogue
Rue St Exupéry
Rue A. Boissac
St Georges
Auberge de Jeunesse
Pl. des Minimes
Place Beauregard
Montée des Epies
Place de la Commanderie
Lycée St Just
Pl. du Port Neuf
Rue St Georges
Passerelle Abbé Paul Couturier
Pl. Benoit Crépu
Pl. Batonnier Valonso
Montée du Gourguillon
Place Fr. Bertras
Av. A. Max
Rue Mourguet
Pl. de la Trinité
0 75 150m
N

Le Mans

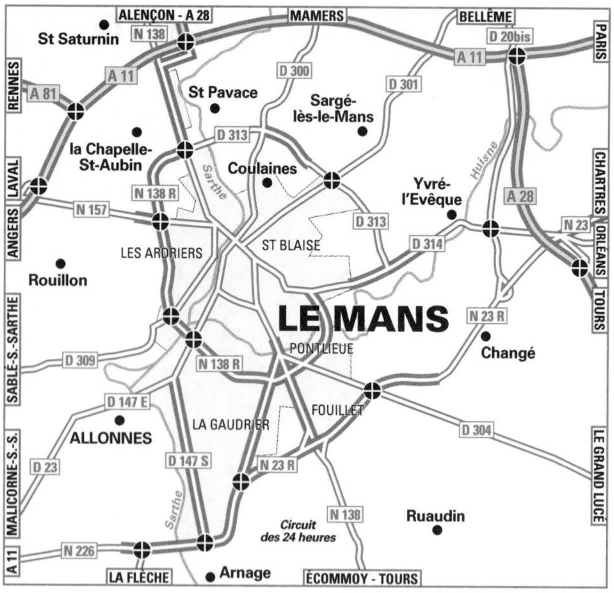

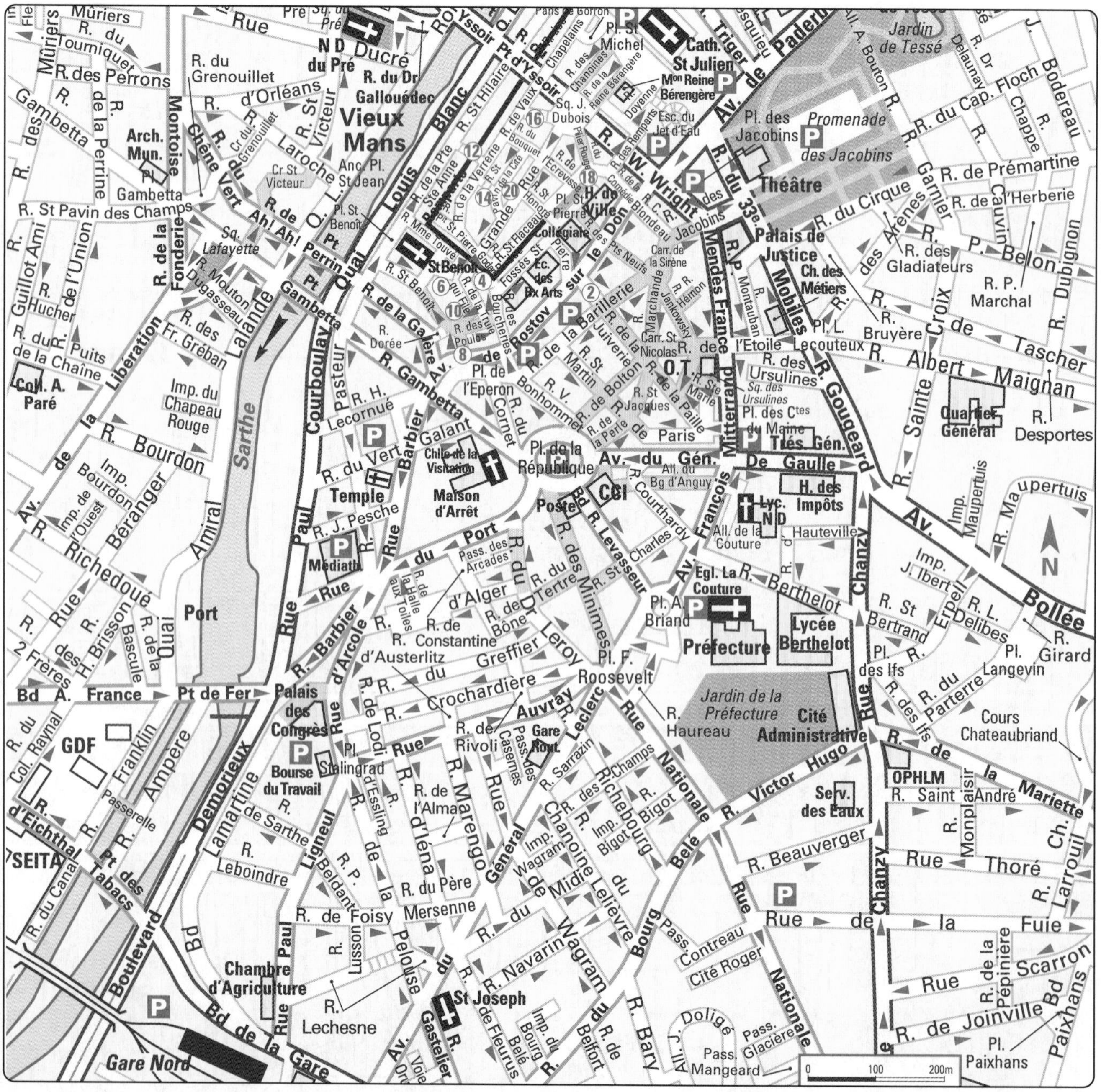

② Cour d'Assé ; ④ Impasse de l'Avocat ; ⑥ Escalier des Boucheries ; ⑧ Rue des Falotiers ; ⑩ Escalier de la Grande Poterne ; ⑫ Rue et Place du Hallai ; ⑭ Escalier Pierre De Lucé ; ⑯ Escalier de la Petite Poterne ; ⑱ Rue des Trois Sonnettes ; ⑳ Rue de la Vieille Porte

Marseille

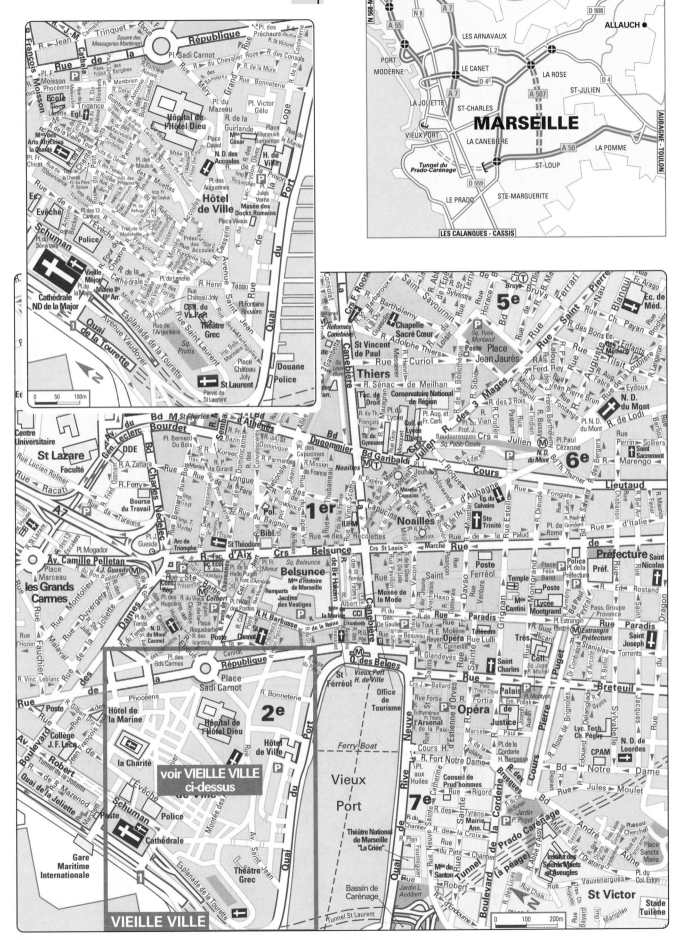

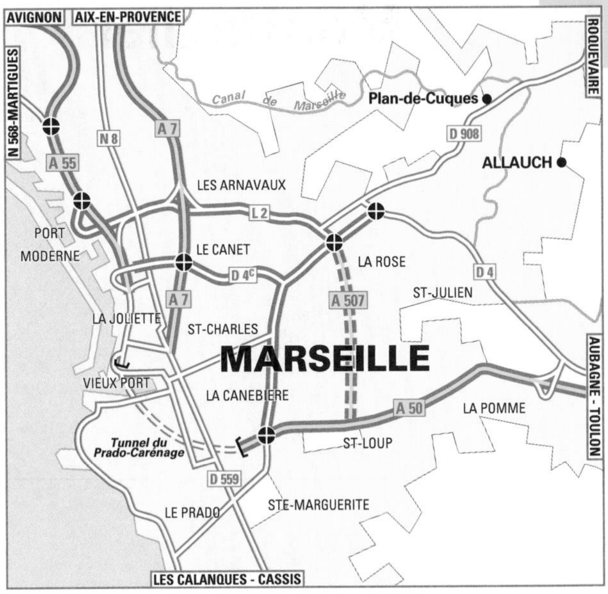

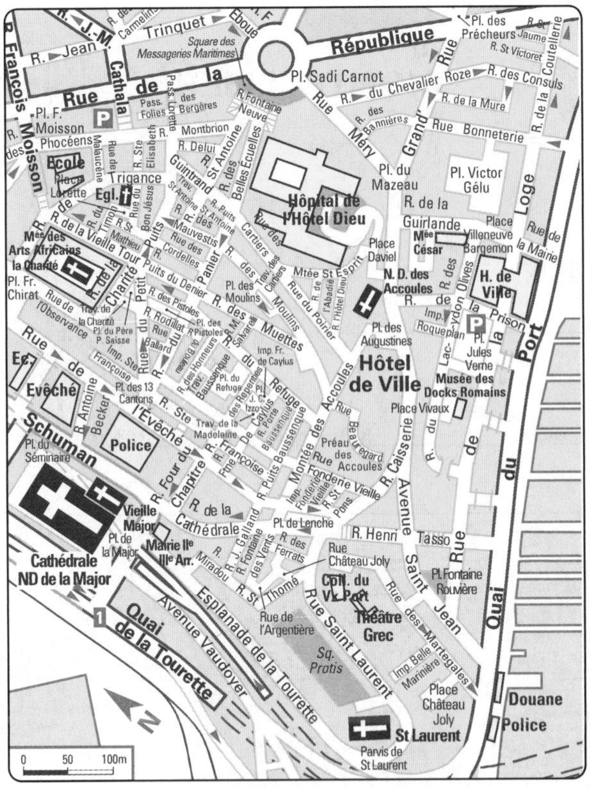

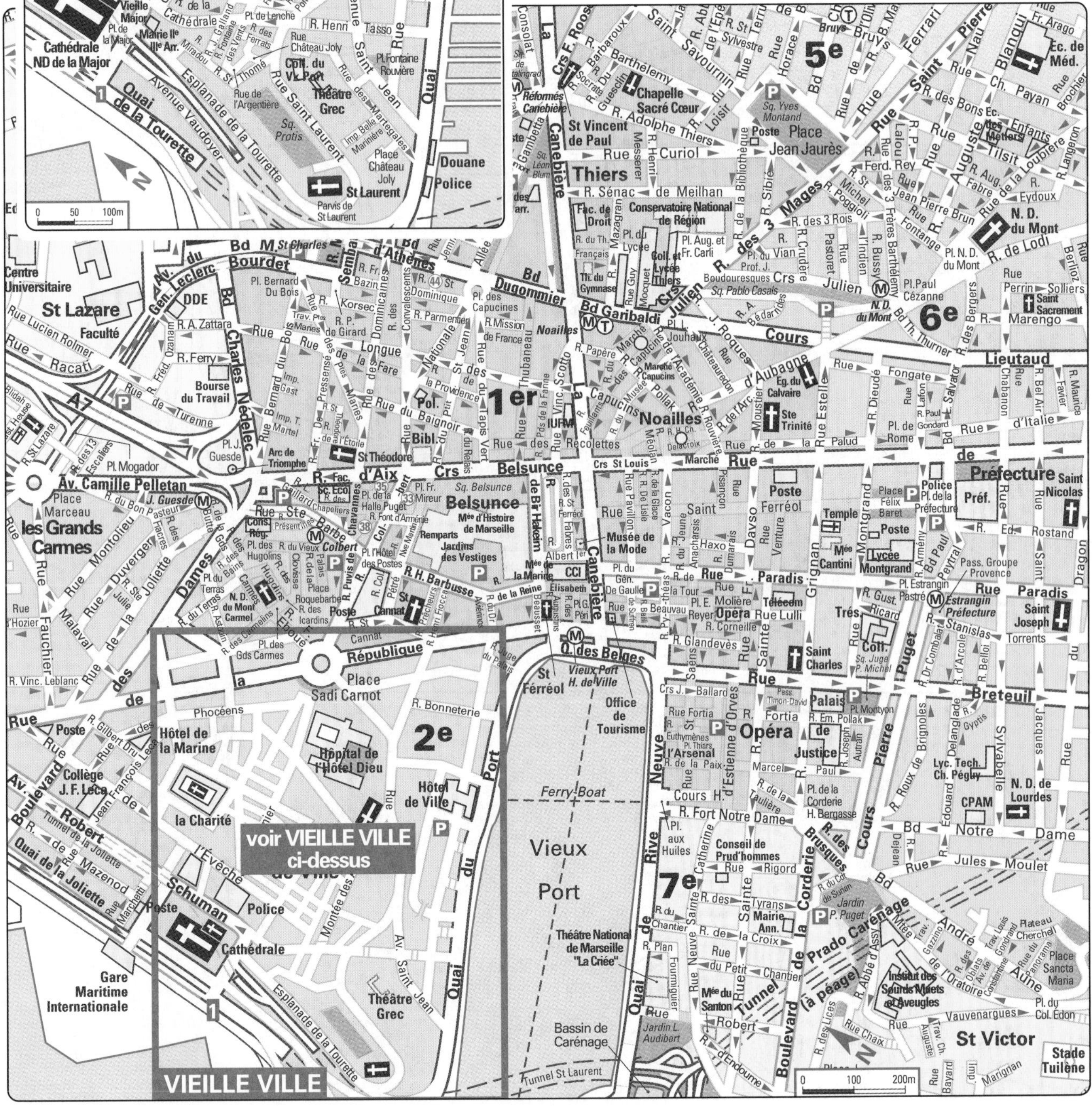

(33) Rue Magenta ; (35) Rue du Mont de Piété ; (38) Rue des Pénitents Bleus ; (44) Traverse Saint Dominique

Montpellier

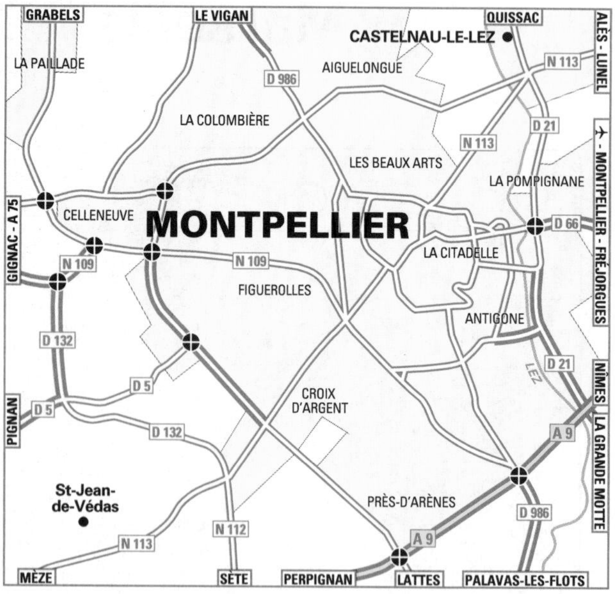

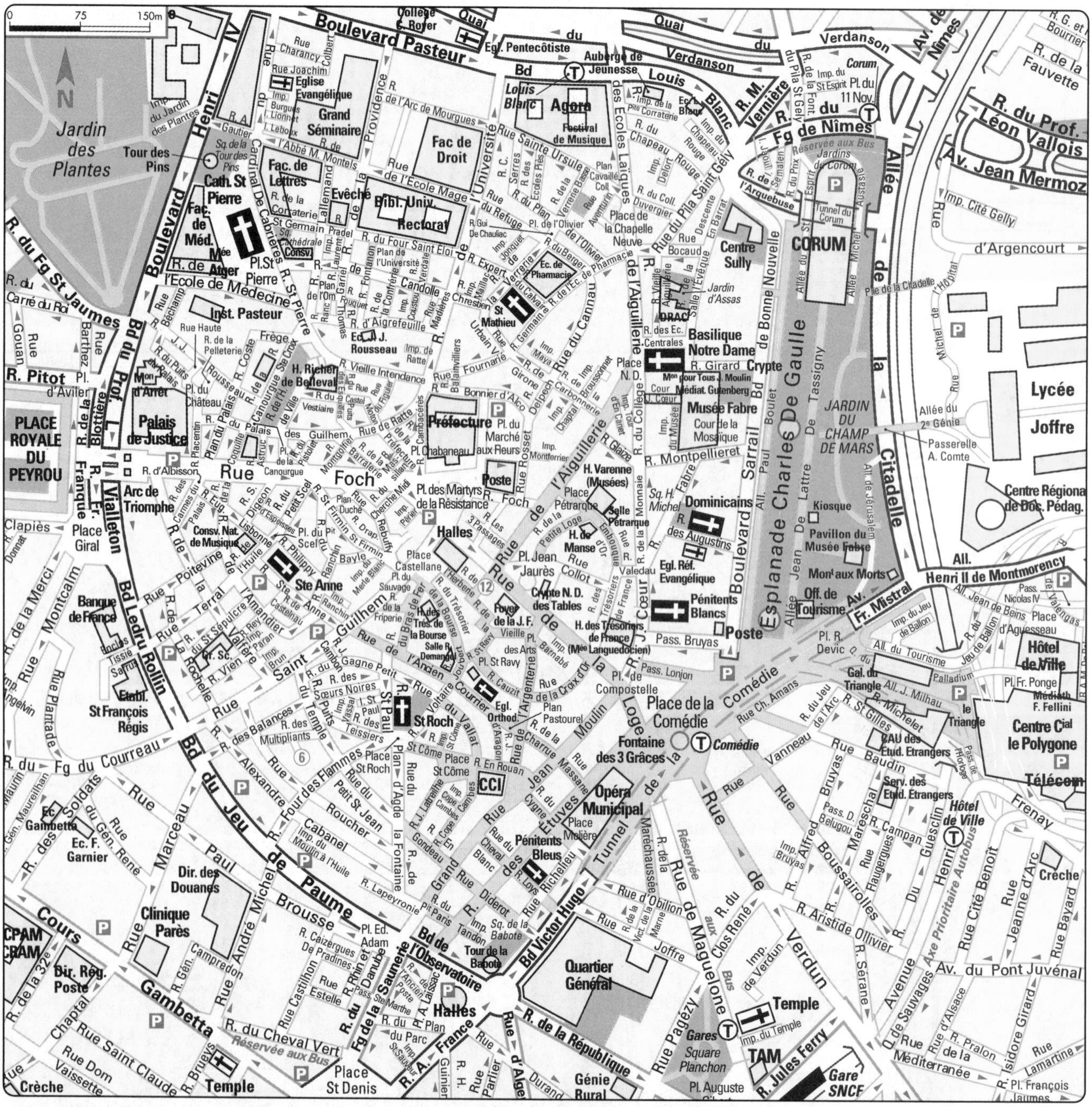

⑥ Impasse des Multipliants ; ⑫ Rue Draperie Rouge

Mulhouse

GUEBWILLER
PULVERSHEIM
ENSISHEIM
ENSISHEIM
STRASBOURG
WITTENHEIM
D 429
D 20
D 201
Baldersheim
A 35
D 55
Kingersheim
WITTELSHEIM
D 155
Sausheim
ALLEMAGNE
D 430
Richwiller
ILLZACH
A 36
D 38
D 39
Pfastatt
BOURTZWILLER
THANN
Lutterbach
Doller
au
Rhin
Rhône
D 201
D 20
A 35
N 66
N 66
A 36
MULHOUSE
Riedisheim
Rixheim
BELFORT
DORNACH
D 432
du
Canal
N 466
Morschwiller-le-Bas
REBBERG
D 56
D 201
HABSHEIM
BALE
Brunstatt
Zimmersheim
Didenheim
Eschentzwiller
FRŒNINGEN
ALTKIRCH
SIERENTZ

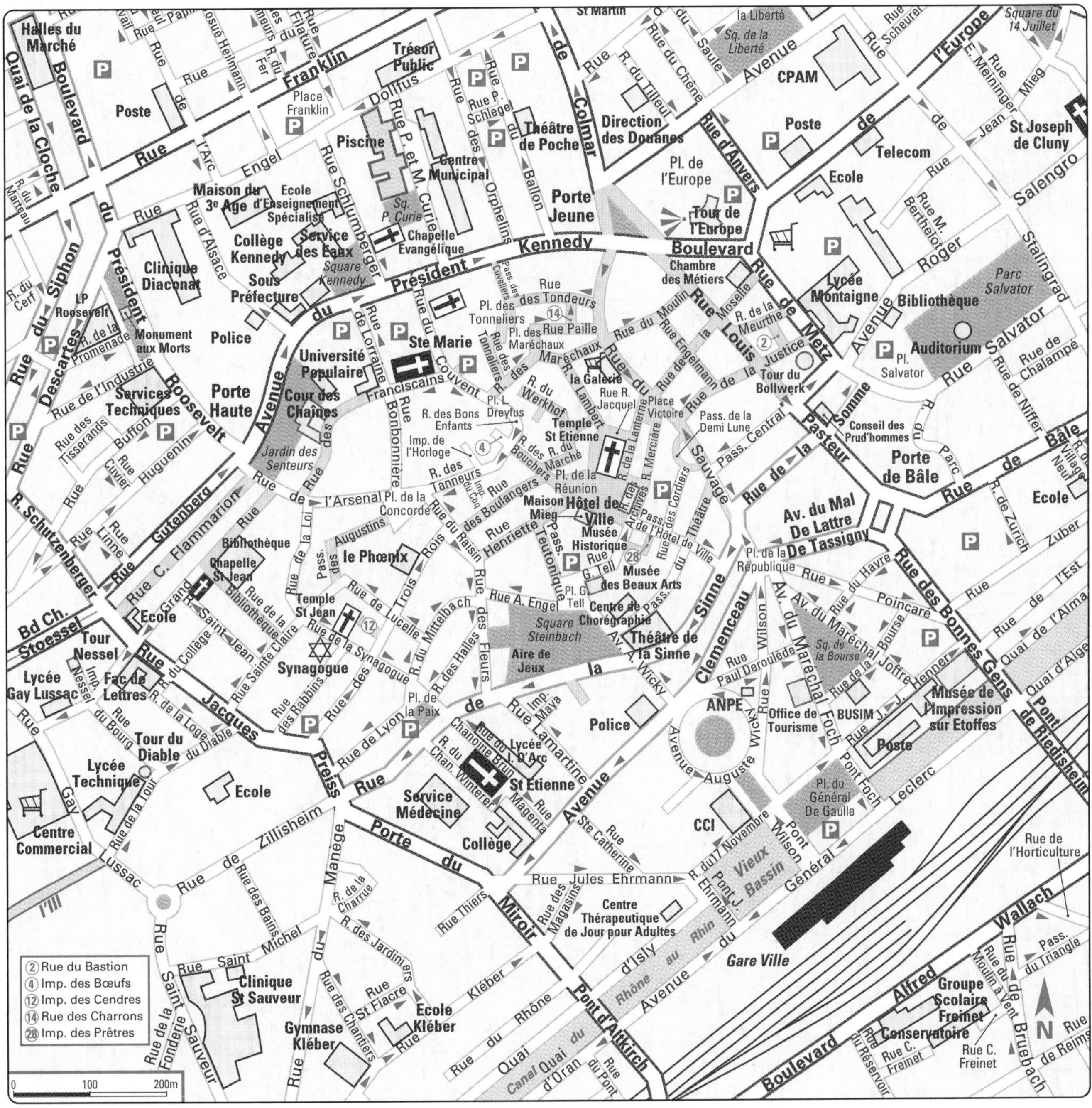
Halles du Marché
Quai de la Cloche
Boulevard
Poste
Rue Franklin
Place Franklin
Trésor Public
Rue Dollfus
Piscine
Rue P. et M. Curie
Rue P. Schlegel
Rue des Orphelins
Rue du Ballon
Théâtre de Poche
Rue de Colmar
Direction des Douanes
Rue du Tilleul
Rue du Chêne
Rue du Saule
Sq. de la Liberté
Avenue de l'Europe
CPAM
Rue Scheurer
Square du 14 Juillet
Rue E. Meininger
Rue Jean Mieg
St Joseph de Cluny
Poste
Rue d'Anvers
Telecom
Pl. de l'Europe
Ecole
Rue Salengro
Rue Engel
Rue de l'Arc
Maison du 3e Age
Ecole d'Enseignement Spécialisé
Centre Municipal
Sq. P. Curie
Chapelle Evangélique
Porte Jeune
Tour de l'Europe
Rue M. Berthelot
Collège Kennedy
Service des Eaux
Rue Schlumberger
Square Kennedy
Boulevard du Président Kennedy
Rue Roger
Clinique Diaconat
Sous Préfecture
Rue d'Alsace
Chambre des Métiers
Rue de Metz
Lycée Montaigne
Bibliothèque
Parc Salvator
Rue du Siphon
Rue du Président Roosevelt
LP Roosevelt
R. du Cerf
Rue Descartes
R. de la Promenade
Monument aux Morts
Police
Université Populaire
Rue de Lorraine
Ste Marie
Rue du Couvent
Rue des Franciscains
Pass. des Cuveliers
Rue des Tondeurs
Pl. des Tonneliers
Rue Paille
Pl. des Maréchaux
Rue des Maréchaux
Rue du Moulin
Rue Louis
R. de la Meurthe
Rue de la Moselle
Rue de la Justice
Avenue Salvator
Auditorium
Pl. Salvator
Rue de Chalampe
Rue de Niffer
Rue Stalingrad
Rue de l'Industrie
Services Techniques
Porte Haute
Avenue
Cour des Chaînes
Jardin des Senteurs
Rue Buffon
Rue Cuvier
Rue Huguenin
Rue des Tisserands
la Galerie
Rue R. Jacquel
Place Victoire
R. du Werkhof
R. Lambert
Rue de la Lanterne
Rue Engelmann
Tour du Bollwerk
Rue de la Somme
Conseil des Prud'hommes
Pass. de la Demi Lune
Pass. Central
R. des Bons Enfants
Imp. de l'Horloge
Pl. L. Dreyfus
Temple St Etienne
R. des Bouchers
R. du Marché
Rue Mercière
Rue du Sauvage
Rue du Pasteur
Porte de Bâle
Rue de Bâle
Rue des Tanneurs
Imp. du Coq
Rue des Boulangers
Pl. de la Réunion
Maison Mieg
Hôtel de Ville
R. des Archives
Pass. des Cordiers
Pass. de l'Hôtel de Ville
Rue du Théâtre
Rue de la Sinne
Av. du Mal De Lattre De Tassigny
Rue de Zurich
Rue du Village Neuf
Ecole
R. Schutzenberger
Rue Linné
Rue Gutenberg
Rue C. Flammarion
Rue de l'Arsenal
Pl. de la Concorde
Rue de la Loi
Rue des Augustins
Rue Bonbonnière
Rue du Raisin
Rue Henriette
Pass. Teutonique
Musée Historique
Musée des Beaux Arts
Rue G. Tell
Pl. G. Tell
Imp. des Prêtres
Pl. de la République
Rue du Havre
Rue Poincaré
Rue des Bonnes Gens
Rue Zuber
Rue de l'Est
Quai de l'Alma
Quai d'Alger
Bibliothèque
Chapelle St Jean
Pass. des Augustins
le Phoenix
Rue des Trois Rois
Rue A. Engel
Centre de Chorégraphie
Rue de la Bibliothèque
Grand' Rue
Temple St Jean
Rue de Lucelle
Rue du Mittelbach
Square Steinbach
Aire de Jeux
Théâtre de la Sinne
Rue Wilson
Av. du Maréchal Joffre
Sq. de la Bourse
Rue de la Bourse
Rue Henner
Bd Ch. Stoessel
Tour Nessel
Ecole
Rue Saint Jean
Rue Sainte Claire
Synagogue
Rue de la Synagogue
R. des Halles
Rue des Fleurs
Rue Clemenceau
Rue Paul Deroulède
Rue de la Mer
Lycée Gay Lussac
Imp. Nessel
Fac de Lettres
R. du Collège
Rue des Rabbins
Rue des Bons Enfants
Pl. de la Paix
Rue de la Paix
Imp. Maya
Police
ANPE
Office de Tourisme
BUSIM
J. J. Henner
Musée de l'Impression sur Etoffes
Pont de Riedisheim
Rue du Bourg
R. de la Loge
Rue Jacques Preiss
Rue du Diable
Tour du Diable
Rue de Lyon
Rue Lamartine
Lycée J. D'Arc
R. du Chan. Winterer
Chanoine Brun
St Etienne
Avenue Auguste Wicky
Rue Magenta
Poste
Pont Foch
Rue Leclerc
Lycée Technique
Rue de la Tour
Rue Gay Lussac
Ecole
Centre Commercial
Service Médecine
Rue de la Porte du Miroir
Collège
Rue Ste Catherine
CCI
Pl. du Général De Gaulle
Rue du 17 Novembre
Pont Wilson
Vieux Bassin
Avenue du Général Leclerc
Rue de l'Horticulture
Rue de Zillisheim
l'Ill
Rue du Manège
R. de la Charrue
Rue Jules Ehrmann
R. Ehrmann
Pont J. Ehrmann
Rue Thiers
Rue des Magasins
Centre Thérapeutique de Jour pour Adultes
Rue des Bains
Rue Saint Michel
R. des Jardiniers
Rue Wallach
Pass. du Triangle
Gare Ville
Rue Saint Sauveur
Clinique St Sauveur
Rue Kléber
Rue d'Isly
Rhône au Rhin
Rue St Fiacre
Ecole Kléber
Rue des Chantiers
Pont d'Altkirch
Rue du Rhône
Quai du Rhône
Canal
Quai d'Oran
Rue du Pont
Avenue
Groupe Scolaire Freinet
Conservatoire
Rue du Moulin à Vent
Rue de Bruebach
Rue de Reims
Rue Alfred
Boulevard
Rue du Réservoir
Rue C. Freinet
Rue C. Freinet
Gymnase Kléber
Rue de la Fonderie
N
② Rue du Bastion
④ Imp. des Bœufs
⑫ Imp. des Cendres
⑭ Rue des Charrons
㉘ Imp. des Prêtres
0
100
200m

Nancy

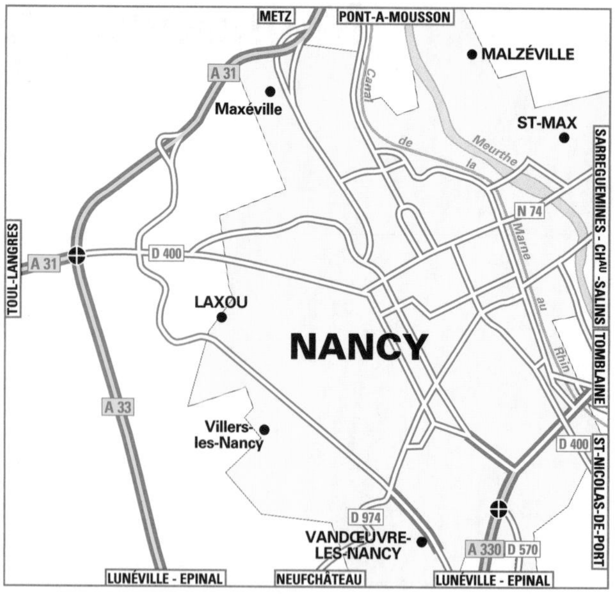
METZ
PONT-A-MOUSSON
MALZÉVILLE
A 31
Maxéville
ST-MAX
Canal
de la Meurthe
SARREGUEMINES - CHÂU-SALINS
N 74
TOUL-LANGRES
A 31
D 400
Marne au Rhin
LAXOU
NANCY
TOMBLAINE
A 33
Villers-les-Nancy
D 400
ST-NICOLAS-DE-PORT
D 974
VANDŒUVRE-LES-NANCY
A 330
D 570
LUNÉVILLE - EPINAL
NEUFCHÂTEAU
LUNÉVILLE - EPINAL

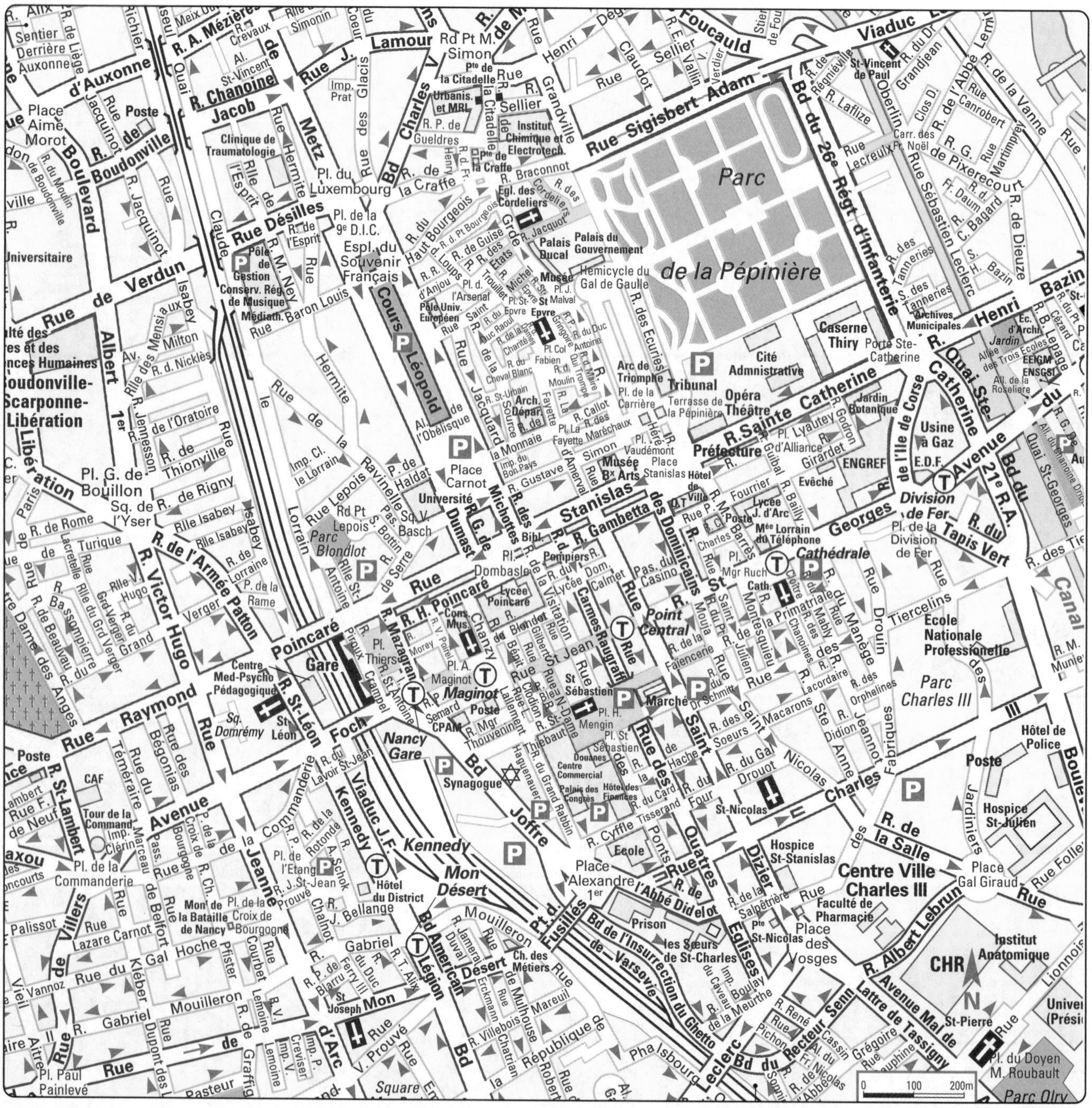
Parc de la Pépinière
Rue Sigisbert Adam
Bd du 26e Regt d'Infanterie
Viaduc
R. Foucauld
St-Vincent de Paul
Rue Oberlin
Rue Sébastien Leclerc
R. de la Vanne
R. G. de Pixerecourt
R. de Dieuze
Bazin
Henri
Archives Municipales
Quai Ste-Catherine
Jardin
EEIGM
ENSGSI
R. Sainte Catherine
Jardin Botanique
Usine à Gaz
E.D.F.
Avenue du 21e R.A.
Bd du Tapis Vert
Division de Fer
Pl. de la Division de Fer
Canal
Quai St-Georges
Caserne Thiry
Porte Ste-Catherine
Cité Administrative
Tribunal
Opéra Théâtre
Préfecture
Pl. Lyautey
R. Godron
Pl. d'Alliance
ENGREF
Evêché
Lycée J. d'Arc
Mée Lorrain du Téléphone
Cathédrale
Georges
Tiercelins
Ecole Nationale Professionelle
Parc Charles III
Hôtel de Police
Poste
Hospice St-Julien
Centre Ville Charles III
Faculté de Pharmacie
Institut Anatomique
CHR
St-Pierre
Pl. du Doyen M. Roubault
Parc Olry
Avenue Mal de Lattre de Tassigny
R. Albert Lebrun
Place Gal Giraud
Hospice St-Stanislas
St-Nicolas
Pte St-Nicolas
Place des Vosges
Rue Charles III
R. de la Salle
Palais Ducal
Palais du Gouvernement
Hémicycle du Gal de Gaulle
Arc de Triomphe
Pl. de la Carrière
Terrasse de la Pépinière
Musée Lorrain
Egl. des Cordeliers
Institut Chimique et Electrotech.
R. Braconnot
Grande Rue
Place Stanislas
Hôtel de Ville
Musée Bx Arts
Place Vaudémont
Stanislas
R. Gambetta
R. des Dominicains
Pl. Mgr Ruch
Point Central
Rue St-Dizier
Rue Saint Jean
St Sébastien
Marché
R. des Quatres Eglises
Rue des Ponts
Place Alexandre 1er
Prison
Les Sœurs de St-Charles
Bd de l'Insurrection du Ghetto de Varsovie
Bd Joffre
Synagogue
Nancy Gare
Gare
Place Thiers
Maginot
R. Mazagran
R. St-Léon
R. H. Poincaré
Lycée Poincaré
Rue Poincaré
Cours Léopold
Place Carnot
Université
Parc Blondlot
Rue de la Ravinelle
Rue de l'Hermite
R. de Serre
Espl. du Souvenir Français
Pl. de la 9e D.I.C.
Pl. du Luxembourg
Rue de Metz
Bd Charles V
Rue de la Citadelle
Porte de la Citadelle
Urbanis. et MRL
Rue Désilles
Pôle Gestion
Conserv. Rég. de Musique
Médiath.
Rue de Verdun
Boulevard Albert 1er
R. de Boudonville
R. Jacquinot
Poste
Clinique de Traumatologie
R. Chanoine Jacob
R. A. Mézières
Quai Claude le Lorrain
Place Aimé Morot
Boudonville-Scarpone-Libération
Av. de la Libération
Pl. G. de Bouillon
Sq. de l'Yser
R. de l'Armée Patton
R. Victor Hugo
Rue Raymond Poincaré
Centre Med-Psycho Pédagogique
Sq. Domrémy
St Léon
Rue Foch
Viaduc J.F. Kennedy
Mon Désert
Hôtel du District
Bd Américain
Légion
St Joseph
Rue d'Arc
CAF
Tour de la Command.
Pl. de la Commanderie
Rue de la Commanderie
Avenue de la Jeanne d'Arc
Mon de la Bataille de Nancy
Pl. de la Croix de Bourgogne
R. Gal Hoche
Rue Kléber
Rue de Villers
Rue du Gal Leclerc
Rue Lazare Carnot
Rue de Mulhouse
Ch. des Métiers
R. de la République
Pl. Paul Painlevé
Rue Pasteur
Square
Bd du Recteur Senn
Leclerc
Pha Isbourg
0 100 200m
N

Nantes

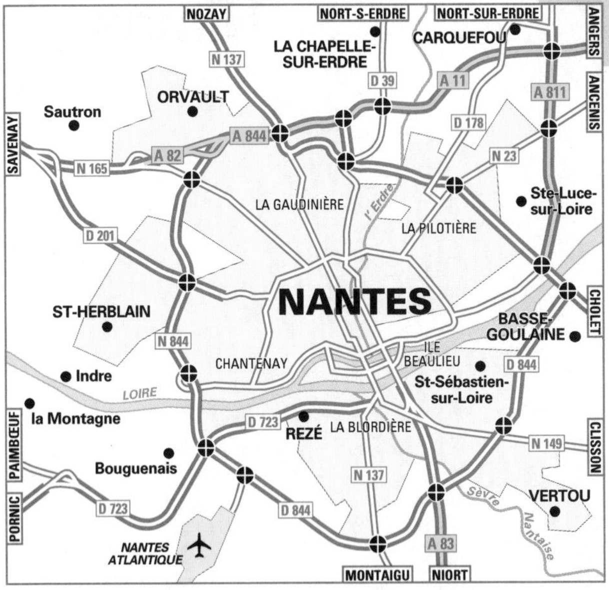
NOZAY
NORT-S-ERDRE
NORT-SUR-ERDRE
ANGERS
ANCENIS
SAVENAY
CHOLET
CLISSON
PAIMBŒUF
PORNIC
MONTAIGU
NIORT
LA CHAPELLE-SUR-ERDRE
CARQUEFOU
ORVAULT
Sautron
N 137
D 39
A 11
A 811
D 178
A 844
A 82
N 165
N 23
LA GAUDINIÈRE
l' Erdre
LA PILOTIÈRE
Ste-Luce-sur-Loire
D 201
NANTES
ST-HERBLAIN
BASSE-GOULAINE
N 844
CHANTENAY
ILE BEAULIEU
D 844
Indre
St-Sébastien-sur-Loire
LOIRE
la Montagne
D 723
REZÉ
LA BLORDIÈRE
N 149
Bouguenais
N 137
Sèvre Nantaise
VERTOU
D 723
D 844
NANTES ATLANTIQUE
A 83

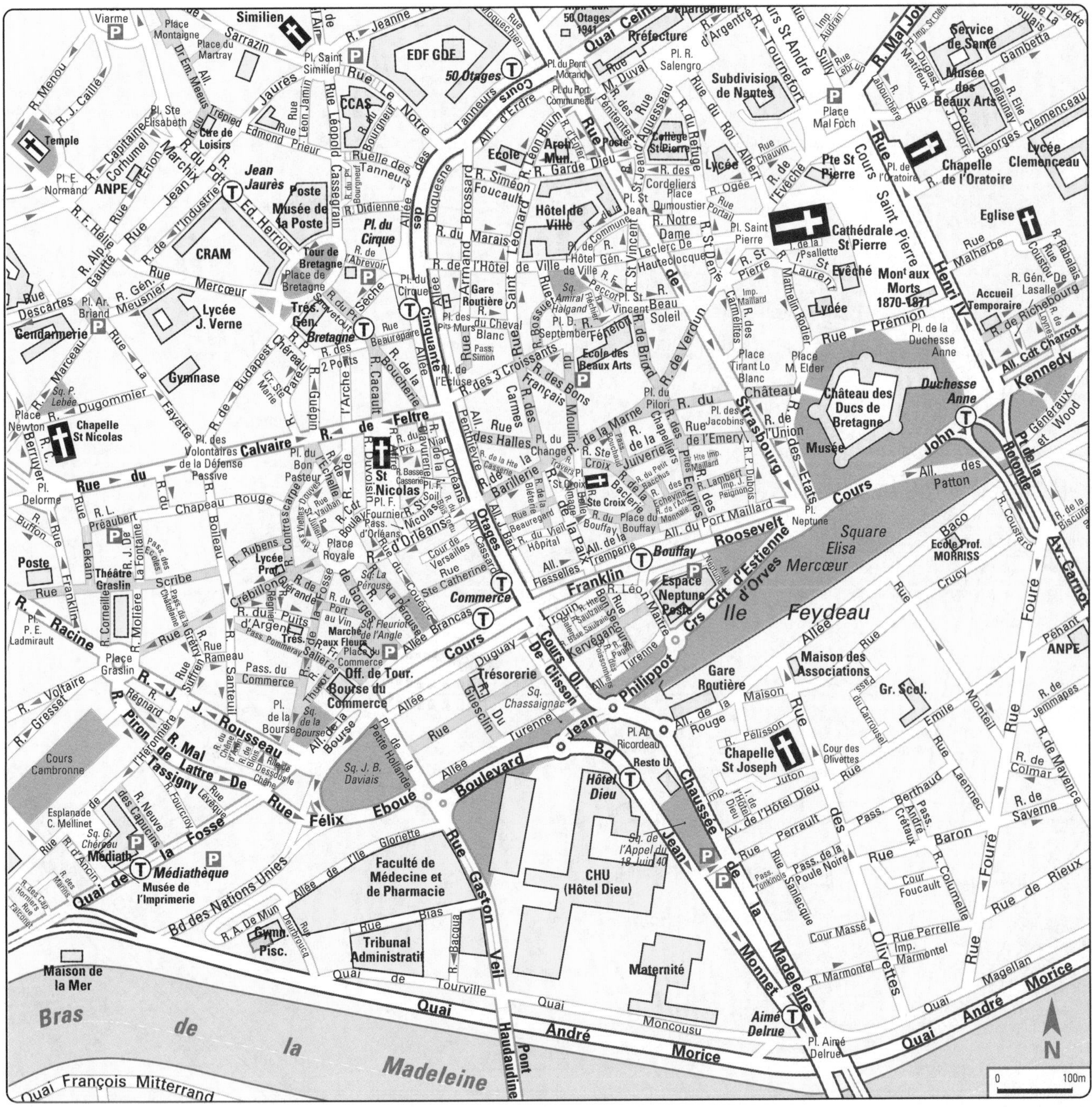
Similien
EDF GDF
50 Otages
Préfecture
Subdivision de Nantes
Service de Santé
Musée des Beaux Arts
Temple
CCAS
Ecole
Arch. Mun.
Collège St Pierre
Lycée
Place Mal Foch
Chapelle de l'Oratoire
Lycée Clemenceau
ANPE
Jean Jaurès
Poste Musée de la Poste
Hôtel de Ville
Pte St Pierre
Cathédrale St Pierre
Eglise
CRAM
Tour de Bretagne
Pl. du Cirque
Evêché
Mont aux Morts 1870-1871
Lycée J. Verne
Trés. Gén. Bretagne
Gare Routière
Beau Soleil
Lycée
Accueil Temporaire
Gendarmerie
Ecole des Beaux Arts
Château des Ducs de Bretagne
Duchesse Anne
Gymnase
Chapelle St Nicolas
St Nicolas
Musée
Ste Croix
Bouffay
Square Elisa Mercœur
Ecole Prof. MORRISS
Théâtre Graslin
Lycée Prof.
Place Royale
Commerce
Espace Neptune Poste
Ile Feydeau
ANPE
Off. de Tour.
Bourse du Commerce
Trésorerie
Gare Routière
Maison des Associations
Gr. Scol.
Cours Cambronne
Sq. J. B. Daviais
Chapelle St Joseph
Hôtel Dieu
Médiath.
Médiathèque Musée de l'Imprimerie
Faculté de Médecine et de Pharmacie
CHU (Hôtel Dieu)
Gymn. Pisc.
Tribunal Administratif
Maternité
Maison de la Mer
Bras de la Madeleine
Quai François Mitterrand
Quai André Morice
Pont Haudaudine
Aimé Delrue
N
0
100m

Nîmes

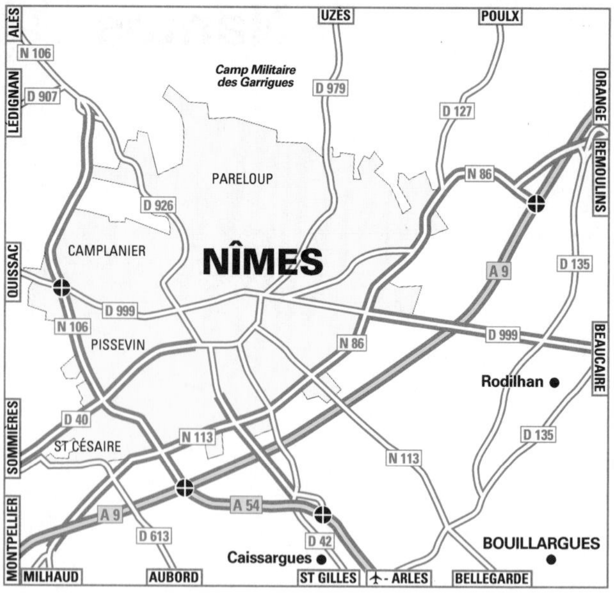
UZÈS
POULX
ALES
N 106
LÉDIGNAN
D 907
Camp Militaire des Garrigues
D 979
ORANGE
D 127
REMOULINS
PARELOUP
N 86
D 926
CAMPLANIER
NÎMES
QUISSAC
A 9
D 135
N 106
D 999
D 999
PISSEVIN
N 86
BEAUCAIRE
Rodilhan
SOMMIÈRES
D 40
ST CÉSAIRE
N 113
N 113
D 135
A 54
A 9
D 613
D 42
MONTPELLIER
Caissargues
BOUILLARGUES
MILHAUD
AUBORD
ST GILLES
ARLES
BELLEGARDE

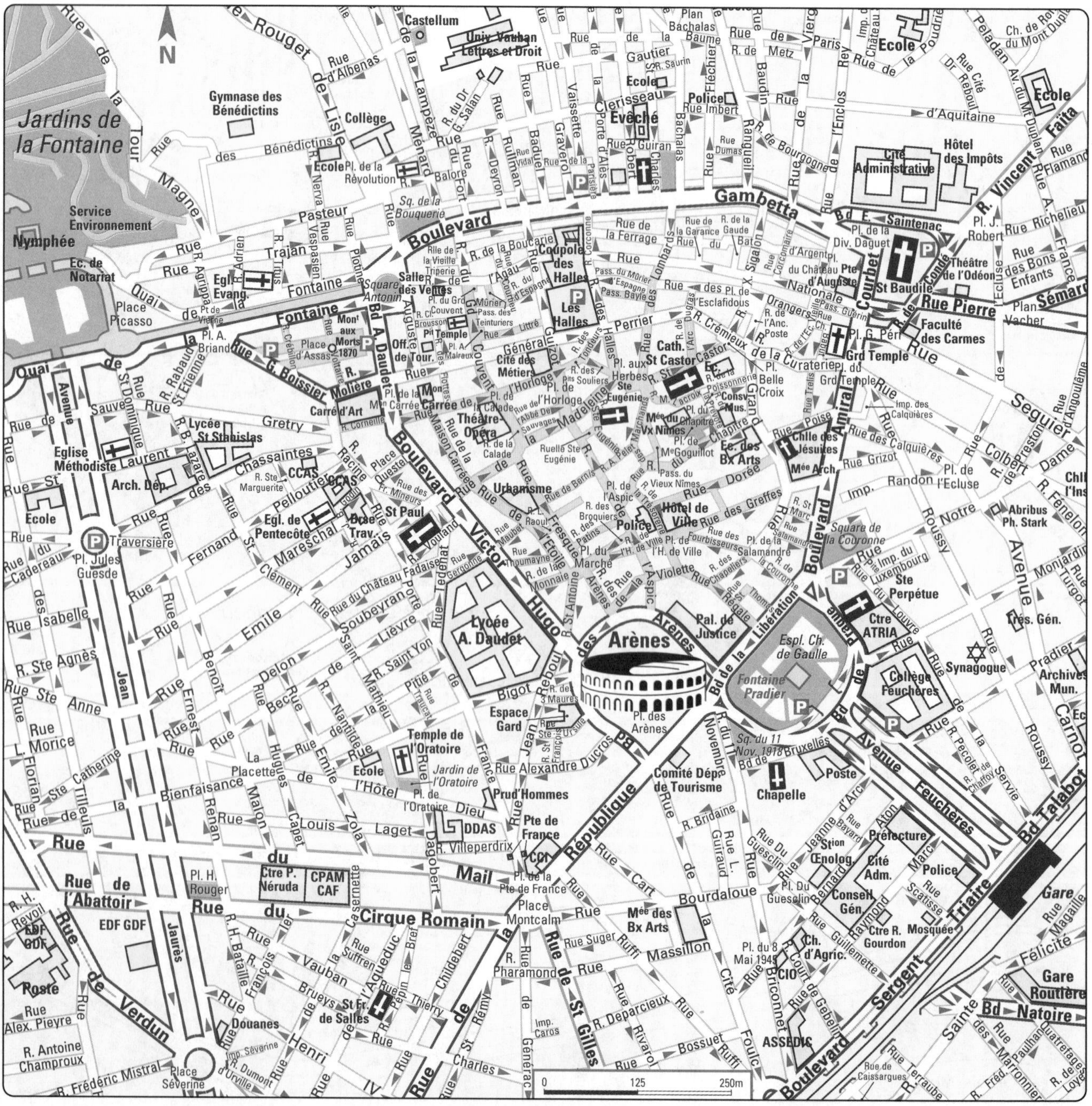
N
Jardins de la Fontaine
Castellum
Univ. Vauban Lettres et Droit
Gymnase des Bénédictins
Collège
Ecole
Evêché
Police
Cité Administrative
Hôtel des Impôts
Service Environnement
Nymphée
Ec. de Notariat
Boulevard Gambetta
Sq. de la Bouquerie
Salle des Ventes
Square Antonin
Coupole des Halles
Les Halles
Théâtre de l'Odéon
St Baudile
Faculté des Carmes
Grd Temple
Place Picasso
Quai de la Fontaine
Mont aux Morts 1870
Off. de Tour.
Cité des Métiers
Cath. St Castor
Carré d'Art
Carrée
Théâtre-Opéra
Lycée St Stanislas
Eglise Méthodiste
Arch. Dép.
CCAS
Egl. de Pentecôte
Bse Trav.
St Paul
Urbanisme
Hôtel de Ville
Police
Chlle des Jésuites
Mée Arch.
Abribus Ph. Stark
Square de la Couronne
Ste Perpétue
Lycée A. Daudet
Arènes
Pal. de Justice
Espl. Ch. de Gaulle
Fontaine Pradier
Ctre ATRIA
Synagogue
Collège Feuchères
Archives Mun.
Trés. Gén.
Pl. Jules Guesde
Espace Gard
Temple de l'Oratoire
Jardin de l'Oratoire
Prud'Hommes
Comité Dép. de Tourisme
Chapelle
Poste
Préfecture
Cité Adm.
Police
Conseil Gén.
Mosquée
DDAS
Pte de France
CCI
Ctre P. Néruda
CPAM CAF
Rue du Mail
Rue du Cirque Romain
Bd de la République
Mée des Bx Arts
EDF GDF
Poste
Douanes
St Fr. de Salles
Place Séverine
Rue de Verdun
Rue de St Gilles
CIO
Ch. d'Agric.
ASSEDIC
Gare
Gare Routière
Bd Talabot
Bd Sergent Triaire
Avenue Feuchères
Bd Victor Hugo
Boulevard Amiral Courbet
Rue Jean Jaurès
0
125
250m

Orléans

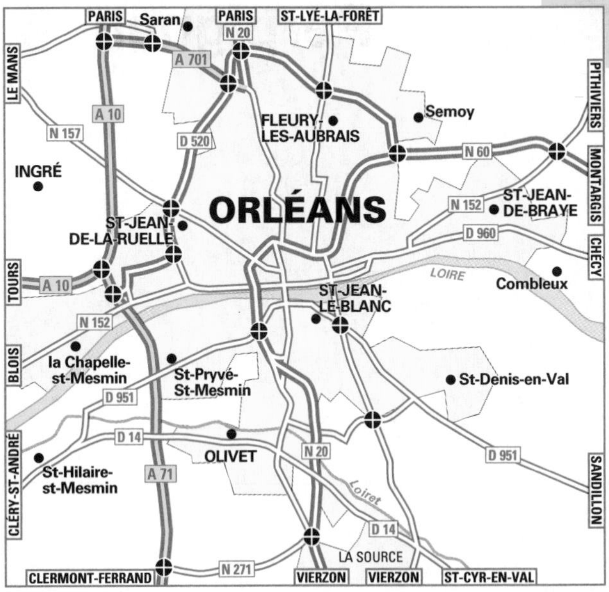

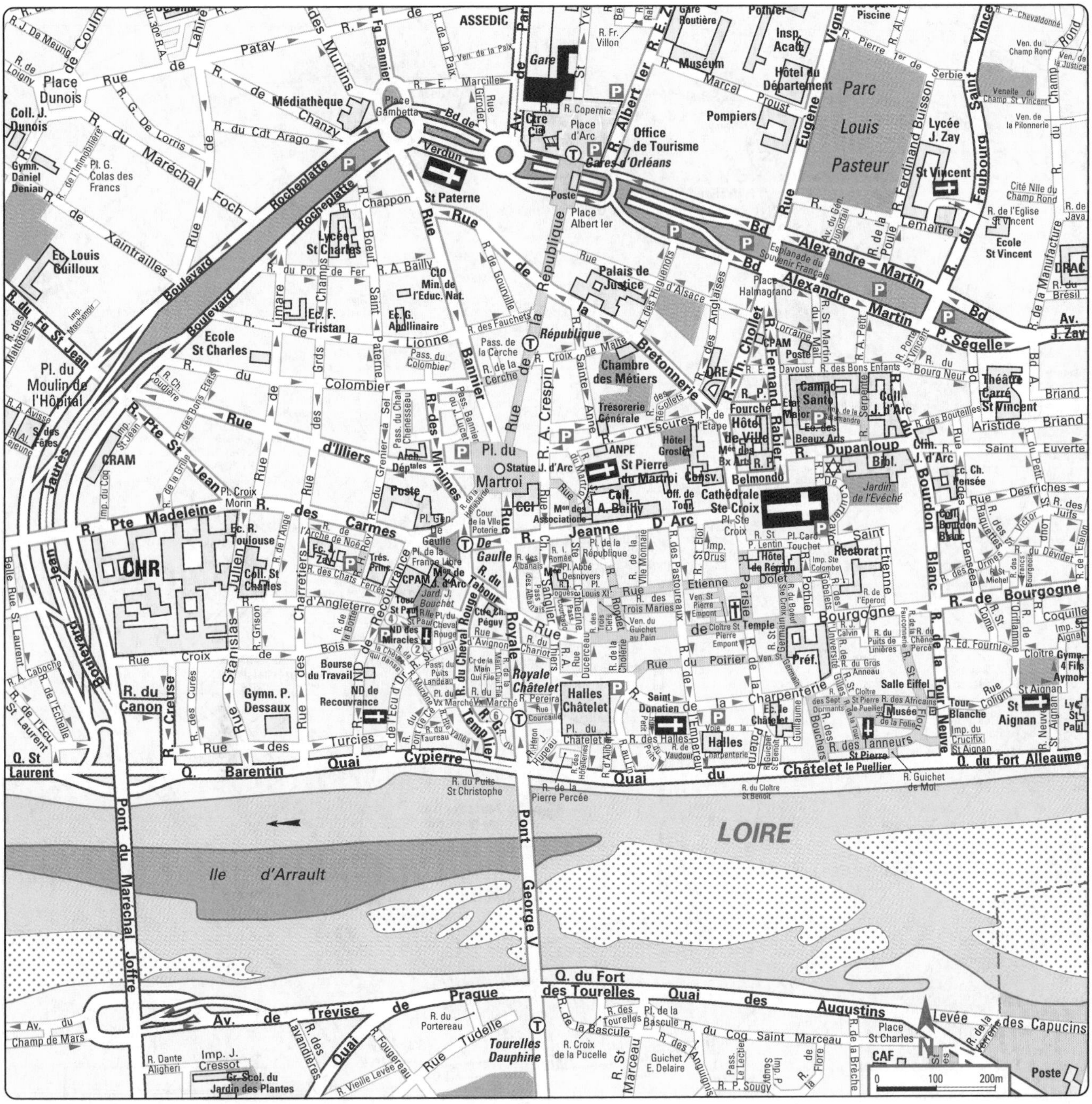

② Rue des Cloches Saint Paul ; ④ Rue du Cloître Saint Paul ; ⑥ Rue des Trois Maillets

Perpignan

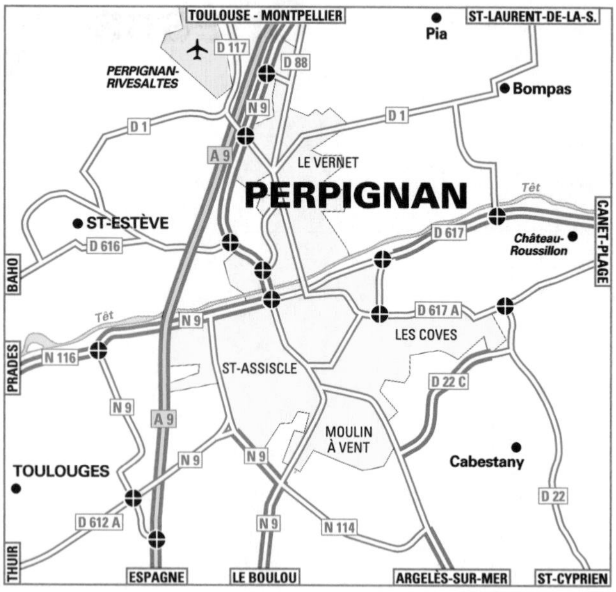
TOULOUSE - MONTPELLIER
ST-LAURENT-DE-LA-S.
Pia
D 117
D 88
PERPIGNAN-RIVESALTES
N 9
Bompas
D 1
D 1
A 9
LE VERNET
PERPIGNAN
Têt
ST-ESTÈVE
D 616
D 617
Château-Roussillon
CANET-PLAGE
BAHO
Têt
N 9
D 617 A
LES COVES
PRADES
N 116
ST-ASSISCLE
D 22 C
N 9
A 9
MOULIN À VENT
N 9
N 9
Cabestany
TOULOUGES
D 22
D 612 A
N 9
N 114
THUIR
ESPAGNE
LE BOULOU
ARGELÈS-SUR-MER
ST-CYPRIEN

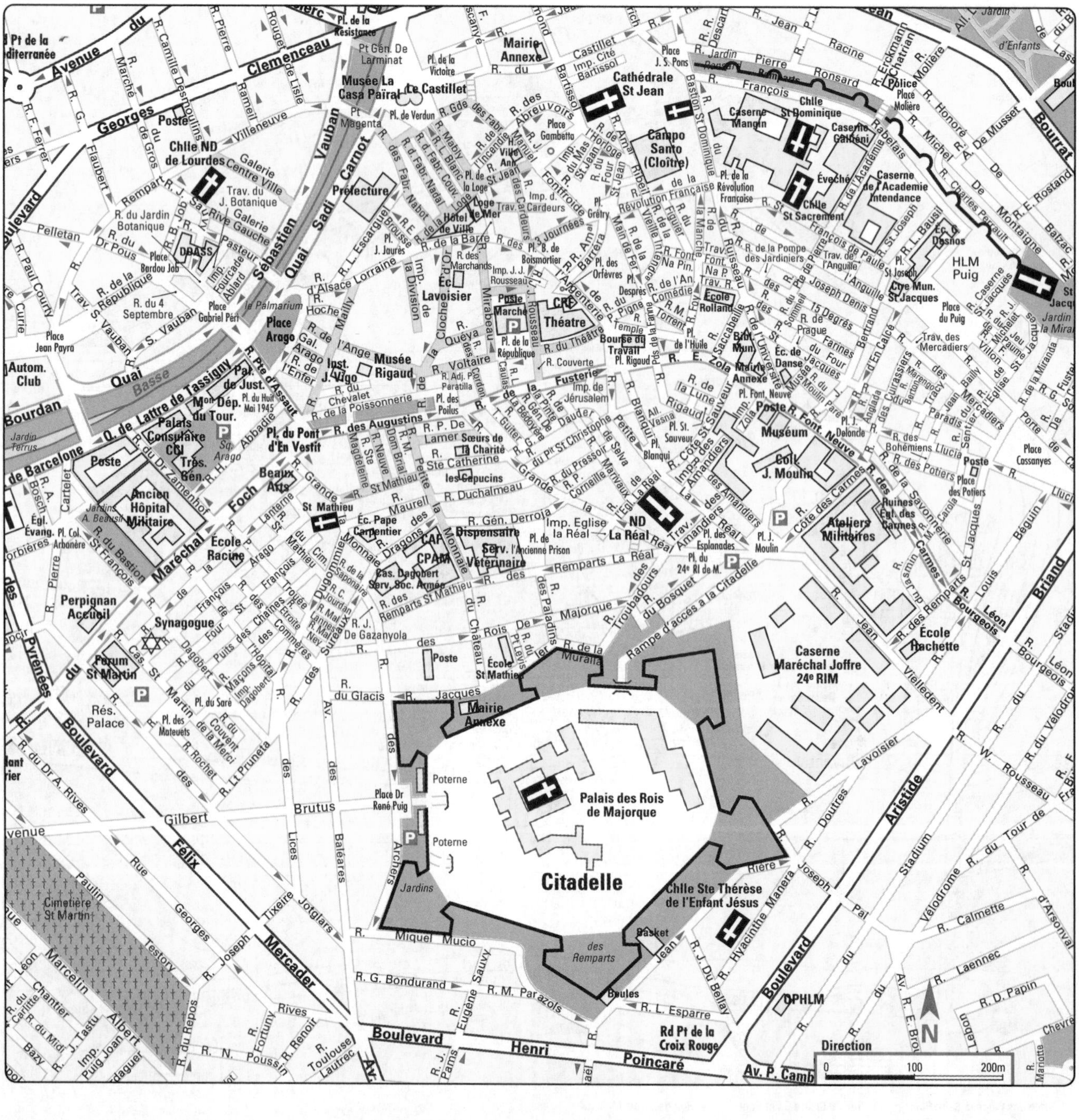
Avenue
Clemenceau
Georges
Pl. de la Résistance
Pt Gén. De Larminat
Pl. de la Victoire
Mairie Annexe
Musée La Casa Païral
Le Castillet
Pl. de Verdun
Cathédrale St Jean
Place J. S. Pons
Chlle St Dominique
Caserne Mangin
Caserne Galliéni
Police
Place Molière
Campo Santo (Cloître)
Poste
Chlle ND de Lourdes
Préfecture
Loge de Mer
Hôtel de Ville
Évêché
Caserne de l'Académie Intendance
Chlle St Sacrement
Pl. de la Révolution Française
HLM Puig
DDASS
Place Bardou Job
Place Gabriel Péri
Place Jean Payra
Place Arago
Éc. Lavoisier
Poste
Marché
CRD
Théatre
Pl. de la République
Bourse du Travail
Pl. Rigaud
Bibl. Mun.
Ec. de Danse
Cve Mun. St Jacques
Place du Puig
Trav. des Mercadiers
Autom. Club
Quai
Basse
Pal. de Just.
Mon Dép. du Tour.
Pl. du Huit Mai 1945
Musée Rigaud
Inst. J. Vigo
Fusterie
Palais Consulaire CCI
Trés. Gén.
Pl. du Pont d'En Vestit
Poste
Muséum
Coll. J. Moulin
Poste
Place Cassanyes
Poste
Ancien Hôpital Militaire
Beaux Arts
Les Capucins
St Mathieu
Éc. Pape Carpentier
CAF
CPAM
Dispensaire Serv. Vétérinaire
ND La Réal
Ateliers Militaires
Ruines Égl. des Carmes
Ecole Racine
Maréchal
Foch
Perpignan Accueil
Synagogue
Forum St Martin
École St Mathieu
Poste
Caserne Maréchal Joffre 24e RIM
École Hachette
Rés. Palace
Mairie Annexe
Poterne
Place Dr René Puig
Poterne
Palais des Rois de Majorque
Citadelle
Jardins
des Remparts
Chlle Ste Thérèse de l'Enfant Jésus
Basket
Boules
Cimetière St Martin
Boulevard
Félix
Mercader
Boulevard
Henri
Poincaré
Rd Pt de la Croix Rouge
Boulevard
Aristide
Briand
OPHLM
Direction
N
0
100
200m

Reims

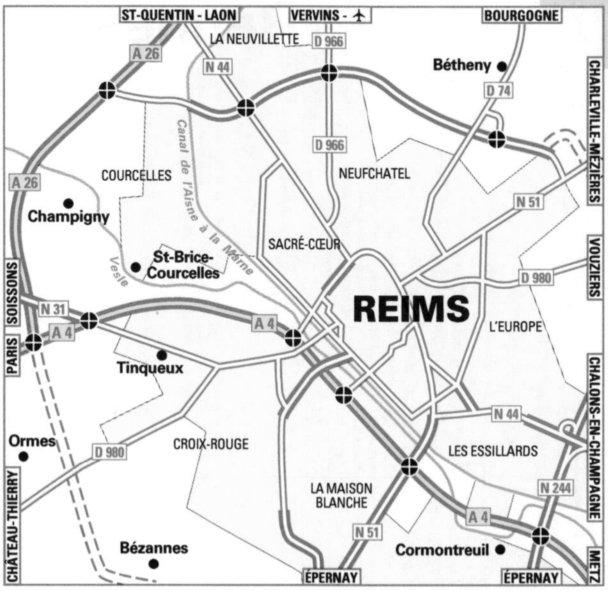
ST-QUENTIN - LAON
VERVINS
BOURGOGNE
LA NEUVILLETTE
D 966
A 26
N 44
Bétheny
D 74
CHARLEVILLE-MÉZIÈRES
Canal de l'Aisne à la Marne
COURCELLES
NEUFCHATEL
N 51
Champigny
SACRÉ-CŒUR
St-Brice-Courcelles
Vesle
D 980
VOUZIERS
SOISSONS
N 31
A 4
REIMS
L'EUROPE
PARIS
Tinqueux
N 44
CHALONS-EN-CHAMPAGNE
Ormes
D 980
CROIX-ROUGE
LES ESSILLARDS
CHÂTEAU-THIERRY
LA MAISON BLANCHE
N 244
N 51
Bézannes
Cormontreuil
METZ
ÉPERNAY
ÉPERNAY

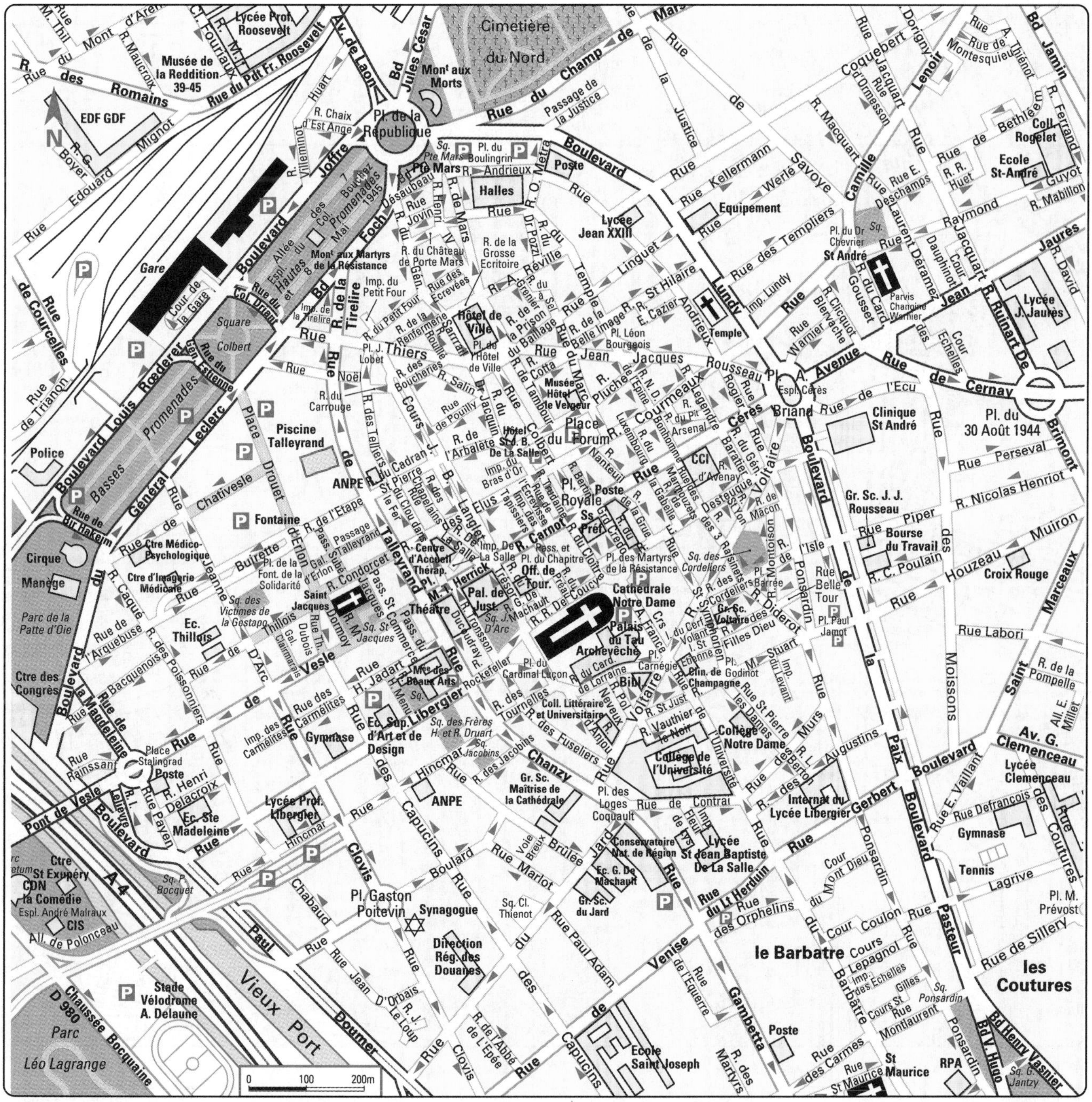
Cimetière du Nord
Lycée Prof. Roosevelt
Musée de la Reddition 39-45
Rue des Romains
Rue du Pdt Fr. Roosevelt
Av. de Laon
Bd Jules César
Mont aux Morts
Rue du Champ de Mars
Passage de la Justice
EDF GDF
Pl. de la République
Pl. du Boulingrin
Pte Mars
Halles
Boulevard
Poste
Rue Edouard Mignot
Gare
Boulevard Joffre
Allée des Promenades
Mont aux Martyrs de la Résistance
Rue de Courcelles
Square Colbert
Boulevard Louis Rœderer
Basses Promenades
Général Leclerc
Police
Rue du Bir Hakeim
Lycée Jean XXIII
Equipement
Rue des Templiers
Pl. du Dr Chevrier
St André
Parvis Chanoine Warnier
Lycée J. Jaurès
Temple
Hôtel de Ville
Rue Thiers
Rue Jean Jacques Rousseau
Musée Hôtel le Vergeur
Place du Forum
Rue de Cernay
Pl. du 30 Août 1944
Clinique St André
Piscine Talleyrand
Place Drouet d'Erlon
ANPE
CCI
Pl. Royale
Poste
Gr. Sc. J. J. Rousseau
Bourse du Travail
Croix Rouge
Fontaine
Cirque
Manège
Ctre Médico-Psychologique
Ctre d'Imagerie Médicale
Saint Jacques
Théâtre
Pal. de Just.
Cathédrale Notre Dame
Palais du Tau
Archevêché
Rue Talleyrand
Rue de Vesle
Rue Carnot
Parc de la Patte d'Oie
Ec. Thillois
Ctre des Congrès
Mus. des Beaux Arts
Coll. Littéraire et Universitaire
Collège Notre Dame
Collège de l'Université
Ec. Sup. d'Art et de Design
Gymnase
Rue Libergier
Rue Chanzy
Gr. Sc. Maîtrise de la Cathédrale
ANPE
Poste
Ec. Ste Madeleine
Lycée Prof. Libergier
Internat du Lycée Libergier
Lycée Clemenceau
Av. G. Clemenceau
Rue Gerbert
Boulevard de la Paix
Conservatoire Nat. de Région
Lycée St Jean Baptiste De La Salle
Ec. G. De Machault
Gr. Sc. du Jard
Ctre St Exupéry
CDN la Comédie
Espl. André Malraux
CIS
A 4
Pl. Gaston Poitevin
Synagogue
Direction Rég. des Douanes
Rue Boulard
Rue des Capucins
Boulevard Pasteur
Gymnase
Tennis
les Coutures
le Barbatre
Rue de Venise
Rue Gambetta
Poste
Stade Vélodrome A. Delaune
Vieux Port
Rue Paul Doumer
D 980
Chaussée Bocquaine
Parc Léo Lagrange
Ecole Saint Joseph
St Maurice
RPA
Bd Henry Vasnier
0
100
200m

Rennes

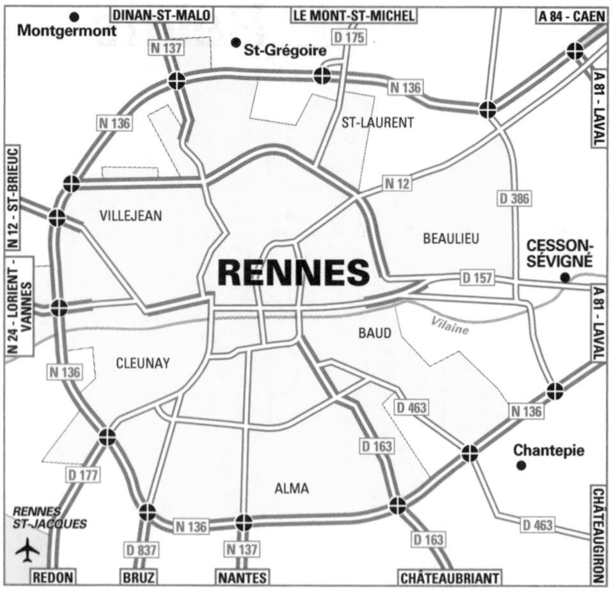

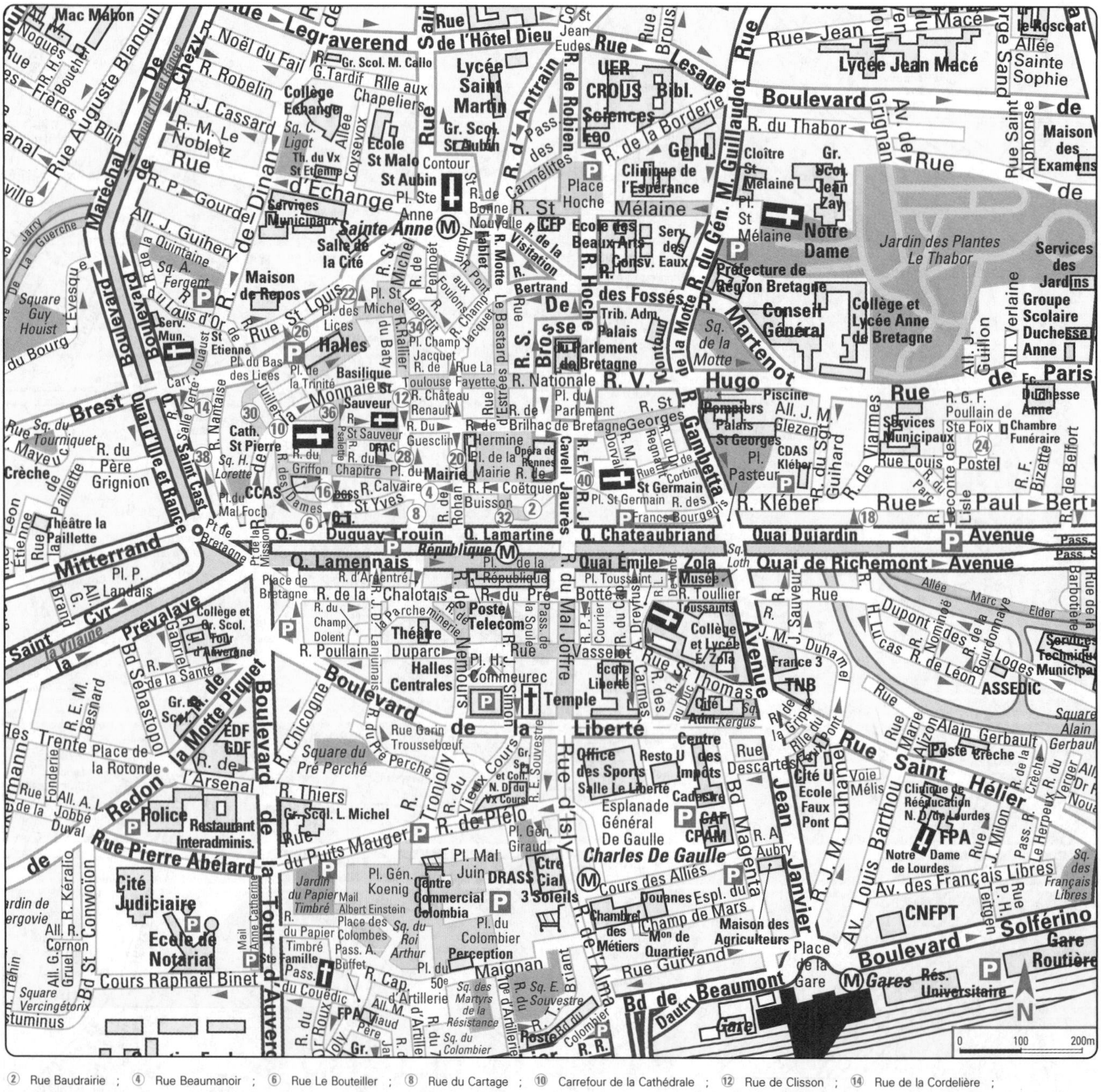

② Rue Baudrairie ; ④ Rue Beaumanoir ; ⑥ Rue Le Bouteiller ; ⑧ Rue du Cartage ; ⑩ Carrefour de la Cathédrale ; ⑫ Rue de Clisson ; ⑭ Rue de la Cordelière ;
⑯ Rue Georges Dottin ; ⑱ Rue Hardouin de Chartres ; ⑳ Rue de l'Horloge ; ㉒ Rue des Innocents ; ㉔ Rue Camille Le Mercier d'Erm ; ㉖ Rue des Minimes ; ㉘ Rue de Montfort ;
㉚ Rue des Portes Mordelaises ; ㉜ Rue d'Orléans ; ㉞ Rue Pongérard ; ㊱ Rue Saint Guillaume ; ㊳ Rue de la Tour du Chesne ; ㊵ Rue du Vau Saint Germain

La Rochelle

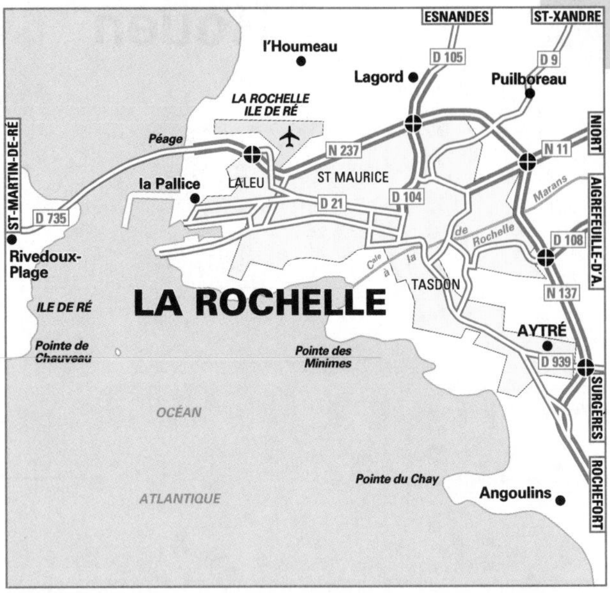

ESNANDES
ST-XANDRE
l'Houmeau
D 105
D 9
Lagord
Puilboreau
LA ROCHELLE
ILE DE RÉ
NIORT
Péage
N 237
N 11
la Pallice
LALEU
ST MAURICE
AIGREFEUILLE-D'A.
ST-MARTIN-DE-RÉ
D 104
D 21
D 735
Marans
de Rochelle
Cote à la
D 108
Rivedoux-
Plage
TASDON
ILE DE RÉ
LA ROCHELLE
N 137
AYTRÉ
Pointe de
Chauveau
Pointe des
Minimes
D 939
OCÉAN
SURGÈRES
ATLANTIQUE
Pointe du Chay
Angoulins
ROCHEFORT

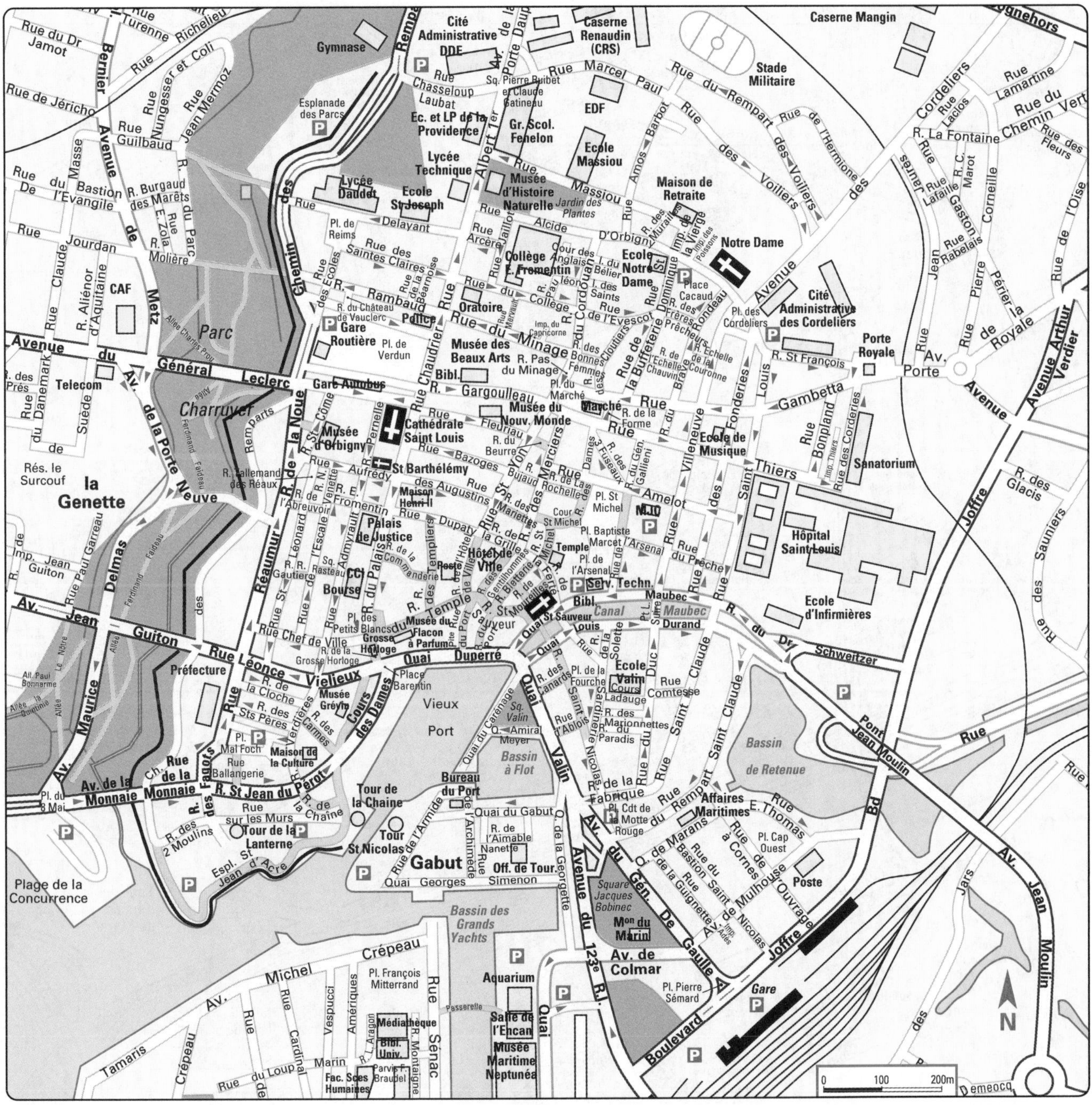

Rue du Dr Jamot
Rue de Jéricho
Rue Turenne
Rue Richelieu
Bernier
Rue Nungesser et Coli
Rue Jean Mermoz
Gymnase
Cité Administrative DDE
Caserne Renaudin (CRS)
Caserne Mangin
Stade Militaire
Esplanade des Parcs
Rue Chasseloup Laubat
Sq. Pierre Buibet et Claude Gatineau
Rue Marcel Paul
Rue du Rempart des Voiliers
Rue de l'Hermione
Rue Lamartine
Rue du Chemin Vert
Rue des Fleurs
Ec. et LP de la Providence
Gr. Scol. Fenelon
EDF
Ecole Massiou
Lycée Technique
Lycée Dautet
Ecole St Joseph
Musée d'Histoire Naturelle
Jardin des Plantes
Maison de Retraite
Notre Dame
Rue Guilbaud
Rue du Bastion de l'Evangile
R. Burgaud des Marêts
Rue Delayant
Pl. de Reims
Rue des Saintes Claires
Collège E. Fromentin
Ecole Notre Dame
Rue Jourdan
Rue Claude Masse
R. Aliénor d'Aquitaine
CAF
Metz
Parc
Charruyer
Allée Charles Prou
Rue Rambaud
Police
Gare Routière
Pl. de Verdun
Oratoire
Rue du Minage
Musée des Beaux Arts
Bibl.
Place Cacaud
Pl. des Cordeliers
Cité Administrative des Cordeliers
Porte Royale
Av. Porte Royale
Avenue du Général Leclerc
Telecom
Rue du Danemark
Rue de Suède
Gare Autobus
R. Gargoulleau
Cathédrale Saint Louis
Musée d'Orbigny
Musée du Nouv. Monde
Marché
Rue Gambetta
Ecole de Musique
Sanatorium
Rés. le Surcouf
la Genette
Av. de la Porte Neuve
R. Lallemand des Réaux
R. Réaumur
R. de la Noue
St Barthélémy
Rue Aufrédy
Rue Bazoges
Rue des Augustins
Maison Henri II
Palais de Justice
Hôtel de Ville
Rue Amelot
Rue Thiers
Hôpital Saint Louis
Ecole d'Infirmières
Pl. St Michel
MJC
Temple
Serv. Techn.
Bourse
CCI
Rue Chef de Ville
Grosse Horloge
Musée du Flacon à Parfum
Quai Duperré
St Sauveur
Canal Maubec
Maubec
Durand
Rue du Dr Schweitzer
Av. Jean Guiton
Delmas
Av. Maurice
Préfecture
Rue Léonce Vieljeux
Musée Grévin
Cours des Dames
Vieux Port
Sq. Valin
Quai Valin
Ecole Valin
Cours Ladauge
Rue Comtesse
Rue Saint Claude
Bassin de Retenue
Pont Jean Moulin
Rue
Av. de la Monnaie
Pl. du 8 Mai
R. St Jean du Pérot
Maison de la Culture
Tour de la Chaîne
Tour de la Lanterne
Tour St Nicolas
Bureau du Port
Bassin à Flot
Quai du Gabut
Affaires Maritimes
Rue du Rempart
Pl. Cap Ouest
Poste
Gabut
Off. de Tour.
Quai Georges Simenon
Plage de la Concurrence
Espl. St Jean d'Acre
Bassin des Grands Yachts
Square Jacques Bobinec
Mon du Marin
Av. de Colmar
Avenue du 123e R.I.
Av. du Gén. De Gaulle
Bd Joffre
Gare
Pl. Pierre Sémard
Boulevard
Av. Jean Moulin
Av. Michel Crépeau
Pl. François Mitterrand
Aquarium
Médiathèque
Bibl. Univ.
Salle de l'Encan
Musée Maritime Neptunéa
Fac. Sces Humaines
Rue Sénac
Rue du Loup Marin
Tamaris
N
0 100 200m
Demeocq

Rouen

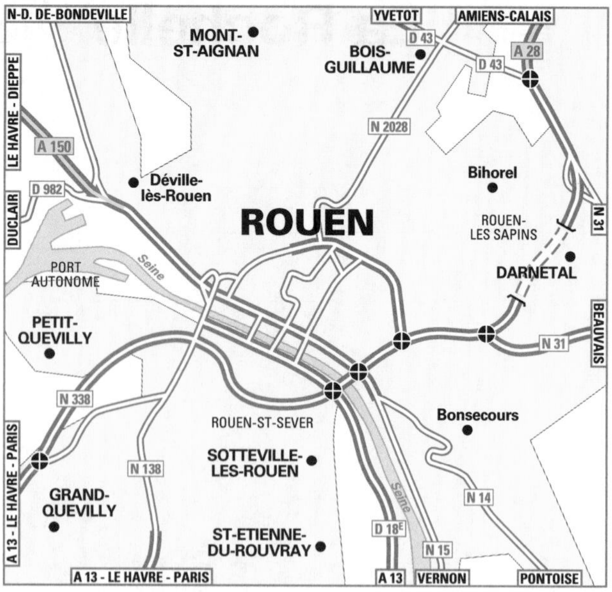

N-D. DE-BONDEVILLE
YVETOT
AMIENS-CALAIS
MONT-ST-AIGNAN
BOIS-GUILLAUME
D 43
A 28
LE HAVRE - DIEPPE
A 150
N 2028
Déville-lès-Rouen
Bihorel
DUCLAIR
D 982
ROUEN
ROUEN-LES SAPINS
N 31
DARNETAL
PORT AUTONOME
Seine
PETIT-QUEVILLY
BEAUVAIS
N 31
N 338
ROUEN-ST-SEVER
Bonsecours
A 13 - LE HAVRE - PARIS
N 138
SOTTEVILLE-LES-ROUEN
GRAND-QUEVILLY
N 14
D 18E
ST-ETIENNE-DU-ROUVRAY
N 15
A 13 - LE HAVRE - PARIS
A 13
VERNON
PONTOISE

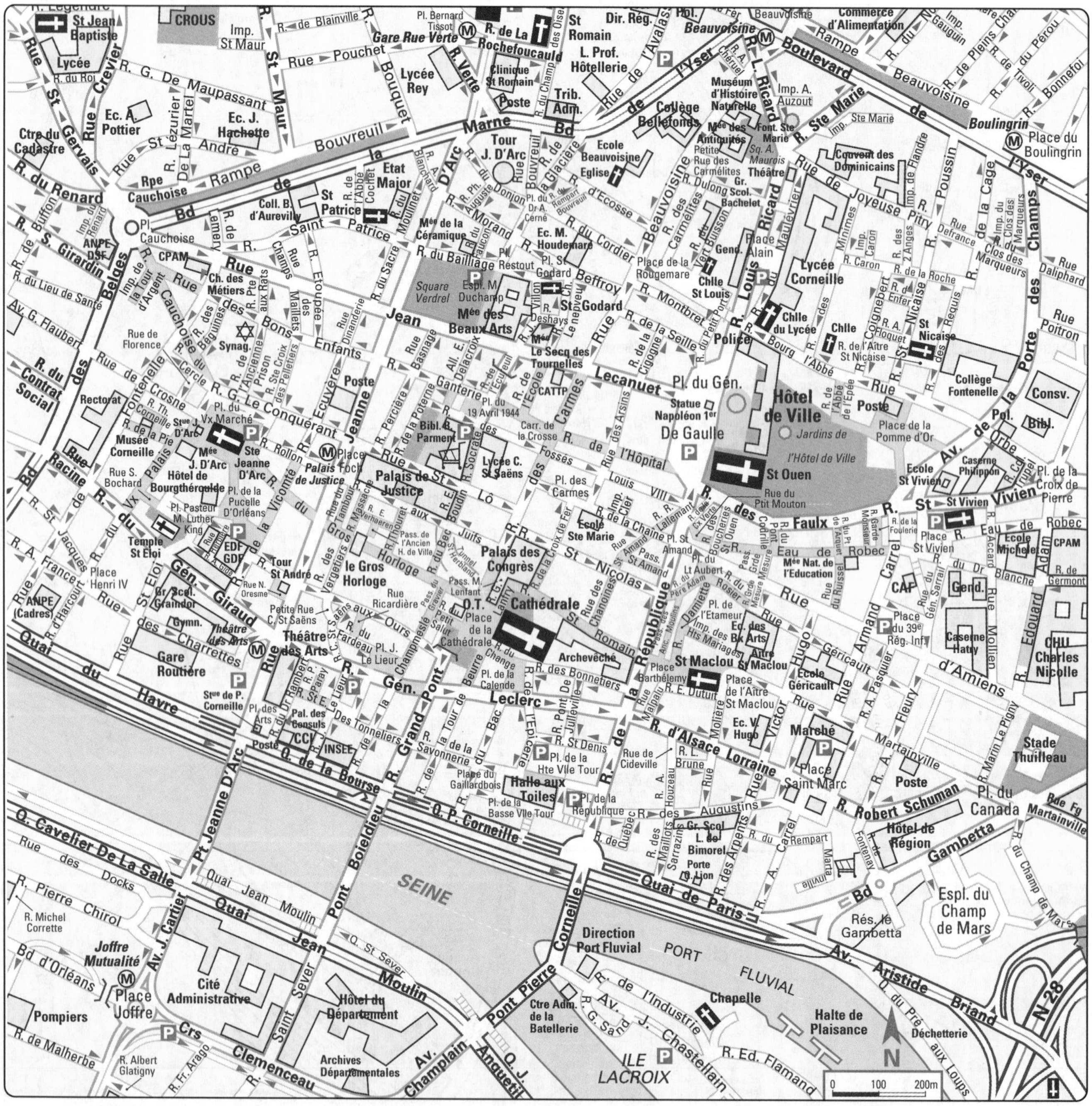

St Jean Baptiste
CROUS
Imp. St Maur
R. de Blainville
Pl. Bernard Tissot
Gare Rue Verte
R. de La Rochefoucauld
St Romain
Dir. Rég.
Beauvoisine
Commerce d'Alimentation
Lycée
Rue Pouchet
Lycée Rey
Clinique St Romain
L. Prof. Hôtellerie
Muséum d'Histoire Naturelle
Boulevard
Rampe Beauvoisine
R. G. De Maupassant
Ec. A. Pottier
Ec. J. Hachette
Poste
Trib. Adm.
Collège Bellefonds
Imp. A. Auzout
Mée des Antiquités
Ste Marie
Boulingrin
Ctre du Cadastre
Bouvreuil
Marne
Bd
Tour J. D'Arc
Ecole Beauvoisine
Eglise
Place du Boulingrin
R. du Renard
Rpe Cauchoise
Rampe
Bd de la
Etat Major
St Patrice
Coll. B. d'Aurevilly
Théâtre
Couvent des Dominicains
Pl. Cauchoise
ANPE DSF
CPAM
Mée de la Céramique
Ec. M. Houdemare
Place Alain
Lycée Corneille
Ch. des Métiers
Square Verdrel
Espl. M. Duchamp
Mée des Beaux Arts
St Godard
Place de la Rougemare
Chlle St Louis
Chlle du Lycée
Chlle
St Nicaise
Synag.
Rue Jean
Enfants
Poste
Police
Collège Fontenelle
Consv.
Rectorat
Lecanuet
Pl. du Gén. De Gaulle
Statue Napoléon 1er
Hôtel de Ville
Jardins de l'Hôtel de Ville
Poste
Place de la Pomme d'Or
Bibl.
Musée Corneille
Ste J. D'Arc
Mée J. D'Arc
Place du Vx Marché
Place Foch
Palais de Justice
Bibl. B. Parment
Lycée C. St Saëns
CATTP
Pl. du 19 Avril 1944
Carr. de la Crosse
R. de l'Hôpital
St Ouen
Caserne Philippon
Ecole St Vivien
Pl. de la Croix de Pierre
Hôtel de Bourgthéroulde
Pl. de la Pucelle D'Orléans
Pl. des Carmes
Rue du Ptit Mouton
Faulx
St Vivien
Temple St Eloi
EDF GDF
Tour St André
le Gros Horloge
Palais des Congrès
Ecole Ste Marie
Mée Nat. de l'Education
Place St Vivien
Ecole Michelet
CPAM
Place Henri IV
Gr. Scol. Graindor
Gymn.
Cathédrale
O.T.
Place de la Cathédrale
Eau de Robec
Gend.
CAP
ANPE (Cadres)
Gare Routière
Théâtre des Arts
Archevêché
St Maclou
Place Barthélemy
Place de l'Aître St Maclou
Ec. des Bx Arts
Aître St Maclou
Ecole Géricault
Caserne Hatry
CHU Charles Nicolle
Place du 39e Rég. Inf.
Quai du Havre
Ste de P. Corneille
Pl. des Consuls
CCI
INSEE
Poste
Leclerc
Rue de Cideville
Ec. V. Hugo
Marché
Place Saint Marc
Stade Thuilleau
R. d'Alsace Lorraine
Pl. de la Hte Vlle Tour
Halle aux Toiles
Pl. de la Basse Vlle Tour
Pl. de la République
Place du Gaillardbois
Poste
Pl. du Canada
R. Robert Schuman
Hôtel de Région
Gambetta
Q. de la Bourse
Q. P. Corneille
Gr. Scol. L. de Bimorel
Porte G. Lion
Espl. du Champ de Mars
Rés. le Gambetta
Quai de Paris
Q. Cavelier De La Salle
Rue des Docks
SEINE
Pont Boieldieu
Quai Jean Moulin
R. Pierre Chirol
R. Michel Corrette
Joffre Mutualité
Direction Port Fluvial
PORT FLUVIAL
Av. Aristide Briand
N 28
Bd d'Orléans
Place Joffre
Cité Administrative
Hôtel du Département
Chapelle
Halte de Plaisance
Déchetterie
Pompiers
Ctre Adm. de la Batellerie
R. de l'Industrie
Av. J. Chastellain
R. de Malherbe
Crs Clemenceau
Archives Départementales
Av. Champlain
Pont Pierre Corneille
ILE LACROIX
R. Ed. Flamand
N
0
100
200m

Saint Etienne

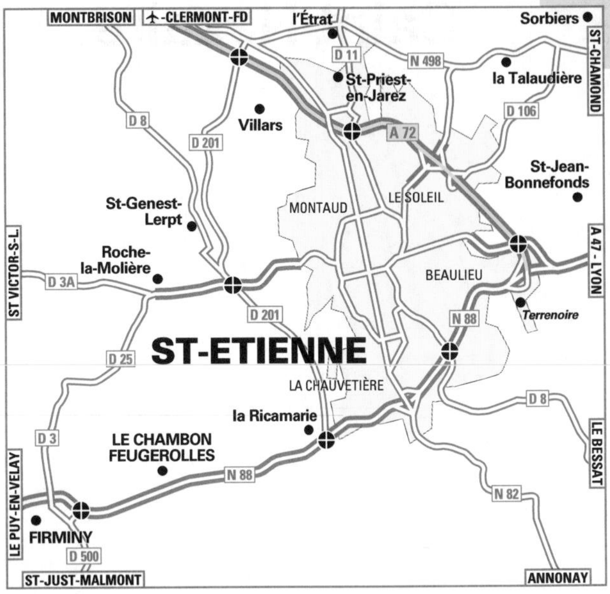

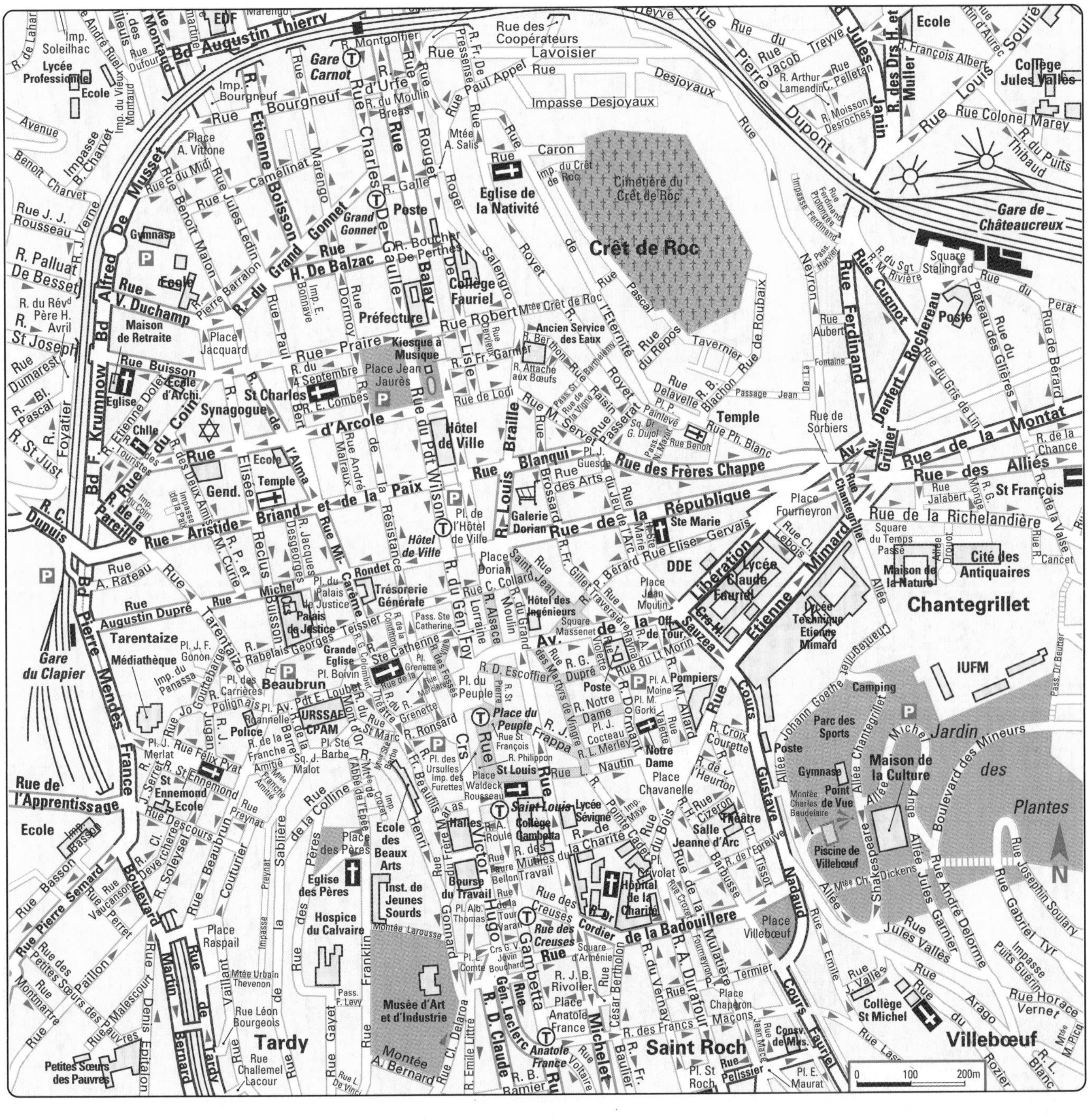

Saint Nazaire

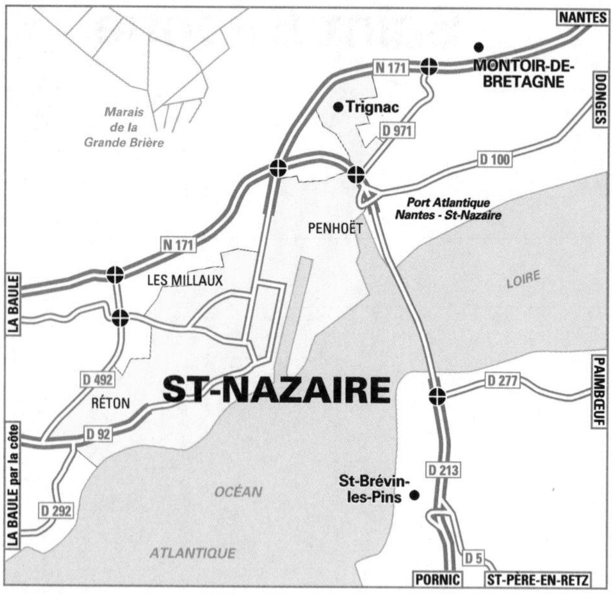

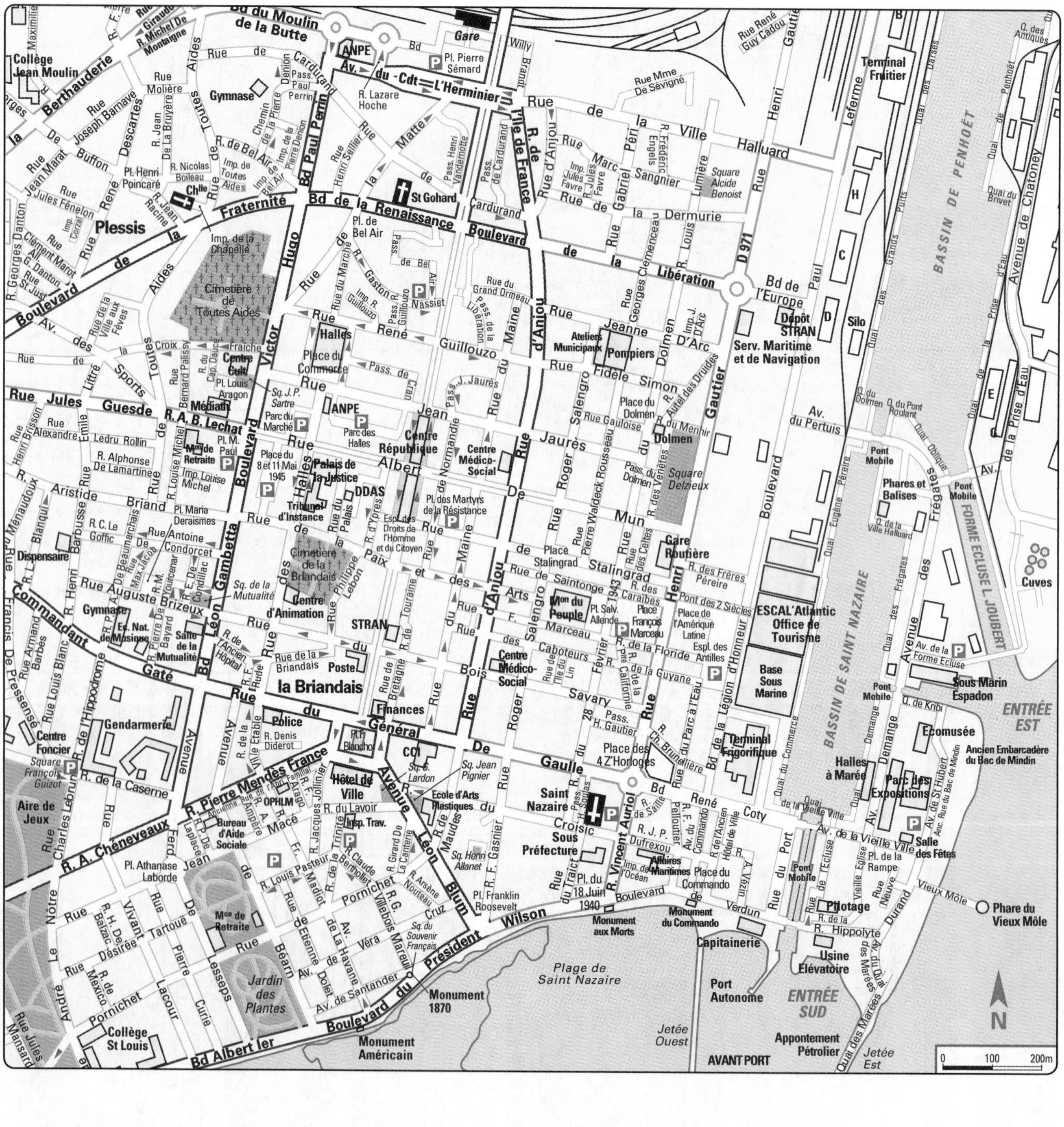

Strasbourg

HOCHFELDEN
METZ-HAGUENAU
SELTZ
SAVERNE
SAVERNE
MOLSHEIM
OBERNAI
KEHL-ALLEMAGNE
SÉLESTAT - COLMAR
NEUF-BRISACH
N 83
D 31
Mittelhausbergen
Oberhausbergen
A 4
BISCHHEIM
D 63
D 263
D 41
SCHILTIGHEIM
LA ROBERTSAU
CRONENBOURG
A 350
A 351
HAUTEPIERRE
D 41
A 4
STRASBOURG
N 4
KŒNIGSHOFFEN
D 45
N 4
A 35
N 4
Eckbolsheim
ELSAU
NEUDORF
D 392
Lingolsheim
N 83
PORT
AUTONOME
A 35
ILL
Canal du Rhone
NEUHOF
Ostwald
D 468

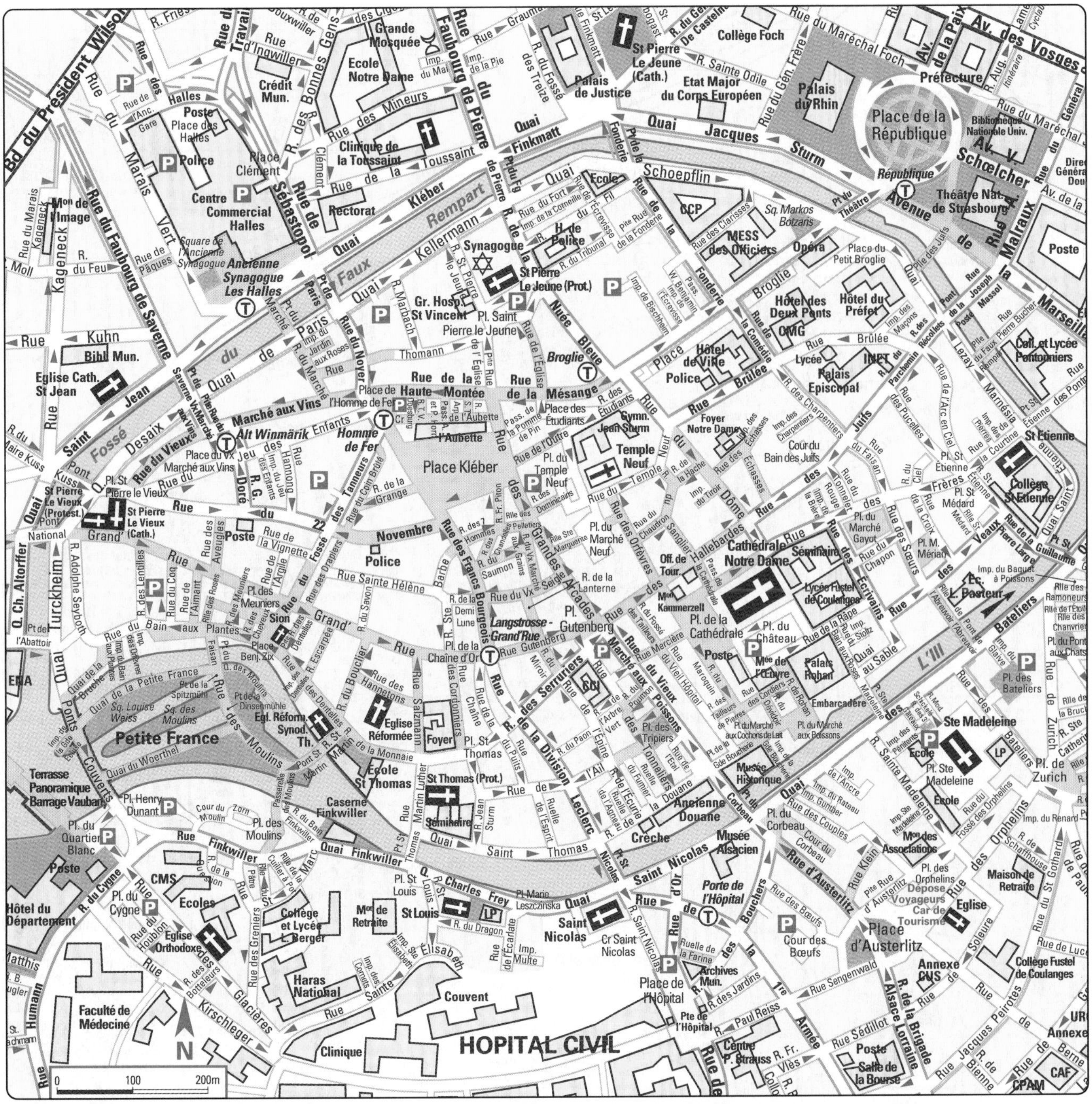

Bd du President Wilson
Grande Mosquée
Ecole Notre Dame
Rue du Faubourg de Pierre
Crédit Mun.
Halles
Poste
Place des Halles
Police
Place Clément
Centre Commercial Halles
Rue de Sébastopol
Clinique de la Toussaint
Rectorat
Quai Kléber
Faux Rempart
Quai Finkmatt
Palais de Justice
St Pierre Le Jeune (Cath.)
Etat Major du Corps Européen
Collège Foch
Palais du Rhin
Place de la République
République
Préfecture
Bibliothèque Nationale Univ.
Av. V. Schœlcher
Théâtre Nat. de Strasbourg
Avenue de la Marseillaise
Rue A. Malraux
Poste
Quai Jacques Sturm
Schoepflin
CCP
MESS des Officiers
Opéra
Sq. Markos Botzaris
Synagogue
H. de Police
St Pierre Le Jeune (Prot.)
Mon de l'Image
Rue du Faubourg de Saverne
Square de l'Ancienne Synagogue
Ancienne Synagogue Les Halles
Rue Kuhn
Bibl. Mun.
Eglise Cath. St Jean
Quai Desaix
Fossé du Faux Rempart
Gr. Hosp. St Vincent
Pl. Saint Pierre le Jeune
Broglie
Hôtel des Deux Ponts
CMG
Hôtel du Préfet
Lycée INET
Palais Episcopal
Coll. et Lycée Pontonniers
Hôtel de Ville
Police
Rue Brûlée
Marché aux Vins
Alt Winmärik
Homme de Fer
Place Kléber
l'Aubette
Rue de la Haute Montée
Rue de la Mésange
Gymn. Jean Sturm
Temple Neuf
Foyer Notre Dame
Cour du Bain des Juifs
St Etienne
Collège St Etienne
St Pierre Le Vieux (Protest.)
St Pierre Le Vieux (Cath.)
Grand' Rue
Poste
Police
Rue du 22 Novembre
Rue des Francs Bourgeois
Grandes Arcades
Cathédrale Notre Dame
Séminaire
Lycée Fustel de Coulanges
Ec. L. Pasteur
Quai des Bateliers
Pl. du Marché Gayot
Pl. de la Cathédrale
Mon Kammerzell
Off. de Tour.
Pl. du Château
Mée de l'Œuvre
Palais Rohan
Embarcadère
Quai Turckheim
Q. Ch. Altorffer
Rue Sainte Hélène
Sion
Langstrosse - Grand'Rue
Pl. Gutenberg
Rue des Serruriers
Rue du Vieux Marché aux Poissons
Petite France
Sq. Louise Weiss
Sq. des Moulins
Egl. Réform. Synod.
Eglise Réformée
Foyer
Ecole St Thomas
St Thomas (Prot.)
Séminaire
Pl. St Thomas
Terrasse Panoramique Barrage Vauban
Pl. Henry Dunant
Caserne Finkwiller
Pl. des Moulins
Ancienne Douane
Crèche
Musée Historique
Pl. du Corbeau
Musée Alsacien
Ste Madeleine
Ecole
Mon des Associations
Pl. Ste Madeleine
L'Ill
Pl. du Quartier Blanc
Poste
Quai Finkwiller
Quai Saint Thomas
Quai Saint Nicolas
CMS
Ecoles
Pl. du Cygne
Eglise Orthodoxe
Collège et Lycée L. Berger
Mon de Retraite
St Louis
Pl. St Louis
Charles Frey
Saint Nicolas
Cr Saint Nicolas
Porte de l'Hôpital
Rue d'Austerlitz
Cour des Bœufs
Place d'Austerlitz
Dépose Voyageurs Car de Tourisme
Eglise
Maison de Retraite
Annexe CUS
Collège Fustel de Coulanges
Hôtel du Département
Haras National
Couvent
Faculté de Médecine
Clinique
HOPITAL CIVIL
Place de l'Hôpital
Archives Mun.
Centre P. Strauss
Poste
Salle de la Bourse
CAF
CPAM
Pl. de Zurich
Rue de la 1re Armée
Rue de Bâle
N
0
100
200m

Toulon

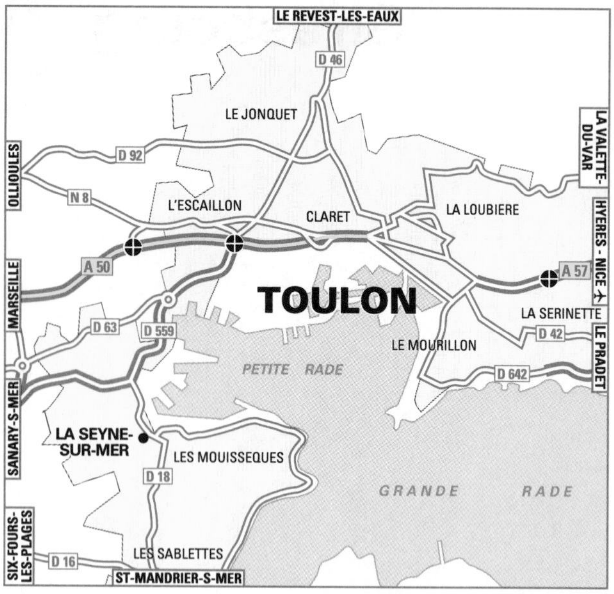
LE REVEST-LES-EAUX
D 46
LE JONQUET
LA VALETTE-DU-VAR
OLLIOULES
D 92
N 8
L'ESCAILLON
CLARET
LA LOUBIERE
HYERES - NICE
A 50
A 57
MARSEILLE
TOULON
LA SERINETTE
D 63
D 559
D 42
LE MOURILLON
LE PRADET
PETITE RADE
D 642
SANARY-S-MER
LA SEYNE-SUR-MER
LES MOUISSEQUES
D 18
GRANDE RADE
SIX-FOURS-LES-PLAGES
D 16
LES SABLETTES
ST-MANDRIER-S-MER

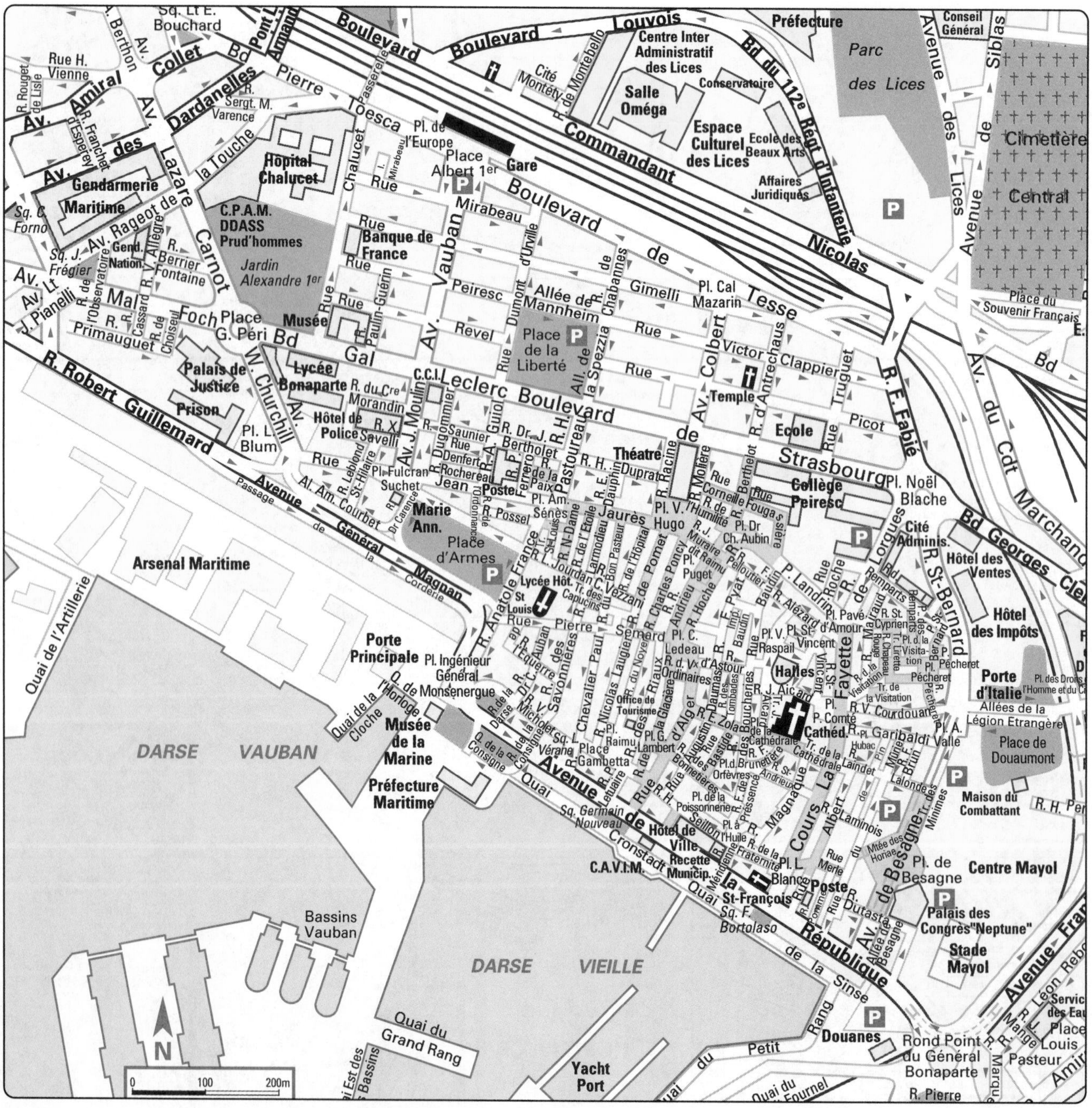
Sq. Lt E. Bouchard
Préfecture
Conseil Général
Boulevard
Louvois
Centre Inter Administratif des Lices
Parc des Lices
Cité Montéty
Salle Oméga
Conservatoire
Espace Culturel des Lices
Ecole des Beaux Arts
Affaires Juridiques
Cimetière Central
Commandant
Nicolas
Bd du 112e Regt d'Infanterie
Avenue des Lices
Avenue de Siblas
Pl. de l'Europe
Place Albert 1er
Gare
Boulevard de Tesse
Hopital Chalucet
Gendarmerie Maritime
C.P.A.M. DDASS Prud'hommes
Jardin Alexandre 1er
Banque de France
Musée
Place de la Liberté
Place G. Péri
Bd Gal Leclerc
Boulevard de Strasbourg
Palais de Justice
Lycée Bonaparte
Prison
Hôtel de Police
Pl. L. Blum
Temple
Ecole
Théatre
Collège Peiresc
Pl. Noël Blache
Place du Souvenir Français
Av. du Cdt Marchand
Bd Georges Clemenceau
Cité Adminis.
Hôtel des Ventes
Hôtel des Impôts
R. Robert Guillemard
Avenue Général Magnan
Arsenal Maritime
Marie Ann.
Place d'Armes
Lycée Hôt. St Louis
Porte Principale
Pl. Ingénieur Général Monsenergue
Halles
Cathéd.
Porte d'Italie
Place de Douaumont
Allées de la Légion Etrangère
Maison du Combattant
Quai de l'Artillerie
DARSE VAUBAN
Musée de la Marine
Préfecture Maritime
Office de Tourisme
Hôtel de Ville
Recette Municip.
C.A.V.I.M.
Avenue de la République
Poste
Pl. de Besagne
Centre Mayol
Palais des Congrès "Neptune"
Stade Mayol
Bassins Vauban
DARSE VIEILLE
Quai du Grand Rang
Douanes
Rond Point du Général Bonaparte
Yacht Port
Place Louis Pasteur
N
0
100
200m

Toulouse

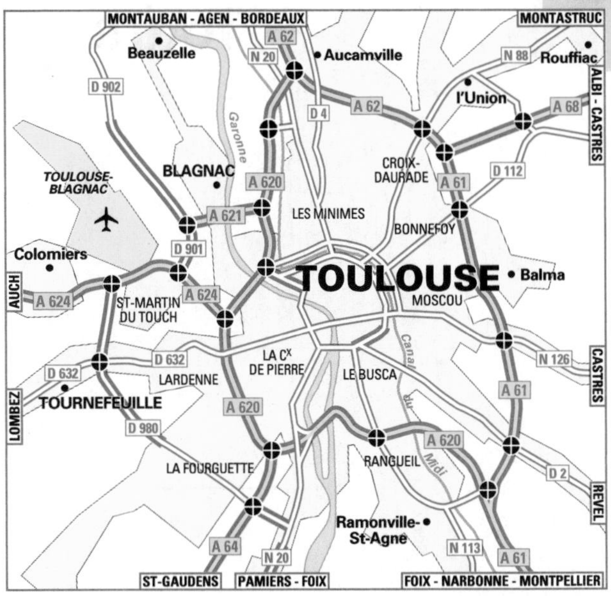
MONTAUBAN - AGEN - BORDEAUX
MONTASTRUC
ALBI - CASTRES
CASTRES
REVEL
FOIX - NARBONNE - MONTPELLIER
PAMIERS - FOIX
ST-GAUDENS
LOMBEZ
AUCH
Beauzelle
Aucamville
Rouffiac
l'Union
BLAGNAC
TOULOUSE-BLAGNAC
Colomiers
ST-MARTIN DU TOUCH
TOULOUSE
Balma
CROIX-DAURADE
LES MINIMES
BONNEFOY
MOSCOU
LA Cx DE PIERRE
LARDENNE
LE BUSCA
TOURNEFEUILLE
LA FOURGUETTE
RANGUEIL
Ramonville-St-Agne
Garonne
Canal du Midi
A 62
N 20
N 88
D 902
D 4
A 68
A 620
A 61
D 112
A 621
D 901
A 624
D 632
N 126
D 980
A 64
N 113
D 2

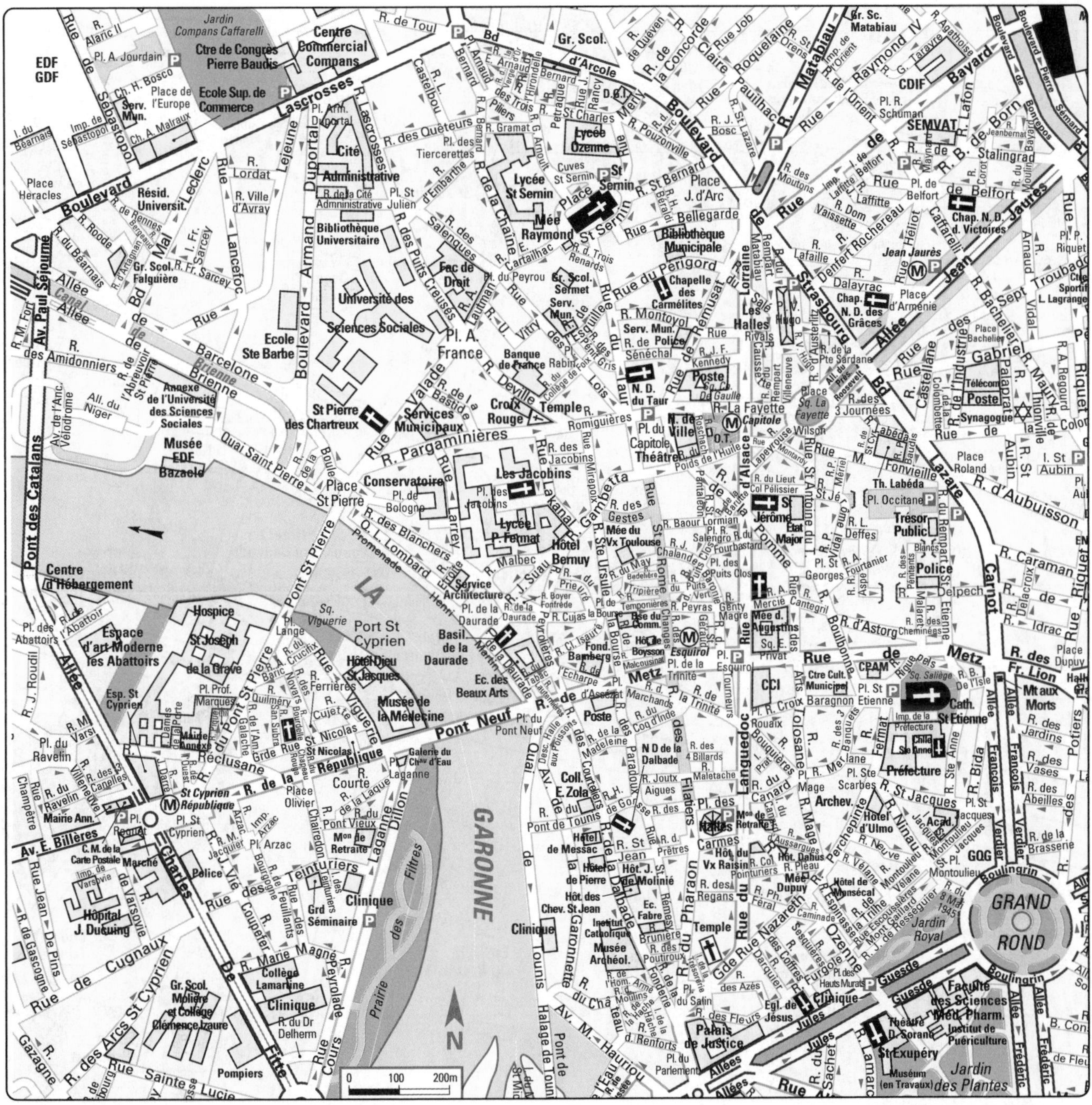
Jardin Compans Caffarelli
Ctre de Congrès Pierre Baudis
Centre Commercial Compans
Ecole Sup. de Commerce
EDF GDF
Pl. A. Jourdain
Boulevard Lascrosses
Cité Administrative
Lycée St Sernin
St Sernin
Place St Sernin
Lycée Ozenne
Boulevard d'Arcole
Gr. Scol.
Bibliothèque Universitaire
Bibliothèque Municipale
Fac de Droit
Université des Sciences Sociales
Chapelle des Carmélites
Rue du Périgord
Boulevard de Strasbourg
Rue Matabiau
Place J. d'Arc
Rue Bayard
Rue de Belfort
Allée Jean Jaurès
Jean Jaurès
Place d'Arménie
Chap. N. D. des Grâces
Chap. N. D. d. Victoires
Les Halles
Canal de Brienne
Allée de Barcelone
Ecole Ste Barbe
Boulevard Armand Duportal
Annexe de l'Université des Sciences Sociales
Musée EDF Bazacle
Quai Saint Pierre
St Pierre des Chartreux
Services Municipaux
Croix Rouge
Temple
Banque de France
Pl. A. France
N. D. du Taur
Poste
Capitole
Pl. du Capitole
Théâtre
D.O.T.
Sq. La Fayette
Rue d'Alsace Lorraine
Rue Pargaminières
Les Jacobins
Lycée P. Fermat
Hôtel Bernuy
Conservatoire
Place St Pierre
Pont St Pierre
Centre d'Hébergement
Hospice St Joseph de la Grave
Espace d'art Moderne les Abattoirs
Port St Cyprien
Hôtel Dieu St Jacques
Musée de la Médecine
Basil. de la Daurade
Ec. des Beaux Arts
Pont Neuf
Rue de Metz
CCI
Cath. St Etienne
Préfecture
Archev.
Hôtel d'Ulmo
GRAND ROND
Jardin Royal
Jardin des Plantes
Faculté des Sciences Méd. Pharm.
Institut de Puériculture
St Exupéry
Muséum (en Travaux)
Palais de Justice
GARONNE
Prairie des Filtres
Coll. E. Zola
Hôtel de Pierre
Hôtel J. St. de Molinié
Institut Catholique
Musée Archéol.
Clinique
Hôpital J. Ducuing
St Cyprien République
Rue de la République
Av. E. Billères
Allée Charles de Fitte
Rue de Cugnaux
R. des Arcs St Cyprien
Collège Lamartine
Gr. Scol. Molière et Collège Clémence Izaure
Pompiers
Grd Séminaire
Mon de Retraite
Th. Labéda
Trésor Public
Police
Synagogue
Télécom Poste
Pl. Occitane
St Jérôme
Etat Major
Mée d. Augustins
Musée du Vx Toulouse
Esquirol
Mt aux Morts
Pont des Catalans
Av. Paul Séjourné
Rue de Rémusat
Boulevard Carnot
Boulevard Lazare Carnot
Rue Riquet
Allée François Verdier
0 100 200m
N

Tours

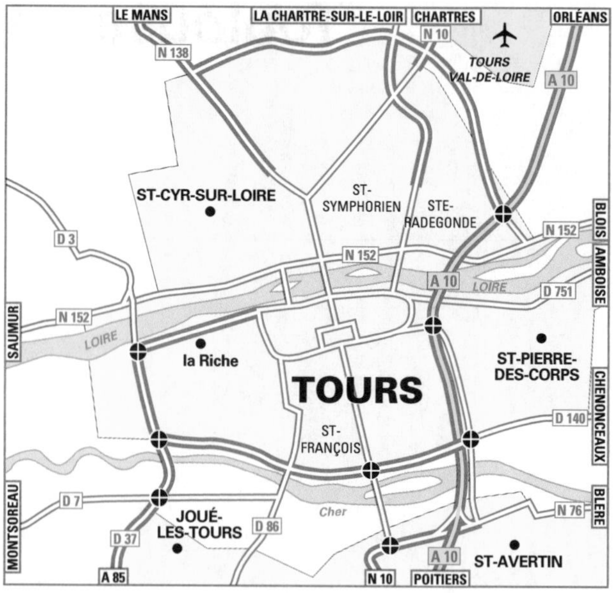

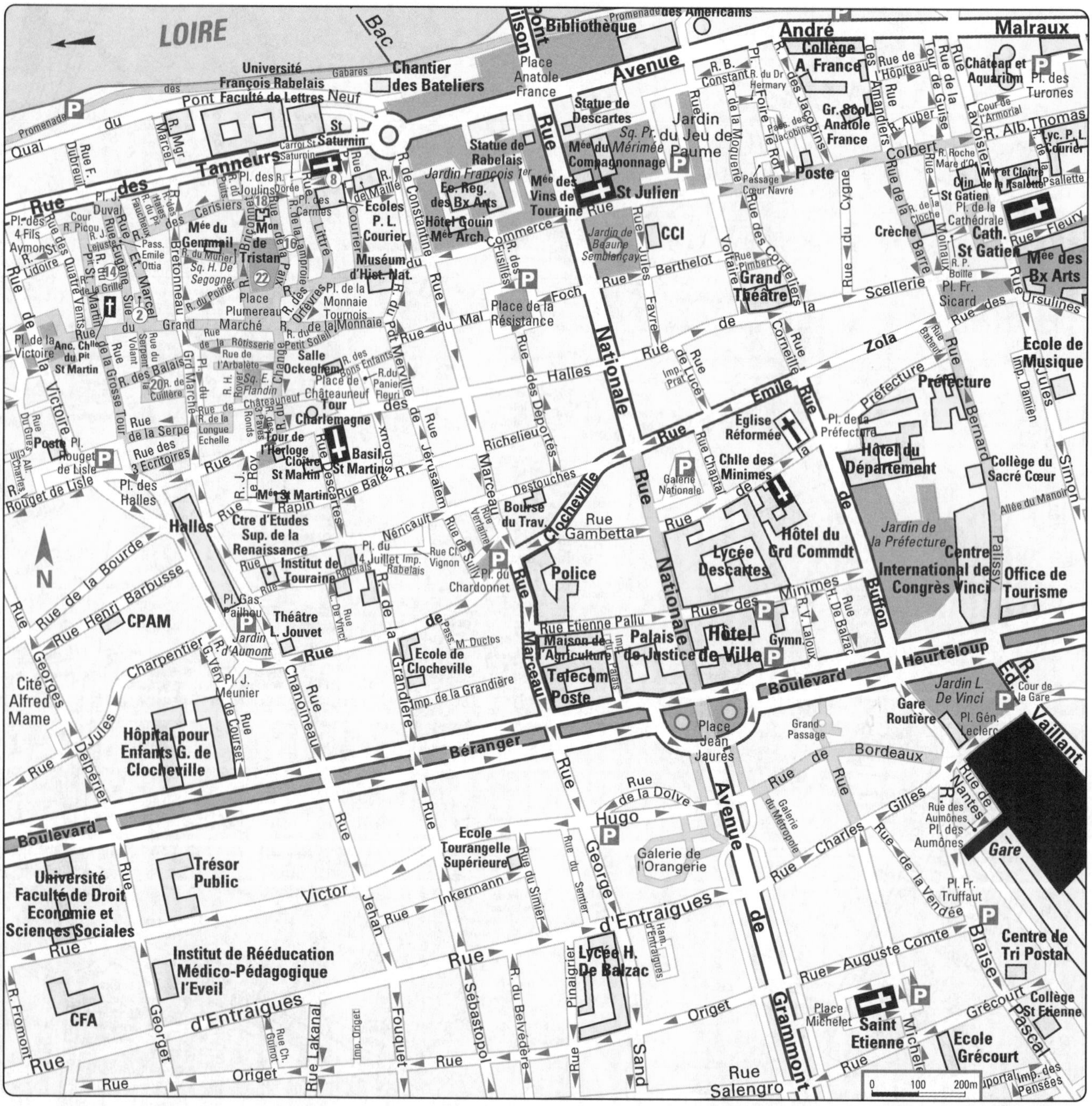

② Cour Edouard André ; ⑧ Rue des Carmes ; ⑱ Jardin Chanoi ; ⑭ Carroi aux Herbes ; ⑯ Place de la Lamproie ; ㉒ Jardin Saint Pierre Le Puëllier ; ⑳ Jardin du Vert galant

Nice

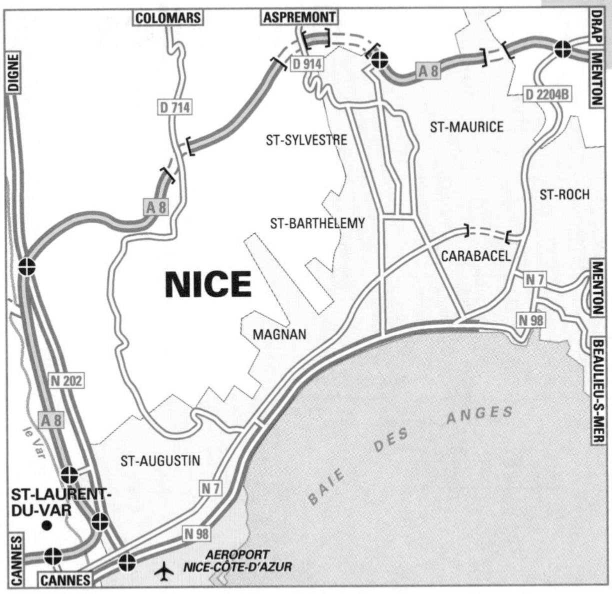
COLOMARS
ASPREMONT
DRAP
MENTON
DIGNE
D 914
A 8
D 714
D 2204B
ST-SYLVESTRE
ST-MAURICE
ST-ROCH
ST-BARTHÉLEMY
CARABACEL
NICE
N 7
MENTON
N 98
MAGNAN
BEAULIEU-S-MER
N 202
BAIE DES ANGES
le Var
ST-AUGUSTIN
ST-LAURENT-DU-VAR
N 7
N 98
CANNES
CANNES
AEROPORT NICE-CÔTE-D'AZUR

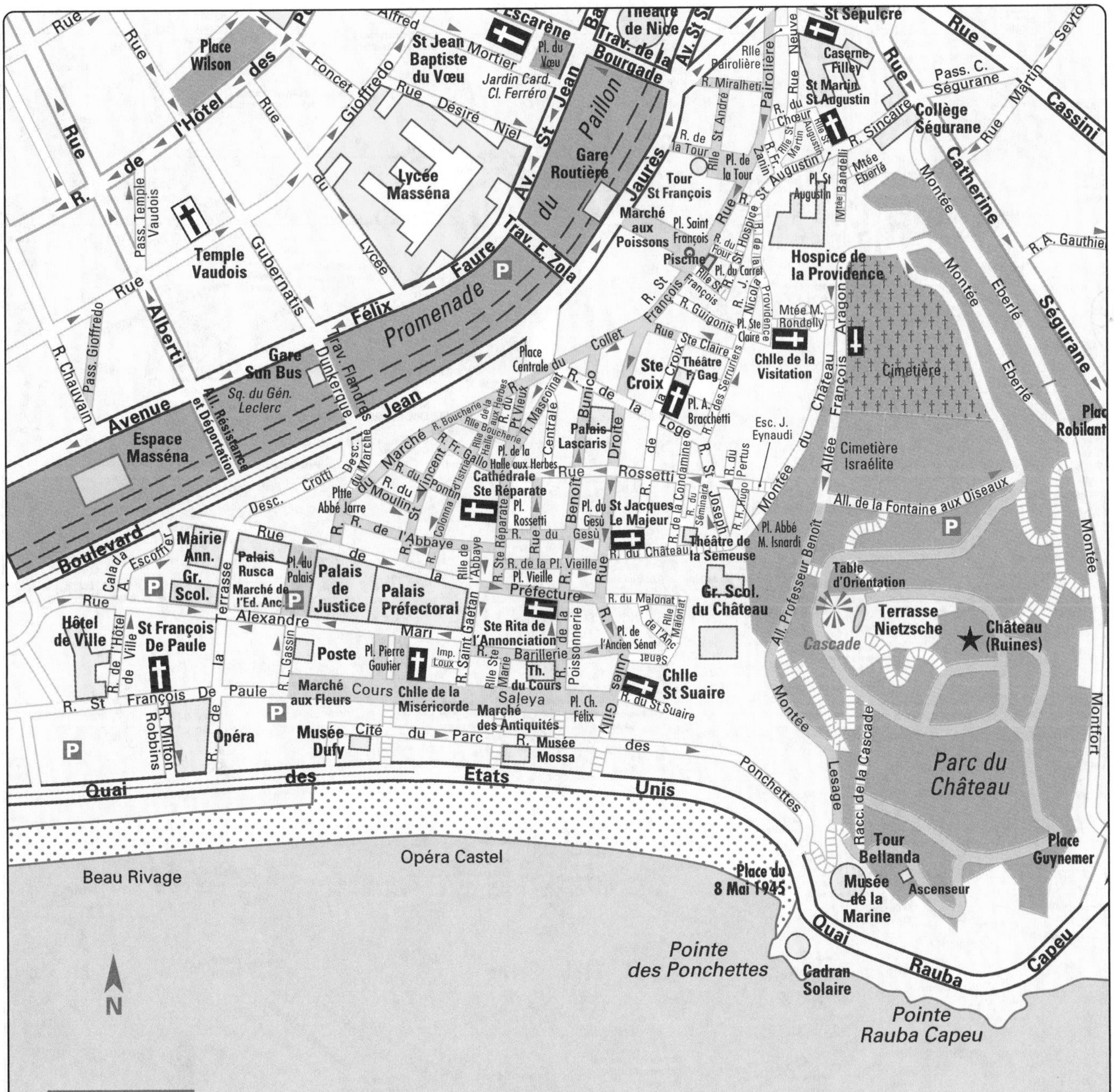
Place Wilson
St Jean Baptiste du Vœu
Pl. du Vœu
Jardin Card. Cl. Ferréro
Théâtre de Nice
St Sépulcre
Caserne Filley
St Martin St Augustin
Collège Ségurane
Rue de l'Hôtel des Postes
Rue Gioffredo
Rue Désiré Niel
Lycée Masséna
Gare Routière
Paillon
Bourgade
Trav. de la Bourgade
Av. St Jean
Tour St François
Marché aux Poissons
Pl. Saint François
Piscine
Pl. St Augustin
Hospice de la Providence
Temple Vaudois
Pass. Temple Vaudois
Rue Gubernatis
Rue Alberti
Pass. Gioffredo
R. Chauvain
Promenade
Trav. E. Zola
Félix Faure
Gare Sun Bus
Sq. du Gén. Leclerc
All. Résistance et Déportation
Trav. Flandres Dunkerque
Espace Masséna
Avenue Jean Jaurès
Boulevard
Place Centrale
Ste Croix
Théâtre F. Gag
Pl. A. Bracchetti
Chlle de la Visitation
Mtée M. Rondelly
Cimetière
Cimetière Israélite
Montée du Château
Allée François Aragon
Esc. J. Eynaudi
Palais Lascaris
Cathédrale Ste Réparate
Pl. Rossetti
Rue Rossetti
Pl. du Gesù
St Jacques Le Majeur
Théâtre de la Semeuse
Pl. Abbé M. Isnardi
All. de la Fontaine aux Oiseaux
Table d'Orientation
Terrasse Nietzsche
Château (Ruines)
Cascade
All. Professeur Benoît
Mairie Ann.
Palais Rusca
Gr. Scol.
Palais de Justice
Palais Préfectoral
Marché de l'Ed. Anc.
Préfecture
Gr. Scol. du Château
Hôtel de Ville
St François De Paule
Poste
Pl. Pierre Gautier
Ste Rita de l'Annonciation
Chlle de la Miséricorde
Th. du Cours
Chlle St Suaire
Marché aux Fleurs
Cours Saleya
Marché des Antiquités
Pl. Ch. Félix
R. St François De Paule
Opéra
Musée Dufy
R. Milton Robbins
Cité du Parc
R. Musée Mossa
Rue des Ponchettes
Quai des Etats Unis
Parc du Château
Montée Lesage
Racc. de la Cascade
Tour Bellanda
Musée de la Marine
Ascenseur
Place Guynemer
Place Robilant
Montée Montfort
Opéra Castel
Beau Rivage
Place du 8 Mai 1945
Pointe des Ponchettes
Cadran Solaire
Quai Rauba Capeu
Pointe Rauba Capeu
Rue Ségurane
Rue Catherine Ségurane
Montée Eberlé
R. A. Gauthier
Rue Cassini
N
0
50
100m

Bruxelles

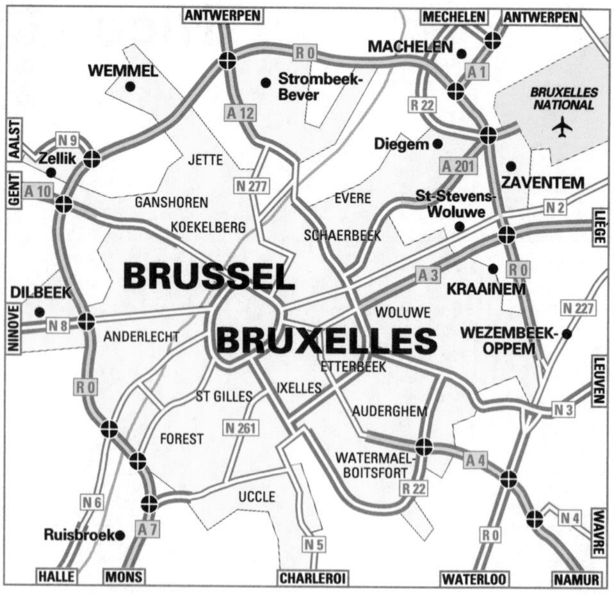
ANTWERPEN
MECHELEN
ANTWERPEN
MACHELEN
WEMMEL
Strombeek-Bever
BRUXELLES NATIONAL
Diegem
AALST
Zellik
JETTE
ZAVENTEM
GENT
GANSHOREN
EVERE
St-Stevens-Woluwe
LIÈGE
KOEKELBERG
SCHAERBEEK
BRUSSEL
KRAAINEM
DILBEEK
WOLUWE
NINOVE
ANDERLECHT
BRUXELLES
WEZEMBEEK-OPPEM
ETTERBEEK
LEUVEN
ST GILLES
IXELLES
AUDERGHEM
FOREST
WATERMAEL-BOITSFORT
UCCLE
WAVRE
Ruisbroek
HALLE
MONS
CHARLEROI
WATERLOO
NAMUR
R 0
A 1
R 22
A 12
N 9
A 201
N 277
A 10
N 2
A 3
N 227
N 8
N 3
N 261
A 4
N 6
A 7
N 4
N 5

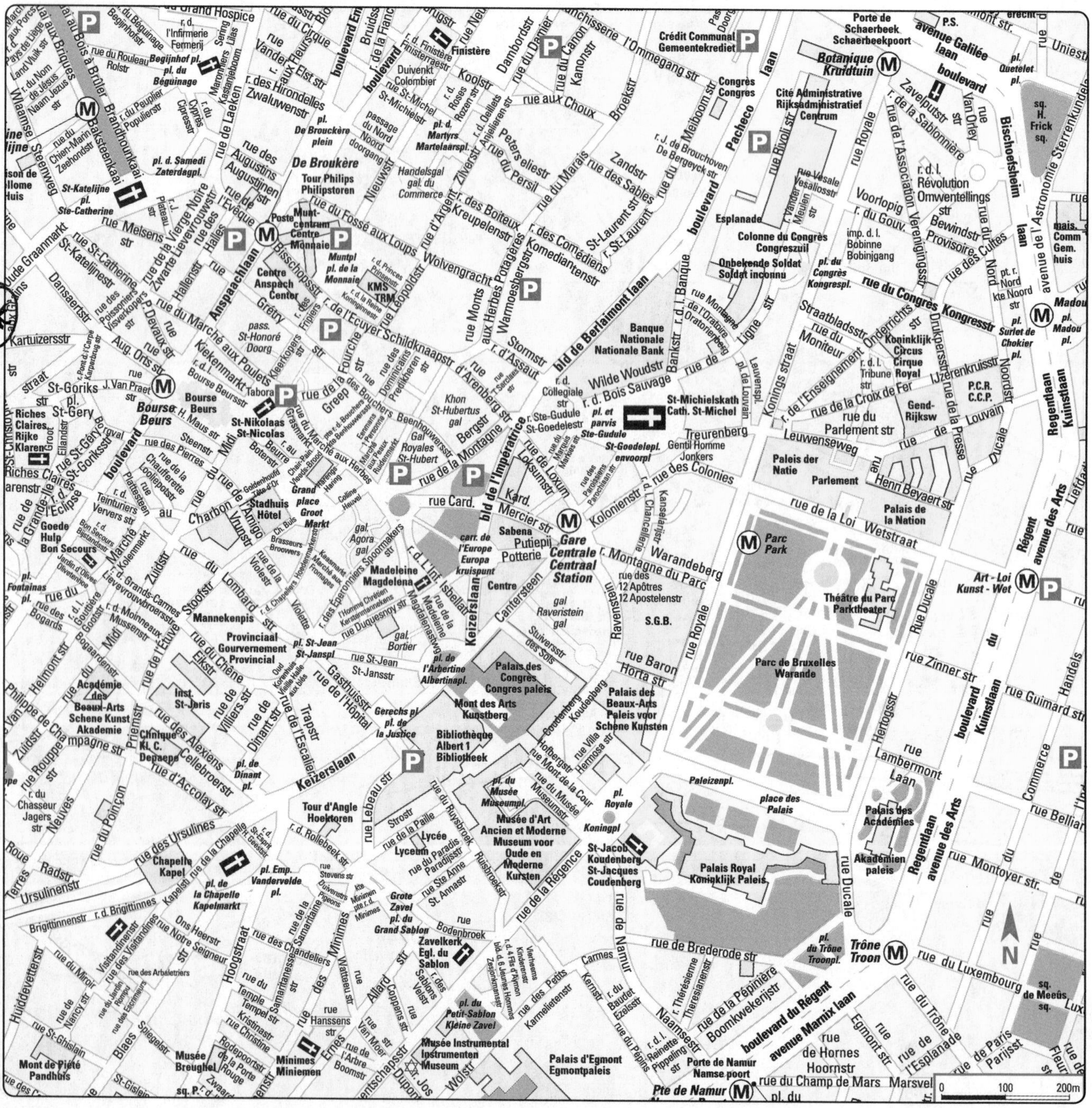
De Brouckère
Tour Philips
Philipstoren
Botanique
Kruidtuin
Cité Administrative
Rijksadministratief Centrum
Colonne du Congrès
Congreszuil
Banque Nationale
Nationale Bank
St-Michielskath
Cath. St-Michel
Bourse
Beurs
Grand place
Groot Markt
Stadhuis
Hôtel
Gare Centrale
Centraal Station
Palais de la Nation
Paleis der Natie
Parc
Park
Parc de Bruxelles
Warande
Théâtre du Parc
Parktheater
Palais des Congrès
Congres paleis
Mont des Arts
Kunstberg
Bibliothèque Albert 1
Bibliotheek
Palais des Beaux-Arts
Paleis voor Schone Kunsten
Musée d'Art Ancien et Moderne
Museum voor Oude en Moderne Kunsten
Palais Royal
Koninklijk Paleis
Palais des Académies
Académiën paleis
Mannekenpis
Chapelle
Kapel
Musée Instrumental
Instrumenten Museum
Palais d'Egmont
Egmontpaleis
Porte de Namur
Namse poort
Pte de Namur
Trône
Troon
Art - Loi
Kunst - Wet
Madou
boulevard Anspach
Anspachlaan
bld de l'Impératrice
Keizerinlaan
rue Royale
rue Ducale
rue de la Loi
Wetstraat
boulevard du Régent
Regentlaan
avenue des Arts
Kunstlaan
rue de Namur
rue du Luxembourg
boulevard Pachéco
rue Neuve
Nieuwstr
rue Haute
Hoogstraat
rue Blaes
Blaesstr
0
100
200m
N

Banlieue de Paris

• Paris suburbs • Vororte von Paris
• Buitenwijken van Parijs • Periferia di Parigi

Page	Carreau	Commune
334	**S-17**	Alfortville
333	**P-17**	Arcueil
328	**L-9**	Argenteuil
329	**O-11**	Asnières-sur-Seine
330	**R-11**	Aubervilliers
331	**V-9**	Aulnay-sous-Bois
333	**O-18**	Bagneux
330	**T-14**	Bagnolet
328	**L-10**	Bezons
332	**L-20**	Bièvres
330	**T-9**	Blanc-Mesnil (Le)
330	**T-12**	Bobigny
329	**N-11**	Bois-Colombes
331	**V-12**	Bondy
330	**T-8**	Bonneuil-en-France
335	**V-19**	Bonneuil-sur-Marne
332	**I-14**	Bougival
333	**M-16**	Boulogne-Billancourt
330	**T-10**	Bourget (Le)
333	**P-18**	Bourg-la-Reine
335	**X-15**	Bry-sur-Marne
332	**I-19**	Buc
333	**P-18**	Cachan
328	**K-11**	Carrières-sur-Seine
332	**I-15**	Celle-Saint-Cloud (La)
335	**W-16**	Champigny-sur-Marne
334	**S-16**	Charenton-le-Pont
333	**N-19**	Châtenay-Malabry
333	**N-17**	Châtillon
328	**J-12**	Chatou
332	**K-17**	Chaville
335	**X-18**	Chennevières-sur-Marne
332	**I-16**	Chesnay (Le)
334	**Q-19**	Chevilly-Larue
333	**N-18**	Clamart
329	**O-11**	Clichy
331	**X-12**	Clichy-sous-Bois
329	**M-11**	Colombes
328	**L-8**	Cormeilles-en-Parisis
329	**M-12**	Courbevoie
330	**S-10**	Courneuve (La)
335	**U-18**	Créteil
328	**I-13**	Croissy-sur-Seine
329	**P-8**	Deuil-la-Barre
330	**T-11**	Drancy
330	**T-9**	Dugny
329	**O-8**	Enghien-les-Bains
329	**O-9**	Épinay-sur-Seine
333	**N-18**	Fontenay-aux-Roses
335	**V-15**	Fontenay-sous-Bois
333	**P-20**	Fresnes
328	**K-8**	Frette-sur-Seine (La)
331	**X-13**	Gagny
332	**K-15**	Garches
329	**M-11**	Garenne-Colombes (La)
330	**S-8**	Garges-lès-Gonesse
329	**O-10**	Gennevilliers
334	**Q-17**	Gentilly
334	**Q-19**	Haÿ-les-Roses (L')
328	**K-10**	Houilles
329	**P-10**	Île-Saint-Denis (L')
333	**N-16**	Issy-les-Moulineaux
334	**R-17**	Ivry-sur-Seine
335	**U-16**	Joinville-le-Pont
332	**K-19**	Jouy-en-Josas
334	**Q-17**	Kremlin-Bicêtre (Le)
329	**O-12**	Levallois-Perret
330	**S-13**	Lilas (Les)
331	**W-10**	Livry-Gargan
332	**I-20**	Loges-en-Josas (Les)
332	**H-14**	Louveciennes
334	**T-17**	Maisons-Alfort
328	**J-9**	Maisons-Laffitte
333	**O-16**	Malakoff
332	**J-16**	Marnes-la-Coquette
328	**H-10**	Mesnil-le-Roi (Le)
333	**M-17**	Meudon
328	**I-11**	Montesson
331	**X-12**	Montfermeil
330	**Q-8**	Montmagny
331	**U-13**	Montreuil
333	**P-17**	Montrouge
328	**L-12**	Nanterre
335	**W-14**	Neuilly-Plaisance
335	**X-14**	Neuilly-sur-Marne
329	**N-13**	Neuilly-sur-Seine
335	**V-16**	Nogent-sur-Marne
335	**Y-19**	Noiseau
335	**Y-15**	Noisy-le-Grand
330	**U-12**	Noisy-le-Sec
335	**X-18**	Ormesson-sur-Marne
330	**S-12**	Pantin
331	**V-11**	Pavillons-sous-Bois (Les)
328	**H-12**	Pecq (Le)
335	**W-15**	Perreux-sur-Marne (Le)
330	**Q-9**	Pierrefitte-sur-Seine
333	**N-18**	Plessis-Robinson (Le)
328	**H-13**	Port-Marly (Le)
330	**S-13**	Pré-Saint-Gervais (Le)
329	**M-13**	Puteaux
335	**Y-18**	Queue-en-Brie (La)
331	**W-12**	Raincy (Le)
330	**T-12**	Romainville
331	**V-13**	Rosny-sous-Bois
328	**J-13**	Rueil-Malmaison
332	**L-15**	Saint-Cloud
330	**Q-9**	Saint-Denis
328	**H-11**	Saint-Germain-en-Laye
329	**O-8**	Saint-Gratien
334	**S-15**	Saint-Mandé
335	**V-17**	Saint-Maur-des-Fossés
334	**T-16**	Saint-Maurice
329	**P-11**	Saint-Ouen
329	**M-8**	Sannois
328	**K-10**	Sartrouville
333	**O-19**	Sceaux
331	**X-10**	Sevran
332	**L-16**	Sèvres
330	**R-9**	Stains
335	**W-19**	Sucy-en-Brie
329	**L-13**	Suresnes
334	**S-19**	Thiais
331	**Y-9**	Tremblay-en-France
335	**U-20**	Valenton
333	**O-16**	Vanves
332	**J-15**	Vaucresson
332	**K-18**	Vélizy-Villacoublay
332	**I-17**	Versailles
328	**I-12**	Vésinet (Le)
332	**K-16**	Ville-d'Avray
334	**Q-18**	Villejuif
331	**W-13**	Villemomble
329	**P-10**	Villeneuve-la-Garenne
331	**X-9**	Villepinte
330	**Q-9**	Villetaneuse
335	**X-16**	Villiers-sur-Marne
334	**T-15**	Vincennes
332	**J-17**	Viroflay
334	**S-18**	Vitry-sur-Seine

- Autoroute
- Autoroute en construction
- Route à chaussées séparées
- 10 Numéro d'échangeur
- Aire de service sur autoroute
- Limite de département
- Limite de commune
- Limite de parc Régional
- Route à 4 voies
- Route principale
- Route en construction
- Route secondaire
- Autre route
- Sens unique
- Porte de Paris
- Sortie du périphérique
- Aéroport / Aérodrome
- Ligne SNCF
- Gare
- Eglise, temple
- Synagogue
- Mosquée
- Piscine
- Patinoire
- Stade
- Ⓡ Gare RER
- Ⓜ Station de métro
- Ⓣ Station tramway
- Mairie / Hôtel de ville
- Château
- Site remarquable
- Hôpital, clinique
- Zone industrielle ou zone d'activités
- Centre commercial

FORÊT
DE SAINT GERMAIN
MAISONS-LAFFITTE
LA-FRETTE-SUR-SEINE
CORMEILLES-EN-PARISIS
SARTROUVILLE
HOUILLES
BEZONS
LE MESNIL-LE-ROI
MONTESSON
CARRIÈRES-SUR-SEINE
LE VÉSINET
CHATOU
LE PECQ
LE PORT-MARLY
CROISSY-SUR-SEINE
RUEIL-MALMAISON
NANTERRE
ST-GERMAIN-EN-LAYE
Hippodrome
Parc de Maisons Laffitte
Chau de Maisons
Station d'Épuration d'Achères
Piste d'Entraînement
Camp Militaire
Route des Pavillons
Route Neuve
La Croix de Berry
Croix de Noailles
Château de Vaux
Ecole Théophile Roussel
Marine Nationale
Port Autonome de Paris
Golf
Univ. Paris X
Nanterre Université
Préfecture
Maison d'Arrêt
Musée du Bois de Préau
Château de Malmaison
Mont Valérien
Mémorial France Combattante
Cimetière Américain
Musée de l'Air et de l'Espace
Technoparc
I.N.S.E.R.M.
Zone Industrielle
A 14
A 86
N 13
N 190
N 314
D 308
D 311
D 186
D 121
SEINE

54
332

ERMONT
SANNOIS
ST-GRATIEN
Lac d'Enghien
DEUIL-LA-BARRE
ENGHIEN-LES-BAINS
ÉPINAY-SUR-SEINE
VILLENEUVE-LA-GARENNE
L'ÎLE-SAINT-DENIS
GENNEVILLIERS
Port Autonome de Paris
SEINE
COLOMBES
BOIS-COLOMBES
ASNIÈRES-SUR-SEINE
LA GARENNE-COLOMBES
CLICHY
SAINT-OUEN
COURBEVOIE
LEVALLOIS-PERRET
NEUILLY-SUR-SEINE
PUTEAUX
SURESNES
Jardin d'Acclimatation
Parc de Bagatelle
BD PÉRIPHÉRIQUE
Pte de St-Ouen
Pte de Clichy
Pte d'Asnières
Pte de Champerret
Pte de Villiers
Pte des Ternes
Pte Maillot
Pte Dauphine
Pte Montmartre
17e
18e
9e
2e
SACRE COEUR
ARC DE TRIOMPHE DE L'ETOILE
Paris
2 km

54
330
333

MONTMAGNY
VAL D'OISE
95
GARGES-LÈS-GONESSE
BONNEUIL-EN-FRANCE
Aéroport de Paris Le Bourget
VILLETANEUSE
STAINS
PIERREFITTE-SUR-SEINE
DUGNY
Parc de la Courneuve
LA COURNEUVE
ST-DENIS
LE BLANC MESNIL
LE BOURGET
L'ÎLE-SAINT-DENIS
Musée de l'Air et de l'Espace
Parc des Expositions
Stade de France
SEINE
DRANCY
AUBERVILLIERS
BOBIGNY
Cimetière Parisien de Pantin Bobigny
Cimetière Parisien de Saint Ouen
Pte de Clignancourt
Pte de la Chapelle
Pte d'Aubervilliers
Pte de la Villette
PANTIN
Pte de Pantin
Pte Chaumont
ROMAINVILLE
LE PRÉ-ST-GERVAIS
LES LILAS
Pte du Pré-St-Gervais
Pte des Lilas
Buttes Chaumont
18e
19e
20e
SACRE CŒUR
Paris
BAGNOLET
NOIS
A1 - E19
A 86
A 3
329
334

U
V
W
X
Y
55
335
8
9
10
11
12
13
Parc des Expositions de Paris Nord Villepinte
Parc Départemental
Villepinte
Garonor
Citroën
AULNAY-SOUS-BOIS
VILLEPINTE
TREMBLAY-EN-FRANCE
SEVRAN
Canal de l'Ourcq
Parc Forestier de Sevran
LIVRY-GARGAN
Parc Georges Pompidou
Parc Forestier de la Forêt de Bondy
Forêt de Bondy
LES PAVILLONS-SOUS-BOIS
CLICHY-SOUS-BOIS
MONTFERMEIL
BONDY
LE RAINCY
VILLEMOMBLE
GAGNY
ROSNY-SOUS-BOIS
MONTREUIL
NEUILLY-PLAISANCE
Blanc Mesnil
Freinville Sevran
Hôpital R. Muret Bigottini
Hôpital Jean Verdier
Zone Industrielle
Table d'Orientation
A 1
A 3
A 3 - E 15
A 86
A 103
A 104
N 2
N 3
N 302
N 370
N 403
D 115
D 44
D 117
D 116
la Francilienne
2 km

328

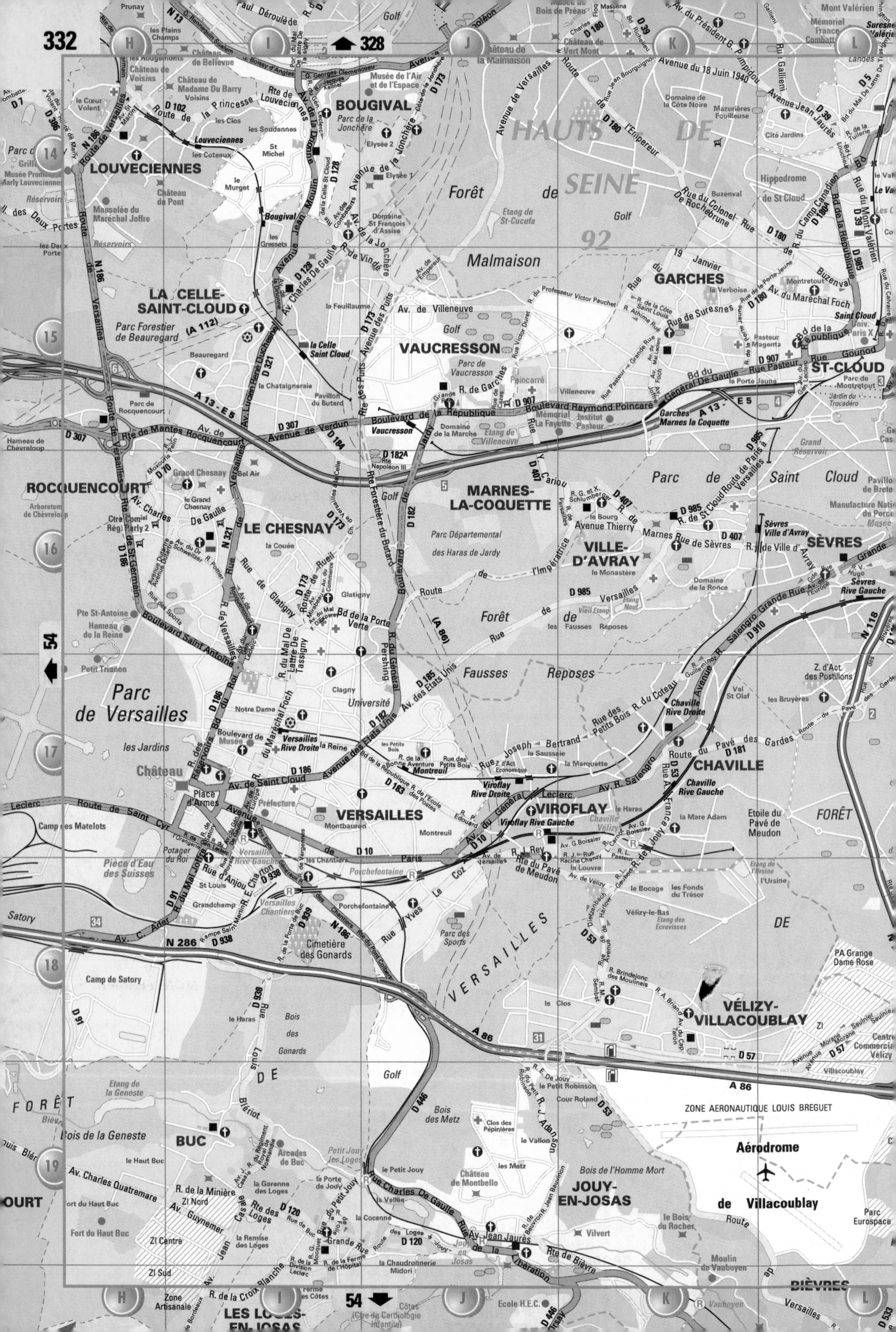
HAUTS DE SEINE
92
LOUVECIENNES
BOUGIVAL
LA CELLE-SAINT-CLOUD
VAUCRESSON
GARCHES
ST-CLOUD
ROCQUENCOURT
LE CHESNAY
MARNES-LA-COQUETTE
VILLE-D'AVRAY
SÈVRES
VERSAILLES
VIROFLAY
CHAVILLE
VÉLIZY-VILLACOUBLAY
BUC
JOUY-EN-JOSAS
LES LOGES-EN-JOSAS
BIÈVRES
Parc de Versailles
Château
Pièce d'Eau des Suisses
Camp de Satory
Forêt de Malmaison
Parc de Saint Cloud
Forêt de Fausses Reposes
Parc Départemental des Haras de Jardy
Bois des Gonards
Bois des Metz
Bois de l'Homme Mort
ZONE AERONAUTIQUE LOUIS BREGUET
Aérodrome de Villacoublay
Cimetière des Gonards
Musée de l'Air et de l'Espace
Etang de St-Cucufa
Hippodrome de St Cloud
Mont Valérien
Château de la Malmaison
Arboretum de Chèvreloup
Petit Trianon
Hameau de la Reine
A 13 - E 5
A 86
N 186
N 286
N 118
D 10
D 907
D 985
Versailles Rive Droite
Versailles Rive Gauche
Versailles Chantiers
Viroflay Rive Droite
Viroflay Rive Gauche
Chaville Rive Droite
Chaville Rive Gauche
Sèvres Ville d'Avray
Garches Marnes la Coquette
Vaucresson
Louveciennes
Bougival
La Celle Saint Cloud
Montreuil
Porchefontaine
Golf
H
I
J
K
L
14
15
16
17
18
19

54
54

329
334
Paris
BOIS DE BOULOGNE
Parc de Bagatelle
Pré Catelan
Hippodrome de Longchamp
Hippodrome d'Auteuil
16e
15e
14e
6e
1er
Pte Dauphine
Pte de la Muette
Pte de Passy
Pte d'Auteuil
Pte Molitor
Pte de St-Cloud
Q. d'Issy
Pte de Sèvres
Pte d'Issy
Pte de Versailles
Pte de la Plaine
Pte Brancion
Pte de Vanves
Pte de Châtillon
Pte de Montrouge
Pte d'Orléans
Pte d'Arcueil
Pte de Gentilly
Champ de Mars
Héliport de Paris
BD PERIPHERIQUE
BOULOGNE-BILLANCOURT
ISSY-LES-MOULINEAUX
VANVES
MALAKOFF
MONTROUGE
GENTILLY
MEUDON
CLAMART
CHÂTILLON
ARCUEIL
CACHAN
BAGNEUX
FONTENAY-AUX-ROSES
LE PLESSIS-ROBINSON
BOURG-LA-REINE
SCEAUX
CHÂTENAY-MALABRY
FRESNES
Cimetière Parisien
Parc Forestier
Domaine Départemental de Sceaux
Ecole Centrale des Arts et Manuf.
Parc de la Vallée aux Loups
Maison de Chateaubriand
Forêt
2 km

330

Paris
20e
11e
12e
13e
5e
4e
1e
BAGNOLET
Pte de Bagnolet
Père Lachaise
BD PERIPHERIQUE
Pte de Montreuil
VINCENNES
Pte de Vincennes
Pte de St-Mandé
Pte Dorée
ST-MANDÉ
BOIS DE VINCENNES
Lac Daumesnil
Jardin des Plantes
Pte de Charenton
Pte de Bercy
Pte de la Gare
Q. d'Ivry
Pte de Vitry
Pte de Choisy
Pte d'Ivry
Pte de Gentilly
Pte d'Italie
CHARENTON-LE-PONT
ST-MAURICE
GENTILLY
LE KREMLIN-BICÊTRE
IVRY-SUR-SEINE
ALFORTVILLE
MAISONS-ALFORT
VILLEJUIF
VITRY-SUR-SEINE
L'HAŸ-LES-ROSES
CHEVILLY-LARUE
THIAIS
VAL DE MARNE
94
Q
R
S
T
14
15
16
17
18
19

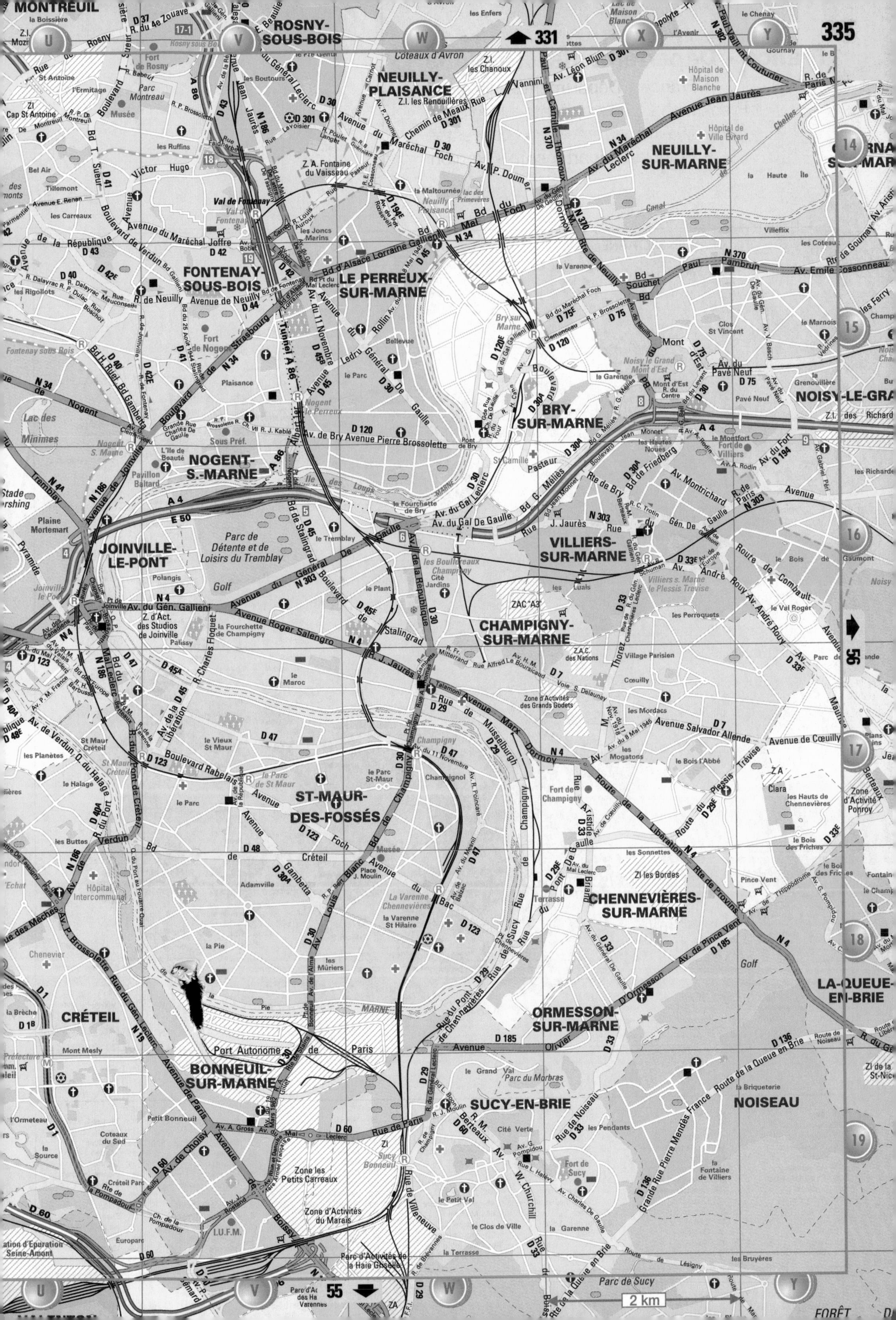
MONTREUIL
ROSNY-SOUS-BOIS
NEUILLY-PLAISANCE
NEUILLY-SUR-MARNE
FONTENAY-SOUS-BOIS
LE PERREUX-SUR-MARNE
BRY-SUR-MARNE
NOISY-LE-GRAND
NOGENT-S.-MARNE
JOINVILLE-LE-PONT
VILLIERS-SUR-MARNE
CHAMPIGNY-SUR-MARNE
ST-MAUR-DES-FOSSÉS
CHENNEVIÈRES-SUR-MARNE
LA-QUEUE-EN-BRIE
ORMESSON-SUR-MARNE
CRÉTEIL
BONNEUIL-SUR-MARNE
SUCY-EN-BRIE
NOISEAU
Parc de Détente et de Loisirs du Tremblay
Port Autonome de Paris
Hôpital de Maison Blanche
Hôpital de Ville Evrard
Hôpital Intercommunal
Fort de Rosny
Fort de Nogent
Fort de Champigny
Fort de Sucy
Lac des Minimes
Parc du Morbras
Parc de Sucy
Zone d'Activités du Marais
Zone les Petits Carreaux
Parc d'Activités de la Haie Griselle
Z.d'Act. des Studios de Joinville
ZI les Bordes
Golf
MARNE
A 4
A 86
N 4
N 34
N 186
N 303
N 370
331
55
56
2 km
FORÊT

France - Départements - Régions

• France - Departments - Regions
• Frankreich - Departements - Regionen
• Frankrijk - Departementen - Gewesten
• Francia - Dipartimento - Regioni

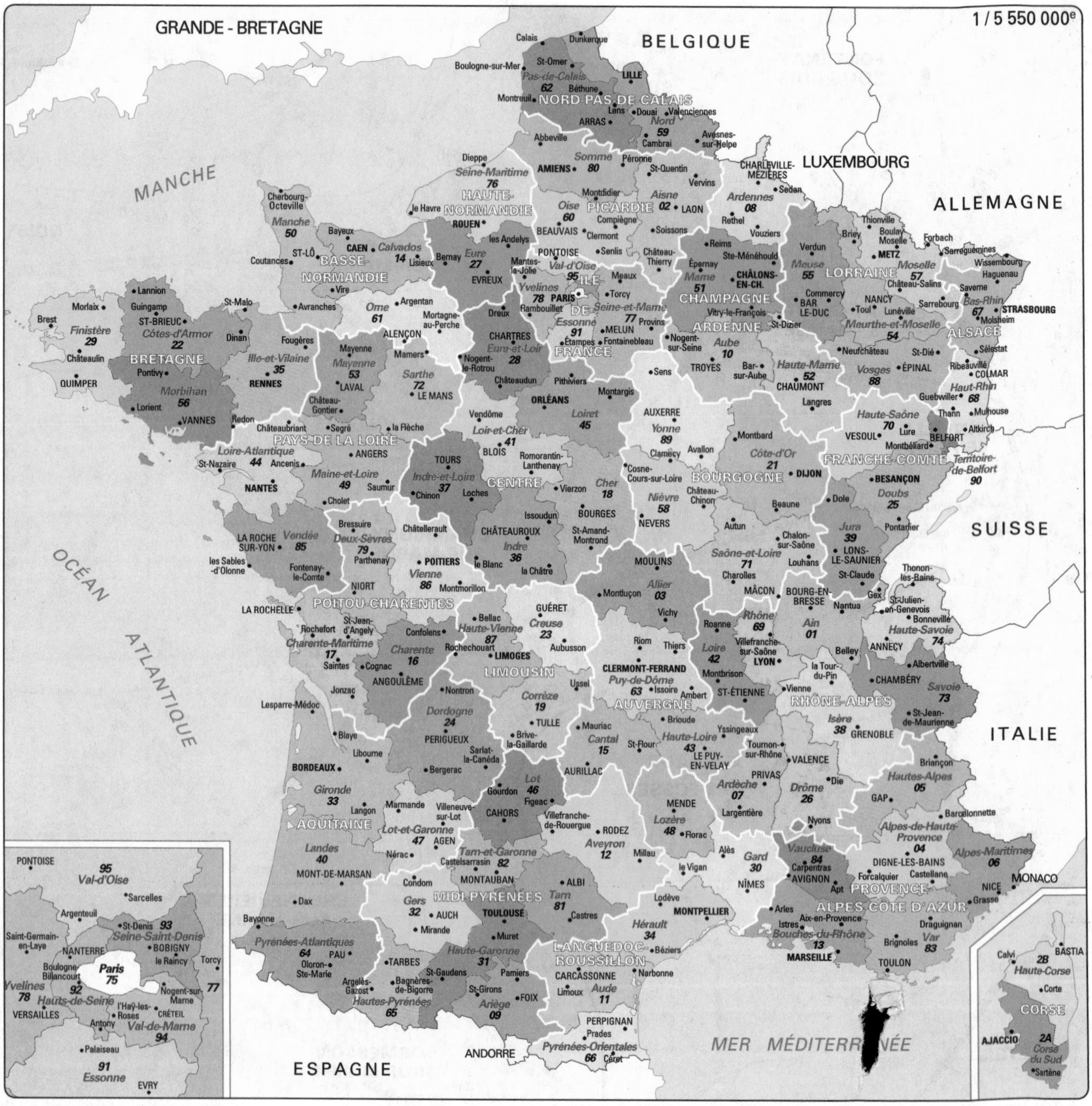

01 Ain
02 Aisne
03 Allier
04 Alpes-de-Haute Provence
05 Alpes (Hautes)
06 Alpes-Maritimes
07 Ardèche
08 Ardennes
09 Ariège
10 Aube
11 Aude
12 Aveyron
13 Bouches-du-Rhône
14 Calvados
15 Cantal
16 Charente
17 Charente-Maritime
18 Cher
19 Corrèze
2A Corse du Sud
2B Corse (Haute)
21 Côte-d'Or
22 Côtes-d'Armor
23 Creuse
24 Dordogne
25 Doubs
26 Drôme
27 Eure
28 Eure-et-Loir
29 Finistère
30 Gard
31 Garonne (Haute)
32 Gers
33 Gironde
34 Hérault
35 Ille-et-Vilaine
36 Indre
37 Indre-et-Loire
38 Isère
39 Jura
40 Landes
41 Loir-et-Cher
42 Loire
43 Loire (Haute)
44 Loire-Atlantique
45 Loiret
46 Lot
47 Lot-et-Garonne
48 Lozère
49 Maine-et-Loire
50 Manche
51 Marne
52 Marne (Haute)
53 Mayenne
54 Meurthe-et-Moselle
55 Meuse
56 Morbihan
57 Moselle
58 Nièvre
59 Nord
60 Oise
61 Orne
62 Pas-de-Calais
63 Puy-de-Dôme
64 Pyrénées-Atlantiques
65 Pyrénées (Hautes)
66 Pyrénées-Orientales
67 Rhin (Bas)
68 Rhin (Haut)
69 Rhône
70 Saône (Haute)
71 Saône-et-Loire
72 Sarthe
73 Savoie
74 Savoie (Haute)
75 Paris
76 Seine-Maritime
77 Seine-et-Marne
78 Yvelines
79 Deux-Sèvres
80 Somme
81 Tarn
82 Tarn-et-Garonne
83 Var
84 Vaucluse
85 Vendée
86 Vienne
87 Vienne (Haute)
88 Vosges
89 Yonne
90 Belfort (Territoire de)
91 Essonne
92 Hauts-de-Seine
93 Seine-Saint-Denis
94 Val-de-Marne
95 Val d'Oise